CORPVS
SCRIPTORVM ECCLESIASTICORVM
LATINORVM

EDITVM CONSILIO ET IMPENSIS

ACADEMIAE LITTERARVM CAESAREAE

VINDOBONENSIS

VOL. LV.

S. EVSEBII HIERONYMI

OPERA (SECT. I PARS II).

EPISTVLARVM PARS II:

EPISTVLAE LXXI—CXX.

RECENSVIT

ISIDORVS HILBERG

VINDOBONAE
F. TEMPSKY

LIPSIAE
G. FREYTAG (G. m. b. H.)

MDCCCCXII

SANCTI

EVSEBII HIERONYMI

EPISTVLAE

PARS II:

EPISTVLAE LXXI—CXX.

RECENSVIT

ISIDORVS HILBERG

VINDOBONAE
F. TEMPSKY

MDCCCCXII

LIPSIAE
G. FREYTAG (G. m. b. H.)

Typis expressit G. Freytag, Vindobonae.

S. EVSEBII HIERONYMI

EPISTVLAE LXXI—CXX.

LXXI.

AD LUCINUM BAETICUM.

1. Necopinanti mihi subito litterae tuae redditae sunt, quae quanto insperatae tanto gaudiorum plenae quiescentem animam suscitarunt, ut statim amore conplecterer, quem oculis ignorabam, et illud mecum tacitus musitarem: quis dabit mihi pennas sicut columbae et uolabo et requiescam, ut inueniam, quem dilexit anima mea? uere nunc in te dominicus sermo conpletus est: multi de oriente et occidente uenient et recumbent in sinu Abrahae. Cornelius, centurio cohortis Italicae, iam tunc Lucini mei praefigurabat fidem. apostolus Paulus scribens ad Romanos: cum in Hispaniam proficisci coepero, spero, quod praeteriens uideam uos et a uobis deducar illuc, tantis fructibus adprobauit, quid de illa prouincia quaereret. breui tempore ab Hierosolymis usque in Illyricum euangelii iaciens fundamenta Romam uinctus ingreditur, ut uinctos superstitionis

---

6 Ps. 54, 7   7 cf. Cant. 3, 4   8 *Matth. 8, 11   10 cf. Act. c. 10
12 Rom. 15, 24   15 cf. Rom. 15, 19   16 cf. Act. 28, 16

J = Vindobonensis lat. 934 s. IX.
Σ = Turicensis Augiensis 41 s. IX.
D = Vaticanus lat. 355 + 356 s. IX—X.
B = Berolinensis lat. 18 s. XII.

ad lucinum betticum $J\Sigma$ ad lucinum beticum DB; *Hieronymi nomen exhibent tituli omnium codicum*

3 nec *ex* hec *m 2 B*   mihi *ex* mi Σ 4 animum Σ 5 ut *om. D*
6 muss. ς quis — 8 conpl. est *om. DB*   7 quiescam ς inueniat ς
diligit ς 8 in te nunc Σ sermo dom. ς 10 italiae $\Sigma a.c.$ nunc
$\Sigma a.c.DB$ Lucinii ς 12 ispan. *D* yspan. $\Sigma p.c.$ span. $J,\Sigma a.c.$
coepero *s.l.*Σ cepero *DB*   14 quod *B*   quererit *D*   in breu (b *D*) i $\Sigma p.c.DB$ 15 hyerosolim. *J* hierusolym. *D* hieru (o *m2*) solim. Σ
ierosolim. *B*   in] ad ς, *om. B*   illir. *B* hillir. *D*   iacens $J,\Sigma a.c.$
16 superstitionibus et err. $J\Sigma$

erroribus liberos faciat. manet in hospitio conducto per biennium,
ut uobis utriusque instrumenti aeternam reddat domum. piscator
hominum misso rete apostolico te quoque quasi pulcherrimum
3 auratam inter innumera piscium genera traxit ad litus. reliquisti
amaros fluctus, salsos gurgites, scissuras montium et Leuiathan 5
regnantem in aquis cum Iesu deserta expetens contempsisti,
ut possis propheticum illud canere: in terra deserta et inuia
et inaquosa, sic in sancto apparui tibi et iterum: ecce
elongaui fugiens et mansi in solitudine. expectabam
eum, qui saluum me fecit a pusillanimitate spiritus 10
4 et tempestate. obsecro ergo te et moneo parentis affectu, ut,
qui Sodomam reliquisti ad montana festinans, postergum ne
respicias, ne aratri stiuam, ne fimbriam saluatoris, ne cincinnos
eius noctis rore madefactos, quod semel tenere coepisti, aliquando
dimittas, ne de tecto uirtutum pristina quaesiturus uestimenta 15
descendas, ne de agro reuertaris domum, ne campestria cum Loth
et amoena hortorum diligas, quae non inrigantur de caelo ut terra
sancta, sed de turbido flumine Iordane, postquam dulces aquas
Maris Mortui commixtione mutauit.

2. Coepisse multorum est, ad calcem peruenisse paucorum. 20
qui in stadio currunt, omnes quidem currunt, unus
autem accipit coronam. at e contra nobis dicitur: sic currite,

1 cf. Act. 28, 30   2 cf. Matth. 4, 19. Marc. 1, 17   6 cf. Matth. 4, 1   7 Ps. 62, 3
8 Ps. 54, 8—9   12 cf. Gen. 19, 16—26   cf. Luc. 9, 62   13 cf. Matth. 9, 20 etc.
cf. Cant. 5, 2   15 cf. Matth. 24, 17 etc.   16 cf. Matth. 24, 18   cf. Gen. 19, 18—23
17 cf. Deut. 11, 14   20 cf. Cic. Lael. 101   21 *I Cor. 9, 24   22 *I Cor. 9, 24

1 ospitio $\Sigma a.c.m2D$ 2 nobis ς instrumenti $\Sigma mg.DB$ testamenti
J, Σ in t.   3 misso rete] miscere te B misceret D reti $\Sigma p.c.$ pulcer-
rimum D pulcherrimam B 4 auratum $\Sigma p.c.m2$ inauratam B innumerũ J
numera $Da.c.m2$ 5 salsos maris J leuiatā B 7 ill. proph. $J\Sigma$
et s. l. m2 B in J et in D inuio ς imbio D 8 pr. et] et in ς
inaquoso JD apparuit J 9 solitudinē B exsp. Σ 10 me
saluum J 11 ergo om. ς ut s. l. Σ, om. J 12 post t. $\Sigma p.c.m2B$
13 fimbria J fimbriam et D tert. ne] nec in $J\Sigma$ cincinos D 14 madef.] add.
deseras s. l. m2 J quos ς tenere] habere Σ cepisti $\Sigma a.c.B$ 15 nec Σ
16 alt. nec Σ lot Σ 17 ortorum $\Sigma p.r.D$ diliges D rigantur Σ 18 sed
(d eras.) D turbidoso D turbinoso B Iordanis ς 19 commistione D
mutabit D 20 cepisse B calcem] culmen D 21 un. autem $J\Sigma$ un. DB
sed un. ς 22 accepit $JD, \Sigma a.c.$ ad $J, \Sigma a.c.$ e om. ς de nobis DB

ut adprehendatis. non est inuidus agonitheta noster nec alterius
palma alteri parat ignominiam. omnes athletas suos desiderat
coronari. gaudet anima mea et magnitudine laetitiae rem maeroris 2
patior, ut in lacrimas uerba prorumpant. Zacheus publicanus
5 ad unius horae conuersionem hospitem habere meruit saluatorem,
Martha et Maria conuiuio praeparato dominum suscipere. meretrix
lauat fletibus pedes et unguentis bonorum operum dominici corporis dedicat sepulturam. Symon leprosus inuitat magistrum
cum discipulis et non contemnitur. Abrahae dicitur: egredere
10 de terra tua et de cognatione tua et de domo patris
tui et uade in terram, quam monstrauero tibi. relinquit 3
Chaldaeam, relinquit Mesopotamiam; quaerit, quod nescit, ne perdat,
quem inuenerat. non enim arbitratus est simul habere se posse
et patriam et dominum, sed iam tunc illud prophetae Dauid opere
15 conplebat: aduena sum apud te et peregrinus sicut omnes
patres mei. Hebraeus, id est περάτης atque transitor, dum non
est praesenti uirtute contentus, sed praeteritorum obliuiscens in
futurum se extendit et scit illud: ibunt de uirtute in uirtutem,
mysticum sortitus est nomen et uiam tibi aperuit, quomodo non
20 quaeras ea, quae tua sunt, sed, quae aliena, et illos putes parentes,
fratres, adfines atque cognatos, qui tibi in Christo copulati sunt.

4 cf. Luc. 19, 1—10   6 cf. Luc. 10, 38—42   cf. Luc. 7, 37—50
8 cf. Matth. 26, 6 etc.   9 * Gen. 12, 1. cf. Act. 7, 3   11 cf. Act. 7, 4
15 * Ps. 38, 13   17 cf. Phil. 3, 13   18 Ps. 83, 8   19 cf. I Cor. 10, 24

1 conprehendatis *ΣB*   agonithaeta *Σ* agoneteta *J* agonotheta ς
nec] *seq. ras. 2—3 litt. B*   2 palmam *D,Ba.r.*   adhletas *Ba.c.* adletas *D*
ad laetas *Σa.c.*   3 coronare *B* consolare (l *ex* n *m2*) *D*   rem] et *J,Σa.c.m2*
merores *Σa.c.m2*   4 ut in *JB* ut *Σa.c.m2* ruth in *Σp.c.m2D*   lacrimis
J,Σa.c.m2   prorumpant (— pat *Σa.c.*) *codd.* prorumpunt ς   Zachaeus ς
puplicanus *D,om.* ς   5 orae (— e *D*) *ΣDa.c.m2*   conuersione *J*
mer. hab. *B*   6 suscepere *Bp.c.*ς suscipere meruerunt *JΣ*   7 domini
D,Ba.c.   8 sepultura *J*   Simon ς   9 non *om. J,Σa.c.*   contemn.
Ja.c.m2 contempn. *cet.*   10 *alt.* tua *om. Σ*   11 rel. chald. *in mg. Σ*
reliquit (— d) *utroque loco JΣ*   12 chaldeam *JΣ* caldeam *B*   13 quem]
quod *JΣ*   se habere ς   se *om. DB*   14 dominum *Bp.c.m2*ς
domum *cet.*   15 conplebat' (= conplebatur) *J* compleuerat (er *m2*) *D*
16 hebreus *JB*   id est] idem *D*   περάτης ς perotes *DB* hospes
(— is *Ja.c.m2*) *JΣ*   atque] uel *Σ*   19 uia *J*   20 *alt.* quae *s.l.J*

mater, inquit, mea et fratres mei hi sunt, qui faciunt
uoluntatem patris mei.

3. Habes tecum prius in carne, nunc in spiritu sociam, de
coniuge germanam, de femina uirum, de subiecta parem, quae
sub eodem iugo ad caelestia simul regna festinet. cauta rei familiaris 5
dispensatio et ad calculos rediens non cito deponitur. Ioseph cum
tunica Aegyptiam effugere non potuit. adulescens ille, qui opertus
sindone sequebatur Iesum, quia tentus fuerat a ministris, terrenum
abiciens operimentum nudus euasit. Helias igneo curru raptus
ad caelum melotem reliquit in terris. Heliseus boues et iuga prioris 10
operis uertit in uota. loquitur sapientissimus uir: qui tangit
picem, inquinabitur ab ea. quamdiu uersamur in rebus saeculi
et anima nostra possessionum ac redituum procuratione deuincta
est, de deo libere cogitare non possumus. quae enim participatio
iustitiae cum iniquitate aut quae societas luci ad tene- 15
bras? qui consensus Christi ad Belial? quae pars
fideli cum infidele? non potestis, inquit dominus, seruire
deo et mammonae. aurum deponere incipientium est, non
perfectorum. fecit hoc Thebanus Crates, fecit Antisthenes. se
ipsum offerre deo proprie Christianorum est et apostolorum, 20
qui duo cum uidua paupertatis suae in gazophylacio aera
mittentes totum censum, quem habuerant, domino tradiderunt
et merentur audire: sedebitis super duodecim solios iudicantes duodecim tribus Israhel.

1 Luc. 8, 21 et * Matth. 12, 50　　　6 cf. Gen. 39, 12　　　7 cf. Marc. 14, 51—52
9 cf. IV Reg. 2, 11—13　　　10 cf. III Reg. 19, 19—21　　　11 * Eccli. 13, 1
14 * II Cor. 6, 14—15　　　17* Matth. 6, 24 etc.　　　21 cf. Marc. 12, 41—44.
Luc. 21, 1—4　　　23 * Matth. 19, 28

1 hii *JD*　　5 eodem] eo *Σa.c.m2D*　　festinat *ς*　　6 et ad]ad *ex*
et *m2 J* et *Σa.c.*　　calculos *D* (*pr.* l *ex* u *m2*) *B mg. m2*　caucolos *Σ in mg.*
caulas *J*, *Σ in t.* caululas *B in t. m1*　　7 ae (e *Σ*) gyptia *JΣ* egypti *D*
egyptiam dominam *B*　8 syndone *JB* sidone *Σa.c.*　　9 Elias *ς*　　10 melotam *B*
meloten *ς*　　prius *Da.c.*　　13 nostra] a *add. JΣ*　　hac *D*　　15 lucis *Bp.c.m2ς*
17 fidelis *Dp.c.m2*　　infideli *ς*　　deo seru. *B*　　18 mamone *Da.c.m2*
19 *pr.* facit *D*　　tebanus *Σa.c.D* thebanis *J*　　grates *JΣ* socrates *B*
antistenes *codd.*　　20 et apost. est *Σ*　　21 qui duo cum *ex* quid uotum *m2D*
gazophilacio (— f — *D*) *DB* gazophilac (t *Σ*) ium *JΣ*　hera *D*　22 habuerunt *ΣD*
23 solios *DB* solia *ς* sedes *JΣ*　　iud. — Isr. *om. J,Σa.c.*

4. Haec et ipse intellegis quo animo replicem et quod sub
aliis uerbis te ad sanctorum locorum inuitem habitaculum. abundantia tua multorum inopiam sustentauit, ut et horum diuitiae
in tuam indigentiam redundarent. fecisti tibi amicos de iniquo
5 mammona, qui te reciperent in aeterna tabernacula. laudanda res
et apostolicorum temporum uirtutibus coaequanda, quando uenditis
possessionibus suis credentes afferebant pecunias atque fundebant
ante pedes apostolorum ostendentes auaritiam esse calcandam.
sed dominus magis quaerit animas credentium quam opes. legimus: 2
10 redemptio animae uiri propriae diuitiae. possumus quidem
diuitias proprias intellegere, quae non de alieno, non de rapinis
sunt, iuxta illud: honora dominum de tuis iustis laboribus,
sed melior est illa intellegentia, ut diuitias proprias cognoscamus
thesauros absconditos, quos nec fur possit suffodere nec latro
15 uiolentus eripere.

5. Opuscula mea, quae non sui merito, sed bonitate tua desiderare
te dicis, ad describendum hominibus tuis dedi et descripta uidi
in chartaceis codicibus ac frequenter admonui, ut conferrent
diligentius et emendarent. ego enim tanta uolumina prae frequentia
20 commeantium et peregrinorum turbis relegere non potui et, ut ipsi
probauere praesentes, longo tentus incommodo uix diebus quadragesimae, quibus ipsi proficiscebantur, respirare coepi. unde, si 2
paragrammata reppereris uel minus aliqua descripta sunt, quae
sensum legentis inpediant, non mihi debes inputare, sed tuis et
25 inperitiae notariorum librariorumque incuriae, qui scribunt non, quod

4 cf. Luc. 16, 9   6 cf. Act. 4, 34—35   10 * Prou. 13, 8
12 * Prou. 3, 9   14 cf. Matth. 6, 20

1 intelleges *JΣ*   2 habundantia (h *eras. Σ*) *codd.*   3 inopia *J*
sustentabit *JΣ*   5 mamona *DB*   recipiant *JΣ*   6 apostolorum *Σ*
temporibus *Ba:c.*   adaequanda *JΣ*   quando] quomodo *J*   7 afferebat *Σa.c.*
10 proprias diuitias *Σ* proprias diuitias propriae *J*   11 rapinis] alieni (*sic*) *J*
12 sint *JΣ*   iuxta illud *om. D*   deum *B*   tuis iustis] tua sub̄a
(a sub̄a *m2 in ras.*) *B*   laboribus *del. m2 B*   13 melior est *ex* meliorem *m2D*
illa *ex* illic *B*   14 tesauros *B*   possit *om. J,Σa.c.*   effodere *JΣ*
16 suo *Σa.c.*   17 tuis hom. *JΣ*   18 carth (h *s. l. m2 Σ*) ace (i *J*) is *JΣB*
ammonui *JΣ*   19 prae *om. J,Σa.c.*   20 commeantum *D*   relegere] replere
ex relere *D*   22 cepi *Σa.c.m2B*   23 paragramata *D, B* (*ex* paragrata *m2*)
reppereris *Σa.c.DB*   24 imutare *Ba.c.m2*   tuis] *s. l. add.* pueris *m2D*
25 librorumque *Ja.c.* librariorum *Ba.c.*

inueniunt, sed, quod intellegunt, et, dum alienos errores emendare
nituntur, ostendunt suos. porro Iosephi libros et sanctorum Papiae et
Polycarpi uolumina falsus ad te rumor pertulit a me esse translata, quia
nec otii nec uirium est tantas res eadem in alteram linguam exprimere uenustate. Origenis et Didymi pauca transtulimus uolentes 5
3 nostris ex parte ostendere, quid Graeca doctrina retineret. canonem
Hebraicae ueritatis excepto octateucho, quem nunc in manibus
habeo, pueris tuis et notariis describendum dedi — septuaginta interpretum editionem et te habere non dubito — et ante annos plurimos
diligentissime emendatum studiosis tradidi. nouum testamentum 10
Graecae reddidi auctoritati. ut enim ueterum librorum fides de Hebraeis
uoluminibus examinanda est, ita nouorum Graeci sermonis normam
desiderat.

6. De sabbato quod quaeris, utrum ieiunandum sit, et de
eucharistia, an accipienda cotidie, quod Romana ecclesia et Hispaniae 15
obseruare perhibentur, scripsit quidem et Hippolytus, uir diser-
tissimus — † in carptim diuersi auctores in uariis auctoribus edidere —,
sed ego illud breuiter te admonendum puto, traditiones ecclesiasticas — praesertim quae fidei non officiunt — ita obseruandas, ut a
maioribus traditae sunt, nec aliarum consuetudinem aliarum con- 20
2 trario more subuerti. atque utinam omni tempore ieiunare possimus,
quod in Actibus apostolorum diebus pentecostes et die dominico
apostolum Paulum et cum eo credentes fecisse legimus — nec tamen
Manicheae hereseos accusandi sunt, cum carnalis cibus praeferri

---

22 cf. Act. 13, 2—3

1 emendare *om. J,Σa.c.*   2 ioseppi *J* ioseppys *D*   3 policarpi *JDB*
4 odii *D; add.* mei *D*   altera lingua *J*   5 et] *add.* sancti *D,Σp.c.m2Ba.c.m2*
didimi *codd.*   7 hebreicae *D* ebraice *B*   octatheuco *D* octateuco *B* pen-
t(th *J*)atheuch(cch *Ja.r.*)o *JΣ* heptateucho ç   8 dedi descr. ç   *parenthesis signa
posuit Engelbrecht*   10 emendatam *B*ç   11 de *om. J,Σa.c.*   12 norma *J*   15 heuca-
ristia *B*   an *ex* non *J*   cottidie (—ae *J*) *JΣ*   Romanae ecclesiae ç   16 hyppolit.
B yp(pp*Σp.c.*) olit. *JΣ* ippolit. *D*   dissert. *Ba.c.m2* quidem (*ex* qui *m2*) dissert. *D*
17 *pr.* in] et *B*   carpam *Ba.c.*   auctores] auctoris *Σp.c.m2D* scriptores ç
alt. in] e ç   18 te *om. JΣ*   ammon. *D*   19 officiant *D*   20 aliorum *utroque loco* ç
21 atque *om. B*   22 diebus— 23 apost. *in mg. inf. Σ, om. J*   pentecostes
B—sten *Σmg.*—ste *D*   diem *D*   24 manicheos *Σ*   hereses *Σa.c.*
hereticus *D*

non debuerit spiritali —, eucharistiam quoque absque condemnatione
nostri et pungente conscientia semper accipere et psalmistam audire
dicentem: gustate et uidete, quam suauis est dominus,
et cum eo canere: eructuauit cor meum uerbum bonum!
5 nec hoc dico, quo festis diebus ieiunandum putem et contextas 3
quinquaginta diebus ferias auferam, sed unaquaeque prouincia
abundet in sensu suo et praecepta maiorum leges apostolicas
arbitretur.

7. Duo palliola et amphimallum de tuis usibus uel utenda uel
10 sanctis danda suscepi. ego insignia paupertatis et cotidianae symbola
paenitentiae tibi et sorori tuae misi, quattuor ciliciola apta proposito
et usibus uestris et codicem, hoc est uisiones Esaiae ualde
obscurissimas, quas nuper historica explanatione disserui, ut, quotienscumque mea opuscula uideris, totiens amici dulcissimi recor-
15 datus nauigationem, quam parumper distuleras, pares. et quia 2
non est in homine uia eius et a domino gressus hominis diriguntur,
si forte — quod procul absit — aliquid fuerit inpedimento, quaeso, ut,
quos caritas iungit, terrarum longitudo non separet et absentem
Lucinum nostrum semper praesentem litterarum uicissitudine
20 sentiamus.

3 *Ps. 33, 9   4 Ps. 44, 2   7 cf. Rom. 14, 5   16 cf. Hier. 10, 23
cf. Prou. 20, 24

1 debuerat *J*   heucaristiam *B*   condempnatione (—nem *D*) *DB*
2 psalm.] *add.* semper *D*   ·   3 quam] quoniam *Σ*   4 eructauit *B*
5 quod *JΣ*   dieb. fest. *ç*   constitutas *JΣ*   6 feriis *D, om. B*
7 habundet (h *eras. Σ*) *codd.*   suo sensu *B*   9 amphimalum *Ja.c.*
amphibalum *B*   *pr.* uel *s. l. m2 Σ*   10 cott. *JΣ* cotidiani *D*   symbula *JΣ*
simbola *B* simbolia *D*   11 ciliciala *D*   12 hoc] id *JΣ*   est] *add.*
decem *ç*   uisionis *ΣD*   esaye *B* Isaiae *ç*   13 deserui *J,Σa.c.*
14 amici *ex* animi (*ut uid.*) *B*   16 et] sed *JΣ*   hominum *JΣ*   17 abs. proc. *Σ*
impedimenti *ç*   19 Lucinium *ç*   20 sent.] *add.* explicit ad lucinum *JΣ*

LXXII.

AD VITALEM PRESBYTERUM.

1. Zenon nauclerus, per quem mihi dicis tuae sanctitatis litteras esse transmissas, unam tantum et breuem epistulam beati papae Amabilis reddidit solita munuscula continentem. satisque miror, 5 quid causae fuerit, ut, cum in benedictionibus et tuis et illius perferendis fidelis extiterit, in reddenda epistula neglegens adprobetur. neque enim te falli arbitror, discipulum ueritatis, nisi forte Graeco 2 homini Latinus sermo inter chartulas oberrauit. itaque ad secundam rescribo epistulam, quam mihi sanctus filius meus Heraclius diaconus 10 reddidit, in qua inter cetera deprecaris, ut exponam tibi causas, quare Salomon et Achaz undecim annorum filios genuisse dicantur. si enim duodecimo anno Salomon super Israhel accepit imperium et quadraginta annis regnauit in Hierusalem filiusque eius Roboam, cum quadragesimum et primum annum ageret aetatis, patri successit 15 in regnum, perspicuum est undecim annorum fuisse Salomonem siue decem, quia decem menses a conceptu usque ad partum sibi

---

14 cf. III Reg. 11, 42. II Par. 9, 30　　　15 cf. III Reg. 14, 21

𝔄 = *Veronensis rescriptus XV. 13 s. VIII.*
D = *Vaticanus lat. 355 + 356 s. IX—X.*
N = *Casinensis 295 s. X.*
o = *Palatinus lat. 209 s. X.*
e = *Sessorianus 30 (Bibl. Nat. Rom. 1570) s. XI.*
B = *Berolinensis lat. 18 s. XII.*

ad uitalem p̅r̅b̅m̅ 𝔄 ad uitalem p̅b̅r̅u̅m̅ de salomone et achaz, quomodo salomon et achaz undecim annorum genuisse dicantur filios *De* ad uitalem e̅p̅m̅ (presbiterum *B*), quomodo salomon et achaz (acaz *B*) undecim annorum filios genuisse (genuisse filios *N* genuisse *B*) dicantur (*om. N*) *N o B; Hieronymi nomen* (eiusdem 𝔄) *exhibent tituli codicum praeter B*

3 zeno *Ne*　　nauclerius *N*　　5 amabili *B*　　soluta *e*　　que *om. N*
6 quod *o*　　praeferendis *D* perferendus sit *N*　　7 retenta *B* retinenda *e*
appr. *No* abpr. *B* comprobetur ς　　8 te falli] fallit te *o*　　te *om. N*　　9 hominis *B*
latinis *Na.c.* in latinis *o*　　cartulas *oB*　　10 fil. m. sanctus *B*　　eracli (y *D*)-
us *DoeB*　　diac. *om.* 𝔄 (*cf. epist. LXVIII init.*)　　12 acaz *B*　　13 duodecim
annorum *N*　　14 iherus. *B*　　eius *s. l. m2 e*　　15 et prim. *om. De*
succedit *N*　　16 salomon *De,Np.r.*　　17 decim (*Da.c.*) — decim *De*

mater uindicat. rursum Achaz, filius Ioatham, cum uiginti esset 3
annorum, rex constitutus est super duas tribus, id est Iudam et
Beniamin, regnauitque annis sedecim; quo mortuo Ezechias, cum
uicesimum et quintum annum ageret aetatis, patri successit in
5 regnum. ex quo intellegitur Achaz quoque undecimo siue decimo
anno Ezechiam filium procreasse.
　2. Et si quidem in his historiis aliter haberent septuaginta
interpretes, aliter Hebraica ueritas, confugere poteramus ad solita
praesidia et arcem linguae tenere uernaculae; nunc uero, cum et ipsum
10 authenticum et ceteri interpretes pari auctoritate consentiant, non
in scriptura, sed in sensu est difficultas. quisne credet mortalium,
ut undecim annorum puer generet filium? multa et alia dicuntur 2
in scripturis, quae uidentur incredibilia et tamen uera sunt. neque
enim ualet natura contra naturae dominum — aut potest uas figulo
15 dicere: quare me ita fecisti aut ita? — licet, quod pro miraculo, signo
atque portento fit, legem naturae facere non possit. num, quia
nostra aetate duplex Lyddae natus est homo, duorum capitum,
quattuor manuum, uno uentre et duobus pedibus, omnes homines
ita nasci necesse est? legamus ueteres historias et maxime Graecas 3
20 ac Latinas, et inueniemus lustralibus hostiis secundum errorem
ueterem portentuosas soboles tam in hominibus quam in armentis ac
pecudibus expiatas. audiui — domino teste non mentior —: quaedam
muliercula cum expositum nutriret infantem et stillaret cibos ac

---

1 cf. IV Reg. 16, 2. II Par. 28, 1　　3 cf. IV Reg. 18, 2. II Par. 29, 1
14 cf. Rom. 9, 20

　1 uendicat B　　rursus o　　acaz B　　ioatam B Ioathan ς　　2 id est
super B　　4 et om. NoB　　gereret NB　　succedit N　　5 acaz B
decimo] duodecimo DeB　　7 his om. DNe　　hystor. eB istor. D　　habent De
8 interpretum N　　hebraica D　　solida e　　9 archem A artem D
cum] quia N　　et om. A　　10 autent. NoB,e a.c.　　11 quisne] quis
enim ς　　credet A credit NoB crederet De　　12 generaret ς　　et alia]
talia Bp.c.m2　　15 ita me B　　16 fit AB sit cet.　　posset ADe
num] nunc e　　17 lyddae o duddae A lidde cet.　　duum B　　18 unum ς
et om. e　　19 hystorias oe hi (i B) storicos NB　　grecos—latinos NoB
20 ac] et B　　21 ueterum B, om. De　　portentosas N,o (ex portentas)
soboles D　　tam om. e　　22 expiatis ADe　　audiui uidi A　　mentiar e
23 mulierculam A mulier NoB　　cum om. A　　nutriit N nutrit o
instillaret in N,oB (alt. in om.)　　ac] et D de e

nutricis officio fungeretur cubaretque cum ea paruulus, qui usque
ad decimum peruenit annum, accidit, ut plus, quam pudicitia
patitur, se mero ingurgitaret accensaque libidine obscenis motibus
4 coitum doceret infantem. prima ebrietas alterius noctis et ceterarum
deinceps fecit consuetudinem. necdum duo menses fuerant euoluti, 5
et ecce feminae uterus intumuit. quid plura? dispensatione dei
factum est, ut, quae contra naturam simplicitate paruuli in contemptum dei abutebatur, a naturae domino proderetur inpleto
sermone, quo dicitur: nihil occultum, quod non manifestetur.
     3. Simulque consideremus, quod occulte scriptura et Salomonem 10
et Achaz uoluptatis et inpietatis accuset. uterque enim, cum esset
2 de stirpe Dauid, recessit a domino. et alter in tantum secutus est
libidinem, ut septingentas habuerit uxores et trecentas concubinas
et adulescentulas et scorta passiua, quorum non erat numerus,
neglectoque deo patrum extruxerit idola gentium plurimarum 15
et fuerit non ut prius Ididia, id est amabilis domini, sed amator
mulierum, alter miserit ad regem Assyriorum auxilium postulans
et in tempore angustiae suae auxerit contemptum in dominum,
immolauerit diis Damasci uictimas, percussoribus suis, et in omnibus
urbibus Iuda extruxerit aras ad cremandum thus atque ad 20
iracundiam prouocauerit dominum deum patrum suorum in
tantum, ut direptis uasis domus dei atque confractis clauserit
ianuas templi dei et fecerit sibi altaria in uniuersis angulis Hierusalem ambulaueritque in uiis regum Israhel et statuas fuderit
Baalim et adoleuerit incensum in ualle filiorum Ennom et lustra- 25

9 *Luc. 8, 17. cf. Matth. 10, 26 etc.   13 cf. III Reg. 11, 3. Cant. 6, 7
16 cf. II Reg. 12, 25   17 cf. IV Reg. c. 16. II Par. c. 28

     1 tubaretque 𝔄   2 dec. iam ς   peruenerat *Bp.c.m2*ς   pudicia *N*
4 ad coi (cohi *e*) tum *De*   duceret 𝔄*De*   ẹbr. *N* hebr. *B*   5 fuerent 𝔄
euoluta *Ba.r.* uoluti 𝔄   6 et *om. No*   7 simplicitatē *Na.r.Bp.c.m2*
contemptu *DeB* contemtū (- *dubium*) 𝔄   8 dei] dn̄i 𝔄   inpleto] in lecto *De*
9 quo]quod *De*   manifestabitur *No*   10 et *om. NoB*   11 acaz *B*
uoluntatis *D*   essent *e*   13 LXX*D* LXX ta *e*   14 et adul. *om. B.*
lasciua *o*   15 patr. s̃uorum *B*   extrux̄ *B*   16 edidia *o* idida *B*
idia *De*, ? 𝔄   18 auserit *e*   domino *Ne*   19 immolarit *N* immola-
(lo *D*) ueritque *De*   20 iudeae *N*   tus *Ne*   22 directis *e*   domus *om. De*
dei] domini ς   23 fecerat *e*   iherus. *B* ier. ς   24 ambul.— 25 ualle
in mg.m2 (*in t. 6 litt. eras.*) *B*   25 bahalim 𝔄   incenssum 𝔄   Ennom
scripsi ennū 𝔄 ennon *NoB* ẹmnon *D*

uerit filios suos in igne iuxta ritum gentium, quas interfecit dominus
in aduentu filiorum Israhel. ex quo perspicuum est homines a 3
parua aetate libidini deditos inmatura eorum sobole demonstrari,
quod etiam eo tempore peccare coeperint, quo natura non patitur.
5   4. Ad summam illud dici potest, quod in regno Dauid Salomon,
cum duodecim esset annorum, solium patris obtinuerit et postea —
quia scriptura reliquit incertum — uixerit Dauid regnante iam filio
aliquot annis, qui sibi et non Salomoni inputentur, mortuo autem
patre post filius regnauerit annis quadraginta, quos sine parente
10 regnauit, atque ita et initium regni Salomonis et tempus, quo solus
ipse regnauit, ab historia demonstratum nec tamen omnes annos
uitae illius quinquaginta tantum et duorum annorum circulis contineri.
sin autem dubitas, quod regnantibus filiis patribusque uiuentibus 2
non filiis tempus regni eorum, sed parentibus inputetur, lege ipsum
15 Regnorum uolumen et inuenies, quod Ozias, rex Iuda, postquam
lepra percussus est, habitarit in domo separata et filius eius
Ioatham imperium rexerit iudicaueritque populum terrae usque
ad diem mortis patris sui et tamen post mortem illius, cum uiginti
et quinque esset annorum, sedecim annis regnasse dicatur, quot
20 solus ipse regnauerit. quod de Salomone intelleximus, et de Achaz
similiter intellegendum est, qui Ioathae filius, Ezechiae pater fuerit.
audiui quendam Hebraeum huiusce modi narrare fabulam iuxta 3
prophetiam Isaiae, quam inter decem uisiones nuper interpretatus
sum, quod mortuo Achaz Philistaea laetata sit et scriptura postea

---

15 cf. IV Reg. 15, 5—7. II Par. 26, 21—23   18 cf. IV Reg. 15, 33.
II Par. 27, 1

1 in *om.B*   ignē *No* igni *B*   3 libidinis *De*   subole 𝔄*o*
5 ad summam] assumam et *N*   quo *D*   6 patri *N*   optin. *No* obstin. *D*
7 quia] quod *B*   relinquit *o*   incertum an *B*   8 aliquos *De,Ba.c.m2*
aliquibus *N*   annos *DeB*   9 regnauit *D* regnaret *NoB* regē *e*   quos—10 regnauit]
spatium uacuum 14—15 litt. o   patre *NB*   10 ita *om. N*   pr. et *om. NB*
11 hyst. *oe* ist. *B*   dem. est *N*   13 parentibusque *N*   14 regni
eorum] *praeter re m2 in ras. B*   15 regum *NoB*   et inuen. *om. o*   oxias
e a. c. ozias siue azarias *No,Bp.c.m2*   16 habitaret *No* habitauit *e* habitabit *D,?*𝔄
separate *B*   17 ioatam *B* Ioathan *ς*   18 XXV*B* uiginti quinque *ς*
19 quot *scripsi* quod 𝔄*o* q̊ *e* quos *DN, B in ras. m2*   20 ipse solus *N*
et *om. ς*   acaz *B*   21 quia *NB*   ioathe *B* ioadae 𝔄 ioade *D*
ioiade *e*   22 quemadmodum *ς*   23 isaiae 𝔄*D* ysaie *B* esaiae (—e) *cet.*
24 quod] quo 𝔄   acaz *B*   philisstea *e* filisthea 𝔄   letata *ex* leta *B*

conminetur ac dicat: ne laeteris, Philistaea omnis tu, quoniam
comminuta est uirga percussoris tui. de radice enim
colubri egredietur regulus et semen eius absorbens
uolucrem, hoc est: de Achaz constituitur rex Ezechias. ex quo
intellegi uoluit non statim post patris mortem filium imperio 5
subrogatum, sed uel seditionibus populi uel quibusdam interregnis
aut certe prementibus malis et hinc inde consurgentibus bellis regnum
eius fuisse dilatum.

    5. In rebus obscuris diuersas ponimus opiniones, ut non tam
scribere quam loqui tibi coram uideamur. ceterum apostolus inter- 10
minabiles genealogias et Iudaicas fabulas prohibens de istius modi
mihi uidetur interdicere quaestionibus. quid enim prode est haerere
in littera et uel scriptoris errorem uel annorum seriem calumniari,
cum manifestissime scribatur: littera occidit, spiritus autem
uiuificat? relege omnes et ueteris et noui testamenti libros et 15
tantam annorum repperies dissonantiam et numerum inter Iudam
et Israhel, hoc est inter regnum utrumque, confusum, ut huiusce
modi se dedere quaestionibus non tam studiosi quam otiosi hominis
uideatur. munuscula libenter a te missa suscepi et inpendio precor,
ut in amore, quo nos appetere coepisti, ad finem usque perdures. 20
non enim coepisse, sed permansisse uirtutis est. nostra uicissim per
Desiderium missa suscipe.

    1 Esai. 14, 29   10 cf. I Tim. 1, 4. Tit. 1, 14. 3, 9   14 II Cor. 3, 6

    1 ac] et N   fhilisthea 𝔄   2 radicem 𝔄   3 egr. reg. *in mg. m2* B
et semen eius *om.* o   4 est *om.* 𝔄   constituetur (tur *in ras. m2* B) NoB
ex] et 𝔄   5 mort. patris ς   in imperium NoB 6 subiugatum 𝔄   puplī N
interregnis] inter se regnis id est iuda et samaria discordantibus B   8 fuisset o
delatum De   9 obscuris (uri *in ras. m2*) B   opinationes o   non *om.* e
10 uidear De   12 prode est 𝔄 prodest (*s. l. m2* B) *cet.*   13 et *om.* eB
scripturis De 14 scribat No 15 ueteres DN,o *a.c.m2* test.] instrumenti NoB
16 reperies ς, *om.* 𝔄   17 hoc] id De   ut qui B   18 se dedere uelit
(*del. m2*) quaest. B sedere quaest. o *a.c.m2* edere quaest. De quaest. sedere N
haerere quaest. ς   odiosi De   homines Doe; *add.* esse B   19 uideantur N
uidebantur De   munusc. ς munusc. tamen D munus tamen e munusc. tua NoB,
quid 𝔄 *praebuerit, non apparet* a te missa lib. ς   deprecor B precor ita N
20 in ς, *om. codd.* (*de* 𝔄 *non constat*)   21 non] neque N   uirt. est] *spat.*
uac. 13 litt. o   uic. per] uice semper N   22 desiderio o   suscipito NoB;
add. explicit sancti hieronimi ad uitalem 𝔄

LXXIII.

AD EUANGELUM PRESBYTERUM DE MELCHISEDECH.

1. Misisti mihi uolumen ἀδέσποτον et nescio, utrum tu de titulo nomen subtraxeris an ille, qui scripsit, ut periculum fugeret dispu-
5 tandi, auctorem noluerit confiteri. quod cum legissem, intellexi famosissimam quaestionem super pontifice Melchisedech illuc plurimis argumentis esse perductam, ut docere conatus sit eum, qui benedixerit tanto patriarchae, diuinioris fuisse naturae nec de hominibus aestimandum. et ad extremum ausus est dicere spiritum 2
10 sanctum occurrisse Abrahae et ipsum esse, qui sub hominis figura uisus sit. quomodo autem spiritus sanctus panem uinumque protulerit et decimas praedae, quas Abraham uictis quattuor regibus reportarat, acceperit, omnino tangere noluit; petisque, ut, quid

6 cf. Gen. 14, 18—20

n = *Cheltenhamensis 12261 s. VIII.*
Ω = *Colmarensis 41 s. IX.*
δ = *Cottonianus Vitellius C. 8 s. IX.*
q = *Monacensis lat. 14500 s. IX.*
d = *Casanatensis 641 (olim B. IV. 18) s. IX (continet frustulum p. 16, 13 non quod — 17 adscriptum).*
D = *Vaticanus lat. 355 + 356 s. IX—X.*
f = *Taurinensis G. V. 3 s. X.*
N = *Casinensis 295 s. X.*
B = *Berolinensis lat. 18 s. XII.*

ad euangelum (—lium *Da.r.*) presbiterum de melch (melc q) isedech nΩqD de melchisedech ad euuangelum presbyterum f ad eundem euangelum de melchisedec N ad eundem B ad damassum de nomine melchisedech δ eiusdem d; *Hieronymi nomen exhibent tituli in* nΩδqf,d (eiusdem)

3 uolumina δ   ade *CΠOTON (s. l.* spoton) N AΛECΠOTωN Ω AΛECΓOTO f METIOTON q exoton (ot *exp.*) δ AΛECYTONANMNYNN n anonimon a*CECΠOTON D ANωNIMONACETYωTωN B*   tu] tuum f de *s. l.* δ   tituli δ   4 nominis Ω nomine δ   retraxeris δ   an] aut n scripserit ΩB   ut *om.* δ   disp. fug. δ   fugere N fulgeret f   5 noluit Ωδf 6 famulosissimam (lo *eras.*) n   pontificem qDfNB   melchisedec B melcisedech q (*saepius*)   illis δ   7 fuisse Ω   ducere f   8 benedixit N tantum n   patriarcae δB —chen n   fuissent (n *exp.*) f   9 extim. fB existim. Ω   et *om.* Ω   10 et ipsum esse abrahe q   habrahe nB habraae f et ipsum esse *om.* n   ipse D   figurā N specie Ω   11 sit] fuit n protulit Ω   12 habraham nNB habraam f   13 reportaret B reportat δ deportarat N   accipit δ   quod f

3 mihi uel de scriptore uel de quaestione uideatur, respondeam. fateor,
uolui dissimulare sententiam nec me periculoso et φιλεγκλήμονι
miscere tractatui, in quo, quodcumque dixissem, reprehensores
habiturus forem. sed, rursum cum epistulam legerem et inuenissem
in extrema pagella miris me obtestationibus adiuratum, ne 5
spernerem precatorem, reuolui ueterum libros, ut uiderem, quid
singuli dicerent, et tibi quasi de multorum consilio responderem.
2. Statimque in fronte Geneseos primam omeliarum Origenis
repperi scriptam de Melchisedech, in qua multiplici sermone
disputans illuc deuolutus est, ut eum angelum diceret, isdemque 10
paene argumentis, quibus scriptor tuus de spiritu sancto, ille de
supernis uirtutibus est locutus. transiui ad Didymum, sectatorem
2 eius, et uidi hominem pedibus in magistri isse sententiam. uerti
me ad Hippolytum, Irenaeum, Eusebium Caesariensem et Emisenum,
Apollinarem quoque et nostrum Eustathium, qui primus Antiochenae 15
episcopus ecclesiae contra Arrium clarissima tuba bellicum cecinit,
et deprehendi horum omnium opiniones diuersis argumentationibus

---

1 *pr.* uel *om.* ꞃ   des ꞃ   scriptura *Ω,B*(a *ex* e)   uidetur *ſ*
responde (*ras. 1 litt.*) am *ſ*   2 noli desimulari *δ*   me peric.] periculome *Ω* me graui
periculo *δ*   periculose *N*   et *φιλ. om. δ*   ET *DN*   φιλεγκλήμονι *recte*
scriptum in ſ, cet. uariant   3 miscere *in ras.* m2 *B* misceri *Ω* misceret ꞃ mescire q*D*
tractaui *ΩqD* trachtaui *δ* curaui *in ras.* m2 *B*   quodc.] cumque *δ*   dixisset *ſ*
reprehensiores *D* —surus q —sionis *Ω* —sione *ſ*   4 hab. for.] haberem *δ*
habituros *DN,ſa.c., om. Ω*   fore *DB,Np.r.*   legissem aepistolam *δ*   epla *N*
legeret q   inuenisse *ſ*   5 coniuratum *DB*   6 praedicatorem *N*   resolui *Ω*
uolui *ſ*   libr. uet. *δ*   7 ibi *Ω ſ*   de *om. Ω*   consilium *N*   8 statim ꞃ
prima *N* in prima *δDB*   omel. *Ω* (*cſ. epist. XXXIII*) omil. ꞃq homel. *DſB*
homeliorum *N* homil. ꞩ humil. *δ*   9 reperi *δ*   scriptas *Ω* scrip (b ꞃ) tum ꞃ*DB*
scriptum esse *δ*   melchys. ꞃ   10 deuolutum q   eum *om. δ*   hisdemque ꞃ*ΩſN*
hiisdem *δ* his idemque *B* iisdemque ꞩ   11 poene argumentum *ſ*   12 loc. est *δ*
secutus ꞃq   didym. *N* dydym. *ſ* didim. *cet.*   13 penitus q   isse sent.] sent.
deuolutum *δ*   isse] esse q ipsa *N*   sententia *Np.r.*   uertit *N*   14 hyppolit. *Ω*
hipolit. *δ* yppolit. ꞃ*Dſ* ypolit. *N* ippolit. q ipolit. *B*   hireneum *ſN* hyreneum
(y *in ras.* m2 *B*) *ΩB* hirineum *δ* hyrineum ꞃ hereneum *D* hirintum q   cesar.
ꞃſ*NB* cessar. *δ*   15 appoll. *Ω* apol. *N*   nostrum et *DB* nostrum ꞃ   Eust. nostr. ꞩ
eustathium *ſ* —chium ꞃ —chum *δ* —sium *cet.*   prius *DB*   antiochynae *Ω*
antiocene *ſB* anthiocene *DN* ant (th ꞃ) iochiae (e q) ꞃδq   16 eccl. episc. ꞩ
episc. *om. ſ*   eccl.] *add.* fuit q fuit et *DB*   Arium ꞩ   tuba *om. δ*   bellicam q
bella *δ*   17 omn. hor. *δ*   harum *N*

ac deuerticulis ad unum conpetum peruenisse, ut dicerent Melchisedech hominem fuisse Chananaeum, regem urbis Hierosolymae,
quae primum Salem, postea Iebus, ad extremum Hierusalem
appellata sit, nec mirum esse, si sacerdos dei altissimi describatur
5 absque circumcisione et legalibus cerimoniis et genere Aaron,
cum Abel quoque et Enoch et Noe placuerint deo et uictimas
obtulerint et in Iob uolumine legerimus, quod ipse et oblator
munerum fuerit et sacerdos et cottidie pro filiis suis hostias
immolarit. et aiunt ipsum quoque Iob non fuisse de genere Leui,
10 sed de stirpe Esau, licet aliud Hebraei autument.

3. Quomodo autem Noe inebriatus in domo sua et nudatus atque
derisus a maiore filio typum saluatoris praebuit et populi Iudaeorum,
Samson quoque, amator meretricis et pauperis Dalilae, multo plures
hostium mortuus quam uiuus occiderit, ut Christi exprimeret
15 passionem, omnesque paene sancti et patriarchae ac prophetae in
aliqua re figuram expresserint saluatoris, sic et Melchisedech, eo
quod Chananaeus fuerit et non de genere Iudaeorum, in typum praecessisse sacerdotii filii dei, de quo dicitur in centesimo nono
psalmo: tu es sacerdos in aeternum secundum ordinem

4 cf. Gen. 14, 18   5 cf. Hebr. 7, 3. 11   6 cf. Gen. 4, 4   cf. Gen. 5, 22—24
cf. Gen. 8, 20—22   7 cf. Hiob 1, 1—5   11 cf. Gen. 9, 21—27   13 cf. Iudd.16, 30
19 Ps. 109, 4

1 diuert. *ΩqN*, *Bp.c.m*2 deuers. ɴ   competum *Ω* compitum *D* conputum *N*
diceret *N*   2 can (nn δ) aneum δ*fNB*   2 hierosolimae *Ωf* hierusolyme *D* hieru-
solimae (e *N*) δq*N* hyerusolime ɴ iherosolime *B*   3 primo *Ω*   postea—Hier. *om.* δ
hyersl̄ ɴ ihrl̄m *B* hierosolimā *f*   4 esse] est *Ω*   discribatur *f* describebatur δ
5 *pr.* et] ac *ex* ad *Ω*   cerem. *d* caerem. q   et gen.] ad genus *Ω* et non
de genere *B*   aron δ   6 habel *D*   enoc δq   placuer̄ *B*   domino *N*
7 opt. *Df* ob (p *N*) tulerunt q*N*   iob (*non* hiob) *codd.*   legeremus ɴ*f* legimus δ*B*
legamus ς   et ipse δ   8 fuit *B*   *alt.* et *s. l. N,m*2*B*   cotidie δ*DNB*
quot. ς   9 immolarit *fNB*—uerit *Ω* -ret. *cet.*   iob (*non* hiob) *codd.*   10 essau δ
licet et q*DB*   ebrei atumnant δ   11 autem et *N*   inhebr. *B* inebr. est *ΩN*
in domo sua *om.* δ   et] ac δ   12 dirissus δ   maiori *f* minori *ex* mori *N*
mediano q*DB*   noe tipum *N*   salu. praeb.] tenuit saluatoris *N*   et *in ras. 4
litt. m*2 *B*, *om. N* et Cham ς   13 multa *D*   14 moriturus δ   occiderat *Ωp.c.*
occidit ς   15 omnes quoque δ omnes quippe *N*   poenẹ *f*, *om. N*   et *om.* ɴ
ac proph. *om.* ɴ   ac] et δ*N*   in aliqua re] his aliquam *N*   16 expresserunt ς
salu. *om. N*   sīc (= sicut) δ   et *om. f*   melchisedehc *N*   17 ca-
n (nn δ) aneus ɴδ*fNB*   fuerat δ   praecessissent *Na.r.*, *om. D*   18 sacerdoti *f*
sacerdotis *DB*   de] in *f*   dicatur *Ω*   centensimo q

2 Melchisedech. ordinem autem eius multis modis interpretantur:
quod solus et rex fuerit et sacerdos et ante circumcisionem functus
sacerdotio, ut non gentes ex Iudaeis, sed Iudaei a gentibus sacerdotium acceperint, neque unctus oleo sacerdotali, ut Moysi praecepta
constituunt, sed oleo exultationis et fidei puritate, neque carnis et 5
sanguinis uictimas immolarit et brutorum animalium exta susceperit, sed pane et uino, simplici puroque sacrificio, Christi dedicauerit
sacramentum, et multa alia, quae epistolaris breuitas non recipit.
    4. Praeterea plenius esse tractatum in epistula ad Hebraeos,
quam omnes Graeci recipiunt et nonnulli Latinorum, quod iste 10
Melchisedech, id est 'rex iustus', rex fuerit Salem, id est 'rex pacis',
sine patre, sine matre, et, quomodo hoc intellegendum sit, uno
statim uerbo explicari ἀγενεαλόγητος, non quod absque patre et matre
fuerit, cum Christus quoque secundum utramque naturam et patrem
habuerit et matrem, sed quod subito introducatur in Genesi 15
occurrisse Abrahae a caede hostium reuertenti et nec ante nec postea
2 eius nomen feratur adscriptum. adfirmat autem apostolus, quod
Aaron sacerdotium, id est populi Iudaeorum, et principium habuerit
et finem, Melchisedech autem, id est Christi ecclesiae, et in praeteritum

---

4 cf. Leu. 8, 10—12   5 cf. Hebr. 1, 9   9 cf. Hebr. c. 7   11 cf. Hebr. 7, 2
13 cf. Hebr. 7, 3

    1 melchisedh *D*   ordines *ſ*   multis] ‖‖ (= quattuor) *δ*   2 quod] ·|·
(= primo) quod *δ*   *pr. et om. N*   et sac. fuerit *δN*   fuerit *om. Ω*
·‖· (= secundo) et ante *δ*   functus est *Ω* fructus ɴ, *om. N*   3 sacerdotium *N*
ut] et q   *alt.* iudeis (*s eras. N, exp. B*) *N B*   a] ex *ΩδN*   sacerd. ex gent.
(*transpon. sign. add.*) *δ*   4 .‖· (= tertio) neque *δ*   hunctus *B*   ut] sicut
(*eras.*) ut *Ω*   5 statunt (*sic*) *δ*   *pr. et om. δ*   ·‖· (= quarto) neque *δ*
6 imolarit *B* immolaret *δ*q -lauerit *ς, om. N*   et] nec *δ*   anim. sanguinem *D*
sanguinem anim. q*B*   exta (*s.l.* tharmas *m2*) *δ* et exta (et *et a in ras. m2*) *B*
escā *N* dextra *D* mixta q   susciperet *δ*   7 et puro *δ*   xpo *B*   8 qua q
breuitas *om. N*   recipit ɴq,*Ωa.c.*   9 in *om. ſ*   ebreos *δſB*   10 et] ut ɴ
11 melchiss. *ſ*   fuerit rex *δ*   Salem] hyerosolimę *ſ*   *tert.* rex *om. δ*
12 sine patre, sine matre *om.* ɴ   patre et *Ω*   et quomodo — ἀγεν. *om. δ*   in
uno *N*   13 ἀγεν. *uarie corruptum in codd.*   quo *Ω*   14 fuerit melchisedech *d*
quoque] utique q   utranque natura *ſ*   15 quo *Ω*   introducitur accurrisse
in genessi *δ*   16 abrahae ɴ,q(—e) habraae *ſ* abraham *ΩδD* abraam *dN*
habraham *B*   ac (c *eras.*) *N*   et] ut *Ω, om. N*   17 nom. eius *δ*   eius] ei *d*
referatur *N* refferatur *δ*   adfirma *ſ*   18 aron *δ*   19 melchissedech *ſ*
melchisedec *Ω*   x̄ps q x̄pi et *ſ, om. δ*   et in fut. et in praet. *δ*   in *s.l.m2 N*

et in futurum aeternum sit nullumque habuerit auctorem et quod
translato sacerdotio legis quoque mutatio fiat, ut nequaquam de
Agar ancilla et monte Sina, sed de Sarra libera et arce Sion
egrediatur uerbum domini et lex dei de Hierusalem. et difficultatem rei
5 prooemio exaggerat dicens: super quo multus nobis sermo
est et ininterpretabilis. si uas electionis stupet ad mysterium 3
et, de quo disputat, ineffabile confitetur, quanto magis nos uermiculi
et pulices solam debemus scientiam inscientiae confiteri et am-
plissimam domum paruo quasi foramine ostendere, ut dicamus
10 duo sacerdotia inter se ab apostolo conparata, prioris populi et
posterioris, et hoc agi tota disputatione, ut ante Leui et Aaron
sacerdos fuerit Melchisedech ex gentibus, cuius tantum praecedat
meritum, ut futuris sacerdotibus Iudaeorum in lumbis benedixerit
Abraham, totumque, quod sequitur in laudes Melchisedech, ad
15 Christi typum referri, cuius profectus ecclesiae sacramenta sunt.
   5. Haec legi in Graecorum uoluminibus et quasi latissimos
terrarum situs in breui tabella uolui demonstrare non extendens

2 cf. Hebr. 7, 12   3 cf. Gal. 4, 24—26   cf. Esai. 2, 3   5 *Hebr. 5, 11
6 cf. Act. 9, 15   11 cf. Hebr. 7, 4—10

1 quod *om.* п   2 translatus *D*   sacerdotium *N*   mut.] translatio δ
fiat (at *in ras. m2*) *B*   ut *om.* п   3 syna *D*   set *N*   et q, *om.* па.с.
sara *Bp.c.ς*   4 egreditur δ   dei uerb. et lex dom. δ dei *om.* пΩqN
hyersl п ihr̄lm*B*   diff. rei pr.] pro nimia dificultate re δ   5 proemio *f,B*
(proem *in ras. m2*) prohemio Ω praemio q*N* premio п*D* primo ς (*cf. Hebr. 5, 12*
elementa exordii *et 6, 1* inchoationis)   exagerat δ*f*   dicens *om.* п
super] de δ   mult. nob.] nob. grandis δ   sermo nobis Ω   6 est *om. f*
interpretabilis Ωq*DNB; add.* ad dicendum δ, non (uide, quid dixerit multus et
interpretabilis: non *B*) quia apostolus id non potue (pote q) rit (non potuerit id ς)
interpretari, sed quia (*add.* illius ς) temporis (oris *in ras. 6 litt. m2 B*) non fuit
(fuerit ς): hebraeis enim, id est (*add.* a q) iudaeis, persuadebat, non iam fidelibus,
quibus passim proderet(-rit q) sacramentum.   uerumt(mpt *B*)amen q*DBς*
mist. δ*fNB*   7 ineffabilē δ   8 et pul. *om.* δ   habemus *f*   scient. *om.* δ
inscientia пΩ inscientiam δ scientiae *f* inscitiae ς   et ampl. — 9 ut *om.* δ
9 dicamus ergo δ dicantur *D,Ba.c.m2*   11 agi пр.r.q*D* ait δ agit *cet.*   tota] ista δ
ut] et *f*   aron δ   12 praecidit *f* praedicat *B*   13 futurus sit *D*   in] ut *D*
benedicat п benedicere et q   14 habraam *fB* abram q abraha *N* abrahae δ
totum quoque δ tantoque q   ad *om.* q   15 refferri δ   sacramentum
prof. eccl. Ω   16 haec igitur δ   et quasi — *pr. 18, 4* inst. sunt *om.* δ   17 sitos *f*

spatia sensuum atque tractatuum, sed quibusdam punctis atque
conpendiis infinita significans, ut in parua epistula multorum
2 simul disceres uoluntates. uerum quia amanter interrogas et uniuersa,
quae didici, fidis auribus instillanda sunt, ponam et Hebraeorum
opinionem et, ne quid desit curiositati, ipsa Hebraica uerba subnectam: 5
umelchisedech melech salem hosi lehem uaiain,
uhu cohen lehel helion: uaibarcheu uaiomer
baruch abram lehel helion cone samaim uares:
ubaruch hel helion eser maggen sarach biadach
3 uaiethen lo maaser mecchol. quod interpretatur in 10
Latinum hoc modo: et Melchisedech, rex Salem, protulit
panes et uinum — erat autem sacerdos dei excelsi — bene-
dixitque illi et ait: benedictus Abram deo excelso, qui
creauit caelum et terram, et benedictus deus altissimus,
qui tradidit inimicos tuos sub manu tua; et dedit ei 15
4 decimas ex omnibus. traduntque hunc esse Sem, primum
filium Noe, et eo tempore, quo ortus est Abram, habuisse aetatis

---

4 cf. Horat. epist. I 8, 16 et carm. I 27, 18   6. 11 *Gen. 14, 18—20

1 atque tract. *om.* ɴ   tractuum *Ωa.c.N* tractatum q*f,Ba.c.m2*   4 fidelibus *B*
stillanda *DNB*   ebreorum *δf*   5 opiniones *B*   cur. desit *δ*   curiositatibus
Dp.c.m2   ebreica *f* ebrieca *δ*   6 umelchi(y*Ω*) sedech (c ɴ*B*) n*Ω,Ba.c.m2*
ut melch (c q) isedech (c *B*)q*DfN,Bp.c.m2* melchisedech *δ*   melech *ΩB* melec ɴ
melchi *f* melce q malchus *δ, om. DN*   lehim q leim ɴ lchim *δ* lleem *B*   uaiani *δ*
uadain q   7 uchu ɴ hu *fa.c.* tihu *D* tibu *N*   cohen *D,Np.c.* coen ɴ,*Na.c.* choen*Ωq*
hoen *f* cen *B* ecnouem *δ*   lebel *DNB* lechel *δ* leel ç   helion *f* helyon *Ω*
elion ɴ heliono *δB* eliono *DN* heliol q   uaibarcheu n*Ω* uaibarheu q uaibarucheu *DNB*
uatbarecheu *f* uuibarcequ *δ*   uaiomer] orumer *δ*   8 baruc ɴq   abraham ɴ
leel ɴ lechel *δ* lebel *DNB* iehel *Ω*   helyon *Ω* heliu *DNB*   cone *usque ad*
helion *om. δ*   chone *Ω* come ɴq*DN*   samaym *DN* samain *B*   uuares *DN* uaares ç
9 ubaruc ɴq abaruch *D* auaruch *N* habaruch *B* bruch *f*   chel *N* el ç   elion ç
esser *δ* iser *DN* iaser *B*   magen *Ω* maggens *DN* magens *B*   sarach *δ*
sarath *cet.*   biadac *B* ibadach *δ*   10 uaietthen *f* uiethen *δ* uaiettens *Ω*
ualeten ɴ uaichem *DN* uagec *B* uadetheri q   maasser n*Ω* masar *DN* marer *δ*
mas *B*   mecchol ɴ*f* mechol q mehol *δ* melchol *Ω* melcol *DNB*   interpretantur ɴ
in Lat. *om. f* latine (e *in ras. m2) B*   11 et *om. δ*   12 panes ɴ*fB* panem *cet.*
autem] enim *N*   sacer *DN*   excelsi] altissimi *DN*   13 que *om. δ*   abram q
abraam *f,Ba.c.* habraham *Bp.c.* abraham *cet.*   15 tradiderit *δ*   suos ɴ
sub] in *δDNB*   manū tuā *Bp.c.m2* manus tuas *δ*   16 ominibus ɴ*p.c.*
17 abram q habraam *f, om. B* abraham *cet.*

annos CCCXC, qui ita supputentur: Sem post diluuium anno
secundo, cum centum esset annorum, genuit Arfaxat, post cuius
ortum uixit annos quingentos, hoc est simul sexcentos. Arfaxat
annos natus XXXV genuit Sale, qui et ipse tricenarius procreauit
5 Heber, quem triginta quattuor annorum legimus genuisse Faleg.
rursum Faleg expletis annis triginta genuit Reu, qui et ipse post
tricesimum et secundum natiuitatis suae annum edidit Serug,
de quo, cum ad triginta peruenisset annos, ortus est Nachor, qui
uiginti et nouem annorum genuit Thare, quem legimus, quod
10 septuagenarius genuerit Abram et Nachor et Aran. supputa per 5
singulas aetates annorum numerum et inuenies ab ortu Sem usque
ad generationem Abram trecentos nonaginta annos. mortuus est
autem Abraham centesimo septuagesimo quinto aetatis suae anno:
ratione deducta inuenitur Sem abnepoti suo decimi gradus Abraham
15 superuixisse annos triginta quinque.

   6. Simulque et hoc tradunt, quod usque ad sacerdotium Aaron
omnes primogeniti ex stirpe Noe, cuius series et ordo discribitur,
fuerint sacerdotes et deo uictimas immolarint, et haec esse primogenita,

---

1 cf. Gen. 11, 10—26   12 cf. Gen. 25, 7   18 cf. Gen. 25, 31—34

   1 CCCXC nδ∫ CCCLXL q CCCLXX *DN* CCCLXV Ω CCCLX *B*   qui
ita — 10 Aran *om.* δ   supputentur nq —tatur *DN* —tantur *cet.*   diluuio ūix ∫
2 esset ann. cent. *DNB*   arfaxath *B* —xas n   3 hortum *D∫B*
quing.] *spat. uac. in* ∫   sexcentos *B* sexcenti *DN, spat. uac. in* ∫ DC *cet.*
arfaxath *B*   4 XXXI *DN* XXX et I *B*   Sale] sael n salem *cet.*   tricenn. Ω,*Ba.c.*
tricin. nq   5 aeber ∫ eber n   quem et *B*   annos *DN*   faleg *utroque loco* nq
phalech *N* falech Ω∫ phaleg ç phalech *pr.* phalec *post.* D falech *pr.* phalech
post. B   6 rehu ∫B rehet *DN*   7 tricens. Ωq triges. ç   serug n*B* serag *DN*
seruch Ω∫ saruch q   8 ort. est] *spat. uac. 9 litt.* ∫   nahor q*DN,Ba.c.*
9 uiginti nouem *D* et XXVIIII Ω XXVIIII ∫N XXVIII n   gen. Thare] *spat.*
uac. 11—12 litt. ∫   tare *B*   10 septaginarius ∫   genuit *DNB*   abraham Ω*DNB*
habraam ∫   nahor q*DN,Ba.c.* nechor ∫   aram Ω tarran n ('Αρράν *LXX*)
11 num. *om.* ∫   12 abram q habraham *B* abrahae δ∫ abraham *cet.*
CCC septuaginta *B* CCCLXX *DN* CCCXL ∫   13 autem *in mg.* q, *om.* δ
sept. quinto *om. DN*   14 inuenietur *DN* inuenies Ω   abnepote nΩ,*Bp.c.*
decim δ decem *DN*   gradu q gradibus δ   habraam ∫ a(ha*B*) brahe (ẹ *N*) *DNB*
15 superu.] *add.* alibi XXV (XXV *in mg.*) q̇   XXV ∫; *add.* omnes quippe
dies sem fuerunt anni DC δ   16 que *om.* δ   et *om.* n   ad *om.* Ω   17 omni *DN*
istyrpe ∫ tirpe *DNB*   noe *s. l.* δ   cui *DN* cuius et ∫   et *om.* δ   discr. nq∫
descr. *cet.*   18 immolarent q∫ —lauerint Ωδ   *alt.* et *om.* n   hoc *DN*

2*

2 quae Esau fratri suo uendiderit Iacob. nec esse mirum, si Melchisedech uictori Abraham obuiam processerit et in refectionem tam
ipsius quam pugnatorum eius panem uinumque protulerit et benedixerit ei, cum abnepoti suo hoc iure debuerit et decimas praedae atque
uictoriae acceperit ab eo siue — quoniam habetur ambiguum — ipse 5
dederit ei decimas substantiae suae et auitam largitatem ostenderit in
3 nepotem. utrumque enim intellegi potest et iuxta Hebraicum et iuxta
septuaginta interpretes, quod et ipse acceperit decimas spoliarum
et Abrahae dederit decimas substantiae suae, quamquam apostolus
in epistula ad Hebraeos apertissime definiat non Abraham suscepisse 10
a Melchisedech decimas diuitiarum eius, sed de spoliis hostium
partem accepisse pontificem.

7. Salem autem non, ut Iosephus et nostrorum omnes arbitrantur, esse Hierusalem, nomen ex Graeco Hebraeoque conpositum,
quod absurdum esse peregrinae linguae mixtura demonstrat, sed 15
oppidum iuxta Scythopolim, quod usque hodie appellatur Salem.
2 et ostentatur ibi palatium Melchisedech ex magnitudine ruinarum
ueteris operis ostendens magnificentiam; de quo in posteriori
quoque parte Geneseos scriptum est: uenit Iacob in Soccoth,
id est in tabernacula, et fecit sibi ibi domos atque 20

10 cf. Hebr. 7, 2. 4   13 cf. Iosephus Ant. Iud. I 10, 2 et Bell. Iud. VI 10
19 *Gen. 33, 17—18

1 essau δ   melchysedech n   2 abraam *ja.c.* habraham *B* abrahae δ
Abram ς   obuiam *om.* ƒ   3 eius *om.* δ   panes δqƒ   4 abnepote
Ω,*Bp.c.m2*   iure] uiro *DN*   debuerat Ω   et *om.* n   5 quoniam] quod *DN*
6 dec. dederit (*om.* ei) δ   dederat Ω   subst. s. dec. ς   suae *om.* δ   et] ut Ω
abitam ƒ habitam q*DNB*   7 nepote Ω   hebraicam *B* ebreicum ƒ ebriecum
(*ex*-cam) intellectum δ   8 expoliarum ƒ spoliorum Ωq,*Bm2* spol. —decimas *om. DN*
9 abraae ƒ habrahe q   10 epist.] *add.* sua *DNB*   e(eƒ) breos nδƒ   difiniat δ
finiat ƒ   habraam ƒ*B* habraham *N* abram q haham *D*   suscepis Ω
11 a *om.* D ƒ *N*   eius *om.* δ   spolis δ expoliis ƒ   ei ostium *N*   13 iosephus
(ephus *in ras. m2*) *B* iosepphus Ω ioseppus δq*N* iosepus *D* nostri ς omnes] alii δ
suspicantur δ   14 esse *om.* ƒ   hyerus. n ƒ iherus. *B*   ebreoque δ ƒ hebraicoque *B*
hebreicoque *DN*   15 obsordum δ   mixturā *B* myxtura n   16 scytop. n,Ωa.c.
scithop. δ scitop. q*DNB* eschitop. ƒ   hodie a latinis δ   17 ostentatur *Engelbrecht*
ostenditur Ω*p.c.*δ ostendatur *cet.*   18 ueteris *m2 in ras. 9 litt. B* et eris ƒ
posteriore nΩa.c.,δ   19 genesseos δ   soccoth n ƒ *B* sochoth Ωδ sochot *DN*
socchot q Socoth ς   20 id] hoc q   in *om.* δ   fecit] uicit ƒ   ibi *om.* Ωδ ƒ *N*
domus δ   atque] ad (*post ras. 3 litt.*) n et δ

tentoria et transiuit in Salem, ciuitatem regionis Sichim,
quae est in terra Chanaan.

8. Considerandum quoque, quod Abrahae a caede hostium
reuertenti, quos persecutus est usque Dan, quae hodie Paneas
5 appellatur, non deuia Hierusalem, sed oppidum metropoleos Sichim
in itinere fuerit, de quo in euangelio quoque legimus: erat autem
Iohannes baptizans in Aenon iuxta Salim, quia aquae
multae erant ibi. nec refert, utrum Salem an Salim nominetur, cum 2
uocalibus in medio litteris perraro utantur Hebraei et pro uoluntate
10 lectorum ac uarietate regionum eadem uerba diuersis sonis atque
accentibus proferantur.

9. Haec ab eruditissimis gentis illius didicimus, qui in tantum
non recipiunt spiritum sanctum uel angelum fuisse Melchisedech,
ut etiam certissimum hominis nomen adscribant. et reuera stultum 2
15 est id, quod in typo dicitur — eo quod Christi sacerdotium finem
non habeat et ipse rex et sacerdos nobis utrumque donauerit, ut
simus genus regale et sacerdotale, et quasi angularis lapis parietem
utrumque coniunxerit, ut de duobus gregibus bonus pastor unum

---

3 cf. Gen. 14, 14—16   6 *Ioh. 3, 23   17 cf. I Petr. 2, 9   cf. Eph. 2, 20. 14
18 cf. Ioh. 10, 11. 14. 16

1 transsiit *DNB* transit δ   ciu. reg.] in urbem δ   sichim ɴ sichem Ω
(sychem *m2*) q (*ex* sicem) *B* sechem δ sicom ƒ siche *N* syche *D*   2 chanaam ɴ
channan δ canaan ƒa.c.*B*   3 quoque est *DNB*   quod] quando *DN,Ba.c.m2*
habrahae (e *B*)ƒ*B* abraham δ   a caede] accede ƒ caede (*post ras. 3 litt.*) *N*
ostium reuerti ƒ   4 paneas ɴΩq panias δƒ panear *DNB*   5 hyerus. ɴƒ iherus. *B*
oppido ƒ de oppido q*DNB*   metropolis *DN* metropole (—li *m2*)*B* neopoleos δ
sichym ɴ sychem Ω*DN* sycem ƒ sichem δq*B*   6 *pr.* in *om. N*   fuit δ*DN*
quoque *om.* Ω   7 iohannis δqƒ   Aenon *scripsi* aenem ƒ enon ɴq*DNB*
ennon Ωδ   Salim] lem ɴ   8 er. multae ç   multa ɴ   illic δ   defert δ
referuntur ƒ   cum] ut q   9 uocabulis q   utuntur δ*B*   ebrei δ aebrei ƒ
uoluntate] ueritate *DN* uarietate *B*   10 rectorum q locorum *DNB*   hac ƒ,*Na.r.*
reg. — atque *om.* ƒ   11 adgentibus q a gentibus ƒ eadem agentibus δ   12 ab *s. l. D*
erud.] *add.* uiris *s. l. m2B*   dicimus ƒ   13 receperunt δ   melcisedec δ
14 nom. hom. cert. Ω cert. nom. hom. δ   adscribat *DN*   et —16 habeat *om. DN*
15 finem *om.* δ   16 don. —18 utr. *om.* ƒ   don.] coniunxit δ   17 quasi] qua
(*ex* quo *m2*) ei δ   utr. par. *DNB*   18 utramque q   coniunxit δ   ut ɴδqƒ
et Ω*DN* sed *B*   duabus δ   regibus ƒ   past. bon. δ, *om.* ƒ
bonus] unus Ω

efficeret gregem —, sic quosdam referre ad *ἀναγωγὴν*, ut historiae auferant ueritatem et dicant non fuisse regem, sed in imagine hominis angelum demonstratum, cum in tantum nitantur Hebraei Melchisedech, regem Salem, filium Noe Sem ostendere, ut ante hoc scriptum referant: egressus est autem rex Sodomorum 5 in occursum ei — haud dubium, quin Abraham —, postquam reuersus est a caede Chodollagomor et regum, qui cum eo erant in ualle Saue, haec est uallis regis; de quo statim sequitur: et Melchisedech, rex Salem, protulit panem et 3 uinum et reliqua. si ergo haec ciuitas regis est et uallis regis siue, 10 ut Septuaginta transtulerunt, campus, quem hodie Aulonem Palaestini uocant, manifestum est hominem fuisse, qui in terrena et ualle et urbe regnauit.

10. Habes, quae audierim, quae legerim de Melchisedech. meum fuit citare testes, tuum est de fide testium iudicare. quodsi omnes 15 refelleris, tuum certe illum spiritalem interpretem non recipies, qui inperitus sermone et scientia tanto supercilio et auctoritate Melchisedech spiritum sanctum pronuntiauit, ut illud uerissimum conprobarit, quod apud Graecos canitur: inperitia confidentiam,

---

5 *Gen. 14, 17　　9 *Gen. 14, 18　　17 cf. II Cor. 11, 6　　19 cf. Thucyd. II 40, 3. Plin. epist. IV 7, 3

1 effeceret δ efficerit q*DN* effecerit *B*　　regem *f*　　sic (= sicut) δ si q*DNB* quosdam *om.* δ　　refferre δ perferre ɴ　　ad *άν.*] tradat ω*NN DN*　　ad *om.* q *AΔf* hystoriae (e *B*)ɴ*B* storiae *f*　　2　ue(ua *N*)rietaten (*sic*) *DN*　　dicunt *DN* in *s. l. m2 B, om.* δ*DfN*　　imaginem *codd. praeter Ω B*　　3 nominis q　demonstr. *om.* δ ebrei δ　4 melchysedech ɴ melcisedech q　Salem *om.* δ　ante hoc] antea *N*　5 scripturae (a *exp.*) ferant *f* refferant scriptum δ scriptum sit *DNB* scriptum sic referant ς est *om. f*　　6 eius ɴ *a. r.* q*DN*　　haut *D* aut ɴq*fB* chaut δ　　qui in ɴ habraham *B* Abrahae ς　7 a caede] accede *f*　　chodollag. (a *ex* e)*Ω* codollag. q*f* codollaz. (z *in ras.*) ɴ chodorla. *DN,B in ras. m2* Chodorlah. ς hodorlamochor δ 8 sauae *B* suae δ sabe *N*　　hae *N* quae δ　de qua ς et δ　9 *pr.* et *om. N* 10 *pr.* et *om.* δ　　haec *om. f*　　*alt.* regis] *add.* est ɴ　　11 palistini uoc. aul. δ 12 terra δ　　13 et urbe et ualle *f*　　14 aud.] uiderim δ　　meum — de *om.* ɴ 15 recitare q*f,Bp.c.m2* suscitare δ scire dare (d *in ras.*) *Ω*　　de fide test. est *DN* est] sit ς　quos si q　16 repelleris δ repuleris ς　tuum] *add.* est de fide testium iudicare q　spirit. ill. ς　spiritualem *B*　17 scientiae q　18 sanctum spiritum *DNB*　praenunt. *DN*　ut] et *B*　illum q　19 conprobaret *Ωa.c.*δq*f* —bauerit *B*　quod] ut *N*　confidentia *f* confidentium ɴ

eruditio timorem creat. ego post longam aegrotationem uix 2
in quadragesimae diebus febri carere potui et, cum alteri me operi
praepararem, paucos dies, qui supererant, in Mathei expositione
consumpsi tantaque auiditate studia omissa repetiui, ut, quod
5 exercitationi linguae profuit, nocuerit corporis ualitudini.

LXXIV.
AD RUFINUM PRESBYTERUM DE IUDICIO SALOMONIS.

1. Multum in utramque partem crebro fama mentitur et tam
de bonis mala quam de malis bona falso rumore concelebrant.
10 unde et ego gaudeo quidem super testimonio erga me sanctitatis
tuae et amore sancti presbyteri Eusebii nec dubito, quin me publice
praedicetis, sed tacitum uestrae prudentiae iudicium pertimesco.
itaque obsecro, ut magis memineritis mei et dignum uestra laude 2

1 ergo q*a.r.D*ƒ*N*   2 quadragensimae δ —gensimis q   febre (*ex*—i) carere Ω
fabricare п haec (hec) fabricare *DNB* febricitare ƒ haec febricitare q respirare δ
potuit ƒ   3 matthei ƒ   4 repetens δ   quod *om. B*   5 profuerit *B*   corpus Ω
ualitudine Ω ualitudinis δ ualetudini п; *add.* finit aepis hir ad damasū de
melchisedech δ

ε = *Parisinus nouu. acq. lat. 446 s. VI (continet duo frustula:*
     p. 23, 8 multum *—9* concelebrant *et p. 24, 8* quod *—9*
     deprehendisset).
𝔄 = *Veronensis rescriptus XV. 13 s. VIII.*
A = *Berolinensis lat. 17 s. IX.*
Π = *Turicensis Augiensis 49 s. IX.*
𝔅 = *Caroliruhensis Augiensis 105 s. IX—X.*
D = *Vaticanus lat. 355 + 356 s. IX—X.*
B = *Berolinensis lat. 18 s. XII.*

ad rufinum ε ad rufino prbo romano de iudicio salomonis 𝔄 ad rufinum
pbrm de amen et maranatha (*cf. epist. XXVI*) *A* ad rufinum prbm romae de iudicio salomonis *Π* ad rufinum de iudicio salomonis 𝔅 ad ruphinum pbrum
rome de iudicio salomonis in sectione paruuli *D* ad rufinum pbrm *B; Hieronymi*
nomen exhibent tituli in 𝔄 (eiusdem) *A*𝔅*D*

8 utraque partem (m *eras.*) *A*   et *add. m2 B*   tamen (ɐn *eras.*) *A*
9 falsorum ore *Π*𝔅 falsorum ora (ora *in ras. m2*) *B* falsorum hora (h *eras.*) *A*
concelebrat 𝔄*ΠD*,𝔅*p.c.*   10 testimonium *A*,𝔅*a.c.*   11 quin] quod *B*   13 mei mem. 𝔄

faciatis. quod primus ad officium prouocasti et mihi secundae in scribendo partes datae sunt, non uenit de incuria in amicos, sed de ignorantia; si enim scissem, praeoccupassem sermonem tuum.

2. Interpretatio iudicii Salomonis super iurgio duarum mulierum meretricum, quantum ad simplicem historiam pertinet, perspicua est, quod puer annorum duodecim contra aetatis suae mensuram de intimo humanae naturae iudicarit affectu. unde et admiratus est et pertimuit illum omnis Israhel, quod scilicet eum manifesta non fugerent, qui tam prudenter abscondita deprehendisset. quantum ad typicos pertinet intellectus dicente apostolo: **haec omnia in figura contingebant illis, scripta sunt autem de nobis, in quos fines saeculorum decucurrerunt**, quidam Graecorum autumant super synagoga et ecclesia sentiendum et ad illud tempus cuncta referenda, quando post crucem et resurrectionem tam in Israhel quam in gentium populo uerus Salomon, id est 'pacificus', regnare coeperit. quod autem adulterae et meretrices synagoga et ecclesia in scripturis dicantur, nulla dubitatio est.

3. Et hoc prima fronte uidetur esse blasphemum; ceterum, si recurramus ad prophetas, Osee uidelicet, qui accepit uxorem fornicariam et generat filios fornicationis et deinde adulteram, et ad Hiezechihel, qui Hierusalem quasi meretricem arguit, quod secuta

---

4 cf. III Reg. 3, 16—28   6 cf. III Reg. 3, 7   11 *I Cor. 10, 11
20 cf. Os. 1, 2   21 cf. Os. 3, 1   22 cf. Ezech. c. 16

1 primum *Dp.c.m2*   mihi] tibi *ΠDB*   in *om. B*   2 rescribendo *Πp.c.m2D* inuenit *B*   animos *ex* amicos 𝔅   4 interprae(e 𝔅)tatione *A*,𝔅*a.c.* interpretatio nempe 𝔅*p.c.*   iurgia *A*𝔅   5 hystoriam *Π*𝔅*B*   praespicua *A* 6 duod. ann. *B*   7 intimo (in *s. l.*) *seq. spat. 3—4 litt.* 𝔅   iudicaret 𝔄𝔅,*Πa.r.* adfectui 𝔄   8 quod — depreh.] mirum non est, quod eum manifestae (e *del.*) non lateant, qui abscondita depraehendit (a *del.*) ε   9 manif. *om. D* non *in mg. m2* 𝔅   quid *A*   tam prud. tam (*alt.* tam *s. l.*) 𝔅   10 quantum autem ς   mysticos 𝔅*a.c.*   pertinet et *A*   11 contingebat *A*   12 quo *Aa.c.m2D*   decurrerunt *ΠD,Ba.c.m2* deuenerunt *A*𝔅   13 sinagogam *A*𝔅 e(ae 𝔅)cclesiam *A*𝔅   14 illum 𝔄   post *ex* pos 𝔄   15 et *om. A* tam in] tamen *A*   populum 𝔅   17 dic. in scr. ς   dicatur 𝔅*p.c.* 19 prima]. pura *A; add.* al forte (*sed del. m2*) *B*   20 oseę *ΠDB*   uxore fornicaria 𝔄   21 generauit *Dp.c.* genuit 𝔄   22 hiezechihel 𝔄𝔅 —iel *Π* —ihelem *D* ezechiel *AB*   iherus. *B*

sit amatores suos et diuaricauerit omni transeunti pedes lupanarque
in loco celebri extruxerit, animo aduertimus Christum idcirco uenisse,
ut meretrices donaret matrimonio et de duobus gregibus unum
ouile faceret medioque pariete destructo in easdem caulas oues prius
5 morbidas congregaret. hae sunt duae uirgae, quae iunguntur in 2
Hiezechihel et de quibus per Zachariam dominus refert: et ad-
sumsi mihi duas uirgas — unam uocaui decorem et alteram
uocaui funiculum — et paui gregem. mulier quoque illa meretrix in euangelio, quae Iesu pedes lacrimis lauat, crine detergit et cui
10, peccata omnia dimittuntur, manifeste pingit ecclesiam de gentibus
congregatam. haec idcirco in prima fronte replicaui, ne cui uideatur
incongruum, si meretrices dicantur, quarum una Salomonis iudicio
filii possessione donata est. prudens quaerat auditor: quomodo 3
meretrix ecclesia, quae non habet maculam neque rugam?
15 non dicimus ecclesiam permansisse meretricem, sed fuisse. nam et in
Simonis leprosi domo saluator scribitur inisse conuiuium, utique
non, qui leprosus erat eo tempore, quo habebat hospitem saluatorem,
sed qui leprosus ante fuerat. Mattheus quoque in *καταλόγῳ*
apostolorum publicanus dicitur, non quo permanserit publicanus
20 post apostolicam dignitatem, sed qui prius fuerit publicanus, ut,
ubi abundauit peccatum, superabundaret gratia.

---

1 cf. Ezech. 16, 25. 31   3 cf. Ioh. 10, 16   4 cf. Eph. 2, 14   5 cf. Ezech. 37,
16—20   6 Zach. 11, 7   8 cf. Luc. 7, 37—50   14 *Eph. 5, 27   16 cf. Matth. 26, 6
18 cf. Matth. 10, 3 et 9, 9   21 cf. Rom. 5, 20

1 pedes suos omni tr. *Π*   2 animaduertemus *D* animaduertimus *AΠℬB*
4 ouilem *𝔄ℬ,Aa.c.*   distructo *Aℬ,Da.c.*   5 congregare *D*   haec *𝔄*
6 hiezechiel *Π* ezechihel *D* e (*ex* te *A*) zechiel *AB*   zacchariam *𝔄*   adsumpsi *A*
(p *m2*)*ℬB* assumpsi *ΠD*   7 mihi] *add.* inquit *𝔄*   duas— fun. *om. A, in mg.* ℬ
8 uocaui *om.* *𝔄ΠB*   funiculū (ū *in ras. m2*) *B* funiculus *Π* funiculis *D*
funiculos ℬ   meretris *D*   9 pedes Iesu *ς*   hiesu *A* domini *𝔄*   lauit *𝔄,ℬa.c.*
detersit *𝔄*   et *om. A*   cuius *Bp.c.m2*   11 cui *s. l.* ℬ, *om. A*   12 dic.]
add. synagoga et ecclesia *ς*   13 fili *𝔄,Aa.c.m2*   prud.] *add.* lector (*exp.*) ℬ
14 mer.] *add.* sit *s. l. m2ΠℬB, in l. D*   15 in *om.* ℬ   16 symonis *𝔄*
saluatoris *D*   iniisse *B* inesse *𝔄D*   17 qui *𝔄A* quia *cet.*   quo] quod *D*
18 qui *𝔄A,Ba.c.m2* quia *cet.*   antea *Π*   mattheus *𝔄A* matheus *cet.*
ΚΑΤΑΛΟΓΟ ℬ *ΚΑΤΑΛΟΓΑ A* catalogo *𝔄*   19 puplic. *utroque loco D*
20 qui *𝔄A,ΠBa.c.m2* quia *cet.*   fuerat *AℬB*   puplic. *ΠD*   21 abund.]
superhabundauit *D*   superab.] superhabundauit ℬ; *add.* et *sup. ras. D*

4. Simulque considera, quid dicat ecclesia contra synagogam calumniatricem: ego et mulier haec habitabamus in domo una. post resurrectionem enim domini saluatoris una de utroque populo ecclesia congregata est; et quam eleganter: peperi, inquit, apud eam in cubiculo! ecclesia enim de gentibus, quae non habebat prius legem et prophetas, peperit in domo synagogae nec egressa est de cubiculo, sed ingressa. unde dicit in Cantico canticorum: introduxit me rex in cubiculum suum. et iterum: et quidem non spernent te. adsumens introducam te in domo matris meae, in cubiculum eius, quae concepit me. tertia, ait, die post, quam ego peperi, peperit et haec. si consideres Pilatum lauantem manus atque dicentem: mundus sum ego a sanguine iusti huius, si centurionem ante patibulum confitentem: uere hic erat filius dei, si eos, qui ante passionem per Philippum dominum uidere desiderant, haud ambiges primam peperisse ecclesiam et postea natum populum Iudaeorum, pro quo dominus precabatur: pater, ignosce eis; quod enim faciunt, nesciunt. unaque die crediderunt tria milia et alia die quinque milia. atque eramus simul — multitudinis enim credentium erat anima et cor unum — nullusque alius in domo nobiscum exceptis nobis duabus, non blasphemantium Iudaeorum, non gentilium idolis seruientium. mortuus est autem filius mulieris huius

---

2 III Reg. 3, 17   4 III Reg. 3, 17   7 *Cant. 1, 3   8 *Cant. 3, 4
10 III Reg. 3, 18   12 *Matth. 27, 24   14 *Matth. 27, 54   15 cf. Ioh. 14, 8—9
17 *Luc. 23, 34   18 cf. Act. 2, 41   cf. Act. 4, 4   19 *III Reg. 3, 18   *Act. 4, 32
23 III Reg. 3, 19

1 que *om.* D   quid—contra *om.* A   contra] congregatam (m *eras.*) contra B   2 haec *om.* D   3 enim *om.* B   populo *om.* D   4 ecclesia *in mg. inf.* 𝕭, *om.* A   5 enim *om.* D   8 rex *om.* A   equidem A𝕭,IIp.r. 9 spernent te D spernente 𝕬 spernentę (ę *in ras.*) 𝕭 spernentē B spernentes A spernenter II spernam te ϛ   domo 𝕬A,𝕭a.c. domum *cet.*   10 meae] tuae A in 𝕬A,𝕭a.c.Ba.c.m2 et in *cet.*   quae] quem 𝕬 quae non D   ait] autem 𝕭 12 ego sum ϛ   14 uere] *add.* inquit 𝕬   15 haut 𝕭p.c.B aut 𝕬D,𝕭a.c. ambigis II𝕭 āuices A   prima A   16 iud. pop. II   17 precatur 𝕬 illis A𝕭   18 die *om.* 𝕭   19 atque er. *scripsi* que er. B qui er. D queramus (qu *eras.* 𝕭) 𝕬𝕭 quaeramus AII et eramus ϛ   simul] si 𝕬   multitudo 𝕬 —dines 𝕭   enim] autem 𝕭   20 an. et cor un.] an. una et cor un. Bp.c.m2 cor un. et an. una IIp.c.m2 cor et an. una D

nocte. dum enim legis sequitur obseruantiam et gratiae euangelii
iugum Mosaicae doctrinae copulat, tenebrarum errore cooperta est.
oppressitque eum dormiens mater sua, quae non poterat
dicere: ego dormio et cor meum uigilat. media nocte con-
5 surgens tulit filium de latere ecclesiae dormientis et in
suo conlocauit sinu. relege totam apostoli ad Galatas epistulam 5
et animo aduertis, quomodo filios ecclesiae suos facere festinet
synagoga et dicat apostolus: filioli mei, quos iterum par-
turio, donec Christus formetur in uobis. uiuum tulit, non ut
10 possideret, sed ut occideret. non enim amore fecit hoc filii, sed aemulae odio, et suum mortuum per legis caerimonias in sinu ecclesiae
subposuit.

5. Longum est, si uelim per singula currere, quomodo per apostolum Paulum et ecclesiasticos uiros intellexerit ecclesia non esse
15 suum filium, qui tenebatur in lege, et in luce cognouerit, quem in
tenebris non uidebat. inde iurgium ortum est praesente rege altera
dicente: filius tuus mortuus est, meus autem uiuit, altera
respondente: mentiris; filius quippe meus uiuit et filius
tuus mortuus est. atque in hunc modum contendebant
20 coram rege. tunc rex Salomon, qui manifeste saluator accipitur 2
— secundum psalmum septuagesimum primum, qui titulo Salomonis
inscribitur; ubi nulla dubitatio est, quin cuncta, quae dicantur, non
Salomoni mortuo, sed Christi conueniat maiestati — simulat ignorantiam et humanos pro dispensatione carnis mentitur affectus —

---

3 *III Reg. 3, 19   4 Cant. 5, 2   *III Reg. 3, 20   8 *Gal. 4, 19
17 III Reg. 3, 22   21 cf. Ps. 71, 1

1 gratiã 𝔅   2 mosaycae Π moysaice (y eras.) B musicae A   copula 𝔄
3 poterat] pepererat A   5 fil. meum Π   dormientes 𝔄   6 ap. ep. ad gal. Π
ad Gal. ap. ep. ς   7 animad (t D) uertis codd. praet. 𝔄 animaduertes ς   sy(i DB)-
nagoga fest. ΠDB   8 filii 𝔄   9 form. xps Π𝔅   10 amor 𝔄   hoc fecit Π
fili 𝔄,Aa.c.m2   11 ceremonias Π caer. 𝔅 cer. cet.   13 uellem 𝔅   14 et s. l. m2 B
uiros] add. si A,𝔅 (del.)   intellegerit (—ret m2) A intellexit ς   non ex neque 𝔅
16 uiderat 𝔄   17 mortuus om. D   18 et om. A𝔅   19 est om. 𝔄
in huius modi A   20 coram regem 𝔄 contra regem A   accipit D   21 septua-
gensimum 𝔄   primum om. A   titulus A𝔅   22 quin ex qui 𝔅 qui A
dicuntur B   23 conueniant 𝔄Πp.c.Bp.c.m2 (sed cuncta est acc. graecus)   simul Π
24 humanus A𝔅   dispensationē B   ment.] non (del. m2) ment. B non (s. l. m2Π)
ment. (reliqua in mg. sup. m2Π) sed melius adfert forte aut aliud tale mentitur ΠD

sicut et in alio loco: ubi posuistis Lazarum? et ad mulierem
fluentem sanguine: quis me tetigit? —, gladium postulat — de quo
dixerat: nolite putare, quod uenerim pacem mittere super
terram; non ueni mittere pacem, sed gladium. ueni enim
diuidere hominem contra patrem suum et filiam contra 5
matrem suam et nurum contra socrum suam. et inimici hominis domestici eius — et temptat naturam naturae
dominus uultque secundum utriusque uoluntatem uiuentem filium
in legem gratiamque diuidere, non quod hoc probet, sed quod ad
3 arguendam calumniam synagogae hoc uelle se dicat. illa, quae 10
nolebat ecclesiae filium in gratia uiuere nec per baptismum libe-
rari, libenter habet diuidi puerum, non ut possideat, sed ut interficiat;
ecclesia, quem scit suum esse, libenter concedit aemulae, dum
uiuat saltem apud aduersariam, ne inter legem diuisus et gratiam
saluatoris mucrone feriatur. unde dicit et apostolus: ecce ego 15
Paulus dico uobis, quod, si legem obseruatis, Christus
uobis nihil prodest.

6. Haec sub nubilo allegoriae dicta sint. ceterum optime
nouit prudentia tua non easdem regulas esse in tropologiae umbris
et quae in historiae ueritate. quod sicubi pedem offendimus et sa- 20
pienti lectori friuolum uideatur esse, quod scripsimus, culpam auctoris referat. nos enim et haec ipsa in lectulo decumbentes longaque
aegrotatione confecti uix notario celeriter scribenda dictauimus,
non ut inpleremus materiam, sed ne tibi in principio amicitiarum
2 aliquid imperanti uideremur negare. ora nobis a domino sospitatem, 25

---

1 *Ioh. 11, 34   2 *Luc. 8, 45   3 *Matth. 10, 34—36   15 *Gal. 5, 2

1 sicuti𝔅   loco] add. idem dn̄s dicit 𝔄   posuisti D   2 sanguinem AD
4 terra 𝔄   pac. mittere AD   7 homines Ap.c.m2Ba.c.m2   et temptat
naturam naturae (in mg. m2: al̄ et tēptę naturę 𝔅) II et tempte naturę naturam D
8 dominus om. 𝔄 domini D   9 lege II   pr. quod] quo II𝔅D   hoc om. 𝔄
alt. quod] quo IID,𝔅p.c.   10 arguendum 𝔅   11 nolebat et 𝔄   13 quem]
quae A   oncedet A   14 uiuet D   saltim II𝔅D   15 et om. AD   17 uobis om. A
prode est A   18 all. nub. ς   sunt AD,IIp.c.m2   19 esse reg. ς   20 pr. et
ċel. A𝔅B, om. II   quae] que (ue in ras. m2) B quae et 𝔅   hystoriae (—e)II𝔅B
istoriae D   ueritatem Aa.c.𝔅   pede Ba.c.m2   all. et om. 𝔅   21 fribulum 𝔄
friuolosum A friuolose 𝔅a.c.   auctori II,Bp.r. ad (s. l.) auctores 𝔅 in auctorem ς
22 enim] ēe (= esse) 𝔅   23 confectis 𝔄   scribendam (m exp.) dictab (u s. l. m2) i-
mus A   24 non om. A   25 nobiscum A𝔅   ad dn̄m A

ut post duodecim menses, quibus iugi labore confectus sum, possim
aliquid dignum uestrae scribere uoluntati; et ignosce, si scatens
oratio solito cursu non fluat. non enim eodem lepore dictamus, quo
scribimus, quia in altero saepe stilum uertimus, iterum quae digna
5 legi sint, scripturi, in altero, quidquid in buccam uenerit, celeri
sermone conuoluimus. Caninum libenter uidi, qui tibi narrare poterit,
quam difficile et periculosum manus dexterae usque in praesentem
diem, quo ista dictaui, uulnus sustinuerim.

LXXV.

10 ## AD THEODORAM SPANAM DE MORTE LUCINI.

1. Lugubri nuntio consternatus super sancti et uenerabilis
mihi dormitione Lucini uix breuem epistulam dictare potui, non
quo eius uicem doleam, quem scio ad meliora transisse dicentem:
transiens uidebo uisionem hanc magnam, sed quo torquear
15 desiderio non meruisse me eius uiri uidere faciem, quem in breui
tempore huc uenturum esse credebam. uerum est illud super neces- 2
sitate mortis prophetale uaticinium, quo fratres diuidat et caris-

---

4 cf. Horat. sat. I 10, 72—73   5 cf. Cic. ad Att. I 12, 4 etc.   14 *Ex. 3, 3
17 cf. Os. 13, 15

1 labore 𝔄*A* a̅l (*eras.*) langore *B* languore *Π*𝔅*D*   3 cursu sol. ς   enim *om. A*𝔅
leporē 𝔅 tempore *A*   dictauimus 𝔅   quo scribimus (*in mg. inf. m2:* quod
scribimus) *om. A*   quod *Am2*𝔅*a.c.D*   4 scrip(b*Π*)simus *Πp.c.m2D*
legi digna ς   5 legi *Πa.c.m2B* legis *cet.*   sunt 𝔄,*Ba.c.* se̅d (ed *exp.*)𝔅, *om. A*
bucam *B*   6 Caninium ς   narr. tibi ς   potuerit 𝔅   7 dextrae *A*𝔅
in *om. A*   8 quo *ex* quae 𝔅   sust.] *add.* explicit ad rufinum p̅b̅m 𝔄

A = *Berolinensis lat. 17 s. IX.*
𝔅 = *Caroliruhensis Augiensis 105 s. IX—X.*
D = *Vaticanus lat. 355 + 356 s. IX—X.*
Φ = *Guelferbytanus 4156 s. IX—X.*
B = *Berolinensis lat. 18 s. XII.*

ad teoderam (teodorum *D*) spanam de morte lucini *AD* ad theodoram
(theodaram *Φa.c.*) spanam (ispanam *Φp.c.* hispanam *B*)𝔅*ΦB; Hieronymi
nomen exhibent tituli in codicibus praeter B*

12 mihi *eras. Φ*   lucini in (*s. l. m2*) dorm. *Φ*   Lucinii ς   13 quod ς
uice 𝔅*D*   dicente Moyse   14 sed *ex* se *m2 A*   quod ς   16 necessitatem *A*
17 quod *B*

sima inter se nomina crudelis et dura dissociet. sed habemus consolationem, quod domini sermone iugulatur et dicitur ad eam: ero
mors tua, o mors; ero morsus tuus, inferne; et in consequentibus: adducet urentem uentum dominus de deserto
ascendentem, qui siccabit omnes uenas eius et desolabit 5
fontem illius. exiuit enim uirga de radice Iesse et flos de uirginali frutice pullulauit, qui loqueretur in Cantico canticorum:
ego flos campi et lilium conuallium. flos noster mortis interitus; ideoque et mortuus est, ut mors illius morte moreretur. quod
autem de deserto dicitur adducendus, uirginalis uterus demonstratur, 10
qui absque coitu et semine uiri deum nobis fudit infantem, qui calore
spiritus sancti exsiccaret fontes libidinum et caneret in psalmo:
in terra deserta et inuia et sine aqua, sic in sancto apparui tibi. aduersum mortis ergo duritiam et crudelissimam necessitatem hoc solacio erigimur, quod breui uisuri sumus eos, quos 15
dolemus absentes. neque enim mors, sed dormitio et somnus
appellatur. unde et beatus apostolus uetat de dormientibus contristari, ut, quos dormire nouimus, suscitari posse credamus et post
digestum soporem uigilare cum sanctis et cum angelis dicere: gloria in excelsis deo et super terram pax hominibus bonae 20
uoluntatis. in caelo, ubi non est peccatum, gloria est et perpetua
laus et indefessa praeconia; in terra autem, ubi seditio, bella atque
discordiae, pax inprecanda est et pax non in omnibus, sed in his, qui
bonae sunt uoluntatis et salutationem audiunt apostolicam: gratia
uobis et pax a deo patre et domino nostro Iesu Christo 25

2*Os. 13, 14   4*Os. 13, 15   6 cf. Esai. 11, 1   8 Cant. 2, 1   13*Ps. 62, 3
16 cf. Ioh. 11, 11. 13   17 cf. I Thess. 4, 12   19*Luc. 2, 14   24 *Rom. 1,
7 (cf. I Petr. 1, 2)

1 dissotiat *A*   set *ex* et *Φ*   2 quod] quia *AD*   et] per quem *B*
4 adducit *Φ*   de *om. Φ*   5 siccauit 𝔅*a.c.m2Φ*   desolauit 𝔅*a.c.m2DΦ*
6 exiit 𝔅   uirgine 𝔅   7 pululau(b *m2A*)it *AD*   loquitur *Ap.c.m2*𝔅*Φ*
8 noster] inter *A*   9 quod] quem *AD*   10 adducendum *AD*   11 quia *B*
semina *Φ*   quid *A*   12 spu *B*   et siccare *Φ*   13 et in inuia 𝔅*Φ*
sine aqua] inaquosa ς   sic *ex* sit *m2A*   apparuit *AD*   14 ergo mortis 𝔅*B*
15 erigemur *Φ*   quod] qui in *AD*   breue *Ba.c.m2Φ*   17 tristari *Φ*   18 ut
quos] sed *Φa.c.m2*   suscitare *Aa.c.m2Φ*   19 degestum *Aa.c.m2D*
cum s. et cum] et cum s. et *AD*   20 in terra *AD*   in hominibus *ΦB*
22 seditio et bella *AD*   atque] et *B*   23 *alt.* in *s. l. m2 A*

multiplicetur, ut in pace sit locus eius et habitatio illius in Sion,
in 'specula', in sublimitate dogmatum atque uirtutum, in anima
credentis, cuius cotidie angelus uidet faciem dei et reuelato uultu
gloriam domini contemplatur.

5 2. Unde obsecro te et currentem, ut aiunt, inpello, ut Lucinum
tuum desideres quidem ut fratrem, sed gaudeas regnare cum Christo,
quia raptus est, ne malitia mutaret mentem eius. placita
enim erat deo anima illius et in breui spatio tempora
multa conpleuit. nos dolendi magis, qui cotidie stamus in
10 proelio peccatorum, uitiis sordidamur, accipimus uulnera et de
otioso uerbo reddituri sumus rationem. ille iam securus et uictor te 2
aspicit de excelso et fauet laboranti et iuxta se locum praeparat
eodem amore et eadem caritate, qua oblitus officii coniugalis in terra quoque sororem te habere coeperat, immo fratrem,
15 quia casta coniunctio sexum non habet nuptialem. et si adhuc in
carne positi et renati in Christo non sumus Graecus et
barbarus, seruus et liber, masculus et femina, sed omnes in eo
unum sumus, quanto magis, cum corruptiuum hoc induerit incorruptionem et mortale induerit inmortalitatem, non nubent
20 neque nubentur, sed erunt sicut angeli in caelis! quando 4
dicitur: non nubent neque nubentur, sed erunt sicut
angeli in caelis, non natura et substantia corporum tollitur, sed
gloriae magnitudo monstratur. neque enim scriptum est: erunt
angeli, sed: sicut angeli, ubi similitudo promittitur, ueritas dene-
25 gatur. erunt, inquit, sicut angeli, id est similes angelorum: ergo

1 cf. Ps. 75, 3   2 specula] cf. Onomastica sacra ed. Lagarde p. 39, 25;
43, 12; 50, 25; 75, 2; 78, 15; 81, 17   3 cf. Matth. 18, 10   cf. II Cor. 3, 18
6 cf. Apoc. 20, 4   7 *Sap. 4, 11. 14. 13   10 cf. Matth. 12, 36   16 cf. Gal. 3, 28
18 cf. I Cor. 15, 53—54   19 *Matth. 22, 30. *Marc. 12, 25

1 multipliciter *AD*   illius] eius *ς*   Sion] *add.* id est *B mg.*   2 speculo *AD*
3 uidit *AD*   reuelatio *D*   uultus *Φ*   4 glor.] faciem *AD*   dei *ς*   5 et]
quam *AD*   Lucinium *ς*   7 malitiā *Aa.r.Φ*   inmutaret *ΦB*   8 deo erat *AD*
eius *B*   9 dolentes *ex* dolenti *m2A*   11 et] ad *Φ*   12 *alt.* et *om. AD*
13 quod (d *eras.*) oblatus *A*   14 terram *D*   sorore *Φ*   15 castra *ADa.c.*
coniuncti *Φ*   habent *D*   16 non *om. Φ*   17 seru. et lib.] et seru. lib. et *Φ*
in *exp. A*   eo *om. A*   19 mortalem *D; add.* hoc *B*   induitur *Φ*   20 angelis *D*
quando —22 caelis *om. D*   21 dicit *A*   22 et] sed *Φ*   24 sed] *add.* erunt
(*del. m2*) *B*   non denegatur *AD*   25 similis *ADa.c.*

homines esse non desinunt, incliti quidem et angelico splendore
decorati, sed tamen homines, ut et apostolus apostolus sit et Maria
Maria et confundatur heresis, quae ideo incerta et magna promittit,
ut, quae certa et moderata sunt, auferat.

3. Et quia hereseos semel fecimus mentionem, qua Lucinus 5
noster dignae tuba eloquentiae praedicari potest, qui spurcissima
per Spanias Basilidis heresi saeuiente et instar pestis et morbi totas
intra Pireneum et Oceanum uastante prouincias fidei ecclesiasticae
tenuit puritatem nequaquam suscipiens Armazel, Barbelon, Abra-
xan, Balsamum et ridiculum Leusiboram ceteraque magis portenta 10
quam nomina, quae ad inperitorum et muliercularum animos con-
citandos quasi de Hebraicis fontibus hauriunt barbaro simplices
quosque terrentes sono, ut, quod non intellegunt, plus mirentur?
2 refert Irenaeus, uir apostolicorum temporum et Papiae, auditoris
euangelistae Iohannis, discipulus episcopusque ecclesiae Lugdunen- 15
sis, quod Marcus quidam de Basilidis Gnostici stirpe descendens
primum ad Gallias uenerit et eas partes, per quas Rodanus et
Garunna fluunt, sua doctrina maculauerit maximeque nobiles feminas
quaedam in occulto mysteria repromittens hoc errore seduxerit
magicis artibus et secreta corporum uoluptate amorem sui con- 20
cilians, inde Pireneum transiens Spanias occuparit et hoc studii
habuerit, ut diuitum domus et in ipsis feminas maxime adpeteret,

6 cf. Hieron. comm. in Esai. XVII 64, 4—5   14 cf. Irenaeus adu.
haer. I cap. 8 sqq.

1 desinent *Bp.c.m2; add.* illi *Φ*   incliti] in x̄p̄i *AD*   2 tamen] tamen ut
ex tament *m2A*   sit apost. *B*   maria sit maria *B*   3 confundantur *AD,Φa.c.*
hereses *AD*   incertis *Φ*   promittunt *AD*   4 inmoderata 𝔅   auferant *AD*
5 et] ut *Φ*   Lucinius ς   6 eloquentiae tuba ς   praedicare *Aa.c.m2D*
7 hispanias 𝔅*ΦB*   seuienti *BΦ*   8 pirineum *BΦ* Pyrenaeum ς   9 armagel 𝔅*Φ*
Armagil ς   barbelom *A*   abrasan *A* Abraxas ς   10 ridiculam 𝔅*Φ* riduculum *A*
leusiboran *Φ* leuseboram *AD*   11 quam] quae *ex* qua *m2A*   numina *Bp.c.m2*
quae] eque *ex* que *m2A*   12 hebreicis *D*   hauriant *D* auriunt *B* auriant *A*
simpl. barbaros *Φ*   13 terrente *B*   quod] quem *AD*   14 hireneus 𝔅*p.c.DB*
hyreneus (re *m2*) *A* hereneus 𝔅*a.c.Φ*   papias *AD*   auditores *AD* adiutoris *Φ*
15 ioh. eu. *B*   discipuli *AD*   lugduniensis *Φ*   16 marcum quidem *Φ*
basilidi *Φ*   gnosci *Φ* nosci 𝔅 (*corr. in mg. m2*)   17 ad] et *Φ*   Rhodanus ς
18 Garumna ς   circumfluunt *B*   19 occulta *AΦ*   20 corp. — Pir. *om. A*
uoluptatem 𝔅*a.r.Φ*   21 pyreneum *B* Pyrenaeum ς   hyspan. *B* Hispan. ς
occupasset *AD*   22 domos *B*   et]'ut *Φ*   in *exp.*𝔅   ipsas 𝔅   max.] *add.* sibi *AD*

quae ducuntur uariis desideriis semper discentes et
numquam ad scientiam ueritatis peruenientes. hoc ille
scribit ante annos circiter trecentos et scribit in his libris, quos aduersus omnes hereses doctissimo et eloquentissimo sermone conposuit.
5   4. Ex·quo perpendit prudentia tua, qua Lucinus noster laude
sit dignus, qui clausit aurem, ne audiret iudicium sanguinis, et omnem substantiam suam dispersit, dedit pauperibus, iustitia
eius manet in aeternum. nec patriae suae largitate contentus
misit Hierosolymarum et Alexandrinae ecclesiae tantum auri,
10 quantum multorum possit inopiae subuenire. quod cum multi mirentur et praedicent, ego in illo magis laudabo feruorem et studium
scripturarum. quo ille desiderio nostra opuscula flagitauit, ut missis 2
sex notariis, quia in hac prouincia Latini sermonis scriptorumque
penuria est, describi sibi fecerit, quaecumque ab adulescentia usque
15 in praesens tempus dictauimus, non nos honorans, qui paruuli et
minimi Christianorum omnium sumus et ob conscientiam peccatorum Bethlemitici ruris saxa incolimus, sed Christum, qui hono-
ratur in seruis suis et apostolis repromittit dicens: qui uos recipiunt, me recipiunt; et qui me recipiunt, recipiunt eum,
20 qui me misit.
  5. Itaque, carissima filia, hanc epistulam amoris mei in illum
habeto epitaphium et, quicquid posse me scieris in opere spiritali,
audaciter impera, ut sciant saecula post futura eum, qui dicit in
Esaia: posuit me ut sagittam electam, in pharetra sua

---

1 II Tim. 3, 6—7   6 cf. Esai. 33, 15   7 *Ps. 111, 9   18 *Matth. 10, 40
24 *Esai. 49, 2

1 duc.] d̄n̄r (= dicuntur) *D*   uanis *A*   et] ut *Φ*   2 numq̄d *Φ*
3 *pr.* scripsit *D* sripsit *A*   ante *om. B*   *alt.* scripsit ς   aduersum 𝔅   4 hereticos *B*
conscribit *B*   5 perpendat *B* peruidit *Φ* praeuidit 𝔅   Lucinius ς   7 dispergens
Ap.c.m2 dispersit et ς, *om. B*   ut (*s. l. Φ*) iustit (c*B*) ia eius maneret 𝔅*ΦB*
8 contemptus *D,Ba.c.*   9 hiero (u 𝔅*a.c.DΦ*) soli (y*D*) m. *A*𝔅*DΦ* iherosolim. *B*
Ieros. ς   tantum] tantam multitudinem *B*   10 quanto *Ap.c.m2* quanta *B*
subueniri *Ap.c.m2*   quod] quem *D* quę *ex* quem *m2A*   11 in illo] illo *Φ* illum 𝔅
12 quo] quod *ADB*   opusc. nostra *AD*   flagitarit *B*   ut *Engelbrecht* et *codd.*
13 sex] ex *D*   que *om.* ς   14 est *s. l. Φ* erat *s. l.m2 A*   sibi *om. AD, s. l.* 𝔅
fecit ς   15 in *ex* ad *m2Φ*   honorant *AD* honorauit ς   16 nominum *AD*
consequentiam *A*   17 betlem.*Φ* bethleēm. *B* Bethleem. ς   18 promittit *Φa.c.m2*
21 hac epistula *Φa.c.m2*   amoris] oris *Φ*   22 h (*s. l. Φ*) abeo *AΦ*   sciris 𝔅*Φ*
23 audacter 𝔅*ΦB*   24 isaia 𝔅*a.c.m2Φ* isaya *B*   sagitta electa in pharetram suam *Φ*

abscondit me, duos uiros tantis maris atque terrarum inter se spatiis
separatos suo acumine uulnerasse, ut, cum mutuo in carne se nesciant,
amore spiritus copulentur.

2   Subscriptio.

Sanctam te et corpore et spiritu seruet ille Samarita, id est 5
seruator et custos, de quo in psalmo scribitur: non dormitabit
neque obdormiet, qui custodit Israhel, ut Hir, qui interpretatur 'uigil', qui descendit ad Danihel, ad te quoque ueniat et
possis dicere: ego dormio et cor meum uigilat.

LXXVI.   10
AB ABIGAUM SPANUM.

1. Quamquam mihi multorum sim conscius peccatorum et
cottidie in oratione flexis genibus loquar: delicta iuuentutis
meae et ignorantias meas ne memineris, tamen sciens dictum ab apostolo: ne inflatus superbia incidat in iudicium 15
diaboli et in alio loco scriptum: superbis deus resistit, hu-

6 *Ps. 120, 4   7 cf. Dan. c. 10   8 uigil] cf. Onomast. sacra ed. Lagarde² 58, 4
9 Cant. 5, 2   13 Ps. 24, 7   15 *I Tim. 3, 6   16 *Iac. 4, 6

1 tanti *Ap.r.B*   2 ut ς et *codd.*   se *ex* sua *m2A*   5 *pr.* et] *ras. 3 litt. (prima*
fuit m) *A, om. D*   Samarites ς   6 saluator *AD*   dormitauit *AΦ,Ba.c.m2*
7 obdormiet] dormiet *ex* dormitet *B*   Hir] isrl *A* ihl *D*   *alt.* qui] quod 𝔅
8 daniel *B*   uen. quoque *Φ*   9 ego *om.* ς

        ε = *Parisinus nouv. acq. lat. 446 s. VI (cont. frustulum p. 35, 1*
             nihil —3 prouoc.)
        Σ = *Turicensis Augiensis 41 s. IX.*
        D = *Vaticanus lat. 355 + 356 s. IX—X.*
        C = *Vaticanus lat. 5762 s. X.*
        k = *Vaticanus lat. 650 s. X.*
        B = *Berolinensis lat. 18 s. XII (exhibet fol. 166ʳ integram epist.*
             et fol. 8ᵛ sine titulo partem a p. 35, 18 illum usque ad 36, 20
             ciuitates; in parte communi siglis B¹ et B² utor).
     titulo caret ε *ad abigaum spanum* ΣDC *ad auigaium hispanum cecum B* ad
quendam k; Hieronymi nomen exhibent omnes tituli

   12 quamuis mihi *s. l.* Σ   conscius sim *B*   13 cot. *DkB*   14 dictum *Σa.c.*
dictum esse *cet.*   16 scriptum] *add.* est *s. l. B*

milibus autem dat gratiam, nihil ita a pueritia uitare conatus
sum quam tumentem animum et erectam ceruicem dei contra se odia
prouocantem. noui enim magistrum et dominum et deum meum 2
in carnis humilitate dixisse: discite a me, quia mitis sum et
5 humilis corde, et ante per os Dauid cecinisse: memento, domine, Dauid et omnis mansuetudinis eius. et in alio loco
legimus: ante gloriam humiliatur cor uiri et ante ruinam
eleuatur. itaque obsecro te, ne me putes sumptis litteris tuis ante 3
tacuisse et aliorum uel infidelitatem uel neglegentiam in me referas.
10 quid enim proderat, ut prouocatus officio tacerem et amicitias
tuas meo silentio repellerem, qui ultro soleo bonorum appetere
necessitudinem et me eorum ingerere caritati? quia meliores
sunt duo quam unus et, si alter ceciderit, ab altero
fulcietur. funiculus triplex non rumpetur et frater
15 fratrem adiuuans exaltabitur. scribe igitur audacter et absentiam
corporum crebro uince sermone.

2. Ne doleas, si hoc non habeas, quod formiculae et muscae
et serpentes habent, id est carnis oculos; sed illum te oculum habere
laetare, de quo in Cantico dicitur canticorum: uulnerasti me,
20 soror mea sponsa, uno de oculis tuis, de quo deus uidetur,
de quo a Moyse dicitur: transiens uidebo uisionem hanc magnam. denique quosdam etiam mundi philosophos legimus, ut totam 2
cogitationem ad mentis cogerent puritatem, sibi oculos eruisse.
et a propheta dicitur: intrauit mors per fenestras uestras.

---

3 cf. Ioh. 13, 13. 14   4 Matth. 11, 29   5 Ps. 131, 1   7 *Prou. 18, 12
12 *Eccle. 4, 9. 10. 12   19 *Cant. 4, 9   21 *Ex. 3, 3   22 cf. Cic. de fin. V 87.
Tusc. disp. V 114   24 *Hier. 9, 21

1 gratiam *om. D*   nihil —3 prouoc.] nihil magis x̄p̄ianus studet uitare
quam tumentem et erectam ceruicem dei contra se odium prouocantem ε
ita *ex* itaque *k*   con. sum uit. *C*   2 ceru. er. *C*   dei *s. l. Σ* et dei *B*
3 etenim *Σ*   dom.] *add.* meum *Σ*   4 a me *om. D*   quia *ex* qui *Σ*
5 et *om. DC*   dom.] d̄ *k*   7 humiliabitur *C,Ba.c.m2*   8 sumptus *C*
9 neglegentias *k*   10 proderat (*was haette ich davon gehabt*) *Σ* causae erat *cet.*
et] aut *k*   12 me eorum] meorum *Da.c.m2C* me meorum *k*   13 unum *k*
14 non] *add.* facile *k*   rumpetur *Σa.c.* rumpitur *cet.*   16 uince] iunge *B*
17 ne *Σ* nec *cet.*   19 laetare] gaude *B¹* letor *B²*   dic. in cant. cant. *Σ* in cant.
cant. dic. *B²*   20 sponsa] *add.* mea *s. l. m2ΣB¹, in t. DC*   in uno *k*   alt. de *om. k*
21 a *ex* ad *Σ, om. C*   22 denique —eruisse *om. B²*   denique *ex* deque *Σ*
24 a *om. C*   nostras *ΣkB²*

3*

et apostoli audiunt: qui uiderit mulierem ad concupiscen-
dum, iam moechatus est eam in corde suo. unde praecipitur eis, ut leuent oculos et uideant candidas segetes, quae paratae
sunt ad metendum.

3. Quod autem precaris, ut nostris monitis Nabuchodonosor 5
et Rapsaces et Nabuzardan et Olofernes in te occidantur, numquam nostra auxilia postulares, si in te uiuerent. sed quia illi mortui
sunt et cum Zorobabel et Iesu, filio Iosedech, sacerdote magno, cum
Esdra quoque et Neemia ruinas Hierusalem aedificare coepisti
non mittens mercedes in pertusum sacculum, sed thesauros tibi in 10
caelestibus parans, idcirco nostras appetis amicitias, quos Christi
2 famulos arbitraris. sanctam filiam meam Theodoram, sororem beatae memoriae Lucini, per se commendatam meo sermone commendo,
ut in coepto itinere non lassetur, ut ad terram sanctam multo per
heremum labore peruniat, ut non putet perfectam esse uirtutem 15
exisse de Aegypto, sed per innumerabiles insidias ad montem Nabo
et ad Iordanem fluuium peruenri, ut accipiat secundam in Galgala
circumcisionem, ut illi Hiericho corruat sacerdotalium tubarum
subuersa clangoribus, ut iuguletur Adonibezec, ut Gai et Asor
pulcherrimae quondam corruant ciuitates. fratres, qui nobiscum 20
in monasteriolo sunt, te salutant. sanctos, qui nos diligere dignantur,
per te oppido salutamus.

1 Matth. 5, 28   3 cf. Ioh. 4, 35   5 cf. IV Reg. c. 24 et 25   6 cf. IV. Reg.
c. 18 et 19   cf. IV Reg. c. 25   cf. Iud.   8 cf. I et II Esr.   10 cf. Agg. 1, 6
cf. Matth. 6, 20. Luc. 12, 33   14 cf. Num. c. 33   17 cf. Ios. c. 4—5
18 cf. Ios. c. 6   19 cf. Iudd. 1, 5—7   cf. Ios. c. 8   cf. Ios. c. 11

1 concupiscendam *C; add.* eam *B¹B²*   2 mecatus *B¹B²*   unde et *B¹*   3 praeparatae *Σ*   4 sint (*add.* iam *s. l. m2*) *B¹*   5 nabu (o*C*) cod. *CB¹*   6 rabsaces *DB²*
nabuzardant *C* nabizardan *B¹a.c.m2*   olophernes *B²* olofernis *C*   nostra
numquam *B¹*   8 zorababel *B¹*   hiesu *ΣD* cum iesu *C*   iosedehec *C* iosedec *k*
9 hesdra *Σ* eszra *k* ezra *cet.*   iherus. *B¹B²*   10 non *Σ* ne *B¹a.c.m2* nec *cet.*
mittens *ex* mittes *Σ* mittis *cet.*   saculum *B¹* sacellum *B²*   11 parans *Σ* paras *cet.*
12 sancta filia *D*   meam *om. Dk*   sor.—13 Luc. *om. B²*   13 se *ex* te *B²*
14 in coepto *Ck* in cepto *B²* in cepto *uel* incepto *cet.*   laxetur *D*   ut] et *B²*
16 aegypto *Ck* egypto *Σp.c.DB²* egipto *Σa.c.B¹*   nebo *Σ* naboth *B¹B²*
17 peruenire *kp.c. m2 B²*   18 illi *om. B²*   iericho *CB²* iherico *B¹*   taibarum *D*
19 adonibezech *ΣB¹B²* Adonisedec *ς*   gai *C* gaz *k* hai *B¹p.c.m2B²* ai *cet.*   aser *k*
Azor *ς*   20 concidant *B¹*   21 sunt in mon. sunt (*alt.* sunt *eras.*) *Σ*   monasterio *ς*
sunt *s. l. B*   dignatur *C*   22 oppido] *s. l. add.* ·i·ualde *m2k* opido *ex* opidum *Σ*

LXXVII.
AD OCEANUM DE MORTE FABIOLAE.

1. Plures anni sunt, quod super dormitione Blesillae Paulam, uenerabilem feminam, recenti adhuc uulnere consolatus sum. 5 quartae aestatis circulus uoluitur, ex quo ad Heliodorum episcopum Nepotiani scribens epitaphium, quidquid habere uirium potui, in illo tunc dolore consumpsi. ante hoc ferme biennium Pammachio meo pro subita peregrinatione Paulinae breuem epistulam dedi erubescens ad disertissimum uirum plura loqui et ei sua ingerere, ne non tam 10 consolari amicum uiderer, quam stulta iactantia docere perfectum. nunc mihi, fili Oceane, uolenti et ultro adpetenti debitum munus 2 inponis, quod pro nouitate uirtutum ueterem materiam nouam faciam. in illis enim uel parentis affectus uel maeror auunculi uel desiderium mariti temperandum fuit et pro diuersitate personarum 15 diuersa de scripturis adhibenda medicina.

2. In praesentiarum tradis mihi Fabiolam, laudem Christianorum, miraculum gentilium, luctum pauperum, solacium monachorum. quidquid primum adripuero, sequentium conparatione uilescit.

3 cf. ep. XXXIX   5 cf. ep. LX   7 cf. ep. LXVI

Γ = *Lugdunensis 600 s. VI* (*continet p. 37, 18* quidquid —*p. 38, 8* respicit).

K = *Spinaliensis 68 s. VIII.*

Σ = *Turicensis Augiensis 41 s. IX.*

d = *Casanatensis 641* (*olim B. IV. 18*) *s. IX* (*continet p. 39, 6* praecepit —*17* censetur).

D = *Vaticanus lat. 355* + *356 s. IX—X.*

Ψ = *Augustodunensis 17 A s. X.*

B = *Berolinensis lat. 18 s. XII.*

ad oceanum de morte fabiolae *omnes codices praeter d, qui nil nisi* eiusdem *praebet; Hieronymi nomen exhibent tituli in* ΣDB,d (eiusdem)

3 quo Σ quos D   dormitionem KB,Σa.r.   5 quarta KΨ   aetatis ΣD ad s. l. m2 Ψ, om. K   eliodorum Σ   6 epytaph. D ephitaf. KΨ   potui uir. ς 7 ante] unde ΣD   hoc s.l.Σ   pammatio Σa.c.D   8 peregr.] dormitione *in ras. m2 B*   9 dissert. D   inserere KΨ   12 quo Ψ   ueterum D   nouam s.l.Σ, *in mg. m2B*   13 faciat DB,Σa.c.   memor KΨ   15 de om. KΨ   adhiberem D,Ba.c.m2 adhibere Σ̲   medicamina ΣDB   17 gentium Σa.c.   18 quidquid] qui uiro (*sic*) s̲c̲m̲ adque perfectum laudare uoluerit quicquid Γ   arripuerit Γ sequentium Γ,Σ (ium *ex* i m2) sequenti DB, om. KΨ

ieiunium praedicem? praeuertunt elemosynae. humilitatem laudem?
maior est ardor fidei. dicam adpetitas sordes et in condemnationem
uestium sericarum plebeium cultum et seruilia indumenta quaesita?
2 p.us est animum deposuisse quam cultum. difficilius adrogantia
quam auro caremus et gemmis. his enim abiectis interdum gloriosis 5
tumemus sordibus et uendibilem paupertatem populari aurae
offerimus. celata uirtus et in conscientiae fota secreto deum
solum iudicem respicit. unde nouis mihi est efferenda praeconiis et
ordine rhetorum praetermisso tota de conuersionis ac paenitentiae
3 incunabulis adsumenda. alius forsitan scholae memor Quintum 10
Maximum,
      unus qui nobis cunctando restituit rem,
et totam Fabiorum gentem proferret in medium, diceret
pugnas, describeret proelia et per tantae nobilitatis gradus
Fabiolam uenisse iactaret, ut, quod in uirga non poterat, in 15
radicibus demonstraret. ego, diuersorii Bethlemitici et praesepis
dominici amator, in quo uirgo puerpera deum fudit infantem,
ancillam Christi non de nobilitate ueteris historiae, sed de ecclesiae
humilitate producam.
      3. Et quia statim in principio quasi scopulus quidam et procella 20
mihi obtrectatorum eius opponitur, quod secundum sortita matri-
monium prius reliquerit, non laudabo conuersam, nisi ream absol-

---

7 cf. Horat. carm. IV 9, 30   12 Verg. Aen. VI 846

1 ieiun. praed.] si enim ieiun. eius praedicit *Γ*   praeuertunt *scripsi* sed
praeuertunt *KΨ* praeuentunt *Γ* sed praeualescunt *cet.*   elemosi (y*D*) nae *KDB*,
Σp.c.m2 elymosinae *Γ,Σa.c.m2* aelimosinae *Ψ*   si hum. laudet *Γ*   2 maior *Γ'B*
sed maior *cet.*   ard. est fid. *KΨ* est fid. ard. *ς*   dicam — quaes.] si appetat
sordis et plebium habitum extollat *Γ*   condemnatione *Σp.r.D*   3 plebium
Γ,Σa.c.m2   4 adrog.] quidē uitia (*sic*) *Γ*   5 his enim] multi enim his *Γ*
interd. — sord.] gloriosae tamen in sórd. appetunt uideri *Γ*   6 tumentibus *D*
aurae] au (= autem) *D*   7 offerrimus *Σ* offerunt *Γ*   cel. uirt. et] caelata ergo
uirt. laudabilis est, quae *Γ*   in *s.l.Σ, om. Γ*   sol. deum *Γ*   8 nouis *om. ΣDB*
praeconis *Σa.c.D*   9 rhet. *K* reth. *ΨB* rect. *ΣD*   10 cunabulis *B*   scolae (—e) *ΣDB*
12 unus *eras. B* unum *DΨ*   cunct. nob. *B*   rem] *add.* publicam *ΣD,B s. l. m2*
13 totum *D*   mentem *KΨ*   proferet *KΨ*   14 describere (*add.* et *s. l.*) *Σ*
praelia *ΣDB*   per *om. KΨ*   15 quod *om. D*   16 diuersorio *KΨ*   bethem. *Ka.c.*
bethlemici *Ψ* behtleem. (*sic*) *B* bethlehem. *Σp.c.m2*   17 dominum *Σ*   18 hystoriae *Ψ*
istoriae *Σ* storiae *D*   *alt.* de *om. B*   19 perducam *KΨ*   21 sort.] non trita *Σa.c.D*
22 ream] ream prius (*utrumque in mg. m2*) *B* prius ream *ς*

uero. tanta prior maritus uitia habuisse narratur, ut ne scortum
quidem et uile mancipium ea sustinere posset. quae si uoluero dicere,
perdam uirtutem feminae, quae maluit culpam subire discidii quam
quandam corporis sui infamare partem et maculas eius detegere.
5 hoc solum proferam, quod uerecundae matronae et Christianae
satis est. praecepit dominus uxorem non debere dimitti excepta 2
causa fornicationis et, si dimissa fuerit, manere innuptam. quidquid
uiris iubetur, hoc consequenter redundat ad feminas. neque enim
adultera uxor dimittenda est et uir moechus tenendus. si, qui me-
10 retrici iungitur, unum corpus facit, ergo et, quae scorta-
tori inpuroque sociatur, unum cum eo corpus efficitur. aliae sunt 3
leges Caesarum, aliae Christi; aliud Papinianus, aliud Paulus
noster praecipit. apud illos in uiris pudicitiae frena laxantur et solo
stupro atque adulterio condemnato passim per lupanaria et ancillulas
15 libido permittitur, quasi culpam dignitas faciat, non uoluptas. apud
nos, quod non licet feminis, aeque non licet uiris et eadem seruitus
pari condicione censetur. dimisit ergo, ut aiunt, uitiosum; dimisit
illius et illius criminis noxium; dimisit — paene dixi, quod clamante
uicinia uxor sola non prodidit. sin autem arguitur, quare repudiato
20 marito non innupta permanserit, facile culpam fatebor, dum tamen
referam necessitatem. melius est, inquit apostolus, nubere 4
quam uri. adulescentula erat, uiduitatem suam seruare non poterat.
uidebat aliam legem in membris suis repugnantem legi mentis suae
et se uinctam atque captiuam ad coitum trahi. melius arbitrata est
25 aperte confiteri inbecillitatem suam et umbram quandam miserabilis subire coniugii quam sub gloria uniuirae exercere meretri-

---

6 cf. Matth. 5, 32 et 19, 9   9 *I Cor. 6, 16   21 I Cor 7, 9   23 cf. Rom. 7, 23

1 nec ΣDB scortorum ΣD 2 possit K 3 perdam] quidam D dissidii ς
4 quondam $K, \Psi a.c.m2, om. \varsigma$ infamaret $\Sigma a.c.D$ et in mac. D detegere $\Sigma a.r.$
6 satis est om. $K\Psi$ praecipit d debere $s.l.\Sigma$ 7 maneret innupta D quidquid KD
quicq. cet.   8 ad] in ς 9 moecus $Ka.c.m2D$ mechus B retinendus $\Sigma p.c.m2$
quis $Kp.c.m2\Sigma DB$ 10 et om. ΣDB scortator D 11 corpus cum eo $K\Psi$
12 aliae] alia d iesu christi ΣDB aliut—aliut D papyn. Σ papil. B
13 praecepit $K\Sigma$ in om. ς uiris $s.l.m2\Sigma$ uiros dB inpudic. $Bp.c.m2 \varsigma$ et om. B
15 uoluntas $K\Psi$ 16 et] add. ad (exp.) B 18 noxium in mg. m2 B, om. $K\Psi$
dixi om. ΣDB quod] quem B clam.] add. tota $s.l.m2B$ 19 uicina $\Psi p.r.Ba.c.m2$
21 est om. D 22 uiduam $K, \Psi a.c.m2$ 23 repugnanti K 24 uictam D
adque K et ς melius] minime $K\Psi$ 25 quandam] tam $K\Psi$ 26 uniu.]
add. opera ΣDB meretricum ΣDB

5 cium. idem apostolus uult uiduas adulescentulas nubere, filios
procreare, nullam dare occasionem maledicti gratia.
et protinus, cur hoc uelit, exponit: iam enim quaedam abierunt
retro satanan. igitur et Fabia, quia persuaserat sibi et putabat
uirum iure a se dimissum nec euangelii uigorem nouerat, in quo nu- 5
bendi uniuersa causatio uiuentibus uiris feminis Christianis ampu-
tatur, dum multa diaboli uitat uulnera, unum incauta uulnus accepit.

4. Sed quid ego in abolitis et antiquis moror quaerens excusare
culpam, cuius paenitentiam ipsa confessa est? quis hoc crederet, ut
post mortem secundi uiri in semet reuersa, quo tempore solent uiduae 10
neglegentes iugo seruitutis excusso agere se liberius, adire balneas,
uolitare per plateas, uultus circumferre meretricios, saccum indueret,
errorem publice fateretur et tota urbe spectante Romana ante diem
paschae in basilica quondam Laterani, qui Caesariano truncatus
est gladio, staret in ordine paenitentum, episcopo et presbyteris 15
et omni populo conlacrimanti sparsum crinem, ora lurida, squa-
2 lidas manus, sordida colla submitteret? quae peccata fletus iste non
purget? quas inueteratas maculas haec lamenta non abluant? Petrus
trinam negationem trina confessione deleuit. Aaron sacrilegium
et conflatum ex auro uituli caput fraternae correxere preces. 20
Dauid, sancti et mansuetissimi uiri, homicidium pariter et adulterium
septem dierum emendauit fames. iacebat in terra, uolutabatur in
cinere et oblitus regiae potestatis lumen quaerebat in tenebris

---

1 *I Tim. 5, 14   3 *I Tim. 5, 15   5 cf. Rom. 7, 2. 3   14 cf. Tacitus Ann. XV 60
18 cf. Matth. 26, 69—75 etc.   19 cf. Ioh. 21, 15—17   cf. Ex. c. 32   21 cf. II Reg.
c. 11 et 12   23 cf. Ps. 111, 4

2 occans. *K ; add.* aduersario ς   4 retro] *add.* post *ΣDB*   sat (th *B*) anam *DB*
ig. et] ig. uret *D*   fabiola *ΣDB*   quia] qui ea *D* quae ea *Σa.c.*   5 uir. a se
iure *KΨ* a se uir. iure ς   uigorem] rigorem *Engelbrecht*   nubendi]
uiuendi *KΨ*   6 Christianis *scripsi* lutinis *KΨ, om. ΣDB*   7 multa] uult a *KΨ*
uetat *Σp.c.m2, om. K*   8 et antiquis] ea quam *KΨ*   excus.] exclusa *K*
(*ex* exculsa) *'Ψ*   9 paenit. *om. KΨ*   ipsa] prima *KΨ*   10 semet] *add.* ipsam *Σ*
11 iugo seru. exc.] excusso iugo *B*   ag. se lib.] lib. ag. *B*   adire] adhibere (h *et*
be *eras.*) *Σ* adibere *D*   12 indueret *Σ* indueret (t *exp.*) ut *B* induere *D* inducere
et *KΨ*   13 terrorem *D*   14 pascae *Σ*   quae caeriano (*in mg. m2:* al qua
cesarianus)*Σa.c.*   15 paenitentium ς   episcopis *ΣD*   et *om. Ψ*
16 collacrimante *B* lacrimanti *KΨ* collacrimantibus ς   sparso *Σ*   crine *ΣD*
18 maculas] lacrimas *KΨ*   19 trina negatione *D*   deleuit *s. l. m2 Σ* diluit *Ψ*
20 conflato *Σa.c.m2D*   22 emendabat *Σ*

illumque tantum respiciens, quem offenderat, lacrimabili uoce
dicebat: tibi soli peccaui et malum coram te feci et: redde
mihi laetitiam salutaris tui et spiritu principali con-
firma me. atque itafactum est, ut, qui me prius docuerat uirtutibus 3
5 suis, quomodo stans non caderem, doceret per paenitentiam, quomodo cadens resurgerem. quid tam inpium legimus inter reges quam
Achab, de quo scriptura dicit: non fuit alius talis ut Achab,
qui uenundatus est, ut faceret malum in conspectu
domini? hic, cum pro sanguine Nabuthae correptus fuisset ab
10 Helia et audisset iram domini per prophetam: occidisti, insuper
et possedisti et: ecce ego inducam super te mala et demetam posteriora tua et reliqua, scidit uestimenta sua
et operuit cilicio carnem suam ieiunauitque in sacco et
ambulabat demisso capite. tunc factus est sermo domini
15 ad Heliam Thesbiten dicens: nonne uidisti humiliatum
Achab coram me? quia ergo humiliatus est in timore mei,
non inducam malum in diebus eius. o felix paenitentia, 4
quae ad se dei traxit oculos, quae furentem sententiam domini con-
fesso errore mutauit! hoc idem et Manassen in Paralipomenon et
20 Nineuen fecisse legimus in propheta, publicanum quoque in euangelio. e quibus primus non solum indulgentiam, sed et regnum recipere meruit, alius ⟨rex⟩ inpendentem dei fregit iram, tertius pectus

2 Ps. 50, 6   Ps. 50, 14   5 cf. I Cor. 10, 12   6 cf. Hier. 8, 4   7 *III Reg. 21, 25
10 *III Reg. 21, 19   11* III Reg. 21, 21   12 *III Reg. 21, 27—29   19 cf. II Par. 33,
12—13   20 cf. Ion. c. 3   cf. Luc. 18, 10—14

1 aspiciens *B*   4 ita *om.* Ψ   est *om. D*   prius *s. l.* Σ, *om. D*   9 hic]
hoc *K* hic enim Σ   pro sanguine (-nem *K*) *K*Ψ propter sanguinem *cet.*   naboth
Σ*a.c.m2D* ter corr. Σ*D*   10 occid.] *add.* inquit *s.l.m2* Σ   et insuper (*ex* super *K*) *K*Ψ
11 posuisti *Ka.c.m2* Ψ   *alt.* et *eras.* Σ, *om. K*Ψ   ecce *om. B*   mala Σ*B* malum *cet.*
demetam Σ*B* dimittam *cet.*   13 ieiunabatque ς   14 demisso *B* dimisso *cet.*
dei ς   15 helian *K*   tesbiten *K*Ψ tesbithen *B* thespiten Σ   uides *B*
Ach. hum. ς   humilitatem *D*   16 in (*om. K*Ψ) timore mei (meo *B*)] *add.* causa Σ*D*
mei causa ς   18 sent. dei ς dei sent. Σ   19 manassen *B* —sse (*ex* -se Σ) Σ*D*
—sses *K*Ψ   paral. his *D* paralypomenon Σ paralipomenonis Ψ parali (y *K*)-
pomenis *KB*   20 nineuen *K* ninneue Σ niniuen Ψ*B* niniue *D*   proph(f *K*)e-
tis *K*Ψ   puplicanus *D*   21 et *om. K*Ψ   percipere *B*   22 alius (*genet.*)] alter Ψ
alia (*in ras. m2*) *B*   rex (*cf. Ion. 3, 6*) *addidi, om. codd.; an potius l. 20 pro* Nineuen
scrib. Nineuiten?   inpendente *K,* Ψ*a.c.m2*   domini Σ   refregit Ψ

uerberans pugnis oculos non leuabat ad caelum et multo iustifi-
catior recessit humili confessione uitiorum quam superba phari-
5 saeus iactatione uirtutum. non est loci huius, ut paenitentiam praedicem et quasi contra Montanum Nouatumque scribens dicam
illam hostiam domini esse placabilem et sacrificium deo spiritum 5
contribulatum et: malo paenitentiam peccatoris quam
mortem et: exsurge, exsurge, Hierusalem, et multa alia,
quae prophetarum clangunt tubae.

5. Hoc unum loquar, quod et legentibus utile sit et praesenti
causae conueniat. non est confusa dominum in terris et ille eam non 10
confundetur in caelo. aperuit cunctis uulnus suum et decolore in
corpore cicatricem flens Roma conspexit. dissuta habuit latera,
nudum caput, clausum os. non est ingressa ecclesiam domini, sed extra
castra cum Maria, sorore Moysi, separata consedit, ut, quam sacerdos
2 eiecerat, ipse reuocaret. descendit de solio deliciarum suarum, accepit 15
molam, fecit farinam et discalciatis pedibus transiuit fluenta lacrimarum. sedit super carbones ignis; hi ei fuere in adiutorium. faciem,
per quam secundo uiro placuerat, uerberabat, oderat gemmas, linteamina uidere non poterat, ornamenta fugiebat. sic dolebat, quasi
adulterium commisisset et multis inpendiis medicaminum unum 20
uulnus sanare cupiebat.

6. Diu morati sumus in paenitentia, in qua uelut in uadosis
locis resedimus, ut maior nobis et absque ullo inpedimento se laudum
eius campus aperiret. recepta sub oculis omnis ecclesiae communione
quid fecit? scilicet in die bona malorum oblita est et post naufragium 25
rursum temptare uoluit pericula nauigandi? quin potius omnem
censum, quem habere poterat — erat autem amplissimus et respondens generi eius — dilapidauit ac uendidit et in pecunia congregatum

5 cf. Rom. 12, 1   cf. Ps. 50, 19   6 *Ezech. 18, 23   7 *Esai. 60, 1
10 cf. Marc. 8, 38. Luc. 9, 26   13 cf. Num. 12, 14—15   15 cf. Esai. 47, 1—2
18 cf. Esai. 47, 14 (sec. LXX)   25 cf. Eccli. 11, 27

2 rec.] *add.* publicanus Σs.l.D phariseos (fariseus ΣB) superba (*ex*-bia D) ΣDB
5 domino B   placentem KΨ   dei KΨ,Da.c.   7 *pr.* et *eras.* Σ, *om.* KΨ   exurge
semel D   iherus. B Ierus. ς   9 *pr.* et *om.* B   sit] est B   11 confundet Σ
confundit Ba.c.m2   decolorem Σp.c.B decorem Σa.c.D   16 disculciatis KΨ,Da.c.
17 hii KD,Σa.r.   18 sec. uiro plac.] secuerat KΨ   20 et *om.* B   23 resedemus
Σa.c.D residemus KΨ   et absque] sine KΨ   laudem Σa.c.D   24 omnium
(um *in ras.*) Σ   25 mal.] *add.* non ΣD,Bs.l.m2   est obl. Σ   26 rursus KΨ
noluit ΣB   naufragandi B   28 delapidauit KΨ   pecuniam KΨ

usibus pauperum praeparauit. et primo omnium *νοσοκόμιον* instituit, in quo aegrotantes colligeret de plateis et consumpta languoribus atque inedia miserorum membra refoueret. describam nunc ²
ego diuersas hominum calamitates, truncas nares, effossos oculos,
5 semiustos pedes, luridas manus, tumentes aluos, exile femur, crura
turgentia et de exesis ac putridis carnibus uermiculos bullientes?
quotiens morbo regio et paedore confectos humeris suis ipsa portauit?
quotiens lauit purulentam uulnerum saniem, quam alius aspicere
non audebat? praebebat cibos propria manu et spirans cadauer
10 sorbitiunculis inrigabat. scio multos diuites et religiosos ob stomachi ³
angustiam exercere huiusce modi misericordiam per aliena ministeria
et clementes esse pecunia, non manu. quos equidem non reprobo
et teneritudinem animi nequaquam interpretor infidelitatem; sed,
sicut inbecillitati stomachi ueniam tribuo, sic perfectae mentis
15 ardorem in caelum laudibus fero. magna fides ista contemnit; scit,
quid in Lazaro diues purpuratus aliquando non fecerit, quali superba
mens retributione damnata sit. ille, quem despicimus, quem uidere non
possumus, ad cuius intuitum uomitus nobis erumpit, nostri similis
est, de eodem nobiscum formatus luto, isdem conpactus elementis.
20 quidquid patitur, et nos pati possumus. uulnera eius aestimemus ⁴
propria et omnis animi in alterum duritia clementi in nosmet ipsos
cogitatione frangetur.

     non, mihi si linguae centum sint oraque centum,
     ferrea uox,
25   omnia morborum percurrere nomina possim,
quae Fabiola in tanta miserorum refrigeria conmutauit, ut multi

---

16 cf. Luc. 16, 19—31   23 Verg. Aen. VI 625—627

1 primum *Σ* prima *ς*   NOCOKOMOIN *KΨ* NOYCOKOMON *B* MYCCOKO-
(O *s.l.Σ*)MION *ΣD* νοσοκομειον *ς*   3 foueret *Σa.c.DB*   ego nunc *ς* nunc *ΣD*
5 loridas (idas *in ras. m2*) *B*   6 uermiclos *K*   7 o quotiens *B*   pedore *KΨB*
fetore *Σ* (t *ex* d) *D*   hum. (*non* um.) *codd.*   8 purulenta *ΣD*   quam] que *D*
9 aud.] ualebat *B*   inspirans *KΨ*   11 angustias *B*   huiusmodi *KΨ*
misteria *Ψ* mysteria *KD*   13 animae *B*   14 perfectae] perpetem *B*   15 scit.
in ras. m2 B scio *ς*   16 eleazaro *Ka.r.Ψ*   18 uomitum nobis *KΨ* nobis uomitus
(s *in ras. m2B*) *ΣDB*   19 de] die *K*   form. est *ΣDB*   isdem *Σ* hisdem *cet.*
conpactis *Σa.c.*   20 quidquid *KD,Σa.c.* quicq. *cet.*   extim. *D* existim. *ς*   21 animus
Σa.r.D anima *Ψa.c.*   in alteram duritiam *KΨ* duricia in alterum *B*   memetipso *D*
22 frangitur *K*   25 omnium *Σ*   possem *Ψ* passim *D* possum *Σp.c.*   26 tantum *ΣD*

5 pauperum sani languentibus inuiderent. quamquam illa simili liberalitate erga clericos et monachos ac uirgines fuerit — quod monasterium non illius opibus sustentatum est? — quem nudum et clinicum
non Fabiolae uestimenta texerunt? in quos se indigentium eius non
effudit praeceps et festina largitio? angusta misericordiae Roma fuit; 5
peragrabat ergo insulas, Etruscum mare Uulscorumque prouinciam
ac reconditos curuorum litorum sinus, in quibus monachorum con-
sistunt chori, uel proprio corpore uel transmissa per fideles ac sanctos
uiros munificentia circuibat.

7. Unde repente et contra opinionem omnium Hierosolymam 10
nauigauit, ubi multorum excepta concursu nostro parumper usa est
hospitio; cuius societatis recordans uideor mihi adhuc uidere, quam
uidi. Iesu bone, quo illa feruore, quo studio intenta erat diuinis
uoluminibus et ueluti quandam famem satiare desiderans per prophetas, euangelia psalmosque currebat quaestiones proponens et 15
solutas recondens in scriniolo pectoris sui! nec uero satiabatur au-
diendi cupidine, sed addens scientiam addebat dolorem et, quasi
2 oleum flammae adiceres, maioris ardoris fomenta capiebat. quodam
die, cum in manibus Moysi Numeros teneremus et me uerecunde
rogaret, quid sibi uellet nominum tanta congeries, cur singulae tribus 20
in aliis atque aliis locis uarie iungerentur, quomodo Balaam ariolus
sic futura Christi mysteria prophetarit, ut nullus propemodum
prophetarum tam aperte de eo uaticinatus sit, respondi, ut potui,
et uisus sum interrogationi eius satisfacere. reuoluens ergo librum

21 cf. Num. 24, 17

1 la (n *s.l.*) gentibus Σ languentes $\Psi a.c.m2$ quam B libertate $K\Psi, \Sigma a.c.$
2 ergo $\Sigma Da.c.$ ac] hac D et $K\Psi$ fuerint D 3 quem] quae D nudum] *add.* id est
paralyticum (*omnia erasa in* Σ) ΣD clynicum ΣD clericum B 4 quo ΣD
quorum ς indigentiam ς eius $K\Psi$, *om. cet.*   5 effundit $\Sigma a.r.D$ praeces B
festinata B misericordia $\Sigma D;$ *add.* eius ΣDB rogama K ro**ma Ψ romae D
6 peragrauit Σ etr. mare $K\Psi$ et (*eras.*) to tas (*ex* totus, s *in ras.*) etroscum
mare (*in mg.*: $\overline{\text{al}}$ et totum rursum mare) Σ et totum etr. mare DB uul (s *m2*)
cor. B uulsquor. Σ Volscor. ς 7 ac] hac $\Sigma a.r.D$ et ς 9 uir. sanct. ac fid. ς
circumibat $K\Psi$ 10 hierosolimam (ro *ex* ru Σ) ΣB hierusolymam D 11 nauigabit
$Dp.c.$ nauigabat Σ accepta $K\Psi$ par.] pauperrimo (*in mg.* $\overline{\text{al}}$ parumper Σ) ΣD
12 uidere] uiderem K quem $K, \Psi a.c.m2$ 13 ihs K dnicis $\Sigma a.c.B$
15 et prop. et ς 16 soluta K condens $K\Psi$ reponens B 18 adieceris Ψ
adiciens B 19 cum] dum Σ uerecunda erogaret $Ka.c.m2$ 20 uelit K cur]
cam B 22 prophetaret Σ prophetauit D 23 de eo] de deo $K\Psi$ 24 uoluens DB

peruenit ad eum locum, ubi catalogus describitur omnium mansionum, per quas de Aegypto egrediens populus peruenit usque ad
fluenta Iordanis. cumque causas et rationes quaereret singularum,
in quibusdam haesitaui, in aliis inoffenso cucurri pede, in plerisque
simpliciter ignorantiam confessus sum. tunc uero magis coepit urguere
et, quasi non mihi liceret nescire, quod nescio, expostulare ac se
indignam tantis mysteriis dicere. quid plura? extorsit mihi negandi
uerecundia, ut proprium ei opus huiusce modi disputatiunculae
pollicerer, quod usque in praesens tempus, ut nunc intellego, domini
uoluntate dilatum redditur memoriae illius, ut sacerdotalibus prioris
ad se uoluminis induta uestibus per mundi huius solitudinem gaudeat
se ad terram repromissionis aliquando uenisse.

8. Uerum, quod coepimus, persequamur. quaerentibus nobis
dignum tantae feminae habitaculum, cum ita solitudinem cuperet,
ut diuersorio Mariae carere nollet, ecce subito discurrentibus nuntiis
oriens totus intremuit, ab ultima Maeotide inter glacialem Tanain et
Massagetarum inmanes populos, ubi Caucasi rupibus feras gentes
Alexandri claustra cohibent, erupisse Hunorum examina, quae
pernicibus equis huc illucque uolitantia caedis pariter ac terroris
cuncta conplerent. aberat tunc Romanus exercitus et bellis ciuilibus
in Italia tenebatur. hanc gentem Herodotus refert sub Dario, rege
Medorum, uiginti annis Orientem tenuisse captiuum et ab Aegyptiis
atque Aethiopibus annuum exegisse uectigal. auertat Iesus ab
orbe Romano tales ultra bestias! insperati ubique aderant et famam
celeritate uincentes non religioni, non dignitatibus, non aetati, non
uagienti miserebantur infantiae. cogebantur mori, qui dudum uiuere

1 cf. Num. c. 33   4 cf. Tibull. I 7, 62   8 cf. epist. LXXVIII   10 cf. epist. LXIV
12 cf. Hebr. 11, 9   21 cf. Herodot. I 104—106

1 perueni B   3 quaer. et rat. ς rationum quaer. Ψ   et eras. K   rationem K
orationes ΣD   4 quibus KΨ   offenso K   5 urgere B   6 mihi non Σ
8 uerecundiā B   10 delatum K dilatatum Σp.c.m2   reddetur B   13 prosequamur ΣΨ,Bp.c.m2   14 dignum s.l.m2Σ, om. DB   ita] illa B illa ita ς
15 ut] et B   diuersorium Σ   16 gladium Ba.c.m2   thanaim (naim s.l.Σ) ΣB
17 masaget. B   causasi Σa.c. causas D   fer. gent. om. KΨ   18 prohibebant KΨ
honorum D Hunnorum ς   19 terroribus B   21 herodotos D   22 annos Ba.c.m2
captiuam Σp.c.B   23 ethiop. DB   annum Σa.c.D anno KΨ   exisse Σa.c.D
abigat B   24 orbe KΣp.c. urbe cet.   romana Ψp.c.m2B   25 aet.] add. parcebant ς
26 uagientis ς   miserabantur Bp.c.m2ς   mori cog. B   dudum (= eben erst)]
nondum Bp.c.m2ς

coeperant et nescientes malum suum inter hostium manus ac tela
3 ridebant. consonus inter omnes rumor petere eos Hierosolymam et
ob nimiam auri cupiditatem ad hanc urbem concurrere. muri neglecti
pacis incuria sarciebantur Antiochiae; Tyrus uolens a terra abrum-
pere insulam quaerebat antiquam. tunc et nos conpulsi sumus pa- 5
rare naues, esse in litore, aduentum hostium praecauere et saeuien-
tibus uentis magis barbaros metuere quam naufragium non tam
4 propriae saluti quam uirginum castimoniae prouidentes. erat in illo
tempore quaedam apud nos dissensio et barbarorum pugnam domestica bella superabant. nos in Oriente tenuerunt iam fixae sedes et 10
inueteratum locorum sanctorum desiderium; illa, quia tota in sarcinis
erat et in omni orbe peregrina, reuersa est ad patriam, ut ibi pauper
uiueret, ubi diues fuerat, manens in alieno, quae multos prius
hospites habuit, et — ne sermonem longius traham — in conspectu
Romanae urbis pauperibus erogaret, quod illa teste uendiderat.   15
  9. Nos hoc tantum dolemus, quod pretiosissimum de sanctis
locis monile perdidimus. recepit Roma, quod amiserat, ac procax et
maledica lingua gentilium oculorum testimonio confutata est. laudent
ceteri misericordiam eius, humilitatem, fidem: ego ardorem animi
2 plus laudabo. librum, quo Heliodorum quondam iuuenis ad heremum 20
cohortatus sum, tenebat memoriter et Romana cernens moenia in-
clusam se esse plangebat. oblita sexus, fragilitatis inmemor ac solitudinis tantum cupida ibi erat, ubi animo morabatur. non poterat
teneri consiliis amicorum: ita ex urbe quasi de uinculis gestiebat

      4 cf. Plin. Nat. hist. V 19   20 cf. epist. XIV

      2 hierosolim. Σ ihero (u m2) solim. B   3 currere ΣDB percurrere ς   muri
in mg. m2B, om. D   neglecta Σa.c. illecti Ba.c.m2   4 Antiochiae scripsi
antiochia ΣB anthiocia D aethiopia KΨ antiochia obsidebatur ς   ithirus D
tyrus se ς   5 quaerebant KΨ   6 esse] et B   8 in om. ς   9 aput K
inter ς   pugnas B pugna K,Ψa.c.m2 pugne D   10 tenuit KΨ
fixa sedes (—dis K)KΨ   11 sanct. loc. ΣDB   quia] qui D
quę s.l.Σ   12 in om. B   urbe B   14 sermone Ψ   protraham Ψ
16 hoc om. KΨ   tantummodo Σp.c. m2 autem KΨ   17 recipit Σa.c.m2 DΨ
hac Σa.r.D et ς   et] ac ς   18 testimonium ΣΨa.c.,D   laud.] add. illū
(exp.) B   19 animę B   20 hiliodoru (ex o) m K eliodorum D   iuuenes D
ad herimum K in heremo Ψ   21 quohort. D coort. B,Σ (alt. o ex a)   romanę
(—ne D) ΣD   inclausam K   22 sui (s.l.Σ) sexus ΣD   24 ex] de Σa.c.
de] ex KΨ

erumpere. dispensationem pecuniae et cautam distributionem
genus infidelitatis uocabat. non aliis elemosynam tribuere, sed 3
suis pariter effusis ipsa pro Christo stipes optabat accipere. sic festinabat, sic inpatiens erat morarum, ut illam crederes profecturam.
5 itaque, dum semper paratur, mors eam inuenire non potuit inparatam.
 10. Inter laudes feminae subito mihi Pammachius meus exoritur.
Paulina dormit, ut ipse uigilet; praecedit maritum, ut Christo famulum
derelinquat. hic heres uxoris et hereditatis alii possessores. certabant
uir et femina, quis in portu Abrahae tabernaculum figeret, et haec
10 erat inter utrumque contentio, quis humanitate superaret. uicit
uterque et uterque superatus est. ambo se uictos et uictores fatentur, dum, quod alter cupiebat, uterque perfecit. iungunt opes, 2
sociant uoluntates, ut, quod aemulatio dissipatura erat, concordia
cresceret. necdum dictum, iam factum : emitur hospitium et ad hospi-
15 tium turba concurrit. non est enim labor in Iacob nec dolor in
Israhel. adducunt maria, quos in gremio suo terra suscipiat. mittit
Roma properantes, quos nauigaturos litus molle confoueat. quod 3
Publius semel fecit in insula Melita erga unum apostolum et — ne
contradictioni locum tribuam — in una naue, hoc isti et frequenter
20 faciunt et in plures. nec solum inopum necessitas sustentatur, sed
prona in omnes munificentia aliquid et habentibus prouidet. xeno-
dochium in portu Romano situm totus pariter mundus audiuit. sub una
aestate didicit Brittania, quod Aegyptus et Parthus agnouerant uere.

9 cf. Gen. 18, 1—8. Hebr. 13, 2   14 cf. Terent. Andr. 381 etc.
15 *Num. 23, 21   18 cf. Act. 28, 7

1 erumpens $K\Psi$ 2 alii $K\Psi$ e (he D) le (li Ψ ly Σ) mosi (y K) nam
codd. distributionem eleemosynarum' ς   tribueret $\Sigma p.c.m2$ sed] et ΣD
3 ista B sic fest. acc. D sic. fest. *in mg. m1*Σ *m2*B 6 subitus B pampacius D
7 iste ΣDB euigilet B fam. der. *om.* $K\Psi$ 8 alia $Ka.c.$ cert. uir] certabantur $K\Psi$
9 in portu *scil.* Romano, *cf. lin. 22*   habrahae $\Sigma,Ba.c.$ erat haec Ψ erat D
10 inter] in $K\Psi,\Sigma Ba.c.$ utrosque $K\Psi$ 11 ambo se] ambos $K\Psi$ 12 dum] cum Σ
iungant $\Sigma p.c.$ 14 dictum *om.* $K\Psi$ et ad hosp. *om.* $K\Psi$ 15 enim *om.* ΣD
16 adducant D susceperat $K\Psi$ mittat ς   18 in *s.l.*ΣB, *om.* $KD\Psi$
insulae K melita K meleta $\Sigma a.c.D$ mileta $\Sigma p.c.Bp.c.$ (*ex* electa) milete Ψ Melite ς
19 contradictione K una *om.* $K\Psi$ naui ΨB 20 plures] plebes $K\Psi$ nec hoc sol. ΣD
21 omnes] eis $K\Psi$ et abent. $\Sigma p.c.m2$ detrahent. $\Sigma a.c.m2D$ praeuidet $\Sigma p.c.m2$
xenedoc. D xenodac. $Ba.c.m2$ xenodic. $K\Psi$ 23 brittannia Σ (*ex* brottania) B
Britannia ς   egyptus DB partus D agnouerat B ignorant $\Sigma a.c.m2$ D nouerant ς

11. Quod scriptum est: timentibus dominum omnia
cooperantur in bonum, in obitu tantae feminae uidimus con- .
probatum. quodam praesagio futurorum ad multos scripserat monachos, ut uenirent et graui onere laborantem absoluerent faceretque
sibi de iniquo mammona amicos, qui eam reciperent in aeterna ta- 5
bernacula. uenerunt, amici facti sunt: dormiuit illa — quod uoluit — et
2 deposita tandem sarcina leuior uolauit ad caelos. quantum haberet
uiuentis Fabiolae Roma miraculum, in mortua demonstrauit. necdum
spiritum exalauerat necdum debitam Christo reddiderat animam,
et iam fama uolans, tanti praenuntia luctus,   10
totius urbis populos exsequias congregabat. sonabant psalmi et
aurata tecta templorum reboans in sublime alleluia quatiebat.
    hic iuuenum chorus, ille senum, qui carmine laudes
femineas et facta ferant.
3 non sic Furius de Gallis, non Papirius de Samnitibus, non Scipio 15
de Numantia, non Pompeius de Ponti gentibus triumphauit. illi
corpora uicere, haec spiritales nequitias subiugauit. audio: praeceden-
tium turmas et cateruatim exsequiis eius multitudinem fluctuantem
non plateae, non porticus, non inminentia desuper tecta capere poterant prospectantes. tunc suos in unum populos Roma conspexit: 20
fauebant sibi omnes in gloria paenitentis. nec mirum, si de eius salute
homines exultarent, de cuius conuersione angeli laetabantur in caelo.
    12. Hoc tibi, Fabiola, ingenii mei senile munus, has officiorum
inferias dedi. laudauimus uirgines, uiduas ac maritatas, quarum

1 *Rom. 8, 28   4 cf. Luc. 16, 9   10 Verg. Aen. XI 139   12 cf. Lucret. II 23
13 Verg. Aen. VIII 287—288   22 cf. Luc. 15, 7

    1 deum *DB*   2 uidemus *K*   4 ut *ex* et Σ et se *KΨ*   graue *Ψ*
honore laborante *D*   5 reciperet *D*   6 quod] quo modo ς 7 caelum ΣDB
8 romam *D*   demonstrabat Σ 9 exhal. ς anima *K*   11 orbis ΣD populos
$\Sigma p.c.B$ —lus *cet.* —lum ς ad exequias ΣDB 12 aurea *Ba.c.m2*
aura $\Sigma a.c.m2D$ templ. tecta ς; *seq.* ne $\dot{q}xp.$ Σ resonans ΣDB quat.
all. ς alleluia *om. D*   13 choros *Ψ* corus *Dp.c.*   14 ferunt *K* fer *B*
15 galliis $\Sigma p.c.m2$ papyr. *D* pampir. *Ψ*   iscipio *D*   16 numatia ΣD
17 corporaneos (neos *del.*) *B*   uicere *scripsi* uicere non *KΨ* uicert *B*
uicerant Σ uincerant *D*   18 exequiis *D,Ba.c.m2* exequias Σ in exs(x *B*)e-
quiis *KΨ,Bp.c.m2*   multitudine *D*   confluentem ς 19 platea Σ
20 romae *K*   21 homines (i *eras. D*) ΣD paenitentes *KΨ*   22 omnes ΣD
23 senile] simile *KΨ*   24 laudabimus *D; add.* saepe ΣDB uid. ac] hac uid. *D*
uiduas *in mg. m2Σ, s.l.m2 B*   maritas *KDΨ*   quorum *KΨ*

semper fuere candida uestimenta, quae sequuntur agnum,
quocumque uadit. felix praeconium, quod nulla totius uitae
sorde maculatur! procul liuor, facessat inuidia. si pater familias bonus
est, quare oculus noster malus? quae inciderat in latrones, Christi
5 humeris reportata est. multae mansiones sunt apud patrem.
ubi abundauit peccatum, superabundauit gratia. cui plus
dimittitur, plus amat.

LXXVIII.
AD FABIOLAM DE MANSIONIBUS FILIORUM ISRAHEL
10 ## PER HEREMUM.

1. In septuagesimo septimo psalmo, quem iuxta euangelistam
Matheum ex persona domini dictum credimus, decem plagarum in
Aegypto et egressionis Israhel in solitudinem narratur historia.
cumque nulli dubium sit facta esse, quae scripta sunt, quasi aliud
15 litterasonet, aliudspiritusclausumteneat: aperiam, inquit, in para-
bola os meum; loquar propositiones ab initio. quanta
audiuimus et uidimus et patres nostri narrauerunt
nobis. unde et apostolus isdem uerbis, quia eodem et spiritu: haec 2

---

1 cf. Eccle. 9, 8   *Apoc. 14, 4   3 cf. Matth. 20, 15   4 cf. Luc. 10, 30 et 15, 3
5 *Ioh. 14, 2   6 *Rom. 5, 20   cf. Luc. 7, 47   8 cum hac epist. cf. Origenis
homiliam XXVII in Numeros Rufino interprete   12 cf. Matth. 13, 35
15 cf. II Cor. 3, 6   *Ps. 77, 2—3   18 *I Cor. 10, 11

1 fuerint *B*   secuntur *B*   3 procul liuor] procliuior *Σ* (procul *m2*) *D*
4 malus] *add.* est *Σ* (*eras.*) *D*   5 umeris *K*   sunt *om. B*   apud] ad *K*
6 hab. *Σa.r.DB*   superhab. *Σa.r.DB*   7 amat] *add.* explicit ad oceanum
(ocenum *K*) *KΨ* explicit de morte fabiole *D*

W = *Parisinus lat. 1868 s. IX.*
X = *Parisinus lat. 9532 s. IX.*
Ω = *Colmarensis 41 s. IX.*
O = *Oxoniensis Balliolensis 229 s. XII.*
B = *Berolinensis lat. 18 s. XII.*

de mans. populi israhelitici *W* de mans. israhelitici (*ex* — ce) populi *X*
titulus euanuit in Ω ad fabiolam (*om. B*) de mans. filiorum isrl per (h)eremum *OB ;*
Hieronymi nomen exhibet titulus in O

12 mateum *B*   13 egress(s *W*)iones *W,Xa.c.*   isrlis *O*   hy(y *B*)-
storia *ΩB*   14 sit] est *Ω*   15 sonat *WX*   claus. spir. *OB*   in *om. X*
parabula *X* parabolis *Ω*   17 uid. ea *OB*   narr.] annuntiauerunt *O*   18 *pr.* et *om. W*
hisdem *Xp.c.ΩO* idem *B* iidsdem *ς*   *alt.* et *om. O*

autem, ait, omnia in figura contingebant illis; scripta
sunt autem ad commonitionem nostram, in quos fines
saeculorum deuenerunt. et: nolo uos ignorare, fratres, quoniam patres nostri omnes sub nube fuerunt et omnes mare
transierunt et omnes in Moyse baptizati sunt, in nube et in 5
mari, et omnes eandem spiritalem escam manducauerunt
et omnes eundem potum spiritalem biberunt. bibebant
enim de spiritali sequenti eos petra; petra autem erat
3 Christus. si ergo pars historiae itineris ex Aegypto spiritaliter accipitur, et cetera, quae ab apostolo pro angustia temporis praeter- 10
missa sunt, eiusdem intellegentiae conuincitur. nam idem propheta,
qui in alio loco dixerat: habitaui cum habitationibus Cedar;
multum incola fuit anima mea, absentiam terrae sanctae
ferre non sustinens lacrimabiliter ingemescit et dicit: haec recordatus sum et effudi in me animam meam, donec trans- 15
eam in loco tabernaculi admirabilis usque ad domum dei
in uoce exultationis et confessionis, sonus epulantis, et
in alio psalmo: reuela oculos meos, et considerabo mirabilia
4 de lege tua. Paulus quoque: lex spiritalis est et ipse dominus:
si crederetis Moysi, et mihi crederetis; de me enim ille 20
scripsit, et euangelium secundum Lucam: tunc incipiens a
Moyse et omnibus prophetis interpretabatur illis in
cunctis scripturis, quae de se ipso dicta erant. igitur Iudaei
paruuli et qui solidum cibum glutire nequeunt, sed adhuc lacte nu-

---

3 I Cor. 10, 1—4   12 *Ps. 119, 5—6   14 *Ps. 41, 5   18 Ps. 118, 18
19 Rom. 7, 14   20 *Ioh. 5, 46   21 *Luc. 24, 27   23 cf. I Cor. 3, 1—2. Hebr. 5, 12—14

1 agit omnia *Xa.c.* omnia inquit *O* omnia *B*   figuram *B*   illos *W*   2 nostr.
comm. *O*   commotionem *W* communionem *Ba.c.*   3 quoniam] quod *ΩB*   4 mari *W*
per mare *XB*   5 moysi *W* moisen *X*   6 omnem *B*   escam spiritalem *O*   ęscam *Ω*,
om. W   7 spiritalem potum *Ω*   8 enim] autem *O*   consequenti (-te *Ω*) *ΩO*
9 itin. hist. *W*   hystoriae (-e*B*) *ΩB*   iteneris *X*   10 ab *s.l.m2X*
per (propter *O*) angustiam *XO*   praetermissae *W*   11 eiusdem esse *ς*   conuincuntur *Xp.c.m2* conuincentur *WO*   12 h(*s.l.*)abitacionibus *X* habitantibus *cet.*
caedar *WΩ*   13 sancte terre *O*   14 ferre *om.Ω*   ingemiscit *Xp.c.m2 OB*
16 loco *XB* locum *cet.*   17 confessis *W*   20 *pr.* credideritis *Xa.c.m2Wa.r.*
moisi *X* mosi *W*   et *om.Ω*   cred. mihi *Ω*   *alt.* crederitis *Xa.c.m2*   21 euangelio *W*
22 moise *B* moysen *W* moisen *X*   et in (*exp.*) omnibus *X*   23 se *om. ΩOB*
24 paruoli *Xa.c.*, *om. Ω*   gluttire *WΩ*

triuntur infantiae, legant Pharaonem carneum et Mare Rubrum,
per quod ad Indiam nauigatur, et manna coriandro simile et omnia,
quae scripta sunt, audiant corporaliter: lepram domorum et lepram
pellis et staminis, taurum homicidam et iumentum adulterii reum
5 et Hebraei propter uxorem ac liberos seruire cupientis aurem subula
perforatam. nos autem derelinquentes Capharnaum, agrum quon- 5
dam pulcherrimum, et cum Iesu egredientes in desertum pascimur
panibus eius, si insipientes sumus et iumentorum similes, hordeaceis,
si rationale animal, triticeis et ex grano frumenti commolitis, quod
10 in terram cadens et mortuum multos fructus attulit. nouem plagis
percussa est Aegyptus, fractus Pharao, ut dimitteret populum
dei. ad extremum primogenita perdit, ut primogenita Israhelis
domino sacrarentur. qui prius tenere cupiebant, instanter expellunt.
exterminator transit et terram Gesen pastoralem et pluuiis inri- 6
15 gatam non audet adtingere; erant enim postes eorum agni cruore
signati et opere loquebantur: signatum est super nos lumen
uultus tui, domine. unde et appellatur ipsa sollemnitas phase,
quam nos transitum possumus appellare, eo quod de peioribus ad
meliora pergentes tenebrosam Aegyptum relinquamus. sed iam
20 tempus est, ut promissa conplentes mansionum Israhel ordinem persequamur.

2. Scriptum est in ultima parte uoluminis Numerorum, quod
apud Hebraeos appellatur 'uaiedabber': haec sunt castra

---

1 cf. Ex. 15, 4 etc.   2 cf. Num. 11, 7   3 cf. Leu. 14, 34—53   cf. Leu. 13, 47—59
4 cf. Ex. 21, 28—32   cf. Ex. 22, 19   5 cf. Ex. 21, 5—6   6 cf. Matth.
11, 23—24 etc.   7 cf. Matth. 14, 13 etc.   8 cf. Ps. 48, 13. 21   cf. Ioh. 6, 5—13 etc.
10 cf. Ioh. 12, 24—25   cf. Ex. 3, 19—12, 36   12 cf. Ex. 12, 29   cf. Ex.
13, 1—2. 12—15   13 cf. Ex. 12, 33   14 cf. Ex. 12, 23   cf. Gen. 47, 1—11
16 Ps. 4, 7   17 cf. Ex. 12, 11   19 tenebr.] cf. Onom. sacra ed. Lagarde² 66,
28; 73, 14; 77, 25   23 *Num. 33, 1

1 infantia W   3 pr. lepra Ω   alt. conlepram Ω   5 uxores O   hac (h del.) X
et O   cupientes WΩ   aurae W   subulā B subola ex subolet X   6 relinquentes Ω
chapharn. X   7 pascamur ς   8 eius] suis Ω   incipientes XΩ   ho(oB)rdeaciis Ω, Ba.c.
orde(ae W)aceis cet.   9 sin ς   grana B   10 terra X   et mort.] emortuum OB
fructos W, Xa.c.   11 factus W, Xa.c. adflictus Ω   12 perdit W, Ωa.c. prodit X
perdidit cet.   ut om. B   irł W   13 qui] que B   14 gesen XΩ gessen WO
gessem B   pluuius B   17 solemn. X sollempn. WOB   18 quem Ω
app. poss. WX   prioribus OB   19 derelinquamus Ω relinquimus ς
20 prosequamur O   23 uaiedabber X uagedaber Ω uaiedaber cet.

4*

filiorum Israhel, qui egressi sunt de terra Aegypti per
turmas suas in manu Moysi et Aaron, quas Graeci *ἀπάρσεις*
uocant, nos propter linguae proprietatem significantius 'mansiones'
2 siue, quia de exercitu dicitur, 'castra' transtulimus. fit autem catalogus
mansionum a prima usque ad ultimam et numerantur simul qua- 5
draginta duae, de quibus Matheus loquitur: ab Abraham usque
ad Dauid generationes quattuordecim et a Dauid usque
ad transmigrationem Babylonis generationes quattuordecim et a transmigratione Babylonis usque ad Christum
generationes quattuordecim, id est simul generationes quadra- 10
3 ginta duae. per has currit uerus Hebraeus, qui de terra transire festinat ad caelum et Aegypto saeculi derelicta terram repromissionis
ingreditur. nec mirum, si in illo numeri sacramento perueniamus ad
regna caelorum, sub quo dominus atque saluator a primo patriarcha
peruenit ad uirginem, quasi ad Iordanen, quae pleno gurgite fluens 15
4 spiritus sancti gratiis redundabat. quod autem in manu Moysi et
Aaron egressus scribitur, intellege legem et sacerdotium, opera et
cultum dei, quorum alterum altero indiget. nihil enim prodest
exercere uirtutes, nisi noueris creatorem, nec dei ueneratio proficiet
ad salutem, nisi praecepta conditoris inpleueris. his duabus manibus 20
quasi duobus seraphim in confessionem sanctae trinitatis erumpimus
dicentes: sanctus, sanctus, sanctus dominus sabaoth.
3. Mouerunt autem de Ramesse mense primo, quinta
decima die mensis primi, altera die post pascha egressi

---

6 Matth. 1, 17   11 cf. epist. LXXI 2, 3 (Hebraeus, id est *περάτης* atque
transitor) et infra p. 75, 1   12 cf. Hebr. 11, 9   16 Num. 33, 1   22 *Esai. 6, 3
23 *Num. 33, 3—4

1 sunt *om. W*   2 moisi *X   ATTAPCEIC X AITAPCEIT B* attharsait *O*
4 castra *om. X*   fiat *Ω*   cathal. *O*   6 ab *s.l.m2X*   habra(h*s.l.m2*)am *X*   7 et *om. W*
a] ad (d *exp.) XB*   8 et 9 babil. *XB* babill. *W*   9 a *s.l.B* ad (d *exp.) X*   10 sunt
XIIII *Ω   alt.* gener. *om. Ω*   11 ebreus *B*   transsire *W, om. O*   12 derelicto *OB*
terra *W*   promissionis *O*   14 ac *O*   a *om. Ω*   patriarca *XB*
15 iordanen *WX* — nem *cet.*   qui *Xp.c.m2O*   16 gratia *Ω*   autem *om. W*
. 17 Aaron — *pr.* et *om. Ω*   egressos scribit *OB*   19 proficiet (*ex* — cet *X*)
Wa.c.X proficit *cet.*   20 cond.] saluatoris *Ω*   man.] mansionibus *Ω*
21 duobus] duabus *W, om. X*   seraphym *Ω* —phin *O* —phiim (*alt.* i *exp.*) *X*
confessione *OB*   22 dom. deus *ΩOB*   sabaoth. explicit *Ω*   23 autem *W,*
add. castra *cet.*   rammasse *X*   *X̊V O*   24 pasca *Xa.c.m2B*

sunt filii Israhel in manu excelsa in conspectu omnium
Aegyptiorum. et Aegyptii sepeliebant, quos percus-
serat dominus ex eis, omne primogenitum in terra
Aegypti, et in diis eorum fecit dominus iudicia.
5 Ramesse a quibusdam interpretatur 'commotio turbulenta' aut 2
'amaritudo commotioque tineae', nos autem uerius aestimamus exprimi 'tonitruum gaudii'. ad hanc urbem, quae in extremis Aegypti
finibus erat, populus congregatus est, qui in desertum exire cupiebat,
eo quod tumultum saeculi derelinquens mouebatur a uitiis pristinis
10 et ab excomedente se prius tinea peccatorum et omnem amaritudinem
uertens in dulcedinem ut dei uocem in Sina monte desuper tonan-
tis audiret. quod autem uerba diuina et eloquia scripturarum in istius 3
saeculi et mundi rota tonitruus appellentur, psalmista declarat
dicens: uox tonitrui tui in rota, et dei patris uocem in baptismo
15 saluatoris audientes tonitruum putauerunt. cumque commoti fuerimus
ad euangelicam tubam et excitati tonitrui gaudio, eximus in mense
primo, quando hiemps praeteriit et abiit sibi, quando ueris
exordium est, quando terra parturit, quando cuncta renouantur, et
eximus quinta decima die mensis primi, in crastinum paschae
20 pleno mensis lumine, post esum agni inmaculati et calciatos pedes de
apostolo et accinctos pudicitia lumbos et baculos in manibus praepara-
tos. quamuis enim in Aegypto quarta decima mensis pascha facientes 4
comederimus agnum, tamen tunc lux nobis plena conpletur, quando
in manu excelsa Ramessem dimittimus, quae excelsa dicitur,
25 uel quod Aegyptum percusserit uel quod protexerit Israhel uiden-

5 Ramesse] cf. Philo Iud. de somniis I 14: Ῥαμεσὴν τὴν αἴσθησιν, ὑφ' ἧς
ὥσπερ ὑπὸ σητῶν ἡ ψυχὴ διεσθίεται. ἑρμηνεύεται γὰρ σεισμὸς σητός et
Onom. s. 14, 20: intonuit laetus siue malitia de tinea; 9, 30 et 197, 27 11 cf. Ex. c. 19
14 Ps. 76, 19   cf. Matth. 3, 17 etc. et Ioh. 12, 29   17 *Cant. 2, 11   19 Num. 33, 3
20 cf. Ex. 12, 5. 8   cf. Ex. 12, 11. cf. Eph. 6, 15. 14   24 Num. 33, 3

5 ramasse X ramesses O 6 comotioque W comestioque Vallarsius 7 tonitru B
Aegypti om. ς   9 relinquens O   10 ab] a WX   comendente (pr. n eras.) W
comedentis ex -tes m2X   se om. XΩ   ut ς   11 ut om. Oς   in om. X   syna ΩO
12 et om. B   13 tonitrus B tonitrua Ω   appellantur O   14 tui om. W   15 put.
ton. B   comoti O moti W   16 angelicam O   et om. W   tonitruo Ω   gaudii WXΩ
17 hiems B   praeterit ΩB   abit Ω   18 parturierit X   20 et om. O   habentes
calciatos ped. O calceatos ped. habentes ς   21 apostoli W   22 XIIII ΩO; add. die O
commed. WX   nobis lux WXΩ   24 ramesse OB   25 alt. quod] quando X

tibus Aegyptiis, qui admirantur nos exire de saeculo et torquentur
inuidia et postea tenere cupientes in persecutionibus suffocantur,
quando et Aegyptii sepeliunt primogenitos suos et patres mortui
5 terrenis operibus opprimunt mortuos filios. mihi uidentur Aegyptiorum primogenita dogmata esse philosophorum, quibus deceptos 5
homines atque inretitos tenebant. quae cum Israhel uiuus effugerit,
circumdant mortuis suis, ne exeuntium imitentur exemplum. porro,
quod sequitur: in diis eorum fecit iudicia siue, ut Septuaginta
transtulerunt, ultiones, illud Hebraei autumant, quod nocte, qua
egressus est populus, omnia in Aegypto templa destructa sint siue 10
motu terrae siue tactu fulminum. spiritaliter autem discimus, quod
egredientibus nobis ex Aegypto errorum idola corruant et omnis per-
uersarum doctrinarum cultura quatiatur.

4. Et proficiscentes filii Israhel de Ramesse castra metati sunt in Sochoth. 15

Secunda mansio. in hac coquunt panes azymos et primum
tendunt tabernacula, unde et ex re locus nomen accepit.
Sochoth quippe interpretatur in lingua nostra 'tabernacula' siue
'tentoria'. et ob hoc septimo mense, quinta decima die mensis sollemnitas tabernaculorum est. cum ergo exierimus ex Aegypto, primum 20
2 tabernacula figimus scientes nobis ad ulteriora pergendum. tunc non
comedimus de fermento Aegypti, de fermento malitiae et nequitiae, sed uescimur azymis sinceritatis et ueritatis domini
praecepta opere consummantes: cauete a fermento pharisaeorum. in hac nobis praecipitur mansione, ut semper egressionis ex 25

8 *Num. 33, 4   14 *Num. 33, 5   16 cf. Ex. 12, 39   18 cf. Onom. s. 14, 19; 21, 1;
149, 32   19 cf. Leu. 23, 34—36   22 I Cor. 5, 8   24 Matth. 16, 11   25 cf. Ex. 12, 42

1 nos de saec. egredi O   nos exire om. B   2 nos tenere ς   3 pr. et om. WB
4 fil. mort. Ω; add. suos WX   6 effugiret Ω   7 circumdantur O   9 autument W
qua] quae W quia X   10 sunt OB   11 tactui W tractu Ba.c. ictu ς   discemus
W,Xa.c. dicimus OB   12 ex] de ς   13 catiatur B quatiantur W   14 de terra ramase X
15 sochot W soccoth OB   16 has W,Xa.c.m2   cocunt WX quoquunt B
azymos O azimos (-as Xa.c.) cet.   17 ex] add. hac s.l.m2X   18 sochot ex
socohot X socoth W soccoth OB   19 ob om. B   haec X   XV O
sollempn. WB solemn. XO   20 est om. Ω   ex] de ΩO   21 sciendum WB
progredien(n om. B)dum OB   non om. B   22 comm. X   de ferm. Aeg. om. O
23 azimis WΩB   24 praeceptum O   consumantes W

Aegypto memores simus, ut celebremus transitum, id est phase domini, ut primogenita nostri uteri cunctarumque uirtutum pro primogenitis Aegypti, quae percussa sunt, domino consecremus.

5. Et profecti de Sochoth castra metati sunt in Aetham,
5 quae est in extremo solitudinis.

Tertia mansio offertur post tabernacula, in qua primum uidetur dominus nocte in columna ignis et per diem in columna nubis, ut praecedat populum et dux itineris fiat. Aetham nobiscum sonat 'fortitudo' atque 'perfectio', de qua et Dauid canit: tu disrupisti
10 fluuios Aetham, id est 'fortes'. grandis est fortitudo Aegyptum dimittere et in extrema solitudine commorari. ex quo intellegimus 2 locum Sochoth adhuc iuxta Aegypti fuisse regiones. in eo enim, quod dicitur: quae est in extremis finibus solitudinis, ostenditur inter confinia esse heremi et Aegypti. praeparemus nobis
15 fortitudinem, adsumamus perfectum robur, ut inter errorum tenebras et confusionem noctis scientiae Christi lumen appareat. dies quoque noster nubem habeat protegentem, ut his ducibus ad sanctam terram peruenire ualeamus.

6. Profectique de Aetham reuersi sunt Phiahiroth, quod
20 est contra Beelsephon, et castra metati sunt e regione Magdol.

Quarta mansio est Phiahiroth, quae interpretatur 'os nobilium', scribiturque per litteram heth. quidam male hiroth 'uillas' putant, errorque manifestus, quod pro supra dicto elemento ain litteram

---

1 cf. Ex. 12, 43—49   2 cf. Ex. 13, 1—2. 11—15   4 *Num. 33, 6
7 cf. Ex. 13, 21—22   8 cf. Onom. s. 99, 17   9 *Ps. 73, 15   13 Num. 33, 6
19 *Num. 33, 7

4 sochot *W* soccoth ΩOB etham *X* aethan Ω ethan *O* etan *B*
7 ygnis *B* nubis *WX*   nubis] ignis *WX*   8 etham *Xp.r.* aethan Ω
ętam *B* ethan *O*   nobis consonat fort. *B* nobis fort. consonat *O* nobis sonat
fort. ç   9 adque *X* sive *OB*   profectio *O*   et *om. O*   dirupisti *O*
10 etham *X* etam *B* ethan *O*   11 in *om.* $X\Omega$ 12 sochoth *X* socoht *W*
socoth *Ba.c.* soccoth *cet.*   enim *om.* Ω 14 esse *om.* Ω 15 robor *W,Xa.c.*
16 dies *s.l.X*   17 terr. sanctam *O*   19 etham *X* hetam *B* aethan Ω ethan *O*
sunt ad *WX*Ω phiahir. *B* phyair. ΩO phiaphir. *W* phialr. (1 *m2 in ras. 2 litt.*)*X*
quae *B*   20 est *om. W*   behelsephon *B* (*ubique*)   et *om. B*   castra] crs *W*
21 macdol *O* magdolū *W*   22 est *om. W*   phiahir. *XB* phiair. *O* phiaphir. *W,*
om. Ω 23 quae (que *B*) scribitur *OB*   litt. *om. W*   beth *O* bet *B*
hyroth *B* phiairoth *O*   24 pro *om.* ΩB ai ç   littera *W*

legant. Beelsephon in linguam nostram uertitur 'dominus aquilonis' aut 'ascensus speculae' aut 'habens arcana', porro Magdol
2 'magnitudo' uel 'turris'. adsumpta igitur fortitudine nobilitamur
in domino et Beelsephon idoli arcana contemnimus illiusque
magnificentiam et turritam superbiam declinamus. non enim est ab 5
austro, unde dominus uenit, et a meridie, in qua sponsus recumbit
in floribus, sed possessor aquilonis, uenti frigidissimi, a quo exardescunt mala super terram; qui, cum sit frigidissimus, nomine dexter
uocatur, falso sibi adsumens uocabulum uirtutis ac dexterae, cum
totus sit in sinistra. 10
**7. Et profecti de Phiahiroth transierunt per medium
mare in deserto et ambulauerunt uiam trium dierum in
solitudine Aetham et castra metati sunt in Mara.**
Quinta mansio Mara, quae interpretatur 'amaritudo'. non poterant
ad Rubri Maris gurgites peruenire et Pharaonem cum suo exercitu 15
uidere pereuntem, nisi postquam habuerunt in ore nobilitates, id est
in domini confessione uirtutes, quando crediderunt deo et Moysi,
famulo eius, et audierunt ab eo: **dominus pugnabit pro uobis
et uos tacebitis**, et uictores Maria praecinente in tympanis † corporum resonarunt carmina triumphantium: **cantemus domino;** 20
gloriose enim honorificatus est, equum et ascensorem
2 **proiecit in mare.** post praedicationem euangelii, post tabernacula transmigrantium, post adsumptam fortitudinem, post confessionis nobilitatem pericula rursus occurrunt. unde discimus cauendas

---

1 cf. Onom. s. 12, 16; 16, 24 et 27   2 cf. ibid. 58, 8   5 cf. Hab. 3, 3
6 cf. Cant. 1, 6   8 cf. Prou. 27, 16 sec. LXX   11 *Num. 33, 8   14 cf. Ex. 15, 23.
Onom. s. 14, 8   16 cf. p. 55, 22   18 Ex. 14, 14   19 cf. Ex. 15, 20—21
20 *Ex. 15, 21 et 1

1 lingua nostra *W*   2 archana *WXΩ*   macdol *O*   4 in] a *Ω*   archana
WΩ,Xa.c.   6 et *om. X*   7 foribus *W*   8 frig. sit *W*   9 falsum *ç*   uocabulo *W*
dextrae *B* dexter *Ω*   11 phiahir. *XB* phiair. *O* phya(h *s.l.*)ir. *Ω* aphiphir. *W*
12 mari *W*   desertum *W*   et *om. ç*   deambul. *O*   uia *W* (*ex* una) *Ω*
13 etam *B* aethan *Ω* ethan *O* et hanc (n *exp.*) *X*   et *om. X*   14 quinta autem *Ω*
post mansio *add.* est *O* in *X* est in *ç*   15 peruenere *Ba.c., om. W*   16 abierunt *Ω*
nobilitatis *Ω*   17 uirtutis *Ω*   domino *OB*   19 timpanis *X* tymphanis *W*
corp.] et choris *ç* cororum (= chororum) *coni. Engelbrecht*   20 resonarent *X*
resonare coeperunt *ç*   21 magnificatus *O*   22 deiecit *WΩ*   23 migrantium *O*
24 peric.] Aegyptii et Pharao *ç*

semper insidias et inuocandam misericordiam dei, ut insequentem
Pharaonem possimus effugere et nobis in spiritali baptismo suffo-
cetur. egressis de Mari Rubro occurrit heremus Sur, quae et solitudo 3
Aetham dicitur, in qua tribus diebus ingredientes non habuerunt
5 aquam et peruenerunt ad Mara, quae ex amaritudine nomen accepit.
habebat fons aquam, et dulcedinem non habebat. murmurat populus
uidens aquas et potare non sustinens. intellege Mara aquas occidentis
litterae, quibus si inmittatur confessio crucis et passionis dominicae
sacramenta iungantur, omne, quod inpotabile et triste uidebatur ac
10 rigidum, uertitur in dulcedinem. unde et scriptum est: constituit
deus populo legem et iudicia et temptauit eum. ubi enim
magnitudo gratiae, ibi magnitudo discriminis. nec terrearis, si post 4
uictoriam uenias ad amaritudinem, quia uerum pascha facientes
azyma cum amaritudinibus comedunt et temptatio probationem,
15 probatio spem, spes parit salutem. apud medicos quoque quaedam
antidotus noxios humores temperans ex amaritudine nominatur,
quae dulcis ostenditur restituens sanitatem, sicut e contrario uoluptas
atque luxuria amaritudine terminatur dicente scriptura: quae ad
tempus pinguefacit fauces tuas, nouissime uero ama-
20 rius felle inuenies.

8. Et profecti de Mara uenerunt in Helim, ubi erant
duodecim fontes aquarum et septuaginta palmae, ibique
castra metati sunt.

Sexta mansio in 'arietes fortesque' uertitur. quam pulcher ordo
25 uirtutum! post uictoriam temptatio, post temptationem refectio.

---

3 cf. Ex. 15, 22   5 cf. Ex. 15, 23   6 cf. Ex. 15, 24   7 cf. II Cor. 3, 6
10 *Ex. 15, 25   13 cf. Num. 9, 11   14 cf. Rom. 5, 4—5   16 antidotus]
scil. πικρά, cf. epist. CXXI praefat.   18 *Prou. 5, 3—4   21 *Num. 33, 9
24 cf. Onom. s. 13, 4; 50, 5

2 effugire W   in om. OB   3 egressi WOB   mare W   occurit W, Ba.c.
occurrat Ω   sir W   4 aethan Ω ethan XO etan B Etham ς   5 peruneiunt B
ex s.l.m2X   7 Mara int. ς   maram ΩB mare Xa.c.   aquas] in aquis Xp.c.m2
8 inmitatur WX immitatur B imitatur O imitator Ω   9 et om. X   10 uertetur OB
et om. XΩ   11 leg. pop. O   13 qua X qui Ω   pasca B   14 azima ΩB
15 parturit O   16 anthidotus (-tos W) WXΩ   nuncupatur ς   18 adque
X et O   amar. om. Ω   terminantur Ω temperatur OB   19 pingues facit OB
21 et om. OB   helym O Elim ς   24 fontesque OB   25 tentatio ς,
om. OB   tentationem ς   refectionis O

de amaritudine uenimus ad arietes et robustos principes gregis, quos apud Ezechiel dominus iudicaturum esse se dicit, quod alii eorum conculcauerint aquas et conpresserint oues, alii lenes et placabiles fuerint. de his et uicesimus octauus psalmus loquitur: adferte do-
2 mino, filii dei, adferte domino filios arietum. sextae man- 5
sionis tenemus hospitium. numquam prius occurrerunt fontes purissimi, nisi ubi magistrorum doctrina prorumpit. nec dubium, quin de duodecim apostolis sermo sit, de quorum fontibus deriuatae aquae
3 totius mundi siccitatem rigant. iuxta has aquas septuaginta creuere palmae, quos et ipsos secundi ordinis intellegimus praeceptores 10 Luca euangelista testante duodecim fuisse apostolos et septuaginta discipulos minoris gradus, quos et binos ante se dominus praemittebat. de quibus et Paulus refert, quod apparuerit dominus primum duodecim, deinde apostolis omnibus, alios uolens intellegi primos et alios secundos Christi discipulos. bibamus de huiusce modi fontibus 15 et dulces fructus uictoriae deuorantes ad mansiones reliquas praeparemur.

9. Profectique de Helim castra metati sunt ad Mare Rubrum.

Mare Rubrum, quod Hebraice dicitur 'iam suph', septima mansio 20 est. et quaeritur, quomodo post transitionem Maris Rubri et fontis Marae et Helim rursum ad Mare Rubrum uenerint, nisi forte in itinere pergentibus sinus quidam maris occurrerit, iuxta quem castra metati sunt. aliud est enim transire per mare, aliud in proximo figere
2 tabernacula. ex quibus monemur etiam post euangelicam discipli- 25

---

2 cf. Ezech. 34, 17—31   4 Ps. 28, 1   11 cf. Luc. 6, 13 et 10, 1˙
13 cf. I Cor. 15, 5—7   18 *Num. 33, 10

2 ezechihel $\Omega p.c.$ hiezetihel X ezechielem OB iudicaturos O se esse Ω esse $Xa.c.m2B$ 3 conculcarint Ω 4 uiges. Ω 5 sexta W 6 purismi W 7 prorupit O de om. W 8 der. aquae] deriuata ea que B deriuata sunt ea quae O diriuatae $W\Omega$ tot. aquae W 9 has $s.l.m2X$ creuerunt ς 10 et] ad W intellig. WOB 11 lucas OB lucta $Xa.c.m2$ testante] dicente Ω ait $O, om. B$ 12 minores W dom. ante se ΩO 13 primo Ω 14 XI Ω uoluit OB 15 huius O 16 uict. om. Ω 18 helym O heli B Elim ς 20 Mare Rubr. om. Ω supph B sup W 21 et om. OB transionem $WO, XBa.c.$ fontes X 22 marẹ Ω mare cet. Mara ς et helim in mg. $X, om. \Omega$ elim B 23 itenere X quidem W occurrit ΩB 24 sint $Xp.r.$ enim est O transsire W passim per om. OB 25 monetur B mouemur W

nam inter cibos dulcissimos triumphorum apparere nobis interdum
mare et praeterita discrimina poni ante oculos, quamquam multae
differentiae sit transire mare et mare procul aspicere. uerbum 'iam
suph' apud Hebraeos ex mari et rubro conpositum est; suph autem
5 et 'rubrum' et 'scirpus' uocatur. unde possumus suspicari, quod
uenerint ad paludem quandam et lacum, qui carecto et iuncis plenus
fuerit. quod autem omnes congregationes aquarum scriptura sancta
mare uocet, nulla dubitatio est. haec mansio in Exodo non habetur, 3·
sed scriptum est pro ea, quod de Mari Rubro uenerint ad desertum
10 Sin, quae est inter Helim et Sinai, quinta decima die mensis secundi
egressionis eorum ex Aegypto, id est tricesima prima, postquam
egressi sunt de Ramesse.

10. Et profecti de Mari Rubro castra metati sunt in
solitudine Sin.

15 Octaua mansio, licet iuxta ordinem Exodi septima sit. sed sciendum, quod omnis usque ad montem Sinai heremus Sin uocetur et ex
tota prouincia etiam locus unius mansionis nomen acceperit, sicut et
Moab tam urbis quam prouinciae nomen est. in hac solitudine quinque mansiones: iam suph, de qua supra diximus, et heremus Sin et
20 Dephca et Halus et Raphidim, de quibus loquemur in consequentibus.
Sin autem interpretatur 'rubus' uel 'odium', quorum utrumque 2·
facit ad mysticos intellectus, quod, postquam uenerimus ad eum
locum, de quo nobis sit dominus locuturus, grande odium mereamur
inimici. tunc uidebimus ardere rubum et non comburi, inflammari
25 ecclesiam persecutionibus et eam loquente in illa domino non perire.
et nota, quod in octaua mansione, in qua torcularia nostra sunt, unde

---

9 cf. Ex. 16, 1 13 *Num. 33, 10—11 21 cf. Onom. s. 14, 30; 21, 2; 23, 13; 30, 7
23 cf. Ex. 3, 2—4   26 cf. Ps. 8, 1

1 inter *scripsi* in *WΩ* et in (in *eras.*) X et *OB*   3 sint *ΩOB*   et ad mare *O*
alt. mare *om. W*   iasuph *B*   6 uener *B*   qui] qui et ς   9 est *om. B*
eo *WΩ,Xp.c.m2*   mare *WO*   10 syn *O passim*, sinon *B*   quae (*scil.* mansio
uel potius heremus, *cf. l. 16—17*)] quod *O*   elim *B*   diae *X,s.l.Ω*   11 ex] et *B*
13 mare *W*   casta *B*   16 monte *W*   sina *Ω*   et *om. WX*   19 sunt mans. *O*
mans. sunt *XB*   supph *B*   *pr.*et] uel (*eras.*) et *Ω*   20 dephaca *X* d*pcha
(*litt. post* d *euanida*) *Ω*   Alus ς aliis *B*   raphydim *Ω* raphidin *OB*
loquimur *W,Xa.c.*   sequentibus *O*   21 quor. utr.] quorumque (trū *s.l.*)*Ω*
23 sit nobis ς   24 et tunc *X*   uidemus *O*   rubrum *W,Xa.r.*   25 domino in illa *O*
26 torcolaria *WΩ*

et octauus psalmus hoc titulo praenotatur, desertum capimus rubi,
quia plures filii desertae magis quam eius, quae habet
uirum.

11. Et profecti de deserto Sin castra metatis unt in Dephca.
Nona mansio. hoc nomen apud Hebraeos κροῦσμα, id est pulsatio, 5
dicitur, iuxta quod et dominus ait: pulsate et aperietur uobis.
in libro autem Hebraicorum Nominum 'adhaesionem remissionem-
que' transtulimus, quod lectorem turbare non debet. nec putet nos
dissonantia scribere; ibi enim iuxta id, quod uulgo habetur, edidimus,
si medium uerbum scribatur per beth litteram; hic autem in He- 10
braico uolumine scriptum repperi per phe, quod elementum magis
pulsationem quam glutinum sonat. sensusque manifestus: post
responsa domini, post octauum numerum resurrectionis Christi in-
2 cipimus sacramenta pulsare. prudentem studiosumque lectorem
rogatum uelim, ut sciat me uertere nomina iuxta Hebraicam ueri- 15
tatem; alioquin in Graecis et Latinis codicibus praeter pauca omnia
corrupta repperimus. et miror quosdam eruditos et ecclesiasticos
uiros ea uoluisse transferre, quae in Hebraico non habentur, et de
male interpretatis fictas explanationes quaerere, ut in praesenti pro
Dephca legunt Raphaca litteram ponentes pro littera, eo quod res 20
et daleth paruo apice distinguantur, et interpretantur 'curationem'
atque exinde tropologiam similem prosequuntur.

12. Et profecti de Dephca castra metati sunt in Halus.

2 *Esai. 54, 1   4 *Num. 33, 12   6 Matth. 7, 7 etc.   7 cf. Onom. s. 17, 21
13 sc. octaua littera alphabeti Hebraici uitam significat, cf. Hieron. epist. XXX 5 et 7
23 *Num. 33, 13

1 et om. X   desert. —filii om. Ω   4 inde pepha B   5 hoc nomen s.l.m2X
κροῦσμα scripsi κροῦμα ς KPYCMA (KPOCRU s.l.)   X KPYCMΩ W
CKPYCMA Ω KPICM B crisma O   6 apperietur Ω   7 rem.] refert mansionemque
Xp.c.m2 quem Ω retentionemque ς   8 transtullimus W statuimus O   nec]
ne W,Xp.r.   9 dissonantiā Xp.c.m2B   10 litt. beth O   bet B heth Ω
11 reperi Xa.c.Ω   phe] hahem O haem B   12 quam om.Ω   est man. ς
15 rigatum B   uellem Ω   nomina] omnia Ω   iuxa X (sic semper fere
in hac epistula, sed reliquis locis m2 corr.)   16 pauca] add. nomina W   17 reper. ς
inuenimus O   alt. et om. B   19 malis W   finctas W factas O facitis B
in om. X   20 dephca (depcha XΩ) legant pro raphaca (rapphaca W rapcha Ω) WXΩ
raphca O rabhca ex rabca B   legant rephca ς   21 deleth Xp.c.m2O delet W
22 trophologiam(h exp. X)WXB   prosecuntur ΩOB persequuntur X prosequantur W   23 et Ω, om. cet.   de om. WX   depcha Ω dephaca WX   alus Xa.c.,B (ex aliis)

Decima mansio in Exodo non habetur crediturque in Sin heremo
contineri eodem narrante libro: profecta est omnis multitudo
filiorum Israhel de heremo Sin per mansiones suas iuxta
os domini et uenerunt Raphidim. ex quo perspicuum est
5 plures mansiones unius regionis uocabulo demonstrari. interpretatur 2
Halus 'fermentum', quod tollens mulier miscuit farinae
satis tribus, donec fermentaretur totum. in hac solitudine
murmurat populus propter famem et conuersus respicit procul in
nube gloriam dei accipitque uespere coturnicem et mane alterius
10 diei manna. et nota in mansione decima fermentum poni et post
esum carnium manna tribui inplerique scripturam: panem angelorum manducauit homo.

13. Profectique de Halus castra metati sunt in Raphidim; et non erat ibi aqua populo.

15 Undecima mansio est, quam uiolenter interpretatam in libro
Hebraicorum Nominum repperi 'uidit os sufficiens eis' aut certe
'uisio oris fortium'; meliusque transfertur 'dissolutio fortium' uel
'sanitas fortium' siue iuxta proprietatem linguae Syrae 'remissio
manuum'. haec et in Exodo legitur post profectionem de heremo Sin. 2
20 queritur in ea populus ab ardore sitis; fons de petra Oreb erumpit
et profluit et, quia temptauerunt deum, locus Raphidim 'tempta-
tionis' quoque, id est 'massae' sortitus est nomen. Moyses ascendit in
montem; Iesus contra Amalec militat; ad crucis signum superatur
inimicus; remissis orantis manibus hostis uictor insequitur. sedet 3

2 *Ex. 17, 1   6 cf. Onom. s. 16, 7   *Matth. 13, 33. *Luc. 13, 21
7 cf. Ex. 16, 2—36   11 Ps. 77, 25   13 *Num. 33, 14   16 cf. Onom. s. 14, 22
19 cf. Ex. 17, 1   20 cf. Ex. 17, 3. 6   21 cf. Ex. 17, 7   22 cf. Ex. 17, 10. 9. 11
24 cf. Ex. 17, 12. Zach. 3, 9

1 deci W   heremi Bp.c.   4 raphydim Ω passim, in raphidim O
5 un. reg. om. X   interpretaturque WXB   6 alus O   commiscuit B
farina X   7 trib. sat. O   8 pro fame WX   proc. resp. O   9 accepitque
WXOB   altius B   11 aesum WΩ hesum XB   scriptura W   13 que
om. XB   alus OB   14 aqua ibi OB   15 interpretata W   16 reperi Ω
uidit] uidelicet O   hos WB   eius X   17 uicio OB   pr. fortius B   18 sirae
(-e B)WB   19 man.] add. fortium s.l.X   haec ex hae X   et om. XΩa.c.,OB
20 ob (ab W) ardorem WXΩ   orep erupit B   21 tentauerunt Xa.c.O temp-
tarunt Ω   dominum OB   raphadim B   22 massae scripsi (cf. p. 6?, 13)
messe X messę Ω m̄se O mense WB   est s.l.B   moses W,Xa.c.m2
23 amalech XΩO

Moyses super lapidem de Zacharia, qui septem habebat oculos et in
Samuhelis uolumine appellatur aben ezer, id est 'lapis adiutor',
et utramque manum eius Aaron et Ur, id est 'montanus lucidusque',
sustentant. deuicto aduersario superuenit Iethro, adducit Sepphoram
et utrosque filios, dat consilium septuaginta seniorum et in typum 5
ecclesiae de gentibus congregatae legis imminutio euangelio sugge-
4 rente conpletur. pulchre autem 'dissolutio' ac 'sanitas fortium' Raphidim dicitur uel propter dissipatum Amalec uel propter sanatum
Israhel. sin autem 'remissionem manuum' iuxta Syros Raphidim
sonat, dicemus propter offensam populi, quia contra dominum mur- 10
murarit, istud loco nomen inpositum. haec tangimus potius, quam
exponimus, breuiter indicasse contenti, quod post fermentum — Halus — et 'massam' ecclesiae soleant multiplicia daemonum aduersum
nos temptamenta consurgere.

14. Et profecti de Raphidim castra posuerunt in 15
solitudine Sinai. Duodecima mansio est. statim tibi ueniat in mentem apostolorum
numerus. una de pluribus, sed maior ab omnibus non separatur in
ordine et praecellit in merito. ad hunc locum quadragesima septima die
perueniunt scriptura dicente: mense tertio egressionis filiorum 20
Israhel de Aegypto, in die hac transierunt in solitudinem
Sinai profectique simul de Raphidim uenerunt in deser-

2 cf. I Reg. 4, 1   3 cf. Ex. 17, 12   cf. Onom. s. 12, 6; 15, 14; 64, 3; 77, 26
cf. Onom. s. 15, 5   4 cf. Ex. c. 18   15 *Num. 33, 15   20 *Ex. 19, 1—3

1 de Zach. *om.O* de] dictum a ς oculos de zacharia *O* et *om. X* 2 samuelis *WOB*
adiutorii *Xp.c.m2OB* 3 utraque *W* hur *O* or *Xa.c.* 4 sustentat ς dum uicto *B*
ietro *W,Xa.c.* ihetro *B* educit ς sepp. *W* sephph. *B* seph. *Ω* Zeph. ς
5 utrumque filium *WX* filio *B* datque *O* concilium ς tipum *WXB*
6 immunitio ς surgente *Xp.c.m2* succedente *Ω* 7 pulcre *XB* ac] uel *Ω*
dic. raphydim *Ω* rapphidim *ex* rapphim *X* 8 amalech *codd. praeter O*
9 si *Ωp.c.OB* siros *WB* 10 dicemus quod *O* dicimus *Xp.c.* decimus *W,Xa.c.*
qui *WO* deum *W* murmuraret *Ω* murmurauerit *X* murmurant *OB* mur-
murauit ς 11 istud *ex* illud *X* isto *B* cognomen *OB* inpos. est *O*
12 quod] quam *W,Xa.c.* alus *O* 13 Messam ς mensam *O* soleat *W*
15 rafidim *Ω* rafadim *B* pos.] metati sunt ς 17 haec duodecima *Ω*
tibi *s.l.Ω* 18 ab *om.* ς hominibus *B* 19 hanc *O* locum *om. OB*
20 peruen. die *O* 21 hac *om. W* transiens *B* solitudine *B* 22 simul *om. WX*
raphadim *B*

tum Sinai et castra metati sunt in heremo seditque ibi
Israhel e regione montis. et Moyses ascendit ad deum
uocauitque eum dominus de monte dicens et reliqua. et
rursum: uade, inquit, ad populum et sanctifica eos hodie
5 et cras. et lauent uestimenta sua sintque parati in
diem tertium, quia tertia die descendet dominus uidente
uniuerso populo super montem Sinai. quod et fac- 2
tum est. laueruntque uestimenta sua et ab uxorum coitu separatis
die tertio descendit dominus in montem, quo fumante et fulgore,
10 tonitru, caligine, uoce tubae mortalium corda terrentibus Moyses
loquebatur et dominus respondebat ei. supputemus numerum
et inueniemus quinquagesimo die egressionis Israhel ex Aegypto in
uertice montis Sinai legem datam. unde et pentecostes celebratur 3
sollemnitas et postea euangelii sacramentum spiritus sancti descen-
15 sione conpletur, ut, sicut priori populo quinquagesima die, uero iubeleo et uero anno remissionis et ueris quinquaginta et quingentis
denariis, qui debitoribus dimittuntur, lex data est, ad apostolos
quoque et, qui cum eis erant, in centum uiginti, Mosaicae aetatis
numero, constitutis descenderit spiritus sanctus et diuisis linguis
20 credentium totus euangelica praedicatione mundus expletus sit.
longum est, si replicare uelim, quid in lege praeceptum sit, quomodo 4
fabricatum tabernaculum, quae uarietas hostiarum, quae uasorum
diuersitas, quae indumenta pontificis, quae sacerdotum ac leuitarum
caerimoniae, quid egerint, quomodo populus numeratus sit: hoc tan-
25 tum dicam, quod media pars Exodi et totus Leuiticus liber et Nume-

4 *Ex. 19, 10—11   7 cf. Ex. 19, 14—19   10 *Ex. 19, 19   13 cf. Act. c. 2
15 cf. Num. 36, 4   16 cf. Luc. 7, 41—42   18 cf. Deut. 34, 7. Act. 1, 15
19 cf. Act. 2, 1—4

2 populus israhel Ω moises B moses W 3 dom. eum W de monte
om. WX dicens om. O 6 die tertio W pr. tercium $Xa.c.B$ terciam $Xp.c.$
desc. dom. tert. die O alt. tert(c B)io $W,Ba.c.$ 7 pop. un. W et om. O
8 uxorem W separati sunt B 9 tertia W descendet W in] super O
fulgore] fulgore et O fulgor et W fulgur et B, legi nequit Ω 10 tonitruo O
tonitrui W, legi nequit Ω tuba ς moises B moses W 12 inuenimus WX
quinquagesimum diem W quinquagisima X die] de B filiorum israhel Ω
13 pentecosten X 14 sollempn. WB solemn. XO sacr. in (exp. Ω) $X\Omega$
15 quinquagesimo ΩO iubeleo X iubileo Ω iubilaeo B 17 ad apost.] apostolis ς
18 ipsis OB ⋅C⋅XX⋅B⋅C⋅XX⋅X   21 uellem X quod B 22 fabr.
sit W 23 ac] et ς 24 cerim. WO cericerimonie B caerem. ς 25 exhodi X

rorum praecepta non modica et per singulas tribus populi distri-
butio et oblatio principum in hac mansione descriptae sint multo-
5 rumque uoluminum disputatio huic loco sufficere uix possit. interpretatur autem Sinai 'rubi', non unus, ut supra in solitudine Sin,
sed plures, ut ibi principium, hic perfectio, ibi solitarius numerus, hic 5
multiplex. aliud est enim unam et aliud omnes gratias possidere.
15. Et profecti de solitudine Sinai castra metati sunt
in sepulchris concupiscentiae.
Tertia decima mansio, cuius nomen cum interpretatione editum
est, apud Hebraeos appellatur 'cabaroth atthaua'. est autem 10
sensus ille de euangelio, quod Iesus baptizatus statim ab spiritu ductus
2 est in desertum et temptabatur a diabolo. itaque et Israhel post fa-
miliarem cum deo sermonem, postquam iuxta montem Sinai com-
moratus est anno uno et diebus quattuor, mira dispositione castrorum
egressus est in solitudinem Pharan, quae interpretatur 'onager' 15
aut 'feritas', ibique succumbit malae bestiae fastidiens caelestem
panem et Aegyptiorum carnes desiderans, quando multos subitum
uorauit incendium et intercedente Moyse fumum uorax flamma
3 consumpsit. tunc accipiunt coturnices et usque ad nausiam ac uomitum deuorant. eliguntur septuaginta presbyteri, uadunt ad ostium 20
tabernaculi, duo remanent, Heldad et Medad, non imperii neglegentes, sed humilitate submissi, dum se honore arbitrantur indignos,
unde et absentes prophetant. saturatoque populo, cum adhuc esca
esset in ore ipsorum, ira dei ascendit super eos et occidit

4 cf. p. 59, 21 et Onom. s. 15, 1; 23, 13   7 *Num. 33, 16   12 cf. Matth. 4,
1 etc.   15 cf. Num. 10, 11—12   cf. Onom. s. 6, 15; 18, 16   17 cf. Num. c. 11
23 *Ps. 77, 30—31

1 pop. tr. *OB*   2 o(*ex* a *X*)blationes *WX*   discrip(b*X*)tae
W,Xa.c.m2 sint]s̄ (= sunt) *W*   3 loco *om. W*   4 rubus *WX*   5 princ. sit *XOB*
6 enim est *B*   unam gratiam *Ω*   ōm gratia *W*   8 sepulchris *WΩ* -cris *cet.*
9 cum] ex ς   10 *pr.* est] est et *B*   cabarath *Ω* cabaroti *B* sabba roti *O*
atthaua (att *exp. Ω*)*XΩ* attauua *OB* attiua *W*   11 ab *WB* a *cet.*   12 ten-
tatus ς *alt.* et *om. OB*   13 domino *O*   sermone *W*   14 uno *om. O*   15 est *om.* ς
solitudine *WOB*   qui *W*   16 aut] uel *O*   succumbet *W*   male *W*
17 subito *O*   18 uorauerit *B*   mose *W*   umum *B* humum *ΩO*   19 cor-
turnices *W*   nauseam *O*   20 elegunt *W*   qui (*s.l.m2*) uadunt *X*   hostium
(*ex* hostia *W*) *codd.*   21 heldat *W,Ωa.c.* eldat *B* eldath *O*   medath *WO* modat *B*
23 unde] usque *W*   cum] dum ς   escae (*ex* esse *X*) essent *WXΩ*   24 eorum ς

pingues eorum et electos Israhel praepediuit, ne ad malum
uelociter currerent; unde et appellatus est locus 'sepulchra concupiscentiae' siue, ut in Septuaginta legimus, 'memoriae desiderii'.
ex quibus omnibus nos docemur, qui sapientiam dimisimus saecu- 4
5 larem et Aegyptias ollas contempsimus, non debere murmurare
contra caelestem scripturarum panem nec iurulentias Aegyptiorum,
qui sunt magnarum carnium, sed simplicem mannae cibum quaerere; alioquin, si rursus eas uoluerimus appetere, uorabimus usque
ad nausiam et statim domini igne torquebimur desideriumque no-
10 strum uertetur in tumulos, ut simus sepulchra dealbata, quae
foris parent hominibus speciosa, intus autem plena sunt
ossibus mortuorum et omni spurcitia.

16. Et profecti de sepulchris concupiscentiae castra
metati sunt in Aseroth.

15   Quarta decima mansio in solitudine Pharan, quae in 'atria' uertitur. in hac Aaron et Maria propter Aethiopissam contra Moysen
murmurant et in typum zeli aduersus ecclesiam de gentibus congregatam populus Iudaeorum leprae sorde perfunditur nec redit ad
tabernaculum et pristinam recipit sanitatem, donec statutum pleni-
20 tudinis gentium tempus inpleat. et hoc, prudens lector, adtende, 2
quod post consummatam in duodecimo numero uirtutem, quia super-
biit Israhel et in sepulchris concupiscentiae carnes Aegyptias desiderauit, rursum iacit aliud fundamentum et atria, id est uestibula,
uirtutis ingreditur ostendens nobis et eos, qui stant, posse cadere et,
25 qui ceciderant, resurgere. positus est Iesus in ruinam et re-

2 cf. Num. 33, 16   3 cf. Num. 33, 16 sec. LXX   5 cf. Ex. 16, 2—15
7 cf. Ezech. 16, 26   10 *Matth. 23, 27   13 *Num. 33, 17   15 cf. Onom. s. 15, 19;
21, 22   16 cf. Num. c. 12   24 cf. Hier. 8, 4   25 Luc. 2, 34

1 electus Ω   maculum W   2 sepulchra XΩ -cra cet.   3 in om. W   memoria XΩ
4 nos] nos omnes ς   temporalem siue saec. O·   5 non debere nos X   murmurari W
6 iurel. W iurulentas (ex iurulencias) ollas (s.l.)X uirul. cet.   7 quae X   mane W
8 eas rursus OB   eos W   9 nauseam O   uorabimur Ω   10 sepulcra
Xa.c.OB   13 sepulcris OB   14 aserot B asseroth Ω   15 mansio est XΩ
qui W   16 hac] hacab (ab exp.) X acab W   aharon (h exp.)X   aeth. Ω
eth. WXO et. B   17 eccl.] eam W   19 pristinum recepit W   20 tempus
om. Ω   impleatur Ω impletur B   21 numero om. O   qua B   superbit
WXOB superbiuit ς   22 sepulchris Ω -cris cet.   23 ad atria OB atria
fundamentum (del.) X   ad uest. OB uestibulum ς   24 ingr. et Ω   25 ceci-
derunt (ex -rent X)XΩ   posse res. ΩOB   est enim ΩB   et] et in OB

surrectionem multorum et ipse loquitur per prophetam:
numquid, qui cadit, non resurget?

17. Et profecti de Aseroth castra metati sunt in Rethma;
pro quo supra in hoc eodem libro legimus: postquam profectus
est populus de Aseroth, castra metati sunt in solitudine 5
Pharan.

2   Haec est autem quinta decima mansio. et notandum, quod reliquae mansiones decem et octo, quarum nunc breuiter catalogus
describitur, a Rethma usque ad Asion-Gaber, id est usque ad tricesimam secundam mansionem, sub Pharan solitudinis nomine contine- 10
antur. in quibus uniuersa, quae scripta sunt, diuersis temporibus
gesta sentimus; quae quia non sunt per mansiones singulas distributa,
a nobis quoque in commune dicentur, ut postea ueniamus ad reliqua.

3   Rethma transfertur 'sonitus' aut 'iuniperus', quamquam plerique
'arceuthon' apud Graecos aliud genus arboris significare contendant. 15
iuniperum autem et primus graduum psalmus iuxta ueritatem Hebraicam sonat, ubi scriptum est: quid detur tibi aut quid ad-
ponatur tibi ad linguam dolosam? et propheta respondit:
sagittae potentis acutae cum carbonibus iuniperorum; pro

4   quo apud nos legitur: desolatoriis. ferunt autem lignum hoc ignem 20
multo tempore conseruare, ita ut, si pruna ex eius cinere fuerit operta,
usque ad annum perueniat. ex quo discimus post sepulchra concupiscentiae et uestibula transire nos ad lignum, quod multo tempore
calorem tenet, ut simus feruentes spiritu et claro sonitu atque in

5   altum exaltata uoce euangelium domini praedicemus. ab hac itaque 25
mansione usque ad tricesimam secundam istius modi continentur

2 Hier. 8, 4   3 *Num. 33, 18   4 *Num. 13, 1   14 cf. Onom. s. 20, 5
17 Ps. 119, 3   19 *Ps. 119, 4   24 cf. Rom. 12, 1   25 cf. Num. c. 13—19

2 cadet $Xa.c.OB$ 3 asseroth Ω *passim*, amasseroth (mas *eras.*) X retma W
4 libro *s.l.B*   5 pop. *om. W*   8 cathal. WX catol. Ω catolicus B 9 usque
ad] iuxta O asyong. O esiong. $Bp.c.$ siong. $WX,Ba.c.$ trigesimam Ω
10 pharam B solitudines W 13 ut] et WX 14 sonitus *ex* sonus W quam OB
15 archeuthon WX arche ut hon B archeuton O ἀρκευϑον ς significari Ω
contendunt$O$ 18 respondet ς 19 potentes $W,Xa.c.$ accutae Ω 21 ita *om. OB*
prunae X fuerint WX oportae X 22 ad *om. O*   peruENiant WX
ex qua discimus WX quod sciamus O quidem scimus B sepulchra $X\Omega$ -cra *cet.*
24 feruente Ω claro] calore W euang. in alt. ex. uoce OB in altum *om.* ς
26 trigesimam Ω continente OB

historiae: duodecim exploratores mittuntur ad terram sanctam;
botrus refertur in ligno et Christi breuiter passio demonstratur;
murmurat populus Iudaeorum gigantum impetum reformidans;
pugnat contra Amalec et Chananaeum nolente deo et uictus intellegit,
5 quae debeat in terra sancta exercere sacrificia; Dathan et Abiron et
filii Core consurgunt contra Moysen et Aaron et terrae uoragine
gluttiuntur; inter mortuos et uiuentes pontifex medius turibulo
armatus ingreditur et currens ira dei sacerdotis uoce prohibetur;
uirga Aaron et florem profert et folia et in aeternam memoriam
10 uirens siccitas conseruatur; necdum templum et iam aeditui, necdum
sacerdotes et leuitae obtulere sacrificia et partes eorum mysticus
sermo describit; uitula rufa in holocausto concrematur et cinis eius
piacularis aspersio est. quorum omnium figurae proprios libros flagitant et melius reor tacere quam pauca dicere.

15 18. Et profecti de Rethma castra metati sunt in Remmon
Phares.

Sexta decima mansio, quae interpretatur Graeco sermone ῥοιᾶς
διακοπή, Latine 'mali Punici diuisio', quod alii malum granatum
uocant. cuius arboris fructus in scripturis dupliciter accipitur: aut in
20 ecclesiae gremio, quae omnem turbam credentium suo cortice tegit,
aut in uarietate consonantiaque uirtutum iuxta illud, quod scriptum
est: multitudinis autem credentium erat cor et anima una;
sicque diuisi sunt singuli gradus, ut omnes eadem conpage teneantur.

---

1 cf. Num. 13, 4—16   2 cf. Num. 13, 24   3 cf. Num. 13, 32—34. 14, 1—4
4 cf. Num. 14, 45 5 cf. Num. 16, 1—33 7 cf. Num. 16, 46—48 9 cf. Num. 17, 8—10
10 cf. Num. c. 18   12 cf. Num. c. 19   14 cf. Sallust. Iug. 19, 2   15 *Num. 33, 19
18 cf. Onom. s. 20, 6   22 *Act. 4, 32

1 historia *O*   2 butrus *X* brotrus *B*   3 gigantium *OB*   ref. imp. *O*
4 pugnant *X* pugna *B*   amalec *O* -lech *cet.*   chananae(e)um *ΩO* can. *cet.*
domino *Ω*   uincitur *OB*   5 qui *W*   debeant *B* debebat (*alt.* b *s.l., postea
eras.* *X*)*X* ς   ex. in t. s. *O*   sancta et (*exp.*) *X*   coercere *W*   datan *B*
abyron *X*   6 chore *XBp.c.,ΩO* 7 glutc. *X* glut. *ΩO* gluc. *B*   thurib. *O* turrib. *Xa.c.*
8 furens *coni. Vallarsius*   9 aron *X*   10 conseru. *WX* (*cf. Num. 17, 10*) consecr. *cet.*
necdum —aed. *om. W*   et iam] etiam *B*   aeditum *X* aedificatum *Ω alt.* necd.] nec *Ω*
12 holoc(ch *Ω*)austa *WΩ*   13 piaculis *B*   figura *W*   15 remon *O passim*
17 mansio est *Ω*   ῥοιᾶς διακοπή *scripsi* POIACAIA (A *s.l.X*) KΠN WX
PΟΔΙΑΚΟΠΗ (*seq.* 3 *litt. euanidae*) *Ω* ROADIAKONE O POAAIAKOΠN B
ῥοιᾶς ἀποκοπή *uel* ῥοιᾶς ἀναίρεσις ς   19 scriptura ς   20 regit *O*   21 et cons. ς
22 cor *WX* cor unum *cet.*   una in dominum (*ex* domino) *Ω*   23 per singula *B*

19. Et profecti de Remmon Phares castra metati sunt in Lebna.

Septima decima mansio, quam in 'lateres' possumus uertere, licet quidam Lebona transferentes male 'candorem' interpretati sunt.
2 legimus Aegyptios lateres in Exodo, quos populus faciens ingemuit, 5 legimus in Malachia, pro quibus Idumaea destructis politos lapides reponere nititur, et laterem in Ezechiel, in quo obsessae Hierusalem pictura describitur. ex quibus discimus in itinere istius uitae et de alio in aliud transitu nunc nos crescere, nunc decrescere et post ordinem ecclesiasticum saepe ad laterum opera transmigrare.   10

20. Et profecti de Lebna castra metati sunt in Ressa.

Octaua decima mansio in 'frenos' uertitur. si enim post profectum rursum ad luti opera descendimus, infrenandi sumus et cursus uagi atque
2 praecipites scripturarum retinaculis dirigendi. hoc uerbum, quantum memoria suggerit, nusquam alibi in scripturis sanctis apud Hebraeos 15 inuenisse me noui absque libro apocrypho, qui a Graecis λεπτή, id est parua, Genesis appellatur; ibi in aedificatione turris pro stadio ponitur, in quo exercentur pugiles et athletae et cursorum uelocitas conprobatur. dicit et psalmista: in freno et camo maxillas eorum constringe, qui non adpropinquant ad te, et aposto- 20 lus: nescitis, quoniam, qui in stadio currunt, omnes quidem currunt, sed unus accipit brauium? sic currite, ut conprehendatis.

---

1 *Num. 33, 20   3 cf. Onom. s. 19, 5; 28, 18   5 cf. Ex. 1, 14   6 cf. Mal. 1, 4
7 cf. Ezech. 4, 1—2   11 *Num. 33, 21   12 cf. Onom. s. 20, 7   13 cf. Prou. 5, 6
17 cf. Gen. 11, 3—9   19 *Ps. 31, 9   21 *I Cor. 9, 24

1 remnon *W*   3 mansio est *X*   laterem *WX*   4 quidem *Ω*   lebbona *O*   sint *O*   5 in ex(h *exp. X*)odo aegyptios (egyptius *W*) lateres *WX* populos *W*   6 mal. lateres *O*   idumea *Ω* idumuea *W* indumea (n *eras.*) *X* 7 ezechihel *Ω* hiezecihel *X* iezechiel *B*   hyer. *W* iher. *B* ier. *O*   8 discr. *WX* 9 alio] alia *B*   aliud] aliis *Ba.c.*   transitum *ΩOB*   et *om. X*   13 cursu *OB* uagitat que praecepit *W*   14 scripture *O*   15 nos quam *W,X a.c.* 16 apocryfo *Ω* —cripho *WX* —crifo *B*   *ΑΕΠΤΝ B ΛΕΤΕΤΕ Ω ΑΕΙΝ W* Depte *O*   17 aedificat(c *X*)ionem *WX*   18 atlete *W* adletae *Ω* 19 chamo et freno *O*   chamo *XΩO*   20 confringe *ΩB* c. (*sic*) *O*   adproximant *B* ap. (*sic*) *O*   21 quoniam] quod *O*   hi qui *O*   22 unus *om. Ω* accepit *Xa.c.B*   brauium] palmam *WX*   ut omnes *Ω*   23 conprendatis *W*

21. Et profecti de Ressa castra metati sunt in Caaltha.
Nona decima mansio interpretatur 'ecclesia'. uagi currentium
gressus frenis ad ecclesiam retrahuntur et fores, quas ante relique-
rant, rursum intrare festinant.

5   22. Et profecti de Caaltha castra metati sunt in monte
Sapher.
Vicesima mansio interpretatur 'pulchritudo' et in monte decoris
est constituta, de qua et quarti decimi psalmi principium sonat:
domine, quis habitabit in tabernaculo tuo aut quis re-
10 quiescet in monte sancto tuo? uide, quid prosint frena: 2
a uitiis nos retrahunt, introducunt ad uirtutum choros et in Christo,
monte pulcherrimo, habitare faciunt. iste iuxta Danihel lapis ex-
cisus de monte sine manibus creuit in montem magnum et inpleuit
omnem terram; iste iuxta Ezechiel uulnerauit principem Tyri; ad
15 istum in Esaia et Michea populi confluunt dicentes: uenite, ascendamus in montem domini et ad domum dei Iacob; et ad-
nuntiabit nobis uias suas et ambulabimus in semitis eius.

23. Et profecti de monte Sapher castra metati sunt
in Arada.
20   Vicesima prima mansio uertitur in 'miraculum'. quam pulcher
ordo profectuum, quam egregia textura credentium! post opus lateris
infrenamur, post frenos in ecclesiam introducimur, post habitationem ecclesiae ad Christum montem ascendimus, in quo positi stupe-
mus atque miramur, ut noster in laudibus eius sermo superetur in-
25 uenientium in eo, quae nec oculus uidit nec auris audiuit
nec in cor hominis ascenderunt.

---

1 *Num. 33, 22   2 cf. Onom. s. 17, 5   cf. Prou. 5, 6   5 *Num. 33, 23
9 Ps. 14, 1   12 cf. Dan. 2, 34—35   14 cf. Ezech. 28, 16   15 *Esai. 2, 3.
*Mich. 4, 2   18 *Num. 33, 24   20 cf. Onom. s. 16, 8   25 *I Cor. 2, 9

1 caalta *Wa.c.B* chaalta *O*   5 chaaltha *Ω* chaalta *OB*   6 Sapher—monte *om. B*
sapehr *ex* sapeht *X* sepher (*ex* seper *W*) *WO*   8 et *om. WΩ* et in *OB*
principio *O* in principio *B*   9 requiescit *W,Xa.c.*   11 chorus *Xa.c.* coros *B*
xpi *Ωp.c.man.rec.*   12 daniel *WOB* Danielem ς   14 hiezechiel *Ωp.c.* Ezechielem ς
daniel *W*   15 esaia *ex* esesa *W* ẹsaia *Ω* hesaya *B* isaia *XO*   Michaea ς
16 in] ad *O*   adn. nob.] docebit nos *WX*   17 ambulauimus *XB*   18 sepher *WO*
19 *et* 70, 1 harada *X*   21 texura *W*   22 introducitur *W*   23 xpi *OB*
24 inuenientes ς   25 quod *Xp.c.*   *pr.* nec *om. W*

24. Et profecti de Arada castra metati sunt in Maceloth.
Vicesima secunda mansio in 'coetus' uertitur. in hac enim consistit
multitudo credentium, ecclesia primitiuorum, uirtutum omnium
consonantia. tunc uere possumus dicere: ecce quam bonum et
quam iocundum habitare fratres in unum! et: dominus 5
habitare facit unius moris in domo.
25. Et profecti de Maceloth castra metati sunt in Thaath.
Vicesima tertia mansio potest et 'subter' intellegi, sed melius 'pauorem' interpretabimur. uenisti ad ecclesiam, ascendisti ad montem
pulcherrimum, stupore et miraculo Christi magnitudinem confiteris, 10
uides ibi multos uirtutis tuae socios: noli altum sapere, sed time.
dominus enim superbis resistit, humilibus autem dat
gratiam et, qui se exaltat, uideat, ne cadat. potentes
2 potenter tormenta patientur. timor uirtutum custos est, se-
curitas ad lapsum facilis. unde et in quodam psalmo, postquam pro- 15
pheta dixerat: dominus regit me et nihil mihi deerit; in
loco pascuae ibi me conlocauit, iungit timorem, qui custos est
beatitudinis, et infert: uirga tua et baculus tuus ipsa me
consolata sunt. et est sensus: dum tormenta formido, seruaui
gratiam, quam acceperam.   20
26. Et profecti de Thaath castra metati sunt in Thare.
Vicesima quarta mansio, quam nonnulli uertunt in 'malitiam' uel
in 'pasturam', nec errarent, si per ain litteram scriberetur; nunc uero,
cum adspiratio duplex in extrema sit syllaba, erroris causa mani-
2 festa est. hoc eodem uocabulo et isdem litteris scriptum inuenio 25
patrem Abraham, qui in supra dicto apocrypho Geneseos uolumine
abactis coruis, qui hominum frumenta uastabant, abactoris uel de-

---

1 *Num. 33, 25   2 cf. Onom. s. 19, 11   3 cf. Act. 4, 32   cf. Hebr. 12, 23
4 Ps. 132, 1   5 *Ps. 67, 7   7 *Num. 33, 26   8 cf. Onom. s. 15, 4; 21, 9
11 Rom. 11, 20   12 *Iac. 4, 6   13 Luc. 14, 11 etc. I Cor. 10, 12   Sap. 6, 7
16 Ps. 22, 1—2 18 Ps. 22, 4   21 *Num. 33, 27 22 cf. Onom. s. 21, 9   26 cf. p. 68, 16

1 macheloth ΩB 4 tum ς   6 fecit ς   7 macheloth Ω machelot B
thaat W taath B 8 subter W super (sapor $Xp.c.$) $cet.$ 10 stuporem $W,Xa.c.$
magn. xpo Ω xpo magn. ς   confitens Ω 11 uide B multas W uirtutes $W,Xa.c.$
12 superbos W 14 patiuntur XO est] et B est et Ω 15 in $om.$ W
proph.] saluator $W\Omega,Xa.c.$ 17 locum B me $om.$ X iunxit O 18 tua $om.$ W
19 cum X 21 thaaht X thahath B tare W tharheh O 22 malitia W
23 in $om.$ WX ai ς   24 adinspiratio W 25 hisdem ΩO iisdem ς   26 habraam B

pulsoris sortitus est nomen. itaque et nos imitemur Thare et uolucres caeli, quae iuxta uiam satum triticum deuorare festinant, solli-
citi prohibeamus. nam et Abraham patriarches in typo Israhelis ho- 3
stiarum diuisit membra sacrificiaque a uolucribus non sinit deuorari;
5 et contemptorem oculum effodiunt corui de conuallibus; uerus-
que Moyses et Helias ducit Aethiopissam et a coruis pascitur. si habueris pauorem, sollicitus eris; si sollicitus fueris, leo in caulas ouium
tuarum introire non poterit. quod uel ad praepositos ecclesiarum uel
ad custodiam refer animae tuae, ad quam diabolus per diuersa uitio-
10 rum foramina ingredi nititur.

27. Et profecti de Thare castra metati sunt in Methca.
Vicesima quinta mansio uertitur in 'dulcedinem'. ascendisti in excelsum, admiratus es uirtutum choros, timuisti ruinam, abegisti in-
sidiatores: dulcis te protinus fructus laboris insequitur et in morem
15 litterarum radicum amaritudinem pomorum suauitas conpensabit et
dices: quam dulcia faucibus meis eloquia tua, super mel
ori meo! sponsumque tibi audies concinentem: mel distillant 2
labia tua, soror mea sponsa. quid enim suauius disciplina?
quid eruditione melius? quid dulcius domino? gustate et uidete,
20 quoniam suauis est dominus. unde et Sampson, qui abegerat
a fructibus suis aues et uulpes, quae exterminant uineas, conliga-
uerat leonemque interfecerat rugientem, fauum inuenit in ore mortui.

---

2 cf. Matth. 13, 4   3 cf. Gen. 15, 10—11   5 cf. Prou. 30, 17
6 cf. Num. 12, 1   cf. III Reg. 17, 4—6   9 cf. I Petr. 5, 8   11 *Num. 33, 28
12 cf. Onom. s. 19, 11   15 cf. Otto, Sprichwoerter s. u. litterae   16 Ps. 118, 103
17 *Cant. 4, 11   19 Ps. 33, 9   20 cf. Iudd. 15, 4   21 cf. Iudd. 14, 5—6
*Cant. 2, 15   22 cf. Iudd. 14, 8

1 tare *B* tharheh *O* th(h *s.l.W*)areo *WX*   2 qui *XO*   uiam] uicem *W*
3 prohibebamus *W*   abraam *B* abrabram *Wa.c.*   patriarcha ς   isrĺis *W*
isrĺitis *B* israhel *Ω* isrĺ *O*   et h(*s.l.X*)ostium *WX*   4 diuisa *X* diu a sua *W*
sacrificia *WX* sacrificii quae *Ω*   a *om. WX*   5 effugiunt *W*   uallibus *W*
6 moses *W;* ducit Aeth. et Elias ς ducunt *O* dicit *W* ethiop. *WO* etiop. *B*
ethyopisscam *X*   *alt.* et *om.* ς   8 quod] quidem *B*   9 refert *B* refertur*O*
leo(*s.l.Ω*) diabolus *WXΩ*   11 tare *B* thaere (h *s.l.*)*X*   methcha *Ω* meh(h*s.l.*)tthca
W mecha *B* medica (*in mg.* methsa [h *exp.*]) *X*   12 uicensima *Ω*
excelso *W*   13 ammiratus *ΩB*   timuimus *B*   abegis *W*   15 com-
pensauit *ΩOB*   16 dicis *ΩOB*   mel *om. W*   17 que *om. ΩOB*   audias *W*
concinnentem *WB*   destillant *Xa.c.B* distillans *O*   18 enim] est *O*   19 uide *X*
20 quam *XΩB*   et *s.l.B*   **samson** *Ω* sāsom *W* sanson *O*

28. Et profecti de Methca castra metati sunt in Asmona.
Vicesima sexta mansio in lingua nostra 'festinationem' sonat iuxta
illud, quod in psalmo scribitur: uenient legati ex Aegypto. pro
legatis in Hebraeo 'festinantes' legimus, ut, postquam dulces fructus
laboris messuerimus, non simus quiete contenti et otio et rursum ad 5
ulteriora properantes obliuiscamur praeteritorum et in futura nos
extendamus.

29. Et profecti de Asmona castra metati sunt in
Museroth.

Vicesima septima mansio 'uincula' siue 'disciplinas' sonat, ut festino 10
gradu pergamus ad magistros et eorum teramus limina et praecepta uirtutum ac mysteria scripturarum uincula putemus
aeterna iuxta illud, quod in Esaia dicitur: et Sabaim, uiri subli-
mes, ad te transibunt et tui erunt; post te ambulabunt
uincti manicis et: Paulus, uinctus Iesu Christi. duplicia sunt 15
in scripturis uincula, quae quamdiu rupit Sampson, uicit inimicos.
et in Ecclesiaste de meretrice legimus: uinculum in manibus
eius et ex persona domini dicentis: disrumpamus uincula
eorum et proiciamus a nobis iugum ipsorum et alibi:
laqueus contritus est et nos liberati sumus. Christi 20
autem uincula uoluntaria sunt et uertuntur in amplexus. quicumque his fuerit conligatus, dicet: sinistra eius sub capite meo et
dextera eius complectetur me.

1 *Num. 33, 29   2 cf. Onom. s. 16, 9; 24, 10   3 Ps. 67, 32   6 cf. Phil. 3, 13
8 *Num. 33, 30   10 cf. Onom. s. 19, 12   13 Esai. 45, 14   15 *Eph. 3, 1
16 cf. Iudd. c. 16   17 *Eccle. 7, 27   18 Ps. 2, 3   20 Ps. 123, 7   22 *Cant. 2, 6

1 mehtthca W methcha Ω metcha XO methea B   asona W   3 quod
om. W   4 hebreos (s eras.) X ebreo W   5 quieti WO   contenti et]
contentie W   alt. et] sed O   ad(ds.l.)dulciora X   9 mus. WXΩ
mis. B as. O Mos. ς   10 disciplinam XO — na W   12 petamus OB
13 eseia Xa.c. hesaia B isaia O   scribitur O   sabain W saba in Ω seboim O
salum B   uiris Ω   14 erunt ex erant Ω, add. serui s.l.X   poste Xa.c.m2B
postea O post eam W   15 pr. uinctis B   16 queque diu B quae dum O
rumpit W   samson WΩO   uincit W   17 in Eccl. om. W,Xa.c.   ecclesiasten Ω
18 dirumpamus O disrumpam W   20 est] es W   21 et — ampl. om. W
quique WΩB   22 fuerint W   23 dextra OB   complectitur WX amplexa-
bitur B   me om. W

30. Et profecti de Museroth castra metati sunt in Baneiacan.

Vicesima octaua mansio transfertur in 'filios necessitatis' seu 'stridoris'. si ab uno incipias numero et paulatim addens ad septimum
5 usque peruenias, uicesimus octauus numerus efficitur. qui sunt isti
filii necessitatis? psalmus ipse nos doceat: adferte domino, filii
dei, adferte domino filios arietum. quae est tanta necessitas, 2
quae nolentibus inponatur? cum diuinis scripturis fueris eruditus
et leges earum ac testimonia uincula scieris ueritatis, contendes cum
10 aduersariis, ligabis eos et uinctos duces in captiuitatem et de hostibus
quondam atque captiuis liberos dei facies, ut repente dicas cum Sion:
ego sterilis et non pariens, transmigrata et captiua, et
istos quis enutriuit? ego destituta et sola, et isti ubi
erant? miraris Isaiam: eiusdem psalmi sacramenta cognosce: uox 3
15 domini in uirtute, uox domini in magnificentia, uox
domini confringentis cedros, ut, postquam aduersarios fregerit
et concusserit desertos prius gentium populos, praeparentur cerui
in montibus et sit dilectus sicut filius unicornium in temploque eius omnis dicat gloriam. porro, quod uertimus 'filios stridoris', ad
20 illum sensum refer, quod timore supplicii et eius loci, ubi est fletus
et stridor dentium, deserentes diaboli uincula Christo domino
credentium turbae colla submittant.

1 *Num. 33, 31   3 cf. Onom. s. 17, 1   6 Ps. 28, 1   12 Esai. 49, 21
14 Ps. 28, 4—5   17 cf. Ps. 28, 9   18 *Ps. 28, 6   19 cf. Ps. 28, 9
20 Matth. 8, 12 etc.

1 mus. *WXΩ* musaeroth *B* mas. *O* Mos. ς   2 baneiac (h*s.l.B*)an *ΩB*
buneiacan *X* baianecan *W* baneychā *O*   3 seu — 6 necess. *collocant post lin. 11*
repente*OB*   stridore *B*   4 incipis *ex* incipimus *X*   addas *Ω*   5 peruenies *X*
uigesimus *Ω*   eff. num. ς   efficietur *O*   sint *Ω*   6 nos dicat *W*
8 fueris *s.l.X*, *om. W*   9 uinculo ς   contendis *B* contendas *W*   10 ligabunt
eas *W*   uictos *W*   duces *ex* ducis *XΩ*   in capt. et] et (de *add. O*) captiuitate*OB*
11 quandam *W*   atque] miseris atque ς   captiuos *W*   repente] *cf. ad lin. 3*
12 captiuata *ΩO*   14 isaian *W* isain *Ω* isaiam sed (sed *s.l.m2*) *X*, *om. OB*
psalmis *W*   16 ut] et *O*   17 prius] p̄uii *Ω* partus *B*   praeparent *W*
18 templo quoque *ΩOB*   19 omnis (*s.l.X*) dicat *WX* omnes dicant *cet.*
gloria *W*   20 refert *WB* refertur *O*   timor *B*   21 deserens ς   22 turba *WX*
summittant *O* su (b*s.l.*) mittat *X* summittat *W*

31. Et profecti de Baneiacan castra metati sunt in monte Gadgad.

Vicesima nona mansio interpretatur 'nuntius' siue 'expeditio et accinctio' uel certe — quod nos uerius arbitramur — κατακοπή, id est 'concisio'. haud aliter possumus magistri discipulorum atque creden- 5 tium eos facere filios necessitatis, nisi praeceptores eorum interfecerimus. crudeles simus in occisione eorum; non parcat manus nostra ar-
2 mum aut extremum auriculae de ore leonis extrahere. maledictus, qui facit opus domini neglegenter et qui prohibet gladium suum a sanguine. unde et Dauid: in matutino, inquit, inter- 10 ficiebam omnes peccatores terrae. de nuntio autem et accinctione haec breuiter possumus dicere, quod filiis necessitatis grandes ad uirtutem stimulos suggeramus, cum eis nuntiauerimus praemia futurorum et accinctos inire bella docuerimus. horum trium quicquid magister fecerit, in monte consistit. 15

32. Et profecti de monte Gadgad castra metati sunt in Ietabatha.

Tricesima mansio 'bonitas' interpretatur, ut, cum peruenerimus ad perfectum uirum, in sacerdotalem gradum et in aetatem plenitudinis Christi, in qua et Ezechiel erat iuxta fluuium Chobar, possimus 20 cum Dauid in tricesimo psalmo canere: in te, domine, speraui, non confundar in aeternum. pastor enim bonus ponit animam suam pro ouibus suis.

33. Et profecti de Ietabatha castra metati sunt in Hebrona.

Tricesima prima mansio interpretatur παρέλευσις, id est 'transitus' 25

---

1 *Num. 33, 32   3 cf. Onom. s. 16, 10   7 cf. Am. 3, 12   8 *Hier. 48, 10
10 Ps. 100, 8   16 *Num. 33, 33   18 cf. Onom. s. 19, 3   19 cf. Num. c. 4   cf. Eph. 4, 13
20 cf. Ezech. 1, 1   21 Ps. 30, 2   22 *Ioh. 10, 11   24 *Num. 33, 34
25 cf. Onom. s. 17, 29

1 banaiacan *Xp.c.* baianecan *W* baneyachā *O* baneia *B*   2 galgad *W* galgath *O* gadad (?) *Ω*   4 *KATAKOITN X KATAKATEIN Ω KATAK*mein *B* kathakipein *O* kutukoan *W*   5 haut *Xp.c.O* aut *W,Xa.c.*   7 crudeles simus *Xa.c.* crudelissimos *cet.*   11 nuntiatione *O*   et] ut *W*   12 filii *W,Xa.c.* grande *W*   13 ad uirtutum *O* ad alta uirtutum *B* uirtutem *W*   16 gadgat *B* gadad *Ω* galgad *W* galgath *O*   17 iethabatha *WX* ietabata *B* iethabara *O* 18 uenerimus *WX*   19 in *s.l.W*   20 et *om. W*   hezechiel *Xp.c.* hiezechihel *Ω* cogar *B*   possumus *WX*   21 dicere *X*   dne in te *ΩOB*   23 suam *s.l.Ω*, *om. XB*   24 iethabatha *O* ietabata *B* iatabatha *X*   ebrona *WΩO*   25 trecentesima (prima *om.*) *Ω*   ΠΑΡΕΛΕΥΥC *X* ΠΑΡΕΛΕΥΓΙΡ *B* pareaeygir *O*

siue 'transitio'. ad hanc uenit uerus Hebraeus, id est περάτης atque
transitor, qui dicere potest: transiens uidebo uisionem hanc
magnam, de quo et psalmista canit: et non dixerunt, qui
praeteribant: benedictio domini super uos. praeterit
5 enim figura huius mundi et propterea sancti cupiunt ad meliora transire nec praesenti statu contenti ingemescunt cotidie: haec
recordatus sum et effudi in me animam, meam, quoniam
transibo in locum tabernaculi admirabilis usque ad domum dei. multum est, si de omnibus scripturis super uerbo transi-
10 tionis uelim exempla congerere.

34. Et profecti de Hebrona castra metati sunt in Asion-
Gaber.

Tricesima secunda mansio transfertur in 'ligna uiri' siue 'dolationes
hominis', quod significantius Graece dicitur ξυλακισμοὶ ἀνδρός scri-
15 biturque per ain litteram, non, ut Graeci et Latini errant, per gimel.
unde in solitudine multitudo lignorum, nisi quod seduli et diligentis
magistri disciplina monstratur caedentis ligna informia et dolantis
facientisque uasa diuersa, quae in domo magna necessaria sunt?
possunt lignationes uiri saltuum et omnium arborum genera ac per
20 hoc credentium multitudinem figurare dicente Dauid: inuenimus
eam in campis siluae. hucusque solitudo Pharan decem et octo
continet mansiones, quae descriptae in catalogo superiori itinere
non ponuntur.

1 cf. p. 52, 11   2 *Ex. 3, 3   3 Ps. 128, 8   4 I Cor. 7, 31   6 Ps. 41, 5
11 *Num. 33, 35   13 cf. Onom. s. 42, 2 (6)   18 cf. II Tim. 2, 20   20 Ps. 131, 6

.1 siue] uel O   ad hanc—transitor om. OB   ΠΕΡΥΣΤΗC W
ΙΤΕΡΤΝC X   atque] siue ς   3 qua X   psamilta W psalmysta Ω.
6 nec] ne O et B   ingemiscunt X —iscant O   8 tabernacli B   9 super
uerbo] superbo X   transsitioni W   10 uel in W   11 et profecti — p. 77, 25.
filio folio amisso perierunt in Ω   ebrona O hebrena B   13 lingua W
dedolatione (i s.l. B) OB   14 ΞΥΛΑΚΙCΜΟΙ X ΞΥΑΥΚΙCΜΟΙ W
ΞΥΛΑΚΙCΜΙΑ B gyaakimmia O ξυλοκισμοὶ ς ΑΝΡΟC X ΟΝΑΡΟC W
ΑΑ apos B maros O   15 ai ς   gemel W   16 unde et O   in om. B.
seduli et] seduliter W   diligentes W, Xa.c.   17 dolantes facientesque W
19 possunt om. W   ligni dolationes O lignati opes B   uiris saltum B   ac].
ad W   21 eam O eum WX ea B   campi W   XVIII X XVII W
22 descripta ς   cathalogo X   in superiori W, X (in exp.)   23 non coponun-
tur (sic) B

35. Et profecti de Asion - Gaber castra metati sunt in deserto Sin, haec est Cades.

Quaeritur, cur octaua mansio nunc tricesima tertia esse dicatur. sed sciendum, quod prior per samech litteram scribitur interpretaturque 'rubus' siue 'odium', haec autem per sade et uertitur in 'mandatum'. illudque, quod iungitur, Cades non, ut plerique aestimant, 'sancta' dicitur, sed 'mutata' siue 'translata'. legimus in Genesi iuxta Hebraicam ueritatem, ubi Iudas meretricem putans Thamar dona transmittit et sequester munerum interrogat: ubi est cadesa? hoc est 'scortum', cuius habitus a ceteris feminis inmutatus est. in multis quoque locis hoc idem repperimus. sin autem 'sancta' interpretatur, κατὰ ἀντίφρασιν intellegendum, quomodo Parcae dicuntur ab eo, quod minime parcant, et bellum, quod nequaquam bellum sit, et lucus, quod minime luceat. in hac mansione moritur Maria et sepelitur et propter aquas contradictionis Moyses et Aaron offendunt dominum et prohibentur transire Iordanen missisque nuntiis ad Edom transitus petitur nec inpetratur. quis timeret post tantos profectus murmur populi et offensam magistrorum et uiae transitus denegatos? uidetur mihi in Maria prophetia mortua, in Moyse et Aaron legi et sacerdotio Iudaeorum finis inpositus, quod nec ipsi ad terram repromissionis transcendere ualeant nec credentem populum de solitudine huius mundi educere. et nota, quod post mortem prophetiae et aquas contradictionis Idumaeum carneum atque terrenum transire non possint et cum multis precibus et conatu uiam non in-

---

1 *Num. 33, 36　　　　5 cf. p. 59, 21　　　　cf. Onom. s. 15, 1; 71, 9; 81, 17
7 cf. Onom. s. 4, 4; 12, 18; 17, 3; 26, 4; 48, 12; 57, 6　　　9 *Gen. 38, 21
14 cf. Num. 20, 1　　　15 cf. Num. 20, 12—13　　　16 cf. Num. 20, 14—21
18 cf. Num. 20, 2—5　　　21 cf. Hebr. 11, 9　　　23 cf. Num. 20, 18

1 asyong. *O* siong. *W a.c.*　　　2 syn *O*　　　est *om. W*　　　4 litt. *om. W*
et interpr. *O*　　　5 sade] se *B*　　　et *om. O*　　　deuertitur *B*　　　6 exestimant *W*
7 sancta] escam *W*　　　8 tamar *B*　　　9 transmisit ç　　　numerum *Xp.c.*
interrogabat *W*　　　cadessa *B* cadesan (n *add. m?*) *X*　　　hic *Xp.c.*　　　10 *pr.* est *om. W*
a *om. W*　　　11 sancta] *s.l.add.* cades *X* escam *W*　　　12 *KUCTAMΦPACIN W*
per katha antifrasin *O; add.* est ç　　　quoque modo *B*　　　parche *W*　　　dicitur *W*
15 aquam *X*　　　moses *W*　　　16 iordanem *OB*　　　17 petitus *W*　　　impetratus *W*
quis non *X* qui si *B* quod si *O*　　　18 offensas (*alt.* s *ex* e) *W*　　　19 denegatus *Xa.c.B*
denegatur *W*　　　mose *W*　　　20 et *s.l.B*　　　21 terram] litteram *B*　　　transcedere *X*
trancendere *B*　　　crescentem *Xp.c.*

petrent, sed egrediatur Edom aduersus eos in populo multo et in
manu forti. interpretatio quoque nominis morti et offensae et negato 5
transitui conuenit. ubi enim mandatum, ibi peccatum; ubi peccatum,
ibi offensa; ubi offensa, ibi mors. haec est mansio, de qua psalmista
5 canit: commouebit dominus desertum Cades.

36. Profectique de Cades castra metati sunt in Or monte,
in extremo terrae Edom. ascenditque Aaron sacerdos in
montem Or iuxta praeceptum domini et mortuus est
ibi anno quadragesimo egressionis filiorum Israhel de
10 terra Aegypti, mense quinto, prima die mensis. eratque
Aaron centum uiginti trium annorum, quando mortuus
est in monte Or. et audiuit Chananaeus rex Arad, qui habitabat ad Austrum in terra Chanaan, quod uenissent
filii Israhel.

15 Tricesima quarta mansio est, quam plerique interpretantur 'lumen', 2
nec errarent, si per aleph litteram scriberetur; alii 'pellem', et ipsi
uerum dicerent, si esset ain positum; nonnulli 'foramen', quod posset
accipi, si heth haberet elementum. cum autem legatur per he, magis
'mons' intellegitur et legi potest: ascendit Aaron sacerdos in
20 montis montem, id est in uerticem eius. ex quo animaduertimus 3
non in monte simpliciter, sed in monte montis pontificem mortuum,
ut dignus locus meritis illius monstraretur. moritur autem eo anno,
quo nouus populus repromissionis terram intraturus erat, in extremis finibus terrae Idumaeorum. et quamquam in monte sacerdotium
25 Eleazaro filio dereliquerit lexque eos, qui eam inpleuerint, perducat
ad summum, tamen ipsa sublimitas non est trans fluenta Iordanis,
sed in extremis terrenorum operum finibus. et plangit eum populus

---

1 cf. Num. 20, 20   3 cf. Rom. c. 7   5 Ps. 28, 8   6 *Num. 33, 37—40
15 cf. Onom. s. 19, 29   23 cf. Hebr. 11, 9   24 cf. Num. 20, 28—29
26 cf. Num. 20, 30

2 negatio transitu (*add.* i *s. l.*) *B* negationi et transitui *O*   3 ibi *add.* et ς
4 est *om.* *W*   6 et profecti ς   de Cades *om. B*   hor *O passim*   montem
W,Xa.c.   7 extrema *W*   8 monte *W*   11 CXX (*add.* III *s.l.*) *X* CXX *W*
12 canane(ę *W*)us *WB,Xa.c.*   Arad *om. OB*   13 canaan *WB*   17 ai ς
possit *WX*   18 eth *X*   te (*exp.*) elem. *X* elem. tuum *B*   he] heth *W*   19 et legi]
elegi *W*   20 id est *om. B*   21 montē *B*   montis monte ς   23 populus *om. B*
terram *om. B*   24 sacerdotalium *B* sacerdotalia cum *O*   25 filio uestimenta *OB*
derelinquerit *W* reliquerit *Xp.c.*   27 sed] et *W*

4 triginta diebus. Aaron plangitur, Iesus non plangitur. in lege
descensus ad inferos, in euangelio ad paradisum transmigratio.
audit quoque Chananaeus, quod uenisset Israhel, et in loco explora-
torum, ubi quondam offendisse populum nouerant, ineunt proelium
et captiuum ducunt Israhel. rursumque in eodem loco pu- 5
gnatur: ex uoto uictor uincitur, uicti superant appellaturque
5 nomen Horma, id est anathema. eadem dicere mihi non est pigrum,
legentibus necessarium, quod semper humanus status in huius saeculi
uia fluctuet et alius in ualle, alius in campis, alius moriatur in monte,
nec in monte simpliciter, sed in montis monte, id est in excelso uer- 10
tice. cumque nos dei auxilio destitutos hostis inuaserit duxeritque
captiuos, non desperemus salutem, sed iterum armemur ad proelium.
potest fieri, ut uincamus, ubi uicti sumus, et in eodem loco triumphe-
mus, in quo fuimus ante captiui.

37. Et profecti de monte Or castra metati sunt in Sel- 15
mona. profectique de Selmona uenerunt in Phinon.

Hae duae mansiones, tricesima quinta et tricesima sexta, in ordine
historiae non inueniuntur, sed scriptum est pro eis: egressi de
monte Or per uiam Maris Rubri, ut circumirent terram
Edom. ex quo ostenditur in finibus atque circuitu terrae Edom eas 20
2 positas. nec secundum morem legitur: profecti de monte Or castra metati sunt in Selmona siue in Phinon, sed post amb-
itum terrae Idumaeorum uenit ad extremum et ait: profecti
filii Israhel castra metati sunt in Oboth. nec dixit: 'profecti
sunt de illo et illo loco', quia duas mansiones silentio praetermiserat, 25

3 cf. Num. 21, 1   7 cf. Num. 21, 3   15 *Num. 33, 41—42   18 *Num. 21, 4
23 *Num. 33, 43

1 hiesus *W*   2 discensus *W,Xp.c.*   a paradiso *W*   3 audiit *Xp.c.*
audiuit *ς*   cananeus *W,Xa.c.* chaneus *Ba.c.*   et *om. O*   4 nouerat
XΩa.c.OB   ineunt] infert *ς* in *O*   praelium *Xp.c.OB passim*   5 ducit *B*
duci *O*   pugnat *OB*   6 uicti] uictis *W*   a(p *s.l.*)pellauitque *X*   7 nomen
loci *ς*   orma *WB*   8 quod] quia *O*   10 nec—*alt.* monte *om. B*   13 uincti
W,Xa.c.   fuimus *ς*   14 in quo] ubi *WX*   fuerimus *X*   15 selmon *Wa.c.*
16 prof. de Selm.] et *B, om. W*   phynon *O* phin̄ *B* finon *Ω*   17 tricens.
utroque loco Ω   18 egr. sunt *ς*   19 ut circ.] et circumierunt *ς*   20 circum-
itu *ς* in circuitu *Ω*   21 et profecti *ς*   22 selmona *Wp.c.* selnon *X* selmon *cet.*
phion *B*   23 extrema *B*   24 obeth *Ω* eboth *B*   25 sunt *om. Ω*   et] in *OB*

quas cum in supputatione tacuerit, reddidit in summa. prima
mansio Selmona interpretatur 'imaguncula', secunda Phinon dimi-
nutiue 'os' — ab ore, non ab osse, intellege — in his Aaron mortuo murmurant contra dominum et Moysen, manna fastidiunt, a serpentibus
5 uulnerantur et in typum saluatoris, qui uerum antiquumque serpen-
tem in patibulo triumphauit, diaboli uenena superantur. unde et 3
imaguncula uerae expressaeque imaginis filii dei passionem eius
intuens conseruatur et, quod corde credit, ore pronuntiat legens
illud apostoli: corde creditur ad iustitiam, ore autem con-
10 fessio fit ad salutem. simulque nota, quod utraque mansio
ὑποκοριστικῶς appelletur, quia ex parte uidemus et ex parte
prophetamus et nunc per speculum uidemus in aenigmate.
    38. Et profecti de Phinon castra metati sunt in Oboth.
Tricesima septima mansio uertitur in 'magos' siue 'pythones' uel
15 secundum uerba Heliu 'lagoenas grandes', quae cum musto plenae
fuerint, absque spiramine ilico disrumpuntur. pugnauerunt magi
contra Moysen et Aaron et a muliere, quae erat in Endor et habebat
iuxta septuaginta interpretes spiritum pythonem, iuxta Hebraeos
magum, regi Israhelis inluditur. multae sunt praestigiae et innumera- 2
20 biles laquei, quibus animae capiuntur humanae; sed nos dicamus
in domino confidentes: laqueus contritus est et nos liberati
sumus et: si ambulauero in medio umbrae mortis, non

2 cf. Onom. s. 48, 28   3 cf. Onom. s. 18, 21   cf. Num. 21, 4—9   9 Rom. 10, 10
11 *I Cor. 13, 9   12 *I Cor. 13, 12   13 *Num. 33, 43   14 cf. Onom. s. 19, 29
15 cf. Hiob 32, 19   16 cf. Ex. c. 7—8   17 cf. I Reg. 28, 7—25   21 Ps. 123, 7
22 Ps. 22, 4

    1 quasi eum W   tacuerat Ω   reddit Ωp.c.OB   summam OB   2 imagiuncula W
inmaginicola X (corr. in imaguncula)   phimon B   deminutiue Xa.c.B
4 deum W   mosen W   5 in s.l.X, om. Ω   typo Xp.c.   anticumque W
6 pat. crucis ς   7 in imagunc. (ex inmag. X) XO imagiunc. (alt. i s.l.) W   8 conseruata est B conserua O   credit — corde om. OB   creditur Ω   9 creditur
corda (sic) W   in (s.l.) ore Ω   11 ὑποκ. uarie scriptum in codd.   appellatur ΩB
uidemus] uidimus W   uidemus et ex parte cognoscimus Ω   prophetamus B
12 profe(fae X)tamus WX uidemus B   uidimus W   13 phynon O   eboth X
aboth B   14 phi(fi B)tones codd.   15 helyu O eliu B   lagenas O, Ba.c.
laguenas Bp.c.   qui W, Xa.c.   pleni W   16 inspiramine B   illico W illiquo X
dirr. B dir. O disrumpitur Xa.c.   17 mosen W   qui W   hendor Ωp.c.
18 sept. —iuxta om. B   phi(phy X)tonem codd.   19 rex ex regis X   prae(e)strigie
W, Xp.c.   22 medio umbrae] umbra WX

timebo mala, quoniam tu mecum es. cadent a latere
nostro mille et decem milia a dextris nostris: non timebimus
ab incursu et daemonio meridiano, sed obturabimus aures
nostras, ne audiamus uoces incantantium, et sirenarum carmina
3 neglegemus. post imaginem dei, quae in cordis ratione monstratur, 5
et confessionem fidei, quae ore profertur, consurgunt serpentes et
artes maleficae ad bella nos prouocant. sed nos, qui habemus pretiosissimum thesaurum in uasis fictilibus, quae frangi possunt, ita
ut de quodam uix testa remanserit, in qua hauriri possit aquae
pusillum, omni custodia circumdemus cor nostrum.　　　　　　　 10

39. Et profecti de Oboth castra metati sunt in Hieabarim
in finibus Moab.

Tricesima octaua mansio 'aceruos lapidum transeuntium' sonat.
sunt sancti lapides, qui uoluuntur super terram, leues, politi et ro-
tunditate sua rotarum cursibus similes. sunt et alii, quos propheta 15
iubet tolli de uia, ne ambulantium in eos offendant pedes. qui sunt
isti ambulantes? utique uiatores et praetereuntes, qui per istud sae-
2 culum ad alias mansiones transire festinant. quod autem dicitur: in
finibus Moab et supra scriptum est: in solitudine, quae
respicit Moab contra solis ortum, ostendit iuxta litteram, 20
quod huc usque in finibus terrae Idumaeorum fuerint et nunc ueniant
ad terminos Moab de alia prouincia ad aliam transeuntes. non
enim semper uni uirtuti danda est opera, sed, sicut scriptum est:
ibunt de uirtute in uirtutem, de alia transeundum est ad
aliam, quia haerent sibi et ita inter se nexae sunt, ut, qui una ca- 25
ruerit, omnibus careat. et tamen transire de alia ad aliam eorum est
proprie, qui solis iustitiae ortum considerant.

1 *Ps. 90, 7　　　3 Ps. 90, 6　　　cf. Ps. 57, 5—6　　　7 cf. II Cor. 4, 7
10 cf. Prou. 4, 23　　11 *Num. 33, 44　　14 cf. Zach. 9, 16　　15 cf. Hier. 50, 26
19 *Num. 21, 11　　24 Ps. 83, 8　　27 cf. Mal. 4, 2

2 nostro] tuo O　　nostris] tuis O　　3 sed] et OB　　obturauimus B obdura-
bimus $Xa.c.\Omega$　　4 syren. ΩB seren. $Xa.c.$　　5 negle(iO)gimus XOB　　negligamus ς
post] quod W　　6 confessione XO　　7 mal. om. W　　quia B　　9 de quodam]
quaedam ς　　quo Ω　　haurire X　　possint W iam possit B　　10 ordinemus W
11 hieab. W hicab. X hieb. ΩB ieab O　　14 polliciti (pr. 1 eras.) W　　18 ad om. W
19 super B　　dictum Ω　　20 contra] con W　　21 quo adusque B　　idomae.
$Xa.c.$ idume. Ω　　25 quia adherent O qui adherent $Xp.c.$ quia erent (ex erant) B
26 de — solis om. W　　27 ortum om. W　　desiderant Ω

40. Et profecti de Hieabarim — siue, ut in secundo loco apud
Hebraeos habetur, Hihim — castra metati sunt in Dibon-Gad.
Tricesima nona mansio interpretatur 'fortiter intellecta temptatio'.
pro hac in ordine historiae aliter scriptum repperi. postquam enim
5 castra metati sunt in Hieabarim in finibus Moab contra ortum solis,
legitur: inde profecti sunt et deuerterunt ad torrentem
Zared. et de hoc loco proficiscentes castra metati sunt
trans Arnon, quae est in solitudine finium Amorraei, eo
quod Arnon in terminis sit Moabitarum et Amorraeorum.
10 et post haec uenerunt ad puteum, ubi cecinit Israhel carmen 2
hoc: ascende, putee, quem foderunt principes et ape-
ruerunt duces populorum in datore legum et in baculo
eius. et de solitudine in Matthana et de Matthana ad
torrentes dei et de torrentibus dei ad excelsa et de
15 excelsis ad uallem, quae est in regione Moab, in uertice
Phasga, qui prospicit contra desertum. haec loca in finibus
Amorraeorum quidam interpretantes putant non mansiones esse,
sed transitus, nec praeiudicare debere catalogo mansionum extra-
ordinariam expositionem. alii autem spiritalibus spiritalia 3
20 conparantes nolunt regiones significari, sed per locorum nomina
uirtutum profectus esse, quod post magos et congregationem lapidum frequenter ueniamus ad torrentes Zared, quod interpretatur
'aliena descensio', et in descensione positi transeamus ad Arnon, quod
'maledictionem' sonat, quae est posita in finibus Amorraeorum, qui
25 uel 'amari' hostes sunt uel multa 'locuntur' inflati. sin autem transie- 4
rimus terminos Moab, qui de incestu generatus est et recessit a uero

---

1 *Num. 33, 45   3 cf. Onom. s. 17, 20   5 cf. Num. 21, 11   6 *Num. 21, 12—13
10 *Num. 21, 17—20   19 I Cor. 2, I3   23 cf. Onom. s. 21, 13   24 cf. Onom. s. 23, 27
25 cf. Onom. s. 2, 22   26 cf. Gen. 19, 36—37   cf. Onom. s. 8, 17; 14, 6

1 ieab. *O* hieb. *Ω* iaiab. (*pr.* ia *eras.*) *Xp.c.* hie *WB,Xa.c.*   sin *W*   2 habes ς
hihym *W* hyhym *O* hihin *B* Iim ς   dibongath *O*   4 pro hac] fac *B*   5 hieab. *W*
hicab. (c *exp.*) *X* hieb. *Ω* iheb. *B* ieab. *O*   6 et *om. Ω*   diu. *ΩO*   7 zareth *WO*
zereth *ΩB*   9 et] de *B*   10 ibi *B*   11 puteum *WB*   quem] quod *B*   appe(*ex* appa)-
ruer. *W* parauer. *O* peruener. *B*   12 datorem *XB*   legis *O*   13 matth. *Ω*
matt. *B* math. *WXO* *utroque loco*   14 *alt.* dei *om. OB*   16 phasgae *Ω* fasge *OB*
quae respicit *Ω*   22 torrentem *O*   zareth *WΩ* gareth *B* iareth *O*   23 discensio *WX*
arnom *X*   24 qui] quae *W*   25 hoste *B*   loq. *X*   26 incesto *OB*

patre, statim nobis occurrit puteus, quem nemo de plebe fodit, nullus
ignobilis, sed principes et duces, qui iura dant populis. et canentes
carmen in aquis putei et in dei muneribus gratulantes prophetant,
quo transituri sint et ad quae peruenturi loca, quod scilicet de deserto ueniant in Matthana, quod interpretatur 'donum', et de Matthana 5
ad Nahalihel, quod dicitur ad 'torrentes dei', et de Nahalihel ad Bamoth, quae interpretatur 'excelsa' siue 'adueniens mors', quando con-
formes efficimur mortis Christi, et de Bamoth occurrit nobis 'uallis
humilitatis', quae tamen in uertice posita est montis Phasga, qui interpretatur 'dolatus', quod nihil habeat informe et rude, sed artificis 10
sit politus manu, qui mons respiciat solitudinem, quae Hebraice
5 dicitur Isimun. quando enim fuerimus in uirtutum culmine constituti, tunc totius mundi ruinas et omnium peccatorum respicimus
'uastitatem'. paene obliti sumus currente oratione dictare: Dibon-
Gad interpretatur 'fortiter intellecta temptatio'. post Dibon-Gad 15
geritur bellum contra Seon, regem Amorraeorum, et Og, regem Basan,
et discimus, quod, cum uenerimus ad summum et de fonte principum
regumque biberimus, ascendentes ad montem Phasga non debeamus
eleuari in superbiam, sed propositam nobis e contrario solitudinem
nouerimus. ante contritionem enim eleuatur cor uiri et 20
ante gloriam humiliatur.

41. Et profecti de Dibon-Gad castra metati sunt in
Almon-Deblathaim.

Quadragesima mansio uertitur in 'contemptum palatharum'

5 cf. Onom. s. 46, 18; 54, 25   6 cf. ibid. 39, 17   7 cf. ibid. 16, 17; 25, 9
10 cf. ibid. 18, 17; 22, 16; 89, 7; 131, 13   14 cf. ibid. 86, 18   15 cf. Onom.
s. 17, 20   cf. Num. 21, 21—35   20 *Prou. 18, 12   22 *Num. 33, 46   24 cf.
Onom. s. 17, 21; 54, 5

nemo] nullus *O*   3 aqua *ς*   4 quod *W*   sunt *W*   et *om. OB*   ad qua *X*
atque *WB*   5 uenient *O*   mathana *X*   domum *X*   6 na(h *s.l.*) aliel *B* nahahel
O nathalihel *W*   *alt.* ad *om. OB*   nahaliel *XB* nahahel *O* nathalihel *W* ad] in *O*
bainoth *W* bamocoh (*alt.* o *exp.*) *X*   7 quod *O*   et mors *O*   8 efficitur *W*   maboth *O*
9 pos. est in uert. *ς*   quae *WΩ*   10 quod] qui *OB*   habet *O*   11 pol. sit *O*
recipiat *X*   ebraice *B*   12 simiun (*in mg.* ł issimin) *Ω* simium *O* simroar *B* Isimon *ς*
uirtute *W*   13 respiciamus *W* respuimus *B*   14 dicere quare *ς*   dibongat *B*
dibongath *O*   15 interpretetur *ς*   16 basam *X*   17 dicimus *XB*   19 sed] sed in *W* si *ς*
21 humiliabitur *OB*   22 dibonga *B*   23 deblath (h *s.l.W*) aim *WX* dabla-
th(h *om. O*)aim *ΩO* diablat aim *B*   24 palatarum *WXO* phalatarum *Ω* palattorum *B*

siue 'obprobriorum'. et per hanc discimus omnia dulcia et inlecebras
uoluptatum in saeculo contemnendas nec inebriari nos debere
uino, in quo est luxuria. mel non offertur in sacrificiis 2
dei et cera, quae dulcia continet, non lucet in taberna-
5 culo, sed oleum purissimum, quod de oliuae profertur
amaritudine. mel enim distillat a labiis mulieris meretricis; de quo puto iuxta mysticos intellectus gustasse Ionathan
et sorte deprehensum uix populi precibus liberatum. quod autem
obprobria contemnenda sint et, si falso obiciantur, beatitudinem
10 pariant, saluator plenissime docet.

42. Et profecti de Almon - Deblathaim castra metati
sunt in montibus Abarim contra faciem Nabo.

Quadragesima prima mansio uertitur in montes 'transeuntium' et
est contra faciem montis Nabo, ubi moritur et sepelitur Moyses
15 terra repromissionis ante conspecta. Nabo interpretatur 'con-
clusio', in qua finitur lex et non inuenitur eius memoria; porro gratia
euangelii absque ullo fine tenditur. in omnem terram exiit
sonus eius et in fines orbis terrae uerba illius. simulque con- 2
sidera, quod habitatio transeuntium in montibus sita sit et adhuc
20 profectu indigeat. post montes enim plurimos ad campestria Moab
et Iordanis fluenta descendimus, qui interpretatur 'descensio'.
nihil enim, ut crebro diximus, tam periculosum est, quam gloriae
cupiditas et iactantia et animus conscientia uirtutum tumens.

---

3 Eph. 5, 18   cf. Leu. 2, 11   5 cf. Ex. 25, 6   6 *Prou. 5, 3
7 cf. I Reg. 14, 25—45   9 cf. Matth. 5, 11 etc.   11 *Num. 33, 47
13 cf. Onom. s. 16, 5   14 cf. Deut. c. 34   15 cf. Hebr. 11, 9   cf. Onom. s.
19, 18   17 Ps. 18, 5   21 cf. Onom. s. 7, 20; 64, 27

1 siue *in ras. m2W* sine *B* op(p *s.l.*)probriorum *X* obprobrium *O*   inl (ill*O*)e-
cebrosa *OB*   2 contempnenda *OB* contempnentis *W*   uino debere *O*
3 uino (*ex* uno *B*) mundi *ΩB*   4 cera] cetera *W*   5 sed] scu̅ *X*   6 enim *om. X*
distillat a *ex* dest. a *X* desolata *W* dist. de *ΩOB*   7 quo] isto *Xp.c.m2*   iusta *B*
ionatham *Ω*   8 forte *XO*   depremsum *X*   prec. pop. *O*   9 falsa *Xp.c.O*
11 deblatain *B* dablaim *O*   12 dabarim *O*   14 montes *Xa.c., om. B*   nabon *B*
moses *W*   17 fine tend. *WX* tend.   loco *cet.*   exiuit *O*   18 eius] eorum *Xp.c.*
finis *Wp.c.*   illius] illorum *Xp.c.* ipsius *ς*   19 transmigrantium *O*   profecti
W,Xa.c. profectui *B*   21 discendimus *X*   discensio *WX*   23 *alt.* et *om. X*
conscientiae *W*

43. Et profecti de montibusAbarim castra metati sunt
in campestribusMoab super Iordaneniuxta Hiericho ibique fixerunt tentoria a domo solitudinis usque ad
Abel Sattim in planitie Moab.

In quadragesima secunda, quae et extrema mansio est, cursim, 5
quae sint gesta, narremus. residens in ea populus a diuino Balaam,
quem mercede conduxerat Balac, filius Sepphor, dei benedicitur
2 iussione et maledictio mutatur in laudes. audit uoces domini ex
profano ore resonantes: orietur stella ex Iacob et
consurget homo de Israhel; et percutiet principes 10
Moab et uastabit cunctos filios Seth et erit
Edom hereditas eius. fornicatur cum filiabus Madian
et Finees, filius Eleazar, zelatus zelum domini Zamri et
scortum Madianitidem pugione transfigit; unde et accepit
praemium in aeternam memoriam aluum uictimae. numeratur rur- 15
sum populus, ut interfectis pessimis nouus dei populus censeatur.
3 interpellant quinque filiae Salphaad et iudicio domini hereditatem
accipiunt inter fratres suos nec femineus a possessione dei
sexus excluditur. Iesus Moysi in monte succedit et discit a
lege, quae spiritaliter offerre debeat in ecclesia: primum quid per 20
singulos dies, dein quid sabbato, quidin calendis, quid in pascha, quidin
pentecoste, quid in neomenia mensis septimi, quid in ieiunio, eiusdem
mensis die decimo, quid in scenopegia, quando figuntur tabernacula,

---

1 *Num. 33, 48—49 6 cf. ib. 22, 1—12 9 *ib. 24, 17—18 12 cf. ib. 25, 1—15
15 cf. c. 26   17 cf. ib. 27, 1—11   19 cf. ib. 27, 12—23   20 cf. ib. c. 28—29

1 abarin *B*   2 moabi *B*   iordanem *ΩOB*   iericho *O* iherico *B* hericcho *W*
3 ad *om.* ς   4 abelsatim *Xa.c.* belsatim *B* belsathym *O* belsaltim *Ω* abel
statim *W,Xp.c.* Abel Sitim ς (*cf. p. 86,13*)   planiciem *OB*   5 et *W,X*(*eras.*), *om. cet.*
est *om. B*   6 qua *X*   s *W* sunt *O* balaham *B*   7 in mercede *W* balaac *W*
sephor *ΩO*   iussi(si *X*)one bened. *WX*   8 audiuit *X*   uocem—resonantem *X*
ex] et *B*   9 resonant *W*   12 filia *OB*   13 eleadar *B*   zelo (o *in ras.*) *X*
zambri *O* zambrim *W*   14 madianidem *Xa.c.B* manitɔden *W*   accipit *O*   15 mem.]
add. malo *in mg. X*   aluum *XO* (*cf. Hier. ep. LXIV 1, 2 et 2, 1*) album *Ω* alium *W*
armum *B*   numerantur *W* enumeratur *Ω*   16 populus *in mg. X; add.* numerantur et leuitae (-te) *ΩOB*   ut *om.OB*   pop. dei *O*   censetur *O*   17 salphad *B*
salphat *ex* saphat *O* salphath *Ω*   et] ex *X* et ex ς   18 ne *W*   sexus dn̄i *Ω*
19 hiesus *X*   mosi *W*   montem *OB*   20 offerri *W*   21 dein *XΩ* deinde *cet.*
in sabbato *Xp.c.O*   pasca *XBa.c.*   22 pentecosten *WXO*   mensi *X*
23 scenophegia *WΩO* scenopheia *X* cenophegia *B*

quinto decimo die supra dicti mensis. uxorum et filiarum uota absque 4
auctoritate patrum et uirorum cassa memorantur. bellum contra
Madianitas et mors diuini Balaam et praedae diuisio et oblatio ex ea
in tabernaculo dei. primus Ruben et Gad et dimidium tribus Manasse
5 citra Iordanen in heremo possessionem accipiunt; plurima enim habebant iumenta et necdum ad id uenerant, ut possent habitare cum
templo. docetur populus, ut in terra sancta idola destruat et nullus
de priori habitatore seruetur. describitur olim cupita prouincia et
duarum semis tribuum hereditas separatur. numerantur tribuum
10 principes, qui terram sanctam debeant introire. quadraginta duas 5
urbes cum suburbanis suis usque ad mille passus per circuitum Leuitae accipiunt, tot numero, quot et istae sunt mansiones. et adduntur
fugitiuorum sex aliae ciuitates, tres intra Iordanen et tres trans
Iordanen, ut sint simul quadraginta octo; qui fugitiuorum suscipi,
15 qui interfici debeant et usque ad mortem pontificis maximi reseruari. succedit Deuteronomium, secunda lex, meditatorium euan- 6
gelii: ibique breuiter discimus, quae inter Pharan et Thobel et Laban
et Aseroth et loca aurea, abiecto Iuda infelicissimo, undecim diebus
uia de Choreb, per uiam montis Seir usque ad Cades-Barne Moyses
20 populo sit locutus et extremum canat canticum. in quo apertissime
synagoga proicitur et ecclesia domino copulatur: in pinguatus est
et incrassatus ac dilatatus et recalcitrauit dilectus
et oblitus est dei saluatoris sui. et iterum: generatio
pessima, filii ineruditi ipsi ad aemulationem me
25 prouocauerunt in eo, qui non erat deus. inritauerunt

---

1 cf. Num. c. 30   2 cf. ib. c. 31   4 cf. ib. c. 32   7 cf. ib. 33, 51—56
8 cf. ib. 34, 1—15   9 cf. ib. 34, 17—29   10 cf. ib. 35, 1—7   12 cf. ib. 35, 13—14
14 cf. ib. 35, 16—25   17 cf. Deut. 1, 1—3   20 cf. Deut. c. 32   21 *Deut. 32, 15
23 *Deut. 32, 20—21

1 decima quinta ς   3 balaan X   4 primi ς tribus O   dimidia O
5 ultra X trans OB   iordanem ΩOB passim   6 ut possint W ubi possent O
cum] in B cum in O   7 templum ducetur W   terra sancta] templo sancto O
et om. O   8 priore X   et om. O   9 duarum et semis B   10 sanctam] cunctam W, X a.c.
12 tot] in O   numerum W   13 infra W citra X   et—Iord. om. W   trans ex
citra X   14 quid O   interf. qui susc. O   15 et] qui ς   reseruare WB
16 meditatorum B meditarium W mediatorium XOa.c.   17 ibique] ubi quoque O
thobal W hobel X tophel O   18 aser. XO haser. W asser. ΩB Azer. ς   dierum ς
19 coreb WB   seir Xp.c. sion W seon cet.   ad om. Ω   moses W   20 sit loc. pop. O
et ad (s.l.) X   canit O   22 ac] et O   24 immolat. W   25 prouocarunt Ωp.c.   et irrit. O

me in sculptilibus suis; et ego zelare eos faciam
nationes et contra gentem stultam inritabo eos.
7 benedicuntur filii Israhel et rursus in Simeone Iudas miserandus
excluditur. ascendit Moyses ad montem Nabo, in
uerticem Phasga, quiest contra Hiericho, et ostendit 5
ei dominus omnem terram Galaad usque Dan et
Nepthalim et Ephraim et Manassen et uniuersam
terram Iuda usque ad mare magnum contra austrum
8 et regionem campestrem Hierichuntis, ciuitatis
palmarum, usque Segor. quis potest tanta nosse 10
mysteria? quis in extremis legis et huius uitae finibus constitutus intellegit semper sibi esse pugnandum et tunc plenam uictoriam dari, si fuerit in campestribus, si in Abel Sattim, quod interpretatur 'luctus spinarum', fleuerit antiqua peccata et spinas, quae
suffocauerunt sementem uerbi dei et de quibus propheta 15
dicit: uersatus sum in miseria, dum mihi configitur
spina, et tunc praeparatus deficiente manna sub duce Iesu Iordanen
transeat et circumcisus cultro euangelii primum comedat de
caelesti pane et occurrat ei princeps exercituum dei, ut uerum pascha
nequaquam in Aegypto, sed in finibus terrae sanctae comedat? 20
9 o profundum diuitiarum et sapientiae et scientiae
dei, quam inscrutabilia sunt iudicia eius et
inuestigabiles uiae illius! quis sapiens et intelleget
haec, intellegens et cognoscet ea? quia rectae uiae

---

3 cf. Deut. c. 33   4 *Deut. 34, 1—3   14 cf. Onom. s. 16, 12   cf. Luc. 8,
7. 11. 14 etc.   16 *Ps. 31, 4   17 cf. Ios. 5, 12   cf. Ios. 3, 7—17   18 cf. Ios. 5, 2—9
19 cf. Ios. 5, 13—16   cf. Ios. 5, 10   21 *Rom. 11, 33   23 *Os. 14, 9 (10)

1 eos] hos ς   3 benedicentur X benedicunt W   rursus] iterum WX
in *om.* W   symeone ΩO simone B   4 ascendis B   moises B moses W
5 uertice ΩOB   iericho (h *s.l.*) X iherico OB   6 usque ad ΩOB
7 neptalim XOB Nephthalim ς   epraim W effraim ΩB   manassē B
manasse W   uniuersa terra W   9 campestre B   hiericontis Ω ierichontis O
iericuncte B hierichū cum eis W hiericho(*ras. 2 litt.*)c(u *s.l.*)n(c *s.l.*)tis X   ciui-
tatibus Xp.c.   10 psalmorum (s *eras.*) W   qui W   11 et *om.* O   finibus
om. W   13 abelstatim B abelsethim W belsatim O Abel Sitim ς   14 flerit W
15 sementem] septem W   16 miseriam OB   confringitur W figitur Ω
17 nunc Ωa.r.OB   iordanem ΩOB   18 primo O   19 pasca XB
20 sancte terre O   comedet W   21 *pr.* et WX,*om. cet.*   23 uiae *om.* B
illius] eius OB   qui Xa.c.B   intellegit W,Xa.c.   24 haec int. *om.* OB

domini et iusti ambulabunt in eis, praeuaricatores autem corruent in illis.

LXXIX.

AD SALVINAM.

5 1. Vereor, ne officium putetur ambitio et, quod illius exemplo facimus, qui ait: discite a me, quia mitis sum et humilis corde, gloriae facere adpetitione dicamur et non uiduam adloqui et in angustia constitutam, sed aulae nos insinuare regali et sub occasione sermonis amicitias potentium quaerere. quod liquido non puta-
10 bit, qui scierit esse praeceptum: personam pauperis non accipies in iudicio, ne sub praetextu misericordiae, quod iniustum est, iudicemus. unumquemque enim nostrum non hominum, sed 2 rerum pondere iudicandum est. nec diuiti obsunt opes, si bene utatur, nec pauperem egestas commendabiliorem facit, si inter sordes et ino-
15 piam peccata non caueat. utriusque nobis testimonium et Abraham patriarcha et cotidiana exempla subpeditant; quorum alter in summis diuitiis amicus dei fuit, alii cotidie in sceleribus deprehensi poenas

6 Matth. 11, 29   10 *Leu. 19, 15   12 cf. p. 122, 20   16 cf. Gen. 13, 2
17 cf. Iac. 2, 23

1 ambulant Ω   2 corruerunt W   illis] add. explicit de mansionibus filiorum irhl quomodo egressi sunt de egipto et transierunt mari rubrum sicco uestigia et perrexerunt ad terram repromissionis de qua iurauit dns patribus nostris h(eras.)abraham isaac et iacob dicens semini uestro dabo terram hanc lacte et melle manante W   explicit (seq. 4 uersus prorsus euanidi) Ω

> L = Coloniensis 35 s. IX.
> Σ = Turicensis Augiensis 41 s. IX.
> W = Parisinus lat. 1868 s. IX.
> D = Vaticanus lat. 355 + 356 s. IX—X.
> B = Berolinensis lat. 18 s. XII.

ad saluinam L, Σ (in mg. m2 epistola consolatoria) ad saluinam (sabinam B) de morte nebridii (nibridii B) et de uiduitate seruanda WB ad saluinam consolatoria de nebridio et uiduitate seruanda D; Hieronymi nomen exhibent tituli in LΣ

6 faciamus W   7 uideam W   alt. et om. LΣ   8 angustiis Σ
10 qui] nisi qui B   sciret W   11 nec B   su praetextum Σa.c.W sub praetexto D
12 unumquodque (cf. p. 122, 20) W unde quicquid B unusquisque ς   enim]est B
nostrum LΣ, om. cet.   nominum coni. Vallarsius   13 iudicandus ς   bene L, Σ (eis add. m2) eis bene WDB   15 nobis] add. rei ς   16 patriarchae Σ   17 celeribus B

3 legibus soluunt. adloquimur igitur—pauperem diuitemne, sciat ipsa,
quae possidet; neque enim marsuppium eius discutimus, sed animae
puritatem—, loquimur ad eam, cuius faciem ignoramus et uirtutes
nouimus, quam nobis fama commendat, cuius uenerabiliorem pudicitiam adulescentia facit, quae mortem iuuenis mariti sic fleuit, ut 5
exemplum coniugii dederit, sic tulit, ut eum profectum crederet, non
amissum. orbitatis magnitudo religionis occasio fuit. Nebridium
4 suum sic quaerit, ut in Christo praesentem nouerit. cur ergo ad eam
scribimus, quam ignoramus? triplex nimirum causa est: prima, qua
pro officio sacerdotii omnes Christianos filiorum loco diligimus et 10
profectus eorum nostra est gloria; altera, qua pater defuncti intima
mihi necessitudine copulatus fuit; extrema, quae et ualidior, quod
filio meo Auito roganti negare nihil potui, qui crebris litteris inter-
pellatricem duri iudicis superans et multorum mihi, ad quos ante super
eadem materia scripseram, exempla proponens ita suffudit pudorem 15
negantis, ut plus considerarem, quid ille cuperet, quam quid me facere conueniret.
    2. Alius forsitan laudet Nebridium, quod de sorore generatus
Augustae et in materterae nutritus sinu inuictissimo principi ita
carus fuit, ut ei coniugem nobilissimam quaereret et bellis ciuilibus 20
Africam dissidentem hac uelut obside sibi fidam redderet. mihi a
principio statim illud est praedicandum, quod quasi uicinae mortis
praescius inter fulgorem palatii et honorum culmina, quae aetatem
2 anteibant, sic uixit, ut se ad Christum crederet profecturum. sacra
narrat historia Cornelium, centurionem cohortis Italicae, in tantum 25

---

13 cf. Luc. 18, 1—8   25 cf. Act. c. 10

1 diuitemne, sciat *scripsi* diuitem nesciat (sciat *L*, *Σ p. c.*) *codd.*
diuitem ut nesciat *ς*   ipsaque *W*   2 marsupium *Σa.c.DB*   5 aduli-
scenciam *W*   sic *om. W*   6 tulit] extulit *Σp.c.m2WB* (*uerba* ut
exemplum—ext. *bis W*)   crederes *ς*   7 āmissum *Dp.c.m2*   8 quaerit
L,Σa.c.m2 quaerit absentem *cet.*   9 quia *B*   10 sacerdoti *L* sacerdotali *B*
11 quo *Σ* quia *B*   intimat *Dp.c.*   12 extremaquae *LW,Σa.c.m2*
13 Auito] couito *W*   nihil] non *B*   14 iud.] *add.* uiduam *ς*   15 materiam *W*
suffidit *W*   18 laudet *ex* ladet (*in mg.m2* ał ledet) *Σ* ledet *L*   19 in] inter *D*
20 et *s.l.Σ,om.L*   21 affr. *LΣB* african *D*   hac *D* ac *cet.*   obside *Bp.c.*
obsede *W* obsidem *cet.*   sibi *s.l.Σ,om.L*   23 fulgori *L*   honorem *W*
aetate *W*   24 antibant *B*   perfecturum *Wp.r.*   25 ystoria *ex* istoria *Σ*
cornilium *W*   choortis *W*   in tantum — *p.89,6* Ital. *in mg. B*

acceptum deo, ut angelum ad eum mitteret et omne mysterium,
quo Petrus de circumcisionis angustiis transferebatur ad praeputii
latitudinem, ad illius merita pertineret, qui primus ab apostolo baptizatus salutem gentium dedicauit. scriptumque est de eo: erat uir
5 quidam in Caesarea nomine Cornelius, centurio cohortis,
quae dicitur Italica, religiosus et timens deum cum omni
domo sua, faciens elemosynas multas plebi et orans deum
semper. quidquid de illo dicitur, hoc nomine commutato in Nebri- 3
dio meo uindico. sic religiosus fuit et amator pudicitiae, ut uirgo
10 sortiretur uxorem; sic timens deum cum uniuersa domo sua, ut
oblitus dignitatis omne consortium cum monachis haberet et clericis
tantasque elemosynas faceret in populis, ut fores eius pauperum
atque debilium obsiderent examina; certe sic semper orans deum,
ut illi, quod optimum esset, eueniret. raptus est, ne malitia in- 4
15 mutaret mentem eius, quia placita deo erat anima illius.
unde et ego possum uere super eo abuti apostoli uoce dicentis: in
ueritate cognoui, quoniam non est personarum acceptor
deus, sed in omni proposito, qui timet deum et operatur
iustitiam, acceptus est illi. nihil nocuit militanti paludamentum
20 et balteus et apparitorum cateruae, quia sub habitu alterius alteri
militabat, sicut e contrario nihil prodest aliis uile palliolum, furua
tunica, corporis inluuies et simulata paupertas, si nominis dignitatem operibus destruant. legimus et in euangelio de alio centurione 5
domini testimonium: nec in Israhel tantem fidem inueni.
25 et ut ad superiora redeamus, Ioseph, qui et in egestate et in diuitiis
dedit experimenta uirtutum, qui seruus et dominus docuit animae
libertatem, nonne post Pharaonem regis ornatus insignibus sic deo

4 *Act. 10, 1—2   14 *Sap. 4, 11. 14   16 *Act. 10,34—35   24 Luc. 7, 9
25 cf. Gen. c. 39—50

1 angelus *Σp.c.m2* mitteretur *Σp.c.m2* omnem *L,ΣDa.r.* 2 ad *s.l.Σ,om.L*
3 pertinere *DB* pertinere doceret ç   prius *LD,Σa.c.*   4 dedicabit *L*
quidem uir *B*   6 et] ac *B*   7 *et* 12 elemosin. *ΣB* e(ae)limosin. *LW*
multas *om.B*   11 dignitates *W*   cum *om.W*   13 atque] ac *D*   14 esset]
seq. ras. 2 litt. Σ   ueniret *D*   mutaret *W*   15 erat deo *D*   16 sup.
eo uere *D*   uocem *LD,Σa.r.*   17 comperi *B*   quia *Σ*   19 pallud. *B*
padul. *D*   20 baltheus *LΣ* balteos *W*   21 aliis nih. prod. aliis *W* aliis nih. prod. ç
palliorum *D*   23 destruat *B*   25 ut *om.W*   red.] ueniamus *W* perueniamus *B*   *alt.* et *et alt.* in *om.B*   26 qui] qui et ç   seruos et dominos *LΣD*   27 pharahonem *Σ* faraonem *W*   regiis *Σp.c.WB*

carus fuit, ut super omnes patriarchas duarum tribuum pater fieret?
Danihel et tres pueri sic praeerant Babyloniae operibus et erant
inter principes ciuitatis, ut habitu Nabuchodonosor deo mente
seruirent. Mardocheus et Hester inter purpuram, sericum et gemmas
superbiam humilitate uicerunt tantique fuere meriti, ut captiui uicto- 5
ribus imperarent.

3. Haec illo tendit oratio, ut ostendam iuuenem meum coniunctionem regalis sanguinis et affluentiam diuitiarum atque insignia potestatis materiam habuisse uirtutum dicente Ecclesiaste:
sicut protegit sapientia, sic protegit et pecunia. nec statim 10
illud huic testimonio putemus aduersum: amen dico uobis: difficile diues intrabit in regna caelorum. et rursum dico
uobis: facilius est camelum per foramen acus transire
quam diuitem intrare in regnum dei. alioquin Zacheus publicanus, quem ditissimum scriptura commemorat, contra hanc sen- 15
2 tentiam saluatus uidebitur. sed quomodo, quod apud homines inpossibile est, apud deum possibile fiat, apostoli consilium docet scribentis ad Timotheum: diuitibus huius saeculi praecipe non
superbire nec sperare in incerto diuitiarum, sed in deo
uiuo, qui praestat nobis omnia abundanter ad fruendum. 20
benefaciant, diuites sint in operibus bonis, facile tribuant;
communicent, thesaurizent sibi fundamentum bonum
in futurum, ut adprehendant ueram uitam. didicimus, quomodo camelus introire possit in foramen acus, quomodo animal tor-
tuosum deposito pondere sarcinarum adsumat sibi pennas columbae, 25

2 cf. Dan. c. 1—4   4 cf. Esth. 2, 17—9, 32   10 *Eccle. 7, 13   11 *Matth. 19,
23—24   14 cf. Luc. 19, 2—10   16 cf. Luc. 18, 27   18 *I Tim. 6, 17—19
25 cf. Ps. 54, 7

1 fuit *ex* erat *B*.   2 daniel *ΣB*   praeerant] p̄erant(er *in ras. m2*)se *B*
babyl. *D* babil. *cet.*   opibus *B*   et sic erant *ς*   3 naboch. *LW*   4 purp. et *B*
syricum *L,Da.c.* siricam *W*   5 capti *LD*   7 ad illud *D* illud *ς*
coniunctaneum *W*   9 eccl(ęcl *Σ*)esiasten *LD,Σa.r.*   10 protegei *L,Σa.c.*
protegi *ex* protegis *D*   proteget *L* protegi *D*   et *s.l.Σ,om.LB*   11 illum
L,Σa.c.   12 intrauit *LΣDa.c.*   regna *LΣ* regno *W* regnum *DB*   13 camellum
Da.r.   14 regno *W*   dei] caelorum *ς*   15 comm. scr. *ς*   16 uidetur *B*
quomodo] *ras. mut. in* quod *W*   hominem *D*   17 fiat] est *D*   19 superbe
sapere *D*   incertum *W*   diu. suarum *D*   dn̄o *LΣD*   22 tesaurizent *B*
tezaurisent *W*   23 prehendant *L,Σa.c.*   24 possit transire *DB*   in]
per *ΣD*   25 deposite *W*   honere *WB*   pinnas *La.c.W*

ut requiescat in ramis arboris, quae de sinapis semente succreuit.
legimus in Esaia camelos Madian et Gephan et Saba aurum et thus ₃
ad urbem domini deportantes; in typo horum camelorum Ismahelitae
negotiatores stacten et thymiama et resinam, quae nascitur in Ga-
5 laad et cutem uulneribus obducit, Aegyptiis deferunt tantaeque
felicitatis sunt, ut emant et uendant Ioseph et mercimonium eorum
salus mundi sit. docet et Aesopi fabula plenum muris uentrem per
angustum foramen egredi non ualere.

4. Ergo Nebridius meus cotidie illud reuoluens: qui uolunt
10 diuites fieri, incidunt in temptationem et in laqueum
diaboli et desideria multa, quidquid et imperatoris largitio et
honoris infulae sibi dederant, in usus pauperum conferebat. nouerat
enim a domino esse praeceptum: si uis perfectus esse, uade,
uende omnia, quae habes, et da pauperibus et ueni, sequere
15 me. et quia hanc sententiam inplere non poterat habens uxorem
et paruulos liberos et multam familiam, faciebat sibi amicos de
iniquo mammona, qui se reciperent in aeterna tabernacula. nec ₂
semel abiciebat sarcinam, quod fecerunt apostoli patrem et rete
et nauiculam relinquentes, sed ex aequalitate aliorum inopiae suam
20 abundantiam communicabat, ut postea illorum diuitiae huius in-

1 cf. Matth. 13, 31—32 etc.   2 cf. Esai. 60, 6   3 cf. Gen. 37, 25
4 cf. Hier. 8, 22   5 cf. Gen. 37, 28. 36   7 cf. Horat. epist. I 7, 29—33
cum adnot. Bentleii   9 I Tim. 6, 9   13 *Matth. 19, 21   16 cf. Luc. 16, 9
18 cf. Matth. 4, 18—22 etc.   19 cf. II Cor. 8, 13—14

1 ut] et *WB*   de *om.B*   sinapi *D*   subcreuit *L*   2 leg. et in *WB*
isaia *B*   camelus *W*   gephan (*cf. LXX*)*WD* epha *ex* aephah *L* ephad *Σ*
effa *B*   sabaa *LΣ*   thus *ex* tus *D*   3 reportantes *B* portantes *W*   in] et
(*s.l.m2Σ*) in *ΣWB*   tipo horum *B* typhorum *W*   israhelite *W* ihlitę *D*
4 stactem *W*   pr. et *s.l.Σ,om.L*   thim. *Σp.c.W* tim. *cet.*   resina *LW*   nascuntur *WB*   5 et] *ras. 2 litt., s.l.* ad *m2B*   cute *D*   obductā *B*   egyp-
tiis *Σp.c.B* egiptiis *W* ae(e *Σ*)gyptis *L,Σa.c.*   tantique felicitate *D*   6 *alt.* et
om.B   7 et *om.L*   esopi *Σa.c.WB* ysopi *D* hysopi *L,Σp.c.*   8 ualere]
potest *D*   9 qui] nonne qui *B*   10 incedunt *L,Σa.c.*   *alt.* in *om.WD*
11 *alt.* et] ei *ex* ea *Σ*, *om.D*   et honoris *s.l.Σ* eius (*id est* ei')*L*   12 infulae] fole *L*
sibi *om.* ς   pauperem *W*   13 deo *D*   15 quia] quae *L* qui *Σp.c.*   16 paru. *om.B*
17 mamona iniquo *D*   mamona *ΣD* mamana *ex* mamona *W*   se *s.l.Σ* eum *Wp.c.*
18 et *om.* ς   retem (m *eras.*)*L*   19 nauicula *W*   equal. *ex*
qual. *Σ* inequal. *D* qual. *W*   20 comm.] *in mg. add. manus coaeua:* quoniam
in omnibus, ut potui, tibi liberalius obsequebar, caue detrimentum ingrediar *L*

digentiam sustentarent. scit ipsa, cui libellus hic scribitur, me non
nota, sed audita narrare nec ex aliquo in me beneficio scriptorum
more Graecorum gratiam linguae reddere. procul a Christianis ista
3 suspicio. habentes uictum et uestitum his contenti sumus.
ubi uile holusculum et cibarius panis et cibus potusque moderatus, 5
ibi diuitiae superuacuae, ibi nulla adulatio, quae uel praecipue fruc-
tum respicit. ex quo colligitur fidele esse testimonium, quod causas
non habet mentiendi.

5. Ac ne quis me putet solas in Nebridio praedicare elemosynas,
quamquam et has exercuisse sit magnum, de quibus dicitur: sicut 10
aqua extinguit ignem, ita elemosyna peccatum, ad uirtutes
eius ceteras ueniam, quas singulas in paucis hominibus deprehendi-
mus. quis fornacem regis Babylonis sine adustione ingressus est?
cuius adulescentis Aegyptia domina pallium non tenuit? quae uxor
eunuchi nullos creat liberos uoluptate transacta? quem hominum 15
disputatio illa non terreat: uideo aliam legem in membris
meis repugnantem legi mentis meae et captiuum me du-
2 centem in lege peccati, quae est in membris meis? mirum
dictu est: nutritus in palatio, contubernalis et condiscipulus Augusto-
rum, quorum mensae ministrat orbis et terrae ac maria seruiunt, 20
inter rerum omnium abundantiam, in primo aetatis flore tantae
uerecundiae fuit, ut uirginalem pudorem uinceret et ne leuem quidem in se obsceni rumoris fabulam daret. deinde purpuratorum
propinquus, socius, consobrinus isdemque cum ambobus studiis
eruditus—quae res etiam externorum mentes sibi conciliat—non est 25

---

4 *I Tim. 6, 8   10 *Eccli. 3, 33   13 cf. Dan. c. 3   14 cf. Gen. c. 39
cf. Matth. 19, 12   16 *Rom. 7, 23

1 hic *om.*B   2 in me *s.l.Σ*   me *om.*L   3 lingua *WD*   ista] ita *L,ΣDa.c.*
4 contempti *DB*   simus *Σp.r.B*   5 olusc. *W* horusc. *D*   6 adolatio *LD,Σa.c.*
uel *s.l.Σ, om. L*   7 colligitur *Σa.c.W*   9 hac *LB*   putet me ς   ele-
mosinas *L(ex* elim-)*ΣB* helimosinas *W*   10 magnum] signum *D*   11 elemos *B*
eli(e *ΣD*)mosina *cet.; add.* extinguit *LΣD*   cet. uirt. eius ς   13 qui *LW,*
Σa.c.Dp.c.   babilonis *LΣB* babiloniae *W* Babylonii ς   15 enuchi nullus *W*
uoluntate *L*   17 duc. me *Σ*   18 legem *D,Bp.c.m2*   quae] quod *LΣW*
alt. in *om.W*   19 dictum *LD,Σa.r.*   est] *ras. 1 litt. B*   cont. et cond. *om. B*
agustorum *W*   20 et *om. D*   terra *LΣ*   23 obsc. rum. in se ς
in se *om. W*   rum. (rub. *Σ*) *ex* rob. *LΣ*   24 eisdemque (*ex* id est *m2*)*Σ* idē *L*
idem *D* iisdem ς

inflatus in superbiam, non ceteros homines adducta fronte contempsit, sed cunctis amabilis ipsos principes amabat ut fratres,
uenerabatur ut dominos et in illorum salute suam salutem positam
fatebatur. ministros autem eorum et uniuersum ordinem palatii,
5 quo regalis frequentatur ambitio, sic sibi caritate sociarat, ut, qui
merito inferiores erant, officiis se pares arbitrarentur. difficile factu 3
est gloriam uirtute superare et ab his diligi, quos praecedas. quae
uidua non huius auxilio sustentata est? qui pupillus non in eo repperit
patrem? totius orientis episcopi ad hunc miserorum preces et
10 laborantium desideria conferebant. quidquid ab imperatore poscebat, elemosyna in pauperes, pretium captiuorum, misericordia
in adflictos erat. unde et ipsi principes libenter praestabant, quod
sciebant non uni, sed pluribus indulgeri.

   6. Quid ultra differimus? omnis caro fenum et omnis
15 gloria eius quasi flos feni. reuersa est terra in terram suam:
dormiuit in domino et adpositus est ad patres suos plenus dierum
et luminis et nutritus in senectute bona — cani enim hominis
sunt sapientia — et in breui aetate tempora multa conpleuit.
tenemus pro illo dulcissimos liberos; uxor heres pudicitiae pretium 2
20 est; Nebridius pusio patrem quaerentibus exhibet:
    sic oculos, sic ille manus, sic ora ferebat.
scintilla uigoris paterni lucet in filio et similitudo morum per
speculum carnis erumpens:
    ingentes animos angusto in pectore uersat.

14 *Esai. 40, 6   15 cf. Gen. 3, 19   16 cf. Gen. 25, 8. 35, 29   17 cf. Gen. 15,.
15 sec. LXX   *Sap. 4, 9   21 Verg. Aen. III 490   23 Verg. Georg. IV 83

1 inflammatus L,Σa.r.   in superbiam WB superbia cet.   non] nec ç
aducta W abducta B   contemsit set W   3 dns W   et om. B   salute]
salutē LD   salutem del. m2 B   positam in mg. Σ   5 frequentabatur B
sociarat (alt. a in ras. m2)B sociaret Σa.c. sociauerat Wp.c.   6 erant om. W
officii LΣ officio D   factu ç factū codd.   8 quis WB   pupilus W   in eo
non repp. B   reperit WD,Σa.c.   9 ad hunc ex adhuc LΣ   11 elemosina ΣB
elimo(ma W)sina LW   12 adflictus W   prābāt B   13 uni] eum W
indigeri ex indigere m2B   14 differamus Lp.c.m2 differam Σ   15 in.
ex ad Σ 16 dormit B 17 pr. et] ac ç alt. et exp. Σ 18 sap.] add. eius WD,s.l.m2ΣB
et om. WD   breuitate L, Σa.c.   19 illo] eo ç   pretium om. WB (Hier.
uerba sic intell.: quod uxor heres est, eius pudicitiae pretium est)   20 purio La.c.
fuscio W   exibet B exiebet W   22 et scint. Σ   pat. uig. B   pat.] plena L.
lucebat L lucet ut (eras.) Σ   24 angustato La.c.   uersabat L

iungitur ei germana, rosarum et liliorum calathus, eboris ostrique
commercium. sic refert in ore patrem, ut ad uenustatem propensior
sit; sic matrem mixta pingit similitudine, ut in uno corpore utrumque cognoscas; ita suauis est et mellitula, ut honos sit omnium propinquorum. hanc tenere non dedignatur Augustus, hanc fouere in 5
sinu regina laetatur. certatim ad se omnes rapiunt: pendet ex collo,
haeret in brachiis singulorum. garrula atque balbutiens linguae
offensione fit dulcior.

7. Habes igitur, Saluina, quos nutrias, in quibus uirum absentem
tenere te credas. ecce hereditas domini filii, merces fructus 10
uentris. pro uno homine duos filios recepisti, auctus est numerus
caritatis. quidquid debebas marito, redde filiis; amore praesentium
absentis desiderium tempera. non est parui apud deum bene
2 filios educare. audi apostolum commonentem: uidua eligatur
non minus annorum sexaginta, quae fuit unius uiri uxor, 15
in bonis operibus habens testimonium, si filios educauit,
si hospitalis fuit, si sanctorum pedes lauit, si adflictis
abundanter praebuit, si omne opus bonum subsecuta
est. didicisti catalogum uirtutum tuarum, quid debeas nomini tuo,
3 quibus meritis secundum pudicitiae gradum possideas. nec te 20
moueat, quod sexagenaria eligatur uidua, et putes adulescentulas
ab apostolo reprobari et eligi ab eo, qui discipulo dixerat: nemo
adulescentiam tuam contemnat, non continentiam, sed
aetatem. alioquin omnes, quae ante sexaginta annos uiduatae sunt,
hac lege accipient maritos. sed quia rudem Christi instituebat eccle- 25

10 Ps. 126, 3   14 *I Tim. 5, 9—10   21 cf. I Tim. 5, 9   22 I Tim. 4, 12

1 et] ut D   liliarum LD   calatus WB,Σa.c. calcatus L   ostrique]
floris ostrice D   2 in om. ς   3 mixta] istā D   similitudinē LD
in om. W   4 agnoscas ς   honos ex honus L onor in ras. m2 B onus W honor ΣD
5 fouere] tenere L   6 omnes ad se B   omnia D   pendens B   ex] in D   9 sabina B
10 te om. W   mercis LΣa.c.,WD   12 carit. (in mg. m2 al castit.)Σ
castit. D,Bp.c.m2   debeas L,Σa.c.Ba.c.m2   13 deum] add. meriti
WB,Σs.l.m2   14 edocare LΣ,Wp.c.   elegatur L,Σa.c. legatur Da.c.
15 fuerit ς   16 edocauit LΣ educabit D   19 cathal. B gatal. W   21 ali-
gatur W elegitur L,Σa.c.   uidua] in uiduam WB   aduliscentulus W
22 pr. ab s.l.Σ ad W   et] add. te crede LΣD   elegi LΣa.c.,W   24 qui WD
sunt s.l.L, ex erunt Σ   25 hac ex ac D ac W   instruebat W

siam et omni ordini prouidebat praecipueque pauperibus, quorum
ei cura cum Barnaba fuerat demandata, illas uult ecclesiae opibus
sustentari, quae propriis manibus non queant laborare, quae uere
uiduae sunt, quas et aetas probauit et uita. Heli sacerdos offendit 4
5 deum ob uitia liberorum: ergo e contrario placatur deus uirtutibus
eorum, si permanserint in fide et caritate et sanctitate
cum pudicitia. o Timothee, te ipsum castum custodi.
absit, ut sinistrum quippiam mihi de te suspicari liceat, sed ex abundanti lubricam aetatem monuisse pietatis est. quae dicturus sum,
10 non tibi, sed puellaribus annis dicta intellege. uidua, quae in deliciis est, uiuens mortua est. hoc uas electionis loquitur et de 5
illo profertur thesauro, qui confidenter aiebat: an experimentum
quaeritis eius, qui in me loquitur Christus? hoc ille pronuntiat, qui libere sub persona sua fragilitatem humani corporis fatebatur:
15 non enim, quod uolo bonum, hoc operor, sed, quod nolo
malum, et: propterea subicio et redigo in seruitutem
corpus meum, ne aliis praedicans ipse reprobus
inueniar. si ille timet, quis nostrum potest esse securus? si Dauid,
amicus domini, et Salomon, amabilis eius, uicti sunt quasi homines,
20 ut et ruinae nobis ad cautionem et paenitudinis ad salutem exempla
praeberent, quis in lubrica uia lapsum non metuat? procul sint a 6
conuiuiis tuis Phasides aues, crassae turtures, attagen Ionicus et
omnes aues, quibus amplissima patrimonia auolant, nec ideo te
carnibus uesci non putes, si suum, leporum atque ceruorum et qua-

---

1 cf. Act. 11, 30   2 cf. I Tim. 5, 16   4 cf. I Reg. c. 2—4   6 *I Tim. 2, 15
7 *I Tim. 5, 22   10 *I Tim. 5, 6   11 cf. Act. 9, 15   12 II Cor. 13, 3   15 *Rom. 7, 19
16 *I Cor. 9, 27   18 cf. II Reg. c. 11—12   19 cf. III Reg. c. 11   cf. II Reg. 12, 25
22 cf. Horat. epod. 2, 54

1 praeuidebat *LΣD*   quorum] de quibus *B* quibus *W*   2 operibus *W*
3 queunt *ς*   4 *pr.* et *s.l.Σ*   probabit *LΣ* probat *WB*   hely *Σp.c.*
5 e] hec *W*   6 permanser *L*   *pr.* et *om. B*   7 timotee *B* t(th *Σ*)imotheae
LWD,Σa.r.   8 sin. quippiam] quid sin. *D*   de te *om. W*   habundantia *WB*
9 sum *s.l.Σ, om. L*   10 intellegere *W*   12 teshauro *W*   agebat *LWD,Σa.c.*
13 xpi *ΣD*   15 hoc *om. B*   16 *pr.* et *om. D*   ideo *D*   subitio *W* castigo *D*
et redigo *om. D*   seruitute *L*   19 salamon *LΣ*   sunt uicti *B*   sunt *om. W*
20 plenitudinis *Dp.c.m2*   21 metuat *WB* timeat *cet.*   22 conuiis *LΣa.c.*
crassi *WB*   turt.] uirtutes *D*   actagen *L* coctagen *W* et tagen *D* et atagen *Σ*
23 ampla *B*   uolant *W*   24 carnes *W*   suem leporem *W*   quadripedum *W*

drupedum animantium esculentias reprobes. non enim haec pedum
numero, sed suauitate gustus iudicantur. scimus ab apostolo dictum:
omnis creatura dei bona et nihil reiciendum, quod cum
gratiarum actione percipitur. sed idem loquitur: bonum
est uinum non bibere et carnem non manducare et in alio 5
7 loco: uinum, in quo est luxuria. omnis creatura dei bona
est. audiant haec mulieres, quae sollicitae sunt, quomodo placeant
uiris. comedant carnes, quae carnibus seruiunt, quarum feruor
despumat in coitum, quae ligatae maritis generationi ac liberis dant
operam. quarum uteri portant fetus, earum et intestina carnibus 10
inpleantur. tu uero, quae in tumulo mariti sepelisti omnes pariter
uoluptates, quae litam purpurisso et cerussa faciem super feretrum
eius lacrimis diluisti, quae pullam tunicam nigrosque calceolos can-
didae uestis et aurati socci depositione sumpsisti, nihil habes necesse
aliud nisi perseuerare. ieiunium, pallor et sordes gemmae tuae sint, 15
plumarum mollities iuuenalia membra non foueant, balnearum
8 calor nouum adulescentiae sanguinem non incendat. audi, quid ex
persona uiduae continentis ethnicus poeta decantet:
    ille meos, primus qui me sibi iunxit, amores
    abstulit; ille habeat secum seruetque sepulchro.   20
si tanti uilissimum uitrum, quanti pretiosissimum margaritum?
si communi lege naturae damnat omnes gentilis uidua uoluptates,
quid expectandum est a uidua Christiana, quae pudicitiam suam
non solum ei debet, qui defunctus est, sed ei, cum quo regnatura est?

    3 *I Tim. 4, 4   4 *Rom. 14, 21   6 *Eph. 5, 18   I Tim. 4, 4
19 Verg. Aen. IV 28—29

    1 esculentia L exculentias B sculercias W   num. pedum B   pecudum D
3 omnes W   bona est ς   5 non mand. carn. et non bib. uin. D   6 uinum]
nolite inebriari uino Σp.c.m2   luxoria LW   omnes W   8 quae] qui L
carnibus] carni ς   9 coitu LB   mar. allig. ς   generacione hac W   10 quorum Σ
faetus LB   eorum D   12 litam] linitam Dp.c.m2   purporisso Σa.c.W   13 dil. lacr. B
deluisti W   calciolos LΣ calceos WB   14 sacci LΣ succi W   ade(e eras.)positione
(in mg. de)Σ   nec. al.] necessarium B   15 in ieiunium L in ieiunio ΣD
genae ex gemmae Σ in mg.   16 iuuenalia L,Da.c. iuuenilia cet.   foueat W,Bp.c.
balneorum Ba.c.m2   17 adule(i W)scentulae WB   18 persone W,Da.c.
ethinicus La.r. etinicus W   19 m͞s (= meus) La.c.ΣW   me om. D   iuncxit
LW,D(ex iunct)   20 sepulcrho W sepulcro D   21 si] sit Σp.c.   uitrium W
margaretum Σp.c.W   22 omnes] opes LΣD   gentiles LW,Da.c.   uidua]
femina B   23 quid] qui W,Da.c.   24 sed] sed et B

8. Quaeso te, ne generalia monita et conueniens puellari sermo
personae suspicionem tibi iniuriae moueant et arbitreris me obiur-
gantis animo scribere, non timentis, cuius uotum est te nescire,
quae metuo. tenera res in feminis fama pudicitiae est et quasi flos
5 pulcherrimus cito ad leuem marcescit auram leuique flatu corrumpitur, maxime ubi et aetas consentit ad uitium et maritalis deest
auctoritas, cuius umbra tutamen uxoris est. quid facit uidua inter
familiae multitudinem, inter ministrorum greges? quos nolo contemnat ut famulos, sed ut uiros erubescat. certe, si ambitiosae domus ₂
10 haec officia flagitant, praeficiat his senem honestis moribus, cuius
honor dominae dignitas sit. scio multas clausis ad publicum foribus
non caruisse infamia seruulorum, quos suspectos faciebat aut cultus
inmodicus aut crassi corporis nitor aut aetas apta libidini aut ex
conscientia amoris occulti securus animi tumor, qui etiam bene dis-
15 simulatus frequenter erumpit in publicum et conseruos quasi seruos
despicit. hoc ex abundanti dictum sit, ut omni diligentia custodias
cor tuum et caueas, quidquid de te fingi potest.

9. Non ambulet iuxta te calamistratus procurator, non histrio
fractus in feminam, non cantoris diaboli uenenata dulcedo, non
20 iuuenis uulsus et nitidus. nihil artium scenicarum, nihil tibi in
obsequiis molle iungatur. habeto tecum uiduarum et uirginum
choros, habeto tui sexus solacia; ex ancillarum quoque moribus
dominae iudicantur. certe, cum tecum sancta sit mater et lateri
tuo amita haereat uirgo perpetua, non debes periculose externorum
25 consortia quaerere de tuorum societate secura. semper in manibus ₂

16 cf. Prou. 4, 23   18 cf. Martialis V 61

1 puellaris ΣD 2 iniure W 3 te om. $L\Sigma D$ 4 quae] quod B est
s.l.m2B et om. D 5 pulcerrimus D corrumpatur $Wa.c.$ 6 et ubi
aetas B ubi aetas $L\Sigma D$ 8 cont. ut] ut cont. $L\Sigma D$ 9 ambitiosa ς
10 hoc officio W flagitat ς praeficiantur ex praeficiatur Σ is senem L
qui (in mg. m2) sint Σ 12 suspectus $\Sigma a.c.W$ 13 inpudicus ΣD inmode-
ratus ς libidine $L,\Sigma a.c.$ ex s.l.Σ,om.L 14 sec. an.] securi sani W
desimulatus $L\Sigma$ 15 desp. q. seruos $L\Sigma$ 16 a(ha D)bundant(c W)ia WD
sit] est $L\Sigma$ 17 possit W 18 histerio W istrio D strio $L,\Sigma a.c.$ 19 can-
tores B cantatoris $\Sigma p.c.$ diabuli L diabolici ς 20 uultus $L\Sigma$ cultus B
fenicarum (fe in ras. m2)B scenarum D 22 choros] horas W tui] tu $\Sigma a.c.W$
ex s.l.L et D 23 cum om.$L\Sigma B$ 24 amitta (pr. t eras.) hereto W debit W
periculosa $Bp.c.m2$

tuis diuina sit lectio et tam crebrae orationes, ut omnes cogitationum
sagittae, quibus adulescentia percuti solet, huiusce modi clipeo re-
pellantur. difficile est, quin potius inpossibile, perturbationum initiis
carere quempiam, quas significantius Graeci προπαθείας uocant,
nos, ut uerbum uertamus e uerbo, antepassiones possumus dicere, 5
eo quod incentiua uitiorum omnium titillent animos et quasi in
3 meditullio nostrum iudicium sit uel abicere cogitata uel recipere. unde
et naturarum dominus in euangelio loquebatur: de corde exeunt
cogitationes malae, homicidia, adulteria, fornicationes,
furta, falsa testimonia, blasphemiae. ex quo perspicuum 10
est—iuxta alterius libri testimonium—procliuius esse cor hominis
a pueritia ad malum et inter opera carnis et spiritus, quae apostolus
Paulus enumerat, mediam animam fluctuare nunc haec, nunc illa
capientem.

4   nam uitiis nemo sine nascitur; optimus ille est,   15
    qui minimis urguetur,
uelut si
    egregio inspersos reprehendas corpore naeuos.
hoc est, quod aliis uerbis os prophetae significat: turbatus sum
et non sum locutus et in eodem uolumine: irascimini et 20
nolite peccare et illud Archytae Tarentini ad uilicum neglegen-
tem: 'iam te uerberibus enecassem, nisi iratus essem'. ira enim
5 uiri iustitiam dei non operatur. quod de una perturbatione
dictum est, referamus ad ceteras. sicut irasci hominis est et iram

8 Matth. 15, 19   11 cf. Gen. 8, 21   12 cf. Gal. 5, 19—23   15 Horat. sat. I 3, 68 sq.
18 Horat. sat. I 6, 67   19 Ps. 76, 5   20 Ps. 4, 5   22 cf. Cicero de rep. I 59
Iac. 1, 20

1 sit diu. ς   omnium B   2 huiusmodi ς   clippeo L clypeo ς .
repellatur LW,Σa.c.   4 προπαθ. uarie script. in codd.   5 uertamur D   ex Σ
possimus B   6 eo] et LΣD   hominum B   titillant LΣ   in medit.]
inmobile L   7 nostrorum W   8 natura W naturae DB   loq. in eu. B
corde] add. enim s.l.m2Σ   9 homicidiae L   10 blasphemia LΣ   12 a pueritia
s.l.Σ,om. L   alt. et] ac B   13 Paulus om. ς   14 cupientem ς
16 argueretur ex urgueretur m2 D   18 conphendas B   in corpore LΣD
neruos (r eras. Σ)LΣD neuos WB   19 al. uerb. os pr. scripsi hos (s.l.D,del.Σ,
h eras. L, om. WB) aliis uerbis propheta codd.   21 architae B arcyte W arcitae
(-te D)ΣD arcita L   terentini Ba.c.m2 et arentini L   uiliculum B   23 iusticia W
24 cetera D   hominum LD,Σa.c.

non perficere Christiani, sic omnis caro concupiscit quidem ea, quae
carnis sunt, et quibusdam inlecebris ad mortiferas animam uoluptates trahit, sed nostrum est uoluptatis ardorem maiore Christi
amore restinguere et lasciuiens iumentum frenis inediae subiugare,
5 ut non libidinem, sed cibos desideret et sessorem spiritum sanctum
moderato atque conposito portet incessu.

10. Quorsum ista? ut hominem te esse noueris et passionibus
humanis, nisi caueris, subiacere. de eodem cuncti facti sumus luto,
isdem conpacti exordiis: et in serico et in pannis eadem libido domi-
10 natur nec regum purpuras timet nec mendicantium spernit squa-
lorem multoque melius est stomachum te dolere quam mentem,
imperare corpori quam seruire, gressu uacillare quam pudicitia. nec
statim nobis paenitentiae subsidia blandiantur, quae sunt infelicium
remedia. cauendum est uulnus, quod dolore curatur. aliud est integra 2
15 naui et saluis mercibus portum salutis intrare, aliud nudum haerere
tabulae et crebris fluctuum recursibus ad asperrima saxa conlidi
nesciat uidua digamiae indulgentiam nec nouerit illud apostoli:
melius est nubere quam uri. tolle, quod peius est, uri, et per se
bonum non erit nubere. procul hereticorum calumniae: 'scimus
20 honorabiles nupt:as et cubile inmaculatum'. etiam de
paradiso expulsus Adam unam uxorem habuit. primus Lamech 3
maledictus et sanguinarius et de Cain stirpe descendens unam
in duas diuisit costam et plantarium digamiae protinus diluuii poena
subuertit. unde illud apostoli, quod fornicationis metu iudulgere
25 conpellitur scribens ad Timotheum: uolo adulescentulas nubere,
filios procreare, matres familias esse, nullam occasionem

18 I Cor. 7, 9   20 cf. Hebr. 13, 4   21 cf. Gen. 4, 19   22 cf. Gen. 4, 23
25 *I Tim. 5, 14

1 conspicit W 2 uoluntates D 4 restringere B inaediae $\varSigma WB$ 5 quaerunt
ac desideret D quaerat ac desideret ς 7 quorum $LD, \varSigma a.c.$ quosum *(sic)* $\varSigma p.c.$
quorūsum W esse te W te $s.l. \varSigma$, *om.* L 8 cuncti] omnes B 9 hisdem
LWD iisdem ς conpancti *ex* conpuncti W *pr. et om.* ς serico $\varSigma$
syrico D sirico *cet.*   10 mendicorum D expernit W 12 imperare
sic corpori L 13 subsidiae W 15 naue WDB portus L intr. sal. D
aliud est B 16 fluct. cursibus D recursibus (cursibus L) fluct. $L\varSigma$
saxa] fana W conliui W 17 dygamiae $\varSigma p.c.$ *(saepius)*   indulgencia W
18 uri] uiri W 19 procul sint ς 21 paradyso $L, \varSigma p.c.$ lameth B
22 discendens $La.c. W$ 23 costạm (castam D) diuisit in duas WDB plantarum W
24 quod] quae B indulgeri D 25 timoteum B titum $L\varSigma$

dare aduersario detractionis causa. cur indulserit, statim
subiecit: iam enim quaedam declinauerunt post satanan.
4 ex quo intellegimus illum non stantibus coronam, sed iacentibus
manum porrigere. uide, qualia sint secunda matrimonia, quae
lupanaribus praeferuntur, quia declinauerunt quaedam post 5
satanan. ideo adulescentula uidua, quae se non potest continere
uel non uult, maritum potius accipiat quam diabolum.
11. Pulchra nimirum et adpetenda res, quae satanae conparatione suscipitur. fornicata est quondam et Hierusalem et diuaricauit pedes suos omni transeunti. in Aegypto primum deuir- 10
ginata est et ibi fractąe sunt mammae eius. cumque ad deserta uenisset et morarum Moysi ductoris inpatiens quasi oestro libidinis furi-
bunda dixisset: isti sunt dii tui, Israhel, qui te eduxerunt
de terra Aegypti, accepit praecepta non bona et iustificationes
2 pessimas, in quibus non uiueret, sed puniretur. quid ergo mirum, si 15
et lasciuientibus uiduis, de quibus in alio loco apostolus dixerat: cum
luxuriatae fuerint in Christo, nubere uolunt habentes
damnationem, quia primam fidem irritam fecerunt, con-
cessit digamiae praecepta non bona et iustificationes pessimas ita
secundum indulgens maritum et tertium et, si liberet, uicesimum, 20
ut scirent sibi non tam uiros datos quam adulteros amputatos?
3 haec, filia in Christo carissima, inculco et crebrius repeto, ut posteriorum
oblita in priora te extendas habens tui ordinis, quas sequaris, Iudith
de Hebraea historia et Annam, filiam Phanuelis, de euangelii clari-

2 *I Tim. 5, 15   5 *I Tim. 5, 15   9 *Ezech. 16, 25   10 cf. Ezech. 23, 3
13 *Ex. 32, 4   14 cf. Ezech. 20, 25   16 I Tim. 5, 11—12   18 cf. Rom. 7, 2. I Cor. 7, 39
22 cf. Phil. 3, 13   23 cf. Iud. 8, 5—8   24 cf. Luc. 2, 36—37

1 detract.] maledicti *WB*   et cur *Σp.c.D*   2 subicit *L,Σa.c.*   enim *om.* ς
2 *et* 6 satanã *B*   3 illum *om. B*   4 sunt (s̄ *L)LW*   5 post satanan (sa-
tan *L*) quaedam *LΣ*   7 diabolum *L,Σa.c.*   8 pulcra *WD*   nim.
—conp.] *in mg. inf. Σ* ratione (*cet. om.*) *L*   enim mirum *W*   sathane *B*   com-
memoratione *Σa.c.D*   9 quodam *W*   ierl̄m *B* israhel *L*   *alt.* et] ē *L,*
om. ΣB   10 egyptū *B*   11 desertam *D*   uenissent *W*   12 moisi *B*   doctoris *W*   oestro *Wa.r.B in ras. m2* estro *Wp.r.* ęstu *Σ* estu *D* uro *L*   libidini *L*
14 praecipita *W*   16 et *om. B*   17 luxoriatae (-te)*LΣW*   18 damnationes *W*
19 bigamiae *D*   20 *pr.* et] ut *WB* ut et ς   si] sibi *D*   libet *WB;*
add. et *ΣD* etiam ς   uicensimum *L,Σa.r.*   21 sciret *L,Σa.c.*   non tam
ex notam *LΣ*   urios] maritos *LΣD*   22 inculto *La.c.W*   posteriorem *B*
23 iudit *W*   24 hebrea *WB*   anna filia *LW*   fanuel *B*   caritate *W*

tate, quae diebus et noctibus uersabantur in templo et orationibus
atque ieiuniis thesaurum pudicitiae conseruabant. unde et altera
in typo ecclesiae diabolum capite truncauit, altera saluatorem
mundi prima suscepit sacramentorum conscia futurorum. illud in 4
5 calce sermonis quaeso, ut breuitatem libelli non de inopia eloquii
uel de materiae sterilitate, sed de pudoris magnitudine aestimes
accidisse, dum uereor ignotis me diu ingerere auribus et occultum
legentium iudicium pertimesco.

2 cf. Iud. c. 13   3 cf. Luc. 2, 38

1 *pr.* et] ac *LΣ*   uersabatur *Σ* uersabant *Dp.c.*   orationi *L,Σa.c.*
2 tesaurum *Σa.c.B* tehsaurum *W*   3 typho *W*   4 prima *om.D*   suscipit *W*   conscientia *L* c̄socia (c̄ *exp. man. rec.*)*B*   5 queso *ex* quero *m2B*
inopia *ex* inopi *Σ*   6 sterelitate *LΣa.c.,W*   stimes *W*   7 innotis *D*
notis *W*   me diu *W* mediū *LΣD* me mediū *B*   et] ad *W* .   8 iud. leg. *LΣD*
iudicium *s.l.m2B*   pertim.] *add.* explicit ad saluinam de morte nembridii *W*
explicit ad saluinam de uiduitate *D*

LXXX.
PRAEFATIO RUFINI LIBRORUM *ΠΕΡΙ 'ΑΡΧΩΝ*, QUOS DE GRAECO TRANSTULIT IN LATINUM.

1. Scio quam plurimos fratrum scientiae scripturarum desiderio prouocatos poposcisse ab aliquantis eruditis uiris et Graecarum peritis, ut Origenem Romanum facerent et Latinis auribus eum donarent. in quod etiam cum frater et collega noster ab episcopo Damaso deprecatus homilias duas de Cantico canticorum in Latinum transtulisset ex Graeco, ita in illo opere ornate magnificeque praefatus est, ut cuiuis legendi Origenem et auidissime per- 10 quirendi desiderium commoueret, dicens illius animae conuenire,

11 cf. Hieron. praef. ad Orig. hom. in Cant. cant. init. (XXIII 1173 M)

𝔄 = *Veronensis rescriptus XV. 13 s. VIII.*
A = *Berolinensis lat. 17 s. IX.*
𝔗 = *Parisinus lat. 12125 s. IX.*
N = *Casinensis 295 s. X.*
𝔔 = *Caroliruhensis Augiensis 160 s. X.*
𝔘 = *Metensis 225 s. X.*
𝔵 = *Rotomagensis 453 s. X.*
𝔖 = *Casinensis 343 s. X—XI.*
𝔑 = *Bambergensis B IV 27 s. XI.*
𝔜 = *Parisinus lat. 12162 s. XI.*
𝔏 = *Parisinus lat. 1872 s. XII.*
O = *Oxoniensis Balliolensis 229 s. XII.*
B = *Berolinensis lat. 18 s. XII.*
𝔙 = *Abrincensis 66 s. XIII.*
𝔚 = *Parisinus lat. 16322 s. XIII.*
Ruf. = *Rufini Apologiae editiones.*

praefatio (ep̄a *B*) rufini *(add.* presbiteri *N* p̄rbi 𝔏*)* librorum periarcon (periarchon *N*𝔔*O)* quos de greco (greca *B* grego 𝔄*)* transtulit in latinum 𝔄*AN*𝔏*B* prologus rufini p̄rbi ad macharium 𝔔 prologus rufini p̄rbi in libro primo periarchon origenis presbiteri 𝔗𝔘 prefatio rufini librorum periarchon origenis heretici 𝔵 ad macharium ruffinus in periarchon 𝔑 praefatio rufini presbiteri in libris periarchon 𝔜 praefacio rufini p̄sbri in librum origenis qui uocatur periarchon quem transtulit de greco in latinum 𝔙; *titulo carent* 𝔖𝔚

5 aliq.] antiquis *O*　　grecorum *Ap.c.m2B* grae(e)carum litterarum 𝔵𝔙𝔚,𝔏*p.c.* 6 peritis litterarum *O* 7 eum don.] condonarent ς　in quo 𝔘*p.r.*𝔜*OB* inter quos ς cum frater 𝔄𝔖𝔑*OB,A* (confrater *p.c.m2*) confrater *N*(n *s.l.*), cum *om. cet.*　　noster cum 𝔙𝔚　8 deprec.] *add.* cum 𝔵 ut 𝔘*p.c.*𝔜 𝔏　homelias 𝔄,*A*(h *exp.*)*N*𝔵𝔜*B* omelias 𝔏*O* 9 transtulit in lat. *N*　ex] sed ex *N*　10 cuius 𝔄*AN*,𝔘*a.c.* huius 𝔘*p.c.* cuiusuis 𝔵𝔜 unicuique *O*

quod dictum est, quia i n t r o d u x i t m e r e x i n c u b i c u l u m s u u m,
adserens eum, quod, cum in ceteris libris omnes uincat, in Canticis
canticorum etiam ipse se uicerit. pollicetur sane in ipsa praefatione 2
se et ipsos in Cantica canticorum libros et alios quam plurimos Ori-
5 genis Romanis auribus largiturum; sed ille, ut uideo, in stilo proprio
placens rem maioris gloriae sequitur, ut pater uerbi sit potius quam
interpres. nos ergo rem ab illo quidem coeptam sequimur et probatam,
sed non aequis eloquentiae uiribus tanti uiri ornare possumus dicta.
unde uereor, ne uitio meo id accidat, ut is uir, quem ille alterum
10 post apostolos ecclesiae doctorem scientiae ac sapientiae merito
conprobauit, inopia sermonis nostri longe se inferior uideatur.

2. Quod ego saepe considerans reticebam nec deprecantibus me
frequenter in hoc opus fratribus adnuebam. sed tua uis, fidelissime
frater Macari, tanta est, cui obsistere ne inperitia quidem potest;
15 propter quod, ne te ultra tam grauem paterer exactorem, etiam
contra propositum meum cessi, ea tamen lege atque ordine, ut,
quantum fieri potest, in interpretando sequar regulam praecessorum
et eius praecipue uiri, cuius superius fecimus mentionem. qui, cum 2
ultra septuaginta libellos Origenis, quos homileticos appellauit, ali-
20 quantos etiam de tomis in apostolum scriptis transtulisset in
Latinum, in quibus cum aliquanta offendicula inueniantur in Graeco,
ita elimauit omnia interpretando atque purgauit, ut nihil in illis,
quod a fide nostra discrepet, Latinus lector inueniat. hunc ergo 3
etiam nos, licet non eloquentiae uiribus, disciplinae tamen regulis,
25 in quantum possumus, sequimur, obseruantes scilicet, ne ea, quae
in libris Origenis a se ipso discrepantia inueniuntur atque contraria,

---

1 *Cant. 1, 3   3 cf. Hieron. praef. ad Orig. hom. in Hierem. et Ezech. init.
(XXV 583 M)   9 cf. Hieron. praef. ad libr. de interpr. nom. Hebr. fin. (XXIII 816 M)
et praef. ad Orig. hom. in Hierem. et Ezech. init. (XXV 583 M)   17 sequar—
25 sequimur] cf. Hieron. Apol. adu. Rufin. I 3 (XXIII 418 M)   23 hunc—p. 104,
1 proferamus] cf. Rufin. Apol. I 14 (XXI 551 M)

2 eum om. 𝔄A cum] eum 𝔄, A(s.l.)   3 ipsa om. 𝔗𝔘𝔅𝔚   7 qui deceptam A
ceptam quidem N ceptam B   8 equalis B   9 id om. A is] his NB   10 ac sap.
om. 𝔗NU𝔅𝔚 11 comprobat 𝔗𝔅𝔚 se] esse 𝔗𝔘𝔅𝔚, om. ꭓ 12 ergo ꭓ redicebam 𝔄A
13 opus om. 𝔗𝔘𝔅𝔚   uis om. Ω.   14 machari N𝔔OB ne] nec OB   15 tam om. 𝔗𝔘𝔅𝔚
exauctorem B 16 meum om. N ea] et N atque] at N atque eo ꜱ ut in quantum 𝔄A
17 in om. NΩꭗ𝔜ΩB   19 homilit. 𝔄 homelit. N omelit. ΩO homeliat. 𝔜 omeliat. B
homeliticas ꭓ aliquanta ꭓ 20 aplorum N   22 eliminauit O, Bp.c.m2 in interpr.
𝔗𝔘𝔖𝔅, Ωp.c. 23 inueniet Ω. ergo om. Nꭗ 25 sequamur Ω. 26 semet ipso Ruf. se ipsis B

4 proferamus. cuius diuersitatis causam plenius tibi in Apologetico,
quem Pamphilus pro libris ipsius Origenis scripsit, edidimus breuissimo libello superaddito, in quo euidentibus, ut arbitror, probamentis corruptos esse in quam plurimis ab hereticis et maliuolis libros eius ostendimus et praecipue istos, quos nunc exigis ut interpreter, id est περὶ ἀρχῶν, quod uel 'de principiis' uel 'de principatibus' dici potest, qui sunt re uera alias et obscurissimi et difficillimi. de rebus enim ibi talibus disputat, in quibus philosophi omni sua aetate
5 consumpta inuenire potuerunt nihil. hic uero noster, quantum
potuit, id egit, ut creatoris fidem et creaturarum rationem, quam illi ad inpietatem traxerunt, ad pietatem iste conuerteret. sicubi ergo nos in libris eius aliquid contra id inuenimus, quod ab ipso in ceteris locis pie de trinitate fuerat definitum, uelut adulteratum hoc et alienum aut praetermisimus aut secundum eam regulam pro-
6 tulimus, quam ab ipso frequenter inuenimus adfirmatam. si qua
sane uelut peritis iam et scientibus loquens, dum breuiter transire uult, obscurius protulit, nos, ut manifestior fieret locus, ea, quae de ipsa re in aliis eius libris apertius legeramus, adiecimus explanationi studentes; nihil tamen nostrum diximus, sed, licet in aliis locis, dicta sua tamen sibi reddidimus. haec autem idcirco in praefatione commonui, ne forte calumniatores iterum se crimi-

1 cuius diu. — 6 ἀρχῶν] cf. Hieron. Apol. adu. Ruf. II 15 (XXIII 457 M) cuius diu. — 20 reddidimus] cf. Rufin. Apol. I 15 (XXI 551 M) 20 haec — p. 105, 14 inmutet] cf. Rufin. Apol. I 16 (XXI 552 M)

1 caussas *Ruf.* apollogetico *A* 2 Pamphilianus ς 3 superabdito *N* 4 in quam] imque (im *in ras. m2*)*B* plurimos *N* malibolis *N* malitiosis 𝔔*a.c.* 5 ist. praec. ς exigitis *N*,*Ba.c.m2* 6 *ΠΕΡΙ ΑΡΧΩΝ* (peri arcon *s.l.*𝔘)𝔗𝔘𝔅𝔚 periarcon *B* periarchon *cet.* *pr.* uel *om.* 𝔄*A* *pr.* principis *Na.c.* principibus 𝔵*OB* dici potest uel de principatibus *O* *alt.* principalibus 𝔔 *in mg.* (*in t.* -tibus), 𝔗𝔘𝔜𝔅𝔚 7 alias *om. Ruf.* aliis *B* 8 talibus ibi *Ruf.* ita disp.*O* disp. in quib. *om.* 𝔄*A* 9 nih. inu. pot. *Ruf.* 10 creatarum rerum ς 11 traxerant 𝔘*p.c.*𝔑*O* *B*𝔅𝔚 *Ruf.* contraxerant 𝔗 iste] ipse ς 12 contra hid (h *exp.*)*A* contrarii *Ruf.* ipso] eo *N*𝔵𝔜𝔏 *alt.* in *om.* ς 13 pie de trinitate (uel peruersitate *subscr.*) *in mg.* 𝔔 pie] fidem *N* fideliter ς diffinitum *NO* ueluti ς adulterum 𝔵 14 alienum] aliud (*s.l.* uel aliter)𝔔 *pr.* aut *om.* 𝔔 eam *om.* 𝔄*A* 15 affirmatum 𝔵 17 nos *om.* *N* 18 apertis 𝔄*a.c.* rectius *ex* citius 𝔔 adiecimus *om.* 𝔄*A* explanatione *AN* 19 nostrum *om.* 𝔔 dicimus 𝔵 licet in aliis *om.* 𝔔 20 tamen sua ς tamen *om.* 𝔄*A* sibi] ipsi ς reddimus *B* haec autem *om.* 𝔔 haec] hoc ς in *om.* 𝔄*A* 21 ne forte *om.* 𝔔 iterum] inde ς

nandi putent inuenisse materiam. sed uideris, quid peruersi et
contentiosi homines agant.

3. Nobis interim tantus labor, si tamen orantibus uobis deus
iuuerit, idcirco susceptus est, non ut calumniosis os—quod fieri non
5 potest, licet forte etiam hoc deus faciet—clauderemus, sed ut proficere
ad scientiam rerum uolentibus materiam praeberemus. illud sane 2
omnem, qui hos libros uel descripturus est uel lecturus, in conspectu dei patris et filii et spiritus sancti contestor atque conuenio
per futuri regni fidem, per resurrectionis ex mortuis sacramentum,
10 per illum, qui praeparatus est diabolo et angelis eius, aeternum ignem:
sic non illum locum aeterna hereditate possideat, ubi est fletus
et stridor dentium et ubi ignis eorum non extinguetur
et uermis eorum non morietur, ne addat aliquid huic scripturae, ne auferat, ne inserat, ne inmutet, sed conferat cum exem-
15 plaribus, unde scripserit, et emendet ad litteram et distinguat et
inemendatum uel non distinctum codicem non habeat, ne sensuum
difficultas, si distinctus codex non sit, maiores obscuritates legentibus generet.

11 *Matth. 8, 12   12* Marc. 9, 43. cf. Esai. 66, 24

1 putarent ς   uiderint ΞUΒΒ *Ruf.* uiderint ipsi ς   et] atque *Ruf.*
4 iuuerit] iuenerit 𝔄 uenerit *A* annuerit ς   cal. os] calum (p *O*) niosos 𝔄*ANΩ𝔜ℒO*
calumniosi os ℜ calumpniosis *B* calumniosorum ora ς   5 faciat 𝔜 faceret ΞU,*B*
(ceret *in ras. m2*), *Ruf.* facere possit ΒΒ   claud.] lederemus *Bp.c.m2*   7 *pr.* uel
om. ΞUΒΒ   lect.] *add.* est 𝔜   10 per illum—13 morietur *om.* ⊖ℜ   per illum
—ignem *om.* Ω. *Ruf.*   paratus ϱ   eius] suis ς   11 sic] si N𝔜)*B*   non] in *O*   aeterna
(-nam *A*) poss. he(hae 𝔄)reditate (-tem *A*)𝔄*A* hered. aet. poss. 𝔜   aeterne *ex*
aeternam *N*   possideas *N*   13 ne] nec *N*   add. aliquis 𝔄*A*ΞU⊖ℜ𝔜)ℒO add.
aliqui *B* add. quis *N* quis add. aliquid ς   huic *om.* ς   14 *pr.* ne] nec *N*
ins.] inferat ς   15 distingat *B tert.* et] ad *A*   16 emendatum 𝔄   non dist.] indist. *O*
sensuum] suum *B*   17 difficultates ς   18 generet] *add.* in omnibus autem, qui haec
lecturus est, sententiam apostoli cautissima obseruatione custodiat, qua dicit:
omnia probantes, quae bona sunt, tenete (*I Thess. 5, 21*) ⊖ℜ explicit prologus
ad macharium Β

LXXXI.
AD RUFINUM.

1. Diu te Romae moratum sermo proprius indicauit nec dubito spiritalium parentum ad patriam reuocatum desiderio, quem matris luctus ire prohibebat, ne magis coram doleres, quod absens ferre uix 5 poteras. quod quereris stomacho suo unumquemque seruire et nostro non adquiescere iudicio, conscientiae nostrae testis est dominus post reconciliatas amicitias nullum intercessisse rancorem, quo quempiam laederemus; quin potius cum omni cautione prouidimus 2 ne saltim casus in maliuolentiam uerteretur. sed quid possumus 10 facere, si unusquisque iuste se putat facere, quod facit, et uidetur sibi remordere potius quam mordere? uera amicitia, quod sentit, dissimulare non debet. praefatiuncula librorum περὶ ἀρχῶν ad me missa est, quam ex stilo intellexi tuam esse, in qua oblique, immo aperte ego petor. qua mente sit scripta, tu uideris; qua ˜intelle- 15 3 gatur, et stultis patet. poteram et ego, qui saepissime figuratas controuersias declamaui, aliquid de ueteri artificio repetere et tuo te more laudare. sed absit a me, ut, quod reprehendo in te, imiter; quin potius ita sententiam temperaui, ut et obiectum crimen effu-

---

𝔄 = *Veronensis rescriptus XV. 13 s. VIII.*
A = *Berolinensis lat. 17 s. IX.*
N = *Casinensis 295 s. X.*
α = *Parisinus bibl. armamentarii 293 s. XII.*
c = *Mazarinianus 577 s. XII.*
B = *Berolinensis lat. 18 s. XII.*
ι = *Vindobonensis lat. 644 s. XV.*

ad eundem rufinum αc ad rufinum *cet.; Hieronymi nomen exhibent tituli omnium codd.* (eiusdem *B*)

---

3 diu—morat.] deuteromemoratum *A*   memoratum *N*   sermo proprius *om. A*   4 spiritualium αcι   patriam] propria ι   desiderium *A* 5 ire *s.l.N*   ne] nec *A* nemo *N*   dolores *N*   referre (*ex* refere) uix *N* uix ferre *cBi*   9 prouidemus 𝔄*A*   10 saltem *N*αcι   11 se iuste putat ι iuste putat se ς   quid ι   12 potius remordere ι   remorderi *N*c   quam *ex* que *m2B*   13 ΠΕΡΙ ΑΡΧΩΝ ι PERIARCON *B* peri archon *uel* periarchon *cet.*   14 tilo *N,Ba.c.*   tua *N*   15 ymmo ι   peto *N*   17 declinaui (lina *in ras. m2*)*B*   et aliquid ι   de uetere *B* debere *N*c   artificiose *N*c te more] timore *N*   18 in te] uite *N*   19 quiin (*alt.* i *exp.*) 𝔄   sentiam 𝔄*a.c.B*   et *om.* ι

gerem et amicum, quantum in me est, nec laesus laederem. sed
obsecro te, ut, si deinceps aliquem sequi uolueris, tuo tantum iudicio
sis contentus. aut enim bona sunt, quae adpetimus, aut mala: si
bona, non indigent alterius auxilio; si mala, peccantium multitudo
5 non parit errori patrocinium. haec apud te potius amice expostulare 4
uolui quam lacessitus publice desaeuire, ut animaduertas me reconciliatas amicitias pure colere et non iuxta Plautinam sententiam
altera manu lapidem tenere, panem offerre altera.

2. Frater meus Paulinianus necdum de patria reuersus est et
10 puto, quod eum Aquileiae apud sanctum papam Chromatium
uideris. sanctum quoque presbyterum Rufinum ob quandam causam
per Romam Mediolanum misimus et orauimus, ut nostro animo
et obsequio uos uideret, ceterisque amicis eadem significauimus,
ne mordentes inuicem consumamini ab inuicem. iam tuae modera-
15 tionis est et tuorum nullam occasionem inpatientibus dare, ne non
omnes mei similes inuenias, qui possint figuratis laudibus delectari.

LXXXII.
AD THEOPHILUM.

1. Epistula tua hereditatis dominicae te indicans possessorem,
20 qui pergens ad patrem apostolis loquebatur: pacem meam do

8 cf. Plautus Aul. 195   14 cf. Gal. 5, 15   20 *Ioh. 14, 27

2 si *in mg.* c   iudicium 𝔄,*Aa.c.m*2   3 petimus *acB*   5 non parit] comparatur
*in ras. m*2*B*   amice potius *ι*   potius *s.l.N*   6 quam *ex* quae *m*2*B*   7 iusta *N*
8 manū *N*   offerre] tenere *N*   10 aquilegę (-ge *N*)*AN* aquilegie *ι*   10 cromatium *B*
11 uideris (s *in ras. m*2)*B*   quandam] quam *N* hanc *ι*   13 uideret uos (nos
c a.c.)*acB*   certisque *A*   16 mei omnes sim. *N* omnes sim. mei *ς*   possit *N*

A = *Berolinensis lat. 17 s. IX.*
F = *Veronensis XVI. 14 s. IX.*
J = *Vindobonensis lat. 934 s. IX.*
Σ = *Turicensis Augiensis 41 s. IX.*
u = *Ambrosianus H. 59. sup. s. XIII.*

ad theophilum *FJΣ* ad theophilum papam *A* ad theophilum papam contra
quendam episcopum. domino uere sancto et beatissimo pape theophilo hieronimus
in xpo salutem *u; Hieronymi nomen exhibent tituli in omnibus codd.*

19 tua] beatitudinis tuae *A*   indicat *A,up.c.*   20 a patre *Σ*   pac. m.
do uob. *in mg. inf. m*2*A*

uobis, pacem meam relinquo uobis, illius quoque felicitatis
conpotem esse testata est, in qua beati pacifici nuncupantur.
blandiris ut pater, erudis ut magis␣er, instituis ut pontifex. uenis
ad nos non in austeritate uirgae, sed in spiritu lenitatis et mansuetudinis, ut humilitatem Christi primo statim sermone resonares, 5
qui mortalium genus non fulminans et tonans, sed in praesepe
uagiens et iacens saluauit in cruce. legeras enim in typo illius ante
praedictum: memento, domine, Dauid et omnis mansuetudinis eius et in ipso postea praesentatum: discite a me, quia
2 mitis sum et humilis corde. unde et multa de sacris uolumini- 10
bus super pacis laude perstringens, per areas scripturarum in morem
apium uolans, quicquid dulce et aptum concordiae fuit, artifici
eloquio messuisti. currentes igitur ad pacem incitati sumus, exposita ad nauigandum uela crebrior exhortationis tuae aura conpleuit, ut non tam retractantibus et fastidiosis quam auidis et 15
plenis faucibus dulcia pacis fluenta biberemus.

2. Verum quid facimus, in quorum potestate uoluntas tantum
pacis est, non effectus? et quamquam uoluntas quoque mercedem
apud deum habeat propositi sui, tamen inperfectum opus etiam
uolentes maerore contristat. quod sciens et apostolus, perfectissi- 20
mam uidelicet pacem in utriusque partis uoluntate consistere,
quantum, inquit, ex uobis est, cum omnibus hominibus
pacem habentes. et propheta: pax, pax. et ubi est pax?
nihil enim grande est pacem uoce praetendere et opere destruere,

2 Matth. 5, 9   3 cf. I Cor. 4, 21   8 Ps. 131, 1   9 Matth. 11, 29
22 *Rom. 12, 18   23 *Hier. 6, 14

1 meam *om. u*   2 con(m *J,Σp.c.*)petem *J,FΣa.c.* compotem te *A*   testatus *u*
3 instruis *u p.c.* uenisti ς   4 austeritatem lingue uirgę *A* spir.] *add.* benignitatis et ς
5 primum *AF* statim *om. A*   sermonem *A*   6 thonans *FJ*   praesepi ς   7 tacens *Au*
alt. in *om.* ς   9 praes. est *F* repraesentatum (-tam *u*) *Au*   11 pacem *FΣa.c.*
laude *A,Σp.c.* laudem *cet.*   restringens *FJ,Σa.c.m2* praestringens *u a.c.*;
add. ac ς   areas *scripsi* arua *coni. Engelbrecht* uarios (uaria *Σp.c.m2*) *codd.*
script.] *add.* flores *s.l.m2F* campos ς   in—uol.] apium uol. more *F* in more *A,Σp.r.*
12 apum ς   uolans] floris *A* uorans flores *u*   aptum et dulce *A*   13 sumus] *add.* et
(*ex* ut *m2u*)*Au*   exposcit *A*   14 crebrius *u*   exort. *codd. praeter J*
15 retrect. ς   18 quoque] quidem *u* ap. deum prop. s. merc. hab. ς   19 prop. sui,
tamen] proposita mens *A*   etiam] et quam *A*   20 merere *JΣ* merore *cet.*
21 partes *AJ,FΣa.c.*   24 est en. grande *A*   uocem *Aa.r.Fa.c.J*

aliud eniti, aliud demonstrare, uerbis sonare concordiam, re
exigere seruitutem. uolumus et nos pacem, et non solum uolumus, 2
sed rogamus, sed pacem Christi, pacem ueram, pacem sine inimicitiis, pacem, in qua non sit bellum inuolutum, pacem, quae non
5 aduersarios subicit, sed ut amicos iungit. quid dominationem pacem
uocamus et non reddimus unicuique rei uocabulum suum? ubi odium
est, appellantur inimicitiae; ubi caritas, ibi tantummodo pax uocatur. nos nec ecclesiam scindimus nec a patrum communione diui-
dimur et ab ipsis, ut ita dicam, incunabulis catholico sumus lacte
10 nutriti. nemo enim magis ecclesiasticus est, quam qui numquam
hereticus fuit. sed ignoramus absque caritate pacem, sine pace 3
communionem legimusque in euangelio: si offeres munus tuum
ad altare et ibi recordatus fueris, quia frater tuus habet
aliquid aduersum te, dimitte ibi munus tuum coram
15 altari et uade prius reconciliari fratri tuo; et tunc ueniens
offer munus tuum. si munera nostra absque pace offerre non
possumus, quanto magis Christi corpus accipere! qua conscientia
ad eucharistiam Christi respondebo 'amen', cum de caritate dubitem
porrigentis?
20   3. Quaeso te, ut patienter me audias nec ueritatem adulationem
putes. quisquamne tibi inuitus communicat? quisquam extenta
manu uertit faciem et inter sacras epulas Iudae osculum porrigit?
ad aduentum, ut reor, tuum non pauet monachorum turba, sed
gaudet, cum certatim tibi procedunt obuiam et heremi latibulis

---

12 *Matth. 5, 23—24   22 cf. Matth. 26, 48—49 etc.

1 eniti *scripsi* initi *F,Σ* (inniti *p.c.m2*) niti *cet.*   re] se (*in mg. m2* uel sed) *u*
3 *pr.* sed et *ς*   4 inu. pac. quae non *om. A   alt.* non] non ut *u*   5 subic̄ *u* subiciat
Σp,c.m2 cilicet *ex* sue licet *m2 A*   iungat *Σp.c.m2* iungitur *A*   quid *ex* qui *Σ*
6 suum uoc. *Au*   7 appellentur *A*   tantumode *AF*   uocetur *Au*   8 *alt.* nec]
neque *ς*   diuidimus *u*   9 et] sed *ς*   incunabulis (in *eras.*) *F* inecuna-
bulis (ine *eras.,* e *etiam exp.) A*   10 enim] namque *ς*   est] sermo *A*   11 pacem, sine
pace] pacis *u*   12 leg.] legimus enim (i *s.l.*)*A* legimus quoque *ς; add.* scriptum *u*
offers *A p.r. u p.c.*   14 aduersus *J*   15 altare *u*   uenies *A,F p.c. Σ a.c.*   16 offeres *Au*
offers *F*   pace *s.l. F* peccato *A*   17 magis et *ς*   18 Christi] *add.* acce-
dam et *ς*   amen] ann̄ (*m2 insertum*)*A*   cum] dum *ς*   21 quisquam nec
ibi *A,u*(c *exp.*)   quisquam] quis umquam *Σp.c.m2* quisquamne *ς*   22 auertit *A*
porigit *ex* porgit *Σ*   23 ad *om. u*   adu. tuum *A*   ut reor] igitur *F*   tuum *om. A*
24 certamen *A*   et de (ex *u*) heremi *Au*

exeuntes sua cupiunt humilitate superare. quis eos conpellit exire?
nonne amor tui? quis per heremum separatos in unum congregat?
nonne tua dilectio? amari enim debet parens, amari parens et epi-
2 scopus, non timeri. antiqua sententia est: quem metuit quis,
odit; quem odit, perisse cupit. unde et in nostris litteris, cum 5
initia paruulorum in timore consistant, perfecta dilectio foras
mittit timorem. non quaeris monachos tibi esse subiectos et
ideo magis subiectos habes. tu offers osculum, illi colla submittunt;
exhibes militem et ducem inpetras; quasi unus in pluribus es, ut
sis unus ex pluribus. cito indignatur libertas, si ui obprimitur; nemo 10
plus imperat libero, nisi qui seruire non cogit. nouimus canones ecclesiasticos, non ignoramus ordines singulorum, et lectione et cotidianis
exemplis usque ad hanc aetatem multa didicimus, multa experti
3 sumus. qui in scorpionibus caedit et lumbis patris habere se putat
digitos grossiores, cito regnum mansueti Dauid dissipat. certe 15
Romanus populus ne in rege quidem superbiam tulit. dux ille
Israhelitici exercitus, qui decem plagis adflixerat Aegyptum et
ad cuius imperium caelum, terra, maria seruiebant, inter cunctos
homines, quos tunc terra generauit, mansuetissimus praedicatur
et ideo per quadraginta annos obtinuit principatum, quia potestatis 20
superbiam lenitate et mansuetudine temperabat. lapidatur a populo
et pro lapidantibus rogat; quin potius deleri se uult de libro dei, ne

---

4 cf. Ennius fab. inc. fr. 19 V² apud Ciceronem de off. II 23   6 *I Ioh. 4, 18
14 cf. III Reg. 12, 10. 11. 14   18 cf. Num. 12, 3   21 cf. Ex. c. 17   22 cf. Ex. 32, 32

1 sua] humilitatem ad se uenientis (-tem *A*) sua *Au* sua te ς   quis *ex* qui *u*
eos *ex* enim *J*   conpellit *A* com (n *Σ*) pellet *cet.*   2 nonne] non *Fa.c.Σ*   separatus
Aa.c.FJ seperatos *Σ*   congr.] congat (n *exp.*) *F* cogit ς   3 *pr.* amare ς
par. deb. ς debet *Au*   amari par. et *om. A*   amare par. *s.l.J . alt.* amare
FJ,Σp.c.m2   episc. debet ς   4 timere *Aa.c.m2F*   quis (s *eras.*)*A*
5 quem] cum *Ap.r.*   *alt.* odit] odio *A*   6 consistat *A*   foris *u*
7 quae(e)ras *FJΣ*   tibi mon. *Au*   et *om.* ς   8 offeres *FJΣ*
illa *J*   9 imperas *u*   in] ex *A*   es *om. Σ*   10 ex] ex (*eras.*) in *A*
si ui *u* siue *A* si *cet.*   11 inpetrat a *Σ*   nisi] quam ς   12 lectiones *F*
13 hac *A Σa.c.*   etate *Aa.c.*   dedimus *F*   exp. sumus] expetimus *u*
14 in *s.l.F, om.* ς   lumbos *FJΣ*   15 regno *Aa.c.m2*   16 nec *Σp.c.m2*   regem
(m *eras. J*) *codd.*   18 terra, maria] et terra maria *F,Σa.c.m2* (et t. mariaque
p.c.m2) et terra et maria ς   19 generabit *AFa.c.*   21 et *om. A*
lapidabatur ς   22 rogat] orat *u* exorat *Σ* rogabat ς   delere *FJΣ*   se] ipse ς

commissus sibi grex pereat. cupiebat enim illum imitari pastorem,
quem sciebat etiam erroneas oues suis humeris portaturum. pastor, 4
inquit, bonus animam suam ponit pro ouibus suis. bonique
pastoris discipulus optat anathema esse pro fratribus suis atque
5 cognatis secundum carnem, qui sunt Israhelitae. et si ille cupit
perire, ne perditi pereant, quanto magis bonis parentibus prouidendum est, ne ad iracundiam prouocent filios suos et nimietate
duritiae etiam lenissimos duros esse conpellant!

4. Epistula cogit me breuius loqui, dolor longius. scribit in suis
10 illis, ut ipse uult, pacificis, ut ego sentio, mordacissimis litteris,
quod numquam a me laesus sit nec dictus hereticus. et quomodo me ipse laedit aegrotantem morbo pessimo et rebellem ecclesiae uentilans? ab aliis lacessitus accusat alium et prudentissimo
consilio tacentem cogit loqui ostendens se aduersariis parcere,
15 laedere non laedentem. antequam ordinaretur frater meus, nullam 2
dicit fuisse inter se et sanctum papam Epiphanium de dogmatibus
quaestionem. et quae eum ratio conpellebat, sicut ipse tamen scribit,
inde in populis disputare, unde nemo quaerebat? scit enim prudentia tua periculosas esse istius modi quaestiones et nihil esse
20 tutius — nisi forte necesse est loqui — quam tacere de grandibus.
certe quod illud tantum ingenium flumenque eloquentiae fuit, ut in
uno ecclesiae tractatu cuncta conprehendisse se dicat, de quibus
singulis nouimus eruditissimos uiros infinita uersuum milia conscripsisse? sed hoc quid ad me? nouerit ille, qui audiuit, sciat ille, 3

2 cf. Luc. 15, 5   *Ioh. 10, 11   4 cf. Rom. 9, 3—4

1 im. ill. *A*   2 erroneas *u* erraneas *AJ,Fa.c.m2* errantes *Fp.c.m2Σ*
oues *om. Σ*   3 pon. an. suam *ς*   boni quippe *ς*   5 qui sunt Isr.
sec. carn. *ς*   si *om. A*   perire cupit *ς*   7 et] ne *A*   8 duros
om. FJΣ asperos *ς*   9 cogent (n *exp.*) *A*   scripsit *u*   10 ipse] ille *ς*
11 et *om. FΣς*   quonam igitur modo *ς*   12 ipse me *A*   lae(e)det *FJΣ*
13 accuse (*in mg.* accuret)*Σ* accuse (*s.l.add.* r)*F* accurrit *ς*   alium — ost. se
om. FΣς   14 coget *A*   ostendit *A*   15 nullam] numquam *ς*   16 dixit *ς*
papa ephiph. *J*   17 quae *om. u*   eam *u*   sicut] quod *A*   tandem *ς*
scripsit *Au*   18 inde] in die dum *FJΣ*   inter populos *ς*   disputaret *FJΣ*
prudentia] beatitudo *A*   19 huiusce *Σ* huius *ς*   20 tot(c)ius *AJ,FΣa.c.* nisi—tac.]
quam tac. nisi forte necesse est loqui *ς*   forte cum ut *A*   tacere quam loqui
FJΣ tacere *u*   21 fulmenque *FJΣ* flumen *A*   ut *om.F*   22 tractu *F*
se *om. FJ,Σa.c.*   23 singuli *F*   24 sciat *ex* scit *J* sic *u*   *alt.* ille] ipse *A*

qui scripsit: me ab accusatione sui et ipse liberat. ego nec interfui nec audiui: unus e populo sum, immo ne unus quidem, quia multis clamantibus tacui. conferamus arguentis accusatique personas et, cuius uel meritum uel uita uel doctrina praecesserit, illi magis adcommodemus fidem. 5

5. Videsne, quod clausis, ut dicitur, oculis summa quaeque perstringam non tam eloquens, quod mente concepi, quam indicans, quid reticeam? intellexi et probaui dispensationem tuam, quod ecclesiasticae paci consulens quasi sireneos cantus obturata aure pertransis. alioquin, qui a parua aetate sacris litteris eruditus es, 10 nosti, quo sensu unumquidque dicatur, quomodo in ambiguas sententias sermo libratus et aliena non damnet et nostra non deneget. sed fides pura et aperta confessio non quaerit strophas et argumenta uerborum. quod simpliciter creditur, simpliciter confitendum est. poteram quidem libere proclamare et inter gladios quoque ignisque 15 Babylonios dicere: 'cur aliud quaeritur, aliud respondetur? cur non simplex nec aperta confessio?' totum timet, totum temperat, totum relinquit ambiguum et quasi super aristas graditur. uerum studio et expectatione pacis feruenti stomacho uerba non commodo. querantur alii libere, quos laedere laesus ipse non audet; ego interim 20 nunc silebo et dispensationem meam uel inperitiam simulabo uel metum. quid enim mihi accusanti facturus est, qui, ut ipse testatur, laudanti detrahit?

---

9 cf. Homer. Odyss. XII 166—200   15 cf. Dan. 3, 6 sqq.   18 cf. Verg. Aen. VII 809

1 qui *ex* que *F*   me *om.* *u* meque *ς*   sui *om.* *Σ*   et ipse] ipse etiam *ς* liberet *F,up.c.m2*   2 quidem *in mg. m2u* quem *A*   multis] multis quidem *u* 3 confer. —23 detrahit *om. A (sed cf. not. ad lin. 18)*   argumentis (s *eras. Σ)FJΣ* personam *Fp.c.m2*   7 concipi *Fa.c.J*   8 quid] quod *u*   9 syreneos *JΣ*   obdurata *Σ* 10 alioqui *ς*   qui a] quia *u* qua *Σa.c.* quia a *ς*   es *om. u*   11 unumquodque *u,FΣp.c.*   ambiguis sententiis *ς*   12 tuus sermo *ς*   liberatus (*ex* -tos)*F* *Σ,ua.c.*   13 tropos *up.c.m2*   15 ignesque *FΣp.c.m2,u*   16 quaer.—resp.] resp. quam quaer. *ς* *alt.* aliud] quam *s.l.m2Σ, om. F*   17 simplex est *ς*   18 greditur *F* (*ex* creditur), *Σa.c.* egreditur *Ja.c.*   uerum — 23 detrahit *post p.117,19* inclusus (*ubi uide not.*) *praebet A*   studio et] tu *u*   19 feruente *FJΣ* fermenti *u*   commodo *AJ* quomodo *cet.*   quaeruntur *ς; add.* respondet. laedunt *ς*   20 lib. al. *ς*   21 nunc silego (g *eras.) F* nunc sileo *Σ* non silebo *A* sileo: nunc *ς*   dispensatione *u*   meam *om. Au*   imperit (c *u*)ia *Fu* 22 metu *u*   enim *om. FΣ*   testatus *u*   23 detrait *Σu a.c.* detrahet *A*

6. Tota eius epistula non tam expositione fidei quam nostris
plena est contumeliis. nomen meum absque ullis officiis, quibus
nos inuicem palpare solemus homines, frequenter adsumitur, carpitur, uentilatur, quasi de libro uiuentium deletus sim, si illius me
5 litterae suggillarint, aut istius modi nugas umquam quaesierim,
qui ab adulescentia monasterii clausus cellula magis esse aliquid
uoluerim quam uideri. quosdam e nobis sic cum honore appellat, 2
ut laceret, quasi et nos non possimus ea dicere, quae nemo tacet.
e seruo clericum criminatur, cum et ipse nonnullos eiusdem condi-
10 cionis clericos habeat et Onesimum legerit inter Pauli renatum
uincula diaconum coepisse esse de seruo. sycofantam iactitat et,
ne probare cogatur, audisse se dicit. o si et mihi liberet dicere, quae
multi clamitant, et aliorum maledictis adquiescere: iam intellegeret
et nos scire, quae omnes sciunt, et me audire, quae nullus ignorat.
15 dicit ei uelut praemia pro calumnia restituta: quis tam argutum 3
et callens non perhorrescat ingenium? quis tanto possit eloquentiae
flumini respondere? quid est peius: sustinere calumniam an facere,
accusare, quem postea diligas, an peccanti ueniam tribuere? quid
minus ferendum: de sycofanta aedilem fieri an consulem? scit et
20 ipse, quid taceam, quid loquar, quid et ego audierim, quid pro
Christi metu fortasse non credam.

7. Origenem me arguit uertisse in Latinum. hoc non solum
ego, sed et confessor fecit Hilarius; et tamen uterque nostrum
noxia quaeque detruncans utilia transtulit. legat ipse, si nouit—arbi-
25 tror enim eum assidua confabulatione et cotidiano Latinorum

4 cf. Ps. 68, 29   10 cf. Philem. 10—18

1 expositionem *J*   fidei *om. FΣ*   nostri *Ap.c.ς*   2 illis *u* aliis *A*
3 nos] non *ς*   uolumus *ex* uolemus *m2F*   4 sum *u*   si] quasi *ς*   5 sug-
gi (*ex* e *A*)llarent *AΣ* —arant *Fa.c.* —auerint *ς* sigillari(*ex* u)nt *u*   aut in *u*
6 qui] quia *FΣ*   in mon. *ς*   cellulas (s *eras.*)*F* cellulis *Σp.c.ς*   uol. al. *Σ*
7 ex *ς*   8 placeret *u*   possumus *FΣa.r.,Ju*   ea *om.* *ς*   9 e] et *A*
cler. factum *ς*   eiuscemodi *ς*   conditionis *Au, om. cet.*   10 ho-
nesimum *FΣ*   11 sycofantan *FΣ*   12 dici *u*   liceret *A*   13 adquiesce-
rem *FJΣ*   et nos int. *FJΣ*   et nos *om. A*   14 scire —21 credam *om. A*
et me quoque *ς*   15 calūmiā (m *mut. in* n) *u*   16 perorrescat *F,u a.c.*
17 fulmine *FJΣ* fulmini *ς*   peius] plus *ς*   cal. sust. *Σ*   18 peccati *FJΣ*
19 ferendo *FJΣ*   sicofanda *F* sicofamta *u* sy(*ex* si)cophanta *Σ*
20 loquor *J*   21 metū *u*   22 solus (s *in ras. J*) *Ju*   23 ego feci *FJΣ*
hi(y *Σ*)larius fecit *FJΣ*   hyl. *Σu*   tam *A*

consortio Romanum non ignorare sermonem—aut, si certe non penitus
inbibit, interpretentur ei, qui solent, et tunc sciet me in hoc ipso
laudandum esse, quo detrahit. sicut enim interpretationem et
ὑπομνήματα scripturarum Origeni semper adtribui, ita dogmatum
2 constantissime abstuli ueritatem. numquid ego in turbam mitto 5
Origenem? numquid ceteris tractatoribus socio neque dico me
aliter habere apostolos, aliter reliquos tractatores: illos semper uera
dicere, istos in quibusdam ut homines aberrare? nouum defensionis
genus sic Origenis uitia non negare, ut cum illo ceteros crimineris,
uidelicet ut, quem aperte defendere non audeas, multorum simili 10
errore tuearis. sex milia autem Origenis tomos non potuit quisquam
legere, quos ille non scripsit, faciliusque credo testem huius sermonis quam auctorem esse mentitum.

8. Fratrem meum causam dicit esse discordiae, hominem, qui
quiescit in monasterii cellula et clericatum non honorem inter- 15
pretatur, sed onus. cumque nos usque ad praesentem diem ficta
pacis ostensione lactauerit, occidentalium sacerdotum commouit
aures dicens eum adulescentulum et paene puerum in parrochia sua
Bethleem presbyterum constitutum. si hoc uerum est, cuncti
Palaestini episcopi non ignorant. monasterium enim sancti papae 20
Epiphanii nomine † Becos Abacuc, in quo frater meus ordinatus

---

12 cf. Hieron. adu. Rufin. II 13 (XXIII 456 M) et saepius

1 aut] at *ex* ad *A*   pe(pae *FJ*) n. non *FJΣ*   2 interpretetur *FJΣ*
sciat *FΣ*   me] et (*s.l.J*) me *FJΣ*   ipso *A* ipsum *cet.*   3 quod *u* quod et *F*
detrahet *A* retra (h *s.l.*)it *F* (ret *eras.*)   4 ὑπομν. *uarie scrib. codd.* idiomata ς
scriptura *u*   adtribuit ita *u* adtributa (u *ex* ui) *FΣ*   5 numquid *om. A*
turba *FJu* turba non *A*   6 numquid] nec *A*   ceteros tractatores ς
scio *Σ*   neque dico *A* et dico *u*, *om. FJΣ*   me *om.* ς   8 nou. def. gen.] def. enim
quodam modo gen. est *A*   9 Orig.] unius est (*exp.*) *A*   10 ut quem] cum
s.l.m2F, *om. Σ*   11 tueris *FJΣ*   sex — 13 ment. *om. A*   mille ς
autem *om.FJΣ*   thomos *u p.c.*   poterat *FJΣ*   12 scribit *u*   sermonem *F*
14 causa *JΣ*   15 in *om. u*   honore *J*   16 sed honus *Σ* senodus *u*   cumque] cum
quo *A*   ficte *u p.c.m2*   17 lactaueris *F* iactauerit *u*   sacerdotium *Ja.r.*
sacerdotes *F*   18 eum] cum *FJΣ*   barrochia *Σ* paroecia ς   19 betleem *Σ* bethlem *u*
cuncti] cum *F*   20 phalestini *J* palesthine *u* palestini *cet.*   21 ephiphanii *J*
loco corrupto aliquantum luminis adfert Petri Diaconi liber de locis sanctis (*CSEL*
uol. XXXIX p. 114, 11—13): in Eleutheropoli autem loco *B y c o y c a*, in qua est
sepulchrum *A b a c u c* prophetae   bec os *A* bos *u* bycoyca *Petrus Diaconus* uetus *FJΣ*
Abacuc *scripsi coll. Petro Diac.* adhuc *A* adduci *FJΣ* addici *u* dictum ς

est presbyter, in Eleutheropolitano territorio et non in Aeliensi
situm est. porro aetas eius et beatitudini tuae nota est et, cum ad 2
triginta annorum spatia peruenerit, puto eam in hoc non esse re-
prehendendam, quae iuxta mysterium adsumpti hominis in Christo
5 perfecta est. recordetur legis antiquae et post uiginti et quinque annos
de Leuitica tribu adlegi in sacerdotium peruidebit. aut si in hoc solo
testimonio Hebraicam sequitur ueritatem, nouerit triginta annorum
fieri sacerdotes. ac ne forsitan dicat: uetera transierunt, ecce
facta sunt omnia noua, audiat cum Timotheo: adulescentiam
10 tuam nemo contemnat. certe ipse, quando episcopus ordinatus 3
est, non multum ab ea, in qua nunc frater est, distabat aetate. uel
si hoc in episcopis licet, in presbyteris non licet, ne per antifrasim
a suo nomine discrepare uideantur, cur ipse aut eiusdem aut minoris
aetatis et, quod his amplius est, ministrum alterius ecclesiae ordina-
15 uit presbyterum? quodsi non potest pacem habere cum fratre nisi 4
cum subdito et ordinationis suae episcopum rennuente, ostendit se
non tam pacem cupere quam sub pacis occasione uindictam nec
alterius quiete et otio esse contentum, dummodo integrum habeat,
quod minatur. etiam si ipse eum ordinasset et hic secreti amator
20 uellet quiescere nec quicquam exerceret, quod ecclesiam scinderet,
nihil ei deberet praeter honorem cunctis sacerdotibus debitum.

4 cf. Luc. 3, 23   5 cf. Num. 8, 24   7 cf. Num. c. 4   8 II Cor. 5, 17
9 *I Tim. 4, 12

1 *pr.* in *om. u*   eleuthro (trho *F* tro *Σ*) politano *FJΣ*   eli. *AF* hel. *JΣ* elig. *ex*
eligenti *u*   2 eius *ex* ei *F*   ad] a *A*   3 spatia iam *ς*   5 XXV *AFJΣ*   alt. et *om. ς*
6 de *Au* ad *F* (d *eras.*) *J, Σ* (d *exp.*) a *FΣp.c.ς*   elegi *Σp.c.u a.c.* eligi *u p.c.*   aut *ex* at *Σ*
test. solo *ς*   7 hebraicam (icam *in ras.*) *J; add.* non *s.l.m2 F*   nouerit] non erret *A*
8 sacerdotem *F* ecce] et *FJΣ*   9 nemo ad. tuam *Au*   11 meus (*s.l.m2*) frater *Σ*
frater meus *u*   12 *pr.* in *om. u*   in presb.—ne] es *u*   per antifrasim (-sin *Σp.r.*)
FJΣu pereant (*alt.* e *exp.*) ifrasin *A*   13 discr. non uideatur *u*   cur] cum *A*
eius *ς*   14 his] hi (*seq. ras. 1 litt.*) *J*   15 fratribus *ex* fratres *m2 A*   16 episcopo *F p.c.*   renuente *u* renuentem *A* rednuente *J* renuntiante *Σ*   17 tam
om. A   occasionem *F a.r.J*   uindicta *F a.c.J*   nec *om. A*   18 alt. quiete
et] aliter quietis et pacis *ς*   esse] se *Au*   dummodo in *J* dum modum in
(in *del. Σ*) *FΣ* nisi *ς*   integro *A*   19 quod min.] con(m *m2*)min. *A*   eum] cum *Σ*
hic—n ec *om. A*   hic] sic *ς*   amor *u*   20 qu. uellet *ς*   ne *ς*   exercere *A*
quo *u* quod si *FJΣ*   21 ei] eligi *F*   debere *FJΣ*   propter *FJΣ, om. u*   honore *u*

8*

9. Huc usque ἀπολογία eius, immo κατηγορία et laciniosus contra nos sermo protractus est. cui ego ut in epistula breuiter praeteriensque respondi, ut ex his, quae dixi, intellegat, quid tacuerim, et nouerit nos homines esse rationabile animal et prudentiam suam posse intellegere nec ita obtunsi cordis, ut instar brutorum animalium 5
2 uerborum tantum sonum et non sententias audiamus. nunc autem quaeso te, ut ueniam tribuas dolori meo; et, si superbum est respondisse, multum sit superbius accusasse. quamquam ita responderim, ut silentium potius meum indicauerim quam sermonem. quid procul pacem quaerunt et uolunt eam nobis ab aliis imperari? sint pacifici, 10 et ilico pax sequitur. cur nomine sanctitudinis tuae contra nos pro terrore abutuntur et, cum epistula tua pacem et mansuetudinem
3 sonet, illorum uerba duritiam comminantur? denique quam pacificas et ad concordiam pertinentes per Isidorum presbyterum litteras nobis miseris, hinc probamus, quod illas, qui pacem uelle se iactant, 15 reddere noluerunt. eligant itaque, quod uolunt: aut boni sumus aut mali: si boni, dimittant quiescere; si mali, quid malorum expetunt societatem? quantum ualeat humilitas, experimento didicit, qui nunc dissimulat. qui suo consilio olim disiuncta sociauit, probat se ad alterius uoluntatem nunc copulata discerpere. 20

10. Nuper nobis postulauit et impetrauit exilium; atque utinam inplere potuisset, ut, sicut illi inputatur uoluntas pro opere,

---

1 ἀπολ. uarie scr. in codd.   eius immo om. u   categoria J cat(h s.l.Σ)egl(exp. F, eras. Σ)oria FΣ katheoria u 2 protractatus u prostratus FΣa.c. ut A û u quod FJ quod et Σ quidem ς 3 intellegam FJ,Σa.c. 4 racionale animal u rationalia animalia Fp.c. rationabiles an male A 5 obtusi u p.c.ς ad instar A,Σp.c.m2 6 et—nunc] spat. uac. 11 litt. A autem om. ς 7 te] beatitudinem tuam A
• 8 multo sit u multos (multum m2) id A   accusare u 9 iudicauerim u 10 ea u ab om. u 11 illico Fa.c.Ju sequetur Au pro om. Σ 12 pr. et om. ς tua om. F et] ut ς 13 duritia AJ diritia Fa.c. comminentur ς 14 a concordia A isyd. J ysid. AFΣ hysid. u; add. ut u 15 felle se (in mg. m2 false)Σ falso ς iactent u 16 noluerint ς elegant itaque ex elegantique A boni] moniti F,Σa.c.m2 19 nunc diss. qui om. A diss(s Σ)imulant J,FΣa.c. insimulat u dissuit ς qui] quae ς deiuncta A deiuncto u se] se nunc ς 20 tunc ς copula Σa.c.u 21 nuper— exil.] dudum nostrum inpetrasse fertur exilium uel certe oblatum ab alio suscepisse, ut aut terreret aut pelleret, quod tam incongruum personae eius est, ut, qui pene sustinuimus, non credamus A nobis] nostrum u imperabit u 22 potuissent FΣa.c. uol. imputatur ς

ita et nos non solum uoluntate, sed et effectu coronam haberemus
exilii! fundendo magis sanguinem et patiendo quam faciendo con-
tumelias Christi fundata est ecclesia. persecutionibus creuit, mar-
tyriis coronata est. aut si isti soli, iuxta quos degimus, amant rigorem ₂
5 et non nouerunt persecutionem sustinere, sed facere, sunt et hic
Iudaei, sunt uariorum dogmatum heretici et maxime inpurissimi
Manichei: cur eorum ne uerbo quidem quempiam audent laedere,
nos solos expellere cupiunt, nos soli, qui ecclesiam communicamus,
ecclesiam scindere dicimur? oro te, nonne aequa est postulatio, ut
10 aut illos nobiscum expellant aut nos cum illis teneant? nisi quod
in eo magis honorant, quod saltim exilio ab hereticis separant.
monachus — pro dolor! — monachis et minatur et inportat exilium, et ₃
hoc monachus apostolicam cathedram tenere se iactans. non nouit
terrori natio ista succumbere et inpendenti gladio magis ceruices
15 quam manus subicit. quis enim monachorum exul patriae non
exul est mundi? quid necesse est auctoritate publica et rescripti
inpendiis et toto orbe discursibus? tangat saltim digitulo, et ultro
exibimus. domini est terra et plenitudo eius. Christus loco
non tenetur inclusus.

20   11. Praeterea, quod scribit nos per te et Romanam ecclesiam

18 Ps. 23, 1

1 uoluntatem *F*   *alt.* et *om. A*   2 fundendo enim *A*   sang. et pat. mag. ς
sanguine *J*   4 si *s.l.Ju*   quod *u*   degemus *A* legimus *Σu*   5 nouerant *A*   per-
sec(q *u*)utiones *Au*   6 hereticique (que *exp.*)*Σ* hereticorumque *F*   maximae
Fa.r.J ut nonnulli iactitant *A*   7 auderent *u*   8 solus *Fa.c.J*   ecclesiae (e *u*) *Au,Fp.c.*   9 eclesias *Σ*   oro — 13 iactans *om. A*   est]
add. ista ς   11 eos *F*   quos *Σp.c.*   saltem *J,Σa.c.(s.l.)*   12 mini-
tatur *u*   impetrat ς   13 mon.] *add.* et post hoc *u*   tenere] habere ς
non nouit] nescit *A*   14 natio ista] mens x̄p̄iana *A*   15 exul] non exul *A*
16 *pr.* est *om. u*   qui *FΣ*   necesse] opus ς   auctoritatem *A*   publ. et
rescr.] publiciter scripti *A*   17 saltem *A,Ja.c.*   et] ex *Σ*   18 exhibimus
Ap.c.Fa.r.J exiuimus (ui *exp.*)*u*   19 continetur *JΣ*   20 propterea *Σu* possim
plura dicere et cotidiano(u *s.l.m2*)s iniurias nostras, quibus (*add.* nos *s.l.*) blanditur bonus pastor inuitat ad pacem, flebili explicare sermones (*alt.* s *exp.*), possim
(*ex* possem *m2*) epistolis eo sensu, quo scriptae sunt, respondere, uerum studio et
expectatione pacis feruenti stomacho uerba non commodo. quaerantur alii libere,
quos ledere Iesus ipse non audet. ego interim (*ex*-rem) non silebo et dispensationem
uel inpe (*ex* i)ritiam simulabo uel metum. quid enim mihi accusanti facturus est,
qui, ut ipse testatur, laudanti detrahet? illud autem (*cf. p. 112, 18—23*)*A*   scribis
FJΣ scripsit *u* scribit beatitudo tua *A*   romane ecclesie *u*   romam *Σ*

communicare ei, a quo uidemur comminus separari, non necesse
est ire tam longe: et hic in Palaestina eodem modo ei iungimur
et — ne hoc quoque procul sit — in uiculo Bethleem presbyteris
eius, quantum in nobis est, communione sociamur. ex quo perspicuum est dolorem proprium causam ecclesiae non putandum 5
nec stomachum unius hominis, immo per illum aliorum, generali
2 ecclesiae uocabulo nuncupandum. quapropter, quod in principio
epistulae dixi, etiam nunc repeto: nos uelle Christi pacem, ueram
optare concordiam et te rogare, ut illum moneas pacem non extor-
quere, sed uelle. sit praeterito nostrarum contumeliarum dolore 10
contentus; uetera uulnera saltim noua obliteret caritate. sit talis,
qualis ante fuit, quando nos suo arbitrio diligebat. uerba ei de alieno
stomacho non fluant; faciat, quod uult, et non, quod uelle conpellitur. aut quasi pontifex cunctis aequaliter imperet aut quasi imi-
3 tator apostoli uniuersorum saluti ex aequo seruiat. si talem se prae- 15
buerit, ultro praebemus manus, extendimus brachia; amicos et
parentes habeat et sentiat in Christo sicut omnibus sanctis ita et
sibi esse subiectos. caritas patiens est, caritas benigna est,
caritas non aemulatur, non inflatur, omnia sustinet,
omnia credit. cunctarum uirtutum mater est caritas et quasi spar- 20
tum triplex apostolica sententia roboratur dicentis: fides, spes,
caritas. credimus et speramus; atque ita per fidem et spem dilec-
4 tionis uinculo copulamur. idcirco enim et nos patrias nostras dimisimus, ut quieti absque ullis simultatibus in agris et in solitudine

18 *I Cor. 13, 4. 7   20 cf. Eccle. 4, 12   21 I Cor. 13, 13

1 a *om. u*   quod *u* qua ς   uidemus *JΣ*   communione ς
separati ς   2 et] ut *FJΣ*   pale (*ex* i *A*)stina *codd.*   3 quoque] quod
FJΣ   bethem *J* Bethlehem ς   4 est *om. A*   communionem *AJ,FΣa.r.*
sociemur *F; add.* et inde n̄ri x̄pi lauacro percipiunt *A*   5 causa *A*   pu-
tanda *A*   6 stomacho *A*   generalia *u*   7 uocabulum *FJΣ*   quapr.
papa uenerabilis *A*   quod *om. FΣ*   8 pacem x̄pi *Σ*   ueram *om. FJΣ*
9 opt.] obtinere *u*   illo *Fa.c.* illos *Σ*   horteris *A*   10 uelle] uel *Σ*   praeteri-
tarum *FJΣ*   11 ueterata ς   sit] sed *A*   12 quando] quomodo *FΣ*   nos]
non *FJΣ*   eius *Au*   13 profluant *A*   14 pont.] sponte rex *A*   15 seruat *J,FΣa.c.*   17 parentes (*i. e. obtemperantes*)] pares *Au*   sentiet *AJ*
sicut—sibi *om. A*   et (*eras.*) ita et *Σ*   18 sibi nos esse ς   *pr.* est *s.l.F, om. u*
21 apostoli ς   22 *pr.* et *om.* ς   23 enim et] etenim *FJΣ*   24 quiete *u; add.*
et *Au*   illis *F,Σa.c.*   *alt.* in *om. u*

uiueremus, ut pontifices Christi—qui tamen rectam fidem praedi-
cant—non dominorum metu, sed patrum honore ueneremur, ut
deferamus episcopis quasi episcopis et non sub nomine alterius aliis,
quibus nolumus, seruire cogamur. non sumus tam inflati cordis,
5 ut ignoremus, quid debeatur sacerdotibus Christi. qui enim eos
recipit, non tam illos recipit, quam eum, cuius episcopi sunt. sed 5
contenti sint honore suo et patres se sciant esse, non dominos,
maxime apud eos, qui spretis ambitionibus saeculi nihil quieti et
otio praeferunt. tribuat autem orationibus tuis Christus deus
10 omnipotens, ut pacis non ficto nomine, sed uero et fideli amore
sociemur, ne mordentes inuicem consumamur ab inuicem.

LXXXIII.
PAMMACHII ET OCEANI AD HIERONYMUM.

Pammachius et Oceanus Hieronymo presbytero salutem.

15   Sanctus aliquis ex fratribus schidas ad nos cuiusdam detulit, 1
quae Origenis nomine uolumen, quod περὶ ἀρχῶν scribitur, in

11 cf. Gal. 5, 15

1 qui — praed. *om. A*   2 ut — 4 cog. *om. A*   3 quasi] ut ς   4 corde *A*
6 *pr.* recepit *A,Fa.c.*   non—*alt.* recipit *in mg. sup. A*   illos] eos ς   *alt.* recepit
A,Fa.c.   eum] illum *A*   episc. sunt] eo censentur nomine *A*   7 sunt
J,FΣa.r.   et *om. Σ*   sciant se patres *Σ*   8 expraetis (ex *eras. Σ)FJΣ*
9 praeferant *A*   deus noster omn. *A*   10 paci *ex* pace *u*   amore *om. u*
11 ne — cons. *om. A*   consummamur *F*

G = *Neapolitanus VI. D. 59 s. VII.*
𝔄 = *Veronensis rescriptus XV. 13 s. VIII.*
D = *Vaticanus lat. 355 + 356 s. IX—X.*
N = *Casinensis 295 s. X.*
Q = *Duacensis 247 s. XI.*
B = *Berolinensis lat. 18 s. XII (praebet duo apographa: fol.*
     44ʳ = B¹ *et fol.* 178ʳ = B², *quorum consensus = B).*

pammachii et oceani ad hieronimum (iheronimum *B¹) GB¹* oceanum et pammachium ad ieronimum p̄br̄m *B²* pammachius et oceanus hieronimo (*add.* presbitero *Q)DQ; titulo carent* 𝔄N

14 Pamm. — sal. *om. GDQ*   ocean. et pamm. *B²*   hieronimo 𝔄 hier̄ *N* iheronimo *B¹* ieronimo *B²*   presb. *om. N*   sal.] salt (*add.* cap̄h *m?)N*   15 aliqui *GN*   scid. *N* scidul. *GD* scedul. *QB* schedul. ς   16 nomine 𝔄, *om. cet.*
ΠΕΡΙΑΡΧΩΝ (periarcon *ss. B²)𝔄(B²* periarchon *GNB¹* periarcon *DQ* describ. *B¹*
inscrib. *Q*ς

Latinum sermonem conuersum tenerent. et quoniam multa in his
sunt, quae tenuitatem ingenii nostri permouent, quae minus
catholice dicta aestimamus—suspicamur etiam ad excusationem
auctoris multa de libris eius esse subtracta, quae apertam inpietatem eius demonstrare potuissent—, quaesumus praestantiam 5
tuam, ut in hoc specialiter non tam nobis quam uniuersis, qui in
urbe habitant, profuturum opus digneris inpendere, ut supra dictum
librum Origenis ad fidem, quem ad modum ab ipso auctore editus
est, tuo sermone manifestes et, quae a defensore eius interpolata
sunt, prodas, quae etiam in schidis istis, quas ad sanctitatem tuam 10
direximus, uel contra catholicam regulam uel inperite dicta sint,
2 redarguas atque conuincas. sane subtiliter in praefatione operis sui
mentionem tacito nomine tuae sanctitatis expressit, quod a te
promissum opus ipse conpleret, illud oblique agens etiam te simili
ratione sentire. purga ergo suspiciones hominum et conuince crimi- 15
nantem, ne, si dissimulaueris, consensisse uidearis.

12 cf. pag. 103, 3   15—16 cf. Hieron. adu. Ruf. I 11

1 teneret *D*   in his multa *DQB*¹   his] is *N*   2 nostri ing. ç   promouent *B*¹
remouent 𝔄   quaeque ç   3 extimamus dicta (*ex* dictu) *B*²   aest. (est. *B*¹)𝔄,*B*¹
in mg. ext. *GN B*² exist. *DQ*   4 actoris *B*¹   libris (s *in ras. m2*)*B*² libro *GN B*¹
5 eius 𝔄(*B*² eiusdem *cet.*   monstrare *DNQB*¹   quesumus ergo *B*¹Q͞S *N* qs *Q*
6 ut in] uti *GN B*¹ ut et *DQ* ut *B*²   quam etiam *GN B*¹ quam et *B*²
in *om. Q*   7 orbe *QB*   8 autore 𝔄 actore *B*¹   9 a *ex* ad *D* ad *ex*
a *B*²   defensorē *B*²   10 quae] ut (*in ras. m2B*²) quae *DB* utraque *Q* et quae ç
in *s.l.m2N, om. G*   ischidis 𝔄 scidis (scidulis *m2G*)*GN* scędis *B*¹ scedulis *B*²
schid. ist.] his scędis *Q* his cedis *D* his schedulis ç   quas] que *B*²   11 *pr.* uel]
quae uel *Q*   dicta] e (ę *Q*) dita *DQ,B*²*a.c.m2*   sint *G*𝔄 sunt *cet.*   12 subt.
om. N   praefatiuncula *G*   14 compleret (ret *in ras. m2*)*B*² comple-
uerit ç   aiens *Q*   te] a te *N*   16 si *om. D*   dissimulaberis *N*
consentire ç   uid.] *add.* exp epist. pammachii et oceani ad s͞c͞m hieronimum
presbiterum 𝔄 expl feliciter *G* uale in x͞po et memento nostri *B*²

LXXXIV.

AD PAMMACHIUM ET OCEANUM.

Hieronymus Pammachio et Oceano fratribus salutem.

1. Schidulae, quas misistis, honorifica me adfecere contumelia
5 sic ingenium praedicantes, ut fidei tollerent ueritatem. quia eadem
Alexandriae et Romae et in toto paene orbe boni homines super
meo nomine iactare consuerunt et tantum me diligunt, ut sine me
heretici esse non possint, omittam personas et rebus tantum et
criminibus respondebo. neque enim causae prodest maledicentibus
10 remaledicere et aduersarios talione mordere, cui praecipitur malum
pro malo non reddere, sed uincere in bono malum, saturari obpro-
briis et alteram uerberanti praebere maxillam.

2. Obiciunt mihi, quare Origenem aliquando laudauerim. ni
fallor, duo loca sunt: praefatiuncula ad Damasum in omeliis Cantici
15 canticorum et prologus in libro Hebraicorum Nominum. quid ibi
de dogmatibus ecclesiae dicitur? quid de patre et filio et spiritu

10 cf. Rom. 12, 17. 21. I Thess. 5, 15   11 cf. Thren. 3, 30. Matth. 5, 39 etc.
14 cf. Hieron. praef. ad Orig. hom. in Cant. cant. init.   15 cf. Hieron. praef.
ad libr. de interpr. nom. Hebr. fin.

G = *Neapolitanus VI. D. 59 s. VII.*
𝔄 = *Veronensis rescriptus XV. 13 s. VIII.*
D = *Vaticanus lat. 355 + 356 s. IX—X.*
N = *Casinensis 295 s. X.*
Q = *Duacensis 247 s. XI.*
B = *Berolinensis lat. 18 s. XII (praebet duo apographa: fol. 44^r —46^r*
    = B^1 et fol. 178^r — 182^r = B^2, quorum consensus = B).

ad eosdem ipsius hieronimi *G* eiusdem ad quos supra 𝔄 hie (ihe *Q*)ronimus pa-
m(mm *D*)achio et oceano *DQ* iheronimus ad pammachium et oceanum *B^1* ier pbri
ad oceanum et pammachium *B^2; titulo caret N*

3 Hier. — sal. *om. GDQB^2*   hieronimus 𝔄 iheronimus *B^1*   4 iscidulae
(-las *m2*) *G* scidulas *D* scidule (i *ex* e)*N* scedulae *QB* schedulae ς   afficere *D*
afficiunt *B^{2}a.c.m2*   5 tolerent *G*   quia 𝔄 et quia *cet.*   6 alexandriae 𝔄 in alexandria
B^1 et in alexandria (et in *et* ia *in ras. m2 B^2*) *cet.* et Alexandriae ς   roma *Q* romana
urbe *B^2*   7 consueuerunt *DQB^2*   et *s.l.G*   8 possunt *D*   personam *N*
pr. et *om. DQB*   9 causae *om. Q*   13 obiciunt ergo *G*   nisi *NQB^1*
14 sunt] *add.* in quibus eum laudaui ς   omil. *G* homel. *DB^2* homilias ς
15 librum ς   16 et filio *om. N*

sancto? quid de carnis resurrectione? quid de animae statu atque
substantia? simplex interpretatio atque doctrina simplici uoce
laudata est. nihil ibi de fide, nihil de dogmatibus conprehensum
est. moralis tantum tractatur locus et allegoriae nubilum serena
2 expositione discutitur. laudaui interpretem, non dogmatisten, 5
ingenium, non fidem, philosophum, non apostolum. quodsi uolunt
super Origene meum scire iudicium, legant in Ecclesiasten commentarios, replicent in epistulam ad Ephesios tria uolumina, et intelle-
gent me semper eius dogmatibus contra isse. quae enim stultitia
est sic alicuius laudare doctrinam, ut sequaris et blasphemiam? et 10
beatus Cyprianus Tertulliano magistro utitur, ut eius scripta probant; cumque eruditi et ardentis uiri delectetur ingenio, Montanum
cum eo Maximillamque non sequitur. fortissimos libros contra
Porphyrium scripsit Apollinaris, ecclesiasticam pulchre Eusebius
historiam texuit; alter eorum dimidiatam Christi introducit οἰχονο- 15
3 μίαν, alter inpietatis Arrii apertissimus propugnator est. u ae, inquit
Esaias, qui dicunt bonum malum et malum bonum, qui
faciunt amarum dulce et dulce amarum. nec bonis aduer-
sariorum, si honestum quid habuerint, detrahendum est nec amicorum laudanda sunt uitia et unumquodque non personarum, 20
sed rerum pondere iudicandum est. mordetur et Lucilius, quod
inconposito currat pede, et tamen sales eius leposque laudantur.
    3. Dum essem iuuenis, miro discendi ferebar ardore nec iuxta
quorundam praesumptionem ipse me docui. Apollinarem Laodice-

7 in Eccl. comm.] sed cf. Gruetzmacher, Hieronymus II 53   8 in epist.
ad Ephes. tria uol.] cf. Gruetzmacher, Hieronymus II 40   16 *Esai. 5, 20
21 cf. Horat. sat. I 10, 1 sq.

5 discutit G dogmatistem $B^1,B^2p.c.m2$ 6 $pr.$ non $om. N$ 7 ecclesiastem $\mathfrak{A}$
8 in $om. N$ epła $codd.$ $praeter$ $G\mathfrak{A}$ intellegant N 9 quae enim]
quia $seq. ras. B^1$ 10 sequaris $\mathfrak{A}$ n̄ $(eras.)$ sequar Q sequar $cet.$ blasphemia N
11 cipr. $\mathfrak{A}NB$ tertuliano $\mathfrak{A}DQ$ probat Q 12 eruditi] eritici $(non$ eristici,
ut $Vallarsius$ $putat)\mathfrak{A}$ ardentissimi B^1 delectatur $B^2a.c.m2$ delectur $D,Na.c.$
13 et maximillam B^1 14 scribit D appollinaris G Ap(pp)ollinarius ς
pulcre D 15 tex. istoriam B^2 texunt $\mathfrak{A}$ introduxit ς oeconomiam
(oe ex ae $B^2)G\mathfrak{A}NB^2$ economiam B^1 16 uae GQ ue $cet.$ 17 isai. Q isay. B^1
ysai. B^2 $alt.$ bonum] $add.$ et ς 18 $alt.$ amar.] in amar. conuertunt Q
21 lucius D lutius Q quod et B^2 22 lepusque D leporesque (oresque in
$ras.$ $m2)B$ 23 ferbebar $(sic)N$ iusta N 24 Apollinarium ς laudic.
$Ga.c.N$ laudoc. D laudo anthiocenum Q

num audiui Antiochiae frequenter et colui et, cum me in sanctis
scripturis erudiret, numquam illius contentiosum super sensu dogma
suscepi. iam canis spargebatur caput et magistrum potius quam
discipulum decebat; perrexi tamen Alexandriam, audiui Didymum.
5 in multis ei gratias ago. quod nesciui, didici; quod sciebam, illo
diuersum docente non perdidi. putabant me homines finem fecisse 2
discendi: rursum Hierosolymae et Bethleem quo labore, quo pre-
tio Baraninam nocturnum habui praeceptorem! timebat enim Iudaeos et mihi alterum exhibebat Nicodemum. horum omnium fre-
10 quenter in opusculis meis facio mentionem. certe Apollinaris et
Didymi inter se dogma contrarium est; rapiat me ergo utraque tur-
ma altrinsecus, quia magistrum utrumque confiteor. si expedit 3
odisse homines et gentem aliquam detestari, miro odio auersor circumcisos; usque hodie enim persequuntur dominum nostrum Iesum
15 Christum in synagogis satanae. obiciat mihi quispiam, cur hominem
Iudaeum habuerim praeceptorem, et audet quidam proferre litteras
meas ad Didymum quasi ad magistrum. grande crimen discipuli,
si hominem eruditum et senem magistrum dixerim. et tamen uolo
inspicere ipsam epistulam, quae tanto tempore in calumniam reser-
20 uata nihil praeter honorem et salutationem continet. inepta sunt 4
haec et friuola. arguite potius, ubi heresim defenderim, ubi prauum
Origenis dogma laudauerim. in lectione Esaiae, in qua duo seraphin
clamantia describuntur, illo interpretante filium et spiritum sanctum

3 cf. Ouid. Metam. VIII 568. XV 211   9 cf. Ioh. 3, 1—2   15 cf. Apoc. 2, 9. 3, 9
22 cf. Esai. c. 6.

1 adii *Np.r.*   anthioch. *Q* anthioc. *GD* antioc. 𝔄   scribt. sanctis *G*
2 sensum *GNB*¹ incarnatione dni *B*²   3 spargebantur *G*   4 dydim. *G*
didim. *cet.* 5 ei] et *N*.   sciebam] noueram *G*   6 diuersa *B*¹*p.c.B*², *om. DQ*
7 rursus *G* ueni rursum *QB* rursum ueni *D*   hiero(u *DN*)soly(i 𝔄*N*)mae (me *DN*)
*G*𝔄*DN* hierusolimam *Q* iherosolimam *B*¹ (am *ex* e) *B*²   bethlem 𝔄*D* bete-
leem *Q* betlehem *N*   8 baraniam *Np.r.* baranam *Qa.c.m2* barabanum *D*   9 ex-
hibebant 𝔄   nichodemum *QB*¹ nicolaum *D*   10 Apollinarii ς   11 dydimi *G*
didimi *cet.*   turba *B*¹; *add.* diuersum *DQB*²,*B*¹ *in mg. m2*   12 utraque 𝔄
13 aduersor 𝔄*B*¹   circumcisos 𝔄 circumcisionem *Q,B*¹*a.c.* concisionem *cet.*
14 persequ. *G*𝔄*N* persec. *cet.*   nostrum 𝔄,*om. cet.*   15 Christum *om. GN*
sathane *B*¹   16 quisquam *Q*   17 didym. 𝔄 didim. *cet.*
quasi] quas 𝔄   19 serbata *N* reseruata est *DQB*²   21 fribola *N* simbola *D*
22 laudarim 𝔄*N*   isaiae *Q* isayae *B*¹ ysaye *B*²   quo *DQ*   d̄o (= deo)*G*
seraph (f *G*) in *G*𝔄*NB*² seraphim *cet.*   23 fil.] patrem et fil. *D*

nonne ego detestandam expositionem in duo testamenta mutaui?
habetur liber in manibus ante uiginti annos editus. tota opuscula
mea et maxime commentarii iuxta oportunitatem locorum gentilem
5 sectam lacerant. quod autem opponunt congregasse me libros illius
super cunctos homines, utinam omnium tractatorum haberem uo- 5
lumina, ut tarditatem ingenii lectionis diligentia conpensarem!
congregaui libros eius, fateor; et ideo errores non sequor, quia scio
uniuersa, quae scripsit. credite experto, quasi Christianus Christianis loquor: uenenata sunt illius dogmata, aliena a scripturis sanc-
ctis, uim scripturis facientia. legi, inquam, legi Origenem et, si in 1
legendo crimen est, fateor—et nostrum marsuppium Alexandrinae
chartae euacuarunt—: si mihi creditis, Origeniastes numquam fui;
6 si non creditis, nunc esse cessaui. quodsi nec sic adducimini ad
fidem, conpellitis me in defensionem mei contra amasium uestrum
scribere, ut, si non creditis neganti, credatis saltem accusanti. sed 1.
libentius mihi erranti creditur quam correcto. nec mirum; putant
enim me suum esse συνμύστην et propter animales et luteos nolle
palam dogmata confiteri. ipsorum enim decretum est non facile
margaritas ante porcos esse mittendas nec dandum sanctum canibus
et cum Dauid dicere: in corde meo abscondi eloquia tua, 2(
ut non peccem tibi; et in alio loco super iusto: qui loquitur,
inquit, ueritatem cum proximo suo, id est cum his, qui do-
7 mestici fidei sunt. ex quo intellegi uolunt nos, qui necdum initiati
sumus, debere audire mendacium, ne paruuli atque lactantes solidioris cibi edulio suffocemur. quod autem periuriorum atque men- 25

1 cf. Hieron. epist. XVIII A 6, 7 et comment. ad Esaiam lib. III cap. 6
8 cf. Verg. Aen. XI 283   19 cf. Matth. 7, 6   20 Ps. 118, 11   21 *Ps. 14, 3
22 cf. Gal. 6, 10   24 cf. Hebr. 5, 12—14

2 habentur *Ga.r.*𝔄   liber *om.* N   tot *DQ*   3 commentarioli (*ex* -la) *B*¹
5 habere *Ga.c.D*   6 lectionis 𝔄 eruditoris *Q* eruditionis *cet.*   7 congregaui *ex*
conpensaui *B*¹   8 quasi] quia *N*   x̄pianus x̄pianus *D* x̄pianis x̄pianus *QB*¹,
*B*²*p.c.m2*   9 a *s.l. B*² ab *D, om.* N   11 crimine *N*   est *s.l.m2N; add.* legi *B*²
12 chartae (-e) *GB*¹ cartae (-e) *cet.* euacuauerunt *DQB* uacuarunt 𝔄 origenistes *B*
origenianus *Q*   13 nunc esse (unc e *in ras. m2*)*B*²   esse *om. G*   ducimini *N*
14 in (*in ras. m2*)*B*² ad ς   defensione *NB*¹   damasium 𝔄   15 saltim *DB*²
17 me *s.l.m2B*¹, *om.* Q   συνμύστην *varie trad. codd.*   19 ante] inter *Q*   esse
om. DQ   20 absc. in corde meo ς   22 his] illis *N*   domestice *B*²   23 uol.
int. ς   uoluit *N*   24 nec *B*²   lactentes *Np.c.QB*¹   25 suffocemus *N*

dacii inter se orgiis foederentur, sextus Stromatum liber, in quo
Platonis sententiae nostrum dogma conponit, planissime docet.

4. Quid igitur faciam? negem me eiusdem dogmatis esse? non
credent. iurem? ridebunt et dicent: 'domi nobis ista nascuntur'.
5 faciam, quod solum cauent, ut sacra eorum atque mysteria in publicum proferam et omnis prudentia, qua nos simplices ludunt, in pro-
patulo sit, ut, qui neganti uoci non credunt, credant saltem arguenti
stilo. hoc enim uel maxime cauent, ne quando contra auctorem suum
eorum scripta teneantur. facile dicunt cum iuramento, quod postea 2
10 alio soluant periurio; ad subscriptionem tergiuersantur quaeruntque
suffugia. alius: 'non possum' ,inquit, 'damnare, quod nemo damnauit';
alius: 'nihil super hoc a patribus statutum est', ut, dum totius orbis
prouocatur auctoritas, subscribendi necessitas differatur; quidam
constantius: 'quomodo', inquiunt, 'damnabimus, quod synodus
15 Nicena non tetigit? quae enim damnauit Arrium, damnasset utique
et Origenem, si illius dogmata reprobasset'. scilicet uno medicamine 3
omnes simul morbos debuere curare; et idcirco spiritus sancti ne-
ganda maiestas est, quia in illa synodo super substantia eius silentium fuit. de Arrio tunc, non de Origene quaestio erat; de filio, non
20 de spiritu sancto. confessi sunt, quod negabatur; tacuerunt, de
quo nemo quaerebat. quamquam latenteʳ et Origenem, fontem

4 cf. Cic. Academ. II 80 et ad fam. IX 3, 2. Tac. dial. 9

1 se *om. D*   orgiis *ex* origenes *Q* origenis *ex* orgis *m2G* iurgiis 𝔄 organis *B¹*
origenis *DN* origeniste *B²*   federentur (*ex* foderetur *Q*) *DNQB*   stromateon ς
2 sententia *B²*   nostra *D*   cōuenit (*s.l.* ł cōponit) *Q*   plenissime
Gp.c.m2DQB²   3 faciant *N*   negent *N*   4 credunt iurem *D* tredent
iures 𝔄 credentiorem *N*   dn̄o bis *G* dn̄o uis *N* de (e *in ras.*) nobis *B¹* a (*in
ras. m2*) nobis *B²*   nascantur *N* noscuntur (o *in ras. m2*)*B²*   5 faciant *N*   ca-
nent *Q*   ut *in ras. m2B²* ac *B¹p.c.*   6 et *in ras. m2B²* ut *B¹p.c.*   omnes 𝔄
prudentiam *N; add.* eorum *in mg. m2 Q,* ς   eludunt *B²*   7 ut] et *D*   negantis *B²p.c.m2*   accusanti *G*   10 alii *N, om. G*   a subscriptione *Q* a
superscriptione *D* 11 suffragia *DQB* alios 𝔄*D* damn. inq. 𝔄   12 institutum *B²*
14 inquit (-id) *DQB²,B¹p.c.*   damnauimus *D*   quos (os *in ras.*
m2)*B²,*ς   synhod. *G* sinod. 𝔄*DNB*   15 nicaena *G*   arriaū (*alt.* a *exp.,*
seq. ras. 1 litt.) *Q*   16 dogma *DN*   17 debere *DB²,QB¹a.c.m2*
curari *B²,Qp.r.B¹a.c.m2*   et] ergo et *B¹,B² in mg. m2*   18 synhodo (h *eras.*)
G sinodo 𝔄*DNB²* (*saepius*) substantiam *D,B²a.c.*   19 fuit ς   20 de quo] quod *N*
21 latentem 𝔄   et *om. N*   fomites *B²,B¹* (*ex* fontes) *a.c.m2*

Arrii, percusserunt; damnantes enim eos, qui filium de patris negant
esse substantia, illum pariter Arriumque damnarunt. alioquin hoc
argumento nec Valentinus nec Marcion nec Cataphrygas nec
Manicheus damnari debent, quia synodus eos Nicena non nominat;
quos certe ante synodum fuisse non dubium est. quodsi quando
urgueri coeperint et aut subscribendum eis fuerit aut exeundum
de ecclesiis, miras strophas uideas. sic uerba temperant, sic ordinem
uertunt et ambigua quaeque concinnant, ut et nostram et aduer-
sariorum confessionem teneant, ut aliter hereticus, aliter audiat
catholicus. quasi non eodem spiritu et Apollo Delphicus atque
Loxias oracula fuderit Croeso et Pyrrho diuersis temporibus, sed
pari inludens stropha.

5. Exempli causa subiciam: 'credimus', inquiunt, 'resurrectionem
futuram corporum'. hoc si bene dicatur, pura confessio est. sed quia
corpora sunt caelestia et terrestria et aer iste et aura tenuis iuxta
naturam suam corpora nominantur, corpus ponunt, non carnem, ut
orthodoxus corpus audiens carnem putet, hereticus spiritum recognoscat. haec est eorum prima decipula; quae si deprehensa fuerit, struunt
alios dolos et innocentiam simulant et nos malitiosos uocant et quasi
simpliciter credentes aiunt: 'credimus in resurrectionem carnis'.
hoc uero cum dixerint, uulgus indoctum putat sibi posse sufficere,
maxime, quia id ipsum et in symbolo creditur. interroges ultra: circuli
strepitus commouetur, fautores clamitant: 'audisti resurrectionem
carnis, quid quaeris amplius?' et in peruersum studiis commutatis

14 cf. I Cor. 15, 40

1 percusserint GB^2 eum $\mathfrak{A}$ de] dei B^2 2 substantiam $DB^2,Qa.r.B^1p.c.m2$
arrianumque Q damnauerunt (-mpn- $QB)DQB$ hac G 3 ualentius $\mathfrak{A}$ martion Q
marchion B cataphrigas $\mathfrak{A}$ catafrigas DN,Q (ex catafrictas) catafasgas G catafrige
(ge in ras. m2) B^2 cathafrigę B^1 Cataphryges ς 4 manichaeus G nicena eos DQ
nicaena $G\mathfrak{A}$ nominauit DB^1 6 urgeri GNB^1 argueri D argui QB^2 et om. B^2 ei N
7 e(ęQ)cclesia DQ stropas D strofas G 8 quaeque] ras. 8 litt. G alt. et om. G
9 comfessione N contineant B^2 cath. aud. ς 10 spiritu] $\overline{xpo}$ G
11 fuderit $\mathfrak{A}$ fuderint (fuerint D) cet.   pyrro G (ex pyro) DQ pirro NB
12 illudetes (sic) in ras. m2 B^2 a(in ras. m2)lludentes Q 13 Exempli] hinc,
non a credimus, nouum capitulum incipere uidit Engelbrecht   causa] add. pauca ς
14   est conf. B^1 15 alt. et] e G 16 carne $\mathfrak{A}$ 18 struunt $G\mathfrak{A}$ instruunt cet.
19 mal. nos DQ 20 in exp. B^2, om. DQB^1 resurrectione G 21 posse om. ς
23 strepitum D audistis NB 24 queritis N dubitas B^2

nos sycophantae, illi simplices appellantur. quodsi obduraueris
frontem et urguere coeperis carnem digitis tenens, an ipsam dicant
resurgere, quae cernitur, quae tangitur, quae incedit et loquitur,
primo rident, deinde adnuunt. dicentibusque nobis, utrum capillos ₃
5 et dentes, pectus ac uentrem, manus et pedes ceterosque artus ex
integro resurrectio exhibeat, tunc uero se tenere non possunt ca-
chinnoque ora soluentes tonsores nobis necessarios et placentas et
medicos ac sutores ingerunt ultroque interrogant, utrum credamus
et genitalia utriusque sexus resurgere, nostras genas hirtas, femina-
10 rum leues fore et habitudinem corporis pro maris ac feminae distinc-
tione diuersam. quod si dederimus, statim expetunt uuluam et
coitum et cetera, quae in uentre sunt et sub uentre. singula membra
negant et corpus, quod constat ex membris, dicunt resurgere.

    6. Non est huius temporis contra dogma peruersum rhetoricum
15 iactare sermonem. non mihi diues Ciceronis lingua sufficiat, non
feruens Demosthenis oratio animi mei possit inplere feruorem, si
uelim hereticorum fraudulentias prodere, qui uerbo tenus resurrectionem fatentes animo negant. solent enim mulierculae eorum
mammas tenere, uentri adplaudere, lumbos et femina et puras ad-
20 trectare maxillas et dicere: 'quid nobis prode est, si fragile corpus
resurget? futurae angelorum similes angelorum habebimus et naturam'. dedignantur uidelicet cum carne et ossibus resurgere, cum
quibus resurrexit et Christus. sed fac me errasse in adulescentia et ₂

18—22 cf. Rufini Apolog. I 7

---

   1 nos *om.* D,Q*a.c.m2* *SYCORANT**(*s.l.m2* sycophante)*Q* sycofante (*s.l.* a *pro* e)*G*
sicofante *D* siccofantes (cc *in ras. m2*)*N* sichophante *B*¹ sicofāte id est calumpnia-
tores *B*²   illi] *add.* ut *D,Q* (*del.*)   2 urguere 𝔄 urgueri *D* urgere *cet.*   tene 𝔄
dicat 𝔄; *add.* se *N*   3 resurrecturam *QB*² resurrectionem *D*   et] et que (*ex* quo)*B*²
4 adn.] pronuntiant *D*   5 ac] et *B*   'et] ac *B*¹   6 tunc uero *in ras. m2Q;*
add. risu (riso *D*)*DQB*²   teneri *D*   cachinoque*Ga.c.* cachinnoqne *D* et
cachinnum *B*²   7 ore *B*²   8 cedamus *D* concēdamus *Q*   9 et] ei *N*
hyrtas *GD* irtas *B*² hyrsutas *Q*   10 laeues 𝔄*Q* leb (*exp.*) ues *B*² lenes *G*
distinctionem 𝔄*D*   11 diuersa*QB*¹   concesserimus *Q*   13 non resurgere *DB*²
14 rethor. 𝔄*DNQB*¹ retor. *B*²   15 sufficiet *GQB*²   16 demostenis *DQB,Na.c.*
demonsthenis 𝔄   animae (*om.* mei)*DQ*   17 omnium haeret. *G*   18 fatentur
*B*¹,*B*²*p.c.m2*   mul. eorum] muliercularum *Q*   19 semina ç   putres ç
20 axillas ç   prode est *G* prodest *cet.; add.* resurrectio *B*²ç   21 si futurae
*B*¹*in mg. B*² et futurae ç in futuro *Q*   sim. ang. *om. DQ*   22 *alt.* cum *om. D*

philosophorum, id est gentilium, studiis eruditum in principio fidei
ignorasse dogmata Christiana et hoc putasse in apostolis, quod in
Pythagora et Platone et Empedocle legeram: cur paruuli in Christo
atque lactantis errorem sequimini? cur ab eo inpietatem discitis,
qui necdum pietatem nouerat? secunda post naufragium tabula est 5
culpam simpliciter confiteri. imitati estis errantem, imitamini et
correctum. errauimus iuuenes, emendemur senes. iungamus ge-
mitus, lacrimas copulemus, ploremus et conuertamur ad dominum,
qui fecit nos; non expectemus diaboli paenitentiam. uana est illa
praesumptio et in profundum gehennae trahens; hic aut quaeritur uita 10
aut amittitur. si Origenem numquam secutus sum, frustra infamare me
cupitis; si discipulus eius fui, imitamini paenitentem. credidistis
confitenti; credite et neganti.

　　　7. 'Si ista', inquit, 'noueras, cur eum laudasti in opusculis tuis?'
et hodie laudarem, nisi uos eius laudaretis errores; non mihi dis- 15
pliceret ingenium, nisi quibusdam eius placeret inpietas. et apostolus praecipit: omnia legentes, quae bona sunt, retinentes.
Lactantius in libris suis et maxime in epistulis ad Demetrianum
spiritus sancti negat omnino substantiam et errore Iudaico dicit
eum ad patrem referri uel ad filium et sanctificationem utriusque 20
personae sub eius nomine demonstrari. quis mihi interdicere potest,
ne legam Institutionum eius libros, quibus contra gentes scripsit
fortissime, quia superior sententia detestanda est? Apollinaris contra Porphyrium egregia scribit uolumina: probo laborem uiri, licet
fatuum in plerisque dogma contemnam. confitemini et uos in 25

3 cf. I Cor. 3, 1　　　8 cf. Ps. 94, 6　　　17 *I Thess. 5, 21

1 phil.] rhetorum *G*　2 dogm. ign. ς　3 pytag. *Ga.c.NB*¹ pitag. *DB*² phitag. *Q*
emphed. *DB*² euphed. *Q* temped. *G*　　4 lactentis *QB*¹,*B*² (i *ex* e *m2*) lactentes *N*
(*ex* lactantes)　errore *N*　didicistis *B*²　6 profiteri simpl. *N*　7 emendemus *GN*　8 et lacrimas *DQ*　9 paen.] *add.* uanam *B*²　uana] una *D*
10 geh. trah. prof. ς　aut] autem *NB*²　queratur *B*²*a.c.* creditur *DQ*
12 cup.] quaeritis ς　creditis *DQ*　13 et *om. GB*²　14 inquid ais *D*
inquit aliquis *B* ais *Q* ut ais inquit ς　quare *DQ*　15 laudassetis *B*¹　errorem *B*²　17 praecepit *B*¹　legentes] prouantes *G*　18 eplis suis *D* suis
eplis *Q* epla *B*²　19 spu 𝔄　omn. neg. *DQ*　20 eum] *add.* uel *s.l.m2B*²,ς
alt. ad *om.* ς　21 pers. et *D*　22 in quibus *B*²　scribit *G*　23 fortissimus *N*
Apollinarius ς　24 scripsit 𝔄*DQ*

quibusdam errasse Origenem, et muttum non faciam. dicite eum male 3
sensisse de filio, peius de spiritu sancto, animarum de caelo ruinas
inpie protulisse, resurrectionem carnis uerbo tantum confiteri, ceterum adsertione destruere et post multa saecula atque unam omnium
5 restitutionem id ipsum fore Gabrihel, quod diabolum, Paulum, quod
Caiphan, uirgines, quod prostibulas: cum hoc reieceritis et quasi
censoria uirgula separaueritis a fide ecclesiae, tuto legam cetera nec
uenena iam metuam, cum antidotum praebibero. non mihi nocebit, 4
si dixero: Origenes, cum in ceteris libris omnes uicerit,
10 in Cantico canticorum ipse se uicit, nec formidabo sententiam, qua illum doctorem ecclesiarum quondam adulescentulus
nominaui. nisi forte accusare debui, cuius rogatus opuscula trans-
ferebam, et dicere in prologo: 'hic, cuius interpretor libros, hereticus est; caue, lector, ne legas. fuge uiperam aut, si legere uolueris,
15 scito a malis hominibus et hereticis corrupta esse, quae transtuli.
quamquam timere non debeas; ego enim omnia, quae fuerunt uitiata,
correxi.' hoc est aliis uerbis dicere: 'ego, qui interpretor, catholicus
sum; hic, quem interpretor, hereticus est.' denique et uos satis sim- 5
pliciter et ingenue ac non malitiose, parui scilicet pendentes prae-
20 cepta rhetorica et praestigias oratorum, dum libros eius περὶ ἀρχῶν
hereticos confitemini et in alios crimen transferre uultis, iniecistis
legentibus scrupulum, ut totam auctoris uitam discuterent et ex
ceteris libris eius coniecturam praesentis facerent quaestionis; ego
callidus, qui emendaui silens, quod uolui, et dissimulans crimina

9 Hieron. praef. ad Orig. hom. in Cant. cant. init.   11 cf. Hieron. praef.
ad libr. de interpr. nom. Hebr. fin. et praef. ad Orig. hom. in Hierem. et Ezech. init.

1 quibus N   errare 𝔄DQ   muttum G𝔄B¹ mutum cet.   mu ultra ς
non] me Q   dicitis Q   3 tantum om. DQ   4 adseruatione D   destrui
DQB²   omnibus DQ   5 resurrectionem N   id s.l.G   glabrihel (sic)𝔄
gabrihelum D gabrielum G gabrielem cet.   alt. quod om. N   6 caifan G cayfan B²
caipham 𝔄B¹   prostibulae 𝔄 -latas B² -la GN,B¹p.r. prostribulas D   haec
DQB²   reiceritis DQ proieceritis N   8 timebo ς   9 origenis N,B²a.c.
uinceret D   10 cantica DN canticis Q   11 quia D   illum] eum B²
12 rogatu Q,B¹p.c.m2   13 interpreto D   14 uiperam G   16 quamquam]
quam D; add. enim (del. m2)B²   fuerant uitiata DNQ uiciata fuerant B¹
17 interpreto D   19 ac] hac N et 𝔄   20 retor. B² rethor. cet.   praesti-
gia Q   21 crimen s.l.m2N crimina B¹   ad (eras.) uultis (l in ras. m2) B²   22 actoris B¹   uitam disc.] disc. doctrinam (r s.l.)G   discurrerent D   23 eius
libris NB¹   ergo G   24 uolui] uobis N   dissimilans N

non feci inuidiam criminoso. aiunt et medici grandes morbos non
esse curandos, sed dimittendos naturae, ne medella languorem
6 exasperet. centum et quinquaginta prope anni sunt, ex quo Origenes dormiuit Tyri. quis Latinorum umquam ausus est transferre
libros eius de resurrectione, περὶ ἀρχῶν, stromateas? quis per in- 5
fame opus se ipsum uoluit infamari? nec disertiores sumus Hilario
nec fideliores Victorino, qui tractatus eius non ut interpretes, sed
ut auctores proprii operis transtulerunt. nuper Ambrosius sic Exae-
meron illius conpilauit, ut magis Hippolyti sententias Basiliique
7 sequeretur. ego ipse, cuius aemulatores esse uos dicitis et ad ceteros 10
talpae caprearum in me oculos possidetis, si malo animo fuissem erga
Origenem, interpretatus essem hos ipsos, quos supra dixi, libros, ut
mala eius etiam Latinis nota facerem; sed numquam feci et multis
rogantibus adquiescere nolui. non enim consueui eorum insultare
erroribus, quorum miror ingenia. ipse, si aduiueret, Origenes ira- 15
sceretur uobis, fautoribus suis, et cum Iacob diceret: odiosum me
fecistis in mundo.

8. Uult aliquis laudare Origenem? laudet, ut laudo: magnus
uir ab infantia et uere martyris filius Alexandriae ecclesiasticam
scholam tenuit succedens eruditissimo uiro, Clementi presbytero; 20
uoluptates in tantum fugiit, ut zelo dei, sed non secundum scientiam
ferro truncaret genitalia; calcauit auaritiam; scripturas memoriter
tenuit et in studio explanationis earum diebus sudauit ac noctibus.
2 mille et eo amplius tractatus, quos in ecclesia locutus est, edidit;
innumerabiles praeterea commentarios, quos ipse appellat tomos et 25

16 *Gen. 34, 30   21 cf. Rom. 10, 2

1 iniuriam B^2 criminosi 𝔄 criminosam N 2 medella G𝔄D—ela *cet.*   3 et *om.* ς
anni prope ς   origenis 𝔄D 4 dorm.] mortuus est (est *s.l.Q*)DQB^2 aus.
est unq. ς   5 uel libros 𝔄   *STOMATEAS* (*sic*) Q adbreuiatiores (*sic; del.*)
stromates B^2 στρωματέας et τόμους ς   6 uoluerit B^1 dissert. $DNB^1,B^2a.r.$
7 eius tract. ς   8 sanctus ambr. DQB^2 exaem. G𝔄 exam. *cet.* Hexaem. ς
9 ippolyti G (h)ypoliti NQ hippolitis 𝔄 yppoliti DB^1 ipoliti B^2 10 ego—16 fautor.]
uerbis N imitatores B^2 uos esse Q 11 caprarum B^2 14 quiescere
$B^2a.c.m2$ 15 adhuc uiueret B^1 origenis 𝔄   16 me *ex* ae G 18 uultis D
19 et] u (*eras.*) G 20 scholam G𝔄 scolam *cet.*   presb. clem. 𝔄   21 fugiit G𝔄N
fugit *cet.*   sed tamen ς   22 truncare G 23 desudauit B^2 25 praet.
inn. B^2 appellauit 𝔄$N B^1$ thomos NQB τόμους ς

quos nunc praetereo, ne uidear operum eius indicem texere. quis
nostrum tanta potest legere, quanta ille conscripsit? quis ardentem
in scripturis animum non miretur? quodsi quis Iudas zelotes oppo-
suerit nobis errores eius, audiat libere:

5   interdum magnus dormitat Homerus,
     uerum operi longo fas est ignoscere somnum.
9. Non imitemur eius uitia, cuius uirtutes non possumus sequi.
errauerunt in fide et alii tam Graeci quam Latini, quorum non necesse est proferre nomina, ne uideamur eum non sui merito, sed
10 aliorum errore defendere. 'hoc non est', inquies, 'excusare Origenem,
sed accusare ceteros'. pulchre, si eum errasse non dicerem, si in fidei
prauitate saltem apostolum Paulum aut angelum de caelo audiendum crederem; nunc uero, cum simpliciter errorem eius fatear, sic
legam ut ceteros, quia sic errauit ut ceteri. dicas: 'si multorum com- 2
15 munis est error, cur solum persequimini?' quia uos solum laudatis ut
apostolum. tollite amoris ὑπερβολὴν et nos tollimus odii magnitudinem. ceterorum uitia de libris suis ad hoc tantum excerpitis,
ut huius defendatis errorem; Origenem sic fertis in caelum, ut nihil
eum errasse dicatis. quisquis es adsertor nouorum dogmatum,
20 quaeso te, ut parcas Romanis auribus, parcas fidei, quae apostoli
uoce laudata est. cur post quadringentos annos docere nos niteris, 3
quod ante nesciuimus? cur profers in medium, quod Paulus et
Petrus edere noluerunt? usque ad hanc diem sine ista doctrina
mundus Christianus fuit. illam senex tenebo fidem, in qua puer
25 renatus sum. Pelusiotas nos appellant et luteos et animales et car-
neos, quod non recipiamus ea, quae spiritus sunt, illi scilicet

5 Horat. a. p. 359 sq.   12 cf. Gal. 1, 8   25 cf. I Cor. 2, 14

1 uideat N   op. ei. ind.] ordinem op. ei. indecenter B¹p.c.B²   2 poterit B¹
3 in om. G   miraretur N   6 opere in longo ς   est ex es G   ignoscere (s.l. l
obrepere)B¹ obreppere B²   somnia N   7 imitetur N   seq. non poss. B²   possum 𝔄
8 et om. DQB²   9 proferri Q   uideamus N a.c.Q   10 defendere om.
(in mg. m2 culpare)N   inquiens D   11 alt. si] etiam G   fide G   12 prauitatem D
prauitatem eius G   saltim GD   Paulum om. 𝔄   aut] uel ς   audiendum eum N   13 eius om. N   fateor B²; add. et (eras.)N   14 sed dicas ς
dicam B²   15 laudastis B¹   16 apostolos 𝔄NB¹   tolle ς   amores DB²
ὑπερβ. uarie trad. codd.   nos om. 𝔄   colimus D   magnitudine G
17 ceterum (erum in ras. m2)B²   18 errori 𝔄   nihil eum] nihilum 𝔄
21 nos om. Q   22 petr. et paul. B¹a.c.B²   23 edocere B²   hunc D   24 xpia D
25 natus DQB²   animalesque ς   26 sunt spiritus B¹

9*

4 Hierosolymitae, quorum mater in caelo est. non contemno carnem, in qua Christus et natus est et resurrexit, non despicio lutum, quod excoctum in testam purissimam regnat in caelo, et tamen miror, cur carni detrahentes uiuant carnaliter et inimicam suam foueant et nutriant delicate, nisi forte inplere uolunt scripturam dicentem: 5 amate inimicos uestros et benefacite his, qui perse-quuntur uos. amo carnem castam, uirginem, ieiunantem; amo carnis non opera, sed substantiam; amo carnem, quae iudicandam esse se nouit; amo illam, quae pro Christo in martyrio caeditur, laniatur, exuritur. 10

10. Illud uero, quod adserunt a quibusdam hereticis et mali-uolis hominibus libros eius esse uiolatos, quam ineptum sit, hinc probari potest. quis prudentior, doctior, eloquentior Eusebio et Didymo, adsertoribus Origenis, inueniri potest? quorum alter sex uoluminibus τῆς ἀπολογίας ita eum ut se sensisse confirmat, alter 15 sic eius errores nititur excusare, ut tamen illius esse fateatur, non scriptum negans, sed sensum scripti edisserens. aliud est, si, quae 2 ab hereticis addita sunt, Didymus quasi bene dicta defendit. solus scilicet inuentus est Origenes, cuius scripta in toto orbe pariter falsarentur et quasi ad Mithridatis litteras omnis ueritas uno die de 20 uoluminibus illius raderetur. si unus uiolatus est liber, num uniuersa eius opera, quae diuersis et locis et temporibus edidit, simul corrumpi potuerunt? ipse Origenes in epistula, quam scribit ad Fabianum, Romanae urbis episcopum, paenitentiam agit, cur talia scripserit, et causas temeritatis in Ambrosium refert, quod secreto edita in 25

1 cf. Gal. 4, 26   6 *Matth. 5, 44. *Luc. 6, 27   20 cf. Cicero de imp. Gn. Pompei 7 etc.

1 hie(ihe)rosolim. $\mathfrak{A}B$ hierusoly(i)m. DNQ 2 $pr.$ et $om.DQB$ quod ex quo G 4 sui N foueant uoluptuose $B^1,B^2p.c.m2$ 5 uolunt] nollent N 6 et $om.$ DB^2 iis ς   uos pers. B^2 persecuntur QB^1 7 castam et B^1 8 carnis] carnes B^2 iudicanda N 9 se esse DQB^2 11 maleuolis G 12 impium Q 13 probare D doctor D doctor et Q 14 didimo $codd.$ $praeter$ $\mathfrak{A}$ sex] ex G 15 ita] orig ita $\mathfrak{A}$ ut se $om.$ Q se $om.$ $\mathfrak{A}$ sens. se B^2 alter] ad G 16 err. eius G eius $om.$ $\mathfrak{A}NB^1$ esse] se $D,B^2a.c.m2$ 17 scribentis DQB disserens G illud $DQ,B^2a.c.m2$ est $om.$ G qua DQB 18 edita B^1 dydim. GN didim. DQ aliud si quis B^1,B^2 in $ras. m2$ defendat B^1 19 scil. $om.$ ς   in bis $Na.r.$ his G toto ex to G pariter $om.$ $\mathfrak{A}$ 20 mithr. $G\mathfrak{A}$ mitr. $cet.$ lit($alt.$ t $s.l.$)eram G 21 eius NB^1 est $s.l.G$ 22 conrumpi $\mathfrak{A}$ 23 origenis $\mathfrak{A}$ in $om.$ D fabium $G\mathfrak{A}.NB^1a.c.m2$ 24 tali G

publicum protulerit: et quidam adhuc εὑρεσιλογοῦσιν aliena esse,
quae displicent!

    11. Porro, quod Pamphilum proferunt laudatorem eius, gratias
illis ago meo nomine, quod dignum me putauerunt, quem cum
5 martyre calumniarentur. si enim ab inimicis Origenis libros eius
dicitis esse uiolatos, ut infamaretur, quare mihi non liceat dicere ab
amicis eius et sectatoribus conpositum esse sub nomine Pamphili
uolumen, quod illum testimonio martyris ab infamia uindicaret?
ecce uos emendatis in Origenis libris, quod ille non scripsit, et mi- 2
10 ramini, si edat aliquis librum, quem ille non edidit? uos in edito
opere potestis coargui; ille, qui nihil aliud edidit, facilius patet
calumniae. date quodlibet aliud opus Pamphili, nusquam reppe-
rietis; hoc unum est. unde igitur sciam, quod Pamphili sit? uidelicet
stilus et saliua docere me poterit. numquam credam, quod doctus
15 uir primos ingenii sui fructus quaestionibus et infamiae dedicarit.
et ipsum nomen Apologetici ostendit accusationem; non enim de-
fenditur, nisi quod in crimine est. unum proferam, cui contradicere
uel stulti sit uel inpudentis. sex librorum Eusebii super Origenis 3
defensione principium usque ad mille ferme uersus liber iste, qui
20 Pamphili dicitur, continet et in reliquis scriptor eiusdem operis
profert testimonia, quibus nititur adprobare Origenem fuisse catho-
licum. Eusebius et Pamphilus tantam inter se habuere concordiam,
ut unius animae homines putes et ab uno alter nomen acceperit.
quomodo igitur inter se dissentire potuerunt, ut Eusebius in toto
25 opere suo Origenem Arriani dogmatis probet et Pamphilus Nicenae

---

1 quidam] quid ς   adhuc 𝔄 nunc (*ex* num *m2 N*) *cet.* *CYPECIΛOYCIN G*
CYPHΛOΓOICIN B¹ EYPHΛOCOICI N EICIΛOCOPTIM B² ETIHCIΛOΓOΓ-
ti*MD* dicunt *EIPHCIΛOΓOYCY ω Q*, *legi non potest* 𝔄 alienasse *N* 3 profert *N*
eius *ex* ei *m2 N*   4 illi *D* illius *B¹a.c.m2*   quem] que *N*   5 maturae 𝔄
6 infamarentur *B¹* infirmarentur *ex* - retur *m2 B²*   7 am.] inimicis *DN B²*
sect.] obtrectatoribus *B²*   non positum *DQ*   8 martyrii *B¹*   infantia
B²a.c.m2 9 quos *B¹*   10 ille] illum *Q*   11 non potestis *Q*   12 numquam *B¹a.c.B²a.c.m2*   14 salua *D*   credo *Q*   doctos 𝔄   15 primus *N*   infamia *D*   dedicauerit *B²*   16 apollogetici *D*   excusationem *Q*
17 num *DQB²* unum nunc ς perferam *D*   18 inprudentis *DQ,B²a.c.m2*
sexti libri *B²* sextus liber *DQ* 19 defensionem *D*   princ. habet *Q*   20 pham-
phili dicetur 𝔄   continetur *Q* et *om. DQB²* 21 origenem 𝔄 22 habuerunt
concordia *N*   24 distare *N*   25 Or. Arr.] origene narrari *N*   arriana
dogmata *B¹a.c.m2*   probet dogmatis ς   nicaenae *G*𝔄

synodi, quae fuit postea, defensorem? ex quo ostenditur uel Didymi
uel cuiuslibet alterius esse opusculum, qui sex librorum capiti detrun-
4 cato cetera membra sociarit. sed concedamus ex superfluo, ut Pamphili sit, Pamphili, sed necdum martyris — ante enim scripsit, quam
martyrium perpetraret —: 'et quomodo,' inquies, 'martyrio dignus 5
fuit?' scilicet ut martyrio deleret errorem, ut unam culpam sanguinis sui effusione purgaret. quanti in toto orbe martyres, antequam caederentur, uariis subiacuere peccatis! defendamus ergo
peccata, quia, qui postea martyres, prius peccatores fuerunt?
12. Haec, fratres amantissimi, ad epistulam uestram celeri ser- 10
mone dictaui uincens propositum, ut contra eum scriberem, cuius
ingenium ante laudaueram, malens existimatione periclitari quam
fide. hoc mihi praestiterunt amici mei, ut, si tacuero, reus, si respon-
dero, inimicus iudicer. dura utraque condicio, sed de duobus eligam,
quod leuius est: simultas redintegrari potest, blasphemia ueniam 15
2 non meretur. quid autem laboris in transferendis libris περὶ ἀρχῶν
sustinuerim, uestro iudicio derelinquo, dum et mutare quippiam de
Graeco non est uertentis, sed euertentis, et eadem ad uerbum exprimere nequaquam eius, qui seruare uelit eloquii uenustatem.

1 synhodi G fidei Q sinodi cet.   fuit dampnata B¹   defensaret B¹,B²p.c.m2
didimi codd.   2 qui] quod Q   sexti libri Q sexto libri D sexta(-i m2) libri B²
·VI· (in ras. m2) libri (alt. i in ras. m2) B¹   capiti G𝔄,Np.c. capite cet.
3 ad cetera B²   sociarint N   concidamus 𝔄   ut] et ς   4 alt. Pamphili
del. m2B², om. B¹ pamphyli G   nondum B²   5 perpetrarit ex perptarit B²
perpeteretur ς   inquis B²   7 tot D   8 subiacere D subiacebant Q   peccatis
ex periculis B¹   9 qui om. N   12 ante ex te G   mallens B²   extima-
tione DB²   14 de] e Gp.r.𝔄DB²   duabus DQ,B²a.c.   15 si multos Q
redintegrare Q redintegra D reintegrari B   uen. blasph. B¹   16 libr.
transf. ς   17 sustinuero B¹a.c. sustinuerimus B²   qui piam B²   de
Graeco om. N   18 euert. et eadem] eadem euerteatis (tert. e eras.) N   19 uen.]
add. explicit epistula sancti hieronimi praesb ad pammachium et oceanum 𝔄
amen G

LXXXV.

AD PAULINUM PRESBYTERUM.

1. Uoce me prouocas ad scribendum, terres eloquentia et in epistolari stilo prope Tullium repraesentas. quod quereris me 5 paruas et incomptas litterulas mittere, non uenit de incuria, sed de timore tui, ne uerbosius ad te loquens plura reprehendenda trans-

O = *Oxoniensis Balliolensis 229 s. XII.*
B = *Berolinensis lat. 18 s. XII.*
$\mathfrak{a}$ = *Parisinus bibl. armamentarii 293 s. XII.*
$\mathfrak{c}$ = *Mazarinianus 577 s. XII.*
$\mathfrak{e}$ = *Parisinus lat. 1876 s. XII.*
$\mathfrak{r}$ = *Carolopolitanus 196 d II s. XII.*
$\mathfrak{f}$ = *Parisinus lat. 1883 s. XIII.*
ϱ = *Amplonianus fol. 91 s. XIV.*
ι = *Vindobonensis lat. 644 s. XV.*
$\varkappa$ = *Vindobonensis lat. 3870 s. XV.*
ν = *Holkhamicus 126 s. XV.*
ξ = *Holkhamicus 127 s. XV.*
π = *Holkhamicus 128 s. XV.*
φ = *Cantabrigiensis univers. 409+410 s. XV.*
$\mathfrak{b}$ = *Mazarinianus 574 s. XV (praebet duo apographa:* $\mathfrak{b}^1$ *fol. 107^b*
    et $\mathfrak{b}^2$ *fol. 147^a).*
$\mathfrak{d}$ = *Mazarinianus 575 s. XV.*

ad paulinum presbiterum $\mathfrak{d}$ ad paulinum ξ ad paulinum $\overline{\text{pbrm}}$ ($\overline{\text{prbrm}}$ $\varkappa$), cur non scripserit (scripsit B) in danielem commentarios (—um $\varkappa$)$B\varkappa$ ad eundem paulinum, cur non scripserit in danielem commentarios $\mathfrak{a}$ ad pamachium (*del.*, *s.l.* paulinum psbrm), cur non scripsit in danielem commentarios ι ad eundem palmachium(*sic*), cur non scripserit in daniele (*sic*) commentarios $\mathfrak{c}$ ad paulum, cur non scripserit in danie(he $\mathfrak{e}$ $\mathfrak{f}$)lem $\mathfrak{e}$ $\mathfrak{r}$ $\mathfrak{f}$ $\mathfrak{b}^1$ ad paulum, alias honestum, cur non scripserit in danielem, scilicet ob translationem periarchon origenis $\mathfrak{b}^2$ paulino de induratione pharaonis et quomodo sancti sint, qui de fidelibus baptizatis nascuntur. epistola tercia π ad ·H· de duabus questionibus. epistola egregia ν ad paulinum de duabus questionibus, quibus prepeditus interpretationis officio respondere non potuit φ, *titulo carent Oϱ; Hieronymi nomen exhibent tituli in* $\mathfrak{a}$ $\mathfrak{c}$ $\mathfrak{e}$ $\mathfrak{r}$ $\mathfrak{f}$ ι $\varkappa$ ν ξ π $\mathfrak{b}^1$ $\mathfrak{b}^2$

3 me me ν terres eloq. *om.*$\varkappa$ et] nam et $\mathfrak{b}^1$ 4 stillo $\nu\xi$ tulium $\varkappa\xi$ quid $\mathfrak{b}^1$ queris $\nu\varphi$ 5 incomptas (= incompertas) ϱ literulas B litteras ι sed] se π *alt.* de *om.*ς 6 dei(*del.*)tui $\varkappa$ reprehendens $\mathfrak{e}$$\mathfrak{f}$$\varrho\varkappa\mathfrak{b}$

2 mittam. et, ut sanctae menti tuae simpliciter fatear, uno ad occidentem tempore nauigandi tantae a me simul epistulae flagitantur,
ut, si cuncta ad singulos uelim rescribere, occurrere nequeam. unde
accidit, ut omissa conpositione uerborum et scribentium sollicitudine
dictem, quicquid in buccam uenerit, et amicum te tantum meorum 5
dictorum, non iudicem considerem.

2. Duas quaestiunculas tuae litterae praeferebant: unam,
quare sit a deo induratum cor Pharaonis et apostolus dixerit:
n o n u o l e n t i s n e q u e c u r r e n t i s, s e d m i s e r e n t i s
e s t d e i et cetera, quae liberum tollere uidentur arbitrium; 10
alteram, quomodo sancti sint, qui de fidelibus, id est baptizatis,
nascantur, cum sine dono gratiae postea acceptae et custoditae
salui esse non possint.

3. Primae in libris περὶ ἀρχῶν, quos nuper Pammachio nostro
iubente interpretatus sum, Origenes fortissime respondit; quo de- 15
tentus opere inplere non potui, quod tibi promiseram, et Danielem
nostrum rursum conperendinaui. et quidem, quamuis mei amantissimi et egregii uiri, tamen unius uoluntatem in tempus aliud
distulissem, nisi omnis paene fraternitas de urbe eadem postulasset
adserens multos periclitari et peruersis dogmatibus adquiescere. 20
2 unde necessitate conpulsus sum transferre libros, in quibus plus
mali quam boni est, et hanc seruare mensuram, ut nec adderem

8 cf. Exod. 4, 21 etc.   9 Rom. 9, 16   11 cf. I Cor. 7, 14

1 et *om. ϰ*   ut—fatear *in mg. inf.* b   ut—occid. *om.*erʃoϰπφ   uno ad occ.
*om.*Oacξb   uno *om.*ν   2 tem. nau. tantae] enauigandi ante tempora ϰ   nau.
temp. erʃoπφb   3 si ad cuncta ad ϱ   scribere Bαινφb¹b   4 obmissa ν solicit. νb
5 bucam ʃ   uenit ιν   dict. meor. Oaϰν   6 non *om. ϰ*   7 tuae] quas tue ϰ te tue ξ
litt. tuae Bινb   una ϗb   8 sit] fuit ν   sit a deo sit b¹ a deo sit b²   ind.
a deo c   9 miserentis (*alt.* e *in ras.m*2)B   10 est *s.l.m*2B,*om.*νφ   toll. uid.
arb.] tollat arb. uid. ν   uid. toll. erʃoιπφb   11 altera cϰb   sancti] facti ν
sunt νφ   de] a O   12 nascantur Oacξ nascuntur *cet.*   cum] qui cum ϰ
13 possunt ϰ,b*a.c.* possent B*a.c.m*2   14 ΠΕΡΙ ᾽ΑΡΧΩΝ ϱ: tepiapxon ϰ
spatium uacuum φ peri archon *uel* peri arcon *cet.*   pamachio ϗb   15 respondet
erʃoπφb   quod ϰ   detemptus cb   16 prom. tibi φ; *add.* rursum (*eras.*)ξ
danihelem erʃ   17 rursus ν   comprend. π comperhend. b compend. c con-
pendiaui ν   am. et egr. uiri] attentissimi uiri et egr. b; *add.* pammachii eφ
18 tamen] tantum ν   19 nisi] ubi ϱ   ead. urbe Oacϱξb²   20 ass. *codd.*
periclitare ϰ   acq. ϱoπφ aq. ν quiescere b¹   21 quibus quidem φb   plus (*s.l.*)
mali B mali plus φb   22 ut] quo erʃoπb

quid nec demerem Graecamque fidem Latina integritate seruarem.
quorum exemplaria a supra dicto fratre poteris mutuari, licet tibi
Graeca sufficiant et non debeas turbidos nostri ingenioli riuos quaerere, qui de ipsis fontibus bibis.

5   4. Praeterea, quia docto uiro loquor et tam diuinis scripturis
quam saeculi litteris erudito, illud dignationem tuam admonitam
uolo, ne me putes in modum rustici balatronis cuncta Origenis re-
probare, quae scripsit — quod in me criminantur ἀκαιϱοσπονδασταί
eius et quasi Dionysium philosophum arguunt subito mutasse sen-
10 tentiam —, sed tantum praua dogmata repudiare. scio enim aequali 2
maledicto et eos subiacere, qui bona mala dicunt, et illos, qui mala
bona iudicant, qui faciunt amarum dulce et dulce amarum. aut
quae est tanta pertinacia sic alicuius laudare doctrinam, ut sequar
et blasphemiam?

15   5. De secundo problemate tuo Tertullianus in libris de monogamia disseruit adserens sanctos dici fidelium filios, quod quasi
candidatae sint fidei et nullis idolatriae sordibus polluantur. simulque considera, quod et uasa sancta in tabernaculo legerimus et
cetera, quae ad ritum caerimoniarum pertinent, cum utique sancta
20 esse non possint nisi ea, quae sentiunt et uenerantur deum. idioma 2

---

9 cf. Cicero, Tusc. disp. II 60 etc.   11 cf. Esai. 5, 20   15 locus in Tertulliani
libro de monogamia non exstat

1 latini ϱ   seruare O   2 quorum] quoniam φ   fratre om.ν   potueris κ
mutuare Bϵνπ   3 debeas — 5 quia] de φ   nostri turb. ϵιϝϱπϧ   ingenii κ
riuulos αϵιϝϵκ   5 quia] que νξ   docto uiro doctϱr loquor ν   6 iilud om. κ
adm. uolo] rogo admonitum κ   ammonitam Bϵ monere ϵιϝϱ,ϧ¹ (mouere?)
mouere ϧ²   7 nolo ϱ   ne—modum om. κ   in modum om. ξ   balationis
rustici ξ   balathronis ϵιϝ   8 in om. κ   criminatur ϵp.c.ϩa.c.ξφ   AKAI-
PΟΣΠΟΥΔΑΣΤΑΙ (s.l. acairospoidastai) ϵf, uarie scriptum in cet. (calphurnius
lanarius et discipuli φ, οἱ ζηλωταί c, om. Bνϧ)   9 eius om. Bνϧ   eius et] et
eius (del.)ϵ   dyonis. ϵfϵ dionis. OBαϲϱϰϧϧ   arguunt B (guunt in ras. m2)
ϵιϝϱϰνϧ arguatur O arguant cet.   10 parua ϧ   11 pr. et om. ϱ   dicunt bona
mala (m2 bona dicunt mala) O   maledicunt κ   illos] eos κ   mala bona]
bona mala ν   13 laud. alic. φ   alic. om. ξ   ut] et κ   sequar et] sequare φ sequar ϩν sequare uel κ   15 probleumate ιπ,κρ.c.   tert(ex c ν)ulianus νξ
16 ass. cᴐdd.   17 candid(t ϧ²)atae (-te) ϵιϝϱνπϧ candidati cet.   sint s.l.m2 B
sunt νϧ   fide Bp.r. filii φ   nullius O (ex nulli),ϵ a.c.   ydolatriae (-e) Ocϩ
ϱιϰνπϧ²ϧ   18 sancta uasa π uasa sacra φ   legimus ς   19 tritum ϧ¹a.c.
statum κ   cerem. ϧ   20 possunt ξ   ideoma ϵ ydeoma κπ ydioma ϧ²ϧ

igitur scripturarum est, ut interdum sanctos pro mundis et purifi-
catis atque expiatis nominet, sicut et Bethsabee sanctificata scribitur ab inmunditia sua et ipsum templum sanctuarium nominatur.
6. Obsecro te, ne tacito mentis iudicio me aut uanitatis arguas
aut falsitatis. testis est enim conscientiae meae dominus, quod ab 5
ipso procinctu et interpretationis exordio supra dicta necessitas me
retraxit; et scis ipse non bene fieri, quod occupato animo fiat. palliolum textura breue, caritate latissimum senili capiti confouendo
libenter accepi et munere et muneris auctore laetatus.

LXXXVI.   10
AD THEOPHILUM.

Beatissimo papae Theophilo Hieronymus.

Nuper tuae beatitudinis scripta suscepi et emendantia uetus
silentium et me ad solitum officium. prouocantia. unde, licet per

2 cf. II Reg. 11, 4

1 et—atque] atque—et ɛɾʃπb atque—atque ǫ et—etO   2 nominent ǫb¹
bethsabeǫ cr beethsabee ǫ bersabee ϰξφ bersabe ν b̄sabee B   3 sanctuarium
ex sanctum ϰ sanctificatum ν   uocatur ɩ   5 est om. ɩϰ   enim] add. mihi ʃ
deus ǫφb   6 et om. ν   exordium ϰ   me nec. ɛɾʃǫπb   7 traxit φ   accusato ɛɾʃ
pall. (sc. cum cucullo)] pilleolum Bɩνφb pileolum ς   8 texuta α   breui Oαϰξ
car. lat. om. b   capite αϰϰν   9 accipe ϰ   aucte ϰα.c. autore cp.r.   letatus sum b²

F = Veronensis XVI. 14 s. IX.
J = Vindobonensis lat. 934 s. IX.
Σ = Turicensis Augiensis 41 s. IX.
Φ = Guelferbytanus 4156 s. IX—X.
O = Oxoniensis Balliolensis 229 s. XII.
α = Parisinus bibl. armamentarii 293 s. XII.
z = Vaticanus lat. 360 s. XII—XIII.
u = Ambrosianus H. 59. sup. s. XIII.
ɩ = Vindobonensis lat. 644 s. XV.

ad theophilum FJΣ, add. epm αz ad eundem theophilum quanta prouidentia
prius tacuerit, cum postea scribatO ad theophilum papam super uictoria heresis
allexandrine ɩ item alia Φ, titulo caret u; Hieronymi nomen exhibent tituli in αzɩ

12 hyeronim. ɩ ieronim. α hieronim. cet. praeter O   13 beat. tue ɩ   tuae]
a te FJΣ   scr. suscepi FJΣ scr. percepi cet. percepi scripta ς   et (eras. Σ)
FJΣ, om. cet.   emendatia Σa.c. emandatia Φ

sanctos fratres Priscum et Eubulum tuus ad nos sermo cessauerit,
tamen, quia uidemus illos zelo fidei concitatos raptim Palaestinae
lustrasse regiones et dispersos regulos usque ad suas latebras perse-
cutos, breuiter scribimus, quod totus orbis exultet et in tuis uictoriis
5 glorietur erectumque Alexandriae uexillum aduersus heresim tropaea surgentia gaudens populorum turba prospectet. macte uirtute, 2
macte zelo fidei! ostendisti, quod huc usque taciturnitas dispensatio fuerit, non consensus. libere enim reuerentiae tuae loquor:
dolebamus te nimium esse patientem et ignorantes magistri guber-
10 nacula gestiebamus in interitum perditorum. sed tu ideo diu exal-
tasti manum et suspendisti plagam, ut ferires fortius. super suscep-
tione cuiusdam non debes contra huius urbis dolere pontificem, quia
nihil tuis litteris praecepisti et temerarium fuit de eo, quod nesciebat, ferre sententiam; tamen reor illum nec audere nec uelle te in
15 aliquo laedere.

12 cuiusdam] *nomen ignoratur, cf. Gruetzmacher, Hieron. III 52*

1 sanctum fratrem *F*   eubolum *FJΣ* cubulum *Φα* subulum *ϛ* eciholum *u*
ad nos *FJΣu, om. cet.*   2 quia uid.] quid audiuimus *u*   uidemus *FJΣ* uidimus *cet.*   illos *om. ϛ*   zelos *Φ*   phalestinae *FJ* palesthine *u*   3 lustrare *Σ*
4 orbis] mundus *ϛ*   exultat *Σp.c.m2*   et *om. Φ*   5 gloriatur *Σp.c.m2*
e(ę *Σ*)ratumque *Fa.c.,Σ* (eleuatumque *in mg. m2*)   uex. alexandrinae *transpos.*
signis add.F   alexandrinae *FJΣ*   uixillum *Φ; add.* crucis *FJΣ* et *cet.* crucis et *ϛ*
aduersum *FJϛ*   tropea *FJ* in trophea *Φ* trophea *cet.*   6 fulgentia *Oαϛ*   uir-
tute] uictus *Φαϛ*   7 macte] hac te *u*   quod usque *F in mg. J,Σ (s.l. add.* nunc *m2)*
taciturnitatis *u*   8 fuit *ϛ; add.* et *O*   non *om. u*   enim *om. ϛ*   tuae *om. FJΣ*
loquar *u*   9 nimiam *Fa.r.J*   fuisse *ϛ*   ignorabamus *FJΣ* ignoramus te *u*
10 in *om. u*   interitu *Σp.c.*   tu ideo *FJΣ* ideo tu *u* ut uideo *cet.*   exalt.
man. diu *ϛ*   diu *om. Fu*   11 su(s *s.l.*)pendis *Φ*   fortiter *ΦOαϛ*   suscept(c *F*)i-
onem *FOαzu* susceptationem *Φ*   12 cuiusquam *u*   urbis huius *Φαzϛ*   orbis
Fa.c.Σ   dolore *JΦ,ua.c.*   13 eo] hoc *ϛ*   14 tamen] tum *ϛ*   *pr.* nec *bis F*
(corr.) ne *u*   audire *Fa.c. Ou*   15 aliquod *Fa.r.* aliquid *Φ*

LXXXVII.

EPISTULA THEOPHILI AD HIERONYMUM.

Dilectissimo et amantissimo fratri Hieronymo Theophilus
episcopus.

Sanctus episcopus Agatho cum dilectissimo diacono Athanasio
in ecclesiastica directus est causa, quam cum didiceris, non ambigo,   5
quin nostrum studium probes et in ecclesiae uictoriis glorieris. nam
Origenis heresim in monasteriis Nitriae quidam nequam et furiosi
homines serere et fundare cupientes prophetica falce succisi sunt,
quia recordati sumus apostoli commonentis: argue eos seuere.
2 festina igitur et tu partem huius praemii recepturus deceptos quos-   10
que emendare sermonibus. optamusque, si fieri potest, in diebus
nostris catholicam fidem et ecclesiae regulas cum subiectis nobis
populis custodire et omnes nouas sopire doctrinas.

8 cf. Apoc. 14, 17—20   9 *Tit. 2, 15

    Φ = *Guelf3rbytanus 4156 s. IX—X.*
    O = *Oxoniensis Balliolensis 229 s. XII.*
    B = *Berolinensis lat. 18 s. XII.*
    $\mathfrak{a}$ = *Parisinus bibl. armamentarii 293 s. XII.*
    z = *Vaticanus lat. 360 s. XII—XIII.*
    u = *Ambrosianus H. 59. sup. s. XIII.*
      = *Vindobonensis lat. 644 s. XV.*

episl theophili epi ad h(i *s.l.*)eronimum Φ ad ieronimum theophilus, quanta
diligentia usus sit contra quosdam hereticos O theophilus ad iheronimum B
epla bi theophili ad ieronimum $\mathfrak{a}$ epla b theophili ad hieron z theophili ad
hye^m, ut moneat sermonibus emendatos ab heresi origenis ι, *titulo caret u*

    3 hie(hye ι he u ihe B ie $\mathfrak{a}$)ronimo $\Phi Bazu\iota$, *add.* presbytero ς 4 agato Φ
agathos u agathus ι dilect.] antissimo (*sic*) Φ atanasio Φu 6 quin]
quem Φ uictoria $B\iota$ namque ι 7 nequaquam (*pr.* qua *exp.*) u peruersi (*s.l.*) ι
8 prophetie u 9 comon. ap. ι 10 proemii u quoque u, ι *a.c.*; *add.* con-
gruis scripturarum ς 11 que *om.* $B\iota$ 12 seculas (*alt.* s *exp.*) u nostris u
13 propriis O

LXXXVIII.
AD THEOPHILUM.

Beatissimo papae Theophilo Hieronymus.

Duplicem mihi gratiam beatitudinis tuae litterae praestiterunt,
5 quod et sanctos ac uenerabiles Agathonem episcopum et diaconum
Athanasium habuerint portitores et aduersus sceleratissimam
heresim zelum fidei demonstrarint. uox beatitudinis tuae in toto
orbe personuit et cunctis Christi ecclesiis laetantibus diaboli uenena
siluerunt. nequaquam antiquus serpens sibilat, sed contortus et
10 euisceratus in cauernarum tenebris delitescens solem clarum ferre
non sustinet. equidem super hac re, et antequam scriberes, ad oc- 2
cidentem epistulas miseram ex parte hereticorum strophas meae
linguae hominibus indicans. et dispensatione dei factum puto, ut
eo in tempore tu quoque ad papam Anastasium scriberes et nostram,
15 dum ignoras, sententiam roborares. uerum nunc a te commoniti
magis studium adcommodabimus, ut et hic et procul simplices ab

Φ = *Guelferbytanus 4156 s. IX—X.*
O = *Oxoniensis Balliolensis 229 s. XII.*
B = *Berolinensis lat. 18 s. XII.*
α = *Parisinus bibl. armamentarii 293 s. XII.*
z = *Vaticanus lat. 360 s. XII—XIII.*
u = *Ambrosianus H. 59. sup. s. XIII.*
ι = *Vindobonensis lat. 644 s. XV.*

episl sci hiero ad theophilo (ū m2) epo (ū m2) Φ ad theophilum ieronimus suam
commendans diligentiam et quedam familiaria subnectens O iheronimus ad
theophilum papam B epla bi (h z) ieronimi ad theophilum αz hyero ad
theophilum ι, *titulo caret u*

   3 theoph. cpsbro *u*   hie(hye ι ihe B ie α)ronimus $\Phi B z\iota$ herōim psbr *u*
4 dupplicem Bu tue beat. *u*   5 quos *u*   et *om. u*   ac] et *u*   diaconem B
6 athanisium Φ habuerunt *u*ι habuerim Φ aduersos *u* aduersum ι 7 demonstrarent ι demonstrari Φu demonstrar⁻ B 8 personauit Φ pertonuit ς
cuncte xpi ecclesie letantur O in cunctis xpi ecclesiis latentis *u*   9 siluere ι
neq. amplius ς anticus B 10 dilitescens $\Phi\iota$ 11 si quidem B qui quidem $Oz\iota$
quidem α scriberem *u*   12 ex] et *u*   13 iudicasse Φ et] ex $B\iota$ 14 in
eo O eodem α Anast. pap. ς athanasium *u*   15 roborasse (*sic*) *u*   nunc
a te Φu a te nunc *cet.*   admoniti ι āmoniti B 16 studium] *add.* nunc a te Φ
ac(d Φ)commodauimus $\Phi O B \alpha z$ et hic et] et hic $B\alpha.c.\alpha z$ hic O ex hīc ι hic et ς

errore reuocemus nec timeamus odia subire quorundam — non enim
debemus hominibus placere, sed deo —, quamquam ardentius ab illis
defendatur heresis, quam a nobis oppugnetur. simulque obsecro,
ut, si qua synodica habes, ad me dirigas, quo possim tanti pontificis
auctoritate firmatus liberius et confidentius pro Christo ora reserare. 5
3 Uincentius presbyter ante biduum, quam hanc epistulam darem,
de urbe uenit et suppliciter te salutat crebroque sermone concelebrat
Romam et totam Italiam tuis post Christum epistulis liberatam.
annitere ergo, papa beatissime, et per omnem occasionem ad occiden-
tales episcopos scribe, ut mala germina acuta, ut ipse significas, 10
succidere falce non cessent.

LXXXIX.

EPISTULA THEOPHILI AD HIERONYMUM.

Domino dilectissimo et amantissimo fratri Hieronymo presbytero
Theophilus episcopus. 15

Didici, quod et sanctitas tua nouerit, Theodorum monachum
eiusque studium conprobaui, quia, cum a nobis Romam nauigaturus
exiret, noluit ante proficisci, nisi te et sanctos fratres, qui tecum
sunt in monasterio, quasi sua uiscera amplexaretur et inuiseret. quem

---

1 sub. odia *Bɩ* non] nec *ς* 3 expugnetur *z* 4 sinodica *Ou* synodoca *ɩ*
sydonica (i *ex* o) *Φ* 5 et *om.* *Φ* 6 quam] cum *u* 7 subpl. *Φ* supl. *uɩ*
8 pene totam *u* totam pene *ς* 9 annitere *sic codd.* amantissime atque beat. *ς*
10 episcopos] cpbros *u* 11 cesset *Φ* cesses *u*

Φ = *Guelferbytanus 4156 s. IX—X.*
O = *Oxoniensis Balliolensis 229 s. XII.*
B = *Berolinensis lat. 18 s. XII.*
ɑ = *Parisinus bibl. armamentarii 293 s. XII.*
z = *Vaticanus lat. 360 s. XII—XIII.*
u = *Ambrosianus H. 59. sup. s. XIII.*
ɩ = *Vindobonensis lat. 644 s. XV.*

epistula s̄c̄i theophili (*ex*—lo) ēp̄i (*ex* ēp̄o) ad hieronimum (*ex*—mo) *Φ* ad
ieronimum theophilus in commendatione theodori monachi *O* theophilus ad
iheronimum *B* ēp̄la b̄i theophili ad (h *z*)ieronimum *ɑz* theophili ad hyero^m,
quod fugati sunt sectatores origenis et quod caueat ab ypochritis *ɩ, titulo caret u*

14 domino *om. u* hie(*ex* he *Φ* hye *ɩ* ihe *B* ie ɑ)ronimo *ΦBɑzuɩ* 17 qui *u*
roma *ɑz* 19 amplecteretur *z*

cum susceperis, pro ecclesiae tranquillitate laetare. uidit enim cuncta
Nitriae monasteria et referre potest continentiam et mansuetudinem
monachorum, quomodo extinctis ac fugatis Origenis sectatoribus
pax ecclesiae reddita sit et disciplina domini conseruetur. atque 2
5 utinam apud uos quoque deponerent hypocrisin, qui occulte dicuntur
subruere ueritatem! de quibus non bene sentientes in his regionibus
fratres haec me scribere prouocarunt. quam ob rem cauete et effugite
huiusce modi homines et, iuxta quod scriptum est, s i q u i s n o n
a d f e r t a d u o s e c c l e s i a s t i c a m f i d e m, h u i c n e c
10 a u e d i x e r i t i s. quamquam ex superfluo faciam haec tibi
scribere, qui potes etiam ab errore reuocare, tamen nihil nocet
etiam prudentes et eruditos uiros pro sollicitudine fidei commoneri.
omnes fratres, qui tecum sunt, meo nomine salutari uolo.

XC.

15 EPISTULA THEOPHILI AD EPIPHANIUM.
Domino dilectissimo, fratri et coepiscopo Epiphanio Theophilus
in domino Christo salutem.

Dominus, qui locutus est ad prophetam: e c c e c o n s t i t u i
t e h o d i e s u p e r g e n t e s e t r e g n a e r a d i c a r e e t

8 *II Ioh. 10   18 *Hier. 1, 10

1 susceperit *u*   2 in nitria *Φ*   3 extinctus *ι*   ac] et *Bu ι*   5 hipocrisin *u*
hypocresin *Φ* hy(i a)pocrisim *Oaz* ypochrisim *ι*   que occulta *Φ*   6 surruere *Oa*
iis *ς*   7 prouocauerunt *Φ*   fugite *ι*   8 et *om. u*   9 nos *ι*   ne *ι*   10 superflua *Φ*
faciam] fitatur *Φ*   tibi haec *O*   hoc *ι*   11 qui] *add.* errantes *ς*   potest *Φ*
etiam (*non* et, *ut Vall. testatur*) alios *u, om. ις*   nil *B*   12 etiam] et *ς, om. ι*
et *om. ι*   comoneri *O* commonere *u*   13 nom. meo *ς*

Φ = *Guelferbytanus 4156 s. IX—X.*
O = *Oxoniensis Balliolensis 229 s. XII.*
B = *Berolinensis lat. 18 s. XII.*
a = *Parisinus bibl. armamentarii 293 s. XII.*
z = *Vaticanus lat. 360 s. XII—XIII.*
u = *Ambrosianus H. 59. sup. s. XIII.*
ι = *Vindobonensis lat. 644 s. XV.*

episl sci theophili (*ex*—lo) ad scm epifanium epm *Φ* ad epiphanium theophilus de
origenis heresibus confutatis et apud constantinopoli adhuc confutandis *O* theophilus pp ad epiphanium epm *B* epla theophili ad epiphanium epm *az* theophili
ad epiphanium, ut congregatis epis sue insule condempnet origenem et eius opera
et contra sectatores eius scribat epo constantinopolitano *ι, titulo caret u*

17 in—salutem *om. ς*   xpo dno *Φ*   domino *om. u*   Christo *om. ι*

suffodere et disperdere et rursum aedificare
ac plantare, singulis temporibus eandem ecclesiae suae largitur gratiam, ut inte rum corpus per patientiam conseruetur et in
nullo hereticorum dogmatum uenéna praeualeant. quod quidem
nunc uidemus expletum. nam ecclesia Christi, quae non 5
habet maculam neque rugam aut aliquid
istius modi, egredientes de cauernis suis Origenis colubros
euangelico ense truncauit et sanctum Nitriae monachorum agmen
2 contagione pestifera liberauit. pauca ergo ex his, quae gesta sunt,
in generali epistula, quam ad omnes in commune direxi, prout 10
patiebatur angustia temporis, conprehendi. dignationis tuae est,
quae in huiusce modi certaminibus ante nos saepe pugnauit, et
positos in proelio consolari et congregare totius insulae episcopos
ac synodicas litteras tam ad nos quam ad sanctum Constantinopoli-
tanae urbis episcopum et, si quos alios putaueris, mittere, ut con- 15
sensu omnium et ipse Origenes nominatim et heresis nefaria condem-
3 netur. didici enim, quod calumniatores uerae fidei Ammonius,
Eusebius et Euthymius nouo pro heresi furore bacchantes Constantinopolim nauigarint, ut et nouos, si quos ualuerint, decipiant
et ueteribus suae inpietatis sociis coniungantur. curae igitur tuae 20
sit, ut cunctis episcopis per Isauriam atque Pamphyliam et ceterarum prouinciarum, quae in uicino sunt, rei ordinem pandas et
nostram, si dignum putas, epistulam subicias, ut omnes spiritu
congregati cum uirtte domini nostri Iesu Christi tradamus eos
4 satanae in interitum inpietatis, quae possidet eos. et ut celerius 25

---

5 *Eph. 5, 27   24 cf. I Cor. 5, 5

2 ac] et *Φa.c.u ι   eadem *u*   3 corpus] cor *u*   per pat. *om.* ς   pacientia
ua.c.m2 (Vallarsius, ut saepe, de u falsa tradit)   5 et nunc *u*   uidimus *Φ*
e(ę *B*)cclesia sancta *B ι*   6 aliquod *Φ* aliud *O*   8 euang. *om. u*   trucidauit *B*
sanctum] secundum *O* ς *(unde* fecundum *male coni. Vallarsius)*   agmen *om. Φu;*
add. a *B*   9 contamine *Φ*   peruersa *u*   liberabit *Φu*   ergo] uero *B, om. ι*
digesta *Ba.c.ι*   sunt a nobis *B ι*   10 in gen.] iterali *u*   12 sae(e)pe ante nos *Oaz*
14 sinod. *Φa,ua.c.*   sanctum *om.* ς   15 ut] et *Φa.c.O*   consensio *Φ*   16 origenis *Φu*
17 uerae] recte *u*   amm. et *u*   18 euthim. *Φu* eutim. *cet.*   bachantes *ι*
baccantes *Φu* bacantes *az*   19 nauigarent *Φ* —runt *ι*   et *om. ι*   nouo *ι*
uoluerint *Φ*   20 coniungantur *Φ*   igitur] ergo *O*   21 ut] et *Φ* ut et *ι*   ysaur. *Oι*
atque] et *O*   pamphiliam *codd. praeter ι*   et] atque *O*   22 uicino] manu *ι*
23 nostra *u*   subic. ep. *u*   omnes] *add.* uno *Oaz,Bs.l.m2*   25 sathanę (e) *Bazuι*
interitu *Baz*

uestra Constantinopolim scripta perueniant, mitte industrium
uirum et aliquem de clericis, sicut et nos de ipsis Nitriae monasteriis
patres monachorum cum aliis sanctis et continentissimis uiris misimus, qui possint cunctos in praesenti docere, quae gesta sunt.
5 et super omnia quaesumus, ut inpensas ad dominum fundas preces,
quo possimus etiam in isto certamine uictoriam consequi. non enim
parua laetitia et in Alexandria et per totam Aegyptum populorum
corda peruasit, ex quo pauci homines eiecti sunt, ut purum corpus
ecclesiae permaneret. saluto fratres, qui tecum sunt; te plebs,
10 quae nobiscum est, in domino salutat.

XCI.
EPISTULA EPIPHANII AD HIERONYMUM.

Domino amantissimo, filio ac fratri Hieronymo presbytero et
cunctis fratribus, qui tecum uersantur in monasterio, Epiphanius in
15 domino salutem.

Generalis epistula, quae ad omnes catholicos scripta est, ad
te proprie pertinet, qui zelum fidei aduersus cunctas hereses habens

1 nostra *ι* scriptura perueniat *u* ind.—aliq.] aliq. ind. *u* 2 uirum *om. Φ*
pr. de] ex *Bι* cler. tuis *u* sicuti *u* 3 pares monacorum *u* continen-
tibus *Bι* 4 possunt *ι* 5 quaesumus *ι* qs *cet.* impensius *ι* deum *u* preces
fundas *α* 6 possumus *Φ* in isto cert. etiam *ι* etiam] et *O* ista certamina *Φ*
sequi *u* 7 allex. *ι* 8 peruasit *Oι,Bp.c.* (*cf. p. 157, 11*), sua sit *u* persuasit *cet.*
ut] et *Φ* 9 te] et *u*

Φ = Guelferbytanus 4156 s. IX—X.
T = Parisinus lat. 2172 s. X.
O = Oxoniensis Balliolensis 229 s. XII.
B = Berolinensis lat. 18 s. XII.
α = Parisinus bibl. armamentarii 293 s. XII.
z = Vaticanus lat. 360 s. XII—XIII.
V = Parisinus lat. 2173 s. XIII.
u = Ambrosianus H. 59. sup. s. XIII.

epīsl sci epiphani ad scm hīe *Φ* epistula epyfani ad hieronimum presbyterum *T*
ad ieronimum epiphanius de confutatis heresibus origenis *O* epyphanii epi ad
ieronimum *B* epła sci (*om.V*) epiphanii ad hie(ihe *V* ie *α*)ronimum (*add.* pbrm *V*)
αzV, *titulo caret u*

13 Dom. — sal. *om. B* dōpno *u* filio *om. O* hie(ihe *Vu* ie *α*)ronimo
ΦTαzVu et—mon. *TVu, om. cet.* 14 ephifanius *T* 16 generali *Φ* ad] a *Φ*
17 que *Φ* fidei] dei *Op.c.* aduersum *u*

Origenis proprie et Apollinaris discipulos auersaris; quorum uené-
natas radices et in altum defixam inpietatem omnipotens deus
protraxit in medium, ut in Alexandria proditae in toto orbe are-
2 scerent. scito enim, fili carissime, Amalech usque ad stirpem esse
deletum et in monte Raphidim erectum tropaeum crucis. et, quo-   5
modo porrectis in altum Moysi manibus uincebat Israhel, sic dominus confortauit famulum suum Theophilum, ut supra altare ecclesiae Alexandrinae contra Origenem uexillum poneret et inpleretur in eo, quod dicitur: 'scribe signum hoc, quia delebo funditus Origenis heresim a facie terrae   10
3 cum ipso Amalech'. ne uidear eadem rursum iterare et
prolixiorem epistulam texere, ipsa ad uos scripta transmisi, ut scire
possitis, quae nobis scripserit et quantum boni ultimae aetati meae
concesserit dominus, ut, quod semper clamabam, tanti pontificis
testimonio probaretur. iam autem puto et te aliquid operis edidisse   15
et iuxta priorem epistulam, qua te super hac re fueram cohortatus,
4 elimasse libros, quos tuae linguae homines legant. audio enim
et ad occidentem quorundam hominum naufragia peruenisse, qui
non contenti perditione sua uolunt plures mortis habere participes,
quasi multitudo peccantium scelus minuat et non numerosi-   20
tate lignorum maior gehennae flamma succrescat. sanctos fratres,
qui tecum in monasterio domino seruiunt, et tecum et per te plurimum salutamus.

4 cf. Exod. 17, 8—16   9 *Exod. 17, 14

1 appollonaris *Φ* Apollinarii ς   discipulis *Φ*   auers. *TV* aduers. *cet.*
2 in *om. Φ*   fixam *O*   deus omn. *B*   deus *om. u*   3 in Al.] alexandrie *u*
perdite *Φ*   in *om. V*   4 amalec *B*   5 raphidin *Φaz* raphidei *u*   trop(h *s.l.m2*)aeum
T tropheum *cet.*   et] etenim ς   7 confortabit *Φ,ua.c.*   theofil. *ΦT* teophil. *V*
super *TV*   eccl. al. altare *B*   9 quia] quasi *V*   fund. del. *V*   11 ne *TV*
et ne *cet.*   rursum *TVu* rursus *cet.*   12 ipsam—scriptam ς   transmisi *TVu*
direxi *cet.*   13 bonum *V*   16 qua te] quanta *Φ*   hanc *O*   re *om. ΦOaz*
coortatus *u*   17 libros *TVu* librum *cet.*   quod *u* quem *OBaz*   tuae] te *V*
18 hominem *Φ*   20 non *om. ΦBaz*   21 minor *Bp.c.m2*   succendat (*uoluit*
succendatur) *u*   22 in mona(o *T*)sterio domino seruiunt *TVu* sunt in mon. et
(*om. Φ*) dom. seruiunt *ΦB* sunt in mon. dom. seruientes *Oaz*   per] pro *u*

XCII.
⟨THEOPHILI SYNODICA EPISTULA AD PALAESTINOS ET AD CYPRIOS EPISCOPOS MISSA.⟩

Haec epistula uniformis ad Palaestinos et ad Cyprios episcopos
5 missa est. utriusque principia tulimus.

Ad Palaestinos:

Dominis dilectissimis, fratribus et coepiscopis Eulogio,
Iohanni, Zebinno, Auxentio, Dionysio, Gennadio, Zenoni,
Theudosio, Dictenio, Porphyrio, Saturnino, † Alani, Paulo,
10 Ammonio, Heliano, alteri Paulo, Eusebio et omnibus, qui in
Aeliae encaeniis congregati sunt, catholicis episcopis Theophilus
in domino salutem dicit.

Ad Cyprios:

Dominis dilectissimis et fratribus et coepiscopis Epiphanio,
15 Marciano, Agapeto, Boethio, Helpidio, Eutasio, Norbano,
Macedonio, Aristoni, Zenoni, Asiatico, Heraclidae, alteri Zenoni,
Kyriaco, Aprodito Theophilus in domino salutem.

1. Arbitror, quod ante nostras litteras uelox ad uos fama pertulerit temptasse quosdam in monasteriis Nitriae Origenis heresim
20 serere et monachorum purissimum coetum in potione turbida
propinare. quam ob rem conpulsi sumus ad ipsa loca pertime-
scentes sanctorum precibus et maxime patrum et presbyterorum,
qui praesunt monasteriis, ne, dum nos ire cessamus, hi, qui pru-
rientibus blandiuntur auribus, simplicum corda peruerterent.
25 quorum nobilitas in scelere est et tam rabidus furor ad omne faci- 2
nus, quod inperitia superbiaque suggesserit, ut praecipites ruant

23 cf. II Tim. 4, 3

u = Ambrosianus H. 59. sup. s, XIII, qui titulo caret

4 *et* 6 palestinos *u*   4 *alt.* ad *om. Vall.*   ciprios *u*   8 iohi *u*   Zebiano *Vall.*
dionisio *u*   genadio *u*   9 Theodosio *Vall.*   Dicterio *Vall.*   porphirio *u*
11 helie enceniis *u*   teophilus *u*   13 cipros *u*   14 domnis *u*   *pr.* et *coll. lin.*
7 delendum censet Engelbrecht   15 Agapeto *Vall.* agapeno *u*   boecio *u*   Helpidio
Vall. hilpidio *u*   16 machedonio *u*   Heraclidae *Engelbrecht* — de *u* — di *Vall.*
17 Kyriaco *scripsi* kiriaco *u*   Aphrodito *Vall.*   19 temptasse *om. Vall.*
in heresim *u*; in *a Vall. deletum post* coetum *transposui*   23 hi *scripsi* hii *u*
ii *Vall.*   24 simplicium *Vall.*

10*

nec intellegant mensuram suam, sed apud semet ipsos sapientes,
qui fons erroris est, maximos putant esse ⟨se⟩, quod non sunt,
denique in tantam prorumpentes dementiam, ut in se uerterent
manus et propria ferro membra truncarent putantes stultae cogitationis arbitrio hinc religiosos et humiles se probari, si mutilata 5
fronte et sectis auribus incederent. e quibus etiam unus linguae
partem mordicus amputauit, ut ignorantibus quoque ostenderet,
quam timide dei iura seruaret et ex ipsa debilitate praepediti
3 monstraret eloquii, quanto furore pectoris aestuaret. quos quia
repperi cum quibusdam peregrinis, qui in Aegypto parumper habi- 10
tant, ad uestram prouinciam transmigrasse — et homines pauperes
gratia et pecuniis inescatos, qui debuerant manu et labore uictum
quaerere —, ut inpleatur in eis, quod scriptum est: i n c i r c u i t u
i n p i i a m b u l a b u n t, et uelle in similitudinem Iudaeorum prius
igne consumi quam Origenis uidere scripta damnari, quodam modo 15
proclamantes: p o s u i m u s m e n d a c i u m s p e m n o s t r a m
e t m e n d a c i o p r o t e g a m u r, ne forte etiam in illis partibus
plebis et monachorum turbent animos et, qui debuerant pro scelere correpti agere paenitentiam, uertantur contra nos et mendaciorum cuniculis subtrahant ueritatem, iustissimum duxi scri- 20
bere sanctitati uestrae et breuiter nuntiare, quod e uicino episcopis
congregatis, qui proprie inplerent numerum synodi, perrexerint
4 Nitriam. et coram multis patribus monachorum, qui de tota paene
Aegypto conuolauerunt, lecti sunt libri Origenis, in quibus inpio
labore sudauit, et consensu omnium condemnati. 25
     2. Nam cum legeretur uolumen περὶ ἀρχῶν, quae nos 'de
principiis' possumus dicere, in quibus scriptum est, quod filius nobis

---

13 *Ps. 11, 9   16 *Esai. 28, 15   27 cf. Orig. περὶ ἀρχῶν (Rufinus) I 2, 6

1 intellig. *u*   2 maxime *u p.c.m. rec.*   putant esse ⟨se⟩ *scripsi* putantes
se *u* putent se *coni. Vall.*   3 tantam—dementiam *Vall.* tanta—dementia *u*
prorumpentes (s *m. rec.*) *u*   4 cogitationes *u a.c.m2*   6 e *ex* et *m2 u*   etiam *u*
et *Vall.*   7 mordicus *Vall.* modicus *u*   8 seruaret *Vall.* seruarent *u*
10 egipto *u*   habitauerunt *coni. Vall.*   14 ambulabunt (*non* ambulabant) *u*
et *om. Vall.*   similitudinem *Vall.* (*cf. p. 155, 16*) — ne *u*   17 etiam *u* et *Vall.*
18 plebis *Vall.* piebs *u*   19 uertantur (*non* utantur) *u* nitantur *Vall.*   20 subtrahant *ex* subtant *m2 u* subuertant *Vall.*   22 proprie (*non* prope, *cf. Vall. adn.*) *u*
perrexerim *Vall.*   23 monach. *om. Vall.*   pene egipto *u*   25 sudabit *ua.c.m2*
26 ΡΙ ΑΡΧΟΝ *u*   quae *scripsi* quē *ex* que *m2 u* quem *Vall.*

conparatus esset ueritas et patri conlatus mendacium, et rursum:
quantum differt Paulus et Petrus saluatore,
tanto saluator minor est patre, et iterum: Christi
regnum finietur aliquando, zabulus cunctis
5 peccatorum sordibus liberatus aequo honore
decorabitur et cum Christo subicietur, et in
alio libro, qui 'de oratione' scribitur: non debemus orare
filium, sed solum patrem, nec patrem cum
filio, obturauimus aures nostras et tam Origenem quam di-
10 scipulos eius consona uoce damnauimus, ne et modicum fermentum
totam massam corrumperet. quid loquar de resurrectione mor- 2
tuorum, in qua perspicue blasfemat et dicit, quod post multos
saeculorum recursus corpora nostra paulatim redigantur in nihilum
et in auram tenuem dissoluantur, ac, ne paruum hoc putaremus,
15 adiecit: resurgens corpus non solum corruptibile sed mortale erit, ut scilicet dominus atque saluator frustra destruxerit zabulum, qui mortis habebat imperium,
siquidem et post resurrectionem corruptio et mortalitas in nihilum resolutis corporibus dominatur humanis? de angelis quoque
20 temeraria aliqua confinxit, ut cuncta in caelo ministeria seruitutis
dei non sint in caelo creata, sed diuersis lapsibus et ruinis uaria
officiorum sortiti sint nomina, causasque ueteres praecessisse,
quibus creuerint uel decreuerint. et inter haec quasi doloris inpatiens 3
clamante populo: quae sursum est Hierusalem, libera
25 est nihil in ea purum, nihil a uitiis liberum et perpetua securum uirtute contendit. non stetit hactenus profana de angelis disputatio,
sed proficiens in scelere: sicut daemones, inquit, nidore
hostiarum assidentes aris gentilium pasce-
bantur, ita et angeli sanguine uictimarum,

---

2 Orig. περὶ ἀρχῶν I fragm.   3 Orig. περὶ ἀρχῶν I fragm.   7 Orig.
de oratione c. 15 init.   10 cf. I Cor. 5, 6 et Gal. 5, 9   15 Orig. περὶ ἀρχῶν
I fragm.   24 Gal. 4, 26   27 Orig. περὶ ἀρχῶν I fragm.

1 esset (est set m^2) u sit Vall.   ueritas et scripsi ueritate u ueritas Vall.
2 a salu. Vall.   4 zabls u et diabolus Vall.   5 equo u   7 decoratione (c exp.) u
inscribitur Vall.   9 obturabimus u a.c.m2   10 ne et scripsi et ne u ne Vall.
19 resolutis Vall. resolutio u   20 confinxit Vall. confixit u   ut Vall. et u
21 creata Vall. creata s u   22 sint scripsi s u   24 pr. est] e u   ihrlm u
26 actenus u haec tenus Vall.   28 assedentes u

quas — spiritalium typus — immolat Israhel,
fumo thymiamatis delectati uersabantur prope altaria et huiusce modi alebantur cibis.
4 quis non putet eum nihil ultra inuenire potuisse, in quo mens uesana
corrueret? praescientiam quoque futurorum, quae soli domino 5
nota est, stellarum motibus tribuit, ut ex earum cursu et uarietate
formarum daemones futura cognoscant et uel agant aliqua uel ab
his agenda demandent. ex quo perspicuum est eum idolatriam et
astrologiam et uarias ethnicorum fraudulentiae diuinationis
praestigias adprobare.   10

3. Haec et huiusce modi sub nomine monachorum quidam sentientes et docentes in monasteriis uersabantur, cumque indigne
ferrent auctorem tanti mali cum suo errore damnari, quosdam
inopes et seruos spe gulae sollicitatos suo iunxere comitatui et
facto cuneo sedenti mihi Alexandriae uim facere conati sunt uolentes 15
causam Isidori, quam nos propter uerecundiam et ecclesiae disciplinam episcoporum iudicio seruabamus, proferre in medium et
auribus ethnicorum dictu pudenda ingerere, ut seditio et turbae
contra ecclesiam miscerentur; quorum consilia destruxit deus sicut
2 Achitofel. omnis autem conatus eorum hic erat, ut sub nomine 20
Isidori heresem defenderent, qui a multis episcopis propter uarias
causas a communione sanctorum fuerat separatus. interim mulier
et filius eius adolescens ab his producitur in medium et in loco urbis
celeberrimo, quem, ni fallor, Genium uocant, conlocantur. clamitant, quicquid in nostram inuidiam esse credebant, gentilium contra 25
nos populo contionantes ea, quae aures infidelium libenter audirent.
inter quae etiam destructionis Sarapii et aliorum idolorum eos
quasi in fugam admonentes uociferantur: 'non sunt † in iura tepu-
3 lorum in Nitriae monasteriis'. haec autem uniuersa faciebant
putantes sibi turbas iungi infidelium et Isidorum episcoporum 30

5 Orig. passim   19 cf. II Reg. 15, 31—17, 23

1 spalium u spiritualium Vall. tipus u   2 timiamatis u   4 quis Vall. qui u
quo u quod Vall.   8 idololatriam Vall.   9 fraudolentae Vall.   14 cōmitatui u
15 mihi alex. u in Alexandria Vall.   16 quem Vall.   18 dictu (non dicta) u
21 hisidori u   haeresim Vall.   qui a scripsi quia u qui Vall.   26 pplos
(s eras.) u populos Vall.   contionantes scripsi concitantes u   27 etiam u et Vall.
Serapii Vall.   28 quasi u qui Vall.   āmonentes u   s̄ u sic Vall.   teplorum
(= tepulorum) u templorum Vall.; locus grauiter corruptus   30 sibi u sic Vall.

iudicio eripi, ne cum matre audiretur et puero et ⟨ut⟩ nobis inuidiam
concitarent, qui uolebamus eum praesentibus clericis et fideli populo
in ecclesia patienter audiri et seruari in persona eius cum omni
timore dei et mansuetudine ecclesiasticam regulam. neque enim
5 inimici eius sumus nec in aliqua re tam illum quam paucos seruos
atque fugitiuos, qui eius negotiis socii sunt, laesimus, sed dei timorem et normam rigoris euangelici familiaritati pristinae et necessitudini praetulimus. qui cum accersitus esset ad quaestionem coram 4
episcopis, ut omni clero negotium diceret, et crebrius uocaretur ad
10 causam, coepit subterfugere et differre diem ex die illa uidelicet spe,
ut multorum sermo narrabat, quod paulatim mulieris silentium
redimeret. et hoc faciens sanctorum fratrum animos uulnerabat.
quis enim ambigit fiduciam bonae esse conscientiae, fugam autem
et dissimulationem, ut parcius loquar et aperte proferam, quod sentio,
15 apud plerosque genus confessionis iudicari? praesertim cum graue
ei mulier datis libellis crimen inpingeret et hoc per populos iacta-
retur, illum magnopere agere, ut quolibet potius genere quam episcoporum iudicio res finem acciperet. quae mulier ignorante me 5
amicorum eius studio etiam in albo uiduarum descripta est, ut refri-
20 geriis elemosynae dolorem uulneris solaretur. quod postquam a
quodam diacono didici, qui intrepidus nuntiabat mulierem scriptam in uiduarum numero, ut taceret, quod obiecerat, ilico per multos
Isidoro indicem prodidi et monui, ut episcoporum se iudicio prae-
pararet muliere dumtaxat a ceterarum consortio separata, donec
25 causae uideremus euentum. neque enim fas erat eam ecclesiae
opibus sustentari, quae tantum crimen aut dixisset temere aut
tacuisset. iste est signifer hereticae factionis; hoc utuntur duce 6
uel locupletissimo hi, quos in exordio epistulae descripsimus, qui
possit praebere cibos et peregrinationis eorum incommoda sustentare.
30 ubi furor et caedes necessariae sunt, nullius alterius indigent auxilio;
ubi expensae et sumptus uarii, nihil hoc largitore adcommodatius.
    4. Dolent contra me atque insaniunt, quare solitudines et
habitacula monachorum,- in quibus sancta conuersatio est, non

1 ut *addidi*, *om.* u   4 masuetudine u   6 negotii *Vall.*   7 familiaritate u
8 praetulimus (*non* pertulimus) u   accersitus *Vall.* accessitus u   9 ut *scripsi* et u
dicere *Vall.*   13 ambigit (*non* abigit) u   15 iudi presertim u   19 etiam u
et *Vall.*   aluo u   20 elemosine u   28 hi *scripsi* hii u si *Vall.*   descr. *Vall.*
discr. u   29 peregrinationis *Vall.* —nes u   in commoda u   31 hoc *om. Vall.*

permiserim inpiis Origenis dogmatibus pollui. e quibus ut cetera
praetermittam, in libris Resurrectionis, quos scripsit ad Ambrosium
dialecticum morem imitans disputandi, in quo sciscitatus est
atque responsio, artis magicae praedicator his uerbis est: a r s
m a g i c a   n o n   m i h i   u i d e t u r   a l i c u i u s   r e i   s u b-   5
s i s t e n t i s u o c a b u l u m, s e d e t, s i s i t, n e q u a q u a m
e s t   o p e r i s   m a l i   n e c   q u o d   h a b e r i   p o s s i t   c o n-
2 t e m p t u i. quae dicens perspicue domino contradicit, qui loquitur
per prophetam: s t a   n u n c   i n   i n c a n t a t i o n i b u s   t u i s,
i n   m u l t i s   u e n e f i c i i s   t u i s,   q u a e   d i d i c i s t i   a b   10
a d o l e s c e n t i a   t u a,   s i   p o s s i n t   t i b i   p r o d e s s e.
l a b o r a s t i   i n   c o n s i l i i s   t u i s;   s t e n t   a s t r o l o g i
c a e l i e t s a l u u m t e f a c i a n t, q u i c o n t e m p l a n t u r
s i d e r a,   n u n t i e n t   t i b i,   q u i d   s u p e r   t e   f u t u r u m
3 s i t. praeterea in libris περὶ ἀρχῶν etiam hoc persuadere conatur,   15
quod uiuens dei sermo non adsumpserit corpus humanum, et contra
apostoli uadens sententiam scripsit, quod, qui in forma dei aequalis
erat deo, non fuerit uerbum dei, sed anima de caelesti regione descendens et se de forma aeternae maiestatis euacuans humanum
corpus adsumpserit. quae dicens Iohanni apertissime contradicit   20
scribenti: e t u e r b u m c a r o f a c t u m e s t. nec potest anima
credi saluatoris et non deus uerbum et formam et aequalitatem
4 paternae maiestatis habuisse. in alias quoque inpietates furibundus
exultat uolens eum, qui in consummatione saeculorum et in de-
structione peccati semel passus est, dominum nostrum Iesum   25
Christum pro daemonibus quoque et spiritalibus nequitiis crucem
aliquando passurum. nec meminit Pauli scribentis: i n p o s s i-
b i l e   e s t   e o s, q u i   s e m e l   s u n t   i n l u m i n a t i,   g u s t a-
u e r u n t   e t i a m   d o n u m   c a e l e s t e   e t   p a r t i c i p e s
s u n t f a c t i s p i r i t u s s a n c t i, g u s t a u e r u n t n i h i l o   30
m i n u s b o n u m d e i u e r b u m u i r t u t e s q u e s a e c u l i

4 Orig. de resurrect. fragm.   9 *Esai. 47, 12—13   17 cf. Phil. 2, 6
21 Ioh. 1, 14   27 *Hebr. 6, 4—6

2 quos (non quod) u   3 dialeticum u   sciscitatus scripsi suscitatus u
sciscitatio Vall.   6 uocabulum Vall. —bulo u   9 incantionibus ua.c.   10 bene-
fitiis u   13 saluam u   contemplati sunt Vall.   14 facturum ua.c.   15 PARCON u
etiam u et Vall.   16 assumserit u   19 sede u   22 deus Vall. dm u
24 ex(s)ultat Vall. exaltat u   26 spalibus u spiritual. Vall.   29 etiam] et Vall.

uenturi et prolapsi sunt, renouari iterum ad
paenitentiam rursum crucifigentes sibimet
ipsis filium dei et ostentui habentes. si haec 5
scire uoluisset, immo si non ea, quae scit, contemneret, numquam
5 apostolo contradicens pro daemonibus quoque Christum diceret
esse passurum et eum praeberet ostentui clausa, quod legimus, aure
pertransiens: Christus resurgens a mortuis ultra
non moritur; mors ei nequaquam dominabitur.
quod enim mortuus est peccato, mortuus est
10 semel, quod autem uiuit, uiuit deo. hoc enim, quod
dicitur 'semel', non secundum recipit nec tertium; unde et
apostolus sciens eum semel crucifigi tota ad Hebraeos affirmat
audacia: hoc enim fecit semel se ipsum offerens.
      5. Ob haec et alia plurima, de quibus scribere epistolaris sermo
15 non patitur, condemnati sunt et eiecti de ecclesia. et fatuitati iuncta
superbia episcoporum iudiciis contradicunt cohereticum suum
nitentes seditione defendere et per alienas prouincias suberrantes
damnati damnatum habent ducem et huius operis eriguntur.
obsecro itaque uos, fratres carissimi, ut, si illuc uenerint, praeceptis 2
20 euangelicis eos ad lacrimas prouocetis. uoti nostri est et illos et
alios errorem corrigere paenitentia et digne suo nomine conuersantes,
ut, qui uocantur monachi — si tamen hoc esse cupiunt, quod dicuntur —, silentium diligant et fidem catholicam, quibus nihil omnino est
praeferendum. sed, ut audio, imitantes zabulum huc illucque dis-
25 currunt et quaerunt, quos suis inpietatibus deuorent. putant enim
insaniam fidem, audaciam fortitudinem; et idcirco erecti in superbiam ecclesiasticae praedicationi Origenis doctrinam, quae idolatriae mixta est, praeferunt. sicubi ergo fratres et plebem, quae 3
uobis credita est, turbare temptauerint, custodite gregem domini
30 et insanos impetus eorum reprimite. nihil eis nocuimus, nihil

---

7 *Rom. 6, 9—10   13 *Hebr. 7, 27   18 cf. Matth. 15, 14   25 cf.
I Petr. 5, 8

---

      3 hoc *Vall.*   4 uoluisset (*non* uoluisti) *u*   contempneret (*non* contemnet) *u*
5 xpm diceret (*non* dicet xpm) *u* diceret Christum *Vall.*   6 esse *om. Vall.*   praeberet
(*non* praebet) *u*   hostentui *u*   10 in domino *Vall.*   11 et *ex* nec *u, om.Vall.*
12 hebreos *u*   15 *alt.* et] sed *Vall.*   19 istuc ueniunt *Vall.*   20 est] esse *Vall.*
21 errorem *scripsi* errore *u* errores *Vall.*   24 praefer. (*non* perfer.) *u*   27 praedicationis *u*   idololatriae *Vall.*

tulimus; una causa in nos odiorum est, quod usque ad mortem parati
sumus fidem defendere.

6. Cetera praetermitto, quomodo nobis necem inferre temptauerint. et quibus insidiis hoc machinati sunt, quando etiam ecclesiam, quae est in monasterio Nitriae, postquam damnati sunt, 5
occupauerunt, ut et nos et plurimos nobiscum episcopos ac monachorum patres et uita et aetate uenerabiles ingressu eius prohi-
berent conductis libertinis et seruis, qui propter gulam et uentrem
2 ad omne facinus armati sunt! cumque oportuniora ecclesiae quasi
in obsidione urbis tenerent loca, palmarum ramis fustes et baculos 10
protegebant, ut sub pacis insignibus paratos ad caedem animos
dissimularent. et ut firmior esset factio et promptior cuneus ad
audaciam, multis ingenuorum pecunias diuisere, qui acceperunt,
non ut sceleri consentirent, sed ut nobis proderent conatus eorum
3 et paratas insidias panderent ad cauendum. quod cum cerneret 15
innumerabilis frequentia monachorum, coeperunt omnes uociferari
et paucorum furorem consono clamore terrere, ut saltim metu
collectam fieri sinerent et ecclesiae iura seruari. et nisi gratia dei
multitudinis impetus refrenasset, et euenisset aliquid, quod solet
in seditionibus fieri; in tantam enim nefarii homines temeritatem, 20
immo insaniam proruperant, ut sanctae quoque conuersationis
monachi et semper mansuetissimi eorum furorem sustinere non
4 possent. quae nos omnia dei auribus patienter et humiliter tulimus
prouidentes saluti eorum, qui contra nos hostiliter pugnabant, ita
dumtaxat, ut ecclesiasticas regulas et fidem rectam nullius amici- 25
tiis donaremus, quia potens est dominus et nobis et omnibus seruis
suis in commune concedere, ut necessitudini hominum praeferamus
5 fidei ueritatem. simulque et uos petimus, ut singuli cum populis,
qui uobis crediti sunt, oretis attentius et deum misericordiam
deprecemini, quo possimus diabolicis hereticorum insidiis resistentes 30
habere pacem cum his, qui semper pro ueritate pugnauerunt, omnes-

4 hoc] id *Vall.*   etiam] et *Vall.*   6 plur.—episc. *scripsi* plurimis—episcopis *u* plurimi—episcopi *Vall.*   7 proiberent (*non* prohibentur) *u* prohiberen-
tur *Vall.*   10 bacillos *Vall.*   14 prouiderent (ui *exp.*) *u*   18 sinerent *Vall.*
sineret *u*   19 impetum *Vall.*   et euenisset *scripsi* et uenisset *u* euenisset *Vall.*
21 praeruperant *Vall.*   23 possent *Vall.* possint *u*   dei] surdis *coni. Vall.*
25 amittiis *u*   26 quia] quod *Vall.*   27 perferamus *u*   28 unitatem *Vall.*
30 diabolicis *om. Vall.*

que simul coronam iustitiae praestolemur. fratres, qui uobiscum
sunt, plebs, quae mecum est, in domino salutat.

XCIII.

(RESPONSUM SYNODI HIEROSOLYMITANAE AD SUPE-
5 RIOREM THEOPHILI SYNODICAM EPISTULAM.)

Domino et honorabili, beatissimo episcopo Theophilo Eulogius,
Iohannes et ceteri episcopi, qui Hierosolymis in sancta encaeniorum
die repperti sunt.

Nosti, domine cuncta laudabiliter pater, et ante nostras litteras,
10 quod omnis propemodum Palaestina gratia Christi ab hereticorum
aliena sit scandalo praeter paucos, qui Apollinaris erroribus adquiescentes noxia praeceptoris sui scripta meditantur. atque utinam
sanctorum orationibus non nos inquietarent Iudaici serpentes et
Samaritanorum incredibilis stultitia atque gentilium apertissimae
15 inpietates, quorum turba quam plurima et ad ueritatem praedi-
tationis omnino auribus obturantes, in similitudinem luporum
gregem Christi circuientes non paruas nobis excubias et laborem
incutiunt, dum uolumus oues domini custodire, ne ab his dilace-
rentur! et quia scripsit nobis sanctitas tua reppertos quosdam in 2
20 Aegypto, qui et Origenis dogmatibus pestifera quaedam uelint
introducere in ecclesiis et simplicum corda decipere, necessarium
duximus significare sanctitudini tuae, quia istius modi praedicatio
a nostris auribus aliena sit. neque enim audiuimus umquam docentes, quod Christi regnum aliquando sit terminandum — absit
25 hoc a fidelium auribus Gabrihel angelo loquente ad Mariam de eo,
qui nasciturus est Christus, atque dicente: r e g n a b i t s u p e r
d o m u m I a c o b i n a e t e r n u m e t r e g n i e i u s n o n
e r i t f i n i s! — neque, quod zabulus cunctis peccatorum uitiis
liberatus dignitatem obtineat, quam habuit, antequam caderet,
30 ita ut et ipse et Christus sub unum dei patris redigantur imperium.

---

1 cf. II Tim. 4, 8   26 *Luc. 1, 32—33

u = Ambrosianus H. 59. sup. s. XIII, qui inscriptione caret

6 domno *u*   honor. et *pro* et honor. *mauult Engelbrecht*   honorabili
bissimo *u* honorabilissimo *Vall.*   7 ihrlimis *u*   encheniorum *u*   9 cuncta *est*
acc. graec. pat (= pater, *non* pati) *u* per gi *Vall.*   10 palesthina *u*   17 nobis
(*non* uobis) *u*   20 egipto *u*   et *u* ex *Vall.*   21 simplicium *Vall.*   ideo necess.
Vall.   22 quia] quod *Vall.*

qui enim ita credunt, ituri sunt in tenebras, quae praeparatae sunt
3 diabolo et angelis eius. et si qui sunt, qui in suis tractatibus tradiderunt, quod filius nobis sit conparatus ueritas, patri conlatus
mendacium, et q u o d e s t, inquiunt, P e t r u s e t P a u l u s
a d s a l u a t o r e m, h o c e s t u n i g e n i t u s f i l i u s e t 5
d e i u e r b u m c o n p a r a t u s p a t r i et — ut breuiter nostram sententiam declaremus, neque necesse est eadem rursus
iterare — quicumque haec praedicat, quae beatitudo tua damnanda
significat et quae discordant ab ea fide, quam pio sensu patres
nostri in urbe Nicena scripserunt, et ipsi et dogmata eorum sint 10
ecclesiae anathema cum Apollinare, qui contra sanctas scripturas
uadens inperfectum hominem dicit a domino Iesu Christo nostro
esse susceptum et non plenam assumptionem eius et animae et
4 corporis salutem datam. nos enim insistentes patrum uestigiis et
scripturarum uocibus eruditi docemus et praedicamus in ecclesiis 15
et confitemur trinitatem increatam, aeternam, unius esse in tribus
subsistentiis et in una deitate *** odorantes. si quos autem tua
reuerentia uel propter dogmatum prauitatem uel propter alias
causas a communione seiungit, sicut nobis indicare dignatus es,
scias in nostris ecclesiis non recipiendos, donec tu paenitentiae 20
eorum, si tamen uoluerint damnare peruersa, ueniam dederis.
saluta omnes, qui tecum sunt sacerdotales gradu.

XCIV.
⟨EPISTULA DIONYSII, LIDDENSIS EPISCOPI, AD
THEOPHILUM.⟩   25
Domino beatissimo Theophilo Dionysius, Liddensis episcopus.

1. Bonus deus noster, q u i i n c o n c i l i i s s a n c t o r u m
g l o r i f i c a t u r et amicos sibi ac prophetas singulis temporibus

---

1 cf. Matth. 25, 41   4 Orig. περὶ ἀρχῶν I fragm., cf. pag. 149, 2
27 *Ps. 88, 8

2 alt. et] quod Vall.   3 comp. sit Vall.   ueritas Vall. ueritate u   5 ad
salu. Vall. a saluatore u   hunigenitus u   8 iterare u tractare Vall.   hoc Vall.
10 nichena u   17 lacunam indicaui   odorantes (non adorantes) u substantiae
coni. Vall.; totum locum sic restituendum censet Engelbrecht: unius esse in tribus
subsistentiis ⟨substantiae⟩ in una deitate ⟨trinitatem⟩ adorantes   quis Vall.
18 referentia u   19 communitione se iungit u   sicuti Vall.

u = Ambrosianus H. 59. sup. s. XIII, qui inscriptione caret

26 domno u   dionisius u

praeparat, si ordinem nostrae generationis aspicis, et⟨te⟩, domine frater
beatissime, aemulatorem rectae fidei suscitauit, ut et superstitionem
hereticam de gentilium fonte manantem apostolico rigore euerteres
et humanum genus, quod multis trahitur erroribus, ac dispersum
5 gregem Christi ad suum pastorem reduceres, qui tempore passionis
idcirco pro cunctis dedit animam suam, ut nunc possimus credentes dicere: 'uere deus in nobis est.' quis enim ita 2
aut stultus aut inpius est, ut non confiteatur te maximum orbi
dedisse munus eiectis sceleratissimis blasfemi Origenis discipulis,
10 ne ecclesia Christi ab his polluatur, quorum cancer et insanabilis
lepra sic multorum corda peruasit, ut etiam, qui simulant paenitentiam, heresi iungant periurium et nos, quia tacere coguntur,
odire non desinant?

2. C o n f o r t a r e igitur et u i r i l i t e r a g e, dei famule,
15 et usque in finem Origenis figmenta persequere, ne simplicum
mentes sub umbra scientiae blandis eius capiantur inlecebris et fiat
in corpore Christi scissurae diuisio. omnes enim, qui sapiunt, quae 2
sursum sunt, te patrem et spem et coronam fidei alacres profi-
tentur, quod Arrii magistrum et discipulum eius euangelico mucrone
20 confoderis. fratres cellulae meae oppido et ⟨te⟩ salutant et fratres,
qui tecum sunt.

XCV.
EPISTULA ANASTASII PAPAE AD SIMPLICIANUM.
Domino fratri Simpliciano Anastasius.

25   1. Grandem sollicitudinem atque excubias super gregem suum
pastor diligens habere adprobatur; similiter et ex alta turre causa

7 cf. I Cor. 14, 25   14 I Par. 22, 13   17 cf. Col. 3, 2

1 aspicis *scripsi* aspices *u* aspicias *Vall.*   et ⟨te⟩ *scripsi* et *u* te *Vall.*
2 ut et *Vall.* et ut *u*   suppraestionem *u*   3 euerteres *scripsi* conuerteres *u*
contereres *Vall.*   4 traitur *u*   5 reduceres (*non* reducens) *u*   9 eiectis *Vall.*
in mg. deletis *in t.* electis *u*   blasf(ph)emi *Vall. dubitanter* blasfemis *u*   11 etiam *u*
et *Vall.*   12 quia t. coguntur *u* quos t. cogunt *Vall.*   15 simplicium *Vall.*
16 humbra *u*   scientie *u* sapientiae *Vall.*   cupiantur *u*   17 scisure *u*
19 discipulos *coni. Vall.*   euangelico *Vall.* eugli cū *u*   20 et ⟨te⟩ *scripsi*
et *u* te *Vall.*

u = *Ambrosianus H. 59. sup. s. XIII, qui inscriptione caret*

24 simplitiano *u*   26 dil. *om. Vall.*   ex alta turre *Vall.* exultare *u*

ciuitatis diu noctuque cautus speculator obseruat, magister attentus
nauis hora tempestatis e curis et periculo magnam patitur animi
iactationem, ne procellis atque asperrimis fluctibus nauis elidatur
2 in saxa. pari animo uir sanctus et honorabilis Theophilus, frater
et coepiscopus noster, circa salutis commoda non desinit uigilare, 5
ne dei populus per diuersas ecclesias Origenem legendo in magnas
incurrat blasphemias.

2. Conuentus litteris memorati conuenio sanctitatem tuam,
ut *** sicuti nos in urbe Roma positi, quam princeps apostolorum
statuit et fide sua confirmauit gloriosus Petrus, ne quis contra 10
praeceptum legat haec, quae diximus, damnauimus et cum magnis
precibus postulauimus, ut euangeliorum instituta ⟨sint tuta⟩, quae
ex ore suo dei et Christi docuit censura; ab hac recedi omnino
non debere, sed illud in memoriam deduci, quod Paulus, uenerabilis
apostolus, praedixit atque commonuit: si quis uobis 15
euangelizauerit praeter quod euangelizatum
est uobis, anathema sit. igitur hoc praeceptum tenentes
illud, quicquid est fidei nostrae contrarium ab Origene quondam
scriptum, indicauimus a nobis esse alienum atque punitum.

3. Haec sanctitati tuae scripsimus per Eusebium presbyterum, 20
qui calorem fidei gestans et amorem circa deum habens quaedam
capitula blasphemiae obtulit, quae nos non solum horruimus et iudi-
cauimus, uerum etiam, si qua alia sunt ab Origene exposita, cum
suo auctore pariter a nobis scias esse damnata. dominus te incolumem custodiat, domine frater merito honorabilis. 25

15 *Gal. 1, 8

1 attentus *Engelbrecht* actenus *u* prouidus *Vall.*   2 e curis *Engelbrecht*
ecoris *u, del. Vall.*   6 magnis—blasphemiis *ua.c.m2*   9 *lacunam indicaui;*
uerbum constituas *uel simile quid excidisse uidetur*   11 diximus *delendum censet*
Engelbrecht   12 sint tuta *addidi,* ⟨obseruentur⟩ instituta *coni. Engelbrecht*   13 *post*
censura *lacunam adesse suspicatur Vall.*   14 uenerabilis *bis u*   18 condam *u*
21 dominum *Vall.*   23 etiam] et *Vall.*

XCVI.

EPISTULA S. THEOPHILI EPISCOPI PASCHALIS.

1. Christum Iesum, dominum gloriae, fratres carissimi, rursum consona uoce laudemus et alacres adhortantis prophetae uerba
5 conplentes, qui dicit: c a n t a t e d o m i n o h y m n u m n o-
u u m, quotquot fidei perducentis ad regna caelorum participes sumus, sanctae sollemnitatis suscipiamus aduentum et inminentes ferias totius nobiscum orbis festiuitate celebremus clamante uno de sapientibus: u e n i, c o m e d e in l a e t i t i a p a n e m
10 t u u m e t b i b e in c o r d e b o n o u i n u m t u u m, q u o-
n i a m p l a c u e r u n t d e o o p e r a t u a. qui enim bono- 2
rum operum sunt et lacte infantiae derelicto solidioris cibi alimenta suscipiunt, diuinos sensus altius intuentur et saturati spiritali cibo laudatorem et testem uitae suae habent deum. ad istius modi
15 conuiuas Ecclesiastes loquitur: o m n i t e m p o r e s i n t u e s t i-
m e n t a t u a c a n d i d a e t o l e u m d e c a p i t e t u o
n o n d e f i c i a t, ut uirtutum ueste circumdati splendorem solis imitentur et cotidiana lectione sanctarum scripturarum infundant oleum sensui suo et parent mentis lucernam, quae iuxta praeceptum
20 euangelii l u c e a t o m n i b u s, q u i in d o m o s u n t.

5 *Ps. 149, 1 etc.   9 *Eccle. 9, 7   12 cf. Hebr. 5, 13—14   15 Eccle. 9, 8
20 Matth. 5, 15

    T = *Parisinus lat. 2172 s. X.*
    U = *Parisinus lat. 16897 s. XII.*
    V = *Parisinus lat. 2173 s. XIII.*
    u = *Ambrosianus H. 59. sup. s. XIII.*

epistula s̄c̄i theofili ep̄i pascalis secunda *T* epl̄a secunda eiusdem ad eosdem de eodem *U* epl̄a eiusdem paschalis ad totius egipti ep̄os *V* theophili ep̄i alexandrine paschalis epl̄a *u*. *Hanc epistulam paschalem non secundam, sed primam esse recte contendit Vallarsius*

    4 alacriter ς   adortantis *U* adhortantes *T* adorantes *u*; *add.* et ς   6 fidei *om. u*   perducentes *u*   7 et—nobiscum *om.V*   imitentes *u* imminentia ς   8 ferias] festa ς   urbis *Ta.c.m2U*   festiuitatē *V*   11 complacuerunt ς   domino *V* 12 solidiora *V*   alimenta cibi *u*   14 dominum *u*   ad *T* et ad *cet.*   huiusce *u* 17 deficiet *u*   circumdata *Ua.c.*   18 imitemur ς   script. sanct. *u*   quisque infundat ς   19 sensu *u*   paret ς

2. Igitur conuiuas tales et, qui sic passionis dominicae festa concelebrent, aemulantes cum sancto dicamus: l a u d a b o d o- m i n u m i n u i t a m e a, p s a l l a m d e o m e o, q u a m d i u s u m, festinemusque ad angelorum metropolim, quae libera est et nulla malitiae sorde maculatur, in qua nec dissensiones sunt ⁵ nec ruinae et de altero ad alterum transmigratio, omnique uoluptate calcata et conpressis luxuriae fluctibus, qui aduersum nos crebrius intumescunt, caelestibus misceamur choris, ut iam nunc illuc mente translati et augustiora uidentes loca simus, quod futuri sumus.
₂ qua beatitudine indignos se fecere Iudaei, qui scripturae sanctae ¹⁰ opibus derelictis et pauperes intellegentiae adquiescentes magistris usque hodie audiunt: s e m p e r e r r a n t c o r d e, et nolunt praesenti Christo dicere: b e n e d i c t u s, q u i u e n i t i n n o- m i n e d o m i n i, praesertim cum omni uoce opera clariora deum illum esse testentur et nequaquam dicere: 'haec dicit dominus', ¹⁵ sed 'ego dico uobis', per quae ostendit se latorem legum et dominum et deum uerum et non esse unum quemlibet prophetarum.
3. Neque enim diuinitatem eius, quae nullis locorum spatiis circumscribitur, adsumptio seruilis formae poterat obscurare nec angustia humani corporis ineffabilem maiestatis terminare uirtu- ²⁰ ₂ tem, quem operum magnitudo dei filium conprobat. nam cum fre- mentis maris elatos gurgites et instar montium intumescentes tranquillitati subitae reddidisset apostolorum nauicula de naufragio liberata et imperium praesentis domini aquarum profunda sen- sissent cumque conluctantibus uentis et ex omni parte fluctibus ²⁵ excitatis tanta discrimina saluatoris iussione cessassent, quasi diuino spiritu afflati, qui pariter nauigabant: u e r e, inquiunt, f i l i u s d e i e s t non ambigentes de diuinitate, cuius magnitudinem opera ₃ loquebantur. de illo enim prophetale uaticinium est: t u d o m i-

2 *Ps. 103, 33   4 cf. Gal. 4, 26   12 *Ps. 94, 10   13 Ps. 117, 26
27 *Matth. 14, 33   29 *Ps. 88, 10

1 et *om. u   2 concelebrant *UVu   post* sancto *excidisse* Dauid *putat*
Engelbrecht   5 nec *s.l.m2T*   descensiones *u*   8 coris *u*   ut iam nunc *om. u*
9 loca *om. u*   scimus *u*   10 facere *Ua.c.u*   11 et *om. u*   pauperis *U*
ad pauperis *u*   magistros *u*   12 usq. hod. aud. *om. u*   usque *om.* ς
13 praesente ς   15 neq.] neque *U*   16 legis *V*   17 *alt.* et *om.* ς   queml. un. *u*
20 maiest. eius ς   uirtutum *V*   21 que *u*   ope *ex* opere *V*   conprobabat *u*
22 eleuatos *u*   et *om. u*   23 transq. *V*   subito *U*   subdite *u*   24 liberata]
conseruata *u*   26 ut tanta *u*   28 es ς

naris fortitudini maris et motum fluctuum
eius tu conprimis. et ipse propheta canticum signat, ut
non solum in uerbo, sed et in uirtute deus uerus, qui uisus est,
crederetur excellentia operum, quod latebat, ostendens. perfectus 3
5 deus propria uoluntate, quidquid humanae fuit et naturae et
condicionis, adsumens absque peccato dumtaxat et malitia, quae
nullam habet substantiam, infans nascitur, Emmanuel adoratur,
magi de oriente ueniunt, deum dei filium genu posito confitentur;
tempore passionis pendens in cruce solis obscurat radios nouo
10 inauditoque miraculo diuinitatis suae exprimens magnitudinem,
indiuisus et inseparabilis nec in duos saluatores quorundam errore
seiunctus. unde et ad discipulos loquebatur: nolite uocare
magistrum super terram; unus enim magister
uester Christus. neque enim, cum haec apostolis diceret, a 4
15 corpore, quod patebat aspectui, diuinitatis excellentiam separabat
nec, quando unum se Christum, dei filium, testabatur, animam
diuidebat et carnem, non alter et alter, sed unus atque idem utrumque subsistens, deus et homo, dum seruus uidetur et dominus
adoratur, si quidem in humani corporis uilitate ineffabilem celabat
20 deum et rursum fragilitatem carnis diuinis operibus excedebat,
ut non unus quilibet sanctorum, ut a plerisque aestimatum est,
crederetur, sed ille, quem et Paulus ostendere uolens scribit: unus
deus, unus et mediator dei et hominum, homo
Christus Iesus, et iterum: mediator autem unius
25 non est, deus autem unus est, quia unus filius, patris
nostrique mediator, nec aequalitatem eius amisit nec a nostro
consortio separatus est, inuisibilis deus et uisibilis homo: forma

12 *Matth. 23, 10, cf. ibid. 23, 9   22 I Tim. 2, 5   24 Gal. 3, 20   27 cf.
Phil. 2, 7

1 fortitudinis *U* motum] montium *u*   2 eius *ex* est *m2T* ipsi *V* ipsum *u*
ipsius *Tp.c.m2*   prophetae (—te *u*) *Uu* profetae *ex* profeta *m2T*   significat *u*
3 et *s.l.U, om. Vu* 4 ostendente ς 5 humanum *V*   6 condit. *TVu* 7 emmanuel
(ue *ex* e) *T* emmanuhel *U* emanuel *V* et manuhel *u*   9 qui et tempore ς
10 magnit. et ς   12 se iunctos *u*   13 unus *Ta.c.m2* unus est *cet.*   14 a corp. *om. u*
16 ne *u*   se unum x̄p̄s̄ dei filius *U*   17 *pr.* aliter *U*   uterque *u*   21 ut
non *TV* ne *U* ut *u* et ne ς   quislibet *T,Va.c.*   22 et Paul.] apostolus *u*
23 unus *om. u*   *pr.* et *om. V*   26 eius *om. U*   27 et *om. Uu* uis.] inuisibilis *U*
sub forma *V*

serui absconditus est et dominus gloriae confessione credentium
conprobatur.

4. Neque enim priuauit eum pater naturae suae nomine,
postquam pro nobis homo et pauper effectus est, nec in Iordane
fluuio baptizatum altero appellauit uocabulo, sed filium unigeni- 5
tum: tu es filius meus dilectus, in quo mihi
2 conplacui. nec similitudo nostra in diuinitatis est mutata
naturam nec diuinitas in nostrae naturae uersa est similitudinem,
sed manens, quod in principio erat, deus uerbum et in se nos glori-
ficans non uenit iuxta Hieremiam, ut diceret: heu mihi, 10
mater, ut quid me genuisti, uirum, qui iudicer
et discernar omni terrae? non profui neque
profuit mihi quisquam, qui libertatem donaturus adue-
3 nerat. nec iuxta Esaiam uociferabatur: uae mihi, quia, cum
sim homo et inmunda labia habens in medio 15
populi inmunda labia habentis habitem, regem
dominum sabaoth uidi oculis meis. ipse enim
. erat rex gloriae, ut in uicesimo tertio psalmo scriptum est, in
patibulo uictor existens et hostilia bella conpescens, ut hominem
fictum ex humo caelorum habitatorem faceret et tropaei sui com- 20
munione donaret.

5. Igitur, quamquam hoc nolint, qui eum putant in alium
conmutatum, Iesus Christus heri et hodie ipse
est et in aeternum, numquam habiturus regni sui finem
iuxta sceleratum Origenis errorem, ne cessante regno etiam aeter- 25
nitate priuetur, sed coram omnibus loquens: ego in patre
2 et pater in me. et docere nos cupiens, quod et pater in filio
et filius in patre creaturis omnibus imperaret, et hoc ipsum robo-
rans inferebat: ego et pater unum sumus, ne quis unum

1 cf. I Cor. 2, 8　6 *Luc. 3, 22, cf. Matth. 3, 17. Marc. 1, 12　10 *Hier. 15, 10
14 *Esai. 6, 5　18 cf. Ps. 23, 10　23 *Hebr. 13, 8　26 Ioh. 14, 10. 11　29 Ioh. 10, 30

1 est *om. Uu*　2 con(m)probatus *Uu*　4 factus *V*　ordine *U*　5 sed et *V*
6 quo] te *u*　7 conplacuit *u* placui *U*　8 *pr.* natura *u*　diuinitatis *Uu* similitudine *u*
9 quod] ut *u*　in *T* a *cet.*　dei *u*　10 iher. *U* ier. *V*　heu *ex* ea *u*　14 esayam *U*
isaiam *T(ex* eseiam *m2)V* ysaiam *up.c.*　quia *om. u*　15 homo inmundus *u*
habens et *V*　17 deum *U*　sabbaoth ς　18 ut] quod *u* et *V*　uicensimo (n *eras.)T*
19 ut] et *u*　20 finctum *u*　trophaei *Tp.c.m2u* trophei *V* throphei *U*　22 aliud *U*
aliut *u*　27 et doc.] edocere *U*　tert. et om. *u*　28 *alt.* et] etiam *V*　29 infer.—
sumus *om. U*

suum patrisque regnum humanae carnis occasione diuideret. quodsi
iuxta Origenis insaniam aliquando amissurus est regnum Christus,
unigenitus filius dei, quomodo ipse apostolis loquebatur: e g o e t
p a t e r u n u m s u m u s, non unum postea habiturus imperium,
ut scilicet hic habeat gloriam, quam ibi depositurus est? et ubi
erit, quod semper filius in patre et pater in filio est, si regnum filii
non erit certum? uerum, haec qui ita se habere contendunt, si 3
tamen non egerint paenitentiam, pereant et ad hos zelo fidei pieta-
tisque conmotus loquatur Moyses: m a l e d i c t u s t u i n c i u i-
t a t e e t m a l e d i c t u s i n a g r o psalmista pariter incre-
pante: d e f i c i a n t p e c c a t o r e s d e t e r r a e t i n i q u i,
u t u l t r a n o n s u b s i s t a n t.

6. Equidem scire non possum, qua temeritate Origenes tanta
confingens et non scripturarum auctoritatem, sed suum errorem
sequens ausus sit cunctis in medium nocitura proferre nec aesti-
mauerit umquam ullum hominum fore, qui suis adsertionibus
contra iret, si philosophorum argutias propriis tractatibus miscuisset
et a malo exordio in fabulas quasdam et deliramenta procedens
Christianum dogma ludum et iocum faceret nequaquam diuinae
doctrinae ueritate utens, sed humanae mentis arbitrio et in tantam
se ipso magistro intumescens superbiam, ut non imitaretur humilitatem Pauli, qui plenus spiritu sancto contulit cum prioribus
apostolis euangelium, ne forte in uacuum curreret aut
cucurrisset, ignorans, quod daemonici spiritus esset instinctus
sophismata humanarum mentium sequi et aliquid extra
scripturarum auctoritatem putare diuinum. quiescant aliquando, 2
qui regni Christi finem somniantes uerbositatis Origenis cupiunt

3 Ioh. 10, 30   6 cf. Ioh. 14, 10. 11   9 *Deut. 28, 16   11 *Ps. 103, 35
23 cf. Gal. 2, 2

2 est et regnum *V*   5 depos.] habiturus non *U*   6 pater in filio et
filius in patre *V*   est] sit *u*   7 erit *om. u*   certum] aeternum *U* coeternum
(*s.l. add.* est *m2*)*u*   qui hec *V* hoc qui ς se] re *u*   9 que *ex* quae *T*   tu *om. V*
10 concrepante *u*   11 de] a *Uu*   12 ut] ita ut *u*   ultra *om. u*   13 et
quidem *u*   origenis *TVu*   15 estimauerint *U*   16 ull. umq. *u*   hominem *UV*
18 a *om. TV*   diliramenta *T*   19 x͞pianis *V*   dogma *om. V*   iocos *V* locum *u*
20 nitens ς   tantum *U*   21 superbia *U*   23 uanum *V*   24 cuc.] currisset
Va.c.m2u   daemoniaci *U*   institutus *u*   25 s(*s.l.m2*)offismata *u*   26 auctoritate *u*
putaret *T*   quiesc. *Ta.c.m2* quiesc. ergo *cet.*   27 uerbositate *u*

esse parasiti, nec cum fidelibus ambulantes fidem, quam non habent,
simulent. quin potius discant, quod omne dolus et fraudulentia,
aliud sit et aliud ostendat, ut sub uirtutis specie uitia celare nitatur.
etenim, cum in crucis ignominia, quam pro nobis passus est, non
amiserit Christus esse dominus gloriae iuxta beatum apostolum, clamantibus contra Iudaeis: q u i d e s t r u i s t e m p l u m
e t i n t r i d u o a e d i f i c a s, s a l u u m t e i p s u m f a c;
s i f i l i u s d e i e s, d e s c e n d e d e c r u c e, et carne patiens
pendensque in patibulo fortitudinem propriae maiestatis ostendit
solem de cursu quiescere faciens et signorum magnitudine plenam
fidei uocem latronis extorquens: I e s u, m e m e n t o m e i, d o-
m i n e, c u m u e n e r i s i n r e g n u m t u u m, numquam
post resurrectionis gloriam perditurus est regnum, licet innumeros
3 contra eum Origenes blasphemiarum lapides iactat. aut cuius est
consequentiae perpetuitatem regni discipulis polliceri et dicere:
u e n i t e, b e n e d i c t i p a t r i s m e i, p o s s i d e t e p r a e-
p a r a t u m u o b i s r e g n u m a c o n s t i t u t i o n e m u n d i
et ipsum eo carere, quod aliis tribuit? uel quomodo scribente Paulo
ad Corinthios: a b s q u e n o b i s r e g n a t i s e t u t i n a m
r e g n a r e t i s, u t e t n o s r e g n a r e m u s u o b i s c u m,
intellegi poterit regnum Christi post multa tempora terminandum?
praesertim cum Iohannes clamitet: q u i d e s u r s u m u e n i t,
s u p e r o m n e s e s t et apostolus scribat: q u o r u m p a t r e s
e t e x q u i b u s i u x t a c a r n e m C h r i s t u s, q u i e s t
s u p e r o m n e s d e u s b e n e d i c t u s i n a e t e r n u m.

　　7. Itaque nulli dubium est, quin, qui deus permanet in aeternum, simul habeat et regnum et super ipsos quoque, quos regni
possessione donauit, rex perpetuus appelletur congruum habens
diuinitatis imperium nec quicquam in se rude et nouum nisi ad-

　　5 cf. I·Cor. 2, 8　　6 *Matth. 27, 40　　11 *Luc. 23, 42　　16 *Matth. 25, 34
19 *I Cor. 4, 8　　22 Ioh. 3, 31　　23 *Rom. 9, 5

　　2 simulant ς　　omne Ta.c.m2 omnis cet.　　et dolus et U　　3 ut] et u
uirtutum codd. praet. T　nitantur u　7 reedificas V　8 in carne ς　11 latroni ς
ihs u, om. ς　　12 tum V　　14 origenis TVu　　iactet Tp.c.m2V iaciat Uu
15 consequentia u　　perceptionem V　　16 paratum Uu　　18 car. illo ς
eo] eum (s.l.)V　　Paulo] apostolo u　　19 et] atque U, om. V　　20 et ut u
regnemus u　22 iohannis Ta.c.　　clamet et TV　　ueniit V　　23 supra u
24 et om. Vu　xps iuxta carnem u　quia u　25 omnia Uu　28 donabit Uu

sumptionem fragilitatis humanae. si enim iuxta Origenis insaniam
post multorum circulos saeculorum Christi regnum est finiendum,
consequens inpietati eius est dicere, ut et deus esse aliquando
desistat; et, qui regni terminos ponit, cogitur idem de diuinitate
5 sentire, quae perpetuitatem imperii naturaliter possidet. quodsi 2
regnat sermo dei, utique deus est et hac ratione colligitur, quicumque
temptauerit finem regno eius inponere, ad id eum deuolui, ut Christum credere conpellatur et deum esse desinere. sed haec garriat
magister indoctus cum sectatoribus inpiis, nos Christi regnum cre-
10 damus aeternum et in sollemni die cantemus cum angelo atque
dicamus: regni eius non erit finis. si enim unum cum
patre est, numquam ex eo, quod unum est, cessaturus est et unio
patris et filii numquam diuidetur in partes nec, quod dicitur 'unum
sunt‘, aliquando unum esse desistent.
15   8. Facessant igitur stultissimi mortalium, immo descen-
dant in infernum uiuentes, sicut psalmista testatur,
et praeceptorem inpietatis suae ibi esse cernentes clamitent: et
tu captus es, sicut et nos, et inter nos repu-
tatus es; descendit in infernum gloria tua
20 et reliqua. talis pastor gregis morbidi Christum ubique suggillat 2
iniuriis et diabolum honore sustollit, dum illum adserit purgatum
uitiis atque peccatis pristinam aliquando gloriam recepturum et
hunc regnare desistere simulque cum diabolo sub patris imperio
redigendum, ut magis ad Origenis blasphemias quam ad uocifera-
25 tionem Iudaeorum propheta mirabundus exclamet: obstupuit
caelum super hoc et inhorruit ualde, dicit
dominus, eo quod duo mala fecerit. Origenes 3
Christum adserens regnare desinere et diabolum ad culmen, de quo
ceciderat, ascensurum, talem sceleris sui profundum lacum fodiens,

11 Luc. 1, 33   15 Ps. 54, 16   17 ? cf. Ezech. 31, 15—18; Bar. 3, 11; Ps. 48, 18
25 *Hier. 2, 12—13   29 cf. Hier. 2, 13

2 curricula (*ex* —lo *m2u*) saec. *Vu* saec. curricula *U*   3 impietatis *u*   5 quae
om. u   6 dei] deus *u*   8 conpellantur *u*   et *om.V*   9 cred. aet. *om. u*   13 parte *u*
ne *u*   14 sunt *om. U*   desistent *V* desistent (*ex* —ant, *s.l.m2* uel—et) *T*   desistet *U*
desistat *u*   17 ibidem *u*   18 *alt.* et *om.* ç   deputatus *u*   19 discendit *T*
descendat *Uu*   20 sugillat *u*   22 per (*ex* prae)cepturum *u*   23 imperium *Uu*
25 obstipuit *Tu*   26 inorruit *u* horruit ç   ualde super hoc *u*   27 origenis *Tu*
28 desistere *u*   29 sui et tam *u* sui tactu *V*   profodiens *U*

qui aquas continere non possit, aequalem, quantum in se est, diabolum facit filio dei, dum detrahit illi regni gloriam sempiternam
4 et imperio patris eum subicit cum daemonibus. uerum istius modi
uox inpia proteratur et sciamus regnum Christi esse perpetuum
ipso loquente ad discipulos suos: u o s p e r s e u e r a s t i s m e c u m
in t e m p t a t i o n i b u s m e i s e t e g o s t a t u a m u o b i s
t e s t a m e n t u m a e t e r n u m, ut b i b a t i s e t c o m e-
d a t i s s e m p e r s u p e r m e n s a m m e a m in r e g n o
m e o. quomodo inpleri potest hoc, quod dicitur 'semper', nisi per-
5 petuum regnum sit et nullo fine claudendum? quod et magi intellegentes uersi ad paenitentiam studiosius percunctabantur: u b i
e s t, q u i n a t u s e s t r e x I u d a e o r u m? u i d i m u s
e n i m s t e l l a m e i u s i n o r i e n t e e t u e n i m u s, u t
a d o r e m u s e u m. magi fatentur Christum regem et Origenes
negat dicens eum non in perpetuo regnaturum nec animaduertit
se Iudaeorum blasphemiis similem.

    9. Legimus in euangelio, cum dominus atque saluator forti-
tudinis suae et patientiae exemplar ostendens crucem scanderet,
P i l a t u s i n s c r i p s i t t i t u l u m e t p o s u i t s u p e r
e i u s c a p u t. s c r i p t u m a u t e m e r a t: I e s u s N a z a-
r e n u s r e x I u d a e o r u m. i s t u m t i t u l u m m u l t i
l e g e r u n t I u d a e o r u m, q u i e r a t s c r i p t u s H e b r a i c e,
L a t i n e e t G r a e c e. d i c e b a n t e r g o P i l a t o p r i n-
c i p e s s a c e r d o t u m e t I u d a e o r u m: n o l i s c r i b e r e,
q u o d r e x I u d a e o r u m s i t, s e d q u o d i l l e s e d i x e-
r i t r e g e m I u d a e o r u m. r e s p o n d i t P i l a t u s: q u o d

5 *Luc. 22, 28—30   11 *Matth. 2, 2   19 *Ioh. 19, 19—22

    1 cont. aquas V   sustinere u   possint Ta.r.U   diabolo u   2 fecit Uu
filium u   tradit u   glor. regni V   3 eam u   huius u   4 protestatur u
et] ut U sed up.c.m2   xpi regnum u   5 suos om. u   6 tribulationibus u
statuo ς uobiscum V   9 quomodo enim UVu   perfectum U   10 alt. et om. V
11 percunctabant U percontabant u   13 enim om. u   oriente̅ u   ut ador.]
adorare Vu   14 xpm confitentur u   regem om. u   et s.l.V   origenis TVu
15 in perpetuum Uu perpetuo ς   aduertit U   17 quod cum U   18 suae]
nobis u   insigne ex. ς   19 scripsit Uu   20 cap. eius Uu   21 et 22 iudeorum TV
(passim)   22 haebreice T   23 latine graece U graece et latine u   24 iudeorum
sac. et V   25 iudeorum rex V   sit s.l.U   alt. quod om. u   dixit u

scripsi, scripsi. cum ergo Pilatus nec seditione nec precibus 2
ad hoc potuerit adduci, ut regnum Christi de titulo tolleret, sciat
Origenes absque ulla necessitate se hoc facere, quod fecerunt Iudaei,
ut regnum Christi aestimet terminandum. illi quidem in terra posi-
5 tum regem negabant, hic regnantem in caelo, quantum in se est,
detrahere nititur, ut accusatorem sceleris sui habeat Pilatum, qui
Iudaeis respondit: quod scripsi, scripsi. ueniat et pro- 3
phetalis sermo in medium ac regnum Christi tota praedicet libertate: gaude, filia Sion, praedica, filia Hieru-
10 salem, laetare et exulta de toto corde tuo,
filia Israhel: abstulit dominus iniquitates
tuas, redemit te de manu inimicorum tuorum,
rex Israhel in medio tui, non uidebis ultra
mala. neque enim, quos semel saluos fecit, iterum praecipitabit 4
15 e caelo et dimittet iuxta Origenis deliramenta et fabulas, ut rursum
de sublimibus conruant. et hoc, quod dicitur: non uidebis
ultra mala, aeternae securitatis indicium est, quod, qui semel
fuerint liberati et regni caelorum possessione perfruiti, nequaquam
uitiis trahantur ad terram nec dei priuentur auxilio, qui eis iuxta
20 eloquium prophetale ponet murum et circamurale
sua eos uirtute circumdans. unde et psalmista canit: non com- 5
mouebitur in aeternum, qui habitat in Hieru-
salem, et dominus protestatur: non te dimittam nec
deseram. frustraque somniat ascendere animas in caelum et
25 descendere et nunc proficere, nunc ad inferiora delabi, ut per ruinas
innumerabiles saepe moriantur et Christi passio irrita fiat. qui enim 6
semel pro nobis mortuus est, aeternam nobis uictoriae suae laetitiam dedit, quae nulla uitiorum mole tenuetur. nec quisquam ho-

7 Ioh. 19, 22   9 *Soph. 3, 14—15   16 *Soph. 3, 15   20 *Esai. 26, 1
21 Ps. 124, 1   23 *Ios. 1, 5 = *Hebr. 13, 5

1 seditionibus *u*   2 abduci *u* duci *V*   toll. de tit. *V*   3 origenis *Tu*
fecer.] fecere *u*   4 et illi *u*   5 in caelo *om. V*   7 resp. iudeis *u*   9 syon *Uu*
hier. *T* iher. *cet.*   10 laetare *om.V*   tuo *om. u*   11 israhel *T* isrl̄ *V* ihr̄l̄m *Uu*
deus *U*   12 redemit *om. V*   te *om. Vu*   14 praecipitauit *u* preci(*ex* e)pit
abire *V*   15 e] de *Uu*   dimittit *Ta.c.V*   iusta *u*   ut] et *u*   18 per-
fruis(*exp.*)ti (*m2* perfecti) *u*   19 trahuntur *Ua.c.u*   domini *U*   eis] s(*eras.*)eis *V*
se his *u*   20 ponit *U* pon̄ *u*   .circa muralē *T* circummurale *ς*   22 hier. *T*
iher. *cet.*   23 neque *u*   24 celo *u*   25 dilabi *u*   26 fiant *u*   27 pro nob. sem. *U*
28 mole—hom. *om. V*   extenuetur *ς*

minum crebrius moritur, quod Origenes ausus est scribere Stoicorum inpiissimum dogma diuinarum cupiens scripturarum auctoritate firmare.

10. Uerum quid ista memoramus, cum in tantam eruperit
uecordiam, immo dementiam, ut aliud saluatori crimen inpingat 5
dicens eum et pro daemonibus ac spiritalibus nequitiis apud superos
adfigendum cruci? nec intellegit, in quam profundum inpietatis con-
ruat barathrum. si enim Christus pro hominibus passus homo factus
est, ut scripturarum testantur eloquia, consequens erit, ut dicat
Origenes: 'et pro daemonibus passurus daemon futurus est'. hoc 10
enim necessitate cogetur ut inferat, ne ab eo, quod coepit, discrepare uideatur et ut imitetur blasphemias Iudaeorum, quos semper
imitatur; et illi enim Christo similiter loquebantur: d a e m o n i u m
h a b e s et: in B e l z e b u l, p r i n c i p e d a e m o n i o r u m,
2 e i c i s d a e m o n i a. sed absit, ut pro daemonibus Christus pas- 15
surus sit, ne et ipse daemon fiat. et qui hoc credunt, rursum cru-
cifigunt et ostentui habent filium dei, qui nequaquam, ut semen
Abraham adprehendit, ita adsumet et daemonum, ne pro illis
quoque crucifigatur. nec daemones pro se deum in passione cernentes cum propheta clamabunt: h i c p e c c a t a n o s t r a p o r- 20
t a u i t et p r o n o b i s d o l e t neque cum Esaia dicent:
l i u o r e e i u s s a n a t i s u m u s nec pro daemonibus sicut
pro hominum genere quasi ouis Christus ducetur ad uictimam nec
pro eorum salute dicetur: p r o p r i o f i l i o n o n p e p e r c i t,
quia nec daemones clamabunt: t r a d i t u s e s t p r o p e c c a- 25
t i s n o s t r i s et r e s u r r e x i t p r o i u s t i f i c a t i o n e

13 Ioh. 7, 20. 8, 48. 52   14 *Luc. 11, 15   16 cf. Hebr. 6, 6   20 *Esai. 53, 4
22 Esai. 53, 5   23 cf. Esai. 53, 7   24 *Rom. 8, 32   25 *Rom. 4, 25

1 moriatur *TV*   origenis *T*   3 affirmare *V*   4 ista] ita *u*   irruperit *V*
5 uictoriam ç   saluato *V*   impinguat *V*   6 pro *om. V*   ac] et pro *u*
8 baratrum *UVu*   pass. pro hom. *Uu*   9 erit] est *u*   10 origenis *T* orrgenes *V*
est *ex* erat *U*   hac *Tp.c.m2*   11 cogitur *Uu*   ut inf.] inferre ç   12 et
ut—semper *u, om. cet.*   et *om.* ç   13 imitator *T* imit(*exp.*)tator iudeorum *V*
imitatus iudeos *U*   et *am. V*   simil. *om. V*   14 belze(*ex* i)bul *T* belzebub *U*
beelzebub *Vu*   18 habraham *T*   demonium *u*   ne] ut ç   19 dominum *u*
20 clamabant *V*   21 esaya *Uu* eseia (*m2* isaia) *T* isaia *V*   23 genere *om. u*
24 si proprio *u*   pep. deus *u*   25 clamabant *V* proclamabunt *U*   26 surrexit *UV*
propter iustificationem nostram *V*

nostra. Paulus quidem perspicue scribit: t r a d i d i   e n i m 3
u o b i s   i n   p r i m i s,   q u o d   e t   a c c e p i,   q u i a C h r i s t u s
m o r t u u s   e s t   p r o   p e c c a t i s   n o s t r i s   s e c u n d u m
s c r i p t u r a s, illas in testimonium uocans et uolens earum aucto-
5 ritate firmare, quod dubium est; Origenes autem absque ullo diuinae
uocis testimonio uim facere nititur ueritati et extincta lucerna
inuenire eam.

11. Fautor daemonum et non hominum crebris calumniis
lacessit filium dei et denuo crucifigit non intellegens, in quam pro-
10 fundam et horribilem inpietatis uoraginem detrahatur. consequens
enim est, ut, qui priora susceperit, suscipiat et quae sequuntur, et,
qui pro daemonibus Christum dixerit crucifigi, ad ipsos quoque
dicendum esse suscipiat: a c c i p i t e   e t   e d i t e;   h o c   e s t
c o r p u s   m e u m   et: a c c i p i t e   e t   b i b i t e;   h i c   e s t
15 s a n g u i s   m e u s. si enim et pro daemonibus crucifigetur, ut 2
nouorum dogmatum adsertor adfirmat, quod erit priuilegium aut
quae ratio, ut soli homines corpori eius sanguinique communicent
et non daemones quoque, pro quibus in passione sanguinem fuderit?
sed nec daemones audient: a c c i p i t e   e t   e d i t e   et: a c c i-
20 p i t e   e t   b i b i t e   nec dominus sua praecepta dissoluet, qui
discipulis ait: n o l i t e   d a r e   s a n c t u m   c a n i b u s   n e c
m i t t a t i s   m a r g a r i t a s   u e s t r a s   a n t e   p o r c o s,   n e
f o r t e   c o n c u l c e n t   e a s   p e d i b u s   s u i s   e t   c o n u e r s i
d i s r u m p a n t   u o s. nam et apostolus scribens: n o l o   u o s 3
25 p a r t i c i p e s   d a e m o n u m   f i e r i. n o n   p o t e s t i s   c a l i-
c e m   d o m i n i   b i b e r e   e t   c a l i c e m   d a e m o n i o r u m;
n o n   p o t e s t i s   m e n s a e   d o m i n i   p a r t i c i p a r i   e t
m e n s a e   d a e m o n i o r u m, inpossibile esse demonstrat dae-

---

1 *I Cor. 15, 3   9 cf. Hebr. 6, 6   13 *Matth. 26, 26   14 *Matth. 26,
27—28   21 Matth. 7, 6   24 *I Cor. 10, 20—21

1 persp. *om.* ς   scripsit *u*   tradidit *u*   2 et *om. TV*   5 origenis *Tu*
8 fauctor *Va.c.* facto *u* crebr(r *s.l. V*)ius *Vu*   9 profundum *Vu*   10 detraatur et *u*
11 qui] quia *u*   *pr.* et *om. u*   sequentur *Ta.c.V*   *alt.* et] ut *T*   12 dix.
xpm crucifigendum ab ipso *V*   dic. quoque *u*   15 crucifigetur *T*—gitur *cet.*
—gatur ς   ut] et *u*   17 communicauerit *u*   19 recipite *u*   24 dirumpant *Uu*
scribit *V*   25 demoniorum *u*   non—daem. *om. U*   27 *et* 28 mensa *V*
28 inposs.—part. *om. V*   per haec imposs. ς   inposs. esse *om. u*   daemonas
Ta.c.m2 — nes *cet.*

4 monas de calice domini bibere et de mensa eius participari. cibus
diaboli negatores dei sunt Ambacum loquente: e s c a e e i u s
e l e c t a e; cibus autem inpiorum omnium execrabilis ipse diabolus
prophetae uaticinio concrepante: d e d i s t i e u m e s c a m p o-
p u l i s A e t h i o p i b u s. ex quibus omnibus adprobatur Christum 5
pro daemonibus non posse crucifigi, ne daemones corporis et sanguinis eius participes fiant.

12. Cum ergo et apostolus de saluatore significet: h o c e n i m
f e c i t s e m e l s e i p s u m o f f e r e n s et Origenes tam audaciter illius sententiae contradicat, tempus est illud inferre: 10
t e r r a, t e r r a, a u d i u e r b u m d o m i n i, s c r i b e u i-
r u m i s t u m a b d i c a t u m. quis enim infernus haec mala
suscipere potest, qui tartarus de rebus istius modi cogitare? quae
gigantum insania tam rebellis exstitit et turrem inpietatis extruxit?
2 quae libido lasciuiens et daemonum amore deperiens sic uniuerso 15
dogmati transeunti diuaricauit crura mentis suae? quis in tantum
de Sodomitica uinea bibit, ut inebriatus uino furoris eius toto
corde conciderit? quis Babyloniorum ita fluminum gurgitibus
inrigatus uiuos Israhel fontes reliquit? quis egrediens de Hierusalem et Hieroboam, filii Nabat, imitator existens tot errorum 20
fabricatus altaria est et ararum profana tura succendit? cur Dathan
et Abiron, qui minora peccarunt, non ueniant ante tribunal Christi
et sui eum conparatione condemnent, qui extra ecclesiam saluatoris uariarum doctrinarum turibula diabolico igne conpleuit?
3 neque enim dominus, qui loquitur per prophetam: e g o u i s i o n e s 25
m u l t i p l i c a u i e t i n m a n i b u s p r o p h e t a r u m a d-
s i m i l a t u s s u m, adulterinas eum docuit proferre doctrinas

2 *Hab. 1, 16   4 *Ps. 73, 14   8 *Hebr. 7, 27   11 *Hier. 22, 29—30   16 cf.
Ezech. 16, 25   17 cf. Deut. 32, 32   cf. Esai. 51, 17. Hier. 25, 15. Apoc. 19, 15
19 cf. Hier. 2, 13   20 cf. III Reg. 12, 28—33   21 cf. Num. 16, 1 sqq.   25 *Os. 12, 10

2 ambacuc (uc *ex* ū) *T* abbacuc *Uu* abacuc *V*   3 ipse diab. *om. U*   4 eum
in esca populo *u*   5 ethiopibus (*s.l.m*2 ł pū *V*) *UV* ethiopo *u*   6 eius et
sang. *u*   9 origenis *Tu*   tam aud.] tanta confidentia ϛ   audaciter *Ta.c.*
audacter *cet.*   11 *pr.* terra—dom. *om. U*   *alt.* terra *om. V*   13 potest *om. u*
qui] quis ϛ   14 insaniam *V*   turrim ϛ   17 ut] et *V*   eius *om. V*   18 concidit *V*
babil. *Vu* babyll. *Ta.r.*   19 hier. *T* iher. *cet.*   20 iheroboam *UV*   nabath *Uu*
21 fabricator *u*   earum *u*   prof(ph *u*)anatura *Uu*   thura *V*   22 habiron
U,Va.r. peccauerunt *Vu*   ueniunt *u* uenient *U*   23 eum] enim *u*   24 thur. *V*
turribula *Ua.c.* turbula *u*   diabolica *V*

nec, qui a principio ipsi uiderunt et ministri fuerunt uerbi dei,
nec prophetarum chorus, qui olim uocabantur 'uidentes', haec
eum instituit, sed ipse suae mentis arbitrio furori daemonum
seruiens et blando cogitationum errore deceptus gregem et, ut ita
5 dicam, examen dogmatum peruersorum per totum orbem inmisit
mentibus indoctorum. iste est, qui Assyriis Babyloniisque flumi- 4
nibus aperuit os suum, qui nauem ecclesiae bonarum mercium
plenam salutis doctrinae fluctibus operire conatus est, dum inperitorum laude sustollitur et scripturarum sensum aliter, quam se
10 habet ueritas, edisserens gloriatur in confusione sua. quis enim
tam innumerabiles et garrulos et uerbositatis atque inperitiae
plenos conscripsit libros et infatigabili studio dies noctesque coniunxit, ut errorum monimenta dimittens mereretur audire: m u l t i s
i t i n e r i b u s t u i s d e c e p t u s e s? usus est enim duce 5
15 pessimo, aura populari, et plurimis falsae scientiae uoluminibus
exaratis ac rebelli contra deum mente pugnans unguento caelestium
doctrinarum saniem quandam et paedorem sui fetoris inmiscuit,
ut rursum ad suam animam diceretur: i n m u n d a e t f a m o s a
e t n i m i a i n i q u i t a t i b u s. neque enim prophetam audire
20 uoluit conmonentem: q u a r e d i l i g i t i s u a n i t a t e m e t
q u a e r i t i s m e n d a c i u m? qui pro daemonibus Christum
adfigit cruci, ut non solum dei et hominum, sed daemonum quoque
mediator fiat. uerum absit tam inmane nefas de saluatore credere, 6
ut templum corporis sui, quod pro nobis suscitare dignatus est,

2 cf. I Reg. 9, 9   10 cf. Eccli. 3, 12   13 cf. Prou. 12, 26   18 ?   20 *Ps. 4, 3
22 cf. I Tim. 2, 5   24 cf. Ioh. 2, 19. 21

1 nec] nonne *u*   qui a] quia *V*   uerbi] sermonis *u*   2 hoc *V*   5 dogmati *u*
6 as(s *s.l.U*) sir. *Uu* sir. *V*   babil. *Vu* babyll. *Ta.r.*   flum.] numinibus *uel*
luminibus *coni. Engelbrecht*   7 qui nau. eccl.] quin autem eccl. nau. *u*   nauim *V*
8 plen. sal. doctr.] salutaris doctr. plen. ς   salutis] salsis *Uu* falsis *uel* falsae
coni. Vall. solutis *uel* solutae *Engelbrecht ; sed* salutis *ad* bonarum mercium,
non ad doctrinae *referendum est*   imperatorum *TV (cf. Vall. adnot.)*   10 tam
inn. enim *u*   11 tam inn.] inn. adeo ς   tam *s.l.T*   garulos *V*   12 conscr.
libros et] sua sit *u*   infatigabilis *U*   coniungit *u*   13 monimenta *U*   14 suis *u*
est] es *u*   15 ppla *u*   et] sed *u*   scienti *u*   16 rebellis *V*   pugnas unguenta *u*
17 pedorem *V* ph(h *exp.*)edorem *u*   faetoris *T*   18 diceret *U*   et fam. *om. V*
19 in iniq. *U*   21 qui] is qui ς ut quid *u*   22 affixit *U*   24 corpus *u*   susc.
dign.] suscitatus *u*

amissurus aliud sibi templum daemonicae conditionis adfigat, ut
illorum quoque recepta similitudine pro ipsis patibulum subeat.

13. Obsecro, fratres dilectissimi, ut ignoscatis dolori meo
doctrinis inpiis resistenti. dum enim inpudentiam sectatorum eius
repercutere nititur, conpagem loricae ipsius et uenenati pectoris 5
fraudulentias in medium protulimus, ut illud quoque conpleretur
in eo: r e u e l a b o i g n o m i n i a m t u a m e t o s t e n d a m
e a m a m a t o r i b u s t u i s. nam inter cetera etiam resurrectionem a mortuis, quae spes salutis nostrae est, ita corrumpit et
uiolat, ut audeat dicere corpora nostra rursum corruptioni et morti 10
2 subiacentia suscitari. responde mihi, o inpietatis caput, quomodo
iuxta apostolum Paulum uicerit Christus eum, qui mortis habebat
imperium, hoc est diabolum, si corruptibilia et mortalia iterum
corpora surrectura sunt? quid nobis profuit Christi passio, si mors
atque corruptio denuo nostra corpora possessura est? aut quid sibi 15
uult apostolus scribens: s i c u t e n i m i n A d a m o m n e s
m o r i u n t u r, i t a i n C h r i s t o o m n e s u i u i f i c a-
b u n t u r, si resurgentibus mors saeua dominabitur? uel quomodo,
qui ista credunt, possint ex animo dicere: C h r i s t u s d e i
u i r t u s e t d e i s a p i e n t i a, uolentes illo fortiorem esse mor- 20
tem, quae suscitata ab eo corpora deletura est nec probetur ex omni
3 parte superata? uerum et Origenem tam inpie resistentem Christus,
dominus noster, et mortem uicit et diabolum, qui habebat mortis imperium, sua uirtute destruxit parato nobis in caelo uictoriarum suarum triumpho. nec idcirco corpora suscitauit, ut rursum perirent, sed 25
illorum incorruptione perpetua mortem corruptionemque deleuit.

14. Unde liberati a cunctis malis passionis dominicae festa
celebremus et iuxta euangelii parabolam cernentes a sapientia
immolari tauros et altilia uescamur fortioribus plenisque neruorum

7 *Ezech. 16, 36   12 cf. Hebr. 2, 14   16 *I Cor. 15, 22   19 *I Cor. 1, 24
23 cf. Hebr. 2, 14   28 cf. Matth. 22, 4

1 aliut ibi *u*   demoniace *U*   condic. *U*   affinguat *U*   3 k͞m͞i *UVu*
5 se percut. *u*   nitimur *Uu*   uen.]uenena et *u*   peccatoris *V*   6 in — 23 uicit
om. u   8 eam]illam *U*   9 a]ex *U*   spes *ex* spe *T*   10 rursum—susc.] suscitatum
quidem iri, sed sic, ut corruptelae rursus ac morti subiaceant ς   11 caput] ap *V*
14 corp. *om. V*   x͞p͞i prof. *U*   16 enim *om. V*   omnes *om. V*   19 possunt *V*
21 nec] ne *U,Vp.r.*   23 noster simul ς͞   24 uirtute x͞p͞s *u*   praeparato *u*
25 suscitabit ς   periret *V* pereant ς   26 ipsorum *u* pro illorum ς   incorr.—
mortem *om. u*   perpetuā *T*   27 pasionibus (*sic*) *U*   dominica *U*   28 et] ut *V*

et pinguioribus doctrinae cibis, ut lac infantiae deserentes solidiora
capiamus alimenta causamque malorum omnium fugiamus inperitiam, quae, cum multorum diuersis heresibus uinxerit pedes,
Origene maximo sui fruitur amatore, qui inter cetera ausus est
5 dicere non esse orandum filium neque cum filio patrem ac post
multa saecula Pharaonis instaurauit blasphemiam dicentis: q u i s
e s t, u t a u d i a m u o c e m e i u s? n e s c i o d o m i n u m
e t I s r a h e l n o n d i m i t t a m. nec est aliud dicere ‘n e s c i o
d o m i n u m‘ quam hoc, quod dicit Origenes: ‘non est orandus
10 filius‘, quem certe dominum confitetur. et quamquam ille in tam 2
apertam proruperit blasphemiam, tamen orandus est, de quo propheta testatur dicens: e t a d o r a b u n t t e e t i n t e d e p r e-
c a b u n t u r, q u i a i n t e e s t d e u s e t a b s q u e t e n o n
e s t d e u s, et rursum: o m n i s, q u i i n u o c a u e r i t n o m e n
15 d o m i n i, s a l u u s e r i t. et Paulus disputans: q u o m o d o,
inquit, i n u o c a b u n t, i n q u e m n o n c r e d i d e r u n t?
oportet primum credere, quod filius dei sit, ut recta et consequens
fiat eius inuocatio. et quomodo orandus non est, qui non est deus,
sic e contrario, quem deum esse constiterit, adorandus. unde et 3
20 Stephanus positis genibus et obsecrans pro his, qui se lapidibus
obruebant, dicebat ad filium: d o m i n e, n e s t a t u a s i l l i s
h o c p e c c a t u m. in n o m i n e quoque I e s u C h r i s t i
o m n e g e n u f l e c t e t u r c a e l e s t i u m, t e r r e s t r i u m
e t i n f e r n o r u m. quod autem dicitur: g e n u f l e c t e t u r,
25 sollicitae et humillimae orationis indicium est. itaque nec deum 4
credit Origenes filium dei, quem non putat adorandum, et lacerat
eum conuiciis; cumque sibi in scripturarum memoria blandiatur
et putet se eas intellegere, non audit contra se loquentem Moysen:

1 cf. Hebr. 5, 12—14   5 cf. Orig. de oratione c. 15 init.   6 *Ex. 5, 2
12 *Esai. 45, 14   14 *Rom. 10, 13   15 *Rom. 10, 14   21 Act. 7, 59   22 *Phil.
2, 10. cf. Esai. 45, 24

1 doctrinarum ς   2 augmenta V   3 cum] cumque V, om. u   4 origenis u
maxime V   sui om. V   7 est dominus V   9 o(r exp. V)rigenis TV   10 confitemur u   11 est om. u   14 omnis quicumque u   16 uocabunt u   17 recta]
credat u   19 e] est V   quem] q̄m u   esse deum u   ador. et orandus ς est et
orandus u est V   20 et om. U   orans u   22 hoc ad u   23 flectere
(ere in ras. m2) T flectitur Up.c. (i ex a) V   cael.—flect. om. T   24 flectitur U
flectet V 26 origenis TVu dei om. u   orandum u   27 in om. u   memoriā V
blanditur u   28 putat u   ea u   moisen Vu

homo, qui maledixerit deum, peccatum habebit et, qui nominauerit nomen domini, morte
morietur; lapidibus obruet eum omnis multi-
tudo. et quis tantis Christum adficit contumeliis ut hic, qui
ausus est dicere: 'non debet orari' cassum tantum ei diuinitatis 5
nomen indulgens?

15. Uerum quid necesse est in tam inpiis immorari? ad alium
eius transeamus errorem. dicit corpora, quae resurgunt, post multa
saecula in nihilum dissoluenda nec futura aliquid nisi, cum de
caelorum mansionibus animae ad inferiora dilapsae indiguerint 10
nouis, quae alia rursum fiant prioribus omnino deletis. quis ista
audiens non et mente et corpore pertremiscat? si enim post resurrectionem 'corpora redigentur in nihilum, fortior erit mors secunda
quam prima, quae delere omnino poterit substantiam corporalem.
2 cur Paulus scribit: mors non dominabitur illius; 15
quod enim mortuus est peccato, mortuus est
semel, si corpora delenda sunt penitus? aut quomodo hoc, quod
dicitur 'semel', firmum erit, cum caro ab animae consortio separata
redigenda sit in nihilum? qua ratione rursus adiunxit: seminatur in corruptione, surgit in incorruptione; 20
seminatur in infirmitate, surgit in uirtute;
seminatur in ignobilitate, resurgit in gloria;
seminatur corpus animale, surgit corpus
3 spiritale? si enim incorruptio corpora in nihilum redigit, consequens fuerat dicere corruptioni ea in perpetuum reseruari esset- 25
que fortior incorruptione. sed absit Paulum contraria sibi scribere
et incorruptioni et corruptioni eandem esse naturam. quodsi, ut

---

1 *Leu. 24, 15—16   15 *Rom 6, 9—10   19 *I Cor. 15, 42—44

2 nomin. in falsum *u* blasphemauerit *U*   4 et] at ç   affecit *Uu*   5 casu *u*
cassum et inane ç   ei di *T*   8 resurgent *Tp.c.m2*   10 mans.] inanibus *u*
ad *om. u*   delapsae *U* lapsae *u*   11 nouis, quae *Vall.* nobisque *T* (nobis ut *m2*)
UVu   quis ista aud.] cur ita audies *u*   12 pertimescat *T*   15 scribat *V*
scripsit *u*; *add.* sic ç   illi *u*   16 *pr.* mortuum ç   peccato *in ras. V, om. u*
alt. mortuum ç   17 si—pen. *om. V*   18 caro ab] carnali *u*   separate *u*
19 sint *u*   rursum *U*   adiungit *Uu*   20 surget ç   incorr.] corr. *U*   21 surget ç
22 resurget *V* surgit *U*   23 surget *U*   *alt.* corpus *om. u*   24 incorr.] corr. *u*
corpora *om.* ç   25 ea corr. *U*   corruptione *V*   ea] et *u*   26 incorruptioni *T*
incorrupto ç; *add.* corruptio *UVu*   contrarie *u*   scrib. sibi *V*   27 *pr.* et *om. u*
incorr. et corr. *u* incorruptionis *cet.*   quodsi] quod *T*   ut] et *V*

falso putat Origenes, non solum corruptibile, sed et mortale corpus
est suscitandum, ergo unum atque idem corruptio et incorruptio,
mors et uita dicentur; eandem habebunt in suscitatis corporibus
potestatem et nequaquam rebus, sed tantum nominibus corruptio
5 et incorruptio, mors et uita separabuntur. sin autem corruptibile 4
et mortale corpus surrecturum est, consequentius fuerat apostolum
dicere: 'seminatur in corruptione, surgit in corruptione; seminatur
in infirmitate, surgit in infirmitate; seminatur in ignobilitate, surgit
in ignobilitate; seminatur corpus animale, surgit corpus animale'.
10 quodsi corruptionem et infirmitatem et ignobilitatem amouet a
corporibus suscitatis et dicit e contrario incorruptione et fortitudine et gloria corpora uestienda et pro animali spiritale corpus esse
reddendum, soluta erit mors et in corporibus suscitatis pro morte
et corruptione inmortalitas incorruptioque regnabunt, quia et
15 ipsum corpus inmortale et incorruptum resurget, ut possit permanere
animae coaeternum. igitur et saluator pignus salutis nostris corpo- 5
ribus in resurrectione sui corporis tribuens non potest credi ultra
moriturus apostolo in hanc sententiam congruente: C h r i s t u s
r e s u r g e n s   e x   m o r t u i s   u l t r a   n o n   m o r i e t u r,
20 m o r s   e i   n e q u a q u a m   d o m i n a b i t u r,   ne, si illius
fuerit dominata, dominetur nostri.

16. Confundatur Origenes inter cetera flagitiorum genera, quae
confingit, magicis quoque artibus patrocinium tribuens. nam in
tractatibus suis his locutus est uerbis: a r s   m a g i c a   n o n   m i h i
5 u i d e t u r   a l i c u i u s   r e i   s u b s i s t e n t i s   u o c a b u l u m,
s e d   e t,   s i   s i t,   n o n   e s t   o p e r i s   m a l i   n e c   q u o d
h a b e r i   p o s s i t   c o n t e m p t u i.   haec dicens utique fau- 2
torem se esse demonstrat Elymae magi, qui apostolis repugnauit,

18 *Rom. 6, 9   24 Orig. de resurrect. fragm.   28 cf. Act. 13, 8

1 origenis *T* solam *u* et *om. u*   3 eandemque *UV* et eandem *u*   5 uita et
mors *u*   6 resurrecturum ς   7 *pr.* corr.] incorr. *u* surget *V* ter   8 seminantur *V*
surget *V, u a. c.* resurgit *T*   11 incorruptionē et fortitudinē et gloriā *T*
12 animale *u*   13 credendum *u*   sol. erit] soluenda est *u*   14 inmortalitatis *u*
et *om. U*   15 re(*s.l.*)surgit *U* surget *u*   18 in ac sententia *u*   19 ex] a *u*
moritur *u*   20 ne si *U* nisi *cet.*   non(*s.l.m2*)domina(bi *s.l.m2*)tur *T* nec dominetur ς dominetur et *u*   22 confundantur *Tu*   origenis *Tu*   23 confingunt *V*
magicae q. arti *U* nam *eras., in ras.m2* qui *T* nam et *u* quam *UV*   26 ne quis
habere ς   27 fauctorem *U,u* (u *del.*)   28 aelymae *U* aelime *T* elime *Vu*

et Iannae atque Iambrae, qui Moysi magicis artibus restiterunt.
sed nullas Origenis patrocinium habebit uires, quia Christus mago-
3 rum praestigias suo deleuit aduentu. respondeat nouae inpietatis
adsertor, immo aperte audiat: si non est malum ars magica, non
erit malum et idolatria, quae artis magicae uiribus nititur. quod- 5
si malum est idolatria, malum erit et ars magica, ex qua subsistit
idolatria. cum autem idolatria Christi maiestate deleta sit, indicat
et parentem suam artem magicam secum pariter dissolutam propheta super hoc liquido proclamante: s t a n u n c i n i n c a n t a-
t i o n i b u s t u i s e t m u l t i s u e n e f i c i i s t u i s , q u a e 10
d i d i c i s t i a b a d u l e s c e n t i a t u a , s i p o t u e r i n t
4 p r o d e s s e t i b i. cum igitur haec prophetarum scripta testentur
et nullus umquam ausus sit memoriae prodere magorum artes inter
optima quaeque numerandas, leges quoque publicae magos et
maleficos puniant, scire non possum, qua ratione inpulsus Origenes, 15
qui Christianum se esse iactat, Sedeciae pseudoprophetae aemu-
lator existens cornua sibi ferrea fecerit, quibus contra dogmata
ueritatis armatus incedat, nec sapiat quicquam de caelesti Hierusalem neque imitetur Moysen et Daniel Petrumque et alios sanctos,
qui contra magos et incantatores quasi in acie stantes indefesso 20
5 certamine dimicarunt. cum quibus festae diei ducamus choros, quod
per media Babylonis pericula transeuntes Origenis uenena uitauimus et oboediuimus prophetae sermonibus imperantis: e g r e-
d e r e d e B a b y l o n e, q u i f u g i s d e t e r r a C h a l d a e o-
r u m, ut ingrederemur Hierusalem, in qua praedicatio ueritatis est. 25
    17. Quamquam enim mendacio resistentes passi sumus aliquid
trium puerorum, qui in camino aestuantis incendii flammarum

---

1 cf. II Tim. 3, 8   9 *Esai. 47, 12   16 cf. III Reg. 22, 11   18 cf. Hebr. 12, 22
23 *Esai. 48, 20   27 cf. Dan. 3, 94

---

1 iānẹ U iamne u   mambrae (e u) Tp.c.m2Uu   moyse Ta.c.   2 praest.
mag. V   5 erit] est u   6 et om. U   quo ς substitit U; add. et u   8 partem V
10 et] in u   12 ṭibi prod. u   haec om. T   scriptura testetur V   detestentur
Tp.c.m2   14 quaeque] quoque u   numera(a ex e V)nda TVu   15 scire] uidere u
orig. inp. u   origenis T   16 esse se u   esse om. ς   sedeciae (m2 zedechiae) T
sedechiae cet.   prophetae u   18 hier. T iher. cet.   19 moisen V   danihel U
22 babyll. Ta.c. babil. Uu   specula U   24 babyll. Ta.c. babil. Vu   caldeorum u
25 ingredir(r s.l.)emur u   irlm V iher. Uu   in] de V   26 enim om. ς   maledico
resistente u   simus V   27 incendio up.c.m2

uicere naturam, tamen non praeualuit contra nos ignis Babylonius
nec capilli nostri adusti sunt — extrema uidelicet ecclesiasticae
dogmata ueritatis — nec sarabara mutata, quae in protectionem
animarum de testimoniis scripturae sanctae nobis sapientia texuit,
5 nec odor ignis in nobis est, peruersae scientiae flamma discurrens.
non enim adquieuimus doctrinae eius, qui propter lapsus ratio- 2
nabilium creaturarum corpora fieri suspicatur et dicit iuxta Graeci
sermonis etymologiam animas idcirco uocitatas, quod calorem
mentis et in deum feruentissimae caritatis amiserint, ut ex frigore
10 nomen acceperint, ne et saluatoris animam isdem subiacere neniis
sentiremus. solis quoque et lunae ac stellarum cursus et totius 3
mundi pulcherrimam in diuersitate consonantiam non adserimus
ex causis praecedentibus uariisque peccatis et animarum uitiis
accidisse nec bonitatem dei multo tempore praestolatam, ut non
15 ante faceret uisibiles creaturas, nisi inuisibiles deliquissent. nec 4
uanitatem appellamus substantiam corporalem, ut ille aestimat
aliis uerbis in Manichei scita concedens, ne et Christi corpus subiaceat
uanitati, cuius edulio saturati ruminamus cotidie uerba dicentis:
nisi qui comederit carnem meam et biberit
20 sanguinem meum, non habebit partem mecum.
nam si natura corporea uana est et futilis iuxta Origenis errorem, 5
cur Christus surrexit a mortuis, quare nostra corpora suscitauit,
quid sibi uult Paulus scribens: si mortui non resurgent,
nec Christus resurrexit; si autem Christus
25 non resurrexit, uana est fides nostra?
    18. Ex quo perspicuum est non corporum naturam esse uanam,
sed eos credere uanitati, qui non putant eam resurgere et manere

---

7 cf. Orig. περὶ ἀρχῶν (Rufinus) II 8, 3   19 *Ioh. 6, 54   23 *I Cor. 15, 13—14

1 babyll. *Ta.c.* babil. *Vu*   2 usti *u*   3 sarrabara *T* sarraballa *V* saraballa *ς*
immutata *V*   protectione *Tu*   4 de *om. ς*   sanctae *om. u*   5 odor ignis]
origenis *u*   peruersae] per se *u*   6 lapsum *ς*   ir(*ex* in)rationabilium *ua.c*
7 corpore *u*   gregis *u*   8 ethym. *U*   etim. *V* ethim. (*ex* etem.) *T* etimologiāt
(*sic*)*u*   9 amis(*exp.*)serit *V*   ut] et *u*   10 acciperent *T*(*alt.* e *ex* i *m2*),*U*
anima *u*   hisdem *Tp.c.m2U* iisdem *ς*   15 fae. ante *V*   17 in aliis *u*
manicheis *u*   concidens *Tp.c.m2Vu*   19 quis *Uu*   cōm. *u*   21 corporum *u*
futilis *ς* furtilis *U* fictilis *u* subtilis *TV*   22 resurrexit *ς*   suscitabit *ς*
23 resurgt *u*   24 neque *U*   surrexit *ς*   27 uanitatem *ς*   non *om. u*   et non *u*

perpetuam. honorabiles quoque condemnat nuptias negans subsistere corpora, nisi prius animae in caelo peccauerint et inde praecipitatae quasi quibusdam ergastulis corporum uinctae fuerint. et ille quidem sentiat, ut uult, loquatur, ut non timet: audiat nos cum Paulo suis auribus inclamantes: h o n o r a b i l e s n u p t i a e et c u b i l e i n m a c u l a t u m. et quomodo inmaculatum, si anima uitiis sordidata carne circumdatur? et culpae subiacebit Anna, uxor Elcanae, semen uirorum postulans, ut propter desiderium mulierculae animae in caelis periclitentur et una earum peccato grauis labatur in terram ac pristinam beatitudinem deserat. nec Moyses inprecans et dicens: d o m i n u s d e u s u e s t e r m u l t i p l i c e t u o s e t e c c e e s t i s h o d i e s i c u t s t e l l a e c a e l i i n m u l t i t u d i n e. d o m i n u s d e u s p a t r u m u e s t r o r u m a d d a t u o b i s, s i c u t e s t i s, m i l i e s e t b e n e d i c a t, u t l o c u t u s e s t, hoc petebat, ut animarum in caelo cateruae peccantes Israhelitici populi gentem conderent. quod esse discrepans apertissime patet, ut, qui pro delicto populi precabatur: s i d i m i t t i s p e c c a t u m h o c p o p u l o, d i m i t t e; s i n a u t e m, d e l e m e. d e l i b r o, q u e m s c r i p s i s t i, postulet multiplicari filios Israhel; quos si nouerat animarum ruinis crescere, non e contrario precaretur, ne propter uitia melioris substantiae natura uilior conderetur? cur Dauid inprecatur in psalmo: b e n e d i c a t t e d o m i n u s e x S i o n e t u i d e a s, q u a e b o n a s u n t, i n H i e r u s a l e m o m n i b u s d i e b u s u i t a e t u a e e t u i d e a s f i l i o s f i l i o r u m t u o r u m, si animarum peccato iusti uiri augetur genus, et audet dicere: e c c e s i c b e n e d i c e t u r h o m o, q u i t i m e t d o m i n u m, cum sciat animas delinquentes cor-

1 cf. Hebr. 13, 4   5 *Hebr. 13, 4   8 cf. I Reg. 1, 10—11   11 *Deut. 1, 10—11   18 *Ex. 32, 31—32   23 *Ps. 127, 5—6   27 Ps. 127, 4

1 negat u   2 et] ut ς   3 iuncte V   4 uult om. u   loquitur u   non om. U nos audiat U   5 nuptias u   6 et quom. inm. om. U   quomodo cubile u 8 helcanae U elchane V   uirile ς   ut] et u   10 grauis u graui cet.   deserant u 11 inpcassen(exp.)t u   domine u   13 multitudinē U   domine Ta.c.u   14 sicuti u 15 et loquutus u   17 esse] est u   18 deprecabatur u   dimittas ς   huic Vu 20 postulat u   si u, om. cet.   21 non u et non cet.   et u   23 deus u   24 syon UVu hier. T irlm V iher. Uu   25 et om. U   26 pecc.] depulsione et exitio ς augeretur u   27 omnis homo u

porum uinculis alligari et in huiusce modi carcere iudicio dei poenas
luere peccatorum? quomodo deus loquitur per prophetam: si 5
audisses praecepta mea, fuisset utique quasi
fluuius pax tua et iustitia tua sicut fluctus
5 maris et sicut harena semen tuum et soboles
uteri tui ut puluis terrae? qui enim dei praecepta
conseruant, non debent accipere praemium animarum de caelo
ruinas, quae ligatae corporibus sobolis eorum incrementa multi-
plicent. si autem uolunt discere, quae sint humani generis exordia, 6
10 audiant dicentem Moysen: tulit deus de terra et
finxit hominem et insufflauit in faciem eius
spiritum uitae et factus est homo in animam
uiuentem, id est inmortalem. deus quoque benedicens Adam
et Euae ait: crescite et multiplicamini et replete
15 terram.

19. Si animae post peccatum mittuntur in terras, ut nascantur
in corporibus, non erat rationis benedici Adam et Euae, cum causa
peccati maledictionem potius mereretur. denique, postquam plas-
mauit eos, benedictionis uocibus prosecutus est, quos postea uolun-
20 tate peccantes maledictione percussit. ex quibus colligitur nequa- 2
quam propter animarum peccata corporum substitisse naturam.
audiant rursum dicentem deum: ego feci terram et
hominem in ea et Dauid: caelum caeli domino,
terram autem dedit filiis hominum et cessent
5 ultra cogitationum suarum errores sequi et scripturarum magis
auctoritate ducantur. sicut enim, qui uoluptatibus eneruati sunt 3
et quorum in pectore libido dominatur, contemplantes corporum
uenustatem non quaerunt morum pulchritudinem, sed membrorum,
sensusque eorum praegrauatus faece terrena nihil altius intuetur,
10 sic, qui structa uerborum conpositione ducuntur et capti eloquentiae sono non intuentur dogmatum ueritatem, erubescunt errorem

2 *Esai. 48, 18—19   10 *Gen. 2, 7   14 Gen. 1, 28   22 *Hier. 34, 4 (27, 5)
23 Ps. 113, 16

1 huius ς   carcerem *TV*   5 arena *UVu*; *add.* maris *U*   *alt.* et *ex* ut *T*
7 non *om. u*   9 sin *Uu*   s̄ *V*   10 audient *u*   moisen *V*   11 insuflauit *u*
13 in inmortalem *Up.c.*   14 euam *u*   17 Eua ς   18 potius *om. U*   miseretur *u*
22 deum *om.* ς   23 super eam *u*   Dauid *om. V*   24 autem *om. V*   27 peccatore
(ca *exp.*) *T* peccato *u*   28 et quaer. non *V*   30 instructa *u*

pristinum confiteri et adrogantiae tumore caecati nolunt esse discipuli, ne, postquam correcti fuerint, prius errasse uideantur.

20. Abiectis itaque Origenis malis et scripturarum, quae
uocantur apocrypha, id est abscondita, decipulis praetermissis —
n o n enim in a b s c o n d i t o l o c u t u s s u m, ait dominus 5
— iterum atque iterum, fratres carissimi, dominicae passionis festa
celebremus; fidem conuersatione decorantes misericordia in pauperes imitemur deum, cui nulla corporalium naturarum forma consimilis est, habeamus in cunctis imaginem bonitatis eius, paenitentia emendemus errores, oremus pro inimicis, pro detractatoribus 10
obsecremus aemulantes Moysen, qui sororis contra se loquentis
culpam oratione deleuit, oleo elemosynae peccatorum sordes
2 lauemus. captiuorum uincula nos uideantur adstringere et propi-
tium illis inprecemur deum; clausos carcere humanitas diurna
sustentet et his, quorum corpora morbus regius occupauit et iugi 15
tabe membra soluuntur, propter repositam in caelis mercedem
sollicito ministerio seruiamus. si quando potestas iudicii nobis data
fuerit et iurgantium ad nos fratrum causa delata, non sit personarum consideratio, sed rerum. corruentibus et in tribulatione
positis nos quoque ruamus affectu, leges normam teneant ueritatis, 20
caritas prona sit ad misericordiam non insultans peccantibus, sed
condolens; facilis est enim lapsus ad uitia et fragilitas condicionis
3 humanae, quidquid cernit in alio, in se debet pertimescere. cumque
alius fuerit pro errore correptus, illius emendatio nostra sit cautio.
et super omnia quasi culmen et corona uirtutum pietas in deum 25
toto cordis timore seruetur execrantesque deorum numerum patris
et filii et spiritus sancti unam confiteamur indiscretamque sub-

---

5 *Ioh. 18, 20   11 cf. Num. 12, 13—15

4 apocrifa *TV* apocrifę (—phe *u*) *Uu*   absconditae *Uu*   discipulis *codd.*
(*corr. U*)   5 non—dom. *om. U*   non enim in] in palam non *u*   6 it. atque
it. obsecro uos ς   7 misericordiam *TVu*   paup.] *add.* exibentes *in mg. m2 T*
inpercientes *u*   10 detractoribus *UVu*   11 deprecemur *u*   moisen *V*
12 aelymosinae *T* elemosine *cet.*   14 eis *V*   diuina *u*   15 iugi tabe] iugita *u*
17 iud. pot. nob. *U* iud. nob. pot. *u*   18 fratrum *om. Uu*   19 conruentibus *V*
cum ruentibus *u* corruentes *U*   20 positos *U*   non *V*   quoque ruamus]
queramus *u* quoque tuęamur *U*   legis ut (*s.l.m2*) normam *T*   23 pert.
debet *U*   26 execrantes et eorum *u*   27 fili *T*

stantiam, in qua et baptizati uitam aeternam suscepimus. et, si dei 4
tribuerit clementia, cum angelis merebimur dominicum pascha
celebrare habentes quadragesimae exordium ab octaua die mensis,
qui secundum Aegyptios uocatur Famenoth, et ipso praebente
5 uires adtentius ieiunemus ebdomadae maioris, id est paschae uenerabilis, die tertia decima mensis Farmuthi fundamenta iacientes,
ita dumtaxat, ut iuxta euangelicas traditiones finiamus ieiunia
intempesta nocte, octauo decimo die supra dicti mensis Farmuthi
et altero die, quo dominicae resurrectionis est symbolum, id est
10 nono decimo eiusdem mensis, uerum pascha celebremus adiungentes
his septem reliquas ebdomadas, in quibus pentecostes festiuitas
texitur, et praebentes nos dignos communione corporis et sanguinis
Christi. sic enim merebimur accipere regna caelorum in Christo 5
Iesu, domino nostro, per quem et cum quo deo patri gloria et im-
15 perium cum spiritu sancto et nunc et semper et in omnia saecula
saeculorum. amen.

21. Salutate inuicem in osculo sancto; salutant uos, qui mecum
sunt, fratres.

1 *pr.* et *om* V   3 quadragensimae T   octauo ç   4 egypt. U egipt. Vu
famenoht U   farmenoth *u*   ipsos *u*   5 maioris] mos est *u*   pascae T
6 famuthi U ⚹ 7 ut *om. u*   8 supra dicto mense *u*   supra dictis U   famuthi
ua.c.   9 alterius diei *u*   quo] qui *u*   *pr.* est *om. u*   synb. T sinb. *u* sib. V
10 pasca T   11 reliquas] alias V   12 texuitur T   corporis *om. u*   sanguini *u*
13 enim *om. u*   14 quo est *u*   deo *om.* U   15 sancto spir. U   17 sal.—fratres
om. u   uos] *add.* omnes U   18 fratres] *add.* explicit epistula paschalis beati
theof(ph V)ili alexandrini epi ad totius aegypti (egipti V) epos ·II· (scda V)
TV explicit epla ·II· U

XCVII.
AD PAMMACHIUM ET MARCELLAM.

1. Rursum orientalibus uos locupleto mercibus et Alexandrinas opes primo Romam uere transmitto. d e u s a b A u s t r o u e n i e t et s a n c t u s d e m o n t e F a r a n u m b r a c o n d e n s a; 5 unde et sponsa laetatur in Cantico canticorum dicens: i n u m b r a eius c o n c u p i u i e t s e d i; e t f r u c t u s e i u s d u l c i s 2 in f a u c i b u s m e i s. uere nunc conpletur Esaiae uaticinium praedicantis: i n d i e i l l a e r i t a l t a r e d o m i n i in m e d i o t e r r a e A e g y p t i, ut, ubi abundauit pec- 10 catum, superabundaret gratia. qui paruulum Christum fouerant, adultum fidei calore defendunt, ut, qui per illos Herodis effugerat manus, effugiat hereticum blasphemantem. quem Demetrius Alexandri urbe pepulit, toto orbe fugat Theophilus, Theophilus, ad quem Lucas scripsit euangelium, qui ex amore dei 15 3 nomen inuenit. ubi nunc est coluber tortuosus? ubi uenenatissima uipera,

prima h o m i n i s f a c i e s u t e r o c o m m i s s a l u p o r u m ? ubi heresis, quae sibilabat in mundo et me et papam Theophilum sui iactabat erroris latratuque inpudentissimorum canum ad indu- 20 cendos simplices nostrum mentiebatur adsensum? oppressa est eius

---

4 *Hab. 3, 3   6 *Cant. 2, 3   9 Esai. 19, 19   10 cf. Rom. 5, 20
12 cf. Matth. c. 2   15 cf. Luc. 1, 3   18 Verg. Aen. III 426. 428

A = Berolinensis lat. 17 s. IX.
Π = Turicensis Augiensis 49 s. IX.
D = Vaticanus lat. 355+356 s. IX—X.
M = Coloniensis 60 s. IX—X.

ad pammachium et marcellam (marcellum A marcello D) codd.; Hieronymi nomen exhibent tituli omnium codicum

3 alexandrinis AMa.c. alexandrinus D   5 pharan D   6 laeta∗tur A
7 dulcis om. D   8 isaie D   10 egypti AD   ut Π, om. cet.   h(eras. Π)a-
bund. codd.   11 superhab. ADM ; add. et ς   13 eff. Her. ς   effugat Π
14 alexandria Ap.c.m2Π   re(p s.l.M)pulit DM   th(h s.l.M)eof(ph Π)ilus
theof(ph Π)ilus AΠM theofilus D   15 euang.] actus apostolorum ς   18 primi Π
19 theofilum codd.   21 oppraessa AM   eius ex eis A, om. M

auctoritate et eloquentia et in morem daemonicorum spirituum
de terra loquitur. nescit enim eum, qui desursum ueniens ea loquitur, quae sursum sunt.

    2. Atque utinam serpentina generatio aut simpliciter nostra
5 fateatur aut constanter defendat sua, ut scire ualeamus, qui nobis
amandi sint, qui cauendi! nunc autem — nouum paenitentiae genus —
oderunt nos quasi hostes, quorum fidem publice negare non audent.
rogo, qui est iste dolor, qui nec tempore nec ratione curatur? inter 2
micantes gladios, iacentia corpora, riuos sanguinis profluentes iun-
10 guntur saepe hostiles dexterae et belli rabiem pax repentina conmutat: soli sunt huius hereseos sectatores, qui cum ecclesiasticis
non ualent foederari, quia, quod sermone coguntur dicere, mente
condemnant. et si quando aperta blasphemia publicis auribus fuerit
reuelata et uiderint contra se audientiam circum fremere, tunc
15 simplicitate simulata dicunt audisse se primum, quae magistrum
dicere haud nescierint. cumque eorum scripta teneantur, uoce
negant, quod litteris confitentur. quid necesse est obsidere Pro- 3
pontidem, mutare loca, diuersas lustrare regiones et clarissimum
pontificem Christi eiusque discipulos rabido ore discerpere? si uera
20 loquimini, pristinum erroris ardorem ardore fidei conmutate. quid
maledictorum pannos hinc inde consuitis et eorum carpitis uitam,
quorum fidei resistere non ualetis? num idcirco uos non estis heretici, si nos quidam adsertione uestra crediderint peccatores, et os
inpietate fetidum non habebitis, si cicatricem potueritis in nostra
25 aure monstrare? quid iuuat uestram perfidiam uel prodest pellis
Aethiopica et pardi uarietas, si in nostro corpore naeuus apparuerit?
en papa Theophilus tota Origenem arguit libertate hereticum esse: 4
nec dicta defendunt aut fingunt ab hereticis inmutata multorum-

---

2 cf. Ioh. 3, 31   4 cf. Matth. 23, 33   25 cf. Hier. 13, 23

    1 mori D dominic. $Aa.c.m2$ de communic. D daemoniac. ς 8 $pr.$ qui]
quis $Ap.c.m2\varsigma$ 10 dextrae ς 14 audientiam ($=auditorum\ coronam$)] audientium
$D,Ma.c.$ os ($s.l.m2$) audientium A audientium ora Π audientium turbam ς
15 sim. simpl. ς 16 h($s.l.m2$)aut M aut $Aa.e.m2D$ ante $Ap.c.m2\varsigma$ 17 Prop.]
`al proponit idem ($omnia\ deleta$) pro pontifice ($in\ mg.$ al proponit idem) Π
22 non estis uos ς 23 crederint A hos D 24 fẹt. Π foedum ς poteritis ς
25 aura M uestra perfidia $Ap.c.$ 26 aethiopia $Ma.c.$ aethyopiam (m $exp.$) A
et thiopiā D pardi ex par Π neuus (neus $Dp.r.$) $codd.$ 27 papas A theofilus
$codd.$ 28 nec illi ς aut] sed ς

que dicunt libros similiter deprauatos, ut illum non sua fide, sed
aliorum tueantur erroribus. uerum haec aduersum hereticos dicta
sint, qui iniusto contra nos odio saeuientes mente fatentur arca-
num et uenena pectoris inremediabili dolore testantur.

3. Uos, Christiani senatus lumina, accipite et Graecam et 5
Latinam etiam hoc anno epistulam — ne rursum heretici mentiantur
a nobis pleraque uel addita uel mutata —, in qua laborasse me fateor,
ut uerborum elegantiam pari interpretationis uenustate seruarem
et intra definitas lineas currens nec in quoquam excedens loco eloquentiae eius fluenta non perderem easdemque res eodem sermone 10
transferrem — quod utrum necne consecutus sim, uestro iudicio
derelinquo —; quam sciatis in quattuor partes esse diuisam: et in
prooemio credentes hortatur ad dominicum pascha celebrandum,
in secundo et tertio loco Apollinarem et Origenem iugulat, in quarto,
2 id est extremo, hereticos ad paenitentiam cohortatur. si quid 15
autem hic minus aduersum Origenem dictum est, et in praeteriti
anni epistula continetur et haec, quam modo uertimus, breuitati
studens dicere plura non debuit. porro contra Apollinarem suc-
cincta fides et pura professio non caret subtilitate dialectica, quae
aduersarium suum extorto de manibus eius pugione confodit. 20

4. Orate igitur dominum, ut, quod in Graeco placet, in Latino
non displiceat et, quod totus oriens miratur et praedicat, laeto
sinu Roma suscipiat praedicationemque cathedrae Marci euangelistae cathedra apostoli Petri sua praedicatione confirmet, quamquam celebri sermone uulgatum sit beatum quoque papam Ana- 25
stasium eodem feruore, quia eodem est spiritu, latitantes in foueis
suis hereticos persecutum eiusque litterae doceant damnatum in
occidente, quod in oriente damnatum est. cui multos inprecamur
annos, ut hereseos rediuiua plantaria per illius studium longo tempore arefacta moriantur. 30

---

3 mentis ς   archanum A   4 uenenum M   11 cons. sim necne ς
12 relinquo ς   et om. ς   13 proemio AΠ praemio D,Ma.c.m2 primo Mp.c.m2ς
hortatus D   14 appollinarem Π Apollinarium ς   16 aduersus M   17 breuitate A   18 Apollinarium ς   21 ut om. A   22 quod ex quot M   23 praedicationem quoque ς   24 petri apost. Π   25 papan (an s.l.m2) A papa D
26 spiritu est ς   est s.l.M   30 mor.] add. explicit ad pammachium D explicit
ad pammachium et marcellam M

XCVIII.

EPISTULA PASCHALIS THEOPHILI, ALEXANDRINAE URBIS EPISCOPI, AD TOTIUS AEGYPTI EPISCOPOS.

1. Sollemnitatis augustae sermo diuinus de caelorum regionibus
micans et splendore suo iubar solis exsuperans clarissimum ani-
mabus se desiderantium lumen infundit, cumque pleno cordis intuitu
radios eius quiuerint sustinere, ad ipsa caelestis Hierusalem interiora
penetralia atque, ut ita dicam, sancta sanctorum eas pertrahit. unde, 2
si uolumus salutis esse participes et adhaerentes studio uirtutum
animarum uitia purgare et, quidquid in nobis sordium est, iugi
scripturarum meditatione diluere, quasi sub sudo apertam doctrinarum scientiam contemplantes festinemus supernae laetitiae festa
celebrare et iungere nos angelorum choris, ubi coronae et praemia
et certa uictoria est et desiderata triumphantibus palma proponitur.
nec differamus tumentibus carnis fluctibus liberati inter diuersa
uoluptatum hinc inde naufragia clauum tenere uirtutum et post
grandia maris pericula tutissimum caelorum intrare portum.

2. Quam ob rem et eos, quos cassa uitae huius cura sollicitat
et instar frementium gurgitum perturbationum profunda circum-
sonant, quasi de somno graui excitantes ad sapientiae prouocemus
lucra ostendamusque eis ueras diuinorum sensuum diuitias et inspe-
rata sanctae celebritatis gaudia, ob quae omnis inpraesentiarum
adsumatur labor, ut et eos, qui paululum neglegentes sunt, et nosmet
ipsos aeternae gloriae praeparemus. unde et in Prouerbiis indigentes 2

7 cf. Hebr. 12, 22

> T = Parisinus lat. 2172 s. X.
> U = Parisinus lat. 16897 s. XII.
> V = Parisinus lat. 2173 s. XIII.

prima (*add. m²*) epistula paschalis theophili alexandrinae urbis e̅p̅i ad totius
aegypti e̅p̅os prim T e̅p̅la paschalis beati theophili alexandrini e̅p̅i ad tocius
egipti epos U e̅p̅la paschalis theophili alexandrine urbis e̅p̅i ad totius e̅p̅os
egipti V. *Hanc epistulam paschalem non primam, sed secundam esse recte
contendit Vallarsius*

4 prime (e *ex* a) sollempn. V primum solemn. ς (*numerum epistulae in ipsum
textum irrepsisse apparet*)   7 iherus. UV   10 sordidum U   18 et eos *om.* U
cassa] necessaria V   19 fermentum U   21 inseparata U inspirata ς   22 ob
quae] eoque ς   23 assumptus V   *pr. et om.* V

sensu ad conuiuium suum Sapientia prouocans clamitat: u e n i t e,
c o m e d i t e d e p a n i b u s m e i s e t b i b i t e u i n u m,
q u o d m i s c u i u o b i s. non enim sic caelum hoc, quod suspi-
cimus, stellarum inlustratur choris nec in tantum sol et luna, duo
mundi, ut ita dicam, clarissimi oculi, quorum cursu annus euolui-　5
tur et uicissitudine tempora conmutantur, clarum terris lumen
infundunt, ut nostra sollemnitas uirtutum choro fulget et radiat.
3 cuius thesauros et diuitias expetentes consona cum Dauid uoce
decantant: q u i s d a b i t m i h i p e n n a s s i c u t c o l u m-
b a e e t u o l a b o e t r e q u i e s c a m? exultantesque et quo-　10
dam tripudio gestientes et iuxta quod scriptum est gaudio ineffabili
corda perfusi rursum clamitant: n o n h a b e m u s h i c m a-
n e n t e m c i u i t a t e m, s e d f u t u r a m i n q u i r i m u s,
4 cuius artifex et fabricator est deus. sciunt enim omnium laborum
suorum, quibus in hoc mundo pugnatur et curritur, hanc esse　15
repositam spem et haec in futuro praemia constituta, pro quibus
nulla pericula formidantes cotidie uitae suae cursum dirigunt hereticorum uel maxime inpietatem et tendiculas declinantes, quibus
caeci caecos ducunt in foueam et quasi quodam ueterno et inmun-
dissima carie deceptorum corda conmaculant; nec hac calce contenti　20
intimas scripturarum medullas bibunt ueritate dogmatum falsi
nominis scientiam condemnantes.

　　　3. Quod intellegens et patriarcha Iacob scalam cernit in somnis,
cuius caput pertingebat usque ad caelum, per quam diuersis uirtutum gradibus ad superna conscenditur et homines prouocantur　25
terrarum humilia deserentes cum ecclesia primitiuorum dominicae
passionis festa celebrare. n o n e s t, inquit, h o c n i s i d o m u s
2 d e i e t h a e c e s t p o r t a c a e l i. quam Dauid acutius
intuens et tota cupidine mentis inquirens rationesque huius itineris
cogitationibus tractans et quasi pretiosa pigmenta fortius terens　30

---

1 *Prou. 9, 5　　　9 Ps. 54, 7　　　12 Hebr. 13, 14　　　14 cf. Hebr. 11, 10
19 cf. Matth. 15, 14. Luc. 6, 39　　　23 cf. Gen. 28, 12 sqq.　　　26 cf. Hebr. 12, 23
27 *Gen. 28, 17

　　1 sensu—suum *om.* V　　5 uoluitur U　　7 infundent V　　8 thensauros
(n *exp.*) T　　　expectantes V qui expetunt ς　　9 pinnas *Ta.c.*　　14 cuius
in mg. U　　sciunt] sicut *Ta.c.*V　　19 quadam V*p.c.* ς　　ueterna V ueternosa ς
20 hoc U　　21 ueritatem U　　22 scientia ς　　contemnentes U　　24 ad] a V
26 des. hum. ς　　28 altius U (*fort. recte, cf. p. 159, 13; 179, 29*)　　29 cupiditate V
30 pigm. preciosa V

atque conminuens, ut suauissimi late odoris flagrantiam spargerent,
ad sollemnitatem prouocat festinantes dicens: a p e r i t e m i h i
p o r t a s i u s t i t i a e e t i n g r e s s u s i n e a s c o n f i t e b o r
d o m i n o : h a e c e s t p o r t a d o m i n i, i u s t i i n t r o i-
5 b u n t p e r e a m. non est ergo, non est hereticorum ulla sollem- 3
nitas nec, qui errore decepti sunt, illius possunt communione laetari.
scriptum est enim: s i b e s t i a t e t i g e r i t m o n t e m, l a p i-
d a b i t u r. neque caelestium possunt recipere sacramenta uerborum, qui diuinis ecclesiae dogmatibus contradicunt. totis itaque 4
10 uiribus animas nostras ab omni contagione purgantes dignas celebritate, quae inminet, praeparemus, ut possimus cum sanctis canere:
d e u s d o m i n u s e t i n l u x i t n o b i s. de qua et alius
propheta conscius futurorum mystica uoce testatur: a p p a r e b i t
d o m i n u s i n e i s e t d i s p e r d e t o m n e s d e o s g e n-
15 t i u m, quando uerba in opera conmutata sunt et ambigentium oculis
rerum ueritas demonstrata, ut per efficientiam eorum, quae prae-
dicta sunt, uerborum ueritas conprobaretur uictoriae suae nos deo
faciente participes, ut et sollemnitatis possimus cum sanctis habere
consortium et inlustris eius aduentus praeconia frequentare. etenim, 5
20 quia omnis terra uariis fuerat inlecebris deprauata uirtutes aestimans
uitia et e contrario uitia uirtutes, dum inolescente tempore consuetudinem legem putat esse naturae tyrannica superbia, hi, qui
praecesserant et mendacium tempore roborarant, patres et magistri
ueritatis putabantur; unde acciderat, ut hominum error incresceret
25 et in ritum brutorum animalium utilia nescientes despicerent
uerum pastorem dominum ac furore raptati tyrannos et principes
colerent quasi deos inbecillitatem suam in eiusdem naturae hominibus consecrantes. per quae eueniebat, ut praesens periculum mortis
effugerent et conciliarent sibi eos, quorum clementia crudelitate
30 saeuior erat.

   4. Idcirco omnibus errore seductis uiuens sermo dei in auxilium
nostrum uenit ad terras, quae ignorabant cultum dei et ueritatis

---

2 *Ps. 117, 19—20   7 Hebr. 12, 20   12 Ps. 117, 27   13 *Soph. 2, 11

1 fraglantiam Vp.c. fragrantia ç   spargeret U   3 et om. U   in om. T
4 est om. V   intrabunt UV   5 illa U   10 celebritati ç   16 demonstratur UV
17 probaretur U   suae s.l. V   18 ut om. V   19 et] ut V   20 quod ç
22 putaret ç   naturae Ta.c.m2, add. et cet.   hi qui] iniqui ç   23 roborarent
Ta.c. roborant Va.c.   24 accresceret U   25 butrorum U   28 ueniebat Ta.c.V

solitudinem sustinebànt. cuius rei testis est ille, qui loquitur: omnes deliquerunt, simul inutiles facti sunt, et prophetae Christi auxilium deprecantes: domine, inclina tuos caelos et descende, non ut mutaret loca, in quo omnia sunt, sed ut propter salutem nostram carnem humanae fragilitatis 5 adsumeret, Paulo eadem concinente: cum esset diues, pro nobis pauper factus est, ut nos illius pauper-
2 tate diuites essemus. uenitque in terras et de uirginali utero, quem sanctificauit, egressus homo interpretationem nominis sui Emmanuel, id est 'nobiscum deus', dispensatione confirmans 10 mirum in modum coepit esse, quod nos sumus, et non desiuit esse, quod fuerat, sic adsumens naturam nostram, ut, quod erat ipse, non
3 perderet. quamquam enim Iohannes scribat: uerbum caro factum est, id est aliis uerbis 'homo', tamen non est uersus in carnem, quia numquam deus esse cessauit, ad quem et sanctus 15 loquitur: tu autem ipse es et pater de caelo contestatur et dicit: tu es filius meus dilectus, in quo mihi bene conplacui, ut et homo factus nostra confessione permanere dicatur, quod fuit, priusquam homo fieret, Paulo nobiscum eadem praedicante: Iesus Christus heri et hodie ipse 20
4 et in aeternum. in eo enim, quod ait 'ipse', ostendit illum pristinam non mutasse naturam nec diuinitatis suae inminuisse diuitias, qui propter nos pauper effectus plenam similitudinem nostrae condicionis adsumpserat. ex tantis et talibus adsumpsit hominem dumtaxat absque peccato, ex quantis et qualibus nos 25 omnes creati sumus, non ex parte, sed totus, mediator dei et hominum, homo Christus Iesus, nulloque, quod nostrae similitudinis est, caruit nisi solo peccato, quod substantiam

---

1 *Rom. 3, 12   3 *Ps. 143, 5   6 *II Cor. 8, 9   10 cf. Matth. 1, 23
13 Ioh. 1, 14   16 *Ps. 101, 28   17 *Luc. 3, 22   20 *Hebr. 13, 8   23 cf.
II Cor. 8, 9   26 I Tim. 2, 5

1 sollicitudinem V   sustinebat T   2 derelinquerunt V a.c.   sunt om. T
propheta V   3 deprecans V   c(a)elos tuos UV   4 discende T   5 nostr.
sal. V   6 in eadem U   concinnente V   10 emmanuhel T p.c. emanuel V
12 nostram om. V humanam ς   14 uersus] uerus V   15 carne T   16 loq. Dauid ς
idem ipse V   17 tu es] hic est T p.c.m2   18 bene om. UV   complacuit U
21 illum] eum V   24 nostrae cond.] nostri U   ex] et ex U   26 tocius V

non habet. neque enim inanimam carnem habuit et pro anima 5
rationali ipse in ea deus uerbum fuit, sicut dormitantes Apollinaris
discipuli suspicantur, nec dicens illud in euangelio: n u n c a n i m a
m e a t u r b a t a e s t, diuinitatem suam perturbationi subiacuisse
5 testatur, quod consequens est eos dicere, qui pro anima diuinitatem
in corpore eius fuisse contendunt, nec rursum solam animam sibi
socians susceptum inpleuit hominem, ne ex similitudine carnis et
ex dissimilitudine animae mediae adsumptionis dispensationem
inplesse credatur in carne nostri similis existens et in anima in-
10 rationabilium iumentorum, si tamen secundum illos inrationabilis
et absque mente ac sensu est anima saluatoris, quod inpium est
credere et procul ab ecclesiastica fide, ne protinus illo percutiatur
elogio, quo propheta corripit delinquentem dicens: E p h r a i m
s i c u t c o l u m b a i n s e n s a t a n o n h a b e n s c o r, et
15 quasi inrationalis audiat: c o n p a r a t u s e s t .i u m e n t i s
i n s i p i e n t i b u s e t s i m i l i s f a c t u s e s t i l l i s. nulli 6
enim dubium, quin inrationalis et sine sensu ac mente anima
iumentis insipientibus conparetur; unde et Moyses scribit: b o u e m
t r i t u r a n t e m n o n i n f r e n a b i s et Paulus scriptum
20 edisserens ait: n u m q u i d d e b u b u s c u r a e s t d e o?
a n p r o p t e r n o s u t i q u e d i c i t?
   5. Propter nos igitur homo saluator est factus, non propter
bruta et inrationabilia iumenta, ut similitudinem animae iumentorum absque sensu et ratione susceperit. sed nec illud, quod eiusdem
25 hereseos sectatores cauillantur et garriunt, ecclesia suscipit, ut
prudentiam carnis appellari putet animam saluatoris, cum perspicue
apostolus prudentiam carnis inimicam deo appellet et mortem, quod
de domino dicere nefas est, ut anima eius mors et dei inimica credatur. si enim nobis praecipit: n o l i t e t i m e r e e o s, q u i 2
30 p o s s u n t o c c i d e r e c o r p u s et a n i m a m n o n u a l e n t,

3 Ioh. 12, 27   13 *Os. 7, 11   15 Ps. 48, 13   18 *Deut. 25, 4   20 *I Cor.
9, 9—10   27 cf. Rom. 8, 7. 6   29 *Matth. 10, 28

1 habet] add. inanimam (·i· s.l.V) sine anima TV (cf.p. 161, 7)   inani-
matam UV   2 in] pro U   3 illud om. U   5 testetur V   8 dissim.] sim. U
11 et om. U   ac] et V   13 eloquio U   16 insip. om. U   illis] eis U
17 qui Ta.c.V   irrationabilis (bi exp.) V   18 inr(irr V)ationabilibus Tp.c.m2 UV
20 bobus Tp.c.m2   21 hoc dicit ς   24 susceperit V susciperet T (—it a.c.m2) U
ne TV   25 suscepit T   29 praecepit U   30 corpus occ. U

cogentur stulta disputatione suscipere meliores esse nostras animas anima saluatoris, dum illa prudentia carnis adseritur, quae mors et
3 inimica est dei, nostra autem mori non potest. quod nequaquam ita intellegendum est, fratres carissimi, cum etiam prudentia animae non possit anima nuncupari et multo inter se differant. licet enim 5 prudentia animae in ea sit, cuius prudentia est, tamen alterum habet, alterum habetur et prius anima est, sequens uersatur in anima. quodsi prudentia animae non est anima, quanto magis carnis prudentia
4 anima non potest appellari! tendant quantumlibet syllogismorum suorum retia et sophismatum decipulas proponentes se ipsos in- 10 nectant laqueis ne id quidem scientes, cuius uana scientia gloriantur, et discant a nobis, quos ingratis cogunt huiusce modi disputationem adsumere, aliud esse, quod sapit, aliud sapientiam, aliud quoque, quod sapitur, et haec non solum uerbis inter se, sed et sensibus
5 discrepare. quae enim sapit, rationalis est anima; porro, quae ex 15 ipsa est et ipsius et non ipsa, quae sapit, appellatur sapientia; quod autem sapitur, res est, quam respicit, eaque gignitur ex sapiente sapientia et non sapiens ipse nec ipsa sapientia. tandemque desinant dialecticae artis strophis simplicia ecclesiasticae fidei decreta per- uertere, ut animam saluatoris prudentiam carnis appellent, quam 20 apostolus mortem et inimicam adserit dei.

     6. Sed et hoc modo nobis contra illos disserendum uidetur: scriptum est de uerbo dei: o m n i a p e r i p s u m f a c t a s u n t; num credibile est et sapientiam uel prudentiam carnis, quam illi animam saluatoris intellegunt, a uerbo dei conditam, ut mortis et 25 inimicitiae contra deum ipse operator exsisteret sibique eas, quod dictu nefas est, copularet? quod si nefarium est credere et anima saluatoris cunctis uirtutibus pollet, ergo prudentia carnis non erit anima eius, ne ipse mortem et inimicitiam contra deum sibi iunxisse
2 credatur. cessent Apollinaris discipuli ea, quae contra ecclesiasticas 30

     2 cf. Rom. 8, 6. 7   21 cf. Rom. 8, 6. 7   23 Ioh. 1, 3   25. 29 cf. Rom. 8, 6. 7

     1 stulta sua ς   4 ita *om. U*   est *om. T*   6 habet et *V*   7 *pr.* anima] anime *U*   12 gratis *TV*   13 aliud sap. *om. U*   sapientia ς   14 hoc *U* 15 sapit *om. T*   rationabilis *T*   18 non *om. U*   que *eras. T*   19 st(h *U*)rofis *UV* 22 aduersus *U*   24 et *om. U*   27 copularit *T a.c.* copulari ς   29 sibi iunx.] subiunx. *T*   30 appoll. *U*

regulas est locutus, propter alia eius scripta defendere. licet enim
aduersus Arrianos et Eunomianos scripserit et Origenem aliosque
hereticos sua disputatione subuerterit, tamen, qui memor est illius
praecepti: n o n a c c i p i e s p e r s o n a m i n i u d i c i o, ueri-
5 tatem semper debet diligere, non personas, et scire, quod in dispensatione hominis, quem pro salute nostra unigenitus filius dei est
dignatus adsumere, non sit alienus a culpa, qui super anima illius
peruersa et intellexit et scripsit. sicut enim apostolus ait: s i 3
e x p e n d e r o o m n e m s u b s t a n t i a m m e a m e t t r a-
10 d i d e r o c o r p u s m e u m, u t a r d e a m, c a r i t a t e m
a u t e m n o n h a b u e r o, n i h i l m i h i p r o d e e r i t,
ita siue iste, de quo nunc sermo est, siue Origenes et alii heretici,
quamuis scripserint aliqua, quae ecclesiasticae fidei non repugnent,
tamen non erunt absque crimine et in his, quae principalia sunt et
15 ad salutem credentium pertinent, ecclesiasticae fidei repugnantes.
neque enim, ut ipse cum sectatoribus suis nititur adprobare, dominus 4
noster atque saluator animam sine sensu adsumpsit et mente aut
mediam partem eius duasque de tribus siue tertiam, ut inperfecte
hominem saluaret adsumptum, quia nec media nec reliquae por-
20 tiones perfecti nomen accipient. et, sicut, quod perfectum est, caret
inperfecti uitio, sic, quod inperfectum est, perfectum non potest
dici. et si inperfecte similitudinem nostram uel ex parte susceperat,
quomodo in euangelio loquebatur: n e m o t o l l i t a n i m a m
m e a m a m e. p o t e s t a t e m h a b e o p o n e n d i e a m e t
25 p o t e s t a t e m h a b e o s u m e n d i e a m? quae autem tollitur
atque deponitur, nec inrationalis nec absque mente et intellegentia
dici potest, sed e contrario rationalis et intelligibilis et mentem
habens ac sentiens.

7. Atque ita ipse disputationis ordo conuincit nihil a domino
30 inperfectum esse susceptum, sed adsumptum ab eo hominem plene
perfecteque saluatum. nulli enim dubium, quin inrationabilium
iumentorum animae non ponantur et resumantur, sed cum cor-

4 *Deut. 1, 17   8 *I Cor. 13, 3   23 *Ioh. 10, 18

5 deb. semper *U*   in *om*. *V*   6 quam *TV*   dign. est ç   11 habeam *U*
proderit *Tp.c.UV*   12 origenis *TV*   14 *pr*. et] etiam *V*   15 pertinent et *U*
19 reliquie *U*   20 perf. nom.] perfectionem *V*   accipiunt *U*   24 pon.—
habeo *om. U*   25 eam] illam *T*   30 pleno perfectoque *V*

poribus pereant et in puluerem dissoluantur. porro saluator tollens
animam et separans a corpore suo in tempore passionis rursum eam
in resurrectione suscepit. et multo ante, quam faceret, loquebatur
in psalmo: non derelinques animam meam in
inferno nec dabis sanctum tuum uidere corruptionem. nec credibile est, quod ad inferos caro eius
descenderit uel prudentia carnis, quae appellata sit anima, inferis
apparuerit, sed, quod corpus eius positum in sepulchro sit et
ipse nec de corpore et sapientia carnis nec de diuinitate sua
dixerit: non derelinques animam meam in in-
ferno, sed uere de nostrae naturae anima, ut perfectam ac rationalem et intelligibilem atque sensibilem ad inferos animam descendisse monstraret. hortamur eos, qui talia sapiunt, ut errores hereticos relinquentes adquiescant ecclesiasticae ueritati et festiuitatem
dominicae passionis non faciant inperfectam nec principalem et
maiorem hominis partem in saluatore negent absque anima et mente
corpus illius adserentes. si enim ita erat, quid de se uolens intellegi
loquebatur: pastor bonus animam suam ponit pro
ouibus? et si tantum carnem hominis adsumpserat, cur in passione dicebat: spiritus promptus, caro autem infirma?

8. Unde sciendum est, quod ex omni parte temperatum humanae
condicionis exhibens sacramentum perfectam similitudinem nostrae
condicionis adsumpserit nec carnem tantum nec animam inratio-
nalem et sine sensu, sed totum corpus totamque animam sibi socians
perfectum in se hominem demonstrarit, ut perfectam cunctis hominibus in se et per se largiretur salutem; habensque nostri consortium,
qui de terra conditi sumus, nec carnem deduxit de caelo nec animam,
quae prius substiterat et ante carnem eius condita erat, suo corpori
copulauit, sicut Origenis nituntur docere discipuli. si enim anima
saluatoris, antequam ille humanum corpus adsumeret, in caelorum

4 Ps. 15, 10   10 Ps. 15, 10   18 *Ioh. 10, 11   20 *Matth. 26, 41

2 in *om.* ς   3 id faceret ς   6 **caro** eius desc. ad inf. *U*   eius *om. V*
7 app. sit anima] appellatas (s *eras.*, *s.l.m2* ÷ = est) ita n̄ *T*   anima] ita *V*   in
inferis *V*   10 derelinquens *U*   11 ac] et *V*   13 relictis haereticorum erroribus ς
15 ne *TV*   16 saluatorē *T*   17 quod *TV*   19 ouibus suis *UV*   22 tem-
perantum (n *eras.*) *T*   26 demonstrauit *TV*   27 in se] *add.* homine *V*   28 qui
ex quae *T*   31 caeli *U*

regionibus morabatur et necdum erat anima illius, inpiissimum
est dicere ante corpus eam fuisse domini agentem aliquid et uigentem
et postea in animam illius conmutatam. aliud est, si possunt de
scripturis docere, antequam nasceretur ex Maria, habuisse hanc
5 animam deum uerbum et ante carnis adsumptionem animam illius
nuncupatam. quodsi et auctoritate scripturarum et ipsa suscipere
ratione coguntur Christum non habuisse animam, antequam de
Maria nasceretur — in adsumptione enim hominis et anima eius
adsumpta est —, perspicue conuincuntur eandem animam et illius et
10 non illius fuisse dicentes. sed cessent illi a nouorum dogmatum 3
inpietate furibundi! nos scripturarum normam sequentes tota cordis
audacia praedicemus, quod nec caro illius nec anima fuerant, priusquam de Maria nasceretur, nec ante anima in caelis sit commorata,
quam sibi postea iunxerit; nihil enim nostrae condicionis e caelo
15 ueniens secum dominus deportauit. unde, quidquid contrarium est
ueritati, euangelica falce succidens loquitur: o m n i s   p l a n-
t a t i o,   q u a m   n o n   p l a n t a u i t   p a t e r   m e u s   c a e-
l e s t i s,   e r a d i c a b i t u r, uerbum opere, comminationem fine
consummans et dictorum potentiam expletione rerum probans, ut,
20 quidquid sermo pollicitus est, gestorum ueritas exhiberet.

   9. Sciant igitur se huius sollemnitatis alienos non posse celebrare nobiscum dominicam passionem, qui Origenem — ut loquar
aliquid de fabulis poetarum — hydram omnium sequuntur hereseon
et erroris se habere magistrum et principem gloriantur. quamuis
25 enim innumerabiles texuerit libros et garrulitatis suae quasi dam-
nosae possessionis mundo reliquerit hereditatem, tamen scimus lege
praeceptum: n o n   p o t e r i s   c o n s t i t u e r e   s u p e r   t e
h o m i n e m   a l i e n u m,   q u i a   n o n   e s t   f r a t e r   t u u s.
qui enim diuerso tramite ab apostolorum regulis aberrauit, quasi 2
30 indignus et profanus choro Christi et consortio mysteriorum eius
de sollemnitate Christi eicitur et a patribus maioribusque natu, qui
saluatoris ecclesiam fundauerunt, procul pellitur philosophorum

3 cf. Ioh. 1, 1—2 et 14   16 Matth. 15, 13   27 *Deut. 17, 15

   2 uirgentem V   3 anima T   10 dicere ç   crescent U   a om. U   12 fuerint ç
13 ante carnem U   sit] est U   14 quam eam ç   post. sibi ç   19 consumans U
21 nob. cel. ç   22 dominica V   23 ydram U   secuntur UV   27 te s.l. U

pannos nitens nouo et firmissimo ecclesiae consuere uestimento et
ueris falsa sociare, ut et illorum ex uicinitate fortioris probetur
infirmitas et huius pulchritudo uioletur.

10. Quae enim illum ratio, qui disputationum ordo perduxit,
ut allegoriae umbris et cassis imaginibus scripturarum tolleret ueri- 5
tatem? quis propheta sentire docuit ob lapsus de caelis animarum
deum esse conpulsum corpora fabricare? quis iuxta beatum Lucam
eorum, qui uiderunt et ministri fuerunt ser-
monis dei, huic tradidit ad docendum neglegentia et motu et
fluxu de altioribus rationabilium creaturarum prouocatum deum 10
mundi huius condere diuersitatem, cum creationem eius Moyses
explicans ⟨nec⟩ dixerit nec indicauerit propter causas aliquas
praecedentes de rationabilibus sensibilia, de inuisibilibus uisibilia,
de melioribus peiora prolata, quod apertissime Origenes praedicat?
2 dicit enim propter peccata intelligibilium creaturarum mundum 15
esse coepisse nolens pascha celebrare cum sanctis neque cum Paulo
dicere: inuisibilia dei a creatura mundi per ea,
quae facta sunt, intellecta conspiciuntur nec
cum propheta uociferari: consideraui opera tua et
obstupui. aliter enim mundi pulchritudo subsistere non ualebat, 20
3 nisi eum uarius creaturarum inplesset ornatus. denique sol et luna,
duo magna luminaria, et stellae reliquae, antequam hoc essent, in
quod eas creatas cotidiani cursus testatur officium, non erant
absque corporibus nec propter aliquas causas simplicitatem pristinam
relinquentes corporibus circumdatae sunt, ut ille somniat contraria 25
fidei dogmata struens. nec animae in caelorum regionibus aliquid
4 peccauerunt et idcirco in corpora relegatae sunt. si enim hoc ita
esset, oportuerat saluatorem nec ipsum corpus adsumere et animas
de corporibus liberare; debebat eo tempore, quando in baptismate

---

8 Luc. 1, 2   17 Rom. 1, 20   19 *Hab. 3, 2   22 cf. Gen. 1, 16

1 pannos laceros ac ueteres ς   2 et *om.* ς   ex illorum ς   fortior *TV*
4 qui] quis ς   5 allygoriae *T*   6 ob lapsus *U* propter ruinam et lapsus *TV*
8 sermones *T*   11 Moyses *om. U*   12 *pr.* nec *addidi; post* dixerit *excidisse*
putat Vall.: in principio creauit deus caelum et terram   al. caus. ς   14 peiora
om. V   apertissimae origenis *T*   20 obstipui *T* expaui *V*   22 lum. magna *V*
esset *V*   23 quo *TV*   26 instruens *U*   27 religate *TV*   28 sumere *U*
29 de] a *V*   debuerat *T p.c.m2*

peccata dimittit, statim baptizatum de corporis uinculis soluere,
quae propter peccata in condemnatione peccati facta commemorat.
sed et resurrectionem corporum frustra pollicetur, si expedit anima-
bus absque grauitate corporum ad caelum subuolare. ipse quoque
5 resurgens carnem suam suscitare non debuit, sed solam diuinitati
animam copulare, si melius est absque corporibus quam cum corporibus uiuere.

11. Quid sibi autem uult crebro animas et uinciri corporibus
et ab eis diuidi praedicare et multas nobis inferre mortes? ignorat
10 Christum idcirco uenisse, non ut post resurrectionem corporibus
animas solueret aut liberatas rursus aliis corporibus indueret et de
caelorum regionibus descendentes sanguine et carne uestiret, sed
ut semel corpora suscitata incorruptione et aeternitate donaret.
sicut enim Christus mortuus ultra non moritur nec mors ei domi- 2
15 natur, ita nec corpora suscitata post resurrectionem secundo uel
frequenter intereunt nec mors eis ultra dominabitur neque in nihilum
resoluentur, quia totum hominem Christi saluauit aduentus.

12. Sed et illud a sollemnitate Christi Origenem alienum facit,
quod principatus, potestates, fortitudines, thronos ac dominationes
20 non ab initio in hoc conditas refert, sed post creationem sui aliqua
honore digna fecisse et aliis sui similibus propter neglegentiam ad
inferiora delapsis has inclitis nominibus appellatas, ut — iuxta
errorem eius — non eas condiderit deus principatus et potestates
et reliqua, sed aliorum peccata illis materiam tribuerint
25 gloriarum. et quomodo Paulus apostolus scribit: in Christo 2
creata sunt omnia in caelis et in terra, uisi-
bilia et inuisibilia, siue throni siue dominationes siue principatus siue potestates, omnia per illum et in illo creata sunt et ipse est
30 ante omnia? si intellegeret uim uerbi — 'per quem', dicitur,
'creata sunt omnia' —, nosset ab initio ita eas conditas et non aliorum socordiam et in inferiora prolapsum occasionem

---

14 cf. Rom. 6, 9   25 *Col. 1, 16—17

2 condempnatione̅ V   4 leuius subuolare TV   9 ignorat (t s. l.) U ignorans TV   14 morietur V   dominabitur V   16 intereant U   neque enim V   17 sal-
uabit ς   19 et potest. V   ac] et T   20 rationem V   aliqua sui U in mg. inf.   aliquo ς
21 dignas factas ς   sui] suis TV   22 dilapsis TV   inclytis T   24 materiem ς
28 potestatus (sic) siue principatus U a.c.   30 quam V quod U   31 nosset utique ς

dedisse deo, ut illas principatus et potestates et fortitudines reliquas
nominaret, maxime cum creaturarum pulchritudo consistat in ordine
3 dignitatum. sicut enim de sole et luna et stellis scriptum est: f e c i t
d e u s   d u o   l u m i n a r i a   m a g n a :   l u m i n a r e   m a i u s,
u t   p r a e e s s e t   d i e i,   l u m i n a r e   m i n u s,   u t   p r a e- 5
e s s e t   n o c t i,   e t   s t e l l a s   e t   p o s u i t   e a s   i n   f i r m a-
m e n t o   c a e l i,   u t   l u c e r e n t   s u p e r   t e r r a m, nec praemium bonorum operum receperunt, ut post conditionem sui in
firmamento caeli lucerent et diebus sibi noctibusque succederent,
sic principatus et potestates, quae in caelorum regionibus conditae 1(
sunt, non post bona opera in haec profecisse sentimus, sed sic ab
4 initio conditas. neque enim Origenis et discipulorum eius imitamur
errorem, qui putant in similitudinem daemonum et diaboli, qui
propria uoluntate talia nomina officiaque sortiti sunt, principatus
et potestates, uirtutes et thronos et dominationes post conditionem 1£
sui boni aliquid perpetrasse, ut aliis ad inferiora delapsis ad excelsa
conscenderent et his nominibus insignirentur habentes postea, quod
prius non habuerant. quae dicentes non intellegunt se Pauli sententiae contra ire in Christo creatos principatus et potestates et
thronos et dominationes loquentis. quod autem dicit 'creatos', 2(
nulli dubium est, quin sic ab exordio conditi sint et non postea
istius modi acceperint dignitates.

13. Uerum haec breuiter strinxisse sufficiat; ad aliam eius
ueniamus inpietatem, quam uelut de profundissimis tenebris
eructans loquitur et blasphemiarum suarum pessimam mundo 2£
reliquit memoriam. dicit enim spiritum sanctum non operari ea,
quae inanimia sunt, nec ad inrationabilia peruenire. quod adserens
non recogitat aquas in baptismate mysticas aduentu sancti spiritus
consecrari panemque dominicum, quo saluatoris corpus ostenditur
et quem frangimus in sanctificationem nostri, et sacrum calicem 3(

---

3 *Gen. 1, 16—17   19 cf. Col. 1, 16

5 diei et *U*   6 illas in firmamentum *T*   7 terras *U*   premia *ex* pre-
miorum *T*   8 reciperent ς   condicionem *codd.*   9 sibi noctibusque] siue
noctibus ς   13 similitudine *T*   15 *pr.* et *om. V*   condic. *TU*   16 dilapsis *TV*
17 consignarentur *V*   18 habuerunt *V*   Pauli se ς   20 loquentes *T*   21 sunt *V*
et] ut *V*   23 sanxisse ς   27 inanima *T* humana *V*   28 spir. sancti *V*
30 sacr.—conloc. et] confectionem que *V*

— quae in mensa ecclesiae conlocantur et utique inanimia sunt — per
inuocationem et aduentum sancti spiritus sanctificari. si ad inratio- 2
nabilia et ad ea, quae absque anima sunt, sancti spiritus fortitudo
non peruenit, cur Dauid canit: q u o a b i b o a b s p i r i t u t u o?
5 quod dicens ostendit sancto spiritu omnia contineri et illius maiestate
circumdari. si omnia in omnibus, utique et inrationabilia et inanimia
sunt. et alibi legimus: s p i r i t u s d o m i n i i n p l e u i t orbem
t e r r a r u m, quod numquam scriptura memoraret, nisi inrationabilia quoque et inanimia illius numine conplerentur. uerum non est 3
10 contentus hoc fine blasphemiae, sed in morem lunaticorum, qui
furorem suum inlisione dentium et spumantium saliuarum eiectione
testantur, rursum eructat et dicit filium dei, id est rationem et
sermonem ac uirtutem eius, ad ea tantum, quae rationabilia sunt,
peruenire. quod audiens miror, unde sumpserit aut quomodo legisse
15 se nesciat: o m n i a p e r i p s u m f a c t a s u n t — ex quo
adprobatur ad cuncta uerbi dei fortitudinem peruenire — forsitan
oblitus et illius historiae, quando uirtute Christi Lazarus suscitatus
est, cuius utique corpus eo tempore, quo de morte surgebat in
uitam, ut anima ita et ratione caruit. ignorauit et illud, quod de 4
20 quinque panibus quinque milia saturata sunt hominum exceptis
mulieribus et infantibus et superfuerunt duodecim cophini fragmentorum, quod utique Christi fortitudo perfecit. arbitror eum nec
illius miraculi recordatum, quando inrationabilis maris fluctus
diuino calcans pede tranquillitati nauigantium reddidit, quae
25 Christi uirtus et non alterius patrauit imperium. quomodo ergo
non toto et animo et corpore perhorrescit dicens fortitudinem
uerbi dei ad inrationabiles creaturas non posse pertingere? et qui 5
iactat se in scientia scripturarum et putat tanta legisse, quanta
nullus hominum legerit, sciat scriptum, quod aegrotantes in lectulis

4 *Ps. 138, 7   7 *Sap. 1, 7   15 Ioh. 1, 3   17 cf. Ioh. 11, 1—44
20 cf. Matth. 14, 19—21   23 cf. Matth. 8, 23—27 etc.   29 cf. Act. 5, 15

1 inanima T inanimata V   2 spir. sancti V   3 spir. sancti V   4 ibo
Tp.r.V   tuo a spiritu V   a UV   6 inanima T inanimata V   7 repleuit V
9 quaeque ς   inanima T inanimata V   nomine V   compleretur U   12 eructat
et UV eructuet (s.l. at m2) T   dei om. V   17 obl. est et V   20 hom. sat. sunt U
23 irrationabiles ς   26 toto corde TV (cf. p. 174, 12)   27 ad om. TV   quia V
28 scientiā T

deferebant et ponebant in triuiis et plateis, ut Petri eos umbra contingeret et sanaret; quod sacra apostolorum Acta testantur arguentia Origenis stultitiam, per quae id apostolorum umbra fecisse conuincitur, quod ille filium et uerbum dei non potuisse testatur. 14. Simili errore deceptus et nesciens, quid loquatur, ⟨opinionem 5 sectatur⟩ eorum, qui nolunt prouidentiam usque ad omnes creaturas et mundi inferiora descendere, sed tantum in caelorum regionibus commorari, ut scilicet id umbra fecerit Petri, quod inplere saluatoris 2 fortitudo non quiuerit. sed et ad illa ueniamus. apostolo enim de primogenito filio dei perspicue proclamante: h o c i n t e l l e g a t 10 u n u s q u i s q u e i n n o b i s, q u o d e t i n C h r i s t o I e s u, q u i c u m i n f o r m a d e i e s s e t, n o n r a p i n a m a r b i- t r a t u s e s t e s s e s e a e q u a l e m d e o, s e d s e i p s u m e x i n a n i u i t f o r m a m s e r u i a c c i p i e n s, ille ausus est dicere, quod anima saluatoris se euacuauerit et formam serui ac- 15 ceperit, ut Iohannes mentitus esse credatur, qui ait: u e r b u m c a r o f a c t u m e s t similem nostrae condicioni ingerens sal- uatorem, dum non est ipse, qui se euacuauit et formam serui ac- cepit, sed anima illius, et fidem, quae omnium confessione firmata 3 est, sua inpietate dissoluit. si enim anima saluatoris est, quae fuit 20 in forma dei et aequalis deo, iuxta Origenis insaniam, aequalis autem deo filius dei est et, quod aequale deo est, eiusdem con- uincitur esse substantiae, ipse nos disputationis ordo perducit, ut unius naturae animam et deum esse credamus. quod cum dicat, sequitur, ut nostras quoque animas non alterius a deo naturae esse 25 contendat nullique dubium nostras animas et animam saluatoris unius esse substantiae, ut iam factor atque factura unius naturae sint. et quomodo in Christo creata sunt omnia, si animae hominum 4 eiusdem cum creatore substantiae sunt? uerum non est ita, fratres, nec anima saluatoris, sed ipse filius dei, cum esset in forma dei et 30

8 cf. Act. 5, 15   10 *Phil. 2, 5—7   16 Ioh. 1, 14   28 cf. Col. 1, 16
30 cf. Phil. 2, 6—7

1 deferebantur *U*   ponebantur *U*   3 quam *TV*   4 et] dei ς   5 opinionem
sectatur *addidi, om. codd.*; *Vall. proposuit:* factus est sectator *uel* dux; *nihil addit
mutato et in* est *Engelbrecht*   6 dei prouid. ς   8 faceret *U*   9 et *om. V*   10 intell.
unusq. *in ras. m2 (in mg. m2* hoc sentite in uobis) *T*   12 non—sed *om. U*   18 uá-
cuauit *V*   24 dicit *U*   28 sunt] sint ς

aequalis deo, se exinaniuit formam serui accipiens. et Origenes in
profundum inpietatis demersus caenum non intellegit se gentilium
esse participem, qui idola pro deo uenerantes, d i c e n t e s s e
e s s e s a p i e n t e s s t u l t i f a c t i s u n t e t i n m u t a-
5 u e r u n t g l o r i a m i n c o r r u p t i b i l i s d e i i n s i m i l i-
t u d i n e m i m a g i n i s c o r r u p t i b i l i s h o m i n i s, quod
et iste incurrens simili errore deceptus est; in forma enim et aequalitate dei animam saluatoris adfirmans, sicut superior sermo memo-
rauit, inpietati ethnicae coaequalis est. ut enim illi inmutauerunt 5
10 gloriam incorruptibilis dei in similitudinem imaginis corruptibilis
hominis dicentes deos esse, qui non erant, sic et iste inmutauit
gloriam incorruptibilis dei in forma illius et aequalitate animam
saluatoris adserens, quae creata est, et hanc se euacuasse et non
uerbum dei ad terrena uenisse, sicut apostoli adfirmat auctoritas.
15 15. Nec erubescit ex multiloquio inmemor sui et animam
hominis nolens a conditionis exordio sic uocatam, sed ex eo, quod,
quae prius mens et sensus erat, frigus neglegentiae et infidelitatis
adsumpserit. quae etymologia magis Graecae quam Latinae linguae
conuenit. sin autem aequalem dei et in forma illius constitutam
20 animam adserit saluatoris, ergo et illa ex frigore caritatis sortita
uocabulum est et prioris nominis perdidit dignitatem. generalis
enim illius disputatio est animas hominum appellatas ex eo, quod
calorem pristini feruoris amiserint. igitur, si omnium animae recepto 2
frigore sunt uocatae et confitetur habuisse animam saluatorem,
25 sequitur, ut et ipsam de mente et sensu dicat ad huius modi uocabulum commigrasse. quod licet sermone taceat apertaque inpietas
illius insaniam reprimat, tamen ipsa dicere necessitate conpellitur,
quae prioribus datis ordine nectit sequentia. aut enim negare debet
habuisse animam saluatorem, ut apertissime contra euangeliorum
30 ueniat auctoritatem, aut, si non potest sibi contraria loqui, etiam
hanc ex frigore caritatis de mente et sensu confitebitur animam nun-

3 *Rom. 1, 22—23   14 cf. Ioh. 1, 14

1 serui formam *V*   et] at *ς*   orige(*ex* i *T*)nis *TV*   2 dimersus *Ta.c.V*
3 ueneran(n *s.l.*)tur *V*   4 ęsses *U*   mutauerunt *V*   7 *pr.* et *om. V*   9 impietatis *UV*
aequalis *TV*   est *om. V*   immut. illi *V*   11 et (*del.*) sic et *U* sic *TV*   mutauit *V*
12 anima *V*   13 ads. *om. V*   16 condic. *TU*   18 eth(h *s.l.V*)im. *Tp.c.m²V* etoem.
Ta.c.m²   graecae huic *ς*   19 si *ς*   deo *ς*   20 et illa *om. V*   24 an. hab. *ς*
26 sermo nec *T*   aperteque *U*   27 ipse *U*   28 dictis *ς*   29 apertissimam *V*

cupatam; omnium quippe animas, qui recesserint a deo et calorem
diuinae caritatis amiserint, ex frigore aestimat appellatas. quis non
credat eum hoc sacrilegii fine contentum?

16. Aliam rursus filio dei nectit calumniam et his uerbis loquitur:
s i c u t p a t e r e t f i l i u s u n u m s u n t, i t a e t a n i m a, 5
q u a m a d s u m p s i t f i l i u s d e i, e t i p s e f i l i u s d e i
u n u m s u n t. nec intellegit patrem et filium unum esse propter
communionem substantiae et eandem diuinitatem, filium autem
et animam eius diuersae et multum inter se distantis esse naturae.
etenim, si, sicut pater et filius unum sunt, sic et anima filii et ipse 10
filius unum sunt, unum erit pater et anima saluatoris et ipsa dicere
2 poterit: q u i u i d i t m e, u i d i t p a t r e m. sed non est ita —
absit hoc ab ecclesiastica fide! — filius enim et pater unum sunt, quia
non est inter eos diuersa natura; anima autem et filius dei et natura
inter se discrepant et substantia, eo quod et ipsa a filio condita sit 15
nostrae condicionis atque naturae. si enim, sicut pater et filius unum
sunt, sic anima filii dei et ipse filius unum sunt, unum erit, ut iam
diximus, anima et pater et anima saluatoris s p l e n d o r g l o r i a e
e t f o r m a s u b s t a n t i a e e i u s esse credetur. uerum hoc
dicere inpium est atque blasphemum. eiusdem igitur inpietatis 20
est filium et animam illius unum dicere, cuius patrem et filium
3 unum negare. rursum inmemor sui contraria sibi loquitur;
ait enim: a n i m a, q u a e t u r b a t a e s t e t t r i s t i s
e f f e c t a, n o n e r a t i p s a u n i g e n i t u s e t p r i m o g e-
n i t u s o m n i s c r e a t u r a e n e c u e r b u m d e i, q u o d 25
c o n d i c i o n e m a n i m a e s u p e r a n s e t u e r e f i l i u s
d e i i n e u a n g e l i o l o q u e b a t u r: 'p o t e s t a t e m h a b e o
p o n e n d i e a m e t p o t e s t a t e m h a b e o s u m e n d i

---

4 capituli 16 textus Graecus exstat apud Theodoretum, dial. II c. 4 (LXXXIII
197 M)   5 Origenes περὶ ἀρχῶν IV c. 4, 4 p. 354, 15 Koetschau   12 *Ioh. 14, 9
18 *Hebr. 1, 3   23 Origenes περὶ ἀρχῶν IV c. 4, 4 p. 353, 18 Koetschau   cf.
Marc. 14, 34 etc.   27 *Ioh. 10, 18

3 hoc] huius U   5 ita et] sic V   6 quam ads. filius] filii V   dei utroque loco
om. V   8 autem dei ς   9 multo U   10 sicuti V p.c.   11 pr. et] cum ς   ipsa TV
(ἡ ψυχὴ τοῦ υἱοῦ Theoph. ap. Theod.) ipse U   12 uidet utroque loco U a.c.   et
patrem ς   14 est om. U   15 quod et] et quod V   17 sic—sunt om. U   alt.
unum] uerum V   18 pater U pater deus TV deus pater ς   19 forma] figura V
20 absque U   21 cuius] atque ς   filium esse ς   26 conditionem (—ne U) UV
suspirans U   27 habe V   28 eam] animam meam V   habeo iterum ς

i l l a m'. ergo, si melior est et potentior filius dei anima sua, quod 4
nulli dubium est, quomodo anima illius in forma dei esse poterat
et aequalis deo, quam cum dicat se euacuasse et serui adsumpsisse
formam, omnes hereticos magnitudine blasphemiae superat? si enim
5 in forma dei et aequalis deo uerbum dei est, in forma autem dei et
aequalitate eius anima saluatoris est, quomodo potest inter aequalia
aliud esse maius, aliud minus? ea enim, quae inferioris naturae sunt,
sublimiorem naturam atque substantiam sui deiectione testantur.

17. Non ei sufficit ista blasphemia, sed trans flumina Aethiopiae
10 cursum stultitiae suae dirigens iterum furibundus exultat tot dicens
uoluntate sua deum condidisse rationabiles creaturas, quot poterat
gubernare, ut uirtutem dei inbecillitati hominum et ceteris, quae
creata sunt, conparet. nam in humano corpore tot fortitudo eius
membra sustentat et regit, quot potest eis infusa uegetare, et eam
15 nobis tribuit temperantiam, quam ualet sua praesentia regere,
tantumque uirtute sustentat, quantum possunt membra hominum
sustinere; deus autem maior his, quae ipse fabricatus est, cum illis
mensuram in creatione praestiterit, quam rerum ordo poscebat et
quo amplius sustinere non poterant, plus potest, quam ea, quae facta
20 sunt, capiunt. at ille, columen ueritatis, terminabilem dei adserit 2
fortitudinem et minorem artibus hominum. caementarii quippe et
hi, qui struendarum domorum callent scientiam, maiora possunt
aedificare, quam fecerunt — si tamen queant fundamenta sustinere,
quae superaedificanda sunt — nec fabricatio cogitationis artium
25 finis est, cumque opera tanta perfecerint, quanta rerum necessitas
flagitabat, habeantque mensuram, ultra quam si fuisset aliquid ex-
tructum, indecens et inutile probaretur, ars ipsa plus mente continet,
quam opere demonstrauit, nec fine rerum finis inponitur scientiae,
si tamen, ut dixi, quidquid mens conceperit et magnitudine operum
30 cogitatio dilatarit, possint ea, quae subiecta sunt, sustinere. et quo- 3
modo non inpium est humanae arti finem non inponere nec operibus
suis artificum scientiam coaequare et deum tanta fecisse dicere

9 cf. Esai. 18, 1

1 illam] eam *V*   2 illius] eius *U*   5 equale *V*   6 poterit ς   9 sufficiat *U*
flumen *U*   10 currum ς   11 naturas *V*   quod *Ta.c.*   12 ut] et *V*
13 creata] cetera *V*   comparat *V*   in *om. V*   14 quod *Ta.c.UV*   ex eis *TV*
alt. et *om. U*   19 poterant] poterat ς   20 lumen *U*   22 scientia *Tp.r.UV*
23 fecerint *TV*   29 ceperit *U*

rationabilium creaturarum, quanta facere poterat? audiat ergo et
discat inpius: non tanta est uirtus dei, quantas fecisse dicitur rationabiles creaturas, sed inponens mensuram operibus, ultra quam
esse non poterant, et rerum numerum dispositionis suae arte con-
cludens ipse mensura et numero non tenetur. ex quibus liquido ap- 5
paret non eum tanta fecisse, quanta poterat, sed, quantum rerum
4 necessitas expetebat, tantum eius fecisse uirtutem. ponamus exemplum, ut, quod dicimus, manifestius fiat. si quis opulentus pater
familias conuiuas ad cenam uoluerit inuitare et tantas offerre dapes,
quae inplere possint auiditatem cenantium, non statim, quantum 10
illi comederint et quantum eis fuerit praeparatum, tantum diues
dominus habere poterat, sed praebuit eis, quantum conuiuii dignitas
exposcebat; sic et omnipotens deus uincens conparationis exemplum
non tantas fecit creaturas, quantas poterat, sed tantae ab eo factae
5 sunt, quantae debebant fieri. at ille uerbositatis seminarium contexit 15
et replicat et ait: tanta fecit deus, quanta poterat
conprehendere et sibi habere subiecta suaque
prouidentia gubernare. nec audit prophetam dicentem:
si omnes gentes ut stilla de situla et sicut
momentum staterae conputatae sunt et quasi 20
saliua deputabuntur, cui adsimulastis deum?
et rursum: quis mensus est manu aquam et caelum
6 palma et omnem terram pugillo? si ad conpara-
tionem fortitudinis dei aqua mensuratur manu et caelum palma
et omnis terra pugillo — haec autem per metaforam dicuntur, ut 25
eorum, quae facta sunt, uilitas ex factoris magnificentia conprobetur; neque enim diuersitate membrorum conpositus est deus —,
quomodo tanta fecisse dicitur, quanta poterat sua uirtute conprehendere?

18. Calcemus, quod coepimus, et sensum nostrum plenius 30
explicemus. si omnes gentes quasi stillae de situla et quasi

---

16 Origenes περὶ ἀρχῶν II c. 9, 1   19 *Esai. 40,15—18   22 *Esai. 40, 12
31 cf. Esai. 40, 15

2 quanta V   8 pater *ex* patri V   9 offert V   15 debeant Ta.c.V
18 audiuit U   19 si] sic U   20 deputatae U   21 cōputabuntur U; *add.*
etc. ς   assimilastis UV   23 palmo ς   pigillos U   24 manū V
palmo U   28 d̄s dicitur V   31 stellae Ta.c. stilla ς

momentum staterae reputatae sunt et quasi saliua reputa-
buntur — per quae uerba omnium creaturarum uilitas et
parua substantia demonstratur, ut appareat inconparabilis
sublimitas dei —, ergo et fortitudo eius sicut stilla de situla
5 et sicut momentum staterae et saliua hominis reputabitur, si
iuxta Origenem tanta fabricatus est, quanta poterat sua uirtute
conprehendere, et necesse est numero mensuraeque factorum dei
fortitudinem coaequari, si tamen non potuit facere maiora, quam
fecit. uerum non puto quempiam, non dico hominum, sed ne dae- 2
10 monum quidem, haec de eo audere confingere, quae ille et sensit
et scripsit, tantam deum fecisse materiam, quantam ornare poterat
et in rerum formas diuidere. quae sentiens rursum discat a nobis:
non tanta fecit deus, quanta facere poterat, sed, quanta mensurae
rerum ordo poscebat, tanta fabricatus est multo maiorem habens
15 et artem et fortitudinem, quam ea, quae facta sunt, numerum
atque mensuram. et hoc sciat prophetarum testimoniis conprobari,
e quibus unus ait: operuit caelos uirtus eius et alter
clamitat: terram autem sicut nihili fecit, ut maiorem
dei esse uirtutem his, quae facta sunt, praedicarent. porro, quod 3
20 dixit: terram sicut nihili fecit, de uniuersis creaturis
apostolus interpretans loquitur: qui uocat ea, quae non
sunt, tamquam sint, ut et per haec uerba discamus
maiorem esse fortitudinem dei quam ea, quae ab illo facta sunt.
et non erubescit contra dei fortitudinem disputans dicere, quod
25 tantum possit deus, quantum ei ad operandum materia ministrarit,
nec intellegit aliam naturam esse factorum et aliam eius, qui factor
est, neque posse tantum illam, de qua aliquid fit, quantum is potest,
qui ex ea aliquid fabricatur; diuersarum enim substantiarum diuersa
est uirtus atque condicio.

17 *Hab. 3, 3   18. 20 *Esai. 40, 23   21 *Rom. 4, 17

4 dn̄i (n *eras.*) T, *om.* U   5 hominum V   7 mensúraque TV   8 tamen
om. ς   11 potuerat U   12 rursus U   13 tanta—quanta] quanta—tanta T
alt. quantum TV quantam ς   mensura V—ram T   14 rerum *om.* U; *add.* et V
tantā T tantum V   est deus TV   multa U   15 facta *om.* U   numero U
ad numerum V   16 mensura U   17 unus *om.* ς   alte V   18 nih(ch V)il TV
20 dixi U   22 tamquam] *add.* ea quae (*utr. del.*) U   dicamus U   24 dei *om.* V
disp. *om.* V   27 est deus TV

19. Quapropter, si uolunt cum ecclesia dominicum pascha celebrare, qui auctoritati scripturarum Origenis praeferunt deliramenta, audiant inclamantem deum: 'et non ostendi illa tibi, ut ambulares postea?' ac prophetam lacrimabiliter commonentem: o, o f u g i t e d e t e r r a a q u i l o n i s, d i c i t 5 d o m i n u s, q u i a a q u a t t u o r u e n t i s c a e l i c o n g r e g a b o u o s; i n S i o n s a l u a m i n i, q u i h a b i t a t i s f i l i a m B a b y l o n i s, ut erroris tenebras frigusque ignorantiae relinquentes ad ortum solis iustitiae iuncti magorum studiis conuertantur et inhabitantes calidissimam plagam caeli, quae in 10 scripturarum feruore sentitur, pastores ecclesiasticos spreta Origenis amentia sciscitentur et dicant: u b i e s t, q u i n a t u s e s t r e x 2 I u d a e o r u m? cum illum inuenerint iacentem in praesepi, humili uidelicet eloquio scripturarum, offerent ei aurum et thus et murram, id est fidem probatam et omni ueritatis splendore fulgentem con- 15 uersationisque bene olentis flagrantiam et continentiam luxum uoluptatis et fluitantia carnis incentiua siccantem. qui enim post crebras commonitiones ecclesiasticae fidei contradicunt, duplici languore retinentur nequitiae et inperitiae et in morem serpentum toti ad terrena conuersi adhaerentesque humo bonis mala praeferunt nec 20 nouerunt, quae sit differentia uitiorum atque uirtutum, et de sanctis scripturis in correptionem et sanitatem sui medicamenta contemnunt in morem praegnantum mulierum ueritatis fastidia sustinentes, quae solitos cibos respuunt et noxia quaeque sectantur, nec ualent contra ueritatis radios clarum animae lumen adtollere: despicientes 25 ecclesiasticam disciplinam quasi porci uolutantur in caeno et unguenta contemnunt. sed iustum est, ut saltim de exemplis, quae inferimus, recipiant sanitatem. sicut enim oculo officit lippitudo et

---

3 cf. Deut. 11, 26—28   5 *Zach. 2, 6—7   9 cf. Mal. 4, 2   12 Matth. 2, 2
13 cf. Matth. 2, 11

1 pasca V   5 o o om. U   6 caeli om. TV   7 syon UV; add. et V
8 babyll. T babil. UV   9 magnorum U   10 in om. V   13 praesepto V
14 offerent U—entes (om. ei) T—ant V   pr. et om. V   myrram U mirram
Tp.r.V   16 fragl. V fragr. ς   17 fluentia V   18 langore U   19 detinentur ς
nequitia et imperitia TV   mort(t eras.)em U   serpentium U   21 de om. U
sanctas scripturasU   23 praegnantium Tp.c.m2V   24 cybos TU   25 intendere TV   26 ungenta T

totum corpus populatur febris, aes quoque et ferrum paulatim
rubigo consumit, ita dogmatum peruersorum perniciosa contagio
animarum neglegentium pulchritudinem uiolat et deformi eas
mendaciorum pallore perfundit. obsecro, fratres, ut ignoscatis 4
5 dolori meo sceleratas doctrinas in medium proferenti. licet enim
per Babylonia flumina transierimus, ut captiuos ibidem commorantes
ad festiuitatem Hierusalem pergere suaderemus, tamen misericordia
dei ipsi captiuitatem non sensimus prosperis uentis scripturarum
uela pandentes. nec obruerunt nos doctrinae hereticae gurgites
10 intumescentes nec mendaciorum tempestas conterruit neque torrentes iniquitatis in medium eorum pelagus pertraxerunt, ubi
iuxta psalmistam canentem r e p t i l i a, q u o r u m   n o n   e s t
n u m e r u s, et draco diabolus commorantur, uenenatissimum
animal sanctorum lusibus patens, nec, ut cuncta breui sermone
15 concludam, ex omni parte uentorum flabra consurgentia ecclesiasticam nauem subuertere potuerunt et studiorum nostrorum saeuo
turbine operire remigium. en cum saluatore domino instar disci- 5
pulorum illius nauigantes transfretauimus et portum quietis
intrantes pulcherrimum diuinorum uoluminum litus amplectimur
20 uarios carpentes flores scientiae et niuea membra sapientiae
pressis figentes osculis in eius haeremus amplexibus et, si dominus
concesserit, uiuentes cum ea et in illius perseuerantes amore
cantamus: a m a t o r   f u i   p u l c h r i t u d i n i s   e i u s. quotquot enim diligentius scripturas sanctas legunt et per picta
25 sermonum caelestium prata discurrunt, hac beatitudine perfruuntur;
qui autem relinquentes dominicae sollemnitatis uirorem ad deserta
transcendunt, in morem urbium, quae absque muro sunt, hostiles
daemonum impetus sustinent.

20. Quapropter inminentia festa celebrantes intellegamus et
30 nosmet ipsos et uniuersa, quae nostra sunt, scientiamque et ratio-

---

12 Ps. 103, 25   17 cf. Matth. 8, 23—27 etc.   23 *Sap. 8, 2

1 depop. ς   aes] es UV   2 contagia TV   3 pulchritudo V   uiolāt T
5 medio V   6 babyll. Ta.r. babil. UV Babyloniae ς   7 iherusalem UV
10 terruit ς   11 medio V   pelagos Ta.c.V pelago ς   protrax. V   13 dracho U
commoratur U   uenatissimum V   16 subuerter V   17 en] et ς   19 littus Up.c.
21 fingentes oculis V   23 cantabimus ς   25 haec ς   26 uirectum V
27 transeunt U   more TV   30 rationalem UV

nabilem animam nostram quasi matrem cunctis studiis amplexemur
habentes radicem sermonis atque rationis scientiae notionem, sermonem autem, ut ita dicam, operis uestibulum, porro opus sermonis et scientiae aedificii tecta perfecta et firmissimum domus
culmen inpositum. sermo enim et ratio et scientia et fides absque 5
2 opere cassa sunt et instabilia. et — ut aliquid propter eos, qui dialec-
ticis artibus instituti sunt, ex illa doctrina uideamur adsumere —
quomodo, si uerbum nomini coniungamus, perfectus sensus efficitur,
uerbumque si solum fuerit aut nomen sine uerbo, nihil est omnino,
quod dicitur, sic scientia absque opere et opus sine fide infirma 10
sunt et caduca et e contrario scientia operi copulata perfectae uirtutis indicium est. tacita quippe animae cogitatio arcanus eius est
sermo, quae per linguam forinsecus resonans profert mentis sententiam. cumque sermo fuerit opere consummatus, scientiae et
3 cogitationi nostrae finis inponitur. ob quae cogitationis et sermonis 15
et operis reddemus rationem in iudicio accusantibus se inuicem
cogitationibus nostris siue defendentibus in die, qua iudicaturus est
deus abscondita hominum per Iesum Christum, sicut Paulus apostolus scribit.

21. Quod cum ita sit, adpropinquante festiuitate domini dicamus 20
ad eos, quos Origenis error inuoluit et fraudulentia captiuos tenet:
fugite de medio Babylonis et resaluate unus-
quisque animam suam. quamuis enim iuxta uaticinium
prophetale Babylon calix aureus esse dicatur et conpositione ac
lepore uerborum ueritatis pulchritudinem praeferat et transfiguret 25
se in angelum lucis, tamen sciendum, quod, quicumque bibunt de
uino illius, mouentur et corruunt et contriti lamentatione sunt digni.
2 nos autem mortiferis perturbationibus resistentes muro continentiae
uallemus animam et libertatem illius cotidiana uirtutum exercita-

---

17 cf. I Cor. 4, 5   22 *Hier. 28 (51), 6   24 cf. Hier. 28 (51), 7
25 cf. II Cor. 11, 14

1 omni studio ς   amplectamur *U*   5 enim] autem *V*   6 causa *U*
7 instructi *V*   12 animi ς   archanus *TV*   13 qui *U*   15 ob quae *Ta.c₁*
obque *cet*. atqui ς   16 inu. se *V*   18 abscondit ab (b *eras*.) *T*   19 scribit]
ait *V*   20 appropinquantes *U*   festiu.] ad ciuitatem *U*   21 ad eos] istis ς
22 babyll. *Ta.r*. babil. *UV*   saluate *UV*   23 uaticinum *V*   24 prophetae ς
babyllon *Ta.r*. babylonis *U* babilone (e *exp*.) *V*   27 corruent *U*

tione tueamur. sicut enim uenditi serui eorum, qui pro eis dedere
pretium, famuli et uerberones uocantur, ita, qui animas suas uariis
uendidere desideriis, horum, quibus se tradiderunt, famuli nuncupantur et quasi crudelibus oboediunt dominis. cumque et emen- 3
5 datores erroris sui rigida fronte contemnant, temeritate stultitiam
defendentes ignorant, quod audacia nihil sit aliud, ut mihi quidem
uidetur, nisi absque sensu et cogitatione sententia procul a se fugans
gubernatorem perturbationum animum. cumque tali fuerit conspo-
liata praesidio, praeceps in profundum fertur inpietatis et quasi
0 quodam amarissimo flegmate lumen mentis obscurat oculumque
eius secundum eloquium scripturarum tractabili tenebrarum nocte
circumdat.

22. Unde, qui Origenis erroribus delectantur, festiuitatis dominicae non spernant praeconia nec unguenta, aurum et margaritas
5 quaerant in luto neque matrem suam ecclesiam, quae eos genuit et
nutriuit, in magnis urbibus lacerent, qui aliquando nostri nunc
propter illum et discipulos eius gentilium in nos odia superant et
in delectatione eorum in nos maledicta congeminant diuitumque
obsident fores nec audire metuunt cum Iudaeis: f i l i o s g e n u i
0 e t e x a l t a u i, i p s i a u t e m m e s p r e u e r u n t. qui mihi 2
uidentur nescire omne uerbum ueritatis non habens fundamentum,
etsi ad horam audientem inlexerit, ut putet uerum esse, quod non
est, paulatim dissolui et in nihilum redigi uniuersamque sententiam,
quae in morem torrentis de pessima mente profertur, obruere auc-
5 torem suum et litteras syllabasque, quibus fuerat contexta, perdentem absque sensu et sono et ulla imagine derelinqui et instar
uenenatissimi colubri percutere prolatorem suum statimque retrahere caput et quasi in foramine mentis tabescere atque consumi.
nam mendaciorum finis interitus est. illi, qui quondam iactabant 3
0 se solitudinis amatores, saltim paruulam ad occultanda maledicta

---

11 cf. Ex. 10, 21   19 *Esai. 1, 2

2 pretium et ς   3 tradiderint ς   4 alt. et om. V   8 perturbatione Ua.c.
anime V   spoliata U; add. anima ς   9 in om. V   10 flegmate U
reumate TV   11 intractabili TV   14 sperant TV sperent ς   ungenta TV
16 nostri nunc om. ς   17 superant in t., l concitant in mg. m2T   18 dilectione U
mala dicta Ta.c.V   21 uidetur V   24 more TV   actorem T   25 erat ς
29 interius V   condam U   30 paruo(u s.l.)la T

super labia furoris sui aedificent cellulam, non de sanctis Hierusalem
lapidibus, sed de informibus Babylonis saxis, quae indolata et in-
4 aequalia ruiturae domus parietes fulciant. quamquam effeminatis
auribus et gentilium odiis se nostri detractatione commendent carpentes ecclesiasticam disciplinam et patientia nostra quasi quodam 5
temeritatis fomite abutentes, tamen aliquando taceant et quiescant
et audiant prophetam dicentem: p r o h i b e   l i n g u a m   t u a m
a m a l o   e t   l a b i a   t u a   n e   l o q u a n t u r   d o l u m, deside-
rentque ea sapere, quae digna sunt uita solitaria, et ecclesiae principem ac magistrum non contristent deum.　　　　　　　　　　　1

23. Uos autem obsecro, fratres, ut in commune oremus pro eis et
prophetali uoce dicamus: q u i s   d a b i t   c a p i t i   m e o   a q u a m
e t   o c u l i s   m e i s   f o n t e m   l a c r i m a r u m?   et   p l o r a b o
d i e   e t   n o c t e   u u l n e r a t o s   f i l i a e   p o p u l i   m e i, dei
misericordiam deprecantes, ut liberet eos errore, quo uincti sunt, 1
et odium, quo aduersum nos frustra insaniunt, amore conmutent.
2 unde et nos obliti iniuriarum indulgentissimo eos cupimus recipere
sinu et illorum sanitatem et conuersionem ad deum propriam sanitatem et gloriam conputamus. et si aliter non possunt curari nisi
nostra humilitate, ultro eis satisfaciamus; nihil eis tulimus, nihil 2
nocuimus, tametsi indignantur et saeuiunt contra ecclesiae medicamina, quibus uulneratis sanitas redditur. nos, quae scimus, loquimur et, quae didicimus, praedicamus orantes, ut, qui ecclesiasticas
despiciunt regulas, normam recipiant ueritatis nec propter hominum
confusionem, per quam difficulter errantes corrigi solent, perdant 2
3 utilitatem paenitentiae. et nunc dicimus et ante praediximus et
idem frequenter ingerimus: uagari eos nolumus nec per alienas errare prouincias, sed ad extorres et furibundos cum propheta clama-
mus et loquimur: s a l u a m i n i   d e   t e r r a   e t   r e u e r t i m i n i
e t   n o l i t e   s t a r e;   r e c o r d a m i n i,   q u i   p r o c u l   e s t i s 3

---

5 cf. Cicero I Catil. 1　7 Ps. 33, 14　12 *Hier. 9, 1　29 *Hier. 28 (51), 50

1 aedificant *T p.c.*　　iherusalem *UV*　　2 de *om. TV*　　babyll. *Ta.r.*
babil. *V* babiloniis *U*　　3 fulciunt *UV*　　efferatis *coni. Vall.*　　4 odiis se *ex*
odisse *T*　　detractione *UV*　　5 quondam *U*　　7 et audiant *s.l.U*　　8 ne]n̄ *T*
dolum] malum *V*　　desiderantque *V*　　9 solit.] sancta ς　　11 nos *TV*　　14 et] ac *V*
16 quod *V*　　insinuunt *V*　　17 indulg.—sinu et *om. V*　　18 et conu.—san. *in mg.*
sup. U　　20 tulimus] intulimus iniuriae ς　　21 tamen etsi *T*　　26 *tert.* et *ex* ut *T*

a domino, et Hierusalem ascendat super cor
uestrum.

24. Forsitan haec audientes ecclesiasticae congregationis amor
subeat et recordentur fraternae in commune laetitiae et hymnorum,
5 quibus cum ceteris domino concinebant, frigusque odiorum dilectionis
calore conmutent et intellegant nos me licos, non inimicos, indulgen-
tissimos patres, non hostili tumentes superbia. neque enim fieri
potest, ut, quos saluari uolumus, perire cupiamus et non eis ecclesiasticam uirgam conuerti in baculum, si tamen relinquentes
10 errorem ueritatem sequi uelint et omittere temeritatem lasciuientium
puerorum. sin autem respuunt eam et contemnentes ecclesiasticam ₂
disciplinam eleuant cornu suum contra regulas eius et salutaria
spernentes consilia proiciunt retrorsum, audiant dominum commi-
nantem: homo, qui fecerit in superbia, ut non
15 audiat sacerdotem, qui stat ad ministrandum
in nomine domini dei tui, uel iudicem, quicumque fuerit in diebus illis, morietur homo ille
et auferes malum de Israhel et omnis populus
audiens timebit et non inpie aget ultra. uerum ₃
20 ne occupati circa uulneratorum curationem nostri inmemores
simus et propria neglegamus ac, iuxta quod scriptum est, aliis
praedicantes ipsi reprobi inueniamur, commonemus stantes,
ut caueant, ne, dum iacentibus manum porrigunt, ipsi corruant
et ut seruantes ecclesiasticam disciplinam futurum iudicium
25 reformident.

25. Igitur dominicum pascha celebrantes sanctis scripturarum
purificemur eloquiis et ad tropaea saluatoris respicientes cuncta
offendicula, quibus uitae nostrae curriculum retardatur, auferamus
e medio. auaritiam quasi faeneratorem pessimum declinantes uanae
30 gloriae cupiditatem ut insatiabilem iugulemus feram et fornicationis
blandum ac lubricum colubrum sollicita mente uitemus. si quando ₂

13 cf. Ps. 49, 17   14 *Deut. 17, 12—13   21cf. I Cor. 9, 27

1 iherusalem *UV*   5 dominum *Ta.c.V*   13 concilia *V*   14 superbiā *U*
16 domini *om. TV*   tui ς sui *codd.*   18 auferet *Ta.c.V* auferetur *U*   19 impie
non *V*   impia *T*   20 circa] erga *U*   21 et] ut *V*   ac *om. U*   23 nec *V*
26 sancti *U*   27 tropea *T* trophea *U* throphea *V*   29 fen. *U* uen. *V*   30 forni-
cacionum *V*

nobis prosperior rerum aura successerit, humilitate et mansuetudine tumorem animi temperemus; si aduersi uenti flauerint, fortitudinem praesumentes iacentem animum suscitemus ipsique nostri peccati accusatores simus et sciamus nos hoc salutis habere principium. inpossibile est enim sollemnitate domini dignos fieri, nisi nosmet ipsos 5 corripiamus et iugi meditatione uirtutum libertatem animae, quae 3 uitiis oppressa est, recuperemus. quapropter positi in certamine et sudore ac labore praesentium futuram nobis sollemnitatis caelestis gloriam praeparantes, priusquam stemus ante tribunal Christi, praeterita peccata paenitentia corrigamus, praesenti fletu redi- 10 mamus futura gaudia aculeoque conscientiae in morem apium noxios peccatorum fucos repellamus plena ceris ac melle aluearia reseruantes. curemus diuersa uitiorum uulnera et rapinas diuitum, quibus uel maxime hoc hominum capitur genus, crebris commoni- 4 tionibus reprimamus. et sic poterimus inminentium ieiuniorum iter 15 carpere incipientes quadragesimam a tricesima die mensis Mechir et cbdomadam salutaris paschae quinta die mensis Pharmuthi finientesque ieiunia secundum euangelicas traditiones uespere sabbati decima die Pharmuthi. et inlucescente statim dominica festa celebremus undecima die eiusdem mensis iungentes et septem reli- 20 quas ebdomadas sanctae pentecostes, ut cum his, qui trinitatis unam confitentur diuinitatem, in caelis praemia recipiamus in Christo Iesu, domino nostro, per quem et cum quo deo patri gloria et imperium cum spiritu sancto in saecula saeculorum. amen.

26. Salutate inuicem in osculo sancto. salutant uos omnes, 25 qui mecum sunt, fratres. et hoc necessario scribimus, ut sciatis pro sanctis et beatis episcopis, qui in domino dormierunt, ordinatos

---

9 cf. Rom. 14, 10   10 cf. Ps. 125, 5   23 cf. I Petr. 4, 11 etc.

1 et] ac *V, om. U*   2 fortitudine *Ta.c.UV*   3 praesum et *Ta.c.* pressum et *V*   4 et sciamus] ut scientes ς   nos hoc—nisi *om.* ς   nos *om. U* 5 dignos nos *V*   11 constantiae *T*   apum *V*   12 sucos *V*   aluaria *V* 13 curremus *V*   14 gen. hom. cap. *V*   16 capere *T*   quadragesime incipientes *V* incipientis *T* incipient dies ς   quadrage(n *T*)simae(e) *TV*   a *om. U*   tricensima(n *eras.*) *T* tricesimā *U*   17 et] usque ad *V*   ebdomadem *T*   salut. *om. U* paschae celebrabimus ς   pharūmuthi *V* pharmuth *U*   18 que *om.* ς 19 pharmuthi *V* pharmuth *U*   et] ut *V*   21 ut una cum *V*   unam *om. V* 24 sancto spir. ς

esse in † Limnodos pro Herone Mnaseam, in Erythro pro Sabbatio Paulum, in Omboes pro Siluano Uersen. his ergo scribite et ab his accipite pacificas iuxta ecclesiasticum morem litteras.

XCIX.

AD THEOPHILUM.

Beatissimo papae Theophilo episcopo Hieronymus.

1. Ex eo tempore, quo beatitudinis tuae accepi epistulas iuncto paschali libro, usque in praesentem diem ita et maerore luctus et

1 limnodos *TV* limnodus *U* Lemnado ς Limniade *coni.Vall.* Mnaseam *scripsi* naseam *T* mnasianum *U* manasse *V* in herithro *V* nertrophon *U* sabatio *V* 2 Syluano ς Uerrem ς *alt.* his] is *U* 3 litt.] *add.* finit theophili epi alexandrini epistula pascalis ad totius egypti aepos prima *T* explicit epła ·l· *U* finit epła theophili epi alexandrini *V*

U = *Parisinus lat. 16897 s. XII.*
e = *Parisinus lat. 1876 s. XII.*
v = *Sancrucensis 105 s. XII.*
V = *Parisinus lat. 2173 s. XIII.*
ϱ = *Amplonianus fol. 91 s. XIV.*
ι = *Vindobonensis lat. 644 s. XV.*
ϰ = *Vindobonensis lat. 3870 s. XV.*
ξ = *Holkhamicus 127 s. XV.*
φ = *Cantabrigiensis uniuers. 409+410 s. XV.*
ƀ = *Mazarinianus 574 s. XV.*
ᵭ = *Mazarinianus 575 s. XV.*

epła beati iheronimi presbiteri ad beatum theophilum alexandrine urbis episcopum *U* epła ieronimi ad theophilum papam e epistola h(*om.* ϰ)ieronimi ad theophilum de mansionibus israhelitici populi *vϰ* epła sci hieronimi (*reliqua tituli pars abscissa est*) *V* hyero' ad theophilum allexandrinum epm *ι* epistola i (*eras.*) iheronimi ad teophilum alexandrinum episcopum *ξ* epistola beati hieronimi presbiteri ad theophilum epm, in qua librum illius summis laudibus effert excusans, quod celerius non uerterit in latinum *φ* epła beati iheronimi pbri ad theophilum episcopum quarta ƀ ad eundem ᵭ, *titulo caret* ϱ

6 episc. *om.* ϰφᵭ 6 hi(y *ι*)eronimus eιφ iheronimus *U*ξƀ, *nomen abscissum in V*, ieronimus *cet. praeter* ᵭ; *add.* salutem φ 8 pascali *V*ιξƀ in *om. V* ad ᵭ ita *om.* ϰ merore *U*e*V*ϱᵭ memore ƀ moerore *cet.* *alt.* et] ac *ι*

sollicitudine ac diuersis super ecclesiae statu hinc inde rumoribus
exagitatus sum, ut uix uolumen tuum potuerim in Latinum uertere.
optime enim nosti iuxta ueterem sententiam non esse tristem elo-
quentiam, maxime, si ad aegritudinem animi accedat corporis aegri-
2 tudo. et hanc ipsam epistulam febre aestuans et quintum iam diem 5
decumbens lectulo nimia festinatione dictaui breuiter indicans
beatitudini tuae magnum me laborem sustinuisse in translatione
eius, ut omnes sententias pari uenustate transferrem et Graecae
eloquentiae Latinum aliqua ex parte responderet eloquium.
  2. In principiis philosopharis et generaliter agens, dum omnes 10
erudis, unum iugulas; in reliquis autem, quod uel difficillimum est,
rhetoricae eloquentiae iungis philosophum et Demosthenen atque
Platonem nobis consocias. o quanta dicuntur in luxuriam, quantis
praeconiis extollitur continentia! et de intimis sapientiae disciplinis
diei et noctis, lunae cursus ac solis ratio et mundi istius natura 15
describitur; et hanc ipsam disputationem ad scripturarum refers
auctoritatem, ne in paschali libro uidearis de saecularibus quippiam
2 fontibus mutuatus. quid plura? in os laudare te uereor, ne assen-
tandi crimen incurram. optimus liber est et in philosophis et agens
susceptam causam absque inuidia personarum. unde, obsecro te, 20
ignoscas tarditati meae; ita enim sanctae et uenerabilis Paulae dormitione confectus sum, ut absque translatione huius libri usque in
praesentiarum nihil aliud diuini operis scripserim. perdidimus enim,
ut ipse nosti, repente solacium, quod — ut conscientiae nostrae testis
est dominus — non ut proprias dicimus ⟨spectantes⟩ necessitates, sed 25

  1 solicitudine ꝺ solitudine ɩ   statu eccl. φ   2 in lat. uertere ʋϰ
in lat. transferre sermonem *UV* in lat. sermonem uertere *cet.*   3 ueterum ɩ
non *om.* ϱ   4 si] cum *U*   animi *om.* ꝺ   5 febri ɩξ   quintam ɩ   6 nimia] in
una ϱ   8 uetustate transferem ϰ   et] ut *UV*   9 ex aliqua *U*   10 principio ϰφ
11 uel quod ꝺ   difficilimum ɩϰξ   12 reth. *UeVɩϰξ*ꝺ   iugis ꝺ   phylosophum *UV*
philosophos *cet.*   demostenen *UV*—sthenem ʋϱɩφ—stenem *cet.*   13 luxuria eϱξꝺꝺ
14 extolitur ξ attollitur *V*   discipline ɩ   15 *pr.* et] ac *V*ϱɩφ   ratione φ radio ξ
alt. et *om.* φ   17 pascali *V*ɩξꝺ   quicquam eϱꝺꝺ quidquam ɩφ   18 mutatus ϱꝺ
imitatus eϰ   quid] *reliqua desunt in V*   os *U* his *cet.*   assentiendi ʋϱφꝺꝺ
19 crimen] *add.* arripiat (*eras.*) ξ   in *om.* *U*   20 te ut ɩ   21 etiam meae φ
meae] me ꝺ   conf. sum dorm. φ   23 enim] eum ξ   24 ut ipse nosti *om.* *U*
repente *om.* ξ   25 ut] ut ad *U* ad ꞇ   didicimus (*pr.* di *exp.*) ɩ deicimus ξ
deiicimus ꝺ deiecimus ϱ ducimus eφ, *om.* *U*   spectantes *addidi, spatium uacuum 12 litt. in* e, *om. cet.*   nec.] uoluntates ꝺ   sed ut] s̄ut et ɩ sed ad ꞇ

ut sanctorum refrigeria, quibus illa sollicite seruiebat. sancta et 3
uenerabilis filia tua Eustochium, quae nullam pro matris absentia
recipit consolationem, te et uniuersa fraternitas suppliciter salutat.
libros, quos dudum scripsisse te nuntiasti, uel legendos nobis uel
5 uertendos transmitte.

C.

EPISTULA PASCHALIS THEOPHILI, ALEXANDRINAE URBIS EPISCOPI, AD TOTIUS AEGYPTI EPISCOPOS.

1. Nunc quoque dei uiua sapientia nos ad sanctum prouocat
10 pascha celebrandum omnes cupiens eius esse participes. unde pro-
pero ad illud currentes gradu ieiuniis et continentia omnique ad-
flictione corporis pugnantes contra uirtutum industriam uoluptates
redigamus ad nihilum fulti saluatoris auxilio et peccata nostra deo,
qui sanare potest, simpliciter confitentes uerum conscientiae iudi-
15 cium formidemus, ut cum Dauid uociferantes atque dicentes: p e c-
c a t a a d u l e s c e n t i a e m e a e e t i g n o r a n t i a e n e
m e m i n e r i s; s e c u n d u m m i s e r i c o r d i a m t u a m
m e m o r e s t o m e i, terrore ignis aeterni crescentia uitia consumamus, quorum finis est talia ultra non facere et exordium

---

1 illam (m *exp.*) *U*   et *om.* εϱιξ   2 uen.] *add.* te φ   eustachium φ ;
seq. spatium uacuum 20 litt. in e   absentiam b   3 recepit ϱξ   te et *v*
te εϰφbb et *U*ϱιξ   uniuersaque b   suppl. *om.* b supp(p *ι*)l. te *U*ι te suppl. ξ
salutant *U*ϱιξ   4 libros uero b   dudum *om.* ϱ   te scr. ϰ   *alt.* uel *s.l.* ξ
5 transm.] *add.* uale in x̄p̄o φ

       T = Parisinus lat. 2172 s. X.
       U = Parisinus lat. 16897 s. XII.
       V = Parisinus lat. 2173 s. XIII.

eiusdem ad totius egypti ēp̄os epistula pascalis ·lll· *T* ēpla ·lll· eiusdem ad
eosdem de eodem translata a beato iheronimo presbitero *U* eiusdem ad totius
egipti ēp̄os ēpla paschalis ·lll· *V*

     15 *Ps. 24, 7

     10 pasca *T*   12 uirt. aduersariarum ς   industria *V*   14 sanare nos *V*
16 adulisc. *Ta.c.* adolesc. *cet.*   ignor. meae *V*   18 mei esto *V*; *add.* d̄s *U*
consumamus *U* consumemus ς   19 alia *TV*

2 salutis praeteritorum obliuio. sicut enim principium uiae bonae
facere iusta, sic exordium cessantium peccatorum eorum impetus
cohibere, dum aut ratione frenantur aut metu ad praecipitia non
ueniunt. cumque legis fuerit in animo recordatio, ilico fugiunt et ces-
santes ultra procedere in triumphantium uirtutum castra concedunt 5
paulatimque paenitendo referentes pedem et sapientium iudicium
3 declinantes instar fumi resoluuntur in nihilum. difficile sanantur
mala, quae non statim, ut crescere coeperunt, opprimuntur; facilis
est eorum eradicatio, cum, qui dudum peccauerunt, per paenitentiam
ad prudentiam conuertuntur et finem peccandi emolumentum in- 10
uenerint paenitendi. neque enim possumus opprimere incentiua
uitiorum, nisi uirtutes facere coeperimus, aut cessabunt uetera,
4 priusquam nouorum operibus excludantur. et quomodo, si contra
superuenientes uoluptates firmo animo resistamus, praeterita peccata delentur, ita, si perseuerans fuerit praeteritorum obliuio, futura 15
delicta ultra crescere non ualebunt. malorum quippe operatores
quasi in dicionem suam redigentes eos, qui possunt prohibere nec
prohibent, tota ad peccandum debacchantur insania et silentium
in consensum trahentes, quidquid animi libido suggesserit, opere
explere nituntur. libertas praesentium uitiorum futura germinat 20
uitia et, si priora neglexeris, fons et seminarium futurorum est.
    2. Quae cum ita sint, qui possunt prohibere peccantes et
laboris fuga inertique silentio dissimulant et crescere patiuntur mala,
participes eorum rectissime iudicabuntur, qui auctores scelerum
sunt, et neglegentiae poenas luent, dum inrationabile otium sudori 25
ulciscentium praetulerunt malentes quietem culpabilem quam se-
2 ueritatem uitia succidentem. si enim recedamus a uitiis, penitus
interibunt et eorum fraudulenta dulcedo siccabitur omnesque impetus uoluptatis quodam, ut ita dicam, languore torpescent, quando
mens nostra fuerit uirtutis hospitium. legis recordatio non sinit 30
peccata generari nec ea crescere patitur; cumque futurum tribunal
et formidolosum iudicii diem cogitauerit, tam principium quam

    1 uite V   2 pecc. est ς   eorum om. V   5 concendunt Ua.c.V
8 ceperint UV   9 peccauer̄ U — uerint TV   10 fine U   12 aut] et non T
15 pers. si ς   18 debach. UV dibacch. Ta.c.   19 sensum ς   animo ς
23 dissimilant T   25 soluent V   27 uitia succid.] in uicia U   28 omsq; U
omnisque Tp.c.V 29 torpescet Tp.c.—scit Ta.c.V   30 sinet V   32 cogitauerint T
(n exp.) ς   tam princ. quam] tum principii diem ς

medium finemque peccati prohibebit et amaros illius fluctus atque
intumescentes gurgites usque ad ipsum fontem uenasque siccabit.
uirtus lege comitata uitiorum opprimit semina et animum de humi- ₃
libus ad excelsa sustollit; e contrario uitia, nisi coerceantur, super-
₅ biunt et oboedientes sibi ad inferna detrudunt, cumque semel pos-
sederint animas, opprimunt eas inlecebris uoluptatum nec sinunt
iuxta humani corporis statum in sublime erectumque suspicere, sed
instar pecudum ad terrena declinant. de quibus psalmista testatur
dicens: uocauerunt nomina sua in terris suis.
₁₀   3. Dicat aliquis hic: 'si tantam habent uitia fortitudinem et tam
plurimos blanda persuasione supplantant, quid debent agere, qui
peccare se sentientes cupiunt mutare peccata uirtutibus et amore
meliorum peiora contemnunt?ʻ audi ad huiusce modi loquentem
Moysen: peccasti? desine, fine peccati priora subuertens
₁₅ et efficacissimo medicamine uitia emendans, cessatione uitiorum.
dulcis mali uita inlecebras et blandientes corporis uoluptates quasi ₂
noxia uenena declina nec per lubricam et mollem deliciarum ingre-
diaris semitam, quia ieiuniis et continentia sollemnitas adprehen-
ditur et uix laborantes atque sudantes mala bonis possumus in-
₂₀ mutare et repugnantes opprimere uoluptates paucique sunt, qui
calcatis uitiis tramitem teneant ueritatis, dum malitia innumeris
nocendi utitur artibus et uinci non potest, nisi sapientiae desuper
fulciamur auxilio clamantis nobis atque dicentis: noli timere,
quia tecum sum. mali interitus est mala ultra non facere, ₃
₂₅ radix uitiorum legis scita contemnere. ut peccata germinat neglegentia, ita sollicitudo uirtutes parit. lex custodita fugat ignominiam, neglecta parturit poenas et, quanto, si despiciatur, seueri
iudicis imitatur truculentiam, tanto, si seruetur, clementissimi patris
exhibet mansuetudinem. igitur peccati cessatio uirtutis principium
₃₀ est et medicina praeteritorum ac praesentium futurorumque uitiorum
legis indefessa meditatio, quae cum possessoris sui habuerit securi-

9 Ps. 48, 12   14 cf. epist. CXLVII 9; Eccli. 21, 1   23 *Gen. 26, 24

2 ipsum *om. U*   3 opprimet *TV*   4 sustollet *Tp.c.m.2*   5 possid. *TVa.c.*
10 hic *V* hoc *T, om. U* quod ς   tam plur.] plur. usque adeo ς   11 facere *U*
13 audi ad *U* audiant (*add.* de *in mg. m2V*) *TV*   14 moisen *V*   15 effica-
cissimos *U*   16 dulces malae uitae *TV*   20 que *om.* ς   30 et *om.* ς   31 indef-
fessa *V*   possessores sui (*in mg. m2* possesionis sue) *V*

tatem, cunctis perturbationibus caret. sapientia quippe in nobis operatur bonum, postquam ei mundum cordis praebuerimus habita-
4 culum et cogitationes in opera uerterimus. nec ambigitur, quin in utramque partem, uel faciendi uel non faciendi bona, habeamus liberam facultatem et oppressis prauis recta nascantur tuncque 5 uirtutum inter se concinat chorus, cum uitiorum in animis fuerit solitudo. sicut enim continentia in corporibus nostris obtinens principatum infirmitates nasci prohibet et amatores sui nec debilitat nec occidit praeteritosque languores in pristinam restituit sanitatem et expellens, quod contra naturam est, reuocat ea, quae naturae 10 congrua sunt, ut aequali temperamento uitae huius ratio conseruetur, sic anima legum iussa conseruans, quantum recipere potest humana natura, a malorum contagione secernitur et ex omni parte sollicita seque circumspiciens nihil ad se introire permittit, quod
5 contrarium sit praeclaris cogitationibus. quin potius in templum 15 uersa dei caelesti iugiter sollemnitate perfruitur habens diuitias obseruantiam legis, quae iacentes suscitat aliosque puniens alios corrigit et semper clamitans: n u m q u i d , q u i c e c i d i t, n o n r e s u r g e t a u t, q u i a u e r s u s e s t, n o n r e u e r t e t u r? spem salutis largitur paenitentibus, dum monet, ut prosit, corripit, 20 ut emendet, pudoremque pristinorum iniciens peccatorum facit meliora sectari, quae appetere non possunt, nisi prius conscientiae uulnera condemnarint.

4. Uerum quia lex neglegentes sui et in errore demersos consiliis optimis ad meliora reuocare festinat quasi norma prauorum operum, 25 eos autem, qui sibi oboediunt, absque praemio esse non patitur neque aeternis angustiis premi, quotquot sanctum pascha celebramus, continentia atque ieiuniis latorem legis amicum nobis esse faciamus et propheta his, qui pascha celebrant, promittente: e r i s c o r o n a d e c o r i s i n m a n u d o m i n i e t d i a d e m a 30 r e g n i i n m a n u d e i t u i, opulentum uirtutum conuiuium requiramus ornantes nos scientia scripturarum quasi sollemnibus

---

18 *Hier. 8, 4　　29 *Esai. 62, 3

2 mundatum V　6 concinant U — nit ς　7 sollicitudo T　8 amatore U 13 congregatione V　15 contagionibus U　16 caelestis (alt. s exp.) U　17 malosque TV　18 clamans ς　22 non poss.] nemo possit ς　nisi qui V 23 condemnari⁺ ς　24 in errorem ς memore U　27 pascɔ T (semper)　29 et om. ς

uestimentis. sancta laetantibus nobiscum angelis in caelo oscula 2
praeparemus fugantes omnem neglegentiam et rumpentes moram,
ut alacri cum discipulis ad saluatorem pergamus incessu dicamus-
que ei: ubi uis paremus tibi pascha? atque in cae-
5 lorum cenaculo constituti ac mysticum pascha facientes possimus
canere: quam dilecta tabernacula tua, domine
uirtutum! ibi enim angelorum repperiemus choros et cum eis
festa celebrantes habebimus eos socios mysteriorum dei et exulta-
tione ineffabili gestiemus sapientiae cum illis sacramenta discentes,
10 ubi nulla fraudis deceptio est, ubi, qui uestem non habet nuptialem,
conuiuium intrare prohibetur, licet in praesenti saeculo iustum esse
se iactet. omnes sunt ibi senescentis ac prouectae plenaeque aetatis 3
nullusque ibi iuxta prophetam inmaturae sapientiae repperietur:
erit enim, inquit, iuuenis centum annorum magni-
15 tudine numeri perfectionem eruditionis ostendens. unde, fratres
sancti caelestisque uocationis participes, saluatorem per prophetam
audiamus clamantem: ueniam congregare omnes
gentes et uenient et uidebunt gloriam meam
et dimittam super eos signum mundi.

20   5. Ad sollemnitatem properemus atque dicamus: mihi autem
absit gloriari nisi in cruce Christi. dabit, inquam,
dabit laborantibus gaudium et ieiunantibus benedicens loquetur:
erunt domui Iuda in gaudium et laetitiam et in
sollemnitates bonas et laetabimini; ueritatem
25 ac pacem diligite; non est enim omnium sollemnitas, sed
domui Iuda, id est ecclesiae Christi. igitur, quia secundum psalmi- 2
stam tempus faciendi domino et Paulus scribit:
nox praecessit, dies autem adpropinquauit;
abiciamus ergo opera tenebrarum et induamur

4 *Matth. 26, 17   6 Ps. 83, 2   10 cf. Matth. 22, 11—14   14 *Esai. 65, 20
17 *Esai. 66, 18—19   20 *Gal. 6, 14   23 *Zach. 8, 19   27 *Ps. 118, 126
28 *Rom. 13, 12—14

6 cantare TV   tebern. T   7 reper. UV   12 omnia TV   pl. aet.]plena pru-
denti(a)e TV   13 reper. UV   16 sancte Tp.c.m2   que ex quae T   17 audientes V
ut congregem U   18 et uenient om. U   20 soll. igitur ς   21 Christi] domini V
22 dabit, dabit, inquam ς   23 Iudae ς   26 domus T   Iudae ς   27 domine U
28 appropinquabit V

armis lucis, sicut in die honeste ambulemus,
non comessationibus et ebrietatibus, non cu-
bilibus et inpudicitiis, non contentione et
aemulatione, sed induite dominum Iesum
Christum et carnis curam ne feceritis in desi- 5
deriis, iustum est cunctos domini timore purgatos dignam sollemnitatem continentiis et ieiuniis redimere castitatem et dormien-
tem sensum uigili suscitare fide imitarique sapientissimum Danihelem, de quo scribitur: est uir in regno tuo, in quo
est spiritus dei, et in diebus patris tui uigi- 10
lantia et sapientia inuentae sunt in eo. qui
enim curam sui gerunt, ut ad meliora proficiant, habentes legem
quasi fortissimum ducem, parent imperiis eius et uenientia contra
se peccata subuertunt splendore operum inlustrantes paschae festiuitatem et securitate conscientiae perturbationum iacula negle- 15
gentes spe anticipant uictoriam. qui autem horum imitatores sunt,
antequam ineant proelium, desiderio uirtutis palmam occupant
triumphorum coronamque, quam uictores lubricae uoluptatis in
caelestibus possident, reuelata facie animo contemplantes uociferantur et dicunt: dominus deus fortitudo mea et 20
ponet pedes meos in consummationem super
excelsa statuens me, ut uincam in cantico eius.

6. Nec putemus, fratres carissimi, certamen esse perpetuum et
idcirco lassemur, sed sciamus finem huius coronam esse iustitiae,
quam nulla saeculorum corrumpet aetas. stadium uitae istius et 25
certaminis temporale est; qui autem inoffenso cucurrerint gradu et
ad calcem uenerint praemiorum, nouas inuenient mansiones uictoriam canticis demonstrantes. itaque gratia domini triumphos nobis
de sceleratissimis daemonibus pollicente ieiunia rite celebremus, ut
sollemnitatis quoque rite participes simus. nequaquam diebus 30

---

9 *Dan. 5, 11   20 *Hab. 3, 19   24 cf. II Tim. 4, 8

1 arma ς   2 *pr.* non] *add.* in *T s.l.m2,* *U*   co̅mess. *V* comiss. *Ta.c.m2*
alt. non] *add.* in *U*   3 in cont. *U*   4 induimini *U*   6 dignam peragere ς
7 *pr.* et] quoque ac ς   8 danielem *V*   14 operis *U*   15 iac.—uict. *in mg. V*
17 proel. *Ta.c.m2* prael. *cet.*   18 quam *om. TV*   19 reuelataque *V*   uoci-
ferabuntur *Ta.c.V*   20 dicent *V*   21 consumat. *V*   23 et] ut ς   25 corrumpit *TV*   studium *TV*   26 cucurerint *V*   27 praem. et *V*   28 in canticis *U*

quadragesimae, sicut luxuriosi diuites solent, uini poculum suspire-
mus neque in procinctu et proelio, ubi labor et sudor est necessarius,
carnium edulio delectemur. crapula quippe et ebrietas et ceterae
huius uitae inlecebrae opulentissimum animarum thesaurum ex-
5 hauriunt et sementem scientiae doctrinaeque uberrimam sui admix-
tione suffocant. quam ob rem dominus atque saluator prouocans 3
discipulos suos ad rigorem continentiae loquebatur: a d t e n d i t e
u o b i s, n e f o r t e g r a u e n t u r c o r d a u e s t r a in c r a-
p u l a e t e b r i e t a t e e t c u r i s h u i u s u i t a e e t s u p e r-
10 u e n i a t in u o s r e p e n t i n a d i e s i l l a; t a m q u a m l a-
q u e u s e n i m s u p e r u e n i e t in o m n e s, q u i s e d e n t
s u p e r f a c i e m o m n i s t e r r a e. s u r g i t e, a b e a m u s
h i n c, quos ob neglegentiam sui poenae ilico consequentur. qui
autem legum praecepta custodiunt, ignorant uinum in ieiuniis,
15 carnium esum repudiant et insatiabilem auaritiam dei timore con-
pescunt. unde ad continentes scriptura cotidie clamitat: ʻuinum
et siceram non bibent‘ et e contrario Iudaei ob culpam auὃiunt: d a-
b a t i s b i b e r e s a n c t i s u i n u m e t p r o p h e t i s p r a e-
c i p i e b a t i s d i c e n t e s: n e p r o p h e t e t i s. non possunt 4
20 suscipere correptionem, qui luxuriae oblectatione capiuntur, neque
uentris ingluuiem ratione et consiliis non refrenantes amare ieiunia,
qui desidia et peritura cito uoluptate studium uirtutis infamant
non erubescentes et uinum clam bibere et auidis faucibus arbitros
declinantes in cubiculis mulsa potare, ut inediam et ieiunia, quae
25 ultro adpetere debebant, ieiuniorum tempore luxuria et ebrietate
conmutent, nescientes, quod, etiamsi hominum conscientiam fugiant
et clausis parietibus uescantur carnibus atque aues altiles diebus
quadragesimae et propinquante pascha inmundis manibus lacerent
tristi uultu foris ieiunia promittentes, corripiat huiusce modi dominus

7 Luc. 21, 34—35   12 *Ioh. 14, 31   16 cf. Luc. 1, 15   17 *Am. 2, 12

1 quadragens. (n *exp.*) *T*   luxoriosi *TUa.c.*   2 praelio *UV*   4 thess.
ex thens. *T*   5 admistione ς   8 in *om.* ς   10 illa dies *U*   12 omnis]
uniuerse *V*   surg.—hinc *in mg.* *V*   eamus *V*   13 sui] cui ς   18 praecip.—
proph. *om.* ς   19 ne proph. *U* qua prophetabitis *in mg.* *V*, *om.* *T*   20 correctionem *V*   luxoriae *Ta.c.*   21 non *om.* *TV*   refrenare *TV*; *add.* et *V*
amore *T*, *Va.c.*   ieiunii *T*, *Va.c.*   22 inflammant *T*   23 *pr.* et *om.* *TV*
28 quadragens. (n *exp.*) *T*   29 foras ieiunias (s *exp.*) *U*

et dicat: i n i q u i t a t e s m a g n a s f a c i u n t i s t i, u t r e c e-
5 d a n t a s a n c t i s m e i s. non decet ieiunantes tempore agonis et
proelii uesci carnibus monente scriptura: a d f l i g e t i s a n i m a s
u e s t r a s neque Fasides aues sollicito labore perquirere et garrulas
uolucres earumque pinguedinem hianti ingerere gulae nec inuestigare 5
magni pretii cocos, qui uentris rabiem iure multiplici et carnibus
contusione mutatis diuersoque ciborum sapore demulceant fumanti-
bus patinis et nidore sui furori gutturis blandientibus, cum in iniuriam continentiae diuersi saporis et coloris uina quaeruntur.

7. Docet nos sancti Danihelis historia et trium puerorum uirtus 10
consona adpetere et honorare ieiunia, qui, ut longos sermones breui
artem conpendio, in seruitutem libertate mutata, cum captiui debuerint desiderare delicias, contempserunt Babylonias dapes et simplicem cibum regali mensae praetulerunt. praeceperat quippe rex
Nabuchodonosor eunuchorum principi, ut de filiis captiuitatis Israhel 15
et de regio semine pueros, in quibus nulla esset macula, pulchros corpore et aptos ad sapientiam perdiscendam introduceret palatium, ut
essent in aula regis discerentque litteras ac linguam Chaldaeorum et
de reliquiis mensae eius uiuerent atque inde accepta uina potarent.
2 eliguntur itaque de tribu Iuda Danihel, Ananias, Azarias, Misahel et 20
genere concordes et fide, quorum nobilitatem dura mutauerat seruitus. e quibus Danihel, sicut scriptura testatur, p o s u i t i n c o r d e
s u o n o n c o i n q u i n a r i d e m e n s a r e g i s. tres quoque
pueri non minus religione quam propinquitate sociati suscipiunt uiri
consilium et adprobant sapientiam simulque eunuchorum principem 25
deprecantes dei opitulante clementia inpetrant, quod desiderant, et
3 in terra captiuitatis seruant generis nobilitatem. nam timentem praepositum, ne aliorum puerorum uultus hilarior capitali se poenae ad-
diceret, ratione et consilio leniunt his uerbis loquentes: t e m p t a
p u e r o s t u o s d i e b u s d e c e m e t d e t u r n o b i s d e 30

---

1 *Ezech. 8, 6   3 Leu. 16, 29   22 *Dan. 1, 8   29 *Dan. 1, 12—13

3 praelii UV   5 pinguidinem TV   6 coquos ç   7 diuersoue U   8 pa-
teris ç   in ini. cont.] iniuria incontinentiae U   9 quaerantur V   10 danielis TV
11 longum sermonem TV   12 artem om. T, V a.c. explicem uel concludam ç
debuerant uel—runt ç   13 babyll. T a.c. babil. V   15 nabugod. T (g ex c m2) V
filiis captiu. filiis U   17 perdisc. sap. U   ut] et ç   18 chaldeorum codd.
20 daniel TV   annanias T ananyas et V   misael V   et om. V   21 non
mut. ç (cf. supra l. 12)   22 daniel TV   25 enuch. T   27 nob. gen. seru. U

seminibus et comedemus et aquam bibemus
et appareant in conspectu tuo uultus nostri
et uultus puerorum, qui comedunt de mensa
regis, et, sicut uideris, ita facies cum seruis
5 tuis. fidebant enim, quod uirtutis desiderium dei clementia sustentatum pulchra et fortia corpora conseruaret et omnem deformitatem
fides uinceret et nitorem pulchritudinis nulla macies conmutaret.
8. Haec idcirco, fratres carissimi, replicauimus, ut Pauli
apostoli de sanctorum uirtutibus praedicantis uerba noscentes, in
10 quibus ait: quorum considerantes exitum conuersationis imitamini fidem, suadeamus eis, qui tempore
ieiuniorum esu carniam delectantur, imitari sanctorum continentiam,
qui nulla ui superari potuerunt, ut rigorem uirtutis amitterent, ut
Babyloniorum imperium formidantes captiuam in se ostenderent
15 uoluptatem, sed manserunt liberi uentrisque desideria ratione supe-
rarunt et titillantem gulae uicere luxuriam nobisque suae fortitudinis exemplaria reliquerunt habitantes in Babylone corporibus,
sed sensu et fide cum angelis in caelesti Hierusalem morantes, ut
omnem deinceps aetatem docerent ieiuniorum tempore a uino et
20 carnibus abstinendum, quaerenda terrae semina, potandam aquam,
quibus comitibus utitur pudicitia.
9. Quid memorem insignes Machabeorum uictorias? qui, ne
inlicitis carnibus uescerentur et communes tangerent cibos, corpora
obtulere cruciatibus totiusque orbis in ecclesiis Christi laudibus
25 praedicantur fortiores poenis, ardentiores, quibus conburebantur,
ignibus. uicta sunt in eis omnia crudelitatis ingenia et, quidquid
ira persecutoris inuenerat, patientium fortitudo superauit. inter 2

10 *Hebr. 13, 7   18 cf. Hebr. 12, 22   22 cf. II Mach. c. 7

1 seminibus (σπερμάτων *Theodot.*)] leguminibus (ὀσπρίων *LXX*) *U* (*cum
Vulg.*)   comedemus et aquam bibemus (φαγόμεθα καὶ ὕδωρ πιόμεθα
Theodot. cod. Alex.)] comedamus et bibamus aquam *U*   3 comedunt] uescuntur
U (*cum Vulg.*)   5 fidebant] uidebat ς   quod] et ς   sustent. quodque
continentia ς   7 deuinceret *V*   10 conseruationis *T*   11 suademus *Ta.c.U*
suaderemus *V*   13 *alt.* ut] ut a *T*   14 babyll. *Ta.c.* babil. *U, V* (*s.l.* ł babi-
lonium)   imperio *TV* imperia ς   16 titubantem *U*   luxoriam *Ta.c.*
suae *om. V*   17 exempla *Tp.c.*   babyll. *Ta.c.* babil. *U* babibone *V*
18 ihrlm *U* irlm *V*   20 quaer. terrae] sumere de terra ς   semina et ς
23 et ne *U*   inmundos *U*   24 optulere *T*   27 fort. pacientium *U*

poenas magis paternae legis quam dolorum memores — lacerabantur
uiscera, tabe et sanie artus defluebant et tamen sententia perseue-
rabat inmobilis; liber erat animus et mala praesentia futurorum
spe despiciebat. lassabantur tortores et non lassabatur fides; frange-
bantur ossa et uolubili rota omnis conpago neruorum atque artuum ⁵
soluebatur et in inmensum spirantia mortem incendia consurgebant;
plenae erant feruentis olei sartagines et ad frigenda sanctorum corpora terrore incredibili personabant — et tamen inter haec omnia
paradisum animo deambulantes non sentiebant, quod patiebantur,
³ sed quod uidere cupiebant. mens enim dei timore uallata flammas ¹⁰
superat, uarios tormentorum spernit dolores, cumque semel uirtuti
se tradiderit, quidquid aduersi euenerit, calcat et despicit; qualis
fuit Paulus scribens: i n h i s o m n i b u s s u p e r a m u s p e r
e u m, q u i n o s d i l e x i t. quod enim sustinere non potest carnis
fragilitas naturali infirmitate superata, uincit animus fide conloquens ¹⁵
deo.

10. Ergo, qui ieiunia, id est conuersationem angelicam, imitantur in terris et meminerunt illius dicti: r e g n u m d e i n o n
e s t c i b u s e t p o t u s, s e d i u s t i t i a e t g a u d i u m
e t p a x e t l a e t i t i a, per continentiam breui et paruo labore ²⁰
magna sibi et aeterna conciliant praemia et multo plus accipiunt,
quam offerunt, et futuri temporis gloria praesentes angustias miti-
gant, quia in hoc stadio pro uirtute pugnantibus finis erit aliquando
certaminis. qui autem pugnam ineunt contra uitia et sapientiae
disciplinis suas animas dedicarunt, quantumque patitur humana ²⁵
condicio, scientiam adpetunt futurorum, per speculum et imaginem
sensu et fide caelorum regna cernentes consequentur aeterna praemia
² et nullo temporum fine claudenda. dies et nox certis horarum sibi
succedunt spatiis paulatimque decrescentes, quod amittunt, recipiunt et, quod receperint, tribuunt ad eandem mensuram bis in ³⁰

---

13 *Rom. 8, 37   18 *Rom. 14, 17   26 cf. I Cor. 13, 12

---

1 legis] linguis *U*   2 tabo *T*   diffluebant ς   3 spe fut. *U*   4 lassabantur (n *exp.*) *T*   tort.—lassabatur *om. T*   lassabantur (n *exp.*) *V*   7 feruentes *Ta.c.U*   13 his *in mg. V*   15 uncit *U*   18 et *om. TV*   meminerint *V*
19 iusticie *V*   20 et laetitia] leti *U*   per] ad *U* isti per ς   21 et multo]
multoque *U*   23 studio *V*   24 qui autem] nam qui ς   25 dicarunt *V*
26 conditio *V*   29 decresc.] *add.* at crescentes *in mg. V*   30 recipiunt ς

anno conuenientes nec manent in eodem statu, sed breuitate et longitudine horarum momenta discriminant, ut utilem mundo faciant
temporum diuersitatem. namque dies ordine et circulo suo de noctis
temporibus mutuatur et rursum nox recipit, quod largita est; dumque
5 uicissim et tribuunt et accipiunt et orbe quodam, quod paulatim
amiserant, decrescentes sensim et crescentes recipiunt, creatoris
dei interpretantur sapientiam. atque ex hac uicissitudine spatiorum 3
uel menstruus lunae orbis efficitur uel solis sua per uestigia reuertentis annus inpletur, dumque crescunt dumque decrescunt et lapsui
0 praeteritorum futura succedunt, eadem semper atque alia tempora
conmutantur. unde et luna prudentissimo dei artificio condita et
formarum mutans uarietates ad plenitudinem tendit et festinat ad
diminutionem, ut, quidquid crescens adquisierat, perdat amittatque
decrescens, nec stat in eodem statu, sed quibusdam gradibus
5 ascendens atque descendens de paupertate pergit ad diuitias et de
diuitiis redit ad paupertatem ipsa diuersitate formarum mutabilem
et conditam se esse demonstrans. quis uero possit digno sermone 4
exprimere solis cursum et anni circulum rationi menstruae congruentem, dum per quattuor uoluitur tempora et in se semper
0 reuertitur eademque mensura conscendit atque descendit et
aeterno ordine labitur, ut, quod lunare spatium triginta diebus
inplet ac noctibus, hoc solis cursus spatiis anni uertentis efficiat?
cumque ad aequalitatem diei noctisque peruenerit et parumper
in libra iusti cursus steterit, festinat ad inaequalitatem deserens,
5 ad quod peruenerat. quod puto Ecclesiasten, ne de alienis nostra 5
fontibus hauriamus, in uolumine suo dicere: g y r a n s   g y r a n d o
u a d i t   s p i r i t u s   e t   i n   c i r c u l o s   s u o s   r e u e r t i t u r
s p i r i t u s, annuum solis cursum significantem, qui eadem temporum rota in semet reuertitur rediens ad ea, unde profectus fuerat.

26 *Eccle. 1, 6

2 ut—faciant] et—faciunt U   3 ordines et circulos suos U ordinem et
circulum suum *coni. Vall., sed nihil mut.*: 'der Tag macht in gesetzmaessiger, im
Kreislauf der Jahreszeiten stets wiederkehrender Ordnung Anleihen bei der Nacht'
5 *pr.* et *om.* V   6 et *s.l.*V, *om.* T   8 eficitur U, Va.c.   9 *pr.* dumque]
dum TV   *alt.* dumque] at (d T) que TV   lapsu TV   12 mutuans Vp.c.m2
13 demin. Ta.c.   15 *alt.* de *s.l.*V   16 form.] forme rē V   18 menstruae siue
lunari ς   20 et *om.* V   22 reficiat T, Va.c.   24 equalitatem Va.c.   26 auriamus U
girans girando UV   28 spiritu V   qui U, *om.* TV   eadem enim ς

11. Sancta uero caelestisque sollemnitas radios nobis sui splendoris
emittens nullis spatiis terminatur; cumque sanctorum certamina
et praesentis saeculi labor finem acceperint, succedent perpetuum
gaudium et aeterna festiuitas. unde perfecti uiri animas suas ab
omni errorum caligine separantes iam nunc festa decantant: i n t r o- 5
2 e a m u s p o r t a s e i u s i n c o n f e s s i o n e, a t r i a e i u s
i n h y m n i s saluatoris aduentum laetis uocibus personantes. cum
enim in toto orbe regnaret malitia et tenebras humanis oculis daemones offudissent neque posset eis ullus opitulari iuxta illud, quod
scriptum est: r e s p e x i, e t n o n e r a t, q u i a u x i l i a r e t u r; 10
c o n s i d e r a u i, e t n u l l u s, q u i s u s c i p e r e t, ut finem
haberet aliquando inpietas et destrueretur idolatriae fraudulentia,
uiuens sermo dei nihil de nostra relinquens similitudine absque solo
peccato, quod substantiam non habet, nouo modo ad nos uenire
3 dignatus est, ut fieret filius hominis et permaneret dei filius. natus 15
quippe ex uirgine hoc tantum stultis mentibus credebatur, quod
oculi demonstrabant, ex operibus uero et signorum magnitudine
deus inuisibilis a prudentibus cernebatur, quemque facies hominem
demonstrabat, hunc uirtutes significabant deum seruilis formae
uilitate coopertum. quamquam enim tradiderint eum Iudaei et 20
crucifigendum uocibus inpiis conclamarint interfectione corporis
eius deum blasphemantes, immo occisione carnis dominicae serui
inpietatis effecti, tamen ad mortem intrepidus accedens, ut nobis
uirtutis praeberet exemplum, dominus gloriae in ipsa passione mon-
stratus est, inpassibilis diuinitatis permanens maiestate et carne 25
4 passibilis iuxta beati Petri repertus eloquium. et ideo pro nobis patiens
non fugit mortem, ne nos timore mortis eius pro pietate bellantes
uictoriam perderemus. nam si timuisset crucem contraria his, quae
docuerat, gerens, quis discipulorum eius libens pro religione pu-
gnasset? inridetur itaque ab stultis et incredulis, qui orbem terrarum 30
suae subiecit fidei et nominis Christiani sanctis largitus est dignitatem. cumque magnitudo uirtutum eius omnibus clareat, blas-

5 *Ps. 99, 4   10 *Esai. 63, 5   24 cf. I Cor. 2, 8   26 cf. I Petr. 3, 18

3 succedet TV   10 respexit V   11 nullus] add. erat in mg. V   12 ydolatriae V idolol. ς   15 filius dei TV   17 et in mg. V   18 hominum TV
21 conclamauerint U   22 dominum T   27 pro pietate (= pro religione l.29)
coni. Vall. propie(ę U)tate codd. proprietate ς   29 eius om. V   libenter U   30 ab] a ς
32 clareat] enitescat ς

phemare non cessant. ille uero, qui inridetur, deus operibus demon- 5
stratus est, ut daemonum templa subuerteret, ut Origenistarum
inpietatem argueret uersipellem, quorum auctor Origenes ita aures
simplicum et leuiorum sua persuasione decepit, ut solent in litora ex
5 alto uenientes inlidi gurgites et in semet spumanti mole confringi.

12. Nos ergo ad eum, qui ausus est scribere ruina rationabilium
creaturarum esse corpora fabricata, zelo fidei concitati loquamur:
'si tibi huiusce modi inpietas placet, quomodo Paulus apostolus scribit:
u o l o a d u l e s c e n t u l a s n u b e r e , f i l i o s p r o c r e a r e?
10 utrum idcirco praecepit nuptias, ut ex mulieribus nascentia corpora
ruentibus de caelo angelis et uersis iuxta te in animas carceres praepa-
rarent, an ut coniunctio maritalis dei sententiae seruiens conseruet
humanum genus? si enim uult adulescentulas nubere et filios pro- 2
creare, per quas nascuntur corpora humana, corporibus autem
15 propter poenas atque supplicia errantes animae uestiuntur, nulli
dubium, quin propter poenas animarum et non propter generationis
ordinem nuptiarum adulescentulis uincla tribuantur'. uerum absit,
ut ita esse credamus et mariti uxorisque foedera non ob benedictionem, sed ob peccatum iuncta credamus. nec Adam et Euam 3
20 plasmans deus propter animas de caelo ruentes et lapsum rationabilium creaturarum benedictione sociauit: c r e s c i t e e t m u l t i-
p l i c a m i n i, dicens, e t r e p l e t e t e r r a m. si enim propter
peccata in caelis praecedentia ad terras missae sunt animae, ut corporibus ligarentur, mentitur Paulus scribens: h o n o r a b i l e s
25 n u p t i a e e t c u b i l e i n m a c u l a t u m. sed nequaquam ille 4
mentitur; igitur non propter ruinam animarum corpora fabricantur,
sed ut mundus successione nascentium morientium damna conpen-
set et breuitatem humanae uitae uincat successione perpetua. nam si
ruentes uinctaeque corporibus benedicuntur a deo, melioris condi-
30 cionis erunt, postquam corpora susceperint; quodsi idcirco deiciuntur,

9 *I Tim. 5, 14   12 cf. Gen. 1, 28   21 Gen. 1, 28   24 *Hebr. 13, 4

3 origenis *TV*   4 simplicium *Tp.c.m2 UV*   leuium *Vp.c.*   littora *UV*
5 illidi sibi *U*   6 ruina̅ *T*—nam *V*   8 scribat *V*   10 recipit *V*   12 in
coniunctione maritali ς   conseruet] multiplicet *U*   15 uest.] uniuntur ς
17 uincula *V*   18 et] ut *V*   fede(ę *U*)ra *UV*   20 lapsas ς lapsus *coni. V all.*
21 benedictio *Va.c.*   29 iunctaeque *TV*   condit. *V*   30 susce(i *T*) perunt *TVa.c.*
dicuntur *T* ducuntur *V*

ut in ultionem peccatorum corpora accipiant, quomodo benedicuntur
in corporibus, ad quae ob peccata uenerunt? e duobus enim
alterum erit: aut ante ruinam fuisse eas in benedictione aut
5 post ruinam uinctas corporibus nequaquam posse benedici. si
enim illam uitam benedictio sequitur, istam deserit; si ad istam 5
transfertur, in illa non fuisse conuincitur. quodsi et, antequam ruerent necdumque humanis corporibus uestirentur, fuerunt in benedictione et ruentes habentesque corpora rursus benedictae sunt,
similis erit iuxta benedictionis condicionem et prior uita et posterior;
quod nequaquam consequens est, quia peccatrices supplicia, non 10
6 peccantes benedictionem merentur. quidquid e duobus uerum
esse responderint, uitio subiacebunt nolentes ecclesiasticae doctrinae
regulam custodire. siue enim propter peccata de caelo animae corruentes instar carceris et catenarum corporibus inligatae sunt, respondeant, quomodo Adam et Eua, masculus et femina, uiuentes 15
in corporibus benedicti sunt — neque enim iuxta deliramenta eorum
nudae animae uir et mulier appellantur, sed corpora, quae sexum
utrumque distingunt —; siue ante corpora in caelestibus morabantur
et beata eis tunc erat dignaque benedictione absque corporibus conuersatio, qua ratione aut, priusquam ruerent, benedictae sunt aut, 20
postquam corruerunt et in poenam ruinae crassis corporibus copu-
7 latae sunt, rursus benedictione donantur? neque enim id ipsum
est benedictio atque supplicium, quae et nominibus et operibus procul
distant, nec possunt ullo modo inter se sociari, quas tanta diuidit
repugnantia. quomodo autem et iustis multitudo liberorum pro 25
benedictione promittitur propheta dicente: qui minimus
est, erit in milia et, qui nouissimus, in gentem
magnam?

13. Ergo, qui uolunt domini festa celebrare, Origenis simulacra
contemnant et turpitudinem dogmatum illius ratione superent. sicut 30
enim ethnicorum inpiissimi errorem et consuetudinem praeferunt

---

26 *Esai. 60, 22

1 ultione *T*   2 ad] in ς   4 ruinas iunctas *TV*   6 et *om. V*   9 cond.
ben. *U*   condit. *V*   12 subiacebit, dum isti nolunt ς   13 siue (ue *exp.*) *T*
14 inlegate *U*   16 sint *V*   18 distinguunt ς   si uero *ex* siue *m2 T*   22 rursum *U*
id *om. V*   24 et nec *U*   27 gente magnam *U*   29 ergo et *T*   30 contemp-
nant *T p.c. m2 V*

ueritati fabricantes in hominum similitudinem idola et inuisibilem
blasphemantes deum, dum formam et membra et organa genitalia
in eo esse confingunt nunc uirum nunc feminam confitentes, e t
m u t a u e r u n t   g l o r i a m   i n c o r r u p t i b i l i s   d e i   i n
5 s i m i l i t u d i n e m   i m a g i n i s   c o r r u p t i b i l i s   h o-
m i n i s uariarumque formarum, ita Origenes facilitate et inpietate
credentium quasi delubra idolorum tractatuum suorum monumenta
dimisit, quae nos auctoritate scripturarum et zelo fidei subuertentes
utamur illa similitudine. ut enim caementarii quadram uolentes 2
0 aedificare domum aequales ex omni parte parietes metiuntur eosque
norma et perpendiculo dirigentes, quod animo depinxerint, opere
extruunt et eiusdem mensurae per quadrum latera quattuor iungunt
angulis sursum ac deorsum coeptam aequalitatem paulatim per
incrementa seruantes, ut materiae diuersitatem iungat operis pul-
5 chritudo et angulares lineas artifex structura custodiat, sic ecclesiae praeceptores habentes testimonia scripturarum firma doctrinae
iaciunt fundamenta et intrepidi permanent offerentes opera sua
Christo atque dicentes: c o n f i r m a   m e   i n   u e r b i s   t u i s.
ipse est enim, de quo scriptum est: l a p i d e m,   q u e m   r e p r o- 3
0 b a u e r u n t   a e d i f i c a n t e s,   h i c   f a c t u s   e s t   i n   c a p u t
a n g u l i, nos et eos, qui sursum sunt, una sollemnitate consocians,
ad quam cursu celeri nauigantes rabiem contra nos hereticorum
fluctuum uelociter dissoluendam minime formidemus.

14. Sicut enim gubernatores magnarum nauium, cum uiderint
5 inmensum ex alto uenire gurgitem, quasi uenatores ferocissimam
bestiam spumantes fluctus suscipiunt eosque prorae obiectione sustentant flectentes in diuersum gubernacula et, prout uentorum flatus
et necessitas imperarit, stringentes funiculos uel laxantes, cumque
unda subsederit, ex utroque nauis latere laborantia clauorum uincla
0 dimittunt, ut parumper quiescentia uenturo gurgiti praeparentur,

3 Rom. 1, 23   18 Ps. 118, 28   19 Matth. 21, 42

1 in *om.* U   similitudine U   3 eis ς   5 imag. *om.* U   6 origenis
T, V*a.c.*   7 monimenta TV monimentis ς   8 demisit T   9 ut etenim ς
cement. *codd.* 13 rursum TV*a.c.* paulatimque T*a.r.*V per *om.* ς 15 artifex
*exp. et in mg. m*2 hedificii V   17 faciunt TV   19 *pr.* est *om.* ς   21 con-
sociat ς   24 sicut (ut *eras.*) T   28 cumque] utque (*s.l.*) V   29 uincula V
30 demittunt U

15*

qui cum rursus aduenerit, stringunt clauorum capita et palmulas
dilatant, ut huc atque illuc scissis flatibus aequalis sit utriusque
lateris labor et, quod simul non poterat sustineri, diuisum tolerabilius
fiat, ita, qui sui curam gerunt, imitantur exempli similitudinem
et diuinorum dispensatione uerborum quasi gubernaculo utentes 5
occurrunt hereticorum tempestati et fluctibus legem dei pro arte
retinentes, ut, qui conruerant, suscitentur, qui stant, firmo perse-
uerent gradu, ut omnes in commune doctrinae opitulatione seruentur.
2 quod enim gubernatori clauus, hoc animo est lex dei, in qua dominicum pascha facientes caritati dei et proximi nihil in mundo aliud 1
praeferamus neque pro uarietate humanorum casuum, qui huc
illucque uertuntur, sententiam conmutemus, ut, quibus dudum pro
potentia turpi adulatione seruiuimus, si forte reflauerint uenti et
paupertate diuitiae, humilitate sublimitas, ignominia gloria fuerint
inmutata, in hostes repente uertamur resistentes eis in faciem, quos 1
ueneratione dignos ducebamus, temporibus, non fide, necessitudinem
ponderantes, immo latentes inimicitias necessitatis tempore demonstrantes et in similitudinem serpentum procedentes de foueis, ut
non solum ingrati simus in eos, quorum beneficiis sustentabamur
gaudentes, si nomina clientium possideremus, sed quasi perduelles 2
eos usque ad sanguinem persequamur deiectos prostratosque
calcantes, quos dudum propter diuitias suspiciebamus, pessimos
omnium conclamantes, postquam opes paupertate mutauerunt,
laudantes potentiam et infelicitatem calumniantes nec pro rerum
natura, sed pro uarietate casuum honorantes aliquem uel contem- 2
nentes, ut, quos prius dominos et patronos uocabamus, eosdem quasi
uerberones et seruos nequissimos appellemus atque ex omni parte
appareat nostra iniquitas, dum aut indignos laudamus aut dignos
obtrectatione persequimur imitantes illud, quod ad beatum Iob ex-
probrantes loquebantur: pauca, pro quibus peccasti, 3
uerberatus es.

30 *Hiob 11, 6

1 euenerit V   3 diuisim ς   toll. Ta.c.U   4 ita om. TV   7 pertinentes V
in firmo V   8 ut] et ς   9 clauis V   10 et] uel V   in mundo nihil ς   13 seruie-
mus V a.c.   14 sublimitas in mg. V   fuerit U   15 uertamus V   16 necessitatem V
17 lantes T autem (exp., in mg. latentes) V   18 et in] ad V   serpentium U
19 ingr. simus] ingratissimos T ingratissimi simus ς   in eras. T   20 possederimus ς
22 suscip. V   23 mutauerant U—rint ς   28 dignos laude TV   29 obtrectatione T

15. Nequaquam igitur dubias opes, sed uirtutem firmissimam diligamus. non nos duritia humiliet paupertatis, non extollant diuitiae, quae stultissimos hominum deprimere et eleuare consuerunt, sed utrumque pro rerum honestate moderemur et tristia et laeta
5 aequali animo sustinentes. diuitiarum cura somnos interrumpit dulcissimos, innoxiis calumnias struit et, cum infinitas opes congregauerit, materiam aeternis ignibus parat. postquam uero insatiabilis furor quaesitis opibus incubuerit, non expletur auaritia, sed contemnit leges, gehennae flammas despicit, futuri iudicii tribunal
10 habet pro nihilo. nec tantum aduersarii contra hostes suos, quantum 2 diuitiae contra uirtutes dimicant, nisi ratione et in proximos misericordia temperentur. hae in urbibus nobilitati praeferuntur, hae nouis hominibus antiquam donant familiam. numquam diuitiarum desiderium ullis diuitiis satiari potest; eget semper, qui auarus est;
15 nescit mensuram, cui tantum deest, quod habet, quantum, quod non habet. infernus mortuis non expletur, sed, quanto plures susceperit, tanto plures desiderat; imitatur ergo eum auaritia nec satiari potest, sed, quo plus habuerit, plus requirit. minus putat ab eo, 3 quod cupit, omne, quod possidet, semper inmensa, semper inmodica,
20 ardorem pectoris opum magnitudine non restinguens, in conuiuiis non cibos uorans, sed iniustitiam; in iudiciis iurgia miscens atque discordias inuidiam parturit, per quam ad homicidium peruenitur; non est compos mentis, sed quasi ebria fluctuat unam habens mensuram extra mensuram semper inquirere. mare litoribus cluditur,
25 uenientes ex alto fluctus et rabiem intumescentium gurgitum portus uel manu facti uel natura firmissimi prohibent; diuitiarum cupidinem, nisi ratione frenetur, nec consilium temperat nec lex mitigare potest nec ulla satiat abundantia. non erubescit, non futurum 4 iudicium reformidat, sed desiderio plus habendi, ut luxuriosi et dediti
30 uoluptatibus solent gestire in amplexus et insanire ad libidinem, ita

7 cf. Matth. 25, 41   14 cf. Horat. epist. I 2, 56   15 cf. Publil. Syr. sent. 628 Woelffl.

3 consueuerunt ς   9 futurum ς   11 proximo V   12 noais] nobis T, V a.c. 13 omnibus Tp.r.   15 quantum (tum s.l.) cum quod V   18 quo plus U quid(c V)- quid TV   requiret T a.c.; add. et V   20 peccatoris ς   in s.l.V   21 uorat V 23 ebria om. V   24 extra mens. om. T   littoribus UV   clauditur UV   25 et uenientes V   intumiscent. T a.c. intument. V immitescent. ς   28 futurorum T 29 formidat V   et om. ς

calumniarum et dissensionum urbes ac uiculos uillasque conplet.
insulas, maria, terras, litora, uias, transitus studia possident auaritiae, dum desiderio plus habendi negotiatione merces huc illucque
conmutat et fraudibus atque periuriis diuitiarum iacit inexplebilia
fundamenta.   5
    16. Itaque huiusce modi rabiem contemnentes diuitias cultum
dei et firmissimas possessiones castitatis sanctimoniam requiramus
adorantes patris et filii et spiritus sancti unam diuinitatem, resurrectionem mortuorum incorruptibilem et iugiter permanentem esse
credentes. neque enim fieri potest, ut eam mors superet, quae 10
Christi passione firmata est suscitantis incorruptum et in aeternum
2 permanens templum corporis sui. oremus pro piissimis imperato-
ribus et obseruatione legis dei ieiuniorum praecepta decoremus,
quia uirtus absque ulla necessitate custodit sectatores suos et sensum
in cogitationes uarias fluctuantem de terrenis ad excelsa sublimat 15
nequaquam pulchritudinem corporum, sed conucrsationis ac
morum ordinem contemplans, ostendens ei laetantium in caelo angelorum choros et docens splendentium disciplinarum fulgura, ut in
praesenti saeculo quasi athleta fortissimus inlatas sustineat plagas
et futuram pro his gloriam praestoletur, nequaquam uitiis sub- 20
iacens, sed interiorem hominem desiderio sui ad aeterna sustollens
atque omnes impetus uoluptatis ratione conpescens ut illud cogitet,
quod futurus est, et, quantum potest sustinere humana fragilitas,
recedat a corporalium rerum sollicitudine praeferens carnalibus
spiritalia, ut etiam ipsum corpus despiciens et praesentium studia 25
uoluptatum duriorem, sed meliorem uitam inire persuadeat, ut, qui
dudum libidini seruiebat, libertate bona seruiat castitati et retractus
3 a praecipitiis mollia ieiuniorum frena suscipiat. etenim, si absque
rectore fuerit ac magistro corporum infirma natura nec imperanti
animo uoluerit oboedire, et sibi et rectori concitat infinita naufragia 30
et pertrahit eum ad turpissimas libidines ac baratrum uoluptatum,

    11 cf. Ioh. 2, 19—21

    1 uīculos *U*   complent *V*   2 litt. *U*   possidet ς   auaritia ς   3 dum
se *TV*   negotiatio *T*   4 facit *TV*   7 castitatis et sanctimoniae ς   11 suscitans ς
15 excelsam *U*   16 pulcr. *T*   conuersationes *Ta.c.V*   17 contemplantem *U*
18 fulgora *Ta.c.* fulgore *V*   19 althleta *ex* anthleta *T*   22 ut *om. TV*   illut *T*
23 futurum *U*   25 et *eras. T*   studia *om. TV*   26 uoluptatem *Vp.c.m2*
27 dudum] tum ς   libidine *Ta.c.V*   cast. seru. *V*   et *om. V*

ut nequaquam honesta consideret, sed fugiens bona in caeno ac
sordibus uolutetur. uirtus uero, cum in aurigae modum animum
rexerit et quasi in curru stans impetus eius et uarios adpetitus doctrinae habenis conpescuerit, de humilibus eum ad excelsa subleuat
5 et inuisibilia aeternaque pro uisibilibus ostendens mansionem in
caelis parat et amicos illi efficit eos, qui dei ministerio seruientes
spiritalibus deliciis perfruuntur, ut, quod hic cernebat in imagine,
ibi in ueritate perspiciat et maiorem solis radiis uideat claritatem,
quae nobis huc ex parte descendit, unde a minoribus ad maiora ten-
10 damus et quasi per litteras ac syllabas ad legendum proficiamus,
quia et illa his et haec illis indigent. ibi cum fuerimus beatorum iuncti 4
consortio, audiemus: e u g e, s e r u e b o n e e t f i d e l i s, q u i a
s u p e r p a u c a f u i s t i f i d e l i s, s u p r a m u l t a t e c o n-
s t i t u a m; i n t r a i n g a u d i u m d o m i n i t u i.
15   17. Incipientes sanctae quadragesimae ieiunia ab undecima
die mensis Famenoth et ebdomadam dominicae passionis sexta
decima die mensis Farmuthi finiamus ieiunia uespere sabbati,
uicesima prima die eiusdem mensis Farmuthi, et sequenti die dominica pascha celebremus, uicesima et secunda die eiusdem mensis.
20 post quae iungamus septem ebdomadas sanctae pentecostes pau- 2
perum memores, amantes deum et proximum, orantes pro inimicis,
persecutoribus blandientes, infirmorum ruinas consolatione et misericordia subleuantes, ut lingua semper in dei laudibus personet, ut
ecclesiae iusta iudicia nequaquam inrationabili clementia de-
25 struantur nec legi dei arbitria praeferantur humana; cuius si
desiderauerimus amicitias, caelestem gloriam consequemur in
Christo Iesu, domino nostro, per quem et cum quo deo patri claritas
et imperium cum spiritu sancto in saecula saeculorum. amen.

---

7 cf. I Cor. 13, 12   12 Matth. 25, 23   27 cf. I Petr. 4, 11 etc.

1 bonas *V*   2 uolup(*exp.*)tetur *V* commoretur ç   in *om*, ç   modo *T*ç
4 habens *T*   composuerit ç   5 et *om.* ç   uisib.] *add.* et breuibus *in mg. m2V*
7 perfruentes *U*   9 unde a *U* ut de *TV*   10 ac] ad *V*   11 indigens *T*   ubi *V*
15 incipient ç   quadragens. *Ta.c.*   16 famenonh *T*   ebdomadae *TV*
17 farmuth *U*; *add.* ut *T* (*eras.*) *U* et ç   finiemus ç   18 uincensima (*utrum-*
que n *exp.*) *T*   farmuthi *s.l.V* farmuth *U*   19 celebrabimus ç   uincensima
(*utr.* n *exp.*) *T*   20 iungemus ç   sancti *TV*   pentecosten *V*   25 ne ç
si *om. V*   26 desiderauimus *Ta.c.*   27 quem] que *V*   quo *om. U*   28 sancto
spir. *V*

18. Salutate inuicem in osculo sancto. salutant uos fratres, qui mecum sunt. et hoc nosse debetis pro defunctis episcopis in locis singulorum constitutos in urbe Niciu pro Heopempto Theodosium, in Terenuthide Arsintheum, in oppido Geras pro Eudemone Pisozum, in † Acheus pro Appolline Museum, in Athribide pro 5 Isidoro Athanasium, in Cleopatride Offellium, in oppido Laton pro Timotheo Appellen. his ergo scribite et ab eis iuxta morem ecclesiasticas suscipite litteras.

CI.
EPISTULA AUGUSTINI AD HIERONYMUM.   10

Domino carissimo et desiderantissimo et honorando in Christo fratri et conpresbytero Hieronymo Augustinus in domino salutem.

2 nobiscum ς   3 constitutis *T* constituimus *V*   Niciu *scripsi* (Nicium *coni. Vall.*) nichium *TU* nitium *V*   heopempto *TV* heupēto *U* Theopempto ς theothosium *T*   4 terenuthithe *T* tenerenuthide *U*   asintheum *U* Arsinthium ς Gerrhas *coni. Vall.*   eudemon *TV*   Pirozum ς   5 Achaeis ς Acchenis *coni. Vall.*   apolline *V*   *alt.* in *om. U*   Athribide *Vall.* ath(h *om. U*)riuidi *codd.* 6 hisidoro *U* isodoro *V*   cleopatrede *T* eleopatride *V*   Offellum ς   7 thimotheo *UV*   apellen *V*   ecclesiasticum *V*   8 litt.] *add.* explicit epistula pascalis (paschalis *V*) ·III· beati theophyli (thophili *V*) alexandrini ēpi (epi *om. V*) ad totius aegypti (egipti *V*) ēpos *TV* explīc̄epla ·III· *U*

𝔓 = *Escorialensis & I. 14 s. VIII—IX.*
A = Berolinensis lat. 17 s. IX.
F = Veronensis XVI. 14 s. IX.
L = Coloniensis 35 s. IX.
W = Parisinus lat. 1868 s. IX.
D = Vaticanus lat. 355+356 s. IX—X.
M = Coloniensis 60 s. IX—X.
C = Vaticanus lat. 5762 s. X.
l = Vaticanus lat. 341 s. X—XI.
B = Berolinensis lat. 18 s. XII.

Haec epistula, cuius titulus in codd. eandem formam praebet, quam titulus epist. LXVII, est inter Augustini epistulas LXVII (pars II p. 237 Goldb.). Augustino respondet Hieronymus epist. CII

11 domino—sal. *om. B*   desiderat. *P*   in Christo *om.* 𝔓*FLDMCl* 12 presbytero *FL*   in dom. sal. *om. A*

1. Audiui peruenisse in manus tuas litteras meas, sed, quod
adhuc rescripta non merui, nequaquam inputauerim dilectioni tuae;
aliquid procul dubio inpedimenti fuit. unde agnosco a me dominum
potius deprecandum, ut tuae uoluntati det facultatem mittendi,
quod rescripseris; nam rescribendi iam dedit, quia, cum uolueris,
facillime poteris.

2. Etiam hoc ad me sane perlatum utrum quidem crederem,
dubitaui, sed hinc quoque tibi aliquid utrum scriberem, dubitare
non debui. hoc autem breue est: suggestum caritati tuae a nescio
quibus fratribus mihi dictum est, quod librum aduersus te scripserim
Romamque miserim. hoc falsum esse noueris. deum nostrum testor 2
hoc me non fecisse, sed si forte aliqua in aliquibus scriptis meis re-
periuntur, in quibus aliter aliquid quam tu sensisse reperiar, non
contra te dictum, sed, quod mihi uidebatur, a me scriptum esse puto
te debere cognoscere aut, si cognosci non potest, credere. ita sane
hoc dixerim, ut ego non tantum paratissimus sim, si quid te in meis
scriptis mouerit, fraterne accipere, quid contra sentias, aut de
correctione mea aut de ipsa tua beniuolentia gauisurus, uerum
etiam hoc a te postulem ac flagitem.

1 in manibus tuis 𝔓   sed *ex* et *B*   2 scripta *A*   meruit *Fa.c.*   in-
putaberim 𝔓*A* imputauere *Wa.c.*   3 aliquod *B*   in(m *B*)pedimentum *Wa.c.B*
cognosco *CB*   dom. a me 𝔓*FLDMClB*   deum *W*   4 det *ex* de *LWB*
5 scripseris *B*   describendi *AF*   cum] si *A* cum (*del. m2*) si *F*   6 facilime
poteris *in mg. inf. A*   7 hoc] *add.* quod ς   sane *om.* 𝔓   prolatum *LDCl*;
add. est *FLDMClB* erat 𝔓   credere *FD*   8 sed] de 𝔓   aliqua *L*   scribere *A*
dubitarem dubitare *W*   9 non *om. la.c.m2*   autem *ex* est *B*   brebe 𝔓*D*
breui *Mp.c.m2* breuiter *FL*   sugg. est *Al* est sugg. (*add.* est *s.l.m2*) *B* esse
sugg. *C* sugg. (*add.* esse *m2*) *M*   caritate *C*   a] an *AFWD, Bp.c.*   scio *W*
10 ut mihi *ClB*   aduersum *WB*   11 romaque *FLDC* sanamque *W*   miserit *D*
deum nostr.] dominum deum 𝔓*FLDCl, Ma.c.* dominum nostrum *A* dominum
deum nostrum *Mp.c.* deum *B*   12 aliquibus *om. W*   repp. *A*   13 quam tu]
quantu *A, Ba.c.*   reperiar *6 codd. Goldb.* reperi(i *ex* e *W*)or 𝔓*LWDM* (o *in ras.*)
ClB rep(pp *A*)eritur *AF*   14 uidetur *A* uideturbatur *C*   15 te *om. C*   cognosci
ex cognosce *m2M*   credere] scire debere 𝔓*LDMClB* scire deberet *F*   sane] ne 𝔓
16 dicerem *D*   non ut ego 𝔓*FL*   17 quod 𝔓*LDClB, Ma.c.m2*   sentiamus 𝔓
sententias *L* sententencias *F*   aut] ut *AF*   18 correptione *AW* corrupcione *F*
boniuolentia *DB*   gauisurum 𝔓, *Ba.c.m2*   19 ac] hac 𝔓*W* et ς   fragitem
Aa.c.; *add.* memor nostri exaudiaris a domino in omni (ni *F, sed del.*) sancto desiderio tuo domine carissime et desideran(n̄ *om. F*)tisime et honorande (— do *F*)
merito frater *AF* (*cf. p. 234, 6*)

3. O si licuisset etsi non cohabitante saltem uicino te in domino perfrui ad crebrum et dulce conloquium! sed quia id non est datum, peto, ut hoc ipsum, quod in Christo, quam possimus, simul simus, conseruare studeas et augeri ac perfici et rescripta quamuis rara non spernere. saluta obsequio meo sanctum fratrem Paulinianum et omnes fratres, qui tecum ac de te in domino gaudent. memor nostri exaudiaris a domino in omni sancto desiderio tuo, domine carissime et desiderantissime et honorande merito frater.

CII.
AD AUGUSTINUM.

Domino uere sancto et beatissimo papae Augustino Hieronymus in domino salutem.

1. In ipso profectionis articulo sancti filii nostri Asterii hypodiaconi beatitudinis tuae ad me litterae peruenerunt, quibus satis

1 etsi] si *W* et *AF* cohabitantes *AFLD* quohabitantes ℘ saltim ℘*AFLD* 2 eloquium *W* 3 ipsud *L* ipsut ℘*C* Christo] domino *FLDMCl* quam] qua ℘*ALDMCl*, *B* (*del. m2*) quia *F* possimus *W* possumus *cet.* simul *del. m2 B*, *om. F, la.c.m2* sumus ℘*LDC, B* (*del. m2*), *om. F, eras. l, ex* simus *m2M* 4 conseruari *A, F p.c.LDMClB* hac ℘ profici *DMCl* scripta *LD, M in ras.m2ClB* 5 obsequium meum *C* paulianum (an *in ras.*) *l* paulinum *W* 6 fratres *om. A* hac ℘*W* gaudent] gloriantur ℘*FLDMClB; add.* hieronimus *W* memor frater *post* flagitem (*p. 233, 19*) *AF, in mg. inf. M, om.* ℘*LWDClB* 7 tuo *om. W* 8 desideratissime *F* honorando *F* merito] in x̄p̄o *M*

℘ = *Escorialensis & I. 14 s. VIII—IX.*
F = Veronensis XVI. 14 s. IX.
L = Coloniensis 35 s. IX.
W = Parisinus lat. 1868 s. IX.
D = Vaticanus lat. 355+356 s. IX—X.
M = Coloniensis 60 s. IX—X.
C = Vaticanus lat. 5762 s. X.
l = Vaticanus lat. 341 s. X—XI.
B = Berolinensis lat. 18 s. XII.

Haec epistula, de cuius titulo in codd. cf. adnot. ad epist. CI, est inter Augustini epistulas LXVIII (pars II p. 240 Goldb.); est responsio ad praecedentem epistulam

11 uero *W* et] ac ς agustino pape *W* 12 domino] x̄p̄o *l* 13 perfectionis *WC* asteri ℘*D* hypod.] necessarii mei *uel* hypodiaconi necessarii mei ς 14 litt. ad me ς ad me *om. W* litteras ℘*L* superuen. *Bp.c.*

facis te contra paruitatem meam librum Romam non misisse. hoc
nec ego factum audieram, sed epistulae cuiusdam quasi ad me
scriptae per fratrem nostrum Sisinnium diaconum huc exemplaria
peruenerunt, in qua hortaris me, ut παλινῳδίαν super quodam
5 apostoli capitulo canam et imiter Stesichorum inter uituperationem
et laudes Helenae fluctuantem, ut, qui detrahendo oculos perdiderat,
laudando receperit. ego simpliciter fateor dignationi tuae, licet 2
stilus et ἐπιχειρήματα tua mihi uiderentur, tamen non temere
exemplaribus litterarum credendum putaui, ne forte me respondente
10 laesus iuste expostulares, quod probare ante debuissem tuum esse
sermonem et sic rescribere. accessit ad moram sanctae et uenera-
rabilis Paulae longa infirmitas. dum enim languenti multo tempore 3
adsidemus, paene epistulae tuae uel eius, qui sub tuo nomine scripserat, obliti sumus memores illius uersiculi: m u s i c a i n l u c t u
15 i n p o r t u n a n a r r a t i o. itaque, si tua est epistula, aperte
scribe uel mitte exemplaria ueriora, ut absque ullo rancore stomachi
in scripturarum disputatione uersemur et uel nostrum emendemus
errorem uel alium frustra reprehendisse doceamus.

2. Absit autem a me, ut quidquam de libris beatitudinis tuae
20 adtingere audeam. sufficit enim mihi probare mea et aliena non
carpere. ceterum optime nouit prudentia tua unumquemque in
suo sensu abundare et puerilis esse iactantiae, quod olim adu-
lescentuli facere consueuerant, accusando inlustres uiros suo nomini

4 cf. August. in Hieron. epist. LXVII cap. 7 et Isocrates X 64   14 Eccli.
22, 6   21 cf. Rom. 14, 5

2 sed epist. *om. W*   3 nostr.] meum ℜ*l*   diaconem *LB*   hoc *C*
exempla *l*   4 in qua hort. *eras. B*   orta**ris *C*   me *om. B*   παλινῳδίαν
uarie corruptum in codd. palinodian *in mg. m2 B*   supra ℜ*FLDMCl*   quoddam *B*
5 apostolo ℜ   capitulum *B*   immitter *WB*   stesicorum *CB**stesicorum
(stersicorum m2) M* hic tesicorum ℜ   uituperationes *FDMl*   6 ut] et *W*
7 reciperit *La.c.W* reciperet ℜ*FlB*   8 et *om.* ℜ   8 n̄ X pep H *m. W* epichirem. *M*
epicherem. *B* epicirem. *D* epicerem. ℜ*L* epiceriem. *C* epicereum. *l* episcerem. *F*
tuus *ex* tuā *m2W*   uideretur *LD, Wp.c.m2* uidetur ℜ   9 credendam *Ma.c.*
credendo *C* respondendum *l*   putaui*F*   10 ante *om. W*   uoluissem ℜ   tum *L*
esse *om. Cl* essem *D*   11 si *F*   rescriberem ℜ*FLDCB, Ma.c.*   morum *D*
et] ac *F*   12 languescenti *l*   13 adsedimus *MCl* assideremus ς   quis *Fa.r.M*
14 oblitus sum *l*   15 narr. est *l*   16 scribe uel] scribere*L*   mitte*F*   ut] et *L*
ranguore *W*   17 in *om.* ℜ*C*   uersemus *L*   19 tuae beat. ς   20 audeamus *W*
21 capere *Fa.c.m2*   22 pueribilis *Fa.r.L*   iactantia ℜ

famam quaerere. nec tam stultus sum, ut diuersitate explanationum tuarum me laedi putem, quia nec tu laederis, si nos contraria senserimus. sed illa est uera inter amicos reprehensio, si nostram peram non uidentes aliorum iuxta Persium manticam consideremus. superest, ut diligas diligentem et in scripturarum campo iuuenis senem non prouoces. nos nostra habuimus tempora et cucurrimus, quantum potuimus; nunc te currente et longa spatia transmittente nobis debetur otium simulque, ut cum uenia et honore tuo dixerim, ne solus mihi de poetis aliquid proposuisse uidearis, memento Daretis et Entelli et uulgaris prouerbii, quod bos lassus fortius figat pedem. tristes haec dictauimus; utinam mereremur conplexus tuos et conlatione mutua uel doceremus aliqua uel disceremus!

3. Misit mihi temeritate solita maledicta sua Calpurnius cognomento Lanarius, quae ad Africam quoque studio eius didici peruenisse. ad quae breuiter ex parte respondi et libelli eius uobis misi exemplaria latius opus, cum oportunum fuerit, primo missurus tempore; in quo illud caui, ne in quoquam existimationem laederem Christianam, sed tantum, ut delirantis inperiti mendacium ac uecordiam confutarem. memento mei, sancte ac uenerabilis papa. uide, quantum te diligam, ut ne prouocatus quidem uoluerim respondere nec credam tuum esse, quod in altero forte reprehenderem. frater Communis suppliciter te salutat.

3 cf. Persius 4, 24   9 cf. Verg. Aen. V 368—484

1 tam͞ C tamen ℬ   2 ledis *ex* ledi *m2*ℬ   quia *ex* qui *m2*F   contrarias (s *del.* *m2*) scripsimus W   3 nostram peram W nostra opera *cet.* nostram operam *4 codd.* *Goldb.*   4 pertium ℬ   mathicam W mantica *FLD*   non consid. ℬ   5 diligentem] *add.* te ℬ, *seq. ras. l*   6 concurrimus *FL* currimus W   7 te currentem W te currante *Ma.c.m2* decurrente F   transmittentem *LW* transmeante *DMl* transmeate C   8 ut] et W   cum hon. tuo et uen. ς   cum ueniam *LD, Ma.r.* conueniam F   et *om. DCl*   honori *LDC, Ma.c.m2* ori *l*   9 solius *Fa.r.L*   uideris *Ma.c.m2*   10 antelli F, W (*ex* intelli *m2*) aentellii D testelli ℬ   quod] quos ℬ   bos—pedem] *senarii iambici uestigia deprehendit Engelbrecht*   lassus (*pr.* s *in ras. m2, fuisse uidetur lapsus*) F   fortiter ℬ*LDMCl*   11 tristis *Fa.c.m2W*   meremur *L* mereamur *Ba.c.* conplexos *Fa.c.m2* amplexus ℬ   tuus C   12 doceremur W   aliquid *FW*   disceremur F; *add.* hieronimus W   13 misit—22 salutat *in mg.* B, *om.* ℬ*LWDMCl* sol. tem. B   sua mal. ς   Calphurnius ς   15 ad quae *om.* F ad quē B   respondit F misit F   16 opportunum *ex*—no F   missuro F   17 in quoquam] umquam B aestimacionem F   18 imperitique B   19 mem.—papa *om.* F   ac B et ς   20 diligat *Fa.c.*   ne *5 codd. Goldb.* nec *F B*   21 reprehenderam F   22 communis ς

CIII.
AD AUGUSTINUM.

Domino uere sancto et beatissimo papae Augustino Hieronymus
in Christo salutem.

5   1. Anno praeterito per fratrem nostrum Asterium hypodia-
conum dignationi tuae epistulam miseram promptum reddens
salutationis officium, quam tibi arbitror redditam. nunc quoque
per sanctum fratrem meum Praesidium diaconum obsecro primum,
ut memineris mei, dein, ut baiulum litterarum habeas commendatum
10 et mihi scias germanissimum et, in quibuscumque necessitas
postularit, foueas atque sustentes, non quo aliqua re Christo
tribuente indigeat, sed quod bonorum amicitias auidissime expetat
et se in his coniungendis maximum putet beneficium consecutum.
cur autem ad occidentem nauigauerit, ipso poteris narrante cogno-
15 scere.

2. Nos in monasterio constituti uariis hinc inde fluctibus qua-
timur et peregrinationis molestias sustinemus. sed credimus in
eo, qui dixit: c o n f i d i t e, e g o u i c i m u n d u m, quod ipso

$\mathfrak{P} = Escorialensis \ \& \ I. \ 14 \ s. \ VIII—IX.$
$A = Berolinensis \ lat. \ 17 \ s. \ IX.$
$F = Veronensis \ XVI. \ 14 \ s. \ IX.$
$L = Coloniensis \ 35 \ s. \ IX.$
$D = Vaticanus \ lat. \ 355+356 \ s. \ IX—X.$
$M = Coloniensis \ 60 \ s. \ IX{-}X.$
$C = Vaticanus \ lat. \ 5762 \ s. \ X.$
$l = Vaticanus \ lat. \ 341 \ s. \ X—XI.$
$B = Berolinensis \ lat. \ 18 \ s. \ XII.$

Haec epistula, de cuius titulo in codd. cf. adnot. ad epist. CI, est inter Augustini
epistulas XXXIX (pars II p. 67 Goldb.)

18 Ioh. 16, 33

3 uero F   et] ac A   4 Christo] domino A   5 austerium C   hipodiac̄ A
yppodiacono $\mathfrak{P}$ 6 dignationis $\mathfrak{P}$ 7 saluationis C   num LD   8 sanctum om. L
nostrum B   diaconem B   9 pr. ut—litt. om. A   deinde FMCl dehinc $\mathfrak{P}$B
10 scias in mg., suas in t. L   11 postu(ex o A)lauerit AF   quo aliqua (o a in
ras. m2) $\mathfrak{P}$ quo] quod A   12 indigeam C   quo ς   audisse me FL   expectat AC
14 ad] ab $\mathfrak{P}$ nauigarit Cl   18 confidete $\mathfrak{P}$A   uicit (t del.) F

tribuente et praesule contra hostem diabolum uictoriam conse-

2 quamur. sanctum et uenerabilem fratrem nostrum papam Alypium ut meo obsequio salutes, obsecro. sancti fratres, qui nobiscum in monasterio domino seruire festinant, oppido te salutant. incolumem te et memorem mei Christus, deus noster, tueatur omnipotens, 5 domine uere sancte et suscipiende papa.

CIV.
EPISTULA AUGUSTINI AD HIERONYMUM.

Domino uenerabili et desiderabili sancto fratri et conpresbytero Hieronymo Augustinus in domino salutem.   10

1. Ex quo coepi ad te scribere ac tua scripta desiderare, num-quam mihi melior occurrit occasio, quam ut per dei seruum ac ministrum fidelissimum mihique carissimum mea tibi adferretur epistula, qualis est filius noster Cyprianus diaconus. per hunc certe ita spero litteras tuas, ut certius in hoc rerum genere quidquam 15

---

1 praessule concedente contra hostē (*ex* hoste *m*2) *F*   uictoria *AF*   conse-quemur B 2 pap. fr. nostr. $ 3 sancti] pro quo *L* pro quo sancti*F*   5 mem. mei Chr.] memor me in x̄p̄o *A*   6 dominus $ et] ac *AF*   suspiciende *LM* papę (e *F*) *Fa.c.m*2*D*, *om. A*

$ = *Escorialensis & I. 14 s. VIII—IX.*
F = *Veronensis XVI. 14 s. IX.*
L = *Coloniensis 35 s. IX.*
W = *Parisinus lat. 1868 s. IX (continet initium usque ad p. 239, 19 possit).*
D = *Vaticanus lat. 355+356 s. IX—X.*
M = *Coloniensis 60 s. IX—X.*
C = *Vaticanus lat. 5762 s. X.*
l = *Vaticanus lat. 341 s. X—XI.*
B = *Berolinensis lat. 18 s. XII.*

Haec epistula, de cuius titulo in codd. cf. adnot. ad epist. CI, est inter Augustini epistulas LXXI (pars II p. 248 Goldb.). Augustino respondet Hieronymus epist. CV

9 dom.—sal. *om. B*   patri *L*   10 hieronimus *Fa.c.m*2   11 ac *Mp.c.m*2 hac *W* aut *cet.*   tua] a te *F*   12 hac $*W*, *La.r.*   13 afferetur *F*, *Ma.c.m*2 afferrentur *La.r.* offerretur $, *la.c.* deferretur (de *in ras.*) *B*   14 qualis] quā *l* est *om.* $*FLDMCl*, *Ba.c.m*2   hunc] hanc *F*   15 ita *om. W*

sperare non possim. nam nec studium in petendis rescriptis memorato 2
filio nostro deerit nec gratia in promerendis nec diligentia in custodiendis nec alacritas in perferendis nec fides in reddendis; tantum,
si aliquo modo mereor, adiuuet dominus et adsit cordi tuo et desiderio
meo, ut fraternam uoluntatem nulla uoluntas maior inpediat.

2. Quia ergo duas iam epistulas misi, nullam autem tuam
postea recepi, easdem ipsas rursus mittere uolui credens eas non
peruenisse. quodsi et peruenerunt ac fortasse tuae potius ad me
peruenire minime potuerunt, ea ipsa scripta, quae iam misisti, iterum
mitte, si forte seruata sunt; sin minus, rursus dicta, quod legam,
dum tamen his respondere ne graueris, quod iam diu est, ut expecto.

primas etiam, quas ad te adhuc presbyter litteras praeparaueram 2
mittendas per quendam fratrem nostrum Profuturum, qui postea
collega nobis factus iam ex hac uita migrauit nec eas tunc ipse
perferre potuit, quia continuo, dum proficisci disponit, episcopatus
sarcina detentus ac deinde breui defunctus est, etiam nunc mittere
uolui, ut scias, in tua conloquia quam olim inardescam et quam uim
patiar, quod a me tam longe absunt sensus corporis tui, per quos
adire possit ad animum tuum animus meus, mi frater dulcissime
et in domini membris honorande.

3. In hac autem epistula hoc addo, quod postea didicimus Iob
ex Hebraeo te interpretatum, cum iam quandam haberemus interpretationem tuam eius prophetae ex Graeco eloquio uersam in
Latinum, ubi tamen asteriscis notasti, quae in Hebraeo sunt et
Graeco desunt, obeliscis autem, quae in Graeco inueniuntur et in

---

1 desperare 𝔅   possit *Fa.c.* posse *D*   scriptis 𝔅   3 alia claritas *F*   profer.
FLB   nec—redd. *post* promer. (*l. 2*) *transpos. B*   retendis *L*   4 merear *DMClB*
5 maior uol. ς   uolū̆ptas *B* uoluptas 𝔅   maior *om. D*   6 iam duas 𝔅   tua *B*
7 recipi *Fa.c.m2W*   rursum *l, om. W*   uolui∗*F*   8 quod etsi *F* quae etsi ς
ad me] ad manum me (*uel* ne) 𝔅   9 min. peru. pot. *FLMClB* min. peruenerunt *D*
minime *om.* 𝔅   ea] ecce (*uel* eae) *W*   10 reseruata 𝔅*DCl*   rursum 𝔅*L, D*
(*ex*—us) *MClB*   quod legam *in ras. m2*𝔅 quid legam *l*   11 dum] dicit *L*   his] ius *L*
ne me graberis 𝔅 negaueris *FLWM*   ut] quod 𝔅   13 quondam *L*   14 nob. coll.
codd. praet. W   iam] et iam *codd. praet. W*   migrabit 𝔅*L*   15 episcopatum *D*
16 hac 𝔅*LW, Fa.r.*   in breui *DMClB*   nunc *om. W*   17 uoluit (t *exp.*) *F*   sciat *L*
18 patior *F*   quod a me] quodam me *FL*   adsunt *L*   19 adiri *Ll, Ma.r.*   possit]
hic desinit W   21 hanc *L*   ex Hebr. Iob ς   22 te *6 codd. Goldb.* a te *mei*   quadam *F*
23 tuam] tam *F*   eius *5 codd. Goldb.* eiusdem *mei*   uersum *C*   24 et in grae(e)co *FL*
25 oboliscis 𝔅*FLD, Ma.c.m2* obelissis *C* obelis *l*   qui *F*   greca inuentus 𝔅

Hebraeo non sunt, tam mirabili diligentia, ut quibusdam in locis
ad uerba singula stellas significantes uideamus eadem uerba esse
2 in Hebraeo, in Graeco autem non esse. porro in hac posteriore interpretatione, quae uersa est ex Hebraeo, non eadem uerborum fides
occurrit. nec parum turbat cogitantem, uel cur in illa prima tanta :
diligentia figantur asterisci, ut minimas etiam particulas orationis
indicent deesse codicibus Graecis, quae sunt in Hebraeis, uel cur
in hac altera, quae ex Hebraeis est, neglegentius hoc curatum sit,
3 ut hae eaedem particulae locis suis inuenirentur. aliquid inde exempli
gratia ponere uolui, sed mihi ad horam codex defuit, qui ex Hebraeo
est. uerum tamen, quia praeuolas ingenio, non solum, quid dixerim,
uerum etiam, quid dicere uoluerim, satis, ut opinor, intellegis, ut
causa reddita, quod mouet, edisseras.

4. Ego sane mallem Graecas potius canonicas te nobis interpretari scripturas, quae septuaginta interpretum perhibentur. per-
durum enim, si tua interpretatio per multas ecclesias frequentius
coeperit lectitari, quod a Graecis ecclesiis Latinae ecclesiae dissona-
bunt, maxime quia facile contradictor conuincitur Graeco prolato
2 libro, id est linguae notissimae. quisquis autem in eo, quod ex
Hebraeo translatum est, aliquo insolito permotus fuerit et falsi crimen
intenderit, uix aut numquam ad Hebraea testimonia peruenitur,
quibus defendatur obiectum. quodsi etiam peruentum fuerit, tot
Latinas et Graecas auctoritates damnari quis ferat? huc accedit,
quia etiam consulti Hebraei possunt aliud respondere, ut tu solus

1 hebreo *Da.c.* ebraeo *Mp.c.m2* hebreis *cet. mei (cf. Goldb. app. crit.*) tam]
tuā *Ma.c.m2* tua *LDClB* mira *B* 2 sing. uerba ς singulas stellas ς uid.
sign. ς significat (t *in ras. 4litt.*) *B* 4 uera *Fa.c.m2* 6 asterici ℔ asteriscis *C*
orationes *D* 8 neglegentibus *Fa.r.DC* nec legentibus *Fp.r. L* hoc cur.] ob-
scuratum ℔ 9 hê *C* haeae *D* haec ℔*FL, Ma.r., om. B* non ς heedem *B*
edem *Cl* eadem ℔*FLD* in locis *M* deinde ℔ 10 gratia *om. D* pon.
uol. ℔*B et 6 codd. Goldb.* uol. pon. *cet.* codix *D,Ma.c.m2* 11 quia *ex* quam *F*
praeuolans ℔*LDCl, Ma.c.* praeuales *Bp.c.* 11 *et* 12 quid *ex* qui *F* 12 dicerem
Fa.c.C pr. ut] in *C* 14 te *ponunt post* canon. *6 codd. Goldb., post* sane *mei omnes*
interpretare *FLDB, Ma.c.* 15 interpretum ℔*L et 7 codd. Goldb., add.* auctoritate *cet.* 16 erit enim *Mp.c.* enim erit *Bp.c.m2* 18 qua *C* 19 est *om. L*
quis ℔ 20 trans**latum *M* transtultum *LD* 21 aut uix aut ς hebreica *ex*
hebrea *m2*℔ peruenietur *Mp.c.m2*ς peruentus ℔ 23 clamari *D* quid
fecerat *Fa.c.* accidit *B* 24 qui *F* non aliud *FDCl, Ma.r.*

necessarius uidearis, qui etiam ipsos possis conuincere, sed tamen,
quo iudice, mirum si potueris inuenire.

5. Nam quidam frater noster episcopus, cum lectitari instituisset
in ecclesia, cui praeest, interpretationem tuam, mouit quiddam
5 longe aliter abs te positum apud Ionam prophetam, quam erat
omnium sensibus memoriaeque inueteratum et tot aetatum succes-
sionibus decantatum. factus est tantus tumultus in plebe maxime
Graecis arguentibus et inflammantibus calumniam falsitatis, ut coge-
retur episcopus — Oea quippe ciuitas erat — Iudaeorum testimonium
10 flagitare. utrum autem illi inperitia an malitia hoc esse in Hebraeis 2
codicibus responderunt, quod et Graeci et Latini habebant atque
dicebant? quid plura? coactus est homo uelut mendositatem corrigere uolens post magnum periculum non remanere sine plebe.
unde etiam nobis uidetur aliquando te quoque in nonnullis falli
15 potuisse et uide, hoc quale sit in eis litteris, quae non possunt con-
latis usitatarum linguarum testimoniis emendari.

6. Proinde non paruas deo gratias agimus de opere tuo, quod
euangelium ex Graeco interpretatus es, quia — et paene in omnibus —
nulla offensio est, cum scripturam Graecam contulerimus. unde,
20 si quisquam ueteri falsitati contentiosus fauerit, prolatis conlatisque
codicibus uel docetur facillime uel refellitur. et si quaedam raris-
sime merito mouent, quis tam durus est, qui labori tam utili non
facile ignoscat, cui uicem laudis referre non sufficit? quid tibi 2
autem uideatur, cur in multis aliter se habeat Hebraeorum codicum
25 auctoritas, aliter Graecorum, quae dicitur Septuaginta, uellem
dignareris aperire. neque enim paruum pondus habet illa, quae sic
meruit diffamari et qua usos apostolos non solum res ipsa indicat,

1 ipsis 𝕻 ipso F   2 quod iudice (e ex i m2F) 𝕻F qui (quid M) iudicet DMCl
4 ecclesiam Fa.c.LDB   quidam 𝕻F, MBa.c.   6 memoriaque F   7 plebem D
8 inflamant. CB inclamant. 𝕻   9 episc. om. 𝕻   Oea Is. Vossius ea codd. (cf.
Goldb. app. crit.)   erat om. 𝕻   Iud.] add. ab ipsis in mg. m2B   10 an] ł in
ras. m2B   11 pr. et 6 codd. Goldb., om. mei   atque dic. F et 7 codd. Goldb.,
om. cet.   12 est om. F   15 eis] illis 𝕻   possū B   16 usitaturum F usitarum C
suscitatarum l   17 de] pro l   quo ς   18 es] est (t eras.) 𝕻   et om. ς
19 scriptura FB   graeca F   intul. DCl, Ma.c.m2   20 fauet 6 codd. Goldb.
21 reuelletur 𝕻   quidam FLCl, MBa.c.m2 quidem D   rarissima M, Bp.c.m2
et 8 codd. Goldb.   22 mouet F mouentur Cl   24 uidebatur 𝕻 uidetur C   se hab.]
habebit se 𝕻; add. in (exp.) B   25 qua F   27 memeruit L   quia Fp.c.m2
usus FCl   apostolus F apostoli C

LV. Hieron. Epist. II, Hilberg.   16

sed etiam te adtestatum esse memini. ac per hoc plurimum profueris,
si eam scripturam Graecam, quam Septuaginta operati sunt, Latinae
ueritati reddideris, quae in diuersis codicibus ita uaria est, ut
tolerari uix possit, et ita suspecta, ne in Graeco aliud inueniatur,
3 ut inde aliquid proferre aut probare dubitetur. breuem putabam 5
futuram hanc epistulam, sed nescio quo modo ita mihi dulce
factum est in ea progredi, ac si tecum loquerer. sed obsecro te per
dominum, ne te pigeat ad omnia respondere et praestare mihi,
quantum potueris, praesentiam tuam.

CV.   10

AD AUGUSTINUM.

Domino uere sancto et beatissimo papae Augustino Hieronymus.

1. Crebras ad me epistulas dirigis et saepe conpellis, ut respondeam cuidam epistulae tuae, cuius ad me, ut ante iam scripsi,
per fratrem Sisinnium diaconum exemplaria peruenerunt absque 15
subscriptione tua et quae primum per fratrem Profuturum, secundo

1 ac] hac L hoc $\mathfrak{P}$ 2 graec. script. ς 3 ueritatis F uariata l, B (*ex*
uarita*)   4 suscepta FDC, $Ma.c.m2$ 5 aliqui $\mathfrak{P}$ proferri aut probari $l\varsigma$ dubi-
temus M (*s.l.m2*) *et 5 codd. Goldb.*   6 ita *6 codd. Goldb.* istud (istut $\mathfrak{P}$) *mei*   7 ea
om. $\mathfrak{P}$ te] et (*exp.*) B,*om. Cl*   8 ne te] nec *C prare l pra B 9 per
praes. FL

$\mathfrak{P}$ = *Escorialensis & I. 14 s. VIII—IX.*
F = *Veronensis XVI. 14 s. IX.*
L = *Coloniensis 35 s. IX.*
W = *Parisinus lat. 1868 s. IX.*
D = *Vaticanus lat. 355+356 s. IX—X.*
M = *Coloniensis 60 s. IX—X.*
C = *Vaticanus lat. 5762 s. X.*
l = *Vaticanus lat. 341 s. X—XI.*
B = *Berolinensis lat. 18 s. XII.*

Haec epistula, de cuius titulo in codd. cf. adnot. ad epist. CI, est inter Augustini
epistulas LXXII (pars II p. 255 Goldb.); est responsio ad praecedentem epistulam

14 ante] cf. epist. CII 1

11 hieronimus domino L uere] uiro W et *om. F*   pap. beat. W
aug. hier. *in mg. F* augustino L; *add.* in x͞p͞o (*uel* in d͞n͞o) salutem ς 13 compellas ς
15 fratrem *om. W*   diaconem FLB 16 scriptione $\mathfrak{P}$ quam ς perfuturum W
secundo (o *in ras. m2*) B secundum F

per quendam alium te misisse significas, et interim Profuturum
retractum de itinere et episcopum constitutum ueloci morte subtractum, illum, cuius nomen retices, maris timuisse discrimina et
nauigationis mutasse consilium. quae cum ita sint, satis mirari ne- 2
5 queo, quomodo ipsa epistula et Romae et in Italia haberi a plerisque
dicatur et ad me solum non peruenerit, cui soli missa est, praesertim
cum idem frater Sisinnius inter ceteros tractatus tuos dixerit eam
se non in Africa, non apud te, sed in insula Hadriae ante hoc ferme
quinquennium repperisse.
10   2. De amicitia omnis tollenda suspicio est et sic cum amico quasi
cum altero se loquendum. nonnulli familiares mei et uasa Christi,
quorum Hierosolymis et in sanctis locis permagna copia est, sugge-
rebant non simplici a te animo factum, sed laudem atque rumusculos
et gloriolam populi requirente, ut de nobis cresceres, ut multi
15 cognoscerent te prouocare, me timere, te scribere ut doctum, me
tacere ut inperitum et tandem repperisse, qui garrulitati meae modum inponeret. ego autem, ut simpliciter fatear, dignationi tuae 2
primum idcirco respondere nolui, quia tuam liquido epistulam non
credebam nec, ut uulgi de quibusdam prouerbium est, litum melle
20 gladium; deinde illud cauebam, ne episcopo communionis meae
uiderer procaciter respondere et aliqua in reprehendentis epistula
reprehendere, praesertim cum quaedam in illa heretica iudicarem;
        3. ad extremum, ne tu iure expostulares et diceres: ʻquid enim?
epistulam meam uideras et notae tibi manus in subscriptione signa
25 deprehenderas, ut tam facile amicum laederes et alterius malitiam
in meam uerteres contumeliam?ʻ igitur, ut ante iam scripsi, aut

---

1 iterum *FL*   4 cumque (que *exp.*) *F*   5 roma ℬ   habere *C*   a *om. F*
6 peruenerunt *F, La.r.*   cuius ℬ   7 frater *om. L*   eam *ex* eo *C*   8 africam
ℬ*B, FLa.c.*   9 repp.] *add.* non in affrica *F*   10 dolenda *F*   11 se *Paris. lat.*
12163 s. IX. Monac. lat. 6266 s. X (*m1*). *Paris. lat. 13047 s. IX* (*m2*) *Goldb.* esse
codd. mei se est ς   12 pro magna *F*   suggerebat *La.c.D*   13 simplicitate (-tis
m2) animo *W* simplici animo a te ℬ*LDClB*   facto *C*   adquerimus colos (*eras.*) *W*
umusculos *ex* amusculos *m2 F*   14 gloriam *FLDClB, Ma.c.m2*   requirentem
ℬ*LMClB, Da.c.m2*   16 peritum *C*   silentium modumque ς   17 ut] cum*l*
fateor *C*   ∗∗dignationi *L*   18 liquido] aliquando *C*   19 uulgo de quibus *W*
linitum *DMCl*   20 commonitionis *l*   21 respondēre *C*   reprehendi *F*   22 reprehenderem *LDCl, Ma.r.*   in *om. C*   23 ne tuo iure *DCl, Ma.r.* metui ne iustae
ex metui iussae *L*   24 epistolas meas *D*   et notā et ibi *W*   25 lederas ℬ
deleres *D*   26 meum *C*   uerterem *F* ueterem *La.c.*   antea *B*   scripsit (t *exp.*) *F*

mitte eandem epistulam tua subscriptam manu aut senem lati-
2 tantem in cellula lacessere desine. sin autem tuam uis uel ostentare
uel exercere doctrinam, quaere iuuenes et disertos et nobiles, quorum
Romae dicuntur esse quam plurimi, qui possint et audeant tecum
congredi et in disputatione sanctarum scripturarum iugum cum 5
episcopo ducere. ego quondam miles, nunc ueteranus et tuas et
aliorum debeo laudare uictorias, non ipse rursus effeto corpore
dimicare, ne, si me ad scribendum frequenter inpuleris, illius recorder
historiae, quod Hannibalem iuueniliter exultantem Quintus Maxi-
mus patientia sua fregerit.   10

3   omnia fert aetas, animum quoque; saepe
       ego longos
       cantando puerum memini me condere soles.
       nunc oblita mihi tot carmina; uox quoque
       Moerim   15
       iam fugit.

et — ut magis de scripturis sanctis loquar — Berzelli ille Galaadites
regis Dauid beneficia omnesque delicias iuueni delegans filio
ostendit senectutem haec appetere non debere nec oblata suscipere.
   4. Quod autem iuras te aduersum me librum non scripsisse neque 20
Romam misisse, quem non scripseris, sed, si forte aliqua in tuis
scriptis repperiantur, quae a meo sensu discrepent, non me a te
laesum, sed a te scriptum, quod tibi rectum uidebatur, quaeso, ut

---

9 cf. Liuius XXII c. 12—18   11 Verg. Buc. IX 51—54   17 cf. II
Reg. 19, 31—39   20 cf. epist. CI 2

1 mitte—tua *om.* $\mathfrak{P}$ tuam *W*   subscripta *FC*   at *C*   lactitantem *D*
2 cellulam $\mathfrak{P}$, *FLWa.c.*   lacesc. *LD, Ma.c.m2* lascesc. *WC*   sin *ex* si *B*   autem *del.*
m2M   uel ost. uel ex. *W et 3codd. Goldb.* uel ex. uel ostendere *cet.* uel ex. uel ost. ς
3 quaeres *F* quae *C*   4 esse *om. D*   audiant *LMa.c.*   5 iugo *C*   6 dicere *F*
nunc autem *D*   7 sursus *Fa.c.m2*   effecto *LC, FMa.r.* effecato $\mathfrak{P}$ 8 nae si *B*ne
sine $\mathfrak{P}$ nam si *l* nisi *FLDMC*   ad scrib. freq. *W et 3 codd. Goldb.* freq. ad rescrib. *B*
freq. ad scrib.*cet.*   recordarer *FL, Mp.c.m2*   9 insultantem (ins *in ras.*) *B*
10 fregit *W*   13 me *om. W*   14 tota *F, LMa.r.*   uox] nos $\mathfrak{P}$ 15 meri iam *ClB*
meri m̄iam (= misericordiam) *D*   16 fugit ipsa ς   17 et *om. FL*   loquor *D*
Berzelli (*3 codd. Goldb.*)] uerzelli *W* berzellas *L* beracellas *F* berzellay (y *m2*) *M* ber-
zellai *cet.*   ille *W, Mp.c.m2, om. cet.*   galaatides $\mathfrak{P}$ galadite∗∗*Ma.c.m2* gala-
ditites *L, F* (*ex*—cites *m2*) galaditides *Dl* galadatsites *C* gala(*add. a s.l.m2*)zitides *B*
18 omnes *C*   deligans $\mathfrak{P}$ diligens *W*   19 app. non] nec app. ς   oblita *F*   20 aduersus $\mathfrak{P}B$ non] nec ς nostri *FL*   conscripsisse *B*   21 in tuis aliqua *Cl*   23 ut] tu *C*

me patienter audias. non scripsisti librum. et quomodo mihi repre-
hensionis a te meae per alios scripta delata sunt? cur habet Italia,
quod tu non scripsisti? qua ratione poscis, ut rescribam ad ea,
quae scripsisse te denegas? nec tam hebes sum, ut, si diuersa senseris,
5 me laesum putem. sed, si mea comminus dicta reprehendas et ra-   2
tionem scriptorum expetas et, quae scripserim, emendare conpellas
et ad παλινῳδίαν prouoces et oculos mihi reddas, in hoc laeditur amicitia, in hoc necessitudinis iura uiolantur. ne uideamur certare
pueriliter et fautoribus inuicem uel detractoribus nostris tribuere
10 materiam contendendi, haec scribo, quia te pure et Christiane diligere cupio nec quicquam in mea mente retinere, quod distet a labiis.
non enim conuenit, ut ab adulescentia usque ad hanc aetatem in   3
monasteriolo cum sanctis fratribus labore desudans aliquid contra
episcopum communionis meae scribere audeam et eum episcopum,
15 quem ante coepi amare quam nosse, qui me primus ad amicitias
prouocauit, quem post me orientem in scripturarum eruditione
laetatus sum. igitur aut tuum negato librum, si forte non tuus est,
et desine flagitare rescriptum ad ea, quae non scripsisti, aut, si tuus
est, ingenue confitere, ut, si in defensione mei aliqua scripsero, in
20 te culpa sit, qui prouocasti, non in me, qui respondere conpulsus sum.

5. Addis praeterea te paratum esse, ut, si quid me in tuis scriptis
mouerit aut corrigere uoluero, fraterne accipias et non solum mea
in te beniuolentia gauisurum, sed, ut hoc ipsum faciam, deprecaris.

4 cf. epist. LXVII 7   7 in hoc—10 contend. *et* 10 haec—11 labiis *adfert
August. in epist. CXVI 30*   21 cf. epist. CI 2 fin.

2 meae] me *F, L* (ad me *p.c.*)   alio *D*   deleta *F*   3 scribam *l*   4 nec] non *B*
5 me] *add.* a te *m2M*   reprehendis *Ma.c.m2* reprendas ℔   ratione *Fp.r.*   7 ad
W, Mp.c.m2, om. cet.   παλ. *uarie scrib. in codd.* palinodian *W, Ms.l.m2C in
mg. m1B*   8 uolantur *D*   uidemur *C*   certari ℔*FLC, Ma.c.m2*   9 et (*del.*)
uicem *W*   10 te pore *La.c.* tempore *F*   et *om. F*   11 ne *F*   meam mentem
℔*LDC, FMa.c.*   distat ℔   12 ad *om. FL*   14 meae] me ℔   audiamus *F*
debeam (*in mg. m2*) ꝉ audeam) *B*   eum] cum *W*   episcopo *W*   15 prior ς
amicitiam *l*   16 prouocabit ℔   post *om.* ℔   in orientem (-te *Ma.c.m2*) *DMC*
script. diuinarum ς   disputatione *l*   17 sum] *add. s.l.* aliquid uel contra loquere
uel submitttā (*sic; omnia deleta*) *B*   18 et] et✱✱*M* et eo *O* et ex eo *Cl* et ego (ego
eras.) *B*   eum *FL*   quem *L*   19 defensionem *WB*   ei *W*   aliquam ℔   20 culpe ℔
21 adderis ℔   propterea (prop *in ras.*) *l*   paratus ℔   22 cōmouerit *B*   aut] et ς
accipies ℔   mea *W et 4 codd. Goldb.* eam *F* meam *cet.*   23 beniuolentia *W et 8 codd.
Goldb.* beneuolentiae *F* beniuolentiam *cet.*   facias *F*   deprecari *ex*—re *W*

rursum dico, quod sentio: prouocas senem, tacentem stimulas, uideris
iactare doctrinam. non est autem aetatis meae putari maliuolum erga
eum, cui magis fauere debeo. et si in euangeliis ac prophetis peruersi homines inueniunt, quod nitantur reprehendere, miraris, si
in tuis libris et maxime in scripturarum expositione, quae uel obscuris- 5
simae sunt, quaedam a recti linea discrepare uideantur? et hoc dico,
non quod in operibus tuis quaedam reprehendenda iam censeam.
neque enim lectioni eorum umquam operam dedi nec horum exem-
plariorum apud nos copia est praeter Soliloquiorum tuorum libros
et quosdam commentariolos in psalmos, quos si uellem discutere, 10
non dicam a me, qui nihil sum, sed a ueterum Graecorum docerem
interpretationibus discrepare. uale, mi amice carissime, aetate fili,
dignitate parens, et hoc a me rogatus obserua, ut, quicquid mihi
scripseris, ad me primum facias peruenire.

2 iactare] lucere 𝔅   doctrina 𝔅, *F p.r.*   putare *B p.c. m2*   erga *del. m2 B*
3 fauore *D* faborem 𝔅 fauorem *L M Cl B*   hac 𝔅 *B, W a.c.* et *l*   6 a] hac 𝔅   recta
(*ex—*te *m2 W*) *Wl B*   7 in *om. F L*   8 nunquam 𝔅   nec *om. W*   horum *om.* 𝔅*W*
10 commentarios ς   psalmo *W* psalmis *B*   discurrere *W*   11 *pr.* a *om. L   alt.*
a *om. C* ad *F*   12 mi *W* mihi *cet.*   13 quid *F*   14 facis *L*   peru.] *add.* agust. *W*

CVI.

AD SUNNIAM ET FRETELAM DE PSALTERIO, QUAE DE LXX INTERPRETUM EDITIONE CORRUPTA SINT.

Dilectissimis fratribus Sunniae et Fretelae et ceteris, qui uobiscum
domino seruiunt, Hieronymus.

1. Uere in uobis apostolicus et propheticus sermo conpletus est:
in omnem terram ꝑxiit sonus eorum et in
fines orbis terrae uerba eorum. quis hoc crederet,
ut barbara Getarum lingua Hebraicam quaereret ueritatem et
dormitantibus, immo contendentibus Graecis ipsa Germania
spiritus sancti eloquia scrutaretur? in ueritate cognoui,
quod non est personarum acceptor deus, sed
in omni gente, qui timet deum et operatur
dei iustitiam, acceptus est illi. dudum callosa 2

> A = *Berolinensis lat. 17 s. IX.*
> P = *Cenomanensis 126 s. IX.*
> $Ɨ$ = *Cheltenhamensis 24510 s. IX (continet fragmentum a p. 277, 17*
>   habeat *usque ad p. 283, 2* intellegatur).
> Q = *Duacensis 247 s. XI.*
> $Ʒ$ = *Remensis 15 s. XI.*
> p = *Palatinus lat. 39 s. XI.*
> r = *Sessorianus 71 (Bibl. Nat. Rom. 1349) s. XI.*
> o = *Casinensis E. 247 s. XI.*
> O = *Oxoniensis Balliolensis 229 s. XII.*
> B = *Berolinensis lat. 18 s. XII (continet initium usque ad. p. 249, 16*
>   discordet).

ad sunniam (sumniam Qo) et fretelam (fretellam et sompniam O) de psalterio
(*ex* palterio P) quae (quod $APQO$) de (*om. O*) LXX interpre(*uel* ę)tum edi-
t(*uel* c)ione corrupta (corruptum QO) sint (sunt Ppo sit$O$ est$Q$) $APQʒproO$ ad
summam et fretelam de diuersis interpretationibus psalterii B, *titulo caret k; Hie-*
ronymi nomen exhibent omnes codd.; uocum Graecarum lectiones uariantes in sin-
gulis codicibus uariis modis corruptas delectu tantum adhibito in apparatu enotamus

7 Ps. 18, 5 . Rom. 10, 18   11 *Act. 10, 34—35

4 dilectis p somnie O summe B fretelle O fratele B cet. fratribus p
5 hi(i—B)eronimus *codd. praet.* O 7 exiuit $ʒpoB$ 8 cred.] *add.* ueritatem (*exp.*) P
9 bara $Pa.c.m2Q$ getharum OB 10 germana $ʒ$ germanitate $Pa.c.m2$ 12 quia O
14 dei *om.* $ʒoOB$

tenendo capulo manus et digiti tractandis sagittis aptiores ad stilum
calamumque mollescunt et bellicosa pectora uertuntur in mansuetudinem Christianam. nunc et Esaiae uaticinium cernimus opere
conpletum: c o n c i d e n t   g l a d i o s   s u o s   in   a r a t r a
e t   l a n c e a s   s u a s   i n   f a l c e s   e t   n o n   a d s u m e t   g e n s 5
c o n t r a   g e n t e m   g l a d i u m   e t   n o n   d i s c e n t   u l t r a
3 p u g n a r e. rursumque in eodem: p a s c e t u r   l u p u s   c u m
a g n o   e t   p a r d u s   r e q u i e s c e t   c u m   h a e d o   e t   u i t u-
l u s   e t   l e o   e t   t a u r u s   p a s c e n t u r   s i m u l   e t   p u e r
p a r u u l u s   d u c e t   e o s   e t   b o s   e t   u r s u s   i n   c o m-10
m u n e   p a s c e n t u r   p a r u u l i q u e   e o r u m   e r u n t   p a-
r i t e r   e t   l e o   e t   b o s   c o m e d e n t   p a l e a s, non ut sim-
plicitas in feritatem transeat, sed ut feritas discat simplicitatem.

     2. Quaeritis a me rem magni operis et maioris inuidiae, in qua
scribentis non ingenium, sed eruditio conprobetur, ut, dum ipse 15
cupio iudicare de ceteris, iudicandum me omnibus praebeam et in
opere Psalterii iuxta digestionem schedulae uestrae, ubicumque inter
Latinos Graecosque contentio est, quid magis Hebraeis conueniat,
2 significem. in quo illud breuiter admoneo, ut sciatis aliam esse
editionem, quam Origenes et Caesariensis Eusebius omnesque 20
Graeciae tractatores *κοινά* — id est communem — appellant atque
uulgatam et a plerisque nunc *Λουκιάνειος* dicitur, aliam septuaginta
interpretum, quae et in *ἑξαπλοῖς* codicibus repperitur et a nobis in
Latinum sermonem fideliter uersa est et Hierosolymae atque in orientis ecclesiis decantatur. super quare et sanctus filius meus Auitus 25

---

4 *Esai. 2, 4   7 *Esai. 11, 6—7

1 capulum *QOB, rp.c.m2*   digitis tractando sagittis o   3 uat. ysaiae o
hesaye *B* isaiae *QO*   5 assument o sumet *ς*   6 ultra] amplius ჳ   7 que *om. ς*
pascitur *A, Pa.c.p, ra.c.m2*o   8 requiescit *A, Pa.c.r a.c.m2*o   10 ducit *A, Pa.c.*ჳ,
*r a.c.m2*o   11 erunt *om.* o   12 pal. com. ჳ   comedunt o   14 quae(e *B*)ris
*APQ*ჳ, *Ba.c.m2*   15 scribitis o   16 de cet. iudicare *p*   17 psalteri *A*   schedolae
*Pa.c.*ჳ schidolae *r* scedulae *Qp.r.p, OB*(—le) scedolae *A* scydolae o   nostrae *p*
18 intentio o   19 qua o   20 origenis *A, Pa.c.Q*ჳ*pr*o   21 *KOINH* (*H in. ras.m2*) ჳ
koyne *O κοινήν ς*   commune *AP*ჳ*r*   22 et] *add.* quae *in mg. m2 P Λουκιάνειος*
scripsi Λουκιανός ς lucianios (—nius *Q*—nos o) *codd.*   23 quae et in] et quae in *O*
quae in *ς*   *EΞAΠOIC ra.c. EZAΠΛOIC* (*in mg. m2* exaplois) *B EZIΠΛOIC A*
EΞIΤΛOICP exaplois *O*   24 hiero(u *r*o)solimae *Q*ჳ*pr*o ierosolymae *O* iherosolime *B*   25 decantantur *p*   supra o   sanctus *om. p; add. 1Q i. c., r (cf. p. 289,4,*
ne lacunam suspiceris)

saepe quaesierat et, quia se occasio fratris nostri Firmi presbyteri dedit, qui mihi uestram epistulam tradidit a uobis, scribens in commune
respondeo et me magno amicitiae libero faenore, quod, quanto magis
soluimus, plus debemus. sicut autem in nouo testamento, si quando 3
5 apud Latinos quaestio exoritur et est inter exemplaria uarietas,
recurrimus ad fontem Graeci sermonis, quo nouum scriptum est
instrumentum, ita et in ueteri testamento, si quando inter Graecos
Latinosque diuersitas est, ad Hebraicam confugimus ueritatem, ut,
quicquid de fonte proficiscitur, hoc quaeramus in riuulis. κοινὴ 4
10 autem ista, hoc est communis, editio ipsa est, quae et Septuaginta.
sed hoc interest inter utramque, quod κοινὴ pro locis et temporibus et pro uoluntate scriptorum uetus corrupta editio est, ea
autem, quae habetur in ἑξαπλοῖς et quam nos uertimus, ipsa
est, quae in eruditorum libris incorrupta et inmaculata septuaginta
15 interpretum translatio reseruatur. quicquid ergo ab hac discrepat,
nulli dubium est, quin ita et ab Hebraeorum auctoritate discordet.
  3. Prima de quinto psalmo quaestio fuit: n e q u e   h a b i t a-
b i t   i u x t a   t e   m a l i g n u s. pro quo habetur in Graeco: οὔτε
παροικήσει σοι πονηρὸς siue πονηρευόμενος, ut uulgata editio
20 continet. et miramini, cur παροικίαν, id est 'incolatum', Latinus
interpres non uerterit, sed pro hoc posuerit 'habitationem', quae
Graece dicitur κατοικία. quod quidem in alio loco fecisse con- 2
uincitur: h e u   m i h i,   q u i a   i n c o l a t u s   m e u s   p r o l o n-
g a t u s   e s t. et in quarto decimo psalmo rursum pro incolatu
25 habitationem posuit: d o m i n e,   q u i s   h a b i t a b i t   i n
t a b e r n a c u l o   t u o? et sciendum, quod, si uoluerimus dicere:
'domine, quis incolet tabernaculum tuum?' uel illud de quinto:

17 Ps. 5, 5 (6)   23 Ps. 119, 5   25 Ps. 14, 1   27 cf. Ps. 14, 1
  2 tradit A reddidit βproO   a eras. B, om. QO fort. recte   uobis] duobus O
3 me] ne AB, Pa.c.   faenore Q fenore OB foenore cet.   5 est int. ex.] cum int. ex.
est O   7 et om. βpro   9 KOINON o   10 comm. ista hoc est p   editio OB dictio
cet.   quae—13 ipsa est om. Q   et] in p   11 interest om. o   inter] in p   KOINON o
13 ipsa est editio O   14 editorum A   15 translatione seruatur Qp.c. translatione
reseruatur O   16 et om. p   hebreorum ab O   ueritate o   disc.] hic desinit B
18 te om. p   οὔτε] OY AQβ, o (O eras.)   19 ΠΤΑΡΟΙΚΕΙ p   ΠΟΝΗΡΕΥΟ-
MENOC siue ΠΟΝΗΡΟC o   πονηρὸς siue om. β   20 et mir.—21 uert. om. codd.
praet. p   21 uerteret p   pro] pp O   habitatione βro   22 dicitur om. O
24 decimo quarto o   25 habitabat P   26 si om. A   dicere: domine] dne
dne quis habitabit uel Qa c.m2   27 de PQp.c.m2, βp e cet.

'neque incolat iuxta te malignus', perdes *εὐφωνίαν* et, dum interpretationis *κακοζηλίαν* sequimur, omnem decorem translationis
amittimus; et hanc esse regulam boni interpretis, ut *ἰδιώματα*
3 linguae alterius suae linguae exprimat proprietate. quod et Tullium
in Protagora Platonis et in *Οἰκονομικῷ* Xenofontis et in 5
Demosthenis contra Aeschinen oratione fecisse conuincimus et
Plautum, Terentium Caeciliumque, eruditissimos uiros, in Graecis
comoediis transferendis. nec ex eo quis Latinam linguam angustis-
simam putet, quod non possit uerbum transferre de uerbo, cum etiam
Graeci pleraque nostra circuitu transferant et uerba Hebraica non 10
interpretationis fide, sed linguae suae proprietatibus nitantur
exprimere.

4. De eodem psalmo: d i r i g e i n c o n s p e c t u m e o
u i a m t u a m — pro quo habetur in Graeco: *κατεύθυνον ἐνώπιόν*
σου τὴν ὁδόν μου, hoc est: d i r i g e i n c o n s p e c t u t u o 15
u i a m m e a m —, quod nec Septuaginta habent nec Aquila nec
2 Symmachus nec Theodotio, sed sola *κοινὴ* editio. denique et in Hebraeo ita scriptum repperi: o s e r l a p h a n o i d a r c h a c h, quod
omnes uoce simili transtulerunt: d i r i g e i n c o n s p e c t u m e o
u i a m t u a m, secundum illud, quod et in oratione dominica dici- 20
tur: p a t e r n o s t e r, q u i e s i n c a e l i s, s a n c t i f i c e t u r
n o m e n t u u m, non quo nobis orantibus sanctificetur, quod

---

1 cf. Ps. 5, 5 (6)   13 *Ps. 5, 9   15 Ps. 5, 9   19 *Ps. 5, 9   21 Matth. 6, 9

1 incolet *O*   perdet *A* perdidit *p*   *ΕΥΦΩΝΙΑΝ* (*s. l.* eufoniam *m*2) *Q*
EO(*s. l.* Y *m*2ʒ)*ΦΩΝΙΑΝ* (*M*ʒ) ʒ*r* eo *ΦΩΝΙΑΝ P* eos (*ex* s *m*2Y) *ΦΩΝΙΑΝ A*
COΦΩΝΙΑΝ (*in mg.* cacophonian) o eufonian (m*O*) *pO*   3 hanc] *add. s.l.* oportet
*m*2*Q*   4 ling. alt. suae *om. A*   quod quidem *p*   5 protag. o pit(th*Q*)ag. *cet.*
OIKONOMIKA A economichon *O*   xenofontos *P* senofontis *O*   6 demostenis *pO*
aeschinem *Pp.c.m*2*ra.r.* orationem *Apa.r.*,ʒo   conuincimur *p*   7 terrentium
Aa.c.Qp   ciciliumque ʒ*r*o ciliciumque *Aa.c.Pp* cilicium *Qa.c.*   8 comoedis ʒ
comedis o   9 posset *p* de uerbo transf. ç 10 Graeci *om. O*   plerique o nostra]
nomina ʒ   circuitu (*s.l.m*2Ӏ circuiunt ut) *Q* circuitut (*alt. texp.*) *P* circuit ut *r*
circuunt ut o circuiunt ut ʒ circueant ut *O*   et *om. O*   11 linguae sed suae *p*
13 meo *in mg.* P t. (= tuo) *O*   15 *μου*] SOY *p*   dirigere *O*   17 simmach. ʒ
symmac. *Pa.c.* symach. *pO* simach. *A* sīmac. *Q*   theodotion *O* theudotio *r* theo-
docio *A*o teodotio *P*   sed sola *om.* o   *KOINON* o   18 ita] nam o   repperio *Q*
oser *ex* ser *Q* ose *O*   lapharnoi *p* lapha*N*ω*I r* laphanai ʒ laphanun o clapphanu *O*
darchach ç darchachi *codd.*   20 et *om.* o*O*   22 quo] quod *pO,rp.c.m*2

per se sanctum est, sed quo petamus, ut, quod per naturam sui
sanctum est, sanctificetur in nobis. ergo et nunc propheta
postulat, ut uia domini, quae per se recta est, etiam sibi recta fiat.

5. De sexto psalmo: erubescant et conturbentur
5 uehementer omnes inimici mei. et dicitis in Graeco
'uehementer' non haberi. scio, sed hoc uulgata. ceterum et in
Hebraeo habet m o d, id est 'uehementer', et omnes σφόδρα similiter transtulerunt.

6. De septimo psalmo: iudica me, domine, secun-
10 dum iustitiam meam. pro quo habetur in Graeco: κατὰ
τὴν δικαιοσύνην σου, id est 'iuxta iustitiam tuam'. sed et in hoc
male; in Hebraeo enim s e d e c h i habet, quod interpretatur 'iustitia
mea', et non 'sedecach', quod 'iustitiam tuam' sonat. sed omnes
interpretes 'iustitiam meam' uoce simili transtulerunt. nec cuiquam ₂
15 uideatur temerarium, quod iudicari secundum iustitiam suam
postulet, cum et sequens uersiculus hoc ipsum significet: e t
secundum innocentiam meam super me et sexti
decimi psalmi hoc exordium sit: exaudi, domine, iustitiam meam et in septimo decimo quoque dicatur: retribuet
20 mihi dominus secundum iustitiam meam et
secundum puritatem manuum mearum reddet
mihi, in uicesimo quoque quinto psalmo scriptum sit: proba
me, domine, et tempta me; ure renes meos et cor
meum, et in quarto dicatur: cum inuocarem, exaudi-
25 uit me deus iustitiae meae, et in octogesimo quinto:
custodi animam meam, quoniam sanctus sum,
Iacob quoque loquatur in Genesi: exaudiet me cras iustitia mea.

4 Ps. 6, 11   9 Ps. 7, 9   16 Ps. 7, 9   18 Ps. 16, 1   19 *Ps. 17, 25
22 Ps. 25, 2   24 Ps. 4, 2   26 Ps. 85, 2   27 *Gen. 30, 33

1 quo] quod O, Prp.c.m2   5 ueh. in greco p   6 in edit(c p)ione uulgata pO
et om. ς   7 habetur P   mot Q modū p   9 domine om. ʋ deus O   11 et om. p
12 sedechi p sedece AQƷrO sedecce P seddece ʋ   13 sechach ʋ sedechab O seda-
chah p sedechah cet.   sed] add. et s.l.m2Q sed et ς   14 ne O   15 se sec. O
suam] meam ʋ tuam tuam r   19 decimo om. O   dicatur] d̄r Ʒ psalmo rʋ   retri-
buit Ʒpr   20 deus O   22 uices. AP uicis. r uiges. QƷO XX pʋ   quinto om. rʋ
sit] est ʋO   23 me om. O   24 dicitur O   inuoc. te ʋ   exaudisti ʋ   25 in om. AO
26 mea Q   27 loquitur O   me] meme P

7. De octauo psalmo: q u o n i a m u i d e b o c a e l o s t u o s.
et dicitis, quod 'tuos' in Graeco non habeat. uerum est, sed in
Hebraeo legitur s a m a c h a, quod interpretatur 'caelos tuos' et
de editione Theodotionis in septuaginta interpretibus additum est
2 sub asterisco; cuius rei breuiter uobis sensum aperiam. ubi quid 5
minus habetur in Graeco ab Hebraica ueritate, Origenes de translatione Theodotionis addidit et signum posuit asterisci, id est
stellam, quae, quod prius absconditum uidebatur, inluminet et in
medium proferat; ubi autem, quod in Hebraeo non est, in Graecis
codicibus inuenitur, obelon, id est iacentem, praeposuit, quam nos 10
Latine 'ueru' possumus dicere, quo ostenditur iugulandum esse
et confodiendum, quod in authenticis libris non inuenitur. quae
signa et in Graecorum Latinorumque poematibus inueniuntur.

8. Sexto decimo: o c u l i t u i u i d e a n t a e q u i t a t e s.
[pro quo in Graeco] uos legisse dixistis: οἱ ὀφθαλμοί μου, id est 'oculi 15
mei'; sed rectius 'oculi tui', quia et supra dixerat: d e u u l t u t u o
i u d i c i u m m e u m p r o d e a t, ut oculi dei in propheta operante
non praua, sed recta conspiciant. in ipso: c u s t o d i m e u t p u-
p i l l a m o c u l i. dicitisque in Graeco legi: c u s t o d i m e, d o m i n e,
2 quod nec in Hebraeo nec in ullo habetur interprete. in eodem: 20
e x u r g e, d o m i n e, p r a e u e n i e u m e t s u b p l a n t a
e u m. pro quo in Graeco sit: πρόφθασον αὐτούς, id est 'praeueni

1 Ps. 8, 4   14 Ps. 16, 2   16 Ps. 16, 2   18 Ps. 16, 8   21 Ps. 16, 13

1 octauo quoque O   2 in greco tuos ο   4 theudotionis r   5 uob. sens.
breu. ς uobis om. ο   aperiamque (que eras.) O aperiant ο quod ο   6 hebreica Q
origenis APa.c.,Q3pro   7 theud. r thed. p   et—ast.] sub asterisco ο asteriscū p
asteris AP; in mg. add. m2:✕Q 8 stillam r stella A stella (= stellula) Q 9 ebreo A
hebraico p   in] et in O   10 obelum O   iac. (s.l. lineam) praep. Q uirgulam
iac. praep. O iac. praep. uirgulam p ; iacens (sc. linea) elliptice dictum ut nostrum
'eine Wagrechte, eine Horizontale'   11 latini p   uerum ο   quo] quod ο
14 in XVI psalmo ο de XVI(s.l. mo) psalmo O, om. A3   15 uos—μου] ante uos
add. pro quo in greco Ap.c.pO, post μου Aa.c. PQ3ro; uerba sine dubio in margine archetypi scripta ut suspecta seclusi dicitis Qp.c.m2pο id eras. Q 16 oculi
tui] oculum 3r   17 ut] et 3   domini p   proph. recta O   18 conspiciat p
me domine p   pipillam A   19 dicitis quae 3pr dicitis quod ο   legitis ο
20 nullo AP3ro,Qa.r.   21 suppl. AoO   22 sit] sic ο   αὐτούς] add. KAI
ΥΠΟΣΚΕΛΕΙΣΟΝ ΑΥΤΟΥΣ Q

eos et subplanta eos'; sed melius, si legatur numero singulari, si
quidem de inpio dictum est, de quo statim sequitur: p r a e u e n i
e u m e t s u b p l a n t a e u m; e r i p e a n i m a m m e a m a b
i n p i o. nullique dubium, quin diabolum significet.

5   9. Septimo decimo: g r a n d o e t c a r b o n e s i g n i s. et
quaeritis, cur Graecus istum uersiculum secundum non habeat
interpositis duobus uersibus. sed sciendum, quia de Hebraico et
Theodotionis editione in septuaginta interpretibus sub asterisco
additum sit. in eodem: q u i p e r f e c i t p e d e s m e o s t a m- 2
10 q u a m c e r u o r u m. pro quo scribitis in Graeco inueniri: ὡσεὶ
ἐλάφου, id est 'tamquam cerui', singularem numerum pro plurali.
sed in Hebraeo pluralis numerus positus est c h a i a l o t h et omnes
interpretes pluralem numerum transtulerunt. in eodem: e t d e- 3
d i s t i m i h i p r o t e c t i o n e m s a l u t i s t u a e. pro quo in
15 Graeco uos legisse dixistis: τῆς σωτηρίας μου, id est 'salutis meae'.
sed in Hebraeo i e s a c h a 'salutis tuae' significat, non 'meae'; quod
et omnes interpretes transtulerunt. in ipso: s u b p l a n t a s t i 4
i n s u r g e n t e s i n m e s u b t u s m e. pro quo in Graeco plus
inuenisse uos dicitis: o m n e s i n s u r g e n t e s; sed 'omnes' additum
20 est. in eodem: u i u i t d o m i n u s e t b e n e d i c t u s d e u s 5
m e u s. et dicitis in Graeco non haberi 'meus'. quod non sub asterisco, sed ab ipsis Septuaginta de Hebraica ueritate translatum
est; et cuncti interpretes in hac parte consentiunt. in eodem: 6
l i b e r a t o r m e u s d e g e n t i b u s i r a c u n d i s. pro quo in
25 Graeco inuenisse uos dicitis: a b i n i m i c i s m e i s f o r t i b u s s i u e
p o t e n t i b u s. et quia semel ueritati studemus, si quid uel trans-

---

2 Ps. 16, 13   5 Ps. 17, 13   9 Ps. 17, 34   13 Ps. 17, 36   17 Ps. 17, 40
20 Ps. 17, 47   24 *Ps. 17, 48

1 suppl. $A\partial O$ 2 praeu.—*alt.* eum *om.* O 3 suppl. $A\partial$ anima mea A
4 dubium est O 5 ·XVIII· P in ·XVII· ∂ de ·VII·X̊· O, *om.* $\mathcal{3}$ dec. sept.
psalmo ς   ignes P 6 secundo Q 7 inter positos ∂ de] in (*exp.*, *s.l.* ex) A,
om. $P\mathcal{3}r$ et] e $Ap.c.m2$ et de p 8 theudot. r 9 in eodem psalmo ∂ quasi O
12 chaialoht p chaialooth ∂ cioaialoth P sulialoth O 13 in eodem—17 transt.
om. ∂ 14 protectioni *ra.c.*   15 uos *om.* O τῆς *om.* $Q\mathcal{3}$ 16 iesaoba A
17 in (*exp.*) omnes r suppl. $A\partial O$ 19 insurg. subtus me O 20 dom.] deus O
deus] dominus deus A 21 *alt.* meus] d̄s m̄s *pa.r.*   24 inimicis (*exp.*) gentibus Q
25 uos inu. p 26 quia *ex* quae $m2A$ semel] simul $A,Qp.c.m2$ simplici O

ferentis festinatione uel scribentium uitio deprauatum est, simpliciter
7 confiteri et emendare debemus. in Hebraeo nihil aliud habet: libe-
rator meus ab inimicis meis. Septuaginta autem 'ira-
cundis' addiderunt. et pro 'gentibus' tam in Hebraeo quam in
cunctis interpretibus 'inimici' positi sunt; et miror, quomodo pro 5
'inimicis' 'gentes' mutatae sint.

10. Octauo decimo: exultauitutgigansadcurren-
damuiamsuam. et dicitis, quod in Graeco 'suam' non habeat;
sed hoc nos sub ueru additum repperimus et in Hebraeo non esse
manifestum est. 10

11. Nono decimo: tribuattibi secundum cortuum.
et dicitis in Graeco uos hoc uersiculo additum nomen domini repperisse, quod superfluum est, quia ex superioribus ἀπὸ κοινοῦ subauditur, unde coepit et psalmus: exaudiatte dominus in
die tribulationis, ut et hic sub eodem sensu dicatur: 15
tribuattibi secundum cortuum, id est ipse dominus,
2 de quo supra dictum est. in eodem: etexaudinosin die,
qua inuocauerimus te. pro quo legisse uos dicitis: in
quocumque die; sed superius cum Hebraica ueritate concordat,
ubi scriptum est biom, id est 'in die'. 20

12. Uicesimo primo: tu autem, domine, ne elon-
gaueris auxilium tuum a me. pro quo dicitis inuenisse

2 *Ps. 17, 48   7 *Ps. 18, 6   11 Ps. 19, 5   14 Ps. 19, 2   16 Ps. 19, 5
17 Ps. 19, 10   21 Ps. 21, 20

2 nil o   habetur *p; add.* nisi hoc *pO*   3 ab] de *O*   meis *om. PQ*   LXXta
Ap.c,m2 LXX *p* ita *cet.*   autem *om. p*   6 gentes *ex* gentibus *P* genus *O*   mutatum *O*
sunt *po* st *Q* sit *O*   7 in ·XVIII· psalmo o de ·VIII·X· psalmo *O, om. A*ʒ   gigas
Qa.c.p gygas *P* g. *O*   currendum ς   8 *pr.* suam *om.* o   *alt.* suam] uiam suam o
9 hoc *s.l.r* nos *om.* o   reperimus *pO*   11 in ·XVIIII· psalmo o de ·XIX· (I *in ras.*)
psalmo *O, om. A*ʒ   13 ἀπὸ κοινοῦ] ΠΟΚΙΗΟΥ Ρ ΑΡΟΚΙΝV Ο ΕΠΑΚΟΥCΕΙ
COI K̄C *p*   15 sensu—eodem *om. AP*ʒ*ro*   16 tribuat—eodem *om. O*   17 et *om. p*
20 ubi] ut *A*   21 in ·XX·Ι· psalmo o de ·XX·Ι· psalmo *O, om. A*ʒ; *add.* deus meus,
deus meus, quare me dereliquisti? illud, quod in medio uersiculo est: 'respice
in me' superfluum est (*cf. Ps. 21, 2. Matth. 27, 46. Marc. 15, 34*) in eodem o
domine *om. AP, s.l.m2Q*   22 pro quo *scripsi* et *O*ς quod *cet.*

uos m e u m; quod et uerum est et ita corrigendum. breue enim: si
quid scriptorum errore mutatum est, stulta credimus contentione
defendere. in eodem: u n i u e r s u m s e m e n I a c o b, m a g n i- 2
f i c a t e e u m, pro quo in Graeco scriptum sit: δοξάσατε αὐτόν,
5 id est 'glorificate eum'. sed sciendum, quod, ubicumque in Graeco
'glorificate' scriptum est, Latinus interpres 'magnificate' transtulerit secundum illud, quod in Exodo dicitur: c a n t e m u s
d o m i n o; g l o r i o s e enim m a g n i f i c a t u s e s t, pro quo in
Graeco scribitur: g l o r i f i c a t u s e s t; sed in Latino sermone, si trans-
10 feratur, fit indecora translatio et nos emendantes olim psalterium,
ubicumque sensus idem est, ueterum interpretum consuetudinem
mutare noluimus, ne nimia nouitate lectoris studium terreremus.

13. Uicesimo secundo: c a l i x m e u s i n e b r i a n s q u a m
p r a e c l a r u s e s t. pro quo in Graeco legisse uos dicitis: c a l i x
15 t u u s; sed hoc in κοινῇ errore obtinuit. ceterum et Septuaginta et
Hebraicum et omnes interpretes 'calix meus' habent, quod Hebraice
dicitur c h o s i; alioquin 'calix tuus' esset 'chosach'.

14. Uicesimo quarto: c o n f u n d a n t u r o m n e s i n i q u e
a g e n t e s. et dicitis, quod 'omnes' in Graeco non habeat, et bene;
20 nam nec in Hebraeo habet, sed in Septuaginta sub ueru additum
est. in eodem: i n n o c e n t e s e t r e c t i a d h a e s e r u n t 2
m i h i, q u i a s u s t i n u i t e. et dicitis in Graeco uos repperisse
d o m i n e, quod superfluum est.

---

3 *Ps. 21, 24   7 Ex. 15, 1   13 Ps. 22, 5   18 *Ps. 24, 3 (4)   21 Ps. 24, 21

1 non uos *Aa.c.m2*P₃, *ra.c.m2* uos non *p,rp.c.m2O* non tuum sed *Ap.c.m2*
pr. et *om.* ᴏ   corr. est *Q*   breui *Q* neque *p*   2 stultum *Qp.c.m2*   cred.]
debemus *p*   4 quo] eo quod *Q*   scripsit *A* sit *O* scriptum est *Qp.c.m2* ₃*a.c.*
5 sed et *Q*   6 script. est glor. ς   8 glorioso *P*   9 si (*in mg. m2*) in lat. *Q*   11 idem
est] id ē *p*   ueterum] uerum *r*ᴏ   consuetudine *P*   12 mutare *s.l.m2p*
13 in XX̊ II̊ psalmo ᴏ de ·XX̊·II̊ psalmo *O, om.* ᴀ₃   inhebrians *A*₃   14 pre-
clarum ᴏ   15 sed *ex* se *A*   *KOINω* ᴏ *KENE* (*in mg. m2* in coneia) *Q*   error
Qp.r.O   opt. *p*ᴏ*O*   ceterorum *Aa.c.*P₃(cẹ-)*pr*   16 quod] et *p*   hebraicẹ *Pr*
17 chosim *O* chosiachi *Q*   calix tuus esset *scripsi* quia (si *p, om.Q*) calix tuus esset
(esse *Q*ᴏ*O*) dicitur (diceretur *pO*) *codd.*   chosachi *Q* chosahe *p* cosach ₃   18 in
·XX̊·I̊JII· psalmo ᴏ de ·XX̊·I̊III· psalmo *O, om.* ᴀ₃   iniq̄ *Q* ini. *O* iniqua *p*
19 habeant *O*   20 uero (o *in ras. m2*) *r*   22 uos *om.* ᴏ

15. Uicesimo sexto: e t n u n c e c c e e x a l t a u i t c a p u t
m e u m. sed 'ecce' superfluum est. in eodem: e x q u i s i u i t
f a c i e s m e a, pro quo in Graeco sit positum: q u a e s i u i t te
f a c i e s m e a. sed melius superius.
16. Uicesimo septimo: e x a u d i u o c e m d e p r e c a t i o- 5
n i s m e a e, pro quo uos inuenisse dixistis: e x a u d i, d o m i n e.
sed et hoc additum est.
17. Uicesimo octauo: e t i n t e m p l o e i u s o m n i s d i c e t
g l o r i a m, pro quo in Graeco sit: πᾶς τις. quod si transferre uoluerimus ad uerbum' omnis quis', in κακοζηλίαν interpretationis incurri- 10
2 mus et fit absurda translatio. in eodem: d o m i n u s d i l u u i u m
i n h a b i t a r e f a c i t, pro quo legisse uos dicitis: d o m i n u s
d i l u u i u m i n h a b i t a t; quorum prius ad gratiam pertinet
credentibus, secundum ad eius, in quo credunt, habitaculum. sed
quia i a s a p h uerbum ambiguum est et potest utrumque sonare 15
— nam et 'sessio' et 'habitatio' dicitur et in ipso psalmo de gratia
baptismatis dicebatur: u o x d o m i n i s u p e r a q u a s; d o m i-
n u s s u p e r a q u a s m u l t a s et: u o x d o m i n i p r a e p a-
r a n t i s c e r u o s e t r e u e l a b i t c o n d e n s a e t i n t e m-
p l o e i u s o m n i s d i c e t g l o r i a m —, de ipsis sentire uolu- 20
mus, qui glorificant dominum, et interpretati sumus: d o m i n u s
d i l u u i u m i n h a b i t a r e f a c i t.
18. Tricesimo: q u o n i a m t u e s p r o t e c t o r m e u s. rur-

---

1*Ps. 26, 6   2. 3 *Ps. 26, 8   5 *Ps. 27, 2   6 Ps. 27, 2   8 *Ps. 28, 9
11 Ps. 28, 10   12* Ps. 28, 10   17 Ps. 28, 3   18 *Ps. 28, 9 21 Ps. 28, 10 23 Ps. 30, 5

1 in ·X̊X· V̊I· psalmo ꝺ de X̊X V̊I psalmo O, om. A3̸   ecce om. p   exaltaui p
2 meum] add. super inimicos. pro quo in greco uos inuenisse dixistis: et nunc
exaltaui ecce cor meum p   3 te facies O   4 melius] add. est s.l. Q   5 in ·X̊X· V̊II·
psalmo ꝺ de X̊X V̊II psalmo O, om. A3̸   6 uos — quo om. p   uos om. 3̸
8 in ·X̊X·V̊III· psalmo ꝺ de ·X̊X·V̊III· psalmo O, om. A3̸   in s.l. m2 A   10 uerbum]
uerbi sim ꝺ   qui P   11 sit p   12 uos leg. p   13 inhabitabit ꝺ   14 credentium 3̸pO in credentibus ς   15 iasab ς   16 pr. et om. p   17 dicitur p
dominus (deus P) super aquas om. Pa.c.p   deus AP3̸rO   18 domini pO,
om. cet.   preparantes A3̸o,ra.c.m2   ce(cae P3̸)dros AP3̸rO   19 reuelauit
Q3̸rO   21 glorifica (nt s.l.) A glorificat O   deum QO   23 in ·X̊XX· psalmo ꝺ
de ·X̊XX· psalmo O, om. A3̸

sum et in hoc loco additum nomen domini est; et ne eadem semper
inculcem, obseruare debetis nomen domini et dei saepissime additum et id uos debere sequi, quod de Hebraico et de septuaginta
interpretibus emendauimus. in eodem: e g o   a u t e m   d i x i   i n ₂
5 e x c e s s u   m e n t i s   m e a e. pro quo in Latinis codicibus legebatur: i n   p a u o r e   m e o, et nos iuxta Graecum transtulimus: ἐν
τῇ ἐκστάσει μου, id est 'in excessu mentis meae'; aliter enim
ἔκστασιν Latinus sermo exprimere non potest nisi 'mentis excessum'.
aliter me in Hebraico legisse noueram: i n   s t u p o r e   e t   i n
10 a d m i r a t i o n e   m e a.

19. Tricesimo primo: n e c   e s t   i n   s p i r i t u   e i u s   d o l u s.
pro quo in Graeco legisse uos dicitis: ἐν τῷ στόματι αὐτοῦ, id est
i n   o r e   e i u s   d o l u s, quod solus Symmachus posuit. alioquin
et septuaginta interpretes et Theodotion et Quinta et Sexta et
15 Aquila et ipsum Hebraicum i n   s p i r i t u   e i u s habet, quod
Hebraice dicitur 'brucho'. sin autem esset i n   o r e   e i u s, scriberetur
'baffio'. in eodem: c o n u e r s u s   s u m   i n   a e r u m n a   m e a. in ₂
Graeco 'mea' non esse suggeritis, quod ex Hebraico et de translatione Theodotionis sub asterisco additum est, et in Hebraeo
20 legitur 'lasaddi'. 'lasaddi' * * *.

20. Tricesimo quarto: o m n i a   o s s a   m e a   d i c e n t: d o-
m i n e. pro quo in Graeco bis 'domine' inuenisse uos dicitis. sed
sciendum, quod multa sint exemplaria apud Hebraeos, quae ne
semel quidem 'dominum' habeant.

4 Ps. 30, 23   6. 9 *Ps. 30, 23   11 Ps. 31, 2   13 *Ps. 31, 2   17 Ps. 31, 4
21 Ps. 34, 10

1 pr. et om. ς   nom. dom. add. ς   super Aa.c.m2PQpr   4 autem om. p
5 excessū A   8 lat. sermo ἔκστασιν ς   excensu P   9 aliter autem O   in hebr.
me ℨ   hebreo Q   tert. in om. ℨo, pa.c.m2   11 in ·X̊X̊X·I· psalmo o de
·X̊X̊X·I· psalmo O, om. Aℨ   12 uos leg. uos P uos leg. ς   αὐτοῦ] add. ΔΟΛΟC
(Com. Q) As.l.m2Qℨ   13 dolus om. p doli Aa.c.   14 theodocion o theodotio p
sexta editio Qp.c.m2O   16 hebreice P   bRVchV uel RVbA O   si AO
esset] est et p   17 baffio ς saffico APQℨ safico O safficho po siafficho r   19 hebraico O   20 las(ss p)addi las(ss p)addi AQℨpo lasadthi lasadd P lasaddi r
lassadi O; repetitio uocabuli Hebraici uix casu orta lacunam indicat; desideratur interpretatio latina   21 in ·X̊X̊X·IIII· psalmo o de ·X̊X̊X·IIII· psalmo O, om. ℨ
23 sunt O   nec pO, rp.c.m2   24 habent pO, ra.c.

21. Tricesimo sexto: e t u i a m e i u s u o l e t. in Graeco
u o l e t n i m i s uos legisse dixistis. quod additum est nec apud
quemquam habetur interpretum.

22. Tricesimo octauo: u e r u m t a m e n u a n e c o n t u r-
b a t u r o m n i s h o m o. et dicitis uos in Graeco non inuenisse 5
'conturbatur'. sed et hoc sub ueru in Septuaginta additum est
et hinc apud uos et apud plerosque error exoritur, quod scriptorum
neglegentia uirgulis et asteriscis subtractis distinctio uniuersa
confunditur.

23. Tricesimo nono: e t l e g e m t u a m i n m e d i o c o r d i s 10
m e i. pro quo in Graeco repperisse uos dicitis: i n m e d i o u e n-
t r i s m e i, quod et in Hebraeo scriptum est 'batthoch meai'.
sed propter euphoniam apud Latinos 'in corde' translatum est;
2 et tamen non debemus subtrahere, quod uerum est. in eodem:
d o m i n e, i n a d i u t o r i u m m e u m r e s p i c e. pro quo in 15
Graeco repperisse uos dicitis: σπεῦσον, id est 'festina'. sed apud
Septuaginta πρόσσχες, id est 'respice', scriptum est.

24. Quadragesimo: e t s i i n g r e d i e b a t u r, u t u i d e r e t.
et dicitis, quod 'si' in Graeco non sit positum, cum manifestissime
et in Hebraeo et in cunctis interpretibus scriptum sit et Septua- 20
ginta transtulerint: καὶ εἰ εἰςεπορεύετο τοῦ ἰδεῖν.

25. Quadragesimo primo: s a l u t a r e u u l t u s m e i, d e u s

---

1 Ps. 36, 23   2 *Ps. 36, 23   4 Ps. 38, 12   10 Ps. 39, 9   11 *Ps. 39, 9
15 *Ps. 39, 14   18 Ps. 40, 7   22 *Ps. 41, 6

1 in ·X̊X̊X·VI· psalmo ᴅ de ·X̊X̊X·VI· psalmo O, om. Aȝ   2 dicitis O
3 interpretem ᴅ   4 in ·X̊X̊X·VIII· psalmo ᴅ de ·X̊X̊X·VIII· psalmo O, numerus erasus in A, om. ȝ   6 conturbet p   in LXX sub ueru ς   LXXX QOa.r.
10 in ·X̊X̊X.VIIII· psalmo ᴅ de X̊X̊X I̊X O, om. ȝ   11 mei] seq. haec uerba
deleta: pro quo in greco repperisse uos dicitis in medio cordis mei A   cōperisse p
12 et om. p   sic scriptum O   batthoc APpro BATTHOC ȝ BATThN(exp.)OC Q
BAYTh(s.l.)OS O   mear P MEAYI (I exp.) Q MHΛI p MEAY O men ᴅ
13 est om. rᴅ   17 ΠΡΟCXEC AQp TIPOCXEC Pr   18 in ·X̊L· psalmo ᴅ
de ·XL· psalmo O, om. Aȝ   19 si in greco ᴅO in greco si rp.c.m2 in greco cet.
20 scriptum om. ᴅ   et in LXX ᴅ   21 transtulert̄ Q trans(s om. A)tulerunt AP
kaieis erei totiudie O   εἰ om. codd. praet. pᴅ   22 in ·X̊L·I· psalmo ᴅ de ·X̊L·I·
(sine psalmo) O, numerus erasus in A, om. ȝ

m e u s. pro quo inuenisse uos dicitis: e t d e u s m e u s. sed sciendum hoc in isto psalmo bis inueniri et in primo positum esse: s a l u-
t a r e u u l t u s m e i, d e u s m e u s, in secundo autem, id est in
fine ipsius psalmi: s a l u t a r e u u l t u s m e i e t d e u s m e u s,
5 ita dumtaxat, ut 'et' coniunctio de Hebraeo et de Theodotione
sub asterisco addita sit. in eodem: e x p r o b r a u e r u n t m i h i, 2
q u i t r i b u l a n t m e. pro quo uos inuenisse dixistis: οἱ ἐχϑροί
μου, id est 'inimici mei', cum et apud Septuaginta scriptum
sit: οἱ ϑλίβοντές με et apud Hebraeos 'sorarai', id est 'hostes
10 mei'. in eodem: s p e r a i n d e u m, q u o n i a m a d h u c c o n- 3
f i t e b o r i l l i. et dicitis 'adhuc' in Graeco non inueniri. quod
sub asterisco additum est; ita enim et in Hebraeo scriptum repperimus 'chi od', quod significatur ὅτι ἔτι Latineque dicitur
'quoniam adhuc'. hoc ipsum etiam in quadragesimo secundo
15 intellegendum.

     26. Quadragesimo tertio: e t n o n e g r e d i e r i s i n u i r t u-
t i b u s n o s t r i s. pro quo in Graeco repperisse uos dicitis: e t
n o n e g r e d i e r i s, d e u s. sed superfluum est. in ipso: p o s u- 2
i s t i n o s i n s i m i l i t u d i n e m g e n t i b u s, pro quo in
20 Graeco scriptum sit ἐν τοῖς ἔϑνεσιν. sed, si dictum fuisset
in Latino 'in similitudinem in gentibus', κακόφωνον esset,
et propterea absque damno sensus interpretationis elegantia conseruata est. alioquin in Hebraico ita scriptum repperi: p o-
s u i s t i n o s p r o u e r b i u m i n g e n t i b u s. in eodem: 3
25 e x u r g e, a d i u u a n o s. pro quo more solito in Graeco nomen
domini additum est.

     1 Ps. 41, 6   2 *Ps. 41, 6   4 Ps. 41, 12   6 Ps. 41, 11   7 *Ps. 41, 11
10 *Ps. 41, 12   14 cf. Ps. 42, 5   16 *Ps. 43, 10   17 Ps. 43, 10   18 Ps. 43, 15
23 *Ps. 43, 15   25 *Ps. 43, 26   26 cf. Ps. 43, 26

     1 sed et Q   2 in isto] in hoc (hoc eras. et in mg. in isto) Q   esse] est O
3 mei] add. et (del.) p   deus—4 mei om. QO   in sec.—4 meus] sed (exp.) P, om.
A3ro   5 alt. de om. O   6 additum 3p   exprobau. AP   7 inu. uos p   dicitis QO
oi—9 sit om. AP3pro   oi—est om. O   8 nostri O   LXX interpretes O   9 soraray O
10 in eodem om. AP   11 illis Aa.c.   et dicitis et p   12 reperimus pO
13 CHIOTN p   quo p   significat o   14 ·XL·II· o   15 est intellig. O intellig.
est ς   16 in ·XL·III· o de ·XL·III· O   17 uos repp. 3   18 sed] quod p
19 pro—ἔϑνεσιν p, om. cet.   21 simil.] latitudinem Qa.c.   alt. in s.l. Q, p
(rec. m.), om. A   22 eligentia p   25 nom. dom.] domine p

                                                            17*

27. Quadragesimo quarto: s a g i t t a e t u a e a c u t a e. pro
quo in Graeco legisse uos dicitis: a c u t a e, p o t e n t i s s i m e.
sed hoc male et de superiore uersiculo additum est, in quo legitur:
a c c i n g e r e g l a d i o t u o s u p e r f e m u r t u u m, p o t e n-
t i s s i m e.   5
28. Quadragesimo septimo: q u o n i a m e c c e r e g e s c o n-
g r e g a t i s u n t. pro quo in Graeco legisse uos dicitis: q u o-
n i a m e c c e r e g e s e i u s c o n g r e g a t i s u n t. quod
superfluum esse ipse lectionis textus ostendit; et in ueteribus
codicibus Latinorum scriptum erat r e g e s t e r r a e, quod nos 10
2 tulimus, quia nec in Hebraeo nec in Septuaginta repperitur. in
ipso: s i c u t a u d i u i m u s, s i c u i d i m u s. pro quo in
Graeco repperisse uos dicitis: s i c e t u i d i m u s, quod superfluum est; legitur enim in Hebraeo 'chen rainu', quod interpretatur
3 οὕτως εἴδομεν, hoc est s i c u i d i m u s. in eodem: s u s- 15
c e p i m u s, d e u s, m i s e r i c o r d i a m t u a m i n m e d i o
t e m p l i t u i. pro eo, quod nos de Hebraico et de septuaginta
interpretibus uertimus t e m p l i t u i, in Graeco legisse uos dicitis
p o p u l i t u i, quod superfluum est. in Hebraico scriptum est
'echalach', id est τοῦ ναοῦ σου, hoc est 'templi tui', et non 20
'ammach', quod 'populum tuum' significat.
29. Quadragesimo octauo: h o m o, c u m i n h o n o r e e s s e t.
pro quo in Graeco inuenisse uos dicitis: e t h o m o, i n h o n o r e
c u m e s s e t. sed sciendum, quod iste uersiculus bis in hoc psalmo
sit et in priori additam habeat 'et' coniunctionem, in fine non 25
2 habeat. in eodem: e t d o m i n a b u n t u r e o r u m i u s t i. pro

1 Ps. 44, 6   2 *Ps. 44, 6   4 Ps. 44, 4   6. 7 *Ps. 47, 5   10 Ps. 47, 5
12 Ps. 47, 9   13 *Ps. 47, 9   15 Ps. 47, 10   19 *Ps. 47, 10   22 Ps. 48, 21
23 *Ps. 48, 21   25 cf. Ps. 48, 13   26 Ps. 48, 15

1 in ·XL·IIII· psalmo ꝺ de ·XL·IIII· *O*   3 et *om. O*   superiori ℨ*O*   4 femor
ra.c.m2 fermur *A*   6 in ·XL·VII· psalmo ꝺ de ·XL·VII· *O*   reges *pꝺ* reges
terrae (*sed* terrae *del. A, eras. Q) cet.*   7 uos *om. P*   8 reges *s.l.p*   eius *ex*
eos *P, om.* (*s.l.m2* terrae) *A*   9 esse *om. p*   ipse *om. Q*   locutionis *O*   11 tuli-
mus] *i. e. sustulimus*   repperimus ℨ   12 sic] ita et *p*   14 chen] chai ꝺ   15 sicut
PO   17 pro—tui *om. rꝺ*   18 uos leg. *Qp* leg. (*eras.*) leg. uos *O* leg. ℨ   19 *alt.* est
om. Q   20 echalac *Q* echalah *PO* echalaoh ℨ   21 ammach *rꝺ* ammac *AP*ℨ*p*
animas *OΛΔOICOY Q*   significet *O*   22 in ·X̊L̊·VIII· psalmo ꝺ de ·XL̊·V̊III· *O*
in hon. cum ℨ*rꝺ*   esset in hon. *APO*   25 finem *A*ℨ*rꝺ, Pa.c.m2*

'iustis' εὐθεῖς, id est 'rectos', in Graeco legisse uos dicitis; sed
hoc propter εὐφωνίαν ita in Latinum uersum est. alioquin et in eo
loco, ubi scriptum legimus: in libro εὐθεῖς, 'iustorum libro'
intellegimus, et non debemus sic uerbum de uerbo exprimere, ut,
5 dum syllabam sequimur, perdamus intellegentiam. in eodem: de 3
manu inferni cum liberauerit me. pro quo in
Graeco legisse uos dicitis: cum acceperit me. quod quidem
et nos ita de Septuaginta uertimus et miror, a quo in uestro
codice deprauatum sit.
10 30. Quadragesimo nono: sedens aduersus fratrem
tuum loquebaris. pro quo in Graeco repperisse uos dicitis:
κατὰ τοῦ ἀδελφοῦ σου κατελάλεις, et putatis non bene uersum, quia
diximus: aduersus fratrem tuum loquebaris, et
debuisse nos dicere: 'aduersus fratrem tuum detrahebas'; quod
15 uitiosum esse et in nostra lingua non stare etiam stultis patet.
nec ignoramus, quod καταλαλιὰ dicatur 'detractio'; quam si
uoluerimus ponere, non possumus dicere: 'aduersus fratrem
tuum detrahebas', sed: 'de fratre tuo detrahebas'. quod si 2
fecerimus, rursum contentiosus uerborum calumniator inquiret,
20 quare non dixerimus: κατὰ τοῦ ἀδελφοῦ σου, hoc est 'aduersus
fratrem tuum'. haec superflua sunt et non debemus in putida
nos uerborum interpretatione torquere, cum damnum non sit
in sensibus, quia unaquaeque lingua, ut ante iam dixi, suis
proprietatibus loquitur. in ipso: ne quando rapiat et 3
25 sit, qui eripiat. et in Graeco repperisse uos dicitis: et
non sit, qui eripiat, quod et a nobis uersum est et in

3 cf. Ios. 10, 13. II Reg. 1, 18   5 *Ps. 48, 16   7 Ps. 48, 16   10. 13 Ps. 49, 20
24 *Ps. 49, 22   25 Ps. 49, 22

1 iusti eiteis *O*   uos leg. *p*   2 propter hoc *Q*   hoc *om.* ꝛ   alioq.—
3 in libro *om. rʋ*   eo] alio ꝛ   3 τοῦ εὐθοῦς *Vall.*   4 librum intelle(i *O*)g.
QO intelleg. libro *p* intellig. librum ꝟ   5 sy(i ʋ)llabas *A* (s *m2*) ʋ   6 inferi ꝛ*O*
7 acciperit *Pa.c.rʋ*   10 in ·XL·VIIII· psalmo ʋ de ·XL·IX· *O*   11 legisse *p*
12 σοῦ *om. APpr,* ꝛ*a.c.m2*   13 adu.—14 dicere *in mg. P, om. Q*   14 aduersū
Ap.c.   15 in *om. p*   16 dicitur ꝛ   aduersum *Ap.c.Pr*   19 defecerimus *p*
rursus *pO*   cal. uerb. *p*   22 nos inpudica *O*   in(m ꝛ)pudita *Aa.c.m2*ꝛ*rʋ* inpudica *Ap.c.m2pO, om. (in mg.* in putidu) *P* impolita ꝟ   23 diximus *p* diximu
(mu *exp.*) ꝛ   24 et sit—dicitis *om.* ꝛ   et *int.*, nec *in mg. m2A* et non *p*   25 *pr.*
et—erip. *om. A*   uos repp(p *p*)erisse ꝛ*a.c.p*   et non] nec *p*   26 erip.] *add.*
et in greco repperisse uos (*ex* uos repperisse) dicitis et non sit qui eripiat ꝛ

nostris codicibus sic habetur. et miror, quomodo uitium librarii dormitantis ad culpam referatis interpretis, nisi forte fuerit hoc: ne q u a n d o r a p i a t n e c s i t, q u i e r i p i a t, et ille pro 'nec' 'et' scripserit. in eodem: s a c r i f i c i u m l a u d i s h o n o r i f i c a b i t m e. pro quo in Graeco scribitur: δόξάσει με, id est g l o r i f i c a b i t m e, de quo et supra diximus. in euangelio in eo loco, ubi in Graeco legimus: πάτερ, δόξασόν με τῇ δόξῃ, ᾗ εἶχον παρὰ σοὶ πρὸ τοῦ τὸν κόσμον γενέσθαι, in Latino legitur: p a t e r, c l a r i f i c a m e. noluimus ergo inmutare, quod ab antiquis legebatur, quia idem sensus erat.

31. Quinquagesimo quarto: e x p e c t a b a m e u m, q u i s a l u u m m e f e c i t. et dicitis uos inuenisse in Graeco: e x - p e c t a b a m d e u m, quod additum est. in eodem: a p u s i l - l a n i m i t a t e s p i r i t u s. et in Graeco inuenisse uos dicitis: ἀπὸ ὀλιγοψυχίας, quod proprie 'pusillanimitas' dicitur. sed sciendum, quod pro ὀλιγοψυχία Aquila et Symmachus et Theodotio et quinta editio interpretati sunt: ἀπὸ πνεύματος, id est 'a spiritu', et in Hebraeo scriptum sit 'merucha' omnisque sensus ita apud eos legatur: f e s t i n a b o, u t s a l u e r a s p i r i t u t e m p e s t a t i s e t t u r b i n i s. in eodem: q u o n i a m, s i i n i m i c u s m a l e d i x i s s e t. in Graeco ὠνείδισεν, hoc est 'exprobrasset', positum est. sed inter maledicta et obprobria sensum non discrepare perspicuum est.

3 *Ps. 49, 22   4 Ps. 49, 23   6 supra] cf. p. 255, 4   7 *Ioh. 17, 5
8 *Ioh. 17, 5   11 Ps. 54, 9   12 *Ps. 54, 9   13 Ps. 54, 9   17 *Ps 54, 9
19 *Ps. 54, 9   20 *Ps. 54, 13

3 nec—erip. *om.* A   pro] *add.* quo A (*del.*) P (*exp.*) Ꝫpro   4 scrips. *om.* Ꝫ
5 honorificauit APQꝪpr   6 glorificauit APQꝪr   me *om.* p   in] et (*s.l.*) in Q
7 pater doxa sonme te doxe nei conparasu protutonsos mon renessay O   8 ῇ] HNH
(= ἦν ᾗ) Q   NN (= ἦν) A   HH (= ἦν) P   EIN (= ἦν) Ꝫ   HN pr   παρὰ σοὶ *om.* ꝋ
πρὸ τοῦ *om.* Qp   in latino legitur p, *in mg. inf. m2* in latino habemus Q,
lacunam spatio uacuo unius uersus indicat ꝋ, *om. cet.*   9 me] *add. in mg.*
                                         ° °
et reliqua *m2* Q   nolumus AQ,Pa.c.m2   10 quia] qui Ꝫ   isdem p   11 in ·L·IIII·
           ° °
psalmo ꝋ de ·L·IIII·O   12 inuen. *om.* rꝋ   13 dominum ꝋ   16 theodotion O
et V editio *s.l.* P   17 s̄t p sint APr   ἀπὸ—18 sit *om.* A   a spir.] apum ꝋ
ab Q   18 sit scriptum O   MEPYchA p merua Vall.   eiusque O   19 eos
*s.l.*PꝪ, *om.* rꝋ omnes O   ab Q   21 inim. meus ꝋO   maled.] *add.* mihi Ꝫ (*eras.*) p
22 exprobasset A   23 sensus p   non *om.* p

32. Quinquagesimo quinto: q u o n i a m m u l t i b e l -
l a n t e s a d u e r s u m me, a b a l t i t u d i n e d i e i t i -
m e b o. et dicitis in Graeco uos inuenisse: n o n t i m e b o, quod
additum est. et est ordo: 'quoniam multi dimicant aduersum me,
5 idcirco ego ab altitudine diei timebo', hoc est: 'non bellantes
aduersum me, sed tuum excelsum timebo lumen'. in ipso: i n i r a 2
p o p u l o s c o n f r i n g e s. pro quo in Graeco legitur: ἐν ὀργῇ
λαοὺς κατάξεις, ⟨id est 'deicies', non κατεάξεις,⟩ id est 'confringes'.
et apud Latinos pro eo, quod est 'deicies', id est κατάξεις, male
10 error obtinuit κατεάξεις, id est 'confringes'; nam et in Hebraeo
'hored' habet, id est καταβίβασον, quod nos possumus dicere
'depone' et Symmachus interpretatus est κατάγαγε.

33. Quinquagesimo octauo: q u i a d e u s s u s c e p t o r
m e u s. pro quo in Graeco positum est: s u s c e p t o r m e u s e s
15 t u. sed sciendum in Hebraeo nec 'es' scriptum nec 'tu' et apud
Septuaginta solos inueniri. in ipso: d e u s m e u s, u o l u n t a s 2
e i u s p r a e u e n i e t m e. pro quo in Graeco scriptum est: τὸ
ἔλεος αὐτοῦ, id est m i s e r i c o r d i a e i u s, quod et uerius est.
sed in Hebraeo scriptum est: m i s e r i c o r d i a m e a p r a e-
20 u e n i e t me. in eodem: d e u s o s t e n d i t m i h i i n t e r i n i- 3
m i c o s m e o s. pro quo in Graeco positum est: d e u s m e u s;
sed 'meus' additum est. in eodem: n e o c c i d a s e o s, n e 4

---

1 Ps. 55, 3—4   3 *Ps. 55, 4   6 Ps. 55, 8   13 *Ps. 58, 10   14 *Ps. 58, 10
16 *Ps. 58, 11   18 Ps. 58, 11   19 *Ps. 58, 11   20 *Ps. 58, 11 (12)   21 *Ps. 58, 11 (12)
22 *Ps. 58, 12

1 ·LII· (sic) in mg. Ʒ in ·L·V· psalmo ʋ de ·L·V· O   5 ego om. O   timebʋ]
add. et dicitis uos in gre(e)co inuenisse non timebo (tibo P) A (del.) P (del.) Q
(del.) Ʒpro   6 timebo] uidebo ʋ, om. p   7 dicitur O   8 id est 'deicies', non
κατεάξεις addidi, om. codd. (cf. Vall. adnot.)   confringes del. et s.l.m2 deicies A
9 pr. est om. Q   KATABAΛEICQ   malus A mala P   10 KATEAZEIC
(s.l. m2 CYNEΘAΛACEIC) A KATAΞEIC Q KATAΞHC ṗ KATAΞAIC ʋ
katexeys O   est] add. in ira populos ς   hebraico O   11 horeod ʋ horret O
12 KATATETE Ʒ KATATECE Q KATACECE Aa.c.m2Pr KATASESE O
KATACHCH ṗ KATAΞAIC ʋ κατασεῖσαι ς   13 in ·L.VIII· psalmo ʋ de
·L·VIII· O   15 apud] add. latinos (exp.) Q   18 αὐτοῦ] add. ΠΡΟΦΘΑCEI ME
s.l.m2A   eius] add. pr(a)eueniet me O, As.l.m2   19 est om. O   mea] eius
p, om. O   20 me om. O   ostendet ς   michi bona ʋ   21 scriptum QO   22 sed]
add. d̄s A (exp.) P, Q (del.)   pr. ne] nec ʋ

quando obliuiscantur populi tui. pro quo in Graeco
scriptum est: legis tuae; sed in Septuaginta et in Hebraeo
non habet 'populi tui', sed populi mei; et a nobis ita
5 uersum est. in eodem: et scient, quia deus dominator Iacob finium terrae. pro quo in Graeco scriptum 5
est: et finium terrae, sed 'et' coniunctio addita est; et
ordo est: 'scient, quia deus Iacob dominator finium terrae'.

34. Quinquagesimo nono: quis deducet me usque
in Idumaeam? pro quo in Graeco habet: aut quis deducet me? sed superfluum est. 10

35. Sexagesimo: quoniam tu, deus meus, exaudisti
orationem meam, pro quo legatur in Graeco: quia tu,
deus, exaudisti me. quod non habet in Hebraeo nec in
2 septuaginta interpretibus et in Latino additum est. in eodem:
psallam nomini tuo in saeculum saeculi, pro quo 15
in Graeco sit: in saeculum. et in Hebraeo s mel habet 'laed', id
est 'in aeternum', et non 'lolam', quod est 'in saeculum'.

36. Sexagesimo primo: quia deus adiutor noster
in aeternum. pro quo in Graeco est: deus adiutor
noster. ergo 'in aeternum' obelus est. 20

37. Sexagesimo secundo: sitiuit tibi anima mea,
pro quo in Graeco sit: sitiuit in te anima mea. sed in
Hebraeo non habet 'attha', quod significat 'te', sed 'lach', quod ostenditur 'tibi', quod et omnes interpretes transtulerunt. ergo secundum
linguae proprietatem uersum est in Latinum. 25

2 *Ps. 58, 12   3 Ps. 58, 12   4 *Ps. 58, 14   6 Ps. 58, 14   8 Ps. 59, 11
9 *Ps. 59, 11   11 Ps. 60, 6   12 *Ps. 60, 6   15 *Ps. 60, 9   16 *Ps. 60, 9
18 *Ps. 61, 9   19 *Ps. 61, 9   21 *Ps. 62, 2   22 Ps. 62, 2

1 mei Q_3 3 habebis Q 4 dominatur A $Prp.c.$ dominabitur $Aa.c.Q_3p$
6 sed — 7 terrae $om.$ p 7 est ordo O Iac. dom. $scripsi$ iac. dominabitur
$Qp.c.m2O$ dominator iac. $Ara.c.$, Po dominatur iac. $Arp.c.$ dominabitur iac.
$Qa.c.m2_3$ et finium AO 8 in ·L·VIIII· psalmo ꝺ de ·L·IX O 9 habet in
greco p 11 in ·LX· psalmo ꝺ de ·LX· O 12 legitur $_3p.c.proO$ quia] quo-
niam O 13 habetur $Qrp.c.m2$ $pr.$ in $om.$ r 16 laed ς lahech p bec $Qa.c.$ laec $cet.$
17 non] non in $(exp.)$ A solam O 18 in ·LX·I· psalmo ꝺ de ·LX·I· O quia—
21 sex. sec. $om.$ ꝺ   18 uester O 21 de ·LX·II O 22 mea $om.$ P 23 habetur
$Qp.c.m2$ attaba $_3$ te] in $(s.l.m2)$ te Q lac ꝺ

38. Sexagesimo tertio: s a g i t t a e p a r u u l o r u m f a c t a e
s u n t p l a g a e e o r u m. pro quo in Graeco: s a g i t t a p a r u u-
l o r u m; sed, si sic dicamus, non resonat in Latino: 'sagitta
paruulorum factae sunt plagae eorum'. pro quo melius habet
5 in Hebraeo: p e r c u t i e t e o s d e u s i a c u l o r e p e n t i n o
e t i n f e r e n t u r p l a g a e e o r u m.

39. Sexagesimo quarto: q u i c o n t u r b a s p r o f u n d u m
m a r i s, s o n u m f l u c t u u m e i u s. in Graeco additum
scribitis: q u i s s u s t i n e b i t? quod superfluum est; subauditur
10 enim: 'qui conturbas profundum maris et conturbas sonum fluctuum eius'. in eodem: p a r a s t i c i b u m i l l o r u m, q u o- 2
n i a m i t a e s t p r a e p a r a t i o e i u s. et dicitis, quod in
Graeco non sit 'eius', cum in Hebraeo 'thechina' manifeste 'praeparationem eius' significet; 'eius' autem, id est 'terrae', de qua
15 supra dixerat: u i s i t a s t i t e r r a m e t i n e b r i a s t i e a m.

40. Sexagesimo quinto: h o l o c a u s t a m e d u l l a t a o f-
f e r a m t i b i c u m i n c e n s u a r i e t u m. pro quo dicitis inuenisse uos: c u m i n c e n s u e t a r i e t i b u s, sed male; in
Hebraeo enim scriptum est: 'em catoroth helim', quod interpre-
20 tatur: μετὰ ϑυμιάματος κριῶν, id est: 'cum incensu arietum'.
in eodem: p r o p t e r e a e x a u d i u i t d e u s. pro quo in 2
Graeco inuenisse uos dicitis: e x a u d i u i t m e d e u s, quod
superfluum est.

41. Sexagesimo septimo: e t e x u l t e n t i n c o n s p e c t u
25 e i u s. pro quo in Graeco inuenisse uos dicitis: e t e x u l t a t e i n

1 Ps. 63, 8   2. 5 *Ps. 63, 8   7 Ps. 64, 8   9 *Ps. 64, 8   11 Ps. 64, 10
15 Ps. 64, 10   16 Ps. 65, 15   18 *Ps. 65, 15   21 Ps. 65, 19   22 *Ps. 65, 19
24 *Ps. 67, 5   25 *Ps. 67, 5

1 in ·LX·III· psalmo ᴅ de ·LX·III·O   2 plaga A   3 si s.l.r sic (c exp.) A
sagittae (sagitt O) codd.   7 in ·LX·IIII psalmo ᴅ de ·LX·IIII· O   8 maris] add.
et conturbas Q   9 quis] qui O   10 turbas A   12 est om. O   13 hebraico O
techina p   14 pr. eius in mg. p   de qua ex quā m2Q   16 in ·LX·V· psalmo ᴅ
de ·LX·V· O   17 incenso ς (semper) ; add. et (del.) ᴅ   inu. uos dic. ς   18 et
om. p   19 enim om. ℈   EMSATH (ex M) OROHHLIM O   hlim Qa.c.PO·
elim p   22 quod] sed ς   24 in ·LX·VII· psalmo ᴅ de ·LX·VII· O   et om. ᴘς
exultent Ap.c.m2 exultate Aa.c.m2P℈pro exaltate QO   25 et s.l.Q, om. O

conspectu eius. quod ita uersum est et a nobis, sed a quo
2 in codice uestro corruptum sit, scire non possum. in eodem: e t e -
nim non credunt inhabitare dominum. pro quo
in Graeco legisse uos dicitis: καὶ γὰρ ἀπειθοῦντας τοῦ κατασκηνῶ-
σαι. quod utrumque falsum est. nos enim transtulimus: e t e n i m 5
non credentes inhabitare dominum, ut sit sensus
et pendeat ex superioribus: 'a s c e n d i s t i i n a l t u m, c e p i s t i
captiuitatem, accepisti dona in hominibus et
3 eos, qui non credebant dominum inhabitare posse mortalibus'. in
eodem: deus benedictus dominus die cottidie. 10
pro quo in Graeco inuenisse uos dicitis: d o m i n u s b e n e d i c-
tus deus, benedictus dominus die cottidie; sed
4 melius et uerius, quod supra. in eodem: u i d e r u n t i n g r e s s u s
t u i, d e u s, pro quo in Graeco scriptum sit: uisi s u n t i n g r e s-
s u s t u i, d e u s. in Hebraeo ita habet: 'rachua alichatach', 15
quod Aquila et Symmachus et Theodotio et quinta sextaque editio
interpretati sunt: u i d e r u n t i t i n e r a t u a, d e u s, et, quod
sequitur: itinera dei mei regis, qui est in sancto.
ergo a nobis ita legendum est: uiderunt ingressus tuos,
d e u s, et scriptoris uitium relinquendum, qui nominatiuum posuit 20
pro accusatiuo, licet in Septuaginta et in Ἑξαπλοῖς ita reppererim:
ἐθεώρησαν αἱ πορεῖαί σου, ὁ θεός, et pro eo, quod est ἐθεώρησαν,
hoc est 'uiderunt', in multis codicibus habet ἐθεωρήθησαν, quod
5 et obtinuit consuetudo. in eodem: ingressus dei mei, re-

---

2 *Ps. 67, 19   5 Ps. 67,19   7 Ps. 67,19   10. 11 *Ps. 67, 20   13. 14 *Ps. 67,25
17 *Ps. 67,25   18 *Ps. 67, 25   19 Ps. 67, 25   24 Ps. 67, 25

1 et *om.* ς   2 *pr.* in] et in *O*   uestro cod. *p*   nostro *O*   scriptum *p*   sit *om.* o
possumus *p*   3 non *exp.* A   4 ΑΠΕΙΘΟΥΝΤΑΣ *Ap.c.m*2o ΑΠΙΘΟΥΝ-
ΤΑΣ ჳ ΑΠΗΘΟΥΝΤΑΣ *p* ΑΠΙΕΟΥΝΤΑΣ *Q* ΑΠΙΘΟΥΝΤΕΣ *r* ΑΠΙΘΟΙΝ-
ΤΕΣ ΡΑΠΙΘΟΥΝΤΕΙ A *a. c. m* 2 *(cf. LXX cod. Sinait.)* κατασκ.] *add.* ΚΗ ჳ
K̄N TON Θ̄N *s.l.m*2 A 5 utraque ᴏ est *om.* A 6 dom.] *add.* d̄m *(eras.) Q* 7 ascend.—
hom. *om. codd. praet. p*   9 d̄m *p* in dn̄m A   posse *om. p*   10 die] `e die ᴏ
11 dom. *et* ben. dom. *deleta in* A   13 *et* 14   gressus Ö   14 tuos *Q* tu. *O*   15 in]
quod in *p*   rachua alichatach *P* rachua alichathac (alikathas *O*) *cet.* rau alicho-
thach ς   16 theodotion *O*   et quinta—editio *om. codd. praet. p*   19 intellegendum *p*   gressus *APr*o*O*   21 licet et ς   repperim *Qa.c.*o reperim *O*
22 *pr.* ἐθεωρήθησαν *Q*ჳo   αἱ — ἐθεώρησαν *om. P*   ΤΑΣ ΠΟΡΙΑΙ ჳ ΤΑΣ
ΠΟΡΙΑΣ*Apr*   ὁ *om. Ar,*ჳ*a.c.m*2   23 habetur *O*   24 regis mei *om. P*

gis mei, qui est in sancto; subauditur: 'uiderunt ingressus
dei mei, regis mei'. quod autem dicitis 'mei' in Graeco in 'rege' non
adpositum, apertissimi mendacii est; secundo enim ponitur et 'dei
mei' et 'regis mei' blandientis affectu, ut, qui omnium deus et rex
5 est, suus specialiter deus fiat et rex merito seruitutis. denique.in
Hebraeo scriptum habet: 'heli melchi', quod 'deum meum et regem
meum' significat. in eodem: regnaterrae, cantate deo, 6
psallite domino. et dicitis hoc in isto uersiculo non esse
scriptum: psallite domino, quoniam statim sequatur:
10 diapsalma. psallite deo, qui ascendit super
caelum caeli ad orientem, cum iste uersiculus magis
habere debeat iuxta Hebraicam ueritatem: cantate deo,
psallite domino, et illud, quod sequitur in principio uersus
alterius, psallite deo non sit in libris authenticis, sed obelo
15 praenotatum. ergo et uos legite magis ea, quae uera sunt, ne, dum
additum suscipitis, quod a propheta scriptum est, relinquatis.

42. Sexagesimo octauo: laudabo nomen dei cum
cantico. pro quo dicitis uos repperisse in Graeco: dei mei,
sed 'mei' superfluum est.

20 43. Septuagesimo: deus, ne elongeris a me. quod
dicitis in Graeco positum: deus meus, superfluum est. in eodem: 2
deus, docuistime ex iuuentute mea. et in hoc, quod
apud Graecos inuenisse uos dicitis, deus meus superfluum est.
in eodem: donec adnuntiem brachium tuum. et 3
25 dicitis in Graeco uos repperisse: mirabilia tua, quod de
superiori uersiculo est: et usque nunc pronuntiabo
mirabilia tua. bene ergo hic habet 'brachium'.

7 Ps. 67, 33   10 *Ps. 67, 33—34   17 Ps. 68, 31   18 *Ps. 68, 31   20 Ps. 70, 12
21 *Ps. 70, 12   22. 23 *Ps. 70, 17   24 Ps. 70, 18   25 *Ps. 70, 18   26 Ps. 70, 17

1 subaud.] *add.* mei *Q* gressus *O*   2 regis *pO* et regis *cet. tert.* mei *om. p*
in Graeco in rege *scripsi* in greco *p* in rege *cet.* (*cf. LXX*)   3 enim] autem ɔ
5 suus] si uis ɔ   spiritualiter *Oa.c.*   6 eli *Pp*   dominum ɔ   9 quoniam]
quem *p*   sequitur *QO*   11 iste sit (*exp.*) *r*   13 et illud quod seq. *del. P*
14 oboelo *AP*   15 prenot. est *O*   ea *om.* ɔ   17 ·LXVIIII· (!) *P3* ·LVIIII· (!) *Q*
in ·LX·VIII· psalmo ɔ de ·LX·VIII· *O*   18 repp(p *O*)er. uos ɔ*O*   uos *s.l.m2p,*
om. r   19 sed mei] quod (*eras.*) *p*   20 in LXX̊ psalmo ɔ de ·LXX̊· *O*   21 sed
superfl. *3*   in eodem—23 superfl. est *om.* ɔ   22 in *om. p*   quod] quoque *O*
23 est] *add.* meus *ς*   27 miracula *ς*   brach.] *add.* tuum *Q* (*s.l.*) *O*

44. Septuagesimo primo: e t a d o r a b u n t e u m o m n e s
r e g e s. illud, quod in Graeco inuenisse uos dicitis: r e g e s t e r -
2 r a e, superfluum est. in eodem: b e n e d i c t u s d o m i n u s
d e u s, d e u s I s r a h e l. dicitis in Graeco bis 'deus' non haberi,
cum in Hebraico sit et apud Septuaginta manifestissime triplex 5
3 domini deique nuncupatio mysterium trinitatis sit. in eodem:
e t b e n e d i c t u m n o m e n m a i e s t a t i s e i u s i n a e t e r-
n u m. hoc ergo, quod in Graeco inuenisse uos dicitis: i n a e t e r-
n u m e t i n s a e c u l u m s a e c u l i, superflue a Graecis sciatis
adpositum, quod nec Hebraeus habet nec septuaginta interpretes. 10
45. Septuagesimo secundo: p r o d i e t q u a s i e x a d i p e.
et dicitis uos apud Graecos inuenisse ἐξελεύσονται, id est 'pro-
dient', quod falsum est. nam et apud septuaginta interpretes ita
2 scriptum est: ἐξελεύσεται ὡς ἐκ στέατος ἡ ἀδικία αὐτῶν. in eodem:
q u o m o d o s c i t d e u s. in Graeco dicitis non esse 'deum', cum 15
et apud Septuaginta scriptum sit: πῶς ἔγνω ὁ θεός, et omnes
3 interpretes similiter de Hebraeo transtulerint. in eodem: i n t e l l e-
g a m i n n o u i s s i m i s e o r u m. pro quo in Graeco legisse uos
dicitis: e t i n t e l l e g a m; sed hic 'et' coniunctio superflua est.
4 in eodem: d e f e c i t c a r o m e a e t c o r m e u m. pro quo male 20
peruersum ordinem quidam tenent: d e f e c i t c o r m e u m et
5 c a r o m e a. in eodem: u t a d n u n t i e m o m n e s p r a e d i-
c a t i o n e s t u a s. pro quo uos in Graeco legisse dixistis: τὰς
αἰνέσεις σου, id est 'laudes tuas'. et sciendum, quod in Hebraeo
'malochothach' scriptum habet, quod Aquila ἀγγελίας σου, id est 25

1 *Ps. 71, 11　　2 Ps. 71, 11　　3 *Ps. 71, 18　　7 Ps. 71, 19　　8 *Ps. 71, 19
11 *Ps. 72, 7　　15 Ps. 72, 11　　17 *Ps. 72, 17　　19 Ps. 72, 17　　20 Ps. 72, 26
21 *Ps. 72, 26　　22 Ps. 72, 28

1 in ·LX̊X̊·İ· psalmo ɔ de ·LX̊X·İ·O　2 uos inu. p　4 alt. deus om. PQϱO,
s.l.r　5 cum et in p　hebreo 3a.c.ɔ　et manif. ς　11 in ·LX̊X·II· psalmo ɔ
de ·LX̊X·II·O　prodiit Qa.c.m2O　12 ἐξελ. scripsi EΞEΛEYCETAI codd. pro-
diet ɔ 14 EXEYΓ ex AYOSE KETEATOTEAYIS (S s.l.) AYAAYTONO EΞ-
EYCEΞAI Ppr EΞEYCEΞAT (s.l.m2 EξEΛEYCATAI) A ἐξηλεύσατο ς　ωC
(s.l.m2 ωCEI) A　16 ita scriptum p　17 transtulert p —runt ɔ　intellegamus
(us del.) A　19 hic et] et hic (hic s.l.m2) O　21 deficit A·　23 τὰς] TIAC
Aa.c.m2 ΠAC Pr ΠACAC p ΠACACTAC Q3　24 et] sed 3　25 malochothach ς
malochachoch Q malochochah rɔ malochochah 3 malochocha O malochochach AP
malochocahc p; add. enim O　25 ἀγγ. σου om. 3　COY As.l.m2Q, om. cet.

'nuntios tuos', Septuaginta τὰς ἐπαγγελίας σου, id est 'prae-
dicationes' uel 'promissa' interpretati sunt, licet et laus et praedicatio unum utrumque significet.

46. Septuagesimo tertio: ut quid, deus, reppulisti
5 in finem? pro quo male apud Graecos legitur ordine commutato:
ut quid reppulisti, deus? in eodem: quanta ma- 2
lignatus est inimicus in sancto! miror, quis in codice
uestro emendando peruerterit, ut pro 'sancto' 'sanctis' posuerit,
cum et in nostro codice 'in sancto' inueniatur. in eodem: 3
10 incendamus omnes dies festos dei a terra. pro
quo in Graeco scriptum est καταπαύσωμεν et nos ita transtulimus:
quiescere faciamus omnes dies festos dei a
terra. et miror, quomodo e latere adnotationem nostram nescio
quis temerarius scribendam in corpore putauerit, quam nos pro
15 eruditione legentis scripsimus hoc modo: 'non habet καταπαύσωμεν,
ut quidam putant, sed κατακαύσωμεν, id est incendamus'. et quia 4
retulit mihi sanctus presbyter Firmus, qui huius operis exactor fuit,
inter plurimos hinc habitam quaestionem, plenius de hoc disputan-
dum uidetur. in Hebraeo scriptum est: 'sarphu chol moedahu
20 hel baares', quod Aquila et Symmachus uerterunt: ἐνεπύρισαν πάσας
τὰς συνταγὰς τοῦ θεοῦ, id est: incenderunt omnes sollemnitates dei in terra, Quinta: κατέκαυσαν, id est
'conbusserunt', Sexta: κατακαύσωμεν, id est 'conburamus',
quod et Septuaginta iuxta exemplorum ueritatem transtulisse
25 perspicuum est. Theodotion quoque ἐνεπυρίσαμεν uertit, id est

4 Ps. 73, 1   6 *Ps. 73, 1   Ps. 73, 3   10 *Ps. 73, 8   12 Ps. 73, 8
21 *Ps. 73, 8

1 τὰς ἐπ. σου om. ℨ   praedic. seq. ras. in p, add. tuas ς   2 sint r   pr.
et om. Ò   praedicationum r   3 unum om. rο   4 in ₁LX̊X̊·III· psalmo ϙ de
·LX̊X̊·III· Ò   5 commutati(exp. P)ο Pp   7 uestro cod. Ò   8 peruertit ϙ
9 pr. in om. p   10 comprimamus ℨ   11 ita om. p   17 rettulit ϙ   18 hinc] hanc ϙ
19 sarhu ehol APℨprϙ saru chol Ò   medahu APϘΟ moedau r moedaci ϙ   el ς
21 συνταγὰς scripsi CYNTATAC APpr SYNTATAS Ο CINTATAC Q EÒP-
TAC ℨϙ συναγωγὰς ς   θεοῦ] add. ΕΠΙ ΤΙC ΓΙC ϙ   22 in] a ϙ   quinta
editio Ò   23 ΚΑΤΑΚΑΥCΑΝ ℨ ΚΑΤΑCΚΑΤΕΚΑΥ(I A)CΑΝ APr ΚΑΤΑ-
CΚΑΤΕΚΑΥΚΑΝ p ΚΑCΑΤΚΑΤΕΚΑΥCΑΝ Q ΚΑΤΑSΚΑΤΑ(exp.)ΕΚΑΥ-
SΑΝ Ο   24 hexaplorum ς   uarietatem ℨ   25 theodotion (non—tio) codd.
ΕΝΕΠΙΡΙCΑΝ p ἐμπυρίσωμεν ς

5 'succendimus'. ex quo perspicuum est sic psallendum, ut nos interpretati sumus, et tamen sciendum, quid Hebraica ueritas habeat.
hoc enim, quod Septuaginta transtulerunt, propter uetustatem in
ecclesiis decantandum est et illud ab eruditis sciendum propter
notitiam scripturarum. unde, si quid pro studio e latere addi- 5
tum est, non debet poni in corpore, ne priorem translationem pro
6 scribentium uoluntate conturbet. in eodem: c o n t r i b u l a s t i
c a p i t a d r a c o n u m i n a q u i s; t u c o n f r e g i s t i c a-
p i t a d r a c o n i s. sic lectionis ordo sequitur, ut in priori uersu
'tu' non habeat, sed in secundo, et 'aquae' plurali numero 10
scribantur, non singulari, sicut et Aquila uerbum Hebraicum 'am-
7 maim' τῶν ὑδάτων, id est 'aquarum', interpretatus est. in eodem:
n e o b l i u i s c a r i s u o c e s i n i m i c o r u m t u o r u m. pro
quo in Graeco τῶν ἱκετῶν σου, id est 'deprecantium te', scriptum dicitis. in Hebraeo 'sorarach' legitur, quod Aquila 'hostium' 15
tuorum', Symmachus 'bellantium contra te', Septuaginta
8 et sexta editio 'inimicorum tuorum' interpretati sunt. et est
sensus pendens ex supcrioribus: 'm e m o r e s t o i n p r o-
p e r i o r u m t u o r u m, e o r u m, q u a e a b i n s i p i e n t e
s u n t t o t a d i e; n e o b l i u i s c a r i s u o c e s i n i m i c o- 20
r u m t u o r u m, id est uoces, quae te blasphemant tibique in
populo tuo detrahunt'. unde sequitur: s u p e r b i a e o r u m,
q u i t e o d e r u n t, a s c e n d i t s e m p e r, id est: 'dum tu
differs poenas, illi proficiunt in blasphemiis'.

47. Septuagesimo quarto: n a r r a b i m u s m i r a b i l i a 25
t u a. pro quo male apud Graecos legitur: n a r r a b o o m n i a
m i r a b i l i a t u a.

7 Ps. 73, 13—14   13 Ps. 73, 23   14. 15. 16 *Ps. 73, 23   18 Ps. 73, 22—23
22 Ps. 73, 23   25 Ps. 74, 2   26 *Ps. 74, 2

1 succendimus *scripsi* succendamus *codd.* ex quo perspicuum est sic psallendum, ut nos interpretati sumus *p, om. cet.* 2 quid *ex* quod *p* quod *AP* in hebraica � 3 LXX interpretes *p* 6 ne] nec *p* 9 sic] sic et *Q* 10 et aquae *O*
itaque *cet.* 11 ammaim ꞇ ammichim (animichim *O*) *codd.* 14 *IKETON*
(*super IKE m2 ΔEH A*) *APpO* 15 Hebraeo autem ꞇ *SORAR(in ras.)ACHO*
sorarath *A3rꝟ, P(ex* sorath) sorarad *p* sararath *Q* 18 ex]in *O* 19 qui *Arꝟ*,
Pa.c. 20 uoces inim. t., id est uoces ne obl. ꞇ 21 qui *Qa.c.p* 23 tu
ex te *P3* 24 defers *A3ra.c., Qꝟ* defres *Pa.c.* difers *rp.c.* 25 in ·LX̊X·ı̊IIII·
psalmo ꝟ de ·LX̊X·IIII· *O* 26 narrabimus *pa.c.m2* omnia *s.l.m2p*

48. Septuagesimo quinto: o m n e s u i r i d i u i t i a r u m
m a n i b u s s u i s. et non, ut uos a nescio quo deprauatum legitis:
i n m a n i b u s s u i s. in eodem: t e r r i b i l i e t e i, q u i a u f e r t 2
s p i r i t u s p r i n c i p u m. dicitis, quod 'ei' non sit scriptum in
5 Graeco; uerum est, sed, nisi apposuerimus 'ei', Latinus sermo non
resonat. neque enim possumus recte dicere: 'terribili et qui
aufert spiritus principum'.

49. Septuagesimo sexto: e t m e d i t a t u s s u m n o c t e
c u m c o r d e m e o e t e x e r c i t a b a r e t s c o p e b a m
10 s p i r i t u m m e u m. pro quo in Hebraeo legimus: r e c o r d a -
b a r p s a l m o r u m m e o r u m i n n o c t e, c u m c o r d e
m e o l o q u e b a r e t s c o p e b a m s p i r i t u m m e u m. pro
'exercitatione' *ἀδολεσχίαν*, id est 'decantationem' quandam et
'meditationem' Septuaginta transtulerunt et pro eo, quod· nos
5 diximus 'scopebam', illi posuerunt *ἔσκαλλον*, quod Symmachus
transtulit *ἀνηρεύνων*, id est 'perscrutabar' siue 'quaerebam' et
Quinta similiter. proprie autem *σκαλισμὸς* in agri cultura in sariendo 2
dicitur, id est sarculando; et, quomodo ibi quaeruntur herbae
sarculo, quae secentur, sic et iste retractatum cogitationum suarum
10 *μεταφορικῶς* a sarculo demonstrauit. et sciendum, quod *ἔσκαλον*
semel, *ἔσκαλλον* frequenter significat. in eodem: a g e n e- 3

1 *Ps. 75, 6   3 Ps. 75, 6   *Ps. 75, 13   8 Ps. 76, 7   10 *Ps. 76,7   21 Ps. 76, 9

1 in ﹒L͞X͞X͒﹒V͒﹐psalmo ʋ de﹐L͞X͞X͒﹒V͒﹐O   2 in(*s.l.m2A*)manibus *AꝪO*   suis
eras. Q   et] et d͞s (*exp.*) *P*   ut *om. O*   nescio a *Qp* aut nescio ʋ   quod *Aa.c.*ʋ
legistis *AP*   3 tuis *AO*   4 spiritum *prʋO*   et dicitis *O*   non sit ei scriptum sit
(*att.* sit *del.*) *p*   5 apposuerim *p*   6 possimus *P*   recte *om. p*   qui *om. A*
7 spiritum *pʋ*   8 in ﹒L͞X͞X͒﹒VI﹐psalmo ʋ de ﹒L͞X͞X͒﹒VI﹒O   sum *om. p*   9 meo
om. O   scobebam *QꝪp* sco. *O*   10 recordabor *Ꝫa.c.O*   11 psalm.—12 loq.
om. A   12 scobebam *QꝪp*   14 mcd.] *add.* quandam *O*   dix. nos Ꝫ   15 scobebam *QꝪpr*   *ἔσκαλλον*—transt. *s.l.m2p ECKAΛON AꝪa.c.m2*, *Pr ECXAΛON p*
ECKAΛEYON Ap﹒c.m2 ECKAΛΛEN Q escalon *O HCXAΛΛE* ʋ   16 perscru-
tabam ς scrutabar *QO*   17 quinta edicio *O   CKAICMOC Ꝫp CKΛICMOC r*
ECKΛICMOC AP ECKΛONICMOC Q EIKACMOC ʋ eschaymos *O*   dic. in
sarriendo ς   18 quer. ibi *O*   19 sarculoque *Ꝫprʋ* saculo (*corr.*) quae *O*   ser-
centur ʋ secantur *Ꝫp.c.O*   retractantium *p* tractatum *O*   20 *ἔσκαλλον* non
sem., sed freq. ς   eskalon *O HCXAΛΛON* ʋ ē *AΛ p*   21 semel, *ἔσκαλλον*
om. Q   ἔσκαλλον] ECKAΛON Aa.c.m2Pr ECXAΛON p ECKAΛEYON Ap.c.m2
ECKAΛΛEN ex ECKAΛEN m2Ꝫ HCXAΛΛON ʋ *ESRAAAEN O*

ratione in generationem. hoc, quod in Graeco sequens
inuenisse uos dicitis: consummauit uerbum, recte non
habet in Latino, quia et in nullo habetur interpretum.
50. Septuagesimo septimo: et narrabunt filiis suis.
pro quo in Graeco habet ἀναγγελοῦσιν, quod est 'adnuntiabunt'.　5
sed sciendum, quod in Hebraeo 'iasaphpheru' scriptum est, quod
2 Aquila et Symmachus 'narrabunt' transtulerunt. in eodem: et
occidit pingues eorum. sic habet et in Hebraeo, hoc est
'bamasmnehem', quod Aquila interpretatus est ἐν λιπαροῖς αὐτῶν,
Symmachus τοὺς λιπαρωτέρους αὐτῶν, Septuaginta et Theodotion 10
et Quinta ἐν τοῖς πίοσιν αὐτῶν. quod quidam non intellegentes pro
3 πίοσιν putauerunt scriptum πλείοσιν. in eodem: dilexerunt
eum in ore suo et lingua sua mentiti sunt ei. et
in Hebraeo ita scriptum est: 'icazbulo', et omnes uoce simili transtulerunt: ἐψεύσαντο αὐτῷ, id est 'mentiti sunt ei'. quis autem uoluerit 15
pro 'ei' ponere 'eum' et uitiare exemplaria, non est mei iudicii.
4 in eodem: et propitius fiet peccatis eorum et
non disperdet eos. dicitis, quod 'eos' in Graeco non habeat,
quod et uerum est; sed nos, ne sententia pendeat, Latinum sermonem sua proprietate conpleuimus. si quis autem putat διαφθερεῖ 20
non 'perditionem' sonare, sed 'corruptionem', recordetur illius
tituli, in quo scribitur: εἰς τὸ τέλος μὴ διαφθείρῃς, hoc est: in
finem ne disperdas et non, ut plerique κακοζήλως inter-

---

2 *Ps. 76, 9　　4 Ps. 77, 6　　7 Ps. 77, 31　　12 Ps. 77, 36　　17 Ps. 77, 38
22 Ps. 56, 1. 57, 1. 58, 1 etc.

1 generatione r　　2 consumauit A3　　3 habetur Q p.c. m2　　interprete o
4 in · LXX· VII₁ psalmo o de · LXX· VII₁ O　　5 habetur in greco p　　ΑΠΑΓΓΕ-
ΛΟΥCΙΝ Q3; add. scriptum est (eras.) p　　6 iasaphpherii O iasarepheru p　　quod]
sed p　　8 et om· O　　9 bamas mihi nehem Q basamin nechem p bamasoinehem o
bamas minehem O　　10 Symm.—αὐτῶν om. Qo　Sept.—11 αὐτῶν om. 3　11 quinta
editio O　　12 πίοσιν] ΠΛΙΟCΙΝ Q ΠΑ(Ε infra lin. m2)ΙΟCΙΝ 3 pyosin O; add.
ΑΥΤΟΝ p　πλείοσιν]ΠΛΙΟCΙΝ Q ΠΑΙΟCΙΝ p ΠΟCΙΝ P3r NNOCΙΝ A PEO-
SYN O　　dil.—suo om. o　　13 eum s.l. m2Q, om. AP　　ei] eum r　　14 ita om. p
itazbulo P icazabulo p ISAXBVLO O ichazbulo ς　　18 disperderet o perdet 3
alt. eos] eo p　　19 nos om. o　　ne om. ro　　20 sua propr. om. p　　21 sed corr. sonare O
corr.] eruditionem ex pepitionem A　　22 media feres O　　ΜΗ 3p.c.m2o ME cet.
23 KAKOZAωC P3pr KKOZAωC Aa.c.m2 KAKOΞAωC o kakoxaos O KAKO-
ZEΛωC Ap.c.m2, om. Q

pretantur, ne corrumpas. in eodem: et induxit eos 5
in montem sanctificationis suae, montem, quem
adquisiuit dextera eius. pro quo apud Septuaginta legitur: ὄρος τοῦτο, ὃ ἐκτήσατο ἡ δεξιὰ αὐτοῦ — et non, ut uos
5 ponitis, ὃ ἐκτίσατο —, hoc est: quem adquisiuit
dextera eius. ergo secundum Hebraicam proprietatem interpretatus est Symmachus: montem, quem adquisiuit
dextera eius. in eodem: et auerterunt se et non 6
seruauerunt pactum, quemadmodum patres
10 eorum. scio, quod 'pactum' non habeat in Hebraeo, sed,
quando omnes uoce simili transtulerunt ἠσυνθέτησαν et apud
Graecos συνθήκη 'pactum' dicitur, ex uno uerbo significatur:
non seruauerunt pactum, licet Septuaginta ἠθέτησαν
posuerint. in eodem: in terra, quam fundauit in
15 saecula. pro quo scriptum inuenisse uos dicitis: in terra
fundauit eam in saecula. in Hebraeo ita scriptum est,
ut uertit et Symmachus: εἰς τὴν γῆν, ἣν ἐθεμελίωσεν εἰς τὸν αἰῶνα.
si autem non de terra dicitur, quod fundata sit, sed de alia,
quae fundata uideatur in terra, probent ex prioribus et sequenti-
20 bus, quis sensus sit, ut nescio quid, quod non dicitur, fundatum
uideatur in terra. sin autem sanctificium in terra fundatum
putant, debuit scribi: in terra fundauit illud in saecula. in eodem: et in intellectibus manuum 7
suarum deduxit eos. non habet ἐν τῇ συνέσει, ut scribitis,
25 numero singulari, sed ἐν ταῖς συνέσεσιν, quod 'intellegentias' sonat,
sicut habetur et in Hebraeo 'bathabunoth', quod est 'intellectibus'.
    51. Septuagesimo octauo: posuerunt Hierusalem in

1 *Ps. 56, 1. 57, 1. 58, 1 etc.   Ps. 77, 54   8 Ps. 77, 57   14 Ps. 77, 69
15. 22 *Ps. 77, 69   23 Ps. 77, 72   27 Ps. 78, 1

4 ὃ om. APrvO   5 putatis ς   ἐκτίσατο coni. Vall. ΕΚΤΗCΑΤΟ (ΚΤΗ-
ΟΑΤΟ Q) codd.   6 ergo melius O   melius ergo ς   propr. ut ᴐ   9 obseru. ᴐ
11 uoce om. P   ΗΘΕΤΗCΑΝ ᴐ   14 posuert p posuerunt O   15 script.] seq. uos
(eras.) A ras. 3 litt. ℨ   16 eā AQℨ ea PprᴐO eum ς (cf. lin. 18 alia)   17 EN TH
ΓΗ ℨ ὡς τὴν γῆν ς   HN rᴐ HEN p, om. cet.   ἐθεμ.] add. ΑΥΤΗΝ ℨ   18 de terra]
dexterra p   alia] add. re QO (cf. lin. 16 eam)   20 quis] qui Q quid ᴐ   fundatur p
23 alt. in om. pᴐO   24 ΕΝ ΤΑΙΟ CYNEΟΕΟΙΝ Α   25 ΕΝ ΤΗ CVNECHA
intellegentia ᴐ   26 et om. O   bathabunoth ς athacunud bΑΝΑΟΑΙΝ p atha-
cununth PQ athcynuth ᴐ athauinuth r ΑΕΤΗΑΟVΝVΝΤΗΟ   in intell. ℨrO
27 in ·LXX·VIII· psalmo ᴐ de·LXX·VIII· O

p o m o r u m　c u s t o d i a m. quod Graece εἰς ὀπωροφυλάκιον
dicitur nec aliter potest uerti, quam a nobis translatum est; significat autem speculam, quam custodes agrorum et pomorum habere
consuerunt, ut de amplissima urbe paruum tuguriunculum uix
remanserit. hoc secundum Graecos. ceterum in Hebraeo 'lichin' 5
scriptum habet, quod Aquila uertit λιϑαόριον, id est 'aceruum et
cumulum lapidum', quibus uineae et agri purgari solent.

52. Septuagesimo nono: e t　p l a n t a s t i　r a d i c e s　e i u s
h i n c. et dicitis, quod in Graeco 'hinc' non habeat; et bene, nam
et in nostris codicibus non habetur; et miror, quis inperitorum uestros 10
libros falsauerit.

53. Octogesimo secundo: h e r e d i t a t e　p o s s i d e a m u s
s a n c t u a r i u m　d e i. et dicitis, quod in Graeco sit scriptum
κληρονομήσωμεν ἑαυτοῖς, id est 'possideamus nobis'. quae
superflua quaestio est; quando enim dicitur 'possideamus', intelle- 15
gitur et 'nobis'.

54. Octogesimo tertio: c o r　m e u m　e t c a r o　m e a e x u l-
t a u i t i n d e u m　u i u u m. pro quo in Graeco scriptum dicitis
e x u l t a u e r u n t. in hoc nulla contentio est; si enim legimus
'exultauit', intellegitur 'cor meum exultauit et caro mea 20
exultauit'; sin autem 'exultauerunt', duo pariter exultauerunt, id
est cor et caro. et quaeso uos, ut huius modi ineptias et super-
fluas contentiones, ubi nulla est sensus inmutatio, declinetis. in
eodem: b e a t u s　u i r, c u i u s　e s t　a u x i l i u m　a b s　t e. in
Graeco inuenisse uos dicitis: c u i　e s t　a u x i l i u m　e i u s　a b s 25

8 *Ps. 79, 10　　12 Ps. 82, 13　　17 *Ps. 83, 3　　19 Ps. 83, 3　　24 Ps. 83, 6
25 *Ps. 83, 6

1 custodia *AℬrO* c. *O*　　εἰς] ω*C APpro OS O*　　2 pot. al. *p*　　3 speculum ʊ
sacrorum *APa.c.*, *Qℬpr* satorum ς　　4 consueuerunt *PQℬO*　　ut de] unde *Aa.c.*
m2P　　tugurriunculum *O* tuguriolum ς　　5 laichin *O* liin ς　　6 *AIΘOPION* ℬ
et] uel *O*　　7 tumulum *pO*　　8 in ₁LXX·VIIII· psalmo ʊ de ₁LXX·IX·*O*
eius *om. PO*　　10 *pr.* et *om. O*　　miror *om. p*　　11 fals. nescio *p*　　12 ₁LXXXVII· *A*
in ₁LXXX·II₂ psalmo ʊ de ·LXXX·II· *O*　　13 scriptum *om. A*　　14 *EAYTOYC* ℬ
ENENAYTOIC p　　15 enim *om.* ʊ　　17 in ₁LXXX·III· psalmo ʊ de
₁LXXX·III₂ *O*　　19 et in hoc *p*　　hoc] illa *O*　　20 et cor ς　　21 pariter
et (et *del. AQ*) *APQ*　　22 ineptas *APr, Qa.c.m2*　　24 cui *ArO*　　in Graeco—
25 abs te *in mg. m2Q, om. p*　　25 eius] ei *APr*

t e; quod quia nos in Latina interpretatione uitauimus, ut dicitis, re-
prehendimur. cui enim non pateat, quod, si dicere uoluerimus: c u i
e s t a u x i l i u m e i u s, apertissimum uitium sit et, quando
praecesserit 'cui', sequi non debeat 'eius'? nisi forte uitii arguimur,
5 quod uitauimus uitium. in eodem: i n u a l l e l a c r i m a r u m. ₃
pro quo dicitis in Graeco scriptum esse κλαυθμῶνος, id est 'plora-
tionis', sed, siue ploratum siue planctum siue fletum siue lacrimas dixerimus, unus est sensus. et nos hoc sequimur, ut, ubi nulla
de sensu est inmutatio, Latini sermonis elegantiam conseruemus.
10   55. Octogesimo quarto: b e n e d i x i s t i, d o m i n e, t e r-
r a m t u a m. pro eo, quod est 'benedixisti', in Graeco scriptum
dicitis εὐδόκησας. et quaeritis, quomodo hoc uerbum exprimi debeat
in Latinum. si contentiose uerba scrutamur et syllabas, possumus
dicere: 'bene placuit, domine, terra tua' et, dum uerba
15 sequimur, sensus ordinem perdimus. aut certe addendum est
aliquid, ut eloquii ordo seruetur, et dicendum: 'conplacuit
tibi, domine, terra tua'. quod si fecerimus, rursum a nobis
quaeritur, quare addiderimus 'tibi', cum nec in Graeco sit nec in
Hebraeo. eadem igitur interpretandi sequenda est regula, quam saepe
20 diximus, ut, ubi non fit damnum in sensu, linguae, in quam trans-
ferimus, εὐφωνία et proprietas conseruetur. in eodem: m i s e r i- ₂
c o r d i a e t u e r i t a s o b u i a u e r u n t s i b i. et dicitis, quod
in Graeco 'sibi' non habeat. nec in Hebraeo habet et apud Septuaginta obelo praenotatum est, quae signa dum per scriptorum
25 neglegentiam a plerisque quasi superflua relinquuntur, magnus in
legendo error exoritur. sin autem non fuerit additum 'sibi', misericordia et ueritas non sibi, sed alii occurrisse credentur nec iustitia
et pax sibi dedisse osculum, sed alteri.

5 Ps. 83, 7   10 Ps. 84, 2   21 Ps. 84, 11   27 cf. Ps. 84, 11

1 ut] et Q   dicimus APQro diceremus O   reprehenditur p   2 alt. cui]
cuius p   4 consequi O   ni r   5 uitauerimus ς   6 quo] eo O   in Graeco
om. p   script. om. O   8 est om. ο   9 est de sensu mut. ς   elegantia ο
10 in ·LXXX·IIII· psalmo ο de ·LXXX·IIII· O   dom.] d̄ ο   11 tuam
om. Aa.c.m2PQ3rο   eo]quo p   13 latino QO   contentiosa p   14 dom.] d̄ ο   tua
om. A   18 quaeretur Qp.c.m2   quare om. et s.l.m2 cur Q   20 ut om. ο
sit ꝪοO   in sensum ο   24 oboelo APQ   est om. AP   26 si Ꝺ   tibi p
27 creduntur ex credantur m2Q   28 oscultum P

56. Octogesimo quinto: **et non proposuerunt te in conspectu suo**. et dicitis, quod in uestro codice 'te' non habeat. addite 'te' et emendato errore librarii uestrum quoque errorem
2 emendabitis. in eodem: **et tu, domine deus, miserator et misericors**. in Graeco inuenisse uos dicitis: **et tu, domine 5 deus meus**, quod superfluum est; 'meus' enim nec in Hebraeo habetur nec in Septuaginta.

57. Octogesimo octauo: **magnus et horrendus**. pro quo in Graeco inuenisse uos dicitis φοβερός, quod significat 'terribilis, timendus, formidandus'. ego puto in id ipsum significari et 10 'horrendum' — non, ut uulgus existimat, despiciendum et squalidum — secundum illud:

mihi frigidus horror
membra quatit

et: 15

horror ubique animo, simul ipsa silentia terrent

et:

monstrum horrendum, ingens
2 et multa his similia. in eodem: **tunc locutus es in uisione sanctis tuis**. pro quo in Graeco **filiis tuis** 20 inuenisse uos dicitis. sed sciendum, quod in Hebraeo 'laasidach' habet, quod omnes τοῖς ὁσίοις σου, id est 'sanctis tuis', transtulerunt et sola sexta editio **prophetis tuis** interpretata est sensum magis quam uerbum exprimens; et
3 in κοινῇ tantum pro 'sanctis' 'filios' repperi. in eodem: **tu 25 uero reppulisti et respexisti**. pro quo in Graeco ἐξουδένωσας inuenisse uos dicitis. unius litterae mutatio quantum

---

1 Ps. 85, 14　　4 Ps. 85, 15　　5 *Ps. 85, 15　　8 *Ps. 88, 8　　9 Ps. 88, 8
13 Verg. Aen. III 29—30　16 Verg. Aen. II 755　18 Verg. Aen. III 658
19 Ps. 88, 20　　20. 23 *Ps. 88, 20　　25 *Ps. 88, 39

1 in ₁LXXX·V̊· psalmo ɔ de ·LXXX̊₁V̊· O　2 te non habeat te P　3 addite (ex addi) ergo O　emendabitis p　errorem Aa.c.p　uestri p　quoque—
4 emend. om. p　5 misericros P　uos inu. Q, p (add. nos eras.)　8 in ₁LXXX̊₁VIII·
psalmo ɔ de ₁LXXX̊₁VIII· O　10 et tim. p　in om. ɔO　significare ς
11 non ut] nouit p　estimat pO　desp. Pp.c.QpɔO disp. cet.　13 frigus PQrɔ
20 inu. uos dic. fil. tuis ɔ inu. fil. tuis uos dic. r　21 laac idach ℨ lazas idach Q
habeat p TOYC YIOYC ℨ TOIC YIOIC p (cf. LXX)　24 uerba p　25 KOINΩ ɔ
non tant. p　repperiri p　despexisti Qa.c.m2p d. O　27 mut. litt. p

uobis fecit errorem! non enim 'respexisti', sed 'despexisti et pro nihilo duxisti' interpretati sumus. nisi forte ἐξουδένωσας non putatis transferendum 'despexisti', sed secundum disertissimum istius temporis interpretem 'adnihilasti' uel 'adnullasti' uel 'nulli-

5 ficasti' et si qua alia possunt inueniri apud inperitos portenta uerborum.

58. Octogesimo nono: a s a e c u l o e t u s q u e i n s a e c u-l u m t u e s, d e u s. et dicitis, quod in Graeco non sit 'deus'. quod apud eos deesse manifestum est. nam est in Hebraico et omnes alii

10 interpretes et Septuaginta similiter transtulerunt: ἀπὸ τοῦ αἰῶνος καὶ ἕως τοῦ αἰῶνος σὺ εἶ, ὁ θεός, quod Hebraice dicitur: 'meolam ad olam ath hel.' in eodem: q u o n i a m s u p e r- ₂ u e n i t m a n s u e t u d o e t c o r r i p i e m u r. in Graeco uos dicitis inuenisse: m a n s u e t u d o s u p e r n o s. sed et

15 hoc superfluum est.

59. Nonagesimo: d i c e t d o m i n o: s u s c e p t o r m e u s e s t u. et dicitis, quod in Graeco 'es' non habeat. ego uobis amplius dicam, quod apud Hebraeos nec 'es' habeat nec 'tu', sed apud Septuaginta et apud Latinos pro εὐφωνίᾳ et uerborum consequentia

20 positum sit.

60. Nonagesimo tertio: b e a t u s h o m o, q u e m t u e r u-d i e r i s, d o m i n e. dicitis in Graeco non esse 'tu'. et uerum est, sed apud Latinos propter εὐφωνίαν positum. si enim dicamus: 'beatus homo, quem erudieris, domine', conpositionis ele-

25 gantiam non habebit. et quando dicitur 'domine' et apostrofa fit

---

7 Ps. 89, 2   12 Ps. 89, 10   14 *Ps. 89,10   16 Ps. 90, 2   21 Ps. 93, 12

1 dispex. *AP3ra.c.*   et—dux. *om. p*   2 sumus] sunt *p*; *add.* id est con-tempsisti *p*   nisi *om. p*   3 putasti *p*   dispex. *A3a.c., ro*   dis(s *exp. P*)sert. *AP3*o disertismum *r*   4 annulasti (*sic*) *O*   5 et—possunt *om.* o   7 in ·LXXX·VIIII· psalmo o de ·LXXX·IX· *O*   et *om. APQ3ro*   9 deest *O* esse ς   *all.* est *scripsi* et *codd.*   in *om. p*   hebraicum *A3ro, Pp.c.* hebrai-cam *p; add.* habet 3 habetur *s.l.m2Q*   10 simili o, *om. p*   11 *KAI ex AI m2A,* *om. Pp'O*   ὁ θεός *om.* Q   ὁ *om.* o   ad] od *A* mad *p*   12 ath] ate *O* el *p* in eodem *om. p*   quod *p*   13 supuenit *ex* subuenit *P*   mans. *om.O*   13 et—14 mans. *om. p*   14 uos dicitis inuenisse (inuenisse *in mg. m2*) *Q* esse dic. *O* uos dic. *cet.* inu. uos dic. ς   16 in ·XC· psalmo o de ·XC· *O*   21 ·XCIII· *APQ* in ·XC·III· psalmo o de ·XC·III· *O*   erudies ł e. *O*   24 quem tu (tu *exp.*) *P* quem**ł erudies *A3r*, ł (*s.l.m2* ał erudieris)   25 habet *p*   apostropha *Q3* ad postremum o

2 ad dominum, nihil nocet sensui, si ponatur et 'tu'. in eodem: e t
in malitia eorum disperdet eos. in Graeco dicitis non
esse praepositionem 'in', sed legi: malitia meorum disper-
d e t. sciendum autem, quod et in Hebraeo et in cunctis interpretibus positum sit: in malitia eorum disperdet eos. 5
si autem uoluerimus legere: malitiam eorum disperdet,
id, quod in Septuaginta sequitur in fine uersiculi 'eos', et superfluum
erit et uitiosum.

　　61. Nonagesimo septimo: recordatus est misericordiae suae. pro quo in Graeco inuenisse uos dicitis: miseri- 10
cordiae suae Iacob; sed hic 'Iacob' nomen superfluum est.

　　62. Centesimo: oculi mei ad fideles terrae, ut sederent mecum. pro quo in Graeco inuenisse uos dicitis: τοῦ
συγκαθῆσθαι αὐτοὺς μετ᾽ ἐμοῦ. quis non talem fugiat interpretationem, ut uerbum ad uerbum exprimens dicat: 'ut consede- 15
rent ipsi mecum'?

　　63. Centesimo primo: uigilaui et factus sum sicut
passer solitarius in tecto. et dicitis uos in Graeco inuenisse ἐπὶ δώματι, quod antiqui codices Latinorum interpretati sunt in
aedificio. δῶμα in orientalibus prouinciis ipsum dicitur, quod 20
apud nos 'tectum'; in Palaestina enim et Aegypto, ubi uel scripti
sunt diuini libri uel interpretati, non habent in tectis culmina, sed
δώματα, quae Romae uel solaria uel Maeniana uocant, id est plana
tecta, quae transuersis trabibus sustentantur. denique et Petrus

---

1 Ps. 93, 23　3. 6 *Ps. 93, 33　9 Ps. 97, 3　10 *Ps. 97, 3　12 *Ps. 100, 6
17 Ps. 101, 8　　19 *Ps. 101, 8　　20 cf. Sittl in Arch. f. lat. Lex. V (1888) 292

1 ad *ex* apud *Q*　ponitur *p*　3 legitis ο　malit(c *p*)ia *p*ο　4 *pr.* et *om.* ς
5 malit(c *A*) iam *A*З̄ο　eos—disp. *om. p*　6 uolūmus *O*　7 legitur *O*　finemse(ę)culi
*APQ*З̄*r*　9 · XCVIII ; *APr,numerus periit in* f, in₁ X̄C̄·VII· psalmo ο de · X̄C̄ : VII₁ *O*
est *s.l.m*2*Q, om. APO*　10 mis.—13 dic. *om. A*　11 nomen *om.* ο　12 *numerum*
om. З̄ in , C̄· psalmo ο de ·C̄· *O*　occuli *Q*　sedeant *p* s. *O* habitent *Q*　13 in
Graeco *om. p*　14 αὐτούς *om. p*　fugā interptione *p*　15 consederent *ka.c.*З̄*r*ο
considerent f*p.c.p* sederent *cet.*　17 in ·C̄·I· psalmo ο de ₁C̄₁I₁ *O*　18 in greco
uos *p*　19 *EΠ* (*3 litt. abscisae*)*MACIN* f *EΠI ΔωMACIN* З̄　in *om. p*　20 id
ipsum ς　21 apud latinos tecum *p*　palestia(*del.*)na *A* palastiana *P* palestino *p*
enim et in ο*O*　uel ubi *p*　uel *om.* ο　22 tecta *p*　23 Romae] more ο　maeniana *p* mediana *cet.*　uocantur *O*　24 in act. ap. petrus *p*

in Actibus apostolorum, quando ascendit in δῶμα, in tectum aedificii ascendisse credendus est et, quando praecipitur nobis, ut
faciamus δώματι nostro coronam, hoc praecipitur, ut in tecto faciamus per circuitum quasdam eminentias, ne facilis in praeceps lapsus
5 sit. et in euangelio: q u a e, inquit, a u d i t i s i n ͵a u r e, d i c i t e
s u p e r δ ώ μ α τ α, id est super tecta. et in Esaia: q u i d
u o b i s e s t, q u o d o m n e s a s c e n d i s t i s i n t e c t a
u a n a? et multa istius modi. in eodem: f a c t u s s u m s i c u t 2
νυκτικόραξ i n d o m i c i l i o. quod similiter habetur in Graeco;
10 et quaeritis, quid significet νυκτικόραξ apud Latinos. in Hebraeo
pro nycticorace uerbum 'bos' scriptum est, quod Aquila et Septuaginta et Theodotio et quinta editio 'nycticoracem' interpretati
sunt, Symmachus 'upupam', sexta editio 'noctuam', quod et nos
magis sequimur. denique, ubi apud nostros et Graecos legitur:
15 f a c t u s s u m s i c u t νυκτικόραξ i n d o m i c i l i o, apud
Hebraeos dicitur: f a c t u s s u m s i c u t n o c t u a i n r u i-
n o s i s. plerique 'bubonem' contentiose significari putant. in 3
eodem: a f a c i e i r a e e t i n d i g n a t i o n i s t u a e. pro
quo in Graeco inuenisse uos dicitis: a f a c i e i r a e t u a e,
20 cum manifestissimum sit, quod et apud Hebraeos et apud
septuaginta interpretes sic habet: ἀπὸ προσώπου τῆς ὀργῆς σου
καὶ τοῦ θυμοῦ σου. in eodem: q u o n i a m p l a c u e r u n t 4
s e r u i s t u i s l a p i d e s e i u s e t t e r r a e e i u s
m i s e r e b u n t u r. pro terra in Hebraeo 'afar' positum est,
25 quod omnes χοῦν transtulerunt; et potest tam 'puluis' quam
'humus', id est 'terra', interpretari.

1 cf. Act. 10, 9   2 cf. Deut. 22, 8   5 *Matth. 10, 27   6 *Esai. 22, 1
8. 15 Ps. 101, 7   16 *Ps. 101, 7   18 Ps. 101, 11   19 *Ps. 101, 11   22 Ps. 101, 15

1 ΔωΜΙΑ p doma PÞrO domo A,Qm13 domata ꝋ aedifitiis A   2 credendum ꝋ   3 δώματι scripsi domia in p domati cet.   4 nec (c exp. PQ) APQr
5 et in eu. om. O   dicitis p dicetis ç   6 domata codd.   esaya ꝋ isaia O ysaia Q
quid] quod Aa.c.m2; add. inquit (exp.) 3   7 ascenditis Þp.c.m3po   in in ras.
(fuit super) p   8 una p noua ꝋ   huius pa.c.m2O   9 singulariter O   11 nec-
ticor. APQ3r .... icor. (init. absc.) Þ   uerbum (s.l.m2 ał uerbo) Þ   bos pro
cos ipsius Hieron. errori tribuo litteras similes Hebr. confundentis   quod Aquila
om. p   12 theodotion O   13 symachus uero p   upupam ꝋ ububam p hupupam
(h eras. Þ) cet.   14 ubi om. p   nos p   16 ruonis P; add. quod s.l.m2Q   18 irae tuae p
18 pro—19 tuae om. p   19 dicis O   20 manifestum p pr. et om. ç   21 habeat p habeatur ç pr. σου om. A PprO   24 pro terra] propterea p   25 tam puluis] amplius p

64. Centesimo secundo: n o n i n p e r p e t u o i r a s c e t u r.
pro quo in Graeco inuenisse uos dicitis: n o n i n f i n e m. sed
uerbum Hebraicum 'nese' et 'perpetuum' et 'finis' et 'uictoria' pro
locorum intellegitur qualitate.

65. Centesimo tertio: q u i f a c i s a n g e l o s t u o s s p i r i- 5
t u s. pro quo in Graeco inuenisse uos dicitis: ὁ ποιῶν τοὺς ἀγγέλους
αὐτοῦ, id est: q u i f a c i t a n g e l o s s u o s. a quibus breuiter
quaerite, quomodo, cum ad deum sermo sit, quasi ad alium loquens
propheta repente mutetur. maxime cum sic incipiat: d o m i n e,
d e u s m e u s, m a g n i f i c a t u s e s u e h e m e n t e r; c o n- 10
f e s s i o n e m e t d e c o r e m i n d u i s t i, et: q u i t e g i s i n
a q u i s s u p e r i o r a e i u s — id est caeli —, q u i p o n i s n u b e m
a s c e n s u m t u u m, q u i a m b u l a s s u p e r p e n n a s
u e n t o r u m. et statim sequitur: q u i f a c i s a n g e l o s t u o s
s p i r i t u s e t m i n i s t r o s t u o s i g n e m u r e n t e m. q u i 15
f u n d a s t i t e r r a m s u p e r s t a b i l i t a t e m s u a m. et
post paululum: a b i n c r e p a t i o n e t u a f u g i e n t, a u o c e
t o n i t r u i t u i f o r m i d a b u n t. et: i n l o c o, q u e m f u n-
d a s t i e i s. q u i e m i t t i s f o n t e s i n c o n u a l l i b u s. et
illud: u t e d u c a s p a n e m d e t e r r a. si ergo omnia ad se- 20
cundam personam sunt, id est ad deum, quomodo in uno uer-
2 siculo tertia persona subito et extra ordinem introducitur? in
eodem: a u o c e t o n i t r u i t u i f o r m i d a b u n t. habet et in
Hebraeo t o n i t r u i t u i; et miror, quomodo apud Latinos
3 scriptorum errore subtractum sit. in eodem: h o c m a r e m a- 25
g n u m e t s p a t i o s u m m a n i b u s. dicitis in Graeco 'manibus'

1. 2 *Ps. 102, 9   5 Ps. 103, 4   7 *Ps. 103, 4   9 Ps. 103, 1   11 *Ps. 103, 3
14 Ps. 103, 4—5   17 Ps. 103, 7   18 *Ps. 103, 8   19 Ps. 103, 10   20 Ps. 103, 14
23 Ps. 103, 7   25 Ps. 103, 25

1 perpetuum ἴ a.c.m2QO   2 finem ἴ p.c.m2Qo fine cet.   3 nese ς nes codd.   pro] et
pro ro   5 in ·C·III‚ psalmo ꝺ de ·C·III‚ O   fac̅ ꝺ   suos pa.c.m2   6 in Graeco
om. o   uos inu. Q   7 AYTOY ΠΝΑΤΑ (= πνεύματα) Q   8 fit pO   10 meus
ἴ s.l.m2po, om. cet.   12 caeli] alibi p   pones P,Aἴβra.c. ponens ꝺ po. O   13 qui]
aut ς   pinnas ἴ a.c.m3r p. O   17 paulum ς   fugiant ꝺ fugient et p   19 emittes
AP ἴo, Qβa.c.   20 educam ꝺ   22 tertiam personam ꝺ   persona om. Q
(fort. recte)   inducitur r   23 tui eras. P   25 error (sic) scriptorum p   sub-
tractus p

non haberi. et ego noui, sed ex Hebraico et de Theodotionis editione in Septuaginta sub asterisco additum est. denique et in Hebraeo ita scriptum est: 'ze haiam gadol uarab idaim', quod Aquila sic interpretatus est: αὐλὴ καὶ πλατεῖα χερσὶν et omnes
5 interpretes: αὔτη ἡ θάλασσα ἡ μεγάλη καὶ εὐρύχωρος χερσίν. et hoc secundum Hebraicam dicitur proprietatem μεταφορικῶς, quod quasi expansas manus habeat et in se cuncta suscipiat. in eodem: 4 u t e d u c a s p a n e m d e t e r r a. pro quo inuenisse uos dicitis: u t e d u c a t; sed non potest aliud ad ipsum, aliud de ipso dici.
10 aut omnia quasi ad deum loquebatur propheta aut omnia ad alium de eo referebat. cum autem pleraque ad ipsum dirigantur, et ea, quae ambigua sunt, ad ipsius personam dirigenda sunt. in eodem: 5 h e r o d i i d o m u s d u x e s t e o r u m. pro herodio, quod in Hebraeo dicitur 'asida', Symmachus ἰκτῖνα, id est 'miluum', interpre-
15 tatus est. denique et nos ita uertimus in Latinum: i b i a u e s n i d i- f i c a b u n t; m i l u i a b i e s d o m u s e s t, quod scilicet semper in excelsis et arduis arboribus nidos facere consueuerit. unde et sexta editio manifestius interpretata est: m i l u o c u p r e s s i a d n i d i f i- c a n d u m. pro abietibus autem et cupressis in Hebraeo ponitur
20 'barusim', quod magis abietes quam κυπαρίσσους significat. in 6 eodem: p e t r a r e f u g i u m e r i n a c i i s. pro quo in Hebraeo positum est 'sphannim' et omnes τοῖς χοιρογρυλλίοις uoce simili

8 Ps. 103, 14   9 *Ps. 103, 14   13 Ps. 103, 17   15. 18 *Ps. 103, 17
21 Ps. 103, 18

1 hebreo Q   et de] de Q et pvO, def. ł   2 est om. p   3 est om. ʒ
haiam p h(s.l.ʒ)aian APłʒr ahian Q aian v AYANO   gadla p sadoll APłʒrvO
oarab v ll arab O   idaim p idam PłQʒrvO idan A   4 αὐλὴ—interpr. p, om. cet.
5 XEIPωN Q   et hoc—μετ. p, om. cet.   6 quo p   7 expansis manibus v
9 pr. aliū P   10 pr. aut] auť p   11 de ore ferebat A   14 EIKTEINA
APʒr, ł (EIKT reliqua absc.) EKTEINA p HYKΘHYNA Q cyhtema O 15 (i s.l.)
bi P ubi Qp   nidificant O; add. uel nidos fatiunt s.l.m2ł   16 milui (alt. i in ras.) O
miluo ς   est (s.l.m2ł eius) Q eius ς   17 consueuit v consueuerť p consueuerint ς
et om. O   18 cipressi ʒp.r. cypressi rvO   ad eras. ł   19 cipressis ʒp.r. cypressis
rO cypressos (sic) v   20 κυπ. scripsi cyparissos (i ex e) ł cypa(a exp. m2P, eras. ʒ,
del. r)ressos Pʒr ciparessos A cipressos ex cipressus Q cypressos pv cupressos O
21 herinac(t Q)iis Qp   22 scriptum Q   sphanni O spa(a exp.)hanim P spahnim Q
spannim Aʒ phannim p s (reliqua absc.) ł   τοῖς χοιρ. scripsi χοιρ. ς TOIC (1 litt.
absc.) OIΓωPYΛIOIC ł TOY XOIΓOPYAIOIC ʒ EXOIPOYPYAΛIOYC Ar
EXOPOYANOYC Q ex COIPOYPYAΛAIOYC P XOYPTYMOIC p ex uru-
rylyus O XOIPOΓPYΛΛOYC v

transtulerunt exceptis Septuaginta, qui 'lepores' interpretati sunt.
sciendum autem animal esse non maius ericio, habens similitudinem
muris et ursi, unde et in Palaestina ἀρκόμυς dicitur. et magna
est in istis regionibus huius generis abundantia semperque in
cauernis petrarum et terrae foueis habitare consuerunt.   5
    66. Centesimo quarto: d e d i t   t e r r a   e o r u m   r a n a s. pro
quo in Graeco ἐξῆρψεν uos legisse dixistis. quod potest ita interpretari: 'ebulliuit terra eorum ranas'; sed et in hoc nulla est in
sensu mutatio et nos antiquam interpretationem sequentes, quod
2 non nocebat, mutare noluimus. in eodem: e t c o n t r i u i t l i- 10
g n u m f i n i u m e o r u m. pro quo in Graeco inuenisse uos dicitis
3 o m n e l i g n u m. sed et hoc additum est et superfluum. in eodem:
q u o n i a m m e m o r f u i t u e r b i s a n c t i s u i, q u o d
h a b u i t a d A b r a h a m, p u e r u m s u u m. pro quo in Graeco
legisse uos dicitis ὃν διέθετο, id est: q u o d d i s p o s u i t. ita enim 15
et in Hebraeo et apud septuaginta habetur interpretes: ὅτι ἐμνήσθη
τοῦ λόγου τοῦ ἁγίου αὐτοῦ, τοῦ πρὸς ᾿Αβραὰμ τὸν δοῦλον αὐτοῦ.
ergo, quod in Graeco dicitur ὃν διέθετο, in hoc loco et superfluum
est et radendum.
    67. Centesimo quinto: c o n f i t e m i n i d o m i n o, q u o- 20
n i a m b o n u s. pro quo in Graeco legisse uos dicitis: q u o n i a m
χρηστός, id est s u a u i s. sed sciendum, quod χρηστὸς et in 'bonum'
et in 'suaue' uerti potest. denique et in Hebraeo ita scriptum est:

    6 *Ps. 104, 30   10 Ps. 104, 33   12 *Ps. 104, 33   13 Ps. 104, 42
15 *Ps. 104, 42   20 Ps. 105, 1   21 *Ps. 105, 1

1 exc.] soli p   2 sciend. est p   maius] magis Qa.c.m2p   eritio A hericio Qp
3 alt. et s.l.ꞅ, om. APQ3rO   ἀρκτόμυς ς   4 habund. ꞅQpo   in om. p   5 consueuerunt O   6 ; CIII· AP in ; C·IIII ; psalmo ꝺ de ·C·IIII· O, num. absc. in ꞅ   eorum
(e eras.) ꞅ   7 dicitis O   8 in (s.l.m2) hoc Q hic O   in sensu] sensus ς   10 nolumus QO   12 superfl. est O   13 sancti ꞅs.l.m2Q, om. cet.   14 habraham Q   15 inuenisse P3   ondieteto O   ΕΘΕΤΟ ꝺ   quo A   16 pr. et om. QO   apud ꞅp.c.m3p
in ꞅa·c.m33ro, om. APQO   int. hab. p   interpretibus O   omnes teculutitu a yin-
tutu pro saraā ton dosdon aytoy O   ὅτι ꞅ3, om. cet.   17 ἁγίου om. P   tert. τοῦ
om. p; add. ΕΠΟΡΕΥΕΝ m2 A   τὸν] ΤΟ P   18 ΕΘΕΤΟ ꝺ   alt. in—19 et
om. A   18 et] quod et p, om. O   20 in , C·V· psalmo ꝺ de ·C·V·O   21 uos leg. p
22 pr. crestos O ΧΡΟΟ p   id est—χρηστὸς om. P   quod] quoniam 3   alt.
ΧΡΗΟΤΟΟ (in mg. m2 chrestoteta benignitatem uel suauitatem) ꞅ crestos O
et om. p   bonum (add. s.l.m2 et benignum) ꞅ   23 suauem Qp   et Ap, om. cet.

'chi tob', quod omnes uoce simili transtulerunt: quia bonus. ex
quo perspicuum est, quod et χρηστὸς 'bonus' intellegatur. in eodem: 2
non fuerunt memores multitudinis misericor-
diae tuae. dicitis, quod in Graeco inueneritis: et non fue-
5 runt memores. 'et' coniunctio superflua est. in eodem: et in- 3
ritauerunt ascendentes in mare, Mare Ru-
brum. pro quo in Graeco inuenisse uos dicitis: καὶ παρεπίκραναν,
et putatis uerbum e uerbo debere transferri: 'et amaricaue-
runt'. sed et haec interpretatio 'adnullationi' consimilis est siue 'ad-
0 nihilationi'. legite Ezechiel et inuenietis παραπικρασμὸς 'inritationem
et exacerbationem' semper expressum, ubi dicitur: οἶκος παρα-
πικραίνων, id est domus exasperans. in eodem: et uidit, 4
cum tribularentur, et audiuit orationem
eorum. quidquid extra hoc in Graeco inuenisse uos dixistis,
5 superfluum est.

68. Centesimo sexto: et statuit procellam eius
in auram et siluerunt fluctus eius. hoc ergo, quod
pro isto in Graeco inuenisse uos dicitis: καὶ ἐπετίμησεν τῇ καταιγίδι
αὐτῆς καὶ ἔστη εἰς αὔραν, superfluum est. in eodem: et deduxit 2
) eos in portum uoluntatis eorum. pro quo in-
uenisse uos dicitis: in portum uoluntatis suae. sed in
Hebraeo non habet 'ephsau', quod 'uoluntatis suae' significat,
sed 'ephsam', quod 'uoluntatis eorum' sonat.

1 *Ps. 105, 1   3 Ps. 105, 7   4 *Ps. 105, 7   5 Ps. 105, 7   9 cf. p. 277, 4
11 cf. Ezech. 3, 9   12 Ps. 105, 44   16 Ps. 106, 29   19 Ps. 106, 30
21 *Ps. 106, 30

1 tho (add. b s.l.m2) Q   2 est om. Ϧ   quod] qui ꝺ   et om. QpO   crestos O
intellegitur ꝺ; hic des. Ⱡ   5 in eod. om. O   6 m. m. (=mare mare) O mare
semel ꞇet.   7 καὶ om. ς   8 e om. p   deberi ꝺ posse p   9 et p, om. cet. (cf.
p. 277, 4)   10 ezechihelem po hiezechihelem Q   inuenitis Aa.c.m2 Pr
ΠΑΡΙΤΙΚΡΑCΜΟΝ p ΠΑΡΕΠΙΚΡΑCΜΟC Q   inrit. et] irritatio p   11 ex-
pressam p esse expres(s s. l.)sum O   ΠΑΡΕΠΙΚΑCΜ (s.l.m2 IN) ON Q   14 inu.
uos (uos s.l.p) pO uos (s.l.m2 Q) inu. Q⟨3⟩r inu. APꝺ   dicitis pO   16 in ·C·VI·
psalmo ꝺ de ·Cı̇Vı̇· O   eius om. ꝺ   18 EꞶΤΙΜΗCΕΝ Aa.c.m2 ECΤΗCΕΝ
Ap.c.m2 ΕΠΕΤΑΞΕΝ Q⟨3⟩p   19 AYΤΟΝ ⟨3⟩, om. Q   καὶ ἔστη om. p   εἰς
αὔραν Q⟨3⟩, om. cet.   eduxit Q (in mg. deduxit) O deduxisti p   20 quo in
greco QꝺO   inu. om. p   21 uos s.l.p   suae] eorum (exp. et s.l. sue) Q
22 ephsau—sed om. p   uoluntas A   suae—uol. om. ꝺ

69. Centesimo septimo: **e x u r g e, g l o r i a m e a**. quod dicitis in Latino non esse, recte in isto psalmo non habet, quia nec apud Hebraeos nec apud ullum interpretum repperitur, sed habetur in quinquagesimo sexto psalmo, de quo mihi uidetur a quodam in istum locum esse translatum. in eodem: **m i h i a l i e n i g e n a e a m i c i f a c t i s u n t**. pro quo in Graeco inuenisse uos dicitis ὑπετάγησαν, hoc est 'subditi sunt'. sed hoc in quinquagesimo nono psalmo scriptum est; in praesenti autem ita apud omnes inuenimus translatores: ἐμοὶ ἀλλόφυλοι ἐφιλίασαν, id est **a m i c i f a c t i s u n t**, quod Hebraice dicitur 'ethrohe'.

70. Centesimo nono: **u i r g a m u i r t u t i s t u a e e m i t t e t d o m i n u s e x S i o n**. dicitis uos in Graecis codicibus non legisse 'uirtutis tuae', quod manifeste et in Hebraeo et in septuaginta interpretibus habet. in eodem: **d o m i n a r e i n m e d i o i n i m i c o r u m t u o r u m**. dicitis in Graeco legi: **e t d o m i n a r e**. sed hoc nec in Hebraeo habetur nec apud Septuaginta et superfluum est.

71. Centesimo decimo: **c o n f i t e b o r t i b i, d o m i n e, i n t o t o c o r d e**. in Graeco inuenisse uos dicitis: **i n t o t o c o r d e m e o**. sed et hoc hic superfluum est.

72. Centesimo tertio decimo: **d e u s a u t e m n o s t e r i n c a e l o**. pro quo in Graeco legisse uos dicitis: **i n c a e l o e t i n t e r r a**. sed et hoc superfluum est.

---

1 Ps. 107, 3   4 cf. Ps. 56, 9   5 Ps. 107, 10   7 cf. Ps. 59, 10   11 Ps. 109, 2   14 Ps. 109, 2   15 *Ps. 109, 2   18 *Ps. 110, 1   19 Ps. 110, 1   21 Ps. 113, 11   22 *Ps. 113, 11

1 in ·C⸱VII⸱ psalmo ɔ de ·C⸱VII· O 3 interpretem Q habet p 4 quinquagensimo sexto r isto loco O loco isto Q 5 in—6 dic. $pO, A in mg.$ $m2$ (*ubi pro* inu. uos dic. *scriptum est*: dic. esse) in eodem $Q, om. cet.$ 7 psalmo om. ς   8 inuenitur O 9 ἐμοὶ om. $3p$ *ΗΦΙΛΙCΑΝ* Q *ΛΥΧΘΗCΑΝ* 3*ΥΠΕΤΑΓΗCΑΝ* p 10 ethrohe A etrhohe $3r$ etrhhe ɔ ethroe eht p erthode PQ hercode O 11 ·CVIII· $AQr, Pp.r.$ in ·C⸱VIIII psalmo ɔ de ·C·IX O tuae *ex* suae r 12 ex sion *ex* exion A ex syon $Q, p bis$ 13 pr. et om. O 14 habetur O 15 legisse ɔ   17 et *s.l.* $Q, om. pO$ 18 in ·C·X· psalmo ɔ de ·C⸱X⸱ O 19 *pr.* corde] add. meo $Q(exp.) O$ pr. in—*alt.* corde om. p 20 sed] et (*exp.*) A et *s.l.* p het (h *exp.*) P hic om. O 21 cent.—23 est om. p cent. tert. dec. *scripsi* cent. dec. tert. ς ·CXIII· $APQ3r$ in ·C·XIII· psalmo ɔ de·C⸱III·X O

73. Centesimo quarto decimo: et in diebus meis in-
uocabote. dicitis, quod in Graeco non sit 'te', et bene; e uestris
quoque codicibus eradendum est. in ipso: placebo domino 2
in regione uiuorum. pro quo in Graeco legisse uos dicitis:
5 placebo in conspectu domini. sed hoc superfluum est.
74. Centesimo septimo decimo: et in nomine domini,
quia ultus sum in eos. dicitis 'quia' in Graecis codicibus
non inueniri; sed et in Latinis sub asterisco legendum est.
75. Centesimo octauo decimo: et meditabar in man-
0 datis tuis, quae dilexi. in Graeco uehementer additum legisse uos dicitis; sed hoc superfluum est. in eodem: le- 2
uaui manus meas ad mandata tua, quae dilexi.
in Graeco legisse uos dicitis: ad mandata tua, ⟨quae dilexi
uehementer,⟩ sed hoc superfluum est. in eodem: cogitaui 3
5 uias meas. in Graeco ⟨iuxta⟩ uias tuas legisse uos dicitis, sed
hoc superfluum est et rectius 'meas' legitur. in eodem: et uerti 4
pedes meos in testimonia tua. in Graeco legisse uos
dicitis: et auerti. sed et hoc superfluum est. in eodem: ego 5
autem in toto corde scrutabor mandata tua.
) in Graeco in toto corde meo legisse uos dicitis; sed hic 'meo'

---

1 *Ps. 114, 2   2 Ps. 114, 2   3 Ps. 114, 9   5 *Ps. 114, 9   6 Ps. 117, 10
9 Ps. 118, 47   10 *Ps. 118, 47   11. 13 *Ps. 118, 48   14 Ps. 118, 59   15 *Ps.
118, 59   16. 18 *Ps. 118, 59   18 *Ps. 118, 69   20 Ps. 118, 69

1 cent. quarto dec. *scripsi* cent. dec. quarto ς cent. ·XIIII· *p* ·CXIIII, *APQ*3*r*
in ·C·XIIII psalmo ʋ de ·C·X₁IIII₁*O*   2 e] et (*s.l.m2*) e *A* et ex ʋ de *p*   ꞁris *Qa.c.m2*
3 quoque *om. A*   cod. *om. p*   radendum *pʋ* ter addendum *Q*   in ipso CXV *A*
4 uos leg. *p*   5 hoc] ho *A*   6 cent. sept. dec. *scripsi* cent. dec. sept. ς cent.
·XVII· *p* ·CXVII· *PQ*3*r* ·CXVI· *A* in ·C·XVII· psalmo ʋ de ·C·VII·X*O*   et *om. p*
7 sum *om. O*   in *om. APrʋ* *alt.* quia] quod *Aa.c.m2PQ*3*p*   cod. grecis *p*   8 inuenitur *Q*   (*s.l.add.m2* quia) 3*p*   et *s.l.Q, om.* 3*pO*   9 cent. oct. dec. *scripsi* cent. dec.
oct. ς cent. ·XVIII· *p* ·CXVIII· *APQ*3*r* in ·C·XVIII· psalmo ʋ de ·C·VIII·X *O*
meditabor *Q*   10 dilexisti *Aa.c.Pr*   leg. uos dic. ueh. add. *p*   11 sed et
hoc *APQ*   est *om. p*   12 tua *del. r, om.* ʋ   13 uos dic. *om. A*   ad mand.
tua *om. P*   ad *om. O*   quae dil. ueh. *addidi, om. codd.*   14 sed] sed et *Q* sed
in *p*   15 iuxta *addidi* (*cf. cod. Alex.: κατὰ τὰς ὁδούς σου*)   sed *ex* se *A*   16 est
om. p   uias meas ς   *alt.* et—*p. 286, 1* eodem *om. p*   uerti ʋ auerti *Ap.c.m2O*
auertisti *cet.*   17 inuenisse 3   18 auertisti *AO*   19 corde meo (*exp.*) *Q*
20 hoc *Q*

6 superfluum est. in eodem: **a n i m a m e a i n m a n i b u s m e i s
s e m p e r ; e t l e g e m t u a m n o n s u m o b l i t u s.** pro quo in
Graeco legisse uos dicitis: **a n i m a m e a i n m a n i b u s t u i s
s e m p e r.** sed sciendum et apud Hebraeos et apud Septuaginta
et omnes alios interpretes scriptum esse 'in manibus meis', et 5
non 'in manibus tuis', quod Hebraice dicitur 'bachaffi'; et omnes
apud Graecos ecclesiastici interpretes istum locum sic edisserunt
et est breuiter hic sensus: 'cottidie periclitor et quasi in manibus
meis sanguinem meum porto et tamen legem tuam non obliuiscor'.

7 in eodem: **e x i t u s a q u a r u m d e d u x e r u n t o c u l i m e i,** 1
q u i a n o n c u s t o d i e r u n t l e g e m t u a m. pro quo in
Graeco legisse uos dicitis, **q u i a n o n c u s t o d i u i l e g e m
t u a m.** sed hoc superfluum est, quia et in Hebraeo legitur: **r i u i
a q u a r u m f l u e b a n t d e o c u l i s m e i s, q u i a n o n c u-**
8 **s t o d i e r u n t l e g e m t u a m.** in eodem: **p r o n u n t i a b i t** 1
l i n g u a m e a e l o q u i u m t u u m. pro 'pronuntiabit' in
Graeco φϑέγξεται uos legisse dixistis, quod uerbum, siue dicas
'pronuntiabit' siue 'effabitur' siue 'loquetur', id ipsum significat.
denique et nos de Hebraeo ita uertimus: **l o q u e t u r l i n g u a
m e a s e r m o n e m t u u m.**   2

    76. Centesimo nono decimo: **d o m i n e, l i b e r a a n i-
m a m m e a m a l a b i i s i n i q u i s, a l i n g u a d o l o s a.** in
Graeco legisse uos dicitis: **e t a l i n g u a d o l o s a.** 'et' superfluum est.

    77. Centesimo uicesimo sexto: **b e a t u s u i r, q u i i n p l e b i t** 2

1 Ps. 118, 109   3 *Ps. 118, 109   10 Ps. 118, 136   12. 13 *Ps. 118, 136
15 Ps. 118, 172   19 *Ps. 118, 172   21 *Ps. 119, 2   23 Ps. 119, 2   25 *Ps. 126, 5

3 meis *P,Qa.c.m2*   4 *pr.* et] quod ℨ   5 apud omnes *O*   6 bakafi *O* achaffi o
8 quasi] quāquā *Q*   9 et *exp. Q*   12 quia] *add.* iniqui *s.l.m2A*   custodierunt (erunt
del., postea restitutum, s.l.m2 ui *postea erasum A) AQ*   13 hoc *om. Q*   est *om. p*
et *om.O*   14 de *om.* o   16 pro *om. APℨ*   17 *ΦΘΕΓΞΕΤΕ Η ΓΛωCCA MOY TO
ΛΟΓΙΟΝ COY Q ΦΘΕΓΞΟΙΤΟ p*   dicitis ℨ *a.c.O*   dicat o   18 effatur *Q*
loquatur *O*   id] ad *Pa.c.m2p*   20 tuum] meum o   21 cent. nono dec.
scripsi cent. dec. nono ς cent. ·XVIIII· *p* ·CXVIIII· *APQℨr* in ₁C̦ₗXVIIII·
psalmo o de ₁C̦· n(*in ras.*) ·X̦· *O*   22 *alt.* a] et o et a *pr*   23 uos leg. *p*   *alt.* et] et
ergo *p* sed et ς   25 cent. ·XXV· (*sic*) *p* ·CXXVI· *Aℨr* ·CXVI· (*sic*) *P,Qa.c.m2*
in ·C̦ₗXX̦·V̦I· psalmo o de ·C̦·XX̦·V̦I·*O*   uir] u̦(= ubi)*O*   implebit ℨ (*utLXX*)
im. *O* impleuit *cet.*

desiderium suum ex ipsis. in Graeco dicitis 'uir' non
haberi, quod manifestissime et in Hebraeo et in septuaginta
interpretibus continetur.

78. Centesimo uicesimo nono: propter legem tuam
5 sustinuite, domine. dicitis uos in Graeco inuenisse: propter nomen tuum, et nos confitemur plura sic exemplaria
repperiri. sed quia ueritati studemus, quid in Hebraeo sit, simpliciter debemus dicere: pro 'nomine' siue 'lege' apud eos legitur
'thira', quod Aquila interpretatus est φόβον, hoc est 'timorem',
10 Symmachus et Theodotion νόμον, id est 'legem', putantes 'thora'
propter litterarum similitudinem iod et uau, quae tantum magnitudine distinguuntur. quinta editio 'terrorem' interpretata est,
sexta 'uerbum'.

79. Centesimo tricesimo primo: sicut iurauit domino,
15 uotum uouit deo Iacob. pro eo, quod nos interpretati
sumus 'uotum uouit', in Graeco ηὔξατο legisse uos dicitis et putatis
interpretari debuisse 'orauit', sed hoc male; εὐχή enim pro
locorum qualitate et orationem et uotum significat secundum
illud: redde deo uota tua, id est τὰς εὐχάς σου.

20 80. Centesimo tricesimo quinto: qui fecit luminaria
magna. dicitis, quia in Graeco inueneritis: magna solus;
sed hoc de superiori uersiculo est, ubi legimus: qui fecit
mirabilia magna solus. ibi ergo legendum est et hic
quasi superfluum non scribendum.

5 81. Centesimo tricesimo septimo: quoniam magni-

4 Ps. 129, 4   5 *Ps. 129, 4   14 Ps. 131, 2   19 *Ps. 49, 14   20 Ps. 135, 7
22 *Ps. 135, 4   25 Ps. 137, 2

1 ex *ex* e *A*   et in *p*   uir *po* uirum *cet.*   4 cent. ·XXVIII· *p* ·CXXVIIII·
*APQ*3*r* in ·Ċ·XX·VIIII· psalmo ʋ de ·Ċ·XX·IX·O   5 in greco uos 3   6 ex. sic ς
sic *om.* ʋ   9 thora ʋ   interpretatū *p*   hoc est *om.* ς   10 theodocion ʋ   thoratO
thyra (y *in ras. m2*) *r*   11 litterarū (rū *in ras. m2*) *P* litterę *p*   iod *p* (*cf. not.
crit. ad uol. I p. 246, 6*) ioht *Qr*ʋ ioth (t *in ras. O*) *cet.*   12 distinguuntur *r*ʋ
14 cent. ·XXX· (*sic*) *p.* CXXXI· *AP*3*r* ·CXXX· *Q* in ·Ċ·XXX·Ï· psalmo ʋ de
·Ċ·XXX·Ï·O   iurauit *om.* *p*   17 sed hoc male *om.* *p*   19 domino *Qp*ʋO
20 cent. ·XXXV· *p* ·CXXXV· *APQ*3*r* in ·Ċ·XXX·V· psalmo ʋ ·Ċ·XXX·V·O
22 superiore *APr*   quia *p*   facit *Qp*O   23 luminaria ʋ   25 cent. ·XXXVI· (*sic*) *p*
·CXXXVII· *APQ*3*r* in ·Ċ·XXX·VII psalmo ʋ de ·Ċ·XXX·VII O   quam *p*

ficasti super omne nomen sanctum tuum. in Graeco repperisse uos dicitis: super omnes. sed in Septuaginta ita legitur: ὅτι ἐμεγάλυνας ἐπὶ πᾶν τὸ ὄνομα τὸ ἅγιόν σου, sicuti et nos in Latinum uertimus. ceterum apud Hebraeos ita esse cognoscite: quia magnificasti super omne nomen 5 tuumuerbumtuum. iuxta editionem autem Latinam hic sensus est: 'quoniam magnificasti super omne nomen, hoc est, quod in caelo et in terra dici potest sanctum, filium tuum'.

82. Centesimo tricesimo octauo: quia non est sermo in lingua mea. pro quo in Graeco legisse uos dicitis: quia non 10 estdolusinlinguamea, quod solum sexta editio interpretata est. ceterum et apud Septuaginta et apud omnes interpretes et ipsum Hebraicum uel λαλιὰν uel λόγον, id est 'eloquium' et 'uerbum', scriptum habet. denique Hebraice 'mala' dicitur.

83. Centesimo tricesimo nono: funes extenderunt in 15 laqueum. pro quo in Graeco inuenisse uos dicitis: funes extenderunt laqueum pedibus meis. sed hoc in hoc loco 2 superfluum est. in eodem pro eo, quod est: habitabunt recti cum uultu tuo, in Graeco repperisse uos dicitis: et habitabunt; sed hic 'et' coniunctio superflua est.   2(

84. Centesimo quadragesimo: dissipata sunt ossa nostra secus infernum. pro quo in Graeco legisse uos dicitis: ossaeorum. sed et hoc superfluum est.

---

2. 5 *Ps. 137, 2   9 Ps. 138, 4   10 *Ps. 138, 4   15 Ps. 139, 6   16 *Ps. 139, 6   18 *Ps. 139, 14   20 Ps. 139, 14   21 Ps. 140, 7   23 *Ps. 140, 7

3 ΠΑΝ (add. TAC s.l.m²) A ΠΑΝΤΑΟ   ONOM (add. A s.l.m² A) APr   sicut poO   5 agnoscite O   quam p   6 pr. tuum del. m²Pr sanctum tuum ჳO, om. Qo   uerbum] sanctum Q   aut. ed. ᴏ   7 quam p   9 cent. ·XXXVII·p·CXXXVIII·APQჳr in ·C·XXX,VIII; psalmo ᴏ de ·C·XXX;VIII·O 10 tua p   11 quod non ᴏ   12 apud ī(= interpretes) LXX ᴏ   13 uel λόγον om.ჳ   14 malac A, om. p   15 cent. ·XXXVIIII· p ·CXXXIIII· APQჳr in ·C·XXX·VIIII· psalmo ᴏ de ·C;XXX·IX· O   16 in Graeco om. p   uos inu. Q   17 in laqueum pO   sed—loco om. p   hoc in hoc rᴏ hoc in (add. hoc s.l.m²) Q hoc (add. in hoc s.l.m²) P hoc (s.l.m² in) in hoc (sic) A hoc in ჳ in hoc O   20 hic et] et hic p   hic] hoc Q   et om. Q haec ჳ   est om. ჳ 21 cent. ·XL· p ·CXL· APQჳr in ·C·XL· psalmo ᴏ de ·C·XL· O   22 quo] eᴏ quod ᴏ   uos leg. ჳ   23 et hoc] boc et ჳ   hoc] hic O

85. Centesimo quadragesimo sexto: n e c   i n   t i b i i s   u i r i
b e n e   p l a c i t u m   e r i t   e i. pro 'ei' 'domino' legisse uos dicitis,
quod non habetur.

86. Ideo autem, quod et uos in fine scedulae quaeritis et sanc-
5 tus filius meus Auitus frequenter efflagitat, quomodo Graeca inter-
pretanda sunt uerba, breuiter adnotaui. *νεομηνία* mensis
exordium est, quod nos secundum Latinae linguae proprietatem
kalendas possumus dicere. uerum quia apud Hebraeos mensis
secundum lunae cursum supputatur et apud Graecos *μήνη* luna
10 dicitur, *νεομηνία* quasi noua luna appellatur. *ἔρημος* autem deser- 2
tum uel solitudinem significat, *θρόνος* sedem uel solium, *νυκτικόραξ*,
ut diximus, noctuam. *κυνόμυια* non, ut Latini interpretati sunt,
'musca canina' dicitur per *υ* Graecam litteram, sed iuxta Hebraicam intellegentiam per *δίφθογγον* debet scribi *οι*, ut sit *κοινόμυια*,
15 id est 'omne muscarum genus', quod Aquila *πάνμικτον*, id est 'omni-
modam muscam', interpretatus est. *λαξευτήριον* autem, pro quo 3
Latinus 'asciam' uertit, nos genus ferramenti interpretamur, quo
lapides dolantur. denique ex Hebraeo uertentes ita diximus: e t
n u n c   s c u l p t u r a s   e i u s   p a r i t e r   b i p i n n e   e t   d o-
20 l a t o r i i s   d e r a s e r u n t; *λαξευτήριον* ergo dolatorium dici
. potest.

1 Ps. 146,10   2 cf. Ps. 146,11   11 cf. p. 279,13   18 *Ps. 73,6

1 cent. ·XLVI· *p* CXLVI· *APQℨr* in ·C·XL·VII· (*sic*) psalmo ɔ de ·C·XL·
(*s.l. add.* ·VI; *fort. m2*) *O*   uiri *om.* ɔO   2 dnm ℨɔ dne *p*   3 habeatur *pp.c.*
4 ideo] de eo *p* scaedulae *A* sedule ɔ   5 interpre(ae)tandi *APa.c.m2* interpretata
non (non *exp.*) *Q*   sint *rO*   6 uerba] nomina ℨ   neominia *r* nec minia ɔ neomenia
cet.   7 exordii ɔ   10 *NHⲰMHNIA p* neominia *r* nec minia ɔ neomenia *cet.*
luna noua *ς*   11 *θρόνος ς* thronus *codd.*   13 per y *Q* pe YY *P*   14 *οι om.* ℨ   15 gen.
musc. ℨ*p*   quod] sed *p, om. ς*   *ΠΑΜΜΙΚΤΟΝ* ɔ   17 interpretabimur ℨ
interpretati sumus *p*   quod *A*ɔ   18 et] ut *Aa.c.m2*ℨ*r*   19 sculpturā (*ex* ra
m2) *p* sculpturas ℨ*r*ɔ   bipenne *Q*O bipennę ℨ*p* bipenni *ς*   21 pot.] *add.* explicit
epla (epł ℨ ep̄ *r*) sci hieronimi ad sunniam et fretelam *AP*ℨ*r* explicit epistola sci
hieronimi prb̄ri *p*

CVII.
AD LAETAM DE INSTITUTIONE FILIAE.

1. Beatus apostolus Paulus scribens ad Corinthios et rudem
Christi ecclesiam sacris instruens disciplinis inter cetera mandata
hoc quoque posuit dicens: s i q u a m u l i e r h a b e t u i r u m 5
i n f i d e l e m e t h i c c o n s e n t i t h a b i t a r e c u m e a, n e
d i m i t t a t u i r u m. s a n c t i f i c a t u s e s t e n i m u i r i n-
f i d e l i s i n u x o r e f i d e l i e t s a n c t i f i c a t a e s t m u l i e r
i n f i d e l i s i n f r a t r e. a l i o q u i n f i l i i u e s t r i i n m u n-
2 d i e s s e n t, n u n c a u t e m s a n c t i s u n t. si cui forte hactenus 10
uidebantur nimium disciplinae uincula laxata et praeceps indulgen-
tia praeceptoris, consideret domum patris tui, clarissimi quidem
et eruditissimi uiri, sed adhuc ambulantis in tenebris, et intelleget
consilium apostoli illuc profecisse, ut radicis amaritudinem dulcedo
fructuum conpensaret et uiles uirgulae balsama pretiosa sudarent. 15
tu es nata de inpari matrimonio: de te et Toxotio meo Paula generata

5 *I Cor. 7, 13—14

$K = $ *Spinaliensis 68 s. VIII.*
$\Sigma = $ *Turicensis Augiensis 41 s. IX.*
$\mathfrak{B} = $ *Caroliruhensis Augiensis 105 s. IX—X.*
$D = $ *Vaticanus lat. 355 + 356 s. IX—X.*
$\Psi = $ *Augustodunensis 17 A s. X.*
$B = $ *Berolinensis lat. 18 s. XII (continet post epistulam, cuius pars*
      a p. 293, 14 uenerabilis *usque ad p. 303, 10* Hilarii li—
      periit, apographon partis a p. 292, 20 propositum *usque*
      ad finem; discrepantes lectiones siglis B^1 *et* B^2 *noto*).

ad laetam (aletam D) de institutione filiae $K\Sigma D\Psi$ ad laetam (*add. m2* de institutione filiae *et m3* dei puellae) $\mathfrak{B}$ ad letam consolans eam pro interitu filiae
(*in mg. m2* de institucione filie) B^1 ad letam de institutione paulae uirginis
(*haec omnia del. m2*) B^2; *Hieronymi nomen exhibent tituli in* $\Sigma\mathfrak{B}DB^1$

3 beatus *om.* ΣDB 4 instituens $\mathfrak{B}a.c.$ 5 habet] habens D 6 ne] non ΣD
7 uir. suum ΣDB enim—est *in mg. inf. m2* (*ultima uerba* et sanctificata est
etiam s.l.m1) K 8 in ux. fid.] per mulierem fidelem D 9 in fratre (*del. et*
s.l. add. per uirum fidelem [fidilem K]) $K\mathfrak{B}$ in uirum fidelem Ψ in uiro fideli ΣDB
10 sancti $K\Psi$ mundi *cet.* actenus ΣDB, $\mathfrak{B}a.c.$ 11 uidebuntur $\Sigma a.c.DB$ uincla $\mathfrak{B}$
13 intellegit $\Sigma\mathfrak{B}D$ intelligat B 14 radices $K, \mathfrak{B}a.c.$ 15 uilis $K\Sigma D$, $\Psi a.c.$
balsami Σ 16 patrimonio B matrimonii D; *add.* et (*exp.*) Σ toxot(c B)ione
DB meo *ex* me Σ, *om.* DB

est. quis hoc crederet, ut Albini pontificis neptis de repromissione ₃
matris nasceretur, ut praesente et gaudente auo paruulae adhuc lingua balbuttiens alleluia resonaret et uirginem Christi in suo gremio
nutriret et senex? bene et feliciter expectauimus. sancta et fidelis do-
₅ mus unum sanctificat infidelem. candidatus est fidei, quem filiorum
et nepotum credens turba circumdat. ego puto etiam ipsum Iouem,
si habuisset talem cognationem, potuisse in Christum credere. de- ₄
spuat licet et inrideat epistulam meam et me uel stultum uel insanum
clamitet, hoc et gener eius faciebat, antequam crederet. fiunt, non
₁₀ nascuntur Christiani. auratum squalet Capitolium, fuligine et ara-
nearum telis omnia Romae templa cooperta sunt, mouetur urbs se-
dibus suis et inundans populus ante delubra semiruta currit ad
martyrum tumulos. si non extorquet fidem prudentia, extorqueat
saltim uerecundia.

₁₅   2. Hoc Laeta, religiosissima in Christo filia, dictum sit, ut non
desperes parentis salutem et eadem fide, qua meruisti filiam, et
patrem recipias totaque domus beatitudine perfruaris sciens illud
a domino repromissum: q u a e   a p u d   h o m i n e s   i n p o s s i-
b i l i a,   a p u d   d e u m   p o s s i b i l i a   s u n t. numquam est sera
₂₀ conuersio. latro de cruce transiit ad paradisum; Nabuchodonosor,
rex Babylonius, post efferationem et cordis et corporis et belu-

---

18 *Luc. 18, 27

1 neptes *ΣD* nepotis *Ba.c.m2*   2 matris] martyris *KΨ,𝔅a.c.;add.* filia *ΣD,
Bs.l.m2*   3 balbutiens 𝔅*D*—uciens *B; add.* x̄p̄i 𝔅 (*eras.*) *Ψ*   res. all. *Σ*   Christi]
dei *ς*   4 nutr. et (*om.* 𝔅) sene(i *K*)x *K*𝔅*Ψ* senex (— s *Σp.c.m2B*) nutr. *ΣDB*
et bene feliciterque *ς*   5 in(*s.l.*)fidelem *K*   iam candidatus *Σa.c.D,Bp.c.m2*
fidei] filiae *D*   6 Iouem] iuuenem *Σa.c.,D* (iubenem)   7 si *ex* ipsum *m2B*
x̄p̄o *ΣD*   dispuat *KΨ* dispiciat 𝔅 *in mg. sup. m2* (*in t.* despuat) sed respuat *Σ*
8 inridet *D*   me *s.l.m2K*   *pr.* uel] ut *ΣD,B in ras. m2*   *alt.* uel] et *ΣD*
9 clamet *D*   hoc et] et hoc *B*   10 capitulium *K*   et *bis K*   haranearum
Σp.c.   11 templa *ex* exempla *B*   e(*s.l.m2*)sedibus 𝔅   12 suis *s.l.m2B*
populis *ΣD*   simiruta *K* sumiruta *Ba.c.*   cucurrit *DB*   14 saltem *ς* salutem
ΣD   uerecunda *D*   15 alaeta *D*   doctum *Ka.c.m2*   16 dis(ss *Σ*)peres
(-ris *K) KΣΨ,𝔅a.c.*   parenti *D*   quam m(*s.l.*)eruisti (sti *in ras. m2*) *B* qua
erudisti *Σp.c.Ψ* quam (*s.l. add. m2* m me) erudisti *K*   filia *D*   17 toteque
D,B (*ex* totamque *m2*) totiusque (tius *in ras.*) *Σ*   18 inposs.] *add.* sunt *K* (*exp.*) *Ψ*
20 confessio *D* conūnsio (*alt.* n *exp.*) *B*   transit *DB*   paradysum *ΣDΨ*   nabu-
codonosor *B*   21 babyl(ll *KΨ*)onius *KDΨ* baby(i *Σa.c.B*)lonis *Σ𝔅B*   *pr.* et
om. Σ𝔅DB   corp. et cordis *D*   belbarum *D*

2 arum in heremo conuictum mentem recepit humanam. et, ut omittam
uetera, ne apud incredulos nimis fabulosa uideantur, ante paucos
annos propinquus uester Graccus nobilitatem patriciam nomine sonans,
cum praefecturam regeret urbanam, nonne specu Mithrae et omnia
portentuosa simulacra, quibus corax, cryphius, miles, leo, Perses, 5
heliodromus, pater initiantur, subuertit, fregit, exussit et his quasi
obsidibus ante praemissis inpetrauit baptismum Christi? solitudinem patitur et in urbe gentilitas, dii quondam nationum cum
bubonibus et noctuis in solis culminibus remanserunt; uexilla militum crucis insignia sunt, regum purpuras et ardentes diadematum 10
3 gemmas patibuli salutaris pictura condecorat. iam et Aegyptius
Serapis factus est Christianus; Marnas Gazae luget inclusus et euersionem templi iugiter pertremescit. de India, Perside et Aethiopia
monachorum cotidie turbas suscipimus; deposuit faretras Arme-
nius, Huni discunt psalterium, Scythiae frigora feruent calore fidei; 15
Getarum rutilus et flauus exercitus ecclesiarum circumfert tentoria et ideo forsitan contra nos aequa pugnat acie, quia pari religione confidunt.

   3. Paene lapsus sum ad aliam materiam et currente rota, dum ur-
ceum facere cogito, amphoram finxit manus. propositum enim mihi 20

19 cf. Horat. a. p. 21 sq.

1 herimo *K*   conuictu *D*   ut *om.B*   mittam *Σa.c.*   2 uideant *D*
3 nobilitate patricia (*ex—cie B—tia Σ*) *ΣD,Ba.c.2*   4 gereret *ς*   specu
mitrae *K,Ψa.c.m2* specum mitrae *Σ𝔅D* specum idrae *Ψp.c.m2* specum mitre *B*
5 portentosa *𝔅Ba.c.m2*   simulachra *K*   cryphius *scripsi coll. CIL VI 751ª
et 753*, nymphus *D* nimphus *𝔅B* nimplus *Σa.c.* nimfus *KΨ,Σp.c.*   praeses *B*
6 elyodr. *Σ* aelidr. *KΨ*   imitantur *ΣD* imitatur *B*   exussit *K* excussit *cet.*
7 inpetrauit (*pr. t exp. m2*) *Ψ* impetrabit *D*   8 et *exp. m2 B*   urbę *D; add.*
et in orbe (*del. m2*) *B*   quondam nat.] condemnationum *D* condempnationem *B*
9 in solis] insulis *K*   uixilla *KΨ*   10 regnum (n *exp.*) *B*   dy(*ex* de)ademadum *Σ*
11 salu(*s.l. add.* a *m2*)taris (*sic*) *K* saluatoris *ΣB*   iam *om.Ka.c.m2*   et *K*
(*s.l.m2*) *Ψ, om. cet.*   aegipt. *K* egypt. *B*   12 sorapis *B*   marinas *Ψ*   zazae
(— e *Ψ*) *Ka.c.m2Ψ* gaię *Σa.c.D* graię *Σp.c.* et *om. B*   13 pertremiscit *𝔅p.c.m2*
pertremiscet *K* pertimescit *ΣD,Bp.c.m2*   persidae *KΨ* persida *ΣDB* et] atque
Σ, om. ς   (ęthi *s.l.*)opia *Σ* thiopia *D*   14 suscepimus *KD*   phar. *ΣD*
armenia *B*   15 huni *ex* uni (i *in ras. m2*) *B* uani *Σa.c.D* Hunni *ς*   scithiae (— e)
Σ𝔅D,Bp.c. scitiae *KBa.c.* schitiae *Kp.c.* scientiae *Ψ*   frigore *𝔅a.c.*   16 getarum
in ras. m2B getharum *Kp.c.m2*   tenturia *K* centuria *Ψ*   17 pugnant *Σ𝔅DB*
19 orceum *K, Ψa.c.m2*   20 coito *Da.c.m2*   anforam *B*   fingit (git *s.l.*) *Σ*
enim *om. B*

erat sanctae Marcellae et tuis precibus inuitato ad matrem, id est
ad te, sermonem dirigere et docere, quomodo instruere Paululam
nostram debeas, quae prius Christo est consecrata quam genita,
quam ante uotis quam utero suscepisti. uidimus aliquid tempori- 2
5 bus nostris de prophetalibus libris: Anna sterilitatem alui fecunditate mutauit, tu luctuosam fecunditatem uitalibus liberis con-
mutasti. fidens loquor accepturam te filios, quae primum foetum domino reddidisti. ista sunt primogenita, quae offeruntur in lege. sic
natus Samuel, sic ortus est Samson, sic Iohannes propheta ad introitum
10 Mariae exultauit et lusit. audiebat enim per os uirginis uerba domini
pertonantis et de utero matris in occursum eius gestiebat erumpere. igitur, quae de repromissione nata est, dignam habeat ortu 3
suo institutionem parentum. Samuel nutritur in templo, Iohannes in solitudine praeparatur. ille sacro crine uenerabilis est, uinum
15 et siceram non bibit, adhuc paruulus cum deo sermocinatur; hic
fugit urbes, zona pellicia cingitur, lucustis alitur et melle siluestri
et in typum paenitentiae praedicat tortuosissimi animalis uestitus
exuuiis.

4. Sic erudienda est anima, quae futura est templum domini.
20 nihil aliud discat audire, nihil loqui, nisi quod ad timorem dei per-

5 cf. I Reg. 1, 1—20   8 cf. Ex. 13, 2. 12—13   9 cf. I Reg. 1, 1—20
cf. Iudd. c. 13   cf. Luc. 1, 41—44   13 cf. I Reg. 2, 11. 3, 1   cf. Luc. 1, 80
14 cf. I Reg. 1, 11   cf. Num. 6, 3   15 cf. I Reg. 3, 4—21   16 cf. Matth. 3, 4
Marc. 1, 6

1 erat *s.l.m2B²* est 𝔅   inuitatus *Ψ* initiato *ΣD*   2 serm. ad te *Σ*   ad te]
ante *B¹*   instituere *ΣBDB*   paululam 𝔅*p.c.m2B²* paulam *cet.*   3 x̄p̄m̄
Ψp.c.m2 in x̄p̄o *ΣDB¹*   cons. est *B²*   consecuta *Ka.c.m2Ψ*   4 uotis] uouisti
ΣDB¹   concepisti ς   aliquem *Ψ*   5 prophetaribus *D*   sterelitatem
ΣBa.c.,B¹   aluit *DB¹,B²a.r.*   fecunditatem *Σa.r.B*   6 lactuosam *Σp.c.D*
libris *KB²a.c.,Ψ*   7 faetum *ΣB* fetum *DB*   8 credidisti *D*   9 natus est ς
samuhel *ΣBD*   sam(p *s.l.*)son est *D*   iohannis *K*   prof. *K* baptista ς   exult.
ad intr. mariae *KΨ*   10 uerba (uerbum *Σ*) dom. per os (hos *B¹*) uirg. *ΣDB¹*   hos *B*
11 ei ς   12 promissione *B*   13 institucione *K*   samuhel *ΣBD*   nutritus *D*
14 solitudinē *B²*   uen. — *p. 303, 10* Hilarii li—*exciderunt in B¹*   15 sicera *K*
domino *ΣDΨ*   16 lucustis *K*,𝔅*a.c.* locustis *cet.*   et] ac ς   mel *Ka.c.DΨ*
siluestr(a *exp. K*)e *KDΨ*   17 tipum *KB*   predicat ac *Σ* praedicatae *Kp.c.*𝔅
praedicate et (*exp.*) *B* praedicante *D* praedicandae ς   uestitus *scripsi* uestitur
codd.   18 exubiis 𝔅*a.c.D* excubiis (c *eras.*) *Σ*   19 dei 𝔅*DB*

tinet. turpia uerba non intellegat, cantica mundi ignoret, adhuc
tenera lingua psalmis dulcibus inbuatur. procul sit aetas lasciua
puerorum, ipsae puellae et pedisequae a saecularium consortiis
2 arceantur, ne, quod male didicerint, peius doceant. fiant ei litterae
uel buxeae uel eburneae et suis nominibus appellentur. ludat in eis, 5
ut et lusus eius eruditio sit, et non solum ordinem teneat litterarum,
ut memoria nominum in canticum transeat, sed ipse inter se crebro
ordo turbetur et mediis ultima, primis media misceantur, ut eas non
3 sonu tantum, sed et uisu nouerit. cum uero coeperit trementi manu
stilum in cera ducere, uel alterius superposita manu teneri regantur 10
articuli uel in tabella sculpantur elementa, ut per eosdem sulcos
inclusa marginibus trahantur uestigia et foras non queant euagari.
syllabas iungat ad praemium et, quibus illa aetas delectari potest,
munusculis inuitetur. habeat et in discendo socias, quibus inuideat,
quarum laudibus mordeatur. non est obiurganda, si tardior sit, sed 15
laudibus excitandum ingenium; et uicisse se gaudeat et uictam
4 doleat. cauendum in primis, ne oderit studia, ne amaritudo eorum
percepta in infantia ultra rudes annos transeat. ipsa nomina, per
quae consuescet paulatim uerba contexere, non sint fortuita, sed
certa et coaceruata de industria, prophetarum uidelicet atque 20
apostolorum, et omnis ab Adam patriarcharum series de Matheo
Lucaque descendat, ut, dum aliud agit, futurae memoriae prae-
5 paretur. magister probae aetatis et uitae atque eruditionis est eli-
gendus nec, puto, erubescit doctus uir id facere uel in propinqua

---

4 cf. Quintilianus i. o. I 1, 26. 25　　9 cf. ibid. I 1, 27　　17 cf. ibid. I 1, 20

1 uerba *om. ΣD*　3 puellulae 𝔅*p.c.m2*　pedissequae 𝔅*p.c.B* pedis aeque *K*
pedi(s *s.l.*)saequae *Ψ* pedeseque *D*　a *om. ΣD*　saecularum 𝔅*a.c.m2* saecularibus *ΣDB*　6 ordine *K*　litt. ten. 𝔅*p.c.*　7 ut] et *ΣDΨ* hominum *Ψ*
sed *ex* se *Σ* sed et 𝔅　creber *KΣΨ*　8 primis *ex* prius *Σ*　9 sonu *KΨ* sono
cet.　10 ceram *KΨ*　11 tabula *B*　12 inclusa *s.l.Σ, om. D*　foras *ex* foris *Σ*
querant (r *exp.*) *B*　13 syll. *Σp.c.*𝔅 sill. *cet.*　iungant *K,Ψa.r.*　delect.] deleniri
add. s.l.m2K deliniri (*ex—*re 𝔅) 𝔅*B*　16 incitandum 𝔅*p.c.m2*　ingen.] *add.*
ut *D,Σs.l.B in mg. m2*　se *om.* ς　uicta *D*　17 oderis *D*　18 praecepta *ΣBD*
in *om. ΣD*　infantiae *D*　19 consuescit *ΣBΨB* consueuit *D*　fortuitu *Σa.c.Ψ*
20 uid. atque apost. *om. et s.l. add. m2* et apost. *B*　adque *K,Σa.c.* et 𝔅*a.c.m2*
Bs.l.m2　21 et omnis *s.l.m2Σ, om. D*　mattheo *K*　22 discenda *Ψ* descendit *D* conscendat *Σ*　praeparetur *s.l.K*　23 probae] prope *K* prouecte *Ψ*;
add. et 𝔅 (*eras.*) *Ψ*　eruditionisque *Σa.c.D*　24 poto (*sic*) *ex* potest *m2B*
erubescere *B* erubescet ς　uir doctus ς　uel] uelle 𝔅, *om. D*　in *om. Ψ*

uel in nobili uirgine, quod Aristoteles fecit in Philippi filio, ut ipse
librariorum uilitate initia ei traderet litterarum. non sunt contemnenda quasi parua, sine quibus magna constare non possunt. ipse
elementorum sonus et prima institutio praeceptoris aliter de erudito,
5 aliter de rustico ore profertur. unde et tibi est prouidendum, ne inep- 6
tis blanditiis feminarum dimidiata dicere filiam uerba consuescas
et in auro atque in purpura ludere, quorum alterum linguae, alterum
moribus officit, ne discat in tenero, quod ei postea dediscendum
est. Graccorum eloquentiae multum ab infantia sermo matris scribi-
10 tur contulisse, Hortensiae oratio in paterno sinu coaluit. difficulter
eraditur, quod rudes animi perbiberunt. lanarum conchylia quis in
pristinum candorem reuocet? rudis testa diu et saporem retinet et
odorem, quo primum imbuta est. Graeca narrat historia Alexandrum, 7
potentissimum regem orbisque domitorem, et in moribus et in incessu
15 Leonidis, paedagogi sui, non potuisse carere uitiis, quibus paruulus
adhuc fuerat infectus. procliuis est enim malorum aemulatio et, quorum uirtutem adsequi nequeas, cito imitere uitia. nutrix ipsa non sit
temulenta, non lasciua, non garrula; habeat modestam gerulam,
nutricium grauem. cum auum uiderit, in pectus eius transiliat, 8
20 e collo pendeat, nolenti alleluia decantet. rapiat eam auia, patrem

---

1 cf. Quintilianus i. o. I 1, 23   9 cf. ibid. I 1, 6   12 cf. Horat. epist.
I 2 69 sq.   13 cf. Quintilianus i. o. I 1, 9   20 cf. Vergil. Buc. IV 60

1 aristotelis *KΣDΨ*-tiles 𝔅*B*   fecit] petit (*exp. et s.l.* fecit) 𝔅   filippi 𝔅
philippo *Σa.c.m*2*D* filio *s.l.m*2*Σ, om. D*   ipsa *Σ*   2 uilitate *in mg. m*2 *B* utilitate *D*   ei *om. D*   traderet] monstraret *ΣD*   3 parua] *add.* sint *ΣD,Bs.l.m*2
4 sonus] ordo *ΣD*   prima *K* parua *cet.*   praeceptorum *B*   5 de *om. ΣD*
ore *ex* opere *K*   prou. est *B*   6 dimidia *KΨ*   filiam (filia *K,Ψa.c.m*2
filiae 𝔅*a.c.m*2) uerba consuescas *K*𝔅*Ψ* filiam consuescas uerba *B* uerba filiae
(— e *D*) consuescas *ΣD* uerba filia consuescat ς   7 *alt.* in *s.l.Ψ, om. ΣBD*   8 ne]
nec *B*   9 graecorum *K* grecorum *ΣDΨ*   eloquio *B* cont. scrib. ς   inscribitur *B*   10 ortensie (— sii *m*2) *B* ostensa *ex* ortensi *Σ* ostensi *D*   coaluit et 𝔅
11 raditur *ΣDΨ*   praebiberunt *Ψ*   conchilia 𝔅*p.c.B* concilia *cet.*   12 colo-
rem *ΣD*   reuocet et *ΣD   pr.* et *eras.* 𝔅   14 urbisque *K,Ψa.c.* dontorem *Ψa.c.*
dominatorem (na *eras.* 𝔅) *Σ*𝔅*DB   pr.* et *eras.* 𝔅   15 leonis(s *eras.*)dis *Σ* nidis *D*
adh. paru. *ΣD*   paruus 𝔅   17 uirtutum *K,Ψ* (um *in* em *corr. m*2) uirtutes
cet.   nequis *D,Σ* (*in mg. m*2 ał nequeas)   imitare 𝔅 emittere *KΨ* imiteris *Bp.c.*
imitaris *D,Σ* (*in mg. m*2 ał amittere)   sit] est *Ψ*   18 *pr.* non] non sit *B*   gar-
ruela (*ex*—ele) *B*   modestum *D* molestam *Ba.c.*   gerulam] regula *D*   19 graue *D*
20 e] et *ΣDB, om.* ς   dependeat *ΣD*   auiam *K,Ψa.r.*

risibus recognoscat, sit omnibus amabilis et uniuersa propinquitas
rosam ex se natam gaudeat. discat statim, quam habeat et alteram
auiam, quam amitam, cui imperatori, cui exercitui tiruncula nutriatur. illas desideret, ad illas tibi minitetur abscessum.

5. Ipse habitus et uestitus doceat eam, cui promissa sit. caue, 5
ne aures perfores, ne cerussa et purpurisso consecrata Christo ora
depingas, ne collum margaritis et auro premas, ne caput gemmis
oneres, ne capillum inrufes et ei aliquid de gehennae ignibus au-
spiceris. habet alias margaritas, quibus postea uenditis emptura est
2 pretiosissimum margaritum. Praetextata, nobilissima quondam 10
femina, iubente uiro Hymetio, qui patruus Eustochiae uirginis fuit,
habitum eius cultumque mutauit et neglectum crinem undanti
gradu texuit uincere cupiens et uirginis propositum et matris desiderium. et ecce tibi eadem nocte cernit in somnis uenisse ad se angelum
terribili facie minitantem poenas et haec uerba frangentem: 'tune 15
ausa es uiri imperium praeferre Christo? tu caput uirginis dei sacrilegis adtrectare manibus? quae iam nunc arescent, ut sentias excru-
ciata, quid feceris, et finito mense quinto ad inferna ducaris. sin
autem perseueraueris in scelere, et marito simul orbaberis et filiis'.
3 omnia per ordinem expleta sunt et seram miserae paenitentiam uelox 20
signauit interitus. sic ulciscitur Christus uiolatores templi sui, sic
gemmas et pretiosissima ornamenta defendit. et hoc retuli, non quod
insultare uelim calamitatibus infelicium, sed ut te moneam, cum
quanto metu et cautione seruare debeas, quod domino spopondisti.

1 cognoscat *Σa.c.D*   2 genitam *B*   3 amittam *ΣD*   impri *D*   tyruncula
*Σp.c.m2*𝕭   4 at illa tibi eas imitetur abscessu *D*   6 aures eius *Σ𝕭DB*   alt.
ne] nec *Σp.c.m2DB*   ore *Σ*   7 depinguas *B*   pr. ne] nec *B*   collo *Σa.c.*𝕭
auro et marg. *D*   alt. ne] nec *ΣDB,*𝕭a.r.   8 ne] nec *ΣDB*   inrafes *Σa.c.D*
inryfes *Σp.c.*   irrufes *ς*   9 habeat *Σ𝕭D*   10 pre(ae *KB*)t(c *B*)iosissimam
margaritam *KΨ,Ba.c.m2*   11 himetio (—rio *m2K*) *KΨ* hemetio *ΣD*   eusthe-
ciae *KΨ* Eustochii *ς*   12 mundanti gradu 𝕭 in t. (in mg. m2 mundano more) *B*
mundano more *Σ* in t. (in mg. m2 inundanti gradū) *D*   13 alt. et s.l.*K*   matris
ex uirginis 𝕭   14 tibi *K,*𝕭 (t exp.) ibi *D* sibi *ΣΨB*   ad se om. *DB*   15 minan-
tem *B*   tune] tu *Σa.c.m2D*   16 imperio *K*   tuis sacr. *ΣDB*   17 at (ex d)-
tractare *Σ*   ex crutiatu *Σ*   18 duceris 𝕭*Ba.c.*   19 in scel.] excelere *D*
orbaueris *KΣD,*𝕭*Ψa.c.*   20 impleta *B*   uelox] uel hoc (hoc del.) *K* uel hic *Ψ*
21 significauit *Ψ*   uiolatoribus *D* in uiolatoribus *Σp.c.m2*   22 margarita
(exp.) ornamenta *K*   quo *Σ𝕭B*   23 insultari *D*   infelicium] alienis *B*   te om. *ς*
24 deo *ς*

6. Heli sacerdos offendit dominum ob uitia liberorum; episcopus
fieri non potest, qui filios habuerit luxuriosos et non subditos. at e
contrario de muliere scribitur, quod s a l u a f i e t p e r f i l i -
o r u m g e n e r a t i o n e m, si p e r m a n s e r i t i n f i d e
⁵ et c a r i t a t e e t s a n c t i f i c a t i o n e c u m p u d i c i t i a.
si perfecta aetas et sui iuris inputatur parentibus, quanto magis lac-
tans et fragilis et quae iuxta sententiam domini ignorat dexteram
aut sinistram, id est boni ac mali nescit differentiam! sollicita ₂
prouides, ne filia percutiatur a uipera; cur non eadem cura proui-
¹⁰ deas, ne feriatur a malleo uniuersae terrae, ne bibat de aureo
calice Babylonis, ne egrediatur cum Dina et uelit uidere filias regionis alienae, ne ludat pedibus, ne trahat tunicas? uenena non dantur
nisi melle circumlita et uitia non decipiunt nisi sub specie umbraque
uirtutum. 'et quomodo', inquies, 'peccata patrum filiis non reddun-
¹⁵ tur nec filiorum parentibus, sed a n i m a, q u a e p e c c a u e r i t,
i p s a m o r i e t u r?' hoc de his dicitur, qui possunt sapere, de ₃
quibus in euangelio scriptum est: a e t a t e m h a b e t, p r o s e
l o q u a t u r. qui autem paruulus est et sapit ut paruulus, donec
ad annos sapientiae ueniat et Pythagorae litterae eum perducant
²⁰ ad biuium, tam mala eius quam bona parentibus inputantur, nisi
forte aestimas Christianorum filios, si baptisma non acceperint,
ipsos tantum reos esse peccati et non scelus referri ad eos,
qui dare noluerint, maxime eo tempore, quo contradicere non
poterant, qui accepturi erant, sicut e regione salus infantium ma-

---

1 cf. I Reg. 2, 27 sqq.   2 cf. I Tim. 3, 4   3 *I Tim. 2, 15   7 cf. Ion. 4, 11
10 cf. Hier. 27 (50), 23   cf. Hier. 28 (51), 7   11 cf. Gen. 34, 1   15 Ezech. 18,
4. 20   17 *Ioh. 9, 21   19 cf. Persius 3, 56—57 etc.

1 hely *Σp.c.m2*   deum 𝔅B   2 luxor. *Σa.c.*𝔅*Ψ*   at *s.l.Σ* ad *K, om.* D
3 fiat *Σ* sit *KΨB*   4 permanserint 𝔅*p.c.m2*   6 et *ex* in *m2*𝔅   lactens B
7 *alt.* et *om. ΣD*   qui D   iusta D secundum *KΨ*   dextram *K*𝔅*Ψ*   8 aut
K*a.c.m2Ψ* (*cf. LXX*) et *cet.*   ac] et *Σ*   nescit *om.* ς   si soll(*pr.* 1*s.l.Σ*)icita *ΣD*
9 *pr.* prouidens *K* praeuides *Σ* et prudens es *D*   *alt.* praeuides *Σ*   12 unicus (*s.l.m2*
tonicas) *K* unicus tonicas *Ψ*   13 umbraque *ex* umbra *m2K* umbrata *Ψ*   14 et
ex in B   reddantur 𝔅*a.c.m2* redditur *Σa.c.*   16 hiis B   18 loqua (uoca D)-
tur pro se *Σ*𝔅DB   19 pitagorae B phytagoreae D phit(th *Σ*)agorae *cet.*   littera
𝔅B   perducant (*sc. anni sapientiae*)] perducunt *Σ* perducat 𝔅B   20 bona
eius quam mala 𝔅B   21 estimes *ex* estimet B existimas *Σ*   22 non etiam ς
referre *KΨ*   23 noluerunt 𝔅   24 quia D   infantum *Σ*

4 iorum lucrum est. offerre necne filiam potestatis tuae fuit, quamquam
alia sit tua condicio, quae prius eam uouisti, quam conceperis; ut
autem oblatam neglegas, ad periculum tuum pertinet. qui claudam
et mutilam et qualibet sorde maculatam obtulerit hostiam, sacrilegii reus est; quanto magis, qui partem corporis sui et inlibatae ani- 5
mae puritatem regiis amplexibus parat, si neglegens fuerit, punietur!
    7. Postquam grandicula esse coeperit et in exemplum sponsi
sui crescere sapientia, aetate et gratia apud deum et homines, pergat
cum parentibus ad templum ueri patris, sed cum illis non egrediatur e templo. quaerant eam in itinere saeculi, inter turbas et fre- 10
quentiam propinquorum et nusquam alibi repperiant nisi in adyto
scripturarum prophetas et apostolos de spiritalibus nuptiis scisci-
2 tantem. imitetur Mariam, quam Gabriel solam in cubiculo suo repperit et ideo forsitan timore perterrita est, quia uirum, quem non so-
lebat, aspexit. aemuletur eam, de qua dicitur: o m n i s g l o r i a 15
f i l i a e r e g i s a b i n t u s; loquatur et ipsa electo caritatis
iaculo uulnerata: i n t r o d u x i t m e r e x i n c u b i c u l u m
3 s u u m. numquam exeat foras, ne inueniant eam, qui circumeunt
ciuitatem, ne percutiant et uulnerent et auferentes theristrum pudicitiae nudam in sanguine derelinquant; quin potius, cum aliquis 20
ostium eius pulsauerit, dicat: e g o m u r u s e t u b e r a m e a
t u r r i s. l a u i p e d e s m e o s, n o n p o s s u m i n q u i n a r e
e o s.

    7 cf. Luc. 2, 52   10 cf. Luc. 2, 44—47   13 cf. Luc. 1, 26—29   15 *Ps.
44, 14   16 cf. Cant. 4, 9   17 *Cant. 1, 4 (3)   18 cf. Cant. 5, 6—7   21 *Cant. 8, 10
22 *Cant. 5, 3

    1 necne] nec *ΣD*   2 alia *om. B*   conciperes *Σp.c.m2*𝕭*DB*   3 non
negligas *B*   4 mutinam *Ψp.c.m2* inutilem (*ex*—lam) *Σ*   ˙6 regis *ΣDB,*Ψ*a.c.*
parat] *add.* offerre *s.l.m2B*   7 grandiuscu(a *B*)la *ΣDB,*𝕭*p.c.m2*   ceperit esse *B*
9 uiri pacis *K* ueri (uerae *m2*) pacis *Ψ*   10 in turba et frequentia *Ba.c.*   inter]
in *Ψ,Ba.c.*   freq.] *add.* populorum uel *Σ in mg. m2,D*   11 alibi(*s.l.m2*)eam *Σ*
eam *D*   reperiant *ΣDB* repperient *K*   in *s.l.m2K, om.* *Ψ*   adyto *ς* addito *K*
additos *Ψ* abdito *B* aditu 𝕭 auditu *ΣD*   13 gabrihel *Σ*𝕭*D*   reperit *Σa.c.D*
14 forsitam *K*   15 omnes *K*   gloria] ḡr̄a (= gratia) *B; add.* eius 𝕭 (*eras.*)
Ψ,Bs.l.m2   16 loquitur *D*   lecto *D* lectio *Σ* dilecto *ς*   18 inuenient *Σ*
circueunt 𝕭*p.r.* circumeant *Σa.c.*   19 percutient *Σ*   auferenter (*sic*) *ex* aufe-
rentur *K* auferent ei (ei *eras.*) *Σ* auferant *B*   teri(e *K*)sthrum *KΨ* teristrum
Σa.c.DB   pud.] *add.* et 𝕭 (*eras.*) *B*   20 delinquant *D*   21 hostium *ΣDB*

8. Non uescatur in publico, id est in parentum conuiuio, nec
uideat cibos, quos desideret. et licet quidam putent maioris esse uirtutis praesentem contemnere uoluptatem, tamen ego securioris arbitror continentiae nescire, quod quaeras. legi quondam in scholis
5 puer: a e g r e r e p r e h e n d a s, q u o d s i n a s c o n s u e-
s c e r e. discat iam tunc et uinum non bibere, i n q u o e s t l u x u r i a. 2
ante annos robustae aetatis periculosa est teneris grauis abstinentia.
usque ad id tempus, si necessitas postularit, et balneas adeat et uino
modico utatur propter stomachum et carnium edulio sustentetur,
10 ne prius deficiant pedes, quam currere incipiant. et h a e c d i c o
i u x t a i n d u l g e n t i a m, n o n i u x t a i m p e r i u m, timens
debilitatem, non docens luxuriam. alioquin, quod Iudaica superstitio 3
ex parte facit in eiuratione quorundam animalium atque escarum,
quod Indorum Bragmanae et Aegyptiorum gymnosophistae in
15 polentae et orizae et pomorum solo obseruant cibo, cur uirgo Christi
non faciat in toto? si tanti uitrum, quare non maioris sit pretii
margaritum? quae nata est ex repromissione, sic uiuat, ut illi
uixerunt, qui de repromissione generati sunt. aequa gratia aequum
habeat et laborem. surda sit ad organa; tibia, lyra et cithara cur
20 facta sint, nesciat.

5 Appendix sententiarum u. 180 Ribbeck   6 Eph. 5, 18   8 cf. I Tim.
5, 23   10 *I Cor. 7, 6

1 nec] ne 𝕭*p.r.*   2 quos] post *D*   desiderat *Σ*   3 contempnere *ΣB*
uoluntatem (n *s.l.m2Σ*) *KΣΨ*   ego] eo *Σ, om. B*   arb. sec. *ϛ*   4 cont.] *add.* esse *ϛ*
quae(e *D*)rat *ΣD*   scolis *ΣBB*   5 sinis *ϛ*   6 nunc *ΣB*   luxoria 𝕭*Ψ*   7 teneri
Ka.c.; add. et *ϛ*   abst. grauis *B*   8 id] idem *ΣD*   postularet 𝕭*a.c.* postu-
lauerit *K*𝕭*p.c.,DΨ*   uinum *Σa.c.D*   9 ut. mod. *ϛ*   modice *ΣD*   sthom. *K*
carnium *s.l.K*   edolio *ex* idolio *K*   10 incipiat 𝕭*a.c.D*   et] at *B*   hoc *ϛ*
12 luxoriam 𝕭*a.c.Ψ*   alioqui *ϛ*   quod] *add.* in *KΨ*   supersticione *K*   13 in
eieratione (eiu *ex* eie *Σ*) *ΣD* sine ratione (*s.l.m2* 1 in exseratione) *B* in abstinentia (*in ras. m1*) 𝕭 in reiectione *ϛ*   14 quod et *ϛ*   induorum *KΨa.c.*   bragmanae (— ni *ex* ne *m2B*) *ΣB* bracmanae 𝕭 bragmine *D* brathamane *K* brath-
manae *Ψ* Brachmani *ϛ* (*cf. uol. I p. 444, 10*)   et *s.l.D*   gy(i *KΨ*)mnosofistae
*KΨ*𝕭 gimnosoph. *Σa.c.* gygnosophiste *B*   et in polentae et orizae *in mg. sin. m1,*
in polentae et orizae *in mg. inf. m2, om. in textu K*   15 oridiae (—ie *D*) *ΣD*   obseruantes *ΣD*   16 faciet *Σ*   non et *ΣD*   17 promissione *ΣD*   18 promissione *D*
aequam gratiam (m *exp. K*) *KΨ*   19 et habeat *B*   organum *B*   tybia *Σ*𝕭*Ψ*
tibie *B; add.* et 𝕭 *B*   lira *Σ*𝕭*D* lire *B*   et *om. ϛ*   cythara *Σp,c.m2*𝕭 citare *B*
20 sunt *D* sit *KΨ*

9. Reddat tibi pensum cotidie scripturarum certum. ediscat Graecorum uersuum numerum. sequatur statim et Latina eruditio; quae si
non ab initio os tenerum conposuerit, in peregrinum sonum lingua
corrumpitur et externis uitiis sermo patrius sordidatur. te habeat
magistram, te rudis miretur infantia. nihil in te et in patre suo uideat, 5
quod si fecerit, peccet. mementote uos parentes uirginis et magis eam
exemplis docere posse quam uoce. cito flores pereunt, cito uiolas
2 et lilia et crocum pestilens aura corrumpit. numquam absque te
procedat in publicum, basilicas martyrum et ecclesias sine matre
non adeat. nullus ei iuuenis, nullus cincinnatus adrideat. uigiliarum 10
dies et sollemnes pernoctationes sic uirguncula nostra celebret, ut
ne transuersum quidem unguem a matre discedat. nolo de ancillulis
suis aliquam plus diligat, cuius crebro auribus insusurret. quicquid
3 uni loquitur, hoc omnes sciant. placeat ei comes non compta atque
formonsa, quae liquido gutture carmen dulce moduletur, sed grauis, 15
pallens, sordidata, subtristis. praeponatur ei probae fidei et morum
ac pudicitiae uirgo ueterana, quae illam doceat et adsuescat exemplo
ad orationem et psalmos nocte consurgere, mane hymnos canere,
tertia, sexta, nona hora quasi bellatricem Christi stare in acie accensaque lucernula reddere sacrificium uespertinum. sic dies transeat, 20
sic nox inueniat laborantem. orationi lectio, lectioni succedat oratio.
breue uidebitur tempus, quod tantis operum uarietatibus occupatur.

    10. Discat et lanam facere, tenere colum, ponere in gremio
calatum, rotare fusum, stamina pollice ducere. spernat bombycum

---

3 cf. Quintilianus, i. o. I 1, 13   os tenerum] cf. Horat. epist. II 1, 126

1 cot. pensum *B*   script.] de scripturarum floribus (flor. *s.l.Σ*) *ΣD*   certum]
carptum *ς*   et discat *Σ* discat *ς*   gregorum *K*   2 numeros *ex* numerus *Σ*
et *om. ς*   quae] cui *D*   4 patribus *KΨa.c.*   sordidatus *D*   5 miretur]
imitetur *ΣD* (*cf. p. 304, 6*)   *alt.* in *s.l.*𝔅, *om. ΣD*   patri *D*   7 doceri 𝔅*B*
uiolā *Σ* uiola *D*   8 lilium *ΣD*   nusquam *ΣB*   11 sollempnes *B* solemnes *KΣΨ*
12 transuerso quidem ungue *ΣD*   ancillis *DB*   13 tuis 𝔅   susurret *B*
14 omne *D*   comta *D*   15 formosa *Σp.r.DΨB* lasciua (*s.l.m2* formonsa) 𝔅
guttere *K*   16 sord. pall. *B*   pauens *Ψ*   18 orationes *ΣD*   consurge *D*
himnos *K* ymnos *ΣD* imnos *B*   19 hora *ex* ora *Σ* chora (c *eras.*) *B* oratio *KΨ*
stare in acie quasi bell. xpi *D*   aciem *K*   21 orationi *ex* orationem 𝔅   lectio
om. (*s.l.m2* liccio) *K*   lectioni *ex* lectio 𝔅, *ex* lectionis *Ψ*   22 operum] dierum *ΣD*
23 et *om. B*   poni *D*   in gremio] ingenio *Ka.c.Ψ*   in *s.l.Σ*   24 calathum
*Σp.c.*𝔅   police *Σp.r.*𝔅*a.c.D*   bombicum *Σp.c.B* bombiiscum (is *eras.*) *K*
bumbicum *Σa.c.D* bombos cum *Ψ*

telas, Serum uellera et aurum in fila lentescens. talia uestimenta
paret, quibus pellatur frigus, non quibus corpora uestita nudentur.
cibus eius holusculum sit et simila raroque pisciculi. et ne gulae praecepta longius traham, de quibus in alio loco plenius sum locutus, sic
5 comedat, ut semper esuriat, ut statim post cibum possit legere, orare,
psallere. displicent mihi in teneris uel maxime aetatibus longa et 2
inmoderata ieiunia, quibus iunguntur ebdomades et oleum in cibo
ac poma uitantur. experimento didici asellum in uia, cum lassus
fuerit, diuerticula quaerere. faciant hoc cultores Isidis et Cybelae,
10 qui gulosa abstinentia Fasides aues et fumantes turtures uorant,
ne scilicet Cerealia dona contaminent. hoc in perpetuo ieiunio praeceptum sit, ut longo itineri uires perpetes supparentur, ne in prima
mansione currentes corruamus in mediis. ceterum, ut ante scripsi, 3
in quadragesima continentiae uela pandenda sunt et tota aurigae
15 retinacula equis laxanda properàntibus, quamquam alia sit condicio
saecularium, alia uirginum ac monachorum. saecularis homo in
quadragesima uentris ingluuiem decoquit et in coclearum morem
suo uictitans suco futuris dapibus ac saginae aqualiculum parat;
uirgo et monachus sic in quadragesima suos emittant equos, ut
20 sibi meminerint semper esse currendum. finitus labor maior,

4 cf. epist. LIV 9—10

1 serium $Bp.c.m2$ sericum Σ syricum D lentiscens $KD\Psi$ 2 uest. corp.
ΣD 3 olusc. $K\Psi, \Sigma a.c.$ $pr.$ et $s.l.K, om.$ Ψ similia $\Sigma a.r.D$ 4 loc. sum
plen. ς loc. sum B sic] si B 5 orare et $\mathfrak{B}$ et ς 6 displicet KDB,
$\Sigma \Psi a.c.$ uel $om.$ ς maxime] $add.$ his $s.l.m2B$ 7 in quibus ς ebdomates
$K, \Psi a.c.$ cibum $Bp.c.m2$ 8 uetantur ΣDB 9 hisidis D hysidis Σ cibelae
$Ka.c.m2\Sigma p.c.\mathfrak{B} a.c.\Psi$ cibeles in $ras.$ $m2B$ cibebae (— be D) $\Sigma a.c.D$ goebelae
$Kp.c.m2$ 10 fasidis $Ba.c.$ Phasides ς et] ac ς 11 cerialia $K, Ba.c.$ cere-
alis Σ cerialis D perpetuum (ex — om Σ) ΣD 12 ieiunium D de ieiunio $K\Psi$
longi itineris ΣD itinere B superent ς 13 mentione ς corr. curr. Σ
in mediis corr. $\mathfrak{B}$ 14 quadragensima $K, \Sigma a.r.$ -gisima $\mathfrak{B}$ ·XL· B -gesime D abs-
tinentiae $\mathfrak{B}$ 15 aequis $KD, \Psi a.r.$ condicio $\mathfrak{B}$—tio $cet.$ 16 alie D
                                                     ma
17 quadragensima K -gisima $\mathfrak{B} a.c.$ ·XL· B inluuiem $\mathfrak{B} a.c.$ decoquit $s.l.\Sigma$
dequoquid B decoquet K deqcoquet $\mathfrak{B} a.c.$ cenclearum D cencliarum (in $mg.$
$m2$ al cenclearum) Σ cochlearum ς more ΣDB 18 suco uict. suo ς suo
$s.l.m2B$ sicco ex sico (in $mg.$ $m2$ al suco) Σ saginae (—ne) ex sanguine ΣB
                                                     ma
19 quadradragensima (sic) K -gisima $\mathfrak{B} a.c.$ ·XL· B emitant $Ka.c.\mathfrak{B}$ (e ex i) im-
mittant B dimittant ΣD admittant ς 20 maior (in $mg.$ $m2$ al magis) Σ magis D

infinitus moderatior est; ibi enim respiramus, hic perpetuo
incedimus.

11. Si quando ad suburbana pergis, domi filiam non relinquas;
nesciat sine te nec possit uiuere; cum sola fuerit, pertremescat. non
habeat conloquia saecularium, non malarum uirginum contubernia, 5
non intersit nuptiis seruulorum nec familiae perstrepentis lusibus
misceatur. scio praecepisse quosdam, ne uirgo Christi cum eunuchis
lauet, ne cum maritis feminis, quia alii non deponant animos uirorum,
2 aliae tumentibus uteris praeferant foeditatem. mihi omnino in adulta
uirgine lauacra displicent, quae se ipsam debet erubescere et nudam 10
uidere non posse. si enim uigiliis et ieiuniis macerat corpus suum et
in seruitutem redigit, si flammam libidinis et incentiua feruentis
aetatis extinguere cupit continentiae frigore, si adpetitis sordibus
turpare festinat naturalem pulchritudinem, cur e contrario balnearum fomentis sopitos ignes suscitat?   15

12. Pro gemmis aut serico diuinos codices amet, in quibus non
auri et pellis Babyloniae uermiculata pictura, sed ad fidem placeat
emendata et erudita distinctio. discat primum Psalterium, his se
canticis auocet et in Prouerbiis Salomonis erudiatur ad uitam. in
Ecclesiaste consuescat calcare, quae mundi sunt; in Iob uirtutis et 20
patientiae exempla sectetur. ad Euangelia transeat numquam ea
positura de manibus; Apostolorum Acta et Epistulas tota cordis in-
2 bibat uoluntate. cumque pectoris sui cellarium his opibus locupleta-

---

12 cf. I Cor. 9, 27

1 inmoderatior *ΣD*   2 incēdimus *Bp.c.m2*   3 sic *Σ*   ad *s.l.m2ℬ*   4 nec
ex ne *m2B*   posse *ΣD*   cum] et cum *Σp.c.D*   pertimescat *ΣDB,ℬp.c.*
5 conloquium *ℬ*   non] et *D*   8 ne *KΨ* nec *cet.*   maritatis *ΣℬDB*
deponunt *Σp.c.Ψ* ponant *Σa.c.*   animas *Kp.c.m2B*   9 praeferunt *Σ p.c.* proferant *K* proferunt *Ψ*   10 et *s.l.m2K, om. Ψ*   11 non *om. D*   ieuigiliis (ie *eras.*)
et iei. *K* iei. (*add.* et orationibus *m2B*) et uigiliis *ℬB*   12 seruitute *Ψ*   rediget *K*
incentiuae *D*   feru.] puerilis *Σa.c.* puerilia *D*   13 ext.—app. *in mg. inf. m2ℬ*
sordidis *Ψ*   14 turbare *B*   festinet *Ba.c.m2*   e] et *D*   contrarium *Da.c.*
15 suscitet ignes *B*   16 aut *KΨ* et *cet.*   syrico *ℬa.c.D*   in *om. ΣD*   non *s.l.K*
17 babil. *ΣB* Babylonicae *ς*   uermiculatā picturā *Ψp.c.m2*   18 primo *Ψ*
19 et *om. ℬB*   salamonis *KΣΨ*   in] et in *s.l.m2ℬ*   20 eccl(ęccl *D* ecl *Σ*)esiasten
KΣDΨ   quae m. sunt calcaret (—re *ς*) *Dς*   iob (*non* hiob) *codd.*   21 paenitentiae *KΨa.c.*   ad] et ad *K* et *Ψ*   22 inbuat *DΨ* inbuat (*s.l.m2* in-
bibat) *K*, (*in mg. m2* al inlustrat) *Σ*   23 his *om. ΣD*   locupletauerit *Σp.c.D*
locupletans *Ψ*

rit, mandet memoriae Prophetas et Heptateuchum et Regum ac
Paralipomenon libros Hesdraeque et Hester uolumina, ut ultimum
sine periculo discat Canticum canticorum, ne, si in exordio legerit,
sub carnalibus uerbis spiritalium nuptiarum epithalamium non
5 intellegens uulneretur. caueat omnia apocrypha et, si quando ea 3
non ad dogmatum ueritatem, sed ad signorum reuerentiam legere
uoluerit, sciat non eorum esse, quorum titulis praenotantur, multaque his admixta uitiosa et grandis esse prudentiae aurum in luto
quaerere. Cypriani opuscula semper in manu teneat, Athanasii
10 epistulas et Hilarii libros inoffenso decurrat pede. illorum tractatibus,
illorum delectetur ingeniis, in quorum libris pietas fidei non uacillet;
ceteros sic legat, ut magis iudicet, quam sequatur.

13. Respondebis: 'quomodo haec omnia mulier saecularis in
tanta frequentia hominum Romae custodire potero?' noli ergo subire
5 onus, quod ferre non potes, sed, postquam ablactaueris eam cum
Isaac et uestieris cum Samuhele, mitte auiae et amitae. redde preti-
osissimam gemmam cubiculo Mariae et cunis Iesu uagientis inpone.
nutriatur in monasterio, sit inter uirginum choros, iurare non discat, 2
mentiri sacrilegium putet, nesciat saeculum, uiuat angelice, sit in
10 carne sine carne, omne hominum genus sui simile putet et, ut cetera

15 cf. Gen. 21, 8   16 cf. I Reg. 2, 19

1 mandit Ψ $pr.$ et $om.$ $D\Sigma$ eptateucum $\mathfrak{B}p.c.$ eptaticum $K\Psi,\mathfrak{B}a.c.$
ebtateticum (te $exp.$) B emptatheucum D pentateuchum Σ ac $om.$ $K\Psi$ et ς
2 paralypo(o ex e Σ)menon $\Sigma p.c.D$ paralippomenon B hesdreque (que $eras.$) $\mathfrak{B}$
hesdrae quem (m $exp.$ K) $K\Psi$ hesdrae quoque Σ ezdre ($in\ ras.\ m2$) quoque B
ezre quoque D Esther ς ut $\mathfrak{B}$ ut in ex ut $in\ ras.\ m2B$ et K ad $\Psi,\ om.\ \Sigma D$
ultimo ΣD 3 cantica cant. Σ ne si ex nisi K ne] quem ΣD 4 epital.
$\Sigma a.c.\mathfrak{B}B$ epythal. D ephital. $K\Psi$ 5 apocripha B apocrifa (ex apocriforum $m2\mathfrak{B}$)
$cet.$ eam $\mathfrak{B}$ 7 titulus $K\Psi a.r.$ praenotentur Ψ multaque ex que Σ
multa quę D 8 in his ΣD hiis B 9 cipriani $K\Psi B$ manibus $\mathfrak{B}p.c.m2$
atan. $\mathfrak{B}$ atthan. Σ 10 hilari $Ka.c.$ ilarii B currat pede DB^1 pede currat Σ
ill. tract. $om.\ B^1$ 11 uacillet $Ka.c.m2\Psi$ u(b D)acillat $cet.$ 12 iud. q. seq.]
iudicetur quam iudicet B^1 13 quomo $\Sigma a.c.D$ mulier hec omnia B^2 mulieris
$Kp.c.m2$ 14 roma DB^1 15 honus $\Sigma a.r.D$ 16 isac $\Sigma a.c.$ ysaac B samuele
(ex—lē B^1) KB samuel Ψ emitte Ψ et mitte B^2 reddere $Kp.c.m2$ redd̄ B^2
17 gemmam $om.\ B^2$ inpone $om.\ B^1$ 18 uirgineos Σ coros B 19 mentire
$\Sigma \mathfrak{B}a.c.,D$ angelicae $K\Sigma\mathfrak{B}B^2$ 20 sui] sibi $K\Psi$ similem ΣDB^1

taceam, certe te liberet seruandi difficultate et custodiae periculo.
melius tibi est desiderare absentem quam pauere ad singula, cum
quo loquatur, quid loquatur, cui adnuat, quem libenter aspiciat.
3 trade Eustochio paruulam, cuius nunc et ipse uagitus pro te oratio
est, trade comitem futuram sanctitatis heredem. illam uideat, illam 5
amet, illam p r i m i s m i r e t u r a b a n n i s, cuius et sermo
et habitus et incessus doctrina uirtutum est. sit in gremio auiae,
quae repetat in nepte, quidquid praemisit in filia, quae longo usu
didicit nutrire, docere, seruare uirgines, in cuius corona centenarii
4 cotidie numeri castitas texitur. felix uirgo, felix Paula Toxotii, quae 10
per auiae amitaeque uirtutes nobilior est sanctitate quam genere!
o si tibi contingeret uidere socrum et cognatam tuam et in paruis
corpusculis ingentes animos intueri! pro insita tibi pudicitia non
ambigerem, quin praecederes filiam et primam dei sententiam secunda euangelii lege mutares. ne tu parui penderes aliorum desideria 15
5 liberorum et te ipsa magis offerres deo! sed quia t e m p u s e s t
a m p l e x a n d i e t t e m p u s l o n g e f i e r i a c o n p l e x i-
b u s e t u x o r n o n h a b e t p o t e s t a t e m c o r p o r i s s u i
e t u n u s q u i s q u e in e a u o c a t i o n e, q u a u o c a t u s e s t,
i n e a p e r m a n e a t in domino et, qui sub iugo est, sic debet 20

6 Verg. Aen. VIII 517   9 cf. Hieron. adu. Iou. I 3   14 cf. Gen. 1, 28;
I Cor. 7, 34   13 cf. Verg. Georg. IV 83   16 *Eccle. 3, 5   18 *I Cor. 7, 4
19 *I Cor. 7, 20

1 certe te] certet et $Kp.c.m2\Psi$ te certe $\mathfrak{B}$ certe D certa B^1 libere DB^1
libera Σ et *om.* ΣDB^1 custodiat periculo B^1 custodiat periculum $\Sigma a.c.D$
custodia periculo $\Sigma p.c.$ 2 est des. tibi B^2 quid loq., cum quo loq. ς cum
quo loq. *in rasura multo maius spatium praebente m1* B^2 3 *pr.* loquatur] loquor B^1
quid] quod $\Sigma a.c.\Psi$ inspiciat $Kp.c.m2\Psi B^2$ 4 eusthocio K eustochium $\mathfrak{B}a.c.$
ipse *ex* ipsa B^1 5 comiti B^2 sanct. fut. D futurae (—re) ΣB^2 . ill. uid.
in mg. inf. m2K 6 amet et B^2 primus $K\Psi a.r.$ ab *s.l.*Σ, *om.* B^1
et *om.* $K\Psi$ 7 et inc. et hab. ς 8 quem $K\Psi$ in neptae $Ka.c.$ inep-
tae Ψ in nepta D longa usu $B^2a.c.$ longa(—gua B^1)uia DB^1 longaeua $\Sigma a.c.$
9 docere et seruare $\mathfrak{B}p.c.m2$ seruare, docere ς coronam $\mathfrak{B}$ centi(e B^2)nariis KB^2
10 numeris KB^2 toxocii $K\Psi B^1$ eustochio B^2 12 uideres $\mathfrak{B}$ paruulis *ex*
paruulo B^2 13 corpusculo $B^2a.c.$ et ing. D contuereris ΣDB^1 14 ambigere Ψ
quid $Ka.c.\Psi$ praecederis KD prima dei scientia D secundum euangelii
legem B^2 15 mutaris $K\mathfrak{B}, B^1a.c.$ nae ς nec $\Sigma p.c.m2$ 16 et] sed $\Sigma p.c.$
ipsa $Kp.c.$ ipsam *cet.* offeres $\Sigma \mathfrak{B}a.c.$ est *om.* B^1 17 tempus est Σ ab (*om.* D)
amplexibus ΣDB 19 et *om.* Σ ea uoc., qua] qua uoc. $\mathfrak{B}DB$ 20 eo D
permanere debet $\mathfrak{B}$ sic] ita Ψ debet *s.l.*m2$\mathfrak{B}$ debeat $\Sigma a.c.D$

currere, ne in luto comitem derelinquat, totum redde in subole, quod
in te interim distulisti. Anna filium, quem deo uouerat, postquam
obtulit tabernaculo, numquam recepit indecens arbitrata, ut futurus
propheta in huius domo cresceret, quae adhuc alios filios habere cupie-
5 bat. denique, postquam concepit et peperit, non est ausa ad templum   6
accedere et uacua apparere coram domino, nisi prius redderet, quod
debebat, talique inmolato sacrificio reuersa domum quinque liberos
sibi genuit, quia primogenitum deo pepererat. miraris felicitatem
sanctae mulieris? imitare fidem. ipse, si Paulam miseris, et magistrum
10 et nutricium spondeo. gestabo humeris, balbutientia senex uerba
formabo multo gloriosior mundi philosopho, qui non regem Mace-
donum Babylonio periturum ueneno, sed ancillam et sponsam Christi
erudiam regnis caelestibus offerendam.

2 cf. I Reg. 1, 22—28   7 cf. I Reg. 2, 21   11 mundi philosopho] =
Aristotele   regem—ueneno] = Alexandrum Magnum

1 reddas *ex* reddam B^2 sobole $Kp.c.\mathfrak{B}a.c.\Psi B^2$ sobule (o *ex* u) D sobolē *ex*
subolē B^1 2 distuli Ψ domino B^2 3 in tab(u D)ern. ΣDB^1 indicens
$Ka.c.B^1$ indegens Ψ 4 huius $K\Psi$ eius *cet.*   hab. al. fil. B^2 filios *om.* B^1
5 ad *om.* B^1 6 uacuam $K\Psi a.c.$ parere $\Sigma a.c.D$ domino] *add.* in conspectu domini K (*exp.*) Ψ 7 sibi lib. Σ 8 peperat $\Sigma \mathfrak{B}a.c.$ 9 ipsius $Ka.c.\Psi$
mireris B^1 et magistrum *s.l.* K; *add.* me Ψ 10 umeris K balbutt. K
senis (*ex*—nes Σ) $\Sigma a.c.D$ senes B^1 11 firmabo ΣDB^1 philosophis Ψ philippo B^1 mached. $\mathfrak{B}p.r.\Psi B^1$ machaed. K machedonium $\mathfrak{B}a.r.$ 12 uenenum D
ancilla et sponsa B^1 et *s.l.* B^2 13 eruditam $\Psi, B^2 a.c.$ offerenda D;
add. explicit ad laetam de institutione filiae $K\Psi$ explicit ad leta D

CVIII.
EPITAPHIUM SANCTAE PAULAE.

1. Si cuncta mei corporis membra uerterentur in linguas et omnes artus humana uoce resonarent, nihil dignum sanctae ac uenerabilis Paulae uirtutibus dicerem. nobilis genere, sed multo nobilior sanc- 5 titate, potens quondam diuitiis, sed nunc Christi paupertate insignior, Gracchorum stirps, suboles Scipionum, Pauli heres, cuius uocabulum trahit, Maeciae Papiriae, matris Africani, uera et germana progenies, Romae praetulit Bethlem et auro tecta fulgentia informis 2 luti uilitate mutauit. non maeremus, quod talem amisimus, sed 10 gratias agimus, quod habuimus, immo habemus — deo enim uiuunt omnia et, quidquid refertur ad dominum, in familiae numero conputatur, quamquam amissio illius caelestis domus habitatio sit —, quae, quamdiu in corpore fuit, peregrinata est a domino et uoce semper flebili

$\Gamma = Lugdunensis\ 600\ s.\ VI$ (continet p. 306, 3 si—6 insignior;
       309, 16 et haec — 19 praedic.; 311, 18 inter hostium —
       21 contemnens; 338,5 lasc. — 7 mentem; 338, 9 turpe —
       12 demonstr.).
$a = Sessorianus\ 55$ (Bibl. Nat. Rom. 2099) s. VII.
$K = Spinaliensis\ 68\ s.\ VIII.$
$\Sigma = Turicensis\ Augiensis\ 41\ s.\ IX.$
$D = Vaticanus\ lat.\ 355{+}356\ s.\ IX{-}X.$
$B = Berolinensis\ lat.\ 18\ s.\ XII.$

de sancta paula Γ epythafium sanctae paulae a beato hieronimo p̄r̄bo factum a de uita paule K epitaphium (epithapium D) sancte paule ab (a sancto D) hieronimo editum ΣD ierons d̄ epytaphio sanctae paulae B; Hieronymi nomen exhibent $a\Sigma DB$

8 Africani] sc. minoris, cf. Plutarch. uit. Aemilii Pauli c. 5, 1; Plinius nat. hist. XV 126   13 cf. II Cor. 5, 6

3 corp. mei $a\Sigma$ corp. Γ linguá a linguam $\Sigma Da.c.,B$ et] si (s.l.) et K 4 sonarent B sanctae—Paulae] tanti uiri Γ 5 nobiles $\Gamma a.c.$; add. est Γ, quidem s.l. m2D   multo infra l. Σ multum $\Gamma a.c.$ 6 nunc s.l. Σ x̄p̄i in mg. m2K   7 gracch. a grhacc. K grace. ΣD grec. B suboles $a, Da.c.$ soboles cet. 8 meciae D maetiae B mediciae (di exp.) Σ Martiae ς papyriae KD affricani $\Sigma p.c.$ B af(ff Σ)ricana $\Sigma a.c.D$ 9 romana a bethleem Σ betheleem $Dp.c.$ betlehem B fulg. tecta (ex texta) B 10 miremur $Bp.c.$ 11 habemus] habeamus ς deo] dn̄o a 12 reuertitur D 13 domus om. a 14 fuit] mansit B

querebatur dicens: h e u   m i h i,   q u i a   p e r e g r i n a t i o   m e a
p r o l o n g a t a   e s t,   h a b i t a u i   c u m   h a b i t a n t i b u s
C e d a r,   m u l t u m   p e r e g r i n a t a e s t   a n i m a   m e a. et ₃
mirum, si planxerit se uersari in tenebris — hoc enim Cedar interpre-
₅ tatur —, cum mundus in maligno positus sit? et s i c u t t e n e b r a e
e i u s,   i t a   e t   l u m e n   e i u s; l u x q u e   i n   t e n e b r i s l u c e t
e t   t e n e b r a e   e a m   n o n   a d p r e h e n d e r u n t. unde et
illud crebrius inferebat: a d u e n a   s u m   e t   p e r e g r i n a
s i c u t   o m n e s   p a t r e s   m e i, et iterum: c u p i o d i s s o l-
₁₀ u i   e t   e s s e   c u m   C h r i s t o. quotiens autem infirmitate cor- ₄
pusculi, quam incredibili abstinentia et duplicatis contraxerat
ieiuniis, uexabatur, hoc in ore uoluebat: s u b i c i o   c o r p u s
m e u m   e t   i n   s e r u i t u t e m   r e d i g o,   n e   a l i i s   p r a e-
d i c a n s   i p s a   r e p r o b a   i n u e n i a r, et: b o n u m   e s t
₁₅ u i n u m   n o n   b i b e r e   e t   c a r n e m   n o n   m a n d u c a r e
et: h u m i l i a u i   i n   i e i u n i o   a n i m a m   m e a m   et: t o-
t u m   l e c t u m   m e u m   u e r s a s t i   i n   i n f i r m i t a t e   et:
u e r s a t a   s u m   i n   m i s e r i a,   d u m   m i h i   i n f i g i t u r
s p i n a. atque inter doloris aculeos, quos mira patientia sustinebat,
₂₀ quasi apertos sibi caelos aspiceret, loquebatur: q u i s   d a b i t   m i h i
p i n n a s   s i c u t   c o l u m b a e   e t   u o l a b o   e t   r e q u i e-
s c a m?

2. Testor Iesum et sanctos angelos eius ipsumque proprie
angelum, qui custos fuit et comes admirabilis feminae, me nihil in
₂₅ gratia, nihil more laudantium, sed, quidquid dicturus sum, pro te-

---

·   1 *Ps. 119, 5   4 Cedar] cf. Onom. s. 4, 6; 48, 13; 57, 5   5 cf. I Ioh. 5, 19
Ps. 138, 12   6 *Ioh. 1, 5   8 Ps. 38, 13   9 *Phil. 1, 23   12* I Cor. 9, 27
14 *Rom. 14, 21   16 *Ps. 34, 13   *Ps. 40, 4   18 *Ps. 31, 4   20 Ps. 54, 7

1 eheu *Da.r.* eu *a*   3 caedar *aΣD*   et *a* nec *cet.*   4 caedar *aD*   5 sit
in mg. m2Σ, om. B; interrogandi signum posui   6 *pr.* eius *a* illius *cet.*   que] quae *K*
quoque *B*   luceat *KD,Σp.c.*   7 conpreh. *ΣB*   8 illut cebrius *a*   9 patris *K*
10 cum christo esse *B*   in inf. *Kp.c.m2Bp.c.*   incredibilis (s *eras.*) *ΣDB*   14 ipse
reprobus effitiar *B*   17 inf. mea *ΣD*   18 uersatus *a,Da.c.m2*   infig. *KB,*
Σp.c. (*cf. LXX*) confring. *a*   config. *Σa.c.* conconfigitur (*pr.* con *eras.*, confi *in ras.*
m2) *D*   19 dolorum *Σp.c.m2*   potentia *D*   20 dabis *B*   21 pennas *ΣDB*
23 angelos *om.* ς   que *s.l.K*   proprium *B*   24 fuit eius *B*   25 gratiam *ΣD*
nihil] *add.* dicere *KB, Σs.l.m2*   amore *a*   laud.] blandientium loqui ς
quidquit *a* quicquid *Σp.r.B* quidem *ex* quid *D*

stimonio dicere et minus eius esse meritis, quam totus orbis canit,
sacerdotes mirantur, uirginum chori desiderant, monachorum et
2 pauperum turba deplangit. uult lector breuiter eius scire uirtutes?
omnes suos pauperes pauperior ipsa dimisit. nec mirum de proximis
et familiola, quam in utroque sexu de seruis et ancillis in fratres 5
sororesque mutauerat, ista proferre, cum Eustochium, uirginem et
deuotam Christo filiam, in cuius consolationem libellus hic cuditur,
procul a nobili genere sola fide et gratia diuitem reliquerit.

   3. Carpamus igitur narrandi ordinem. alii altius repetant et
ab incunabulis eius ipsisque, ut ita dicam, crepundiis matrem Blesil- 10
lam et Rogatum proferant patrem — quorum altera Scipionum Grac-
chorumque progenies est, alter per omnes Graecias usque hodie et
stemmatibus et diuitiis ac nobilitate Agamemnonis fertur sanguinem trahere, qui decennali Troiam obsidione deleuit —, nos nihil laudabimus, nisi quod proprium est et de purissimo sanctae mentis fonte 15
2 profertur. quamquam dominus atque saluator in euangelio doceat
apostolos sciscitantes, quid sibi redditurus sit, qui omnia sua pro
nomine eius dimiserint, centuplum in praesentiarum recepturos
et in futuro uitam aeternam — ex quo intellegimus non laudis esse
possidere diuitias, sed pro Christo eas contemnere, non tumere ad 20
honores, sed pro domini fide eos parui pendere —, uere, quod pollicitus
3 est seruis suis et ancillis saluator, reddidit in praesenti. nam quae
unius urbis contempsit gloriam, totius orbis opinione celebratur;
quam Romae habitantem nullus extra Romam nouerat, latentem
in Bethlem et barbara et Romana terra miratur. cuius enim gentis 25

16 cf. Matth. 19, 27—29 etc.

1 esse eius Σ canet $\Sigma p.c.m2$ 2 miratur $Ka.c.$, $om.$ D cori D 3 turbae
deplangunt ς deplangat $Ba.c.$ uult] uis ς eius breu. B eius $s.l.K$
4 $alt.$ pauper KB 5 $pr.$ et $in mg. m2K$ quam] que B $alt.$ in ex et $m2K$ 6 eusthoc.
aK heustoch. B 7 $\overline{\text{xpi}}$ a in $\overline{\text{xpo}}$ Σ consolationem K—ne $cet.$ concluditur B
8 relinquerit a dereliquerit ΣD 9 narrando K reputant K 10 a cunabulis ς
bresillam B Blaes. ς 11 patre a gracch. a gracc. K,$\Sigma p.c.$ grac. $Bp.c.$ grec.
$\Sigma Ba.c.$ grecorum D 12 est $om.$ B omnes fere $\Sigma D.$ raecias a et $om.$ ς
13 stematibus ΣB schemmatibus a agamennonis ($pr.$ n $s.l.\Sigma$) ΣDB 14 dele-
bit K laudamus a 15 de $om.$ K 16 adque K et Σ salu. noster B 17 qui
$s.l.K$ 18 demiserit K dimiserit $a\Sigma D$ dimiserunt B recepturum $Dp.c.m2$
21 dei ΣD eas $\Sigma p.c.m2B$ 22 est et seruis D reddit ΣD 23 contemsit a
24 $pr.$ roma D 25 in $om.$ a bethleem $Dp.c.m2B$ miratur ex imitatur B

homines ad sancta loca non ueniunt? quis autem in sanctis locis
praeter Paulam, quod plus inter homines miraretur, inuenit? et 4
sicut inter multas gemmas pretiosissima gemma micat et iubar solis
paruos igniculos stellarum obruit et obscurat, ita cunctorum uirtutes
5 et potentias sua humilitate superauit minimaque fuit inter omnes,
ut omnium maior esset, et quanto se plus deiciebat, tanto magis a
Christo subleuabatur. latebat et non latebat. fugiendo gloriam
gloriam merebatur, quae u i r t u t e m   q u a s i   u m b r a   s e-
q u i t u r et adpetitores sui deserens adpetit contemptores. sed
10 quid ago? narrandi ordinem praetermittens, dum in singulis teneor,
non seruo praecepta dicendi.
    4. Tali igitur stirpe generata iunctaque uiro Toxotio, qui
Aeneae et Iuliorum altissimum sanguinem trahit. unde etiam Christi
uirgo, filia eius, Eustochium Iulia nuncupatur et ipse
15   I u l i u s, a m a g n o d e m i s s u m n o m e n I u l o.
et haec dicimus, non quo habentibus grandia sint, sed quo contemnen-
tibus mirabilia. saeculi homines suspiciunt eos, qui his pollent priui-
legiis; nos laudamus, qui pro saluatore ista despexerint. et mirum in
modum, quos habentes parui pendimus, si habere noluerint, praedi-
20 camus. his, inquam, orta maioribus et fecunditate ac pudicitia pro- 2
bata primum uiro, dein propinquis et totius urbis testimonio, cum
quinque liberos edidisset — Blesillam, super cuius morte eam Romae
consolatus sum, Paulinam, quae sanctum et admirabilem uirum et

8 Cicero, Tusc. disp. I 109; cf. Seneca, epist. 79, 13   9 cf. Plinius, epist. I
8, 14   15 Vergil. Aen. I 288   22 cf. Hieron. epist. XXXIX

1 loca sancta B loca a   2 paulum a   et] que in ras. m2D haec ς   3 prae-
tiosa a   4 stell. ign. (-lus K) KB   5 et s.l. Σ   potent(c B)ias ap.c.B potentiam cet.
omnes] homines K   6 ut ex et K   plus se D   deieci(i s.l.)ebat K   a s.l.Σ
8 uirtutes ΣD   tamquam Cicero   9 appetitores (in mg. m2 al appetitiores) Σ
adpetitiores D   suos a   contentores a   12 generata s.l.Σ, ex generatur B
que] est B   uiri D   thoxotio a toxitii D   qui—13 trahit in mg. m2Σ
qui neae Ka.c. quia eneae B quae eneae D   13 trait B   fil. eius Chr. uirgo ς
14 uirgo om. B   eusthoch. K eusthoc. a   15 dimissus K dimisso Ba.c. dimissum cet.
iulio a   16 et haec—mirab.] nubilitas et diuitiae non habentibus sed contem-
nentibus magnae (ex magni m2) sunt sunt Γ   pr. quod Σa.r.B   alt. quod B
17 suspiciunt ς suscipiunt codd. (etiam Γ)   qui his] quibus Γ   18 nos autem Γ
laud.] add. eos Γ, s.l.m2D   dispexerint K dispiciunt Γ   19 uoluerint Γ, Ba.c.
21 uiro primum Σ   orbis KΣD   22 Blaes. ς   morte aD   23 paulinum KΣD
quae Ka.r.B que aΣ, Kp.r. que D   sanctam a

propositi et rerum suarum Pammachium reliquit heredem, ad quem
super obitu eius paruum libellum edidimus, Eustochium, quae nunc
in sanctis locis uirginitatis et ecclesiae monile pretiosissimum est,
Rufinam, quae inmaturo funere pium matris animum consternauit,
et Toxotium, post quem parere desiuit, ut intellegeres eam non diu 5
seruire uoluisse officio coniugali, sed mariti desiderio, qui mares
optabat liberos, oboedisse —,

5. postquam uir mortuus est, ita eum planxit, ut prope ipsa
moreretur, ita se conuertit ad domini seruitutem, ut mortem eius
uideretur optasse. quid ergo referam amplae et nobilis domus et 10
quondam opulentissimae omnes paene diuitias in pauperes erogatas?
quid in cunctos clementissimum animum et bonitatem etiam in eos,
2 quos numquam uiderat, euagantem? quis inopum moriens non illius
uestibus obuolutus est, quis clinicorum non eius facultatibus susten-
tatus? quos curiosissime tota urbe perquirens damnum putabat, 15
si quisquam debilis et esuriens cibo sustentaretur alterius. expoliabat
filios et inter obiurgantes propinquos maiorem se eis hereditatem
Christi misericordiam dimittere loquebatur.

6. Nec diu potuit excelsi apud saeculum generis et nobilissimae
familiae uisitationes et frequentiam sustinere. maerebat honore suo 20
et ora laudantium declinare ac fugere festinabat. cumque orientis
et occidentis episcopos ob quasdam ecclesiarum dissensiones Romam
imperiales litterae contraxissent, uidit admirabiles uiros Christique
pontifices: Paulinum, Antiochenae urbis episcopum, Epiphanium,

2 cf. Hieron. epist. LXVI

1 proposui B   pamachium B   reliquid KB, Σa.r.   ad quem] adque
Σa.r. atque Σp.r.D   2 obitum aD, Σa.r. hobitum B   paruulum ς   edimus a
eusthoch. K eusthoc. a eustochiam Σa.c.   3 pre(ae K)tiosum KΣD   4 ruphi-
nam D Ruff. ς   5 thoxotium a   desaeuit Ka c. desiit ς   6 coniugalis
ΣDa.r.   sed] et D   7 edidisse Σ,Bp.c.   8 plansit a   ipsum B   9 moriretur
Σp.c.m2   eius mortem ς   uid. eius ΣD   10 ego KD   ampla aK,Σp.c.
11 quodam a   plene Ba.c.   12 bonitate a   14 uestibus om. D (s.l.m2 pannis)
uestimentis Σ   quis ex quid D   clyni corum Σ clyni quorum D clericorum KB
sust. est ΣDB   16 spoliabat K   18 Chr. mis. dim.] relicturam xpi misericordia B
20 merebatur ΣD   honorem suum D   21 ora] fora B   orientis et] et (s.l.)
orientis (ex—tes) K   22 ob] ut a   dissent. a dessens. K   23 uidet a   que
del. D   24 anthioc. a antioc. Σ anthiocenum D   urbis] eclesiae K,Σs.l.m2,
om.D   episc. et KB,Σp.c.m2   epyph. a ephif. K

Salaminae Cypri, quae nunc Constantia dicitur, quorum Epiphanium
etiam hospitem habuit, Paulinum in aliena manentem domu quasi proprium humanitate possedit. quorum accensa uirtutibus per momenta ²
patriam deserere cogitabat. non domus, non liberorum, non familiae,
5 non possessionum, non alicuius rei, quae ad saeculum pertinet,
memor sola — si dici potest — et incomitata ad heremum Antoniorum
atque Paulorum pergere gestiebat. tandemque exacta hieme, aperto
mari redeuntibus ad ecclesias suas episcopis ipsa uoto cum eis et
desiderio nauigabat. quid ultra differo? descendit ad portum fratre, ³
10 cognatis, affinibus et — quod his maius est — liberis prosequentibus. iam
carbasa tendebantur et remorum ductu nauis in altum protrahe-
batur, paruus Toxotius supplices manus tendebat in litore, Rufina
iam nubilis, ut suas expectaret nuptias, tacens fletibus obsecrabat,
et tamen siccos oculos tendebat ad caelum pietatem in filios pietate
15 in deum superans. nesciebat matrem, ut Christi probaret ancillam.
torquebantur uiscera et, quasi a suis membris distraheretur, cum do- ⁴
lore pugnabat in eo cunctis admirabilior, quod magnam uinceret
caritatem. inter hostium manus et captiuitatis duram necessitatem .
nihil crudelius est quam parentes a liberis separari; hoc contra
20 iura naturae plena fides patiebatur, immo gaudens animus adpetebat et amorem filiorum maiore in deum amore contemnens in sola

14 cf. Horat. c. I 3, 18

1 salamiae _ΣD_   epyph. _a_ ephyf. _K_   2 etiam _om. a_   alia
(_ex_—am _D_) _ΣDB_   manente _aB_ mente _D_   domu _a_ domo _cet._   3 humilitate
_a,Ka.c._   4 desiderare _Ka.c.m2_ descendere _Σa.c.m2D_   recogitabat _Σp.c.m2_
5 _pr._ non _s.l.Σ_   6 memor sed _B_   si _s.l.a_   inconmitata _K_   haeremum _a_
7 eandemque (n _eras._) _Σ_   8 et ipsa _ς_   eis et] esset _D_   et] ac _ς_   9 nauigauit _ς_ alacriter nauigabat _B_   ſiscendit _K_   10 lib.] filiis hoc est amantissimis
lib._B_   pros.] _add._ et clementissimam matrem uincere pietate (piet. uinc. _ς_) cupien-
tibus _KB,Σ in mg. inf. m2_   11 tendebatur _a_   ictu ducta _B_   in altum nauis _B_
12 paruus] paulina _B_   tendebant _B_   littore _Σa r.B_   rufinam (m _eras._) _Σ_
Ruff. _ς_   13 nobilis _Σ_   spectaret _a_   14 tamen] _add._ illa _KB,Σs.l.m2_   siccos
tendebat (sic ostendebat _D_) oculos ad caelum (ad cael. oc. _D_) _ΣD_   siccis oculis
_Ba.c._   _pr._ piet.] quod (_s.l.m2_) piet. _D_   filiis _B_   _alt._ piet.] pietatem _a,Da.r._
pietas _Σ_   15 superabat _Σ_   nesciebat se _ΣDB_   Christi se _a_   16 distrahe-
rentur _ΣD_   17 magna _a*_   18 ostium _Σa.c.m2; add._ enim _s l.m2D_   19 filiis _B_
hoc] hoc frequenter iuuante (_ex_ iobente _m2_) gratia x̅p̅i quodam modo _Γ_   20 plena]
propriae _Γ_   pat.] imperat _Γ_   appetit _Γ_   21 maiorem _Γa.r.a_   amorem _Γa.r._
contemnit (_ex_—net _m2_) _Γ_ continens _a_

Eustochio, quae et propositi et nauigationis eius comes erat, ad-
5 quiescebat. sulcabat interim nauis mare et cunctis, qui cum ea uehe-
bantur, litora respicientibus illa auersos tenebat oculos, ne uideret,
quos sine tormento uidere non poterat. fateor, nulla sic amauit filios,
quibus, antequam proficisceretur, cuncta largita est exheredans 5
se in terra, ut hereditatem inueniret in caelo.

7. Delata ad insulam Pontias, quam clarissimae memoriae quondam feminarum sub Domitiano principe pro confessione nominis
Christiani Flauiae Domitillae nobilitauit exilium, uidensque cellulas,
in quibus illa longum martyrium duxerat, sumptis alis Hierosoly- 10
mam, sancta loca uidere cupiebat. tardi ei erant uenti, omnis pigra
2 uelocitas. inter Scyllam et Charybdim Adriatico se credens pelago
quasi per stagnum uenit Methonen ibique refocilato paululum
corpusculo

et sale tabentis artus in litore ponens, 15
per Maleas et Cytheram sparsasque per aequor
Cycladas et crebris.... freta concita terris
post Rhodum et Lyciam tandem uidit Cyprum, ubi sancti et uenerabilis Epiphanii genibus prouoluta decem ab eo diebus retenta est
non in refectionem, ut ille arbitrabatur, sed in opus dei, ut rebus 20
3 probatum est. nam omnia illius regionis lustrans monasteria, prout
habere poterat, refrigeria sumptuum fratribus dereliquit, quos amor

15 Vergil. Aen. I 173   16 Vergil. Aen. III 126—127

1 eusthocio *aK* nauigationi *a* quiescebat *ΣDB* 2 qui *ex* quae *m2K* 3 illa]
ipsa *ς* uersos *aΣ* uersus *D* tendebat *ΣD* 4 quos] quod *aΣD* nulla] *add.* aut rara
aut aliquis *B* 7 insulas pontias *D* pontias insulas *Σ* insulam Pontiam *ς* quas *Dp.c.*
clarissima *Σp.c.m2B* memoriae *a, om. cet.* 8 principe *om. B* pro quo *D*
10 aliis *Kp.c.m2Σp.c.* alimentis (mentis *in ras. m2) D* fidei alis *ς* hierosolimam
Σp.c. hierusoli(y *D*)mam (am *in* e *corr. Dm2) K,Σa.c.D* iherosolimam *B* ; *add.* et
KB,Σs.l.m2 11 ei erat *Σa.c.* eiecerant (ec *eras.) D* erant *ς* uenti] *add.* et *aΣD*
12 scillam *aDB,Σa.c.m2* cari(y *Σp.c.m2*)bdim *aΣDB* carybdem *K* hadria-
tico *K* 13 Methonen *ς (cf. Neue—Wagener* [3] *I p. 93 sqq.)* methonem *K* me-
tonem *aΣD* methonam *B* refocillato *ς* 15 tabentes *ΣDB* 16 malleas *B*
Maleam *ς* cytteram *Σa.c.* citeram *D* siceram *B* que *s.l.m2Σ, om. aD* equor *a*
equora (a *in ras. m2D) ΣDB* 17 cicladas *B* 18 rodum *D* hodrum *Σa.c.*
hrodum *K,Σp.c.* thodum *Ba.c.* liciam *KD,Σa.c.* litiam *B* uenit *B* ciprum
Σa.c.B cybrum *K* et] ac *(s.l.m2) Σ* 19 epif. *Σ* ephiph. *B* epyphani *a* pedibus *ΣD* aduoluta *K* obuoluta *B* 20 refectione *aB* reb. prob.] re compro-
batum *ς* 21 nam] non *a* monastheria *a* 22 hab. pot. *om. K* potuit *ς*

sancti uiri de toto illuc orbe conduxerat. inde breui cursu transfretauit Seleuciam, de qua ascendens Antiochiam sancti confessoris-
que Paulini modicum caritate detenta media hieme calente ardore
fidei femina nobilis, quae prius eunuchorum manibus portabatur,
5 asello sedens profecta est.

  8. Omitto Syriae Coeles et Phoenicis iter — neque enim odoepori-
cum eius disposui scribere —, ea tantum loca nominabo, quae sacris
uoluminibus continentur. Beryto, Romana colonia, et antiqua urbe
Sidone derelicta in Sareptae litore Heliae est ingressa turriculam,
10 in qua adorato domino saluatore per harenas Tyri, in quibus Paulus
genua fixerat, peruenit Accho, quae nunc Ptolomais dicitur, et per
campos Mageddo Iosiae necis conscios intrauit terram Phylistiim.
mirata ruinas Dor, urbis quondam potentissimae, et uersa uice Stra- 2
tonis turrem ab Herode, rege Iudaeae, in honorem Caesaris Augusti
15 Caesaream nuncupatam, in qua Cornelii domum Christi uidit ecclesiam et Philippi aediculas et cubiculum quattuor uirginum prophetarum, dein Antipatrida, semirutum oppidulum, quod patris ex nomine
Herodes uocauerat, et Lyddam uersam in Diospolim, Dorcadis atque

---

  9 cf. III Reg. 17, 8—24   10 cf. Act. 21, 5   11 cf. Act. 21, 7   12 cf.
IV Reg. 23, 29; II Par. 35, 22—24   13 cf. Ios. 11, 2 etc.   cf. Plin. n. h. V
69 etc.   15 cf. Act. 10, 1   16 cf. Act. 21, 8—9   17 cf. Act. 23, 31   18 cf.
Act. 9, 32—41

  1 transfretauit *KΣ*   2 seleuch. *a* seleut. *B* sileuc. *K* seleucium *Σa.c.D*   quo *a*
anthiociam *aD*   3 que *s.l.m2Σ, om. B*   6 syriae colles *Dp.c.m2* cęlesirie colles *B* Coeles Syriae *ς*   fenicis *ΣB* poenices *K (cf. uol. I p. 571, 15)*   odepor.
ΣD depor. *a* empor. *B* hodoeporicon *ς*   8 berito *B* beritho *a* brito *Σa.c.D* britto
Σp.c. byreto *K*   9 sydone *a* sydonia *B*   turricula *a*   10 arenas *ΣB*   in *s.l.m2K*
gen. Paul. *ς*   11 fixit *ς*   Accho *scripsi* achco *K* adcho *a* ad coh *D* ad coho *Σa.c.m2*
ad chohum *Σp.c.m2* adchorum *B* Acco *cum Martianaeo Vallarsius*   ptholomais *a*
ptolomaide *ex* ptolemais *m2Σ* tolomaidis *B*   12 magedo *Σ*   conscius *D*   intr.
terr.] in terra *B*   phylisthiim *a* philistiim *KB* philistim *ΣD*   13 ruina *a*
dor (r *s.l.*) *K* clor *B*   potentissimam *a*   strationes *K* strotonis *B*   14 turrim *ς*
iudae (—de *B*) *aDB*   honore *Σ*   15 cesarea *D* caesariam *a*   corneli *a* cornelius *K*   16 filippi *a*   cubicula *ς*   17 dein *K,Σp.c.m2* de *aD,Σa.c.m2*
dn̄i n̄ri *B* deinde *ς*   antipatridā *Σp.c.m2B* antepatrida *K*   opidulum *ΣB*
ex patris *KB* de patris *ς*   18 liddam *ΣDB* lybdam *a*   dyospolim *a* dispolim
Σa.c. dospolim *B* diospilim *K*   Dorcadis] ueleades *a (fort. scriptum fuit:* tabi-
thae uel dorcadis)

Aeneae resurrectione ac sanitate inclitam, haut procul ab ea Arimathiam,
uiculum Ioseph, qui dominum sepeliuit, et Nob, urbem quondam
sacerdotum, nunc tumulos occisorum, Ioppen quoque, fugientis portum
Ionae et — ut aliquid perstringam de fabulis poetarum — religatae
ad saxum Andromedae spectatricem, repetitoque itinere Nicopolim, 5
quae prius Emmaus uocabatur, apud quam in fractione panis cogni-
3 tus dominus Cleopae domum in ecclesiam dedicauit. atque inde
proficiscens ascendit Bethoron inferiorem et superiorem, urbes a
Salomone conditas et uaria postea bellorum tempestate deletas, ad
dextram aspiciens Aialon et Gabaon, ubi Iesus, filius Naue, contra 10
quinque reges dimicans soli imperauit et lunae et Gabaonitas ob
dolum et insidias foederis inpetrati in aquarios lignariosque damnauit, in Gabaa urbe usque ad solum diruta paululum substitit recordata peccati eius et concubinae in frusta diuisae et tribus Beniamin bis trecentos uiros propter Paulum apostolum reseruatos. 15
  9. Quid diu moror? ad laeuam mausoleo Helenae derelicto,
quae Adiabenorum regina in fame populum frumento iuuauerat,
ingressa est Hierosolymam, urbem τριώνυμον: Iebus, Salem, Hieru-

---

1 cf. Marc. 15, 43 etc.   2 cf. I Reg. 22, 19   3 cf. Ion. 1, 3   4 cf. Fried-
laender, Darstellungen aus der Sittengesch. Roms II⁶178   6 cf. Luc. 24, 30—31
8 cf. II Par. 8, 5   10 cf. Ios. 10, 12   11 cf. Ios. 9, 22—27   14 cf. Iudd. c.
19—20   15 cf. Rom. 11, 1. Phil. 3, 5   16 cf. Iosephus, ant. Iud. XX 2, 6 et 4, 3

1 resurrectionem *aD,Σa.r.*   ac] a *D*   sanitatem *a* sanctitate *ΣD*   incly-
tam *a*   aut *a* haud *ΣB*   ea *om. B*   arimathia *B*   2 nobe *Σ* nouam *DB*
nobilem *a*   3 sac.] *add.* quae *s.l.m2Σ*   tumulus *K,Σp.c.m2* tumulum *ς* iop-
pem *aD* iopen *Σa.c.* et ioppen *B* Ioppen quoque *ς*   4 praestringam *Σa.c.m2*
5 andromidae *K* andromades *B*   spect. *ς* ex (xs *Σ*) pectatricem (m *eras. Σ, om. D*) *codd.*
nycop. *a* nichop. *B*   6 emaus *Σa.c.B*   cogn. est *aΣD*   7 cleophae *ΣB* clepae *Da.c.*
8 betoron *D* bethoroth *K*   superiores *a*   9 solomone *Σa.c.m2D*   et] sed *ς*
tempestates *a*   10 dexteram *ΣB*   haialon *a* haiolon (h *eras.*) *K* hailon *ΣD*
ailon *B (cf. LXX)*   gabahon *Σa.r.*   ihesus *a* hiesus *Σ*   11 gabonitas *Σa.c.*
ob] sub *Σa.c.D*   12 dolos *ς*   inpetrat *D* imperati *K*   13 gaba *a* gabao *Σ*
paulum *K*   subsistit *DB*   14 frustra *D*   bensiamin *B* ueniam *D*   15 bis trec.
scripsi coll. Iudd. 20, 47 in (inm *del.* m *D*) trec. *ΣD* C̅C̅C̅ *a* trec. *K* in sexcentos *B*
Paulum *om. ς*   16 a laeua *Σa.c.m2*   leuaam *a*   aelenae *a*   17 aiabenorum *Σ*
iabenorum *B, post spat. 3 litt.* benorum *D*   regina *s.l.K*   populo *K*   iuuauerat *a* iuuaret *Σa.c.m2D* iuuerat *cet.*   18 hiero(*ex* u)solimam *Σ* iherosolimam *B*
τριώνυμον *scripsi* trionimum *a* tryonimum *K* trionomum *D* trinomam *Σ* tyri
nominatam *B* trinominem *ς*   Hierusalem] iher. *a* ·i· (= id est) iher. *B*

salem, quae ab Aelio postea Adriano de ruinis et cineribus ciuitatis
in Aeliam suscitata est. cumque proconsule Palaestinae, qui fami- 2
liam eius optime nouerat, praemissis apparitoribus iussisset parari
praetorium, elegit humilem cellulam et cuncta loca tanto ardore
5 ac studio circumiuit, ut, nisi ad reliqua festinaret, a primis non posset
abduci, prostrataque ante crucem, quasi pendentem dominum cerneret, adorabat. ingressa sepulchrum resurrectionis osculabatur lapidem, quem ab ostio sepulchri amouerat angelus, et ipsum corporis
locum, in quo dominus iacuerat, quasi sitiens desideratas aquas fide,
10 ore lambebat. quid ibi lacrimarum, quantum gemitum doloris effu- 3
derit, testis est cuncta Hierosolyma, testis ipse dominus, quem rogabat. unde egrediens ascendit Sion, quae in 'arcem' uel 'speculam'
uertitur. hanc urbem quondam expugnauit et aedificauit Dauid.
de expugnata scribitur: uae tibi, ciuitas Arihel—id est
15 'leo dei' et quondam fortissima —, quam expugnauit Dauid;
de ea, quae aedificata est: fundamenta eius in montibus sanctis; diligit dominus portas Sion super omnia tabernacula Iacob, non eas portas, quas
hodie cernimus in fauillam et cinerem dissolutas, sed portas, quibus
20 infernus non praeualet, per quas credentium ad Christum ingreditur
multitudo. ostendebatur illic columna ecclesiae porticum sustinens, 4
infecta cruore domini, ad quam uinctus dicitur flagellatus. monstra-

8 cf. Marc. 16, 3—5; Matth. 28, 2   12 cf. Onom. s. 39, 25; 43, 12; 50, 25;
75, 2; 78, 15; 81, 17   13 cf. II Reg. 5, 6—10   14 *Esai. 29, 1   15 cf. Onom.
s. 3, 15; 15, 29; 37, 19; 44, 17; 56, 27; 98, 15   16 Ps. 86, 1—2   20 cf. Matth.
16, 18   22 cf. Matth. 27, 26 etc.

1 elio D helio KΣB   hadriano K   2 aeliam a heliam cet.   sustentata D
proconsul Σp.c.m2 (cf. Martianus Capella III 294); add. ei B   palestine (—ne B)
codd.   3 apara(s.l. i)toribus Σ   4 praet.] hospitium Σ   5 circuiuit Σp.r.B.
ut s.l.K et aΣD   possit KΣD   6 abduci om. D   7 ingressaque (que eras.) Σ
sepulcrum D   8 sepulcri D monumenti B   9 fide a fide et K (ex fedeli m2)
fidei Σ fideli DB   10 gemituum K gemutuum B; add. quid codd. praeter a
effunderit a   11 est s.l.K   alt. testis est K   12 uel in KΣB   speclm B
spel14cam a   13 expugnabat Σ   et] uel B   reaedificauit ς   14 de] unde Σ
(add. s.l.m2 de) DB   ue DB   arihel K sarihel a   16 et de ς   est] add.
dictum est ς   17 sanctis om. B   19 fauilla et cinere a   20 non praeu. inf. ς
praeu.] add. et codd. praeter a   ingrediatur D   21 illi ΣDB   22 quem Σa.c.D.
ducitur Σ   flagellandus ΣD

scendisset, ut Iohelis uaticinium conpleretur.

10. Deinde pro facultatula sua pauperibus atque conseruis pecunia distributa perrexit Bethlem et in dextra parte itineris stetit
ad sepulchrum Rachel, in quo Beniamin non, ut mater uocauerat 5
moriens, Benoni, hoc est 'filium doloris mei', sed, ut pater propheta-
2 uit in spiritu, 'filium dexterae' procreauit. atque inde specum saluatoris ingrediens, postquam uidit sacrum uirginis diuersorium et
stabulum, in quo a g n o u i t b o s p o s s e s s o r e m s u u m e t
a s i n u s p r a e s e p e d o m i n i s u i, ut inpleretur illud, quod 10
in eodem propheta scriptum est: b e a t u s, q u i s e m i n a t
s u p e r a q u a s, u b i b o s e t a s i n u s c a l c a n t, me au-
diente iurabat cernere se fidei oculis infantem pannis inuolutum
uagientem in praesepe, deum magos adorantes, stellam fulgentem desuper, matrem uirginem, nutricium sedulum, pastores nocte uenien- 15
tes, ut uiderent uerbum, quod factum erat, et iam tunc euangelistae
Iohannis principium dedicarent: i n p r i n c i p i o ə r a t u e r-
b u m et u e r b u m c a r o f a c t u m e s t, paruulos interfectos,
Herodem saeuientem, Ioseph et Mariam fugientes in Aegyptum.
3 mixtisque gaudio lacrimis loquebatur: 'salue, Bethlem, domus panis, 20
in qua natus est ille panis, qui de caelo descendit. salue, Ephrata,
regio uberrima atque καρποφόρος, cuius fertilitas deus est. de te

---

1 cf. Act. 1, 15 et 2, 4   2 cf. Act. 2, 16—21; Ioel 2, 28—32   5 cf. Gen.
35, 18   7 cf. Luc. 2, 7—20   9 *Esai. 1, 3   11 *Esai. 32, 20   13 cf. Luc. 2, 7
14 cf. Matth. 2, 1—12   15 cf. Matth. 1, 18—25   cf. Luc. 2, 8—20   17 Ioh. 1, 1
18 Ioh. 1, 14   cf. Matth. 2, 16   19 cf. Matth. 2, 14   20 cf. Onom. s. 173, 57;
182, 93; 188, 78; 201, 55   21 cf. Ioh. 6, 33   22 cf. Onom. s. 5, 24; 32, 10; 48, 17

1 uig.] add. credentium codd. praeter a   sanct. spir. K   spiritus in mg.
m2Σ   discendisset KΣ descendit Dp.c.m2B   2 Ioelis ς   3 dein K   4 perr.
in Σ   bethleem Dp.c.m2B betleem (pr. e eras.) K bethlehem Σp.c.m2   dextera B   6 filius ΣDB   7 inde] add. Bethleem ingressa et in ς   speculum a
8 ingr. a introiens (int in ras. m2D) cet.   diuorsorium a   10 ill. impl. ς illut
a, om. B   13 oc. fid. ς   14 praesepi KΣD (ubique p.c.m2!)   dñi a dñm D
ador. mag. Σ   16 fuerat ex erat m2Σ   et iam] etiam B   19 maria a
aegypto a egiptū ex egipto Σ   20 bethleem Dp.c.m2B betleem K bethlehem
Σp.c.m2   21 discendit K   efrata K effrata B eufrata Σ eufratha D   22 καρποφόρος scripsi ΚΑΡΠΟΩΡΑC a καρΠΟΦρer K ΓΑΡΠΟΦΟΡΑ Σ D carpi-
foros B καρποφόρε uel καρποφόρα ς

quondam Micheas uaticinatus est: e t t u, B e t h l e e m d o m u s
E p h r a t a, n o n n e m i n i m a e s i n m i l i b u s I u d a ?
ex te mihi egredietur, qui sit princeps in Is-
rahel, et egressus eius ab initio, a diebus aeter-
5 nis. propterea dabis eos usque ad tempus pa-
rie n̦ tis. pariet et reliquiae fratrum eius con-
uertentur ad filios Israhel. in te enim natus est princeps, 4
qui ante Luciferum genitus est, cuius de patre natiuitas omnem ex-
cedit aetatem. et tam diu in te Dauitici generis origo permansit, donec
10 uirgo pareret et reliquiae populi credentis in Christum conuerteren-
tur ad filios Israhel et libere praedicarent: u o b i s o p o r t e b a t
p r i m u m l o q u i u e r b u m d e i, s e d, q u o n i a m r e p e l-
l i t i s e t i n d i g n o s u o s i u d i c a s t i s a e t e r n a e
u i t a e, c o n u e r t i m u r a d g e n t e s. dixerat enim dominus:
15 n o n u e n i n i s i a d o u e s p e r d i t a s d o m u s I s r a h e l.
et eo tempore Iacob super eo uerba conpleta sunt: n o n d e f i c i e t 5
p r i n c e p s e x I u d a e t d u x d e f e m o r i b u s e i u s,
d o n e c u e n i a t, c u i r e p o s i t u m e s t, e t i p s e e r i t
e x p e c t a t i o g e n t i u m. bene Dauid iurabat, bene uota facie-
20 bat dicens: s i i n t r o i e r o i n t a b e r n a c u l u m d o m u s
m e a e, s i a s c e n d e r o i n l e c t u m s t r a t u s m e i, s i
d e d e r o s o m n u m o c u l i s m e i s e t p a l p e b r i s m e i s
d o r m i t a t i o n e m e t r e q u i e m t e m p o r i b u s m e i s,
d o n e c i n u e n i a m l o c u m d o m i n o, t a b e r n a c u l u m
25 d e o I a c o b. et statim, quid desideraret, exposuit atque oculis 6
prophetalibus, quem nos uenisse iam credimus, ille uenturum esse
cernebat: e c c e a u d i u i m u s e u m i n E p h r a t a, i n u e n i m u s

---

1 *Mich. 5, 2—3   8 cf. Ps. 109, 3   11 *Act. 13, 46   15 Matth. 15, 24
16 *Gen. 49, 10   20 Ps. 131, 3—5   27 *Ps. 131, 6

1 Michaeas ς   bethleem aD,Bp.c. betleem K,Ba.c. bethlehem ex bethlem Σ
2 efrata K effrata Σp.c.B euphrata a eufrat(th D)a Σa.c.D   non Dp.c.B   4 aeter-
nitatis ΣDB   5 dabit K   parentis B   6 parient K pari (ri eras.) D   7 est
om. ς   8 genitus ex natus Σ   excedet aΣ excidit K   9 in te om. B   Dauidici ς
generis in te B   10 populo credentes K   12 repellitis K repellistis a re-
p (pp Σp.c.m2)ulistis cet. ; add. illud (ilud Σ) ΣD   14 uitae] add. ecce ΣD   conuer-
temur K   deus ς   17 ex] de Σ   et] neque KB   19 iurauit Σ   21 strati ΣB
22 et] aut a   palphebris a   25 desideret aD,Σa.c.   27 eum] illum ΣD   efrata K
effrata Σp.c.B euphrata a eufrat(th D)a Σa.c.D

eum in campis siluae. 'zoth' quippe sermo Hebraicus, ut te
docente didici, non Mariam, matrem domini, hoc est αὐτήν, sed 'ipsum', id est αὐτόν, significat. unde loquitur confidenter: introibi-
mus in tabernacula eius; adorabimus in loco,
7 ubi steterunt pedes eius. et ego, misera atque peccatrix, 5
digna sum iudicata deosculari praesepe, in quo dominus paruulus
uagiit, orare in spelunca, in qua uirgo puerpera deum fudit infantem?
haec requies mea, quia domini mei patria est. hic habitabo, quoniam
saluator elegit eam. paraui lucernam Christo meo. anima
8 mea illi uiuet et semen meum seruiet ipsi'. haut procul 10
inde descendit ad turrem Ader, id est 'gregis', iuxta quam Iacob pauit
greges suos et pastores nocte uigilantes audire meruerunt: gloria
in excelsis deo et super terram pax homini-
bus bonae uoluntatis. dumque seruant oues, inuenerunt
agnum dei puro et mundissimo uellere, quod in ariditate totius 15
terrae caelesti rore conplutum est et cuius sanguis tulit peccata mundi
et exterminatorem Aegypti litus fugauit in postibus.

11. Statimque concito gradu coepit per uiam ueterem pergere,
quae ducit Gazam, ad potentiam uel diuitias dei, et tacita secum
uoluere, quomodo eunuchus Aethiops gentium populos praefigurans 20
mutauerit pellem suam et, dum uetus relegit instrumentum, fontem

3 *Ps. 131, 7   6 cf. Luc. 2, 7   9 Ps. 131, 17   Ps. 21, 31   11 cf. Gen.
35, 21 et Onom. s. 3, 7; 23, 29; 101, 9   12 *Luc. 2, 14   15 cf. Ioh. 1, 29
cf. Iudd. 6, 37—38   16 cf. Ioh. 1, 29   17 cf. Ex. 12,7. 13. 22—23   19 cf.
Onom. s. 6, 27; 22, 18; 27, 24; 32, 23; 51, 24; 69, 13   20 cf. Act. 8, 27—39   21 cf.
Hier. 13, 23

1 zoth *KB* zob *uel* gob *a* zop *ΣD* zo *ς*   sermo de *K*   ebraicus *Ba.c.*;
add. est *ΣDB*   te] a *Σ*   2 *AYCHN a ΔYTHN K* aythn (*s.l.* afa) *B* astin *D*
asinon *Σ*   sed] si *B*   3 aston *ΣD* arthon (*s.l.* afron) *B*   4 tabernacula *K*
-culo *a* -culum *cet.*   adorauimus *a*   5 ego o *Σ*   6 deoculare *Σa.c.*   in quo]
ubi *B*   uag. paru. *B*   7 uagit *Σ,Da.c.*   dominum *ΣD*   8 est] eius *D*
10 ipsi] illi *K*   haud *Σ* (*ex* aut) *B*   11 turrim *ς*   adae *a*   gregis] regis *a,Ka.c.m2*
13 in terra *Σ*   14 cumque seruarent *a*   15 hereditate *D*   16 conplutum *Kp.c m2B*
conpletum *cet.*   sanguinis *KDa.c.m2*   17 litis *Kp.c.m2* sanguine linitis *B*
in post. fug. *ς*   19 gaiam *K* ad gazam *B*   pot.] pontiam *KD,Σa.c.*   uel] *add.*
ad *KB,Σs.l.m2*   diuitiis *D*   dei] x̄p̄i *B*   20 uolueret (*mut. in* uoluens *m3*) *D*
aethyops *a*   etyops *B*   populos *ς* -lus *a Ka.c.m2* -lum *cet.*   21 releget *a*
religit *K* relegerat (rat *s.l.*) *Σ*, *om. D*   frontem *B*

repperit euangelii. atque inde ad dexteram transit. a Bethsur uenit ₂
Eschol, quae in 'boṭruum' uertitur. unde in testimonium terrae
fertilissimae et typum eius, qui dicit: t o r c u l a r c a l c a u i
s o l u s e t d e g e n t i b u s u i r n o n. f u i t m e c u m, ex-
₅ ploratores botruum mirae magnitudinis portauerunt. nec post ₃
longum spatium intrauit Sarrae cellulas uidens incunabula Isaac
et uestigia quercus Abraham, sub qua uidit diem Christi et laetatus
est. atque inde consurgens ascendit Chebron, haec est Chariatharbe, id est 'oppidum uirorum quattuor', Abraham, Isaac et Iacob
₁₀ et Adam magni, quem ibi conditum iuxta librum Hiesu Hebraei
autumant, licet plerique Chaleb quartum putent, cuius ex latere
memoria demonstratur. noluit pergere ad Chariath-sepher, id est ₄
'uinculum litterarum', quia contemnens occidentem litteram reppere-
rat spiritum uiuificantem. magisque mirabatur superiores et inferiores
₁₅ aquas, quas Gothonihel, filius Iephone Cenez, pro australi terra et
arida possessione susceperat et quarum ductu siccos prioris instrumenti agros faciebat inriguos, ut redemptionem ueterum peccatorum in
aquis baptismi repperirent. altero die orto iam sole stetit in super- ₅
cilio Caphar-baruchae, id est 'uillae benedictionis', quem ad locum

2 cf. Onom. s. 5, 21; 18, 1 et Num. 13, 25   3 *Esai. 63, 3   5 cf. Num.
13, 24   6 cf. Gen. c. 18   8 cf. Ios. 14, 15 et Onom. s. 84, 9; 108, 32   11 cf.
Ios. 14, 13—14   12 cf. Ios. 15, 15   13 cf. II Cor. 3, 6   14 cf. Iudd.
1, 13—15

1 reperit *Σa.c.D* dextram *aD* transiit *a* bethsus *a*   2 escol *B* erchol *a*
quae] q (= qui) *s.l.* que *in l. a*   in *s.l.a*   botruum *a* botrum *cet.*   uertitur—
4 et de *om. a*   3 in ty(i *B*)pum *ΣDB* typum *ex* ypum *K*   4 non fuit uir *B*
non est uir ς   5 botruum *a* botrum *cet.*   mirare *a*   6 sare (-rae *Σ*) *ΣD,Ba.c.*
cellulam *aΣD*   ysaac *B* (*passim*)   7 habraham *Σ*   8 inde *om. B*   hebron *Σ*
caebron *a, om. B*   chariatharbe (-bę *Σ* -bee *a*) *aK,Σp.c.* cariatarbe *D* cariadarbę
Σa.c. kariatharbe *B*   9 et *om.* ς   10 quem ibi *ex* que mihi *m2K*   hiesum *a*
iesu *B; add.* Naue ς   11 caleph *Σ*(h *p.c.*)*DB* chaldaei *a* Caleb ς   12 monstratur ς; *add.* his inspectis ς   cariathsephir *D* -tsepher *B* -dsepher *Σ*   13 quia]
que *B*   14 spiritu *a* x̄p̄m *B*   15 gotonihel *a* ghotoniel *K* othoni(h *s.l.*)el *B*
iephone (iepphone *B*) cenez (*in ras. B* zenez *Σ* cenet *D*) *aΣDB* kenez(z *s.l.m2*)
iephonne *K*   terra] *add.* iepphone *B*   16 et *om. B*   aquarum *DB*   18 repp-
periret (*ex* —reret *K*) *KB*   altera (l *s.l.B*) *Ka.c.m2B*   iam orto *B*   sol *K*
19 caphararboruche *D* capharbaricae *K* capharbrarichae *a* capharibarithe *B*
Caphar Barucha ς   uilla *Σ* uela *D*   quem] usque (*in marg.*) *B*

Abraham dominum prosecutus est. unde latam despiciens solitudinem et terram quondam Sodomae et Gomorrae, Adamae et Seboim
contemplata est balsami uineas in Engaddi et Segor, uitulam conternantem , quae prius Bala uocabatur et in Zoaram, id est 'paruulam',
Syro sermone translata est. recordabatur speluncae Loth et uersa 5
in lacrimas uirgines socias admonebat cauendum esse uinum, in quo
est luxuria et cuius opus Moabitae sunt et Ammonitae.

12. Diu haereo in meridie, ubi sponsa cubantem repperit sponsum
et Ioseph inebriatus est cum fratribus suis. reuertar Hierosolymam
et per Thecuam atque Amos rutilantem montis oliueti crucem aspi- 10
ciam, de quo saluator ascendit ad patrem, in quo per annos singulos
uacca rufa in holocaustum domini cremabatur et cuius cinis expiabat
populum Israhel, in quo iuxta Hiezechiel cherubin de templo trans-
2 migrantes ecclesiam domini fundauerunt. ingressa sepulchrum Lazari
Mariae et Marthae uidit hospitium et Bethfage, uillam sacerdotalium 15
maxillarum, et locum, in quo pullus lasciuiens gentium domini frena
suscepit apostolorumque stratus uestibus mollia terga praebuit ad
3 sedendum. rectoque itinere descendebat Hierichum cogitans illum

---

1 cf. Gen. 18, 16   2 cf. Deut. 29, 23   3 cf. Cant. 1, 13   cf. Esai. 15, 5
4 cf. Gen. 14, 2 . 8 et Onom. s. 100, 23; 149, 6 . 28; 159, 23   5 cf. Gen. 19, 30—38
6 Eph. 5, 18   8 cf. Cant. 1, 6   9 cf. Gen. 43, 16 . 25 . 33   10 cf. Am. 1, 1   cf. Act.
1, 9—12   12 cf. Gen. c. 19   13 cf. Ezech. 11, 22—25   14 cf. Ioh. 11, 1—44
15 cf. Onom. s. 60, 24   16 cf. Matth. 21, 1—11 etc.   18 cf. Luc. 10, 30—37

---

1 abracham (c *exp.*) *K* abraam *B*   respiciens *a* prospiciens *B*   2 et] ac ç
Gomorrhae ç; *add.* et *Σ*   seboym *B* soboym *D*   3 aengaddi (*pr.* d *s.l.*) *K*   segor
et uitulam *aΣD*   conternantem *a,KΣp.r.* consternantem *KΣa.r.,D* conster-
nentem *B*   4 bala *a* bale (balę *Σ* uale *Ba.c.*) *cet.*   zoharam *a*   paruula *D*
in parabolam *B*   5 lot *ex* lod *Σa.c.m2*   6 uirg.—uinum] cauendum esse uinum
uirgines socias admonebat *B*   7 *pr.* et *om.* *ΣD*   sint *K*   ammanitae *K*
amonite *Σp.c.* amanite *Σa.c.DB*   8 diu hereo *ex* diuertor *m2Σ*   haereo] ergo *D*
pr. sponsam *K*   reperit *Σa c.D*   9 inhebriatus *ΣDB*   reuertar in *D*   hieru-
(o *m2KΣ*)soli(y *D*)mam *KΣD* iherosolimam *B*   10 tecuam *K*   atque Amos]
adeamus *Σa.c.m2D*   lucem *ΣD*   12 uaca rupha *B*   domino *Dp.c.B*   13 in
isrl *a*   hiezechiel *D* hiezeciel *a* ezechiel (—hel *Σ*) *KΣB* Ezechielem ç   ceru-
bym *Σ* Cherubim ç   14 fund.] *add.* post ç   15 bethfagae *aΣ* bethphage *D*
16 et max. *ΣDB*   qua *Σ*   pullus] populus *K*   dei *a*   17 strata *B*   18 descendit *B*   hiericum *K* hiericho (—co *Σa.c.*) *ΣD* ierico *B*   recogitans ç   illut *a*
illud *B*

de euangelio uulneratum et sacerdotibus ac Leuitis mentis feritate
praetereuntibus clementiam Samaritae, id est 'custodis', qui semi-
necem suo inpositum iumento ad stabulum ecclesiae deportauit,
et locum Adommim, quod interpretatur 'sanguinum', quia multus
5 in eo sanguis crebris latronum fundebatur incursibus, et arborem
morum Zacchei, id est bona paenitentiae opera, quibus cruenta dudum
et noxia rapinis peccata calcabat excelsumque dominum de excelso
uirtutum intuebatur, et iuxta uiam caecorum loca, qui receptis
luminibus utriusque populi credentis in dominum sacramenta prae-
10 miserant. ingressa Hierichum uidit urbem, quam fundauit Ahiel in 4
Abiram, primogenito suo, et cuius portas posuit in Segub, nouissimo
filiorum. intuita est castra Galgalae et aceruum praeputiorum et
secundae circumcisionis mysterium et duodecim lapides, qui de
Iordanis illuc translati alueo duodecim apostolorum fundamenta
15 firmauerant, et fontem quondam legis amarissimum et sterilem,
quem uerus Heliseus sua condiuit sapientia et in dulcorem uber-
tatemque conuertit. uix nox pertransierat, feruentissimo aestu 5
uenit ad Iordanem; stetit in ripa fluminis et orto sole solis iustitiae
recordata est, quomodo in medio amnis alueo sicca sacerdotes
20 posuerint uestigia et ad Heliae atque Helisei imperium stantibus
ex utraque parte aquis iter unda praebuerit pollutasque diluuio
aquas et totius humani generis interfectione maculatas suo dominus
mundarit baptismate.

2 cf. Onom. s. 66, 3   4 cf. Onom. s. 92, 9   5 cf. Luc. 19, 2—10   6 cf.
Onom. s. 63, 16   8 cf. Matth. 20, 30—34   10 cf. Ios. 6, 26 et III Reg. 16, 34
12 cf. Ios. 5, 2—9   13 cf. Ios. 4, 1—9   15 cf. IV Reg. 2, 19—22   18 cf. Mal.
4, 2   19 cf. Ios. 3, 15—16   20 cf. IV Reg. 2, 8   22 cf. Matth. 3, 13—17 etc.

1 uulnerati B   et] ac ς   ac] et ς   2 semiuiuum ΣD   3 ium. imp. ς
inposito aD   reportauit aΣ portauit D   4 addommim a adomim Σ adomin D
dodimin B   sangynum a   6 sic(cc Σ)omorum ΣD sycomorum ς   zacchei a
zacchaei K zachei cet.   9 dn̄i (non dm̄) B   10 hiericum K hiericho (—co Σa.c.)ΣD
iericon B   hashel a haiel DB iahel Σ Hiel ς   11 habiram D auiram B   segubi a
segum B   12 pr. et om. K   14 sunt alueo K,s.l.m2Σ   15 firmauerunt a,Σ
(in marg. m2 al fundauerant) fundauerant K   16 helisseus a helisaeus K Elisaeus ς   condidit a   17 transierat codd. praeter a   feruentissima ΣD   aestu]
et D aestu (in marg. m2) et Σ   18 stetitque Σp.c.m2D et stetit B   sole om. B
19 annis B iordanis ΣD   20 Eliae ς   adque K et ς   helissei a heli-
s(ss Dp.c.m2)aei KD   21 unda (d in ras. 2—3 litt.) B   praebuerat B   22 inter-
fectionem a   23 mundarit scripsi -daret K -dauit a -dauerit ΣDB

13. Longum est, si uelim de ualle Achor dicere, id est 'tumultus atque turbarum', in qua furtum et auaritia condemnata est, et de Bethel, 'domo dei', in qua super nudam humum nudus et pauper dormiuit Iacob et posito subter caput lapide, qui in Zaccharia septem oculos habere describitur et in Isaia lapis dicitur angularis, uidit 5 scalam ad caelum usque tendentem, in qua dominus desuper nitebatur ascendentibus porrigens manum et neglegentes de sublimi 2 praecipitans. sepulchra quoque in monte Ephraim Hiesu, filii Naue, et Eleazari, filii Aaron sacerdotis, e regione uenerata est — quorum alter conditus est in Thamnathsare a septentrionali parte montis 10 Gaas, alter in Gabaath filii sui Finees — satisque mirata est, quod distributor possessionum sibi montana et aspera delegisset. quid narrem Silo, in quo altare dirutum hodieque monstratur et raptum 3 Sabinarum a Romulo tribus Beniamitica praecucurrit? transiuit Sychem — non, ut plerique errantes legunt, Sichar —, quae nunc 15 Neapolis appellatur, et ex latere montis Garizim extructam circa puteum Iacob intrauit ecclesiam, super quo dominus residens sitiensque et esuriens Samaritanae fide satiatus est, quae quinque Mosaicorum uoluminum uiris et sexto, quem se habere iactabat, errore Dosithei, 4 derelicto uerum Messiam et uerum repperit saluatorem. atque inde 20 deuertens uidit duodecim patriarcharum sepulchra et Sebasten, id est Samariam, quae in honorem Augusti ab Herode Graeco sermone

---

1 cf. Ios. c. 7   cf. Onom. s. 24, 5; 49, 19; 89, 31; 118, 14   3 cf. Gen. 28, 10—22   4 cf. Zach. 3, 9   5 cf. Esai. 28, 16   8 cf. Ios. 24, 30   11 cf. Ios. 24, 33   13 cf. Iudd. 21, 15—24   15 cf. Onom. s. 66, 20   cf. Onom. s. 148, 20 17 cf. Ioh. 4, 5—42

1 aquor *B*   tumulus *a*,*Σa.c.m*2 tumulos *D*   3 domum *B*   hum. nud. *B* 4 posito subter] superposito ter *a*   subter *ex* sub *Σ* supter *KD*   capud *Σa.c.DB* latere *K*   zacchariam *a* zacharia *ΣD* zacaria *B*   5 ysaia *B* esaia *Σp.c.D*   6 usque ad coelum *ς*   innitebatur *KB*   8 sepulcra *KDB*   in monte] inter morte *a* efraim *K* effraim *Σ*   iesu *ΣB*   fili *a*,*Da.c.*   9 et] uel *B*   eleazaris *a* fili *a*   aron *K*   10 tamnath(ht *Σ*)sare *KΣD* tamnatsare *B*   septemtrionali *DB* septentrionalis *a*   11 gahas *a*   Gabaath *scripsi* gaab *KΣD* gahab *a* gaad *B* Gabaa *ς*   fili *a*,*Ma.c.*   fines *a* Phinees *ς*   12 elegisset *Σa.c.Dp.r.* 13 sylo *a*   quo (*cf. Neue I³ 945*) a*ΣD* qua *KB*   hodieque (que *exp.*) *D*   14 rumulo *K*   tribus *om. K*   beniamiticorum *B*   praecurrit *D*   15 sichem *ΣDB* leg. err. *B*   sychar *KD*   16 nuncupatur *Σ*   et *om. a*   carizim *D* gazirim *B* 17 qua *K* quam *a*   res. dom. *ς*   18 mosiacorum *a* mosaicarum *K*   19 sextoque *ς*   21 diuertens *ΣDB*   sepulcra *Σa.c.DB*   22 honore *aΣB*

Augusta est nominata. ibi siti sunt Heliseus et Abdias prophetae
et — quo maior inter natos mulierum non fuit — Baptista Iohannes.
ubi multis intremuit mirabilibus. namque cernebat daemones uariis
rugire cruciatibus et ante sepulchra sanctorum ululare homines
5 luporum uocibus, latrare canum, fremere leonum, sibilare serpentum,
mugire taurorum, alios rotare caput et post tergum terram uertice
tangere suspensisque pede feminis uestes non defluere in faciem.
miserebatur omnium et per singulos effusis lacrimis Christi clementiam 5
deprecabatur. et, sicut erat inualida, ascendit pedibus montem, in
10 cuius duabus speluncis persecutionis et famis tempore Abdias propheta centum prophetas aluit pane et aqua. cito itinere percucurrit
Nazaram, nutriculam domini, Canam et Capharnaum, signorum eius
familiares, lacum Tiberiadis nauigante domino sanctificatum et
solitudinem, in qua multa populorum milia paucis saturata sunt
15 panibus et de reliquiis uescentium repleti sunt cophini duodecim
tribuum Israhel. scandebat montem Thabor, in quo transfiguratus 6
est dominus. aspiciebat procul montes Hermon et Hermonim et
campos latissimos Galilaeae, in quibus Sisara et omnis eius exercitus Barach uincente prostratus est. torrens Cison mediam planitiem
20 diuidebat et oppidum iuxta Naim, in quo uiduae suscitatus est filius,
monstrabatur. dies me prius quam sermo deficiet, si uoluero cuncta
percurrere, quae Paula uenerabilis fide incredibili peruagata est.

2 cf. Matth. 11, 11; Luc. 7, 28   10 cf. III Reg. 18, 4   12 cf. Luc. 4, 16
cf. Ioh. 2, 1—11.   cf. Luc. 4, 23 . 31—41; Matth. 8, 5—17   13 cf. Matth. 8,
23—27 etc.   14 cf. Matth. 14, 15—21 etc.   16 cf. Matth. 17, 1—9 etc.   18 cf.
Iudd. c. 4   20 cf. Luc. 7, 11—17

1 angusta *B*   helisseus *a* helias *Σa.c.* Elisaeus *ς*   2 ioh. bapt. *B*   iohannis *K*   3 intr.] *add.* consternata *ς*   uar. daem. *KB*   4 sepulcra *DB*   sancta *ΣD*
hom.] *add.* more *Σ(s.l.)D*   5 serpentium *DB*   6 post tergum *Σa.c.D* post cergum
(c *eras.*) *K*   terram] terga *D* terram tergum (*eras.*) *Σ*   uerticem *Σa.r.D*
8 miserabatur *K*   pro singulis (*ex* -los) *D*   clem.] misericordiam *a*   9 prae-
cabatur *KB*   in montem *B*   11 aqua] *add.* inde *Σ(s.l.)D*   percurrit *B*
transiit *in ras. m2D*   12 nazarata *a* nazaret *B* Nazareth *ς*   canaam *D* canaan *Σ*
chanan *a* canahan *B*   13 familiaris *KD*   lacu *a*   tiberiatis *K* tyberiadis
(*alt.* i *in ras.*) *D* thy(*ex* i *m2*)beriades *Σ*   et *om.* *ς*   14 solitudine *K* sollicitudine *a*   sunt] sint *a*   15 cofini *K*   16 trium *a*   ascendebat *ΣD*   tabor *B*
in quo] ubi *B*   17 hemon *B*   Hermoniim *ς*   18 galileae (-lee) *codd.*   sysara
aΣ syrara *D* sisarra *K*   ex. eius *B*   19 barahc (h *exp.*) *B*   chison *a* cyson
Σp.c.D ; add. qui *ΣD*   media planitie *a*   20 naym *D* maim *K*   21 mae *a*

21*

14. Transibo Aegyptum et in Soccoth atque apud fontem
Samson, quem de molari maxillae dente produxit, subsistam parumper
et arentia ora conluam, ut refocilatus uideam Morasthi, sepulchrum
quondam Micheae prophetae, nunc ecclesiam. et ex latere derelin-
quam Chorraeos et Gethaeos, Maresa, Idumaeam et Lachis et per 5
harenas mollissimas pergentium uestigia subtrahentes latamque
heremi uastitatem ueniam ad Aegypti fluuium Sior, qui interpretatur 'turbidus', et quinque Aegypti transeam ciuitates, quae loquuntur lingua Chananitidi, et terram Gesen et campos Thaneos, in
quibus fecit deus mirabilia, et urbem Noo, quae postea uersa est in 10
Alexandriam, et oppidum domini Nitriam, in quo purissime uirtu-
2 tum nitro sordes lauantur cotidie plurimorum. quod cum uidisset,
occurrente sibi sancto et uenerabili uiro, episcopo Isidoro confessore,
et turbis innumerabilibus monachorum, e quibus multos sacerdotalis
et Leuiticus sublimabat gradus, laetabatur quidem ad gloriam 15
domini, sed se indignam tanto honore fatebatur. quid ego narrem
Macharios, Arsetes, Sarapionas et reliqua columnarum Christi
nomina? cuius non intrauit cellulam? quorum non pedibus aduoluta
est? per singulos sanctos Christum se uidere credebat et, quidquid
3 in illos contulerat, contulisse in dominum laetabatur. mirus ardor 20

2 cf. Iudd. 15, 19   3 cf. Mich. 1, 1   7 cf. Onom. s. 30, 13; 55, 13   8 cf.
Esai. 19, 18   9 cf. Ps. 77, 12. 43.

1 transibo] *add.* ad *codd. praeter a*   in] inter *ΣD*   soccoth *aK* socchot *D*
socoht *Σ* sochot *B* Sochoth *ç*   2 sampson *K*   quae *a,Da.c.m2*   3 herentia *ΣD*
conluam *a* colluam *K* collum *ΣD* compluam *B* refocillat. *ç* refolcill. (*pr. et alt.* l
exp.) *B*   morasti *aB* morasth(*ex* st *Σ*)in *ΣD* Morasthim *ç*   sepulcrum *DB*
4 michae *a,Σa.c.*   ecclesia *aD*   et *om. B*   5 chorreos *B* choreos *D* horreos
(h *s.l.*) *Σ* chos *a*   getheos *Σa.c.D* cetheos *KB,Σp.c.* Gettheos *ç*   maresam *Σ*
maresad *B*   idumae(e *D*)a *aD*   lacis *a*   6 arenas *Σa.c.B*   per gentilium *Kp.ç.m2*   7 egiptum *B*   seor *B*   8 locuntur *aΣB*   9 chanan. *a* canan.
cet. Chananitide *ç*   gessen *ΣB,Dp.c.m2* gessem *a alt.* et] et ad *B*   thaneos
KΣDB thanaeos *a*   in *om. a*   10 non *K* noe *Dp.c.* No *ç* (*cf. Hieron. ad Ezech.*
30, 14 et ad Nahum 3, 8)   11 purissime *scripsi* -ssima *aKD* -ssimo *ΣB*   13 oc-
currentes *a*   uiro *a, om. cet.*   ysidoro *ΣD* esidoro *a* 14 ex *ç*   15 sublimat *K*
16 ergo *Σp.c.B*   17 Macarios *ç*   arseras *B* arseniotas (o *s.l.*) *Σ* Arsenios *uel*
Arsatas *uel* Arsisios *ç*   serapionas *Σ* serapiones *B*   18 cuius] quorum *Dp.c m2*
cellula *a*   pedibus non *ç*   obuolutu (*sic*) *K*   19 est] *add.* et *ΣD*   se] si *K*
cernebat *a*   20 in dom. se cont. *ç*   deum *B*

et uix in femina credibilis fortitudo! oblita sexus et fragilitatis cor-
poreae inter tot milia monachorum cum puellis suis habitare cupiebat. et forsitan cunctis eam suscipientibus inpetrasset, ni maius
sanctorum locorum retraxisset desiderium. atque propter feruentis-
5 simos aestus de Pelusio Maiumam nauigatione perueniens tanta
uelocitate reuersa est, ut auem putares. nec multo post in sancta 4
Bethleem mansura perpetuo angusto per triennium mansit hospitio, donec extrueret cellulas ac monasteria et diuersorium peregrinorum iuxta uiam conderet, quia Maria et Ioseph hospitium non
10 inuenerant. huc usque iter eius descriptum sit, quod multis uirginibus et filia comite peragrauit.

15. Nunc uirtus latius describatur, quae ipsius propria est et in
qua exponenda deo iudice ac teste profiteor me nihil addere, nihil
in maius extollere more laudantium, sed, ne rerum excedat fidem,
15 multa detrahere, et ne apud detractatores et genuino me semper
dente rodentes fingere puter et cornicem Aesopi alienis coloribus
adornare. quae prima Christianorum uirtus est, tanta se humili- 2
tate deiecit, ut, qui eam uidisset et pro celebritate nominis uidere
gestisset, ipsam esse non crederet, sed ancillarum ultimam. et cum
20 frequentibus choris uirginum cingeretur, et ueste et uoce et habitu
et incessu minima omnium erat. numquam post uiri mortem usque
ad diem dormitionis suae cum ullo comedit uiro, quamuis eum
sanctum et in pontificali sciret culmine positum; balneas nisi ·

---

9 cf. Luc. 2, 7   15 cf. Persius 1, 115   16 cf. Babrius 72. Phaedrus I 3.
Horat. epist. I 3, 18—20

1 incredibilis (bi *s.l.*) *Σ*   fragilitate *Σp.c.*   corporis (*ex* —res *Σ*) *ΣD*
2 toth *B*   puellulis *K,Σp.c.m2*   3 imperasset *K*   nisi *ΣD* ne *K*   magis *B*
4 locorum *om. B*   traxisset *aD,Σa.c.m2*   5 plusio *a*   maiuman *Σa.c.m2D*
maiomam *Σp.c.m2*   6 sanctam *B*   7 bethlehem *Σp.c.m2*   triennio (*ex*
—iu *m2*) *K*   hospitiolo *ς*   8 diuorsorium *a* diuersurium *K* diuersorum *Σa.c.D*
9 conderet] *add.* mansiones *Σ* (*s.l.,postea eras.*) *D*   qua *B* in qua *ς* in quo *Σ* et
in qua *D*   10 sit *om. K*   12 uirtus] uita *Dp.c.m2*   et *om. ΣD*   14 in *om. K*
extollerem (m *eras.*) *ΣD* attollere *ς*   more] ora (a *in ras.*) *D*   excedam *Dp.c.m2*
excitat *K*   fides *Σ*   15 retrahere *D*   detractores *ΣDB*   *alt.* et—rodentes]
quorum est genuinum insontes semper dente superbo rodere me aliquid *B*   16 puter et] putaret *a,Da.c.m2* putarer *Dp.c.m2* quisque putaret *B*   cornicem] *add.*
me *Σ* (*exp.*) *D*   esopi *KB* ysopi *D* y(*s.l.*)sopy *Σ* isophi *a*   17 quae] illa igitur
que *B*   18 non uid. *ς*   19 ancillularum *ς*   20 chorum *a*   23 sciret *om. a*
constitutum *ς*   balnea *Dp.r.*

3 periclitans non adiit. mollia etiam in grauissima febri lectuli strata
non habuit, sed super durissimam humum stratis ciliciolis quiescebat,
si tamen illa quies dicenda est, quae iugibus paene orationibus dies
noctesque iungebat illud inplens de Psalterio: l a u a b o p e r
s i n g u l a s n o c t e s l e c t u m m e u m, i n l a c r i m i s 5
s t r a t u m m e u m r i g a b o. in qua fontes crederes lacrimarum;
ita leuia peccata plangebat, ut illam grauissimorum criminum
4 crederes ream. cumque a nobis crebrius moneretur, ut parceret
oculis et eos seruaret euangelicae lectioni, aiebat: 'turpanda est
facies, quam contra dei praeceptum purpurisso et cerussa et stibio 10
saepe depinxi; adfligendum corpus, quod multis uacauit deliciis;
longus risus perpeti conpensandus est fletu; mollia linteamina et
serica pretiosissima asperitate cilicii conmutanda. quae uiro et saeculo placui, nunc Christo placere desidero'. si inter tales tantasque
uirtutes castitatem in illa uolucro praedicare, superfluus uidear. in 15
qua etiam, cum saecularis esset, omnium Romae matronarum
exemplum fuit; quae ita se gessit, ut numquam de illa etiam male-
5 dicorum quicquam auderet fama confingere. nihil animo eius cle-
mentius, nihil erga humiles blandius fuit. non adpetebat potentes
nec tamen superbo et gloriolam quaerente fastidio despiciebat. si 20
pauperem uiderat, sustentabat; si diuitem, ad benefaciendum co-
hortabatur. liberalitas sola excedebat modum et usuras tribuens
uersuram quoque saepe faciebat, ut nulli stipem se . rogantium
6 denegaret. fateor errorem meum: cur in largiendo esset pro-
fusior, arguebam illud proferens de apostolo: n o n u t a l i i s 25
r e f r i g e r i u m, u o b i s a u t e m t r i b u l a t i o, s e d
e x a e q u a l i t a t e i n h o c t e m p o r e, u t u e s t r a

---

4 *Ps. 6, 7   25 *II Cor. 8, 13—14

1 in *om. a*   febre *ΣB*   5 in *s.l.m2Σ, exp. D, om. B*   lacr. meis *ΣB*
6 quo *a*   8 ammoneretur *Σp.c.*   9 et] ut *ΣD*   turbanda *K*   11 depinsi *a*
affl. *B; add.* est *Σp.c.m2B*   uacabat *Σ*   12 lentiamina *K*   13 comutanda *B*
cum mutanda *K*   14 placere x̄p̄ō *Σ*   si] at ego si *B*   15 uideor *ΣB*   17 de
om. Σ   18 audiret *K*   20 superbos *ΣD* superbum *B*   gloriam *Dp.c.m2*
quae(e *B*)rentem *aB* quaerentes *ΣD* (*e uerbis* sup. et glor. quaerente *nihil nisi*
rente *in textu, reliqua in margine, sed m1, praebet K*)   21 pauperes *Dp.c.m2* uidebat *ς*   hortabatur *ς*   22 mcdum] morum *a*   23 euersuram *ΣD* usuras *B*
saepe *om. B* saepius *ς*   stipem se *scripsi* stipe se *a* stipes *cet.* stipem *ς*   24 cur]
cum *ς*   25 aliis] *add.* sit *ς*

abundantia sit ad illorum inopiam, ut et
illorum abundantia sit ad uestram inopiam,
et hoc de euangelio saluatoris: qui habet duas tunicas,
det alteram non habenti et prouidendum esse, ne,
5 quod libenter faceret, semper facere non posset, multaque huiusce
modi, quae illa mira uerecundia et sermone parcissimo dissolue-
bat testem inuocans dominum se pro illius nomine cuncta facere
et hoc habere uoti, ut mendicans ipsa moreretur, ut unum nummum filiae non dimitteret et in funere suo aliena sindone inuol-
10 ueretur. ad extremum inferebat: 'ego, si petiero, multos inueniam, 7
qui mihi tribuant; iste mendicans si a me non acceperit, quae ei
possum etiam de alieno tribuere, et mortuus fuerit, a quo eius
anima requiretur?' ego cautior in re familiari esse cupiebam, sed
illa ardentior fide toto saluatori animo iungebatur et pauperem
15 dominum pauper spiritu sequebatur reddens ei, quod acceperat,
pro ipso pauper effecta. denique consecuta est, quod optabat, et
in grandi aere alieno filiam dereliquit, quod adhuc usque debens
non suis uiribus, sed Christi se ⟨fidit⟩ fide et misericordia red-
dituram.
20   16. Solent pleraeque matronarum bucinatoribus suis dona con-
ferre et in paucos largitate profusa manum a ceteris retrahere: quo
illa omnino carebat uitio; ita enim singulis suam pecuniam diuidebat,
ut singulis necessarium erat, non ad luxuriam, sed ad necessitatem.
nemo ab ea pauperum uacuus reuersus est. quod obtinebat non 2
25 diuitiarum magnitudine, sed prudentia dispensandi illud semper
replicans: beati misericordes, quoniam ipsi mise-

3 *Luc. 3, 11   9 cf. Marc. 15, 46 etc.   19 cf. Matth. 6, 2   25 Matth. 5, 7

1 *et* 2 habund. *Σa.r.DB*   inopia *a*   ut *om. ΣD*   2 sit ad uestram
inopiam] uestre inopie sit subplementum *B*   3 de hoc *B*   4 alteram *om. ΣB*
5 semper] libenter *B*   possit *K*   huiusmodi *aD*   6 quae *del. D*   7 deum *ΣD*
8 hoc et *ς*   10 ad extr. inf. *in mg. K*   ad *in ras. m2D*   inuenio *B*   11 iste
s.l.m2Σ, om. D   non] nū *K*   ei] etiam *B*   12 et] *add.* si *Σ (s.l.m2) D*   13 requiretur (*alt.* re *s.l.*) *Σ* requiritur *D*   cautiorem *ς*   14 fidei *K*   tota *ΣD*
saluatoris *Σa.r.D*   16 paup. pro ipso *ς*   17 athuc *a* huc *KB*   18 ⟨fidit⟩
fide et *Engelbrecht* fide et *aKD,Ba.c.* fidit et *Bp.c.* fidet *Σ* confidit *ς*   20 plerique *KΣ,Da.c.m2*   buccin. *ς*   21 largitate *s.l.Σ*—tem *a*   profusam *a,Σa.r.*
24 optinebat *aΣD*   25 ad diu. magnitudinem *ΣDB*   sed prudentiam *ΣDB*
26 misericordis *K*

ricordiam consequentur et: sicut aqua extinguit ignem, ita elemosyna peccata et: facite
uobis amicos de iniquo mamona, qui uos recipiant in aeterna tabernacula, et: date elemosynam et ecce omnia munda et uerba Danielis regem 5
Nabuchodonosor monentis, ut elemosynis redimeret peccata sua.
3 nolebat in his lapidibus pecuniam effundere, qui cum terra et saeculo transituri sunt, sed in uiuis lapidibus, qui uoluuntur super
terram, de quibus in Apocalypsi Iohannis ciuitas magni regis ex-
truitur, quos in sapphirum et smaragdum et iaspidem et ceteras 10
gemmas esse uertendos scriptura commemorat.

17. Uerum haec possunt communia esse cum ⟨non⟩ paucis et
scit diabolus non in summo uirtutum culmine posita. unde loquitur
ad dominum post amissam Iob substantiam, post euersam domum,
post liberos interfectos: corium pro corio, omnia, quae 15
habuerit, homo dabit pro anima sua. sed ex-
tende manum tuam et tange ossa et carnes
2 eius, nisi in faciem benedixerit tibi. scimus
plerosque dedisse elemosynam, sed de proprio corpore nihil dedisse,
porrexisse egentibus manum, sed carnis uoluptate superatos deal- 20
basse eos, quae foris erant, et deintus plenos fuisse ossibus mortu-
3 orum. at non Paula talis, quae tantae continentiae fuit, ut prope
mensuram excederet et debilitatem corporis nimiis ieiuniis ac labore
contraheret, quae exceptis festis diebus uix oleum in cibo acceperit,

---

1 *Eccli. 3, 30 (33)   2 *Luc. 16, 9   4 *Luc. 11, 41   5 cf. Dan. 4, 24
8 cf. *Zach. 9, 16   9 cf. Apoc. 21, 18—21   15 *Hiob 2, 4—5   20 cf. Matth. 23, 27

1 extinguet K   2 ita et D   elemosina a elemosinā K elymosyna Σa.c.
helemosyna D helemosina B eleemosyna ς (similiter infra); add. extinguit ΣB
peccatum ς   3 mammona ΣB   qui ex quo Σ   5 munda] add. uobis s.l.m2K
sunt uobis ΣD   danihelis ΣD   6 nabucchod. a nabucod. B   sermone (ne s.l.Σ)
monentis aΣD   ut] et ut B   9 apocalipsi B apocaly(ex i)psin Σ   10 sappy-
rum K saphirum DB saffirum (pr. f s.l.) Σ   smaracdum K zmaragdum D szma-
ragdum B   ceterasque B   12 esse comm. B   non paucis scripsi multis B
paucis cet.   13 zabulus K   positam ΣD   14 iob (non hiob) codd.   15 omnia a
et omnia cet. (cf. LXX)   16 sed] et D   17 eius et carnes B   20 manus K
21 ea KB,Σp.c.   intus KB,Σp.c.   22 tantae] tanteque (que s.l.) B   23 nimis
in a   24 diebus festis ς diebus (add. dn̄icis s.l.m2) D   cibis B   acciperit K
acceperat ΣD caperet ς

ut ex hoc uno aestimetur, quid de uino et liquamine et piscibus et
lacte ac melle et ouis et reliquis, quae gustu suauia sunt, iudicarit.
in quibus sumendis quidam se abstinentissimos putant et, si his
uentrem ingurgitauerint, tutam pudicitiam suspicantur.

5   18. Semper uirtutes sequitur inuidia f e r i u n t q u e s u m-
m o s f u l g u r a m o n t e s. mirum, si hoc de hominibus loquar,
cum etiam dominus noster pharisaeorum zelo sit crucifixus et omnes
sancti aemulos habuerint, in paradiso quoque serpens fuerit, cuius
i n u i d i a m o r s i n t r o i u i t i n o r b e m t e r r a r u m!
10 suscitauerat ei dominus Adar Idumaeum, qui eam colafizaret, ne   2
se extolleret, et quasi quodam stimulo carnis saepius admonebat,
ne magnitudine uirtutum altius saperet et aliarum uitiis feminarum
se in excelso crederet constitutam. ego aiebam liuori esse cedendum
et dandum insaniae locum, quod fecisset Iacob in fratre suo Esau
15 et Dauid in pertinacissimo inimicorum Saul, quorum alter Mesopotamiam fugerit, alter se allophylis tradiderit malens hostibus
quam inuidiis subiacere. at illa: 'iuste', respondebat, 'hoc diceres, si   3
diabolus contra seruos dei et ancillas non ubique pugnaret et ad
omnia loca fugientes praecederet, si non sanctorum locorum amore
20 retinerer et Bethleem meam in alia repperire possem parte terrarum. cur enim non patientia liuorem superem? cur non humilitate frangam superbiam et percutienti maxillam alteram offeram

5 Horat. c. II 10, 11—12   9 Sap. 2, 24   10 cf. III Reg. 11, 14   cf. II
Cor. 12, 7   14 Gen. 27, 41 sqq.   15 cf. I Reg. 19, 9 sqq.   22 cf. Matth. 5, 39;
Luc. 6, 29

1 estimaretur *DB* exȩstimaretur (ex *eras.*) *Σ*   2 ac] et *B*   gustum
Σa.r.D gustui *Σp.r.* (*postea* i *del. m2*)   sint *K*   3 et si] ut *K*   4 uintre *a*
totam inpudicitiam (in *eras. Σ*) *ΣD*   5 semper quidem *ς*   6 fulgora *Σ,Dp.c.*
mirum *a* nec mirum *cet.*   loquor *B*   8 habuerunt *D*   paradyso *aD,Σp.c.*
9 inuidiam *K*   introibit *ΣDa.c.*   10 adar *aK* ("*Αδεϱ LXX*) adad *ΣB* adath *D*
cholaf. *a* colaph. *B* colof. *Σ* coloph. *D*   11 admoneret *Σp.c.m2*   12 magnitudo
Σa.c.ς   raperet *ς* raperetur *B*   13 liuoris *a*   14 fec.—15 alter *om. a*
fecerat (erat *in ras. m2*) *D*   15 saule (e *ex* i) *D*   alter] *add.* in *ς*   16 fugiret *K*
se *s.l.Σ*, *om. a*   allophilis *aDB* all(*ex* al *Σ*)ofilis *KΣ*   17 inuidis *KΣD*   at (a *in
ras. m2*) *D* ad *K*   resp. iuste *ς*   haec *ς*   18 zabulus *K*   domini *B*   ad *om. D*
19 fug. non *ς*   20 retineret *Σa.c.D* retineretur *a* detinerer *B*   et] utique facerem si *B*   bethlehem *Σp.c.m2*   altera (era *in ras. m2D*) *ΣD*   repperere *K*
reperire *B* reperirent (nt *exp.*) *Σ* perire *D*   possim *K* posse *D*   21 liuore *a*
22 maxilla *a*   off. alt. *ς*   altera *a*

4 malam dicente Paulo: u i n c i t e i n b o n o m a l u m? nonne
apostoli gloriabantur, quando pro domino sunt passi contumeliam?
nonne ipse saluator humiliauit se formam serui accipiens et factus
oboediens patri usque ad mortem et mortem crucis, ut nos sua passione seruaret? Iob, nisi certasset et uicisset in proelio, non acce- 5
pisset coronam iustitiae nec audisset a domino: p u t a s m e
a l i t e r t i b i l o c u t u m, q u a m u t a p p a r e r e s i u s t u s?
b e a t i dicuntur in euangelio, q u i p e r s e c u t i o n e m p a-
t i u n t u r p r o p t e r i u s t i t i a m. secura sit conscientia, quod
non propter peccata patiamur; et adflictio in saeculo materia prae- 10
5 miorum est'. si quando procacior fuisset inimicus et usque ad uerborum iurgia prosilisset, illud Psalterii decantabat: c u m c o n-
s i s t e r e t a d u e r s u m m e p e c c a t o r, o b m u t u i e t h u m i-
l i a t u s s u m e t s i l u i a b o n i s et rursum: e g o a u t e m q u a s i
s u r d u s n o n a u d i e b a m e t q u a s i m u t u s n o n a p e r i e n s 15
o s s u u m. e t f a c t u s s u m q u a s i h o m o n o n a u d i e n s
6 n e c h a b e n s i n o r e s u o i n c r e p a t i o n e s. in temptationibus Deuteronomii uerba uoluebat: t e m p t a t u o s d o-
m i n u s d e u s u e s t e r, u t s c i a t, s i d i l i g i t i s d o m i-
n u m d e u m u e s t r u m d e t o t o c o r d e u e s t r o e t 20
7 d e t o t a a n i m a u e s t r a. in tribulationibus et angustiis Isaiae
replicabat eloquia: q u i a b l a c t a t i e s t i s a l a c t e, q u i
a b s t r a c t i a b u b e r e, t r i b u l a t i o n e m s u p e r t r i-
b u l a t i o n e m e x p e c t a t e, s p e m s u p e r s p e m, a d-
h u c p u s i l l u m e t a d h u c p u s i l l u m, p r o p t e r m a l i- 25
t i a m l a b i o r u m, p r o p t e r l i n g u a m a l i e n a m et scrip-

---

1 *Rom. 12, 21   3 cf. Phil. 2, 7—8   6 *Hiob 40, 3   8 Matth. 5, 10
12 *Ps. 38, 2—3   14 *Ps. 37, 14—15   18 *Deut. 13, 3   22 *Esai. 28, 9—11

1 malam aK, om. ΣDB   paulo apostolo B apostolo paulo ς   bono] bonum K   2 contumelia a   3 factus est ς   5 saluaret ΣD   iob (non hiob) codd.
6 putes ne B   7 loc. tibi ς   app(ex ap Σ)ares ΣD pareres K   9 scit ς   10 pati-
mur K,Σa.c.   11 percautior D; add. uultu B   13 aduersus (alt. s s.l.K) KD   et
humiliatus sum om. aΣD   14 siluit D   a om. D   rursus ς   quasi] tamquam B
16 quasi] sicut a quasi (exp.) sicut B   17 nec] et non ς   18 deutor. K deutheu-
ronomii a   reuoluebat B   19 diligatis ΣB   21 isaiae a isaya B esaiae KΣD
(cf. p. 322, 5)   22 a om. K   lacte et B   24 spectate Σa.c.m2D   adhuc
pus. et adhuc pus. B adhuc pus. cet.   26 alienam KB malignam cet.   et in
scriptura D

turae testimonium in consolationem suam disserebat: ablactatorum
esse — eorum, qui ad uirilem aetatem peruenissent — tribulationem
super tribulationem sustinere, ut spem super spem mererentur accipere scientes, quoniam tribulatio patientiam
5 operatur, patientia probationem, probatio
spem, spes autem non confundat, quod, si is,
qui foris est, noster homo corrumpitur, ille,
qui intus est, innouetur. et in praesentiarum 8
momentaneum et leue tribulationis nostrae
10 aeternae gloriae pondus operatur in nobis
non aspicientibus, quae uidentur, sed quae
non uidentur. quae enim uidentur, temporalia
sunt; quae autem non uidentur, aeterna sunt.
nec longum fore tempus, etiam si humanae inpatientiae tardum 9
15 uideatur, quin dei sequatur auxilium dicentis: tempore opor-
tuno exaudiui te et in die salutis auxiliatus
sum tui. nec dolosa labia et linguas iniquorum esse metuendas,
cum domino adiutore laetemur et ipsum audire debeamus monen-
tem: per patientiam uestram possidebitis
20 animas uestras et: non sunt condignae passiones praesentis saeculi ad futuram gloriam,
quae reuelabitur in nobis, et alibi, ut patienter agamus
in omnibus, quaequae acciderint nobis: patiens enim uir

---

4 *Rom. 5, 3—5   6 *II Cor. 4, 16—18   15 *Esai. 49, 8   19 *Luc. 21, 19
20 *Rom. 8, 18   23 *Prou. 14, 29

1 suam *om.* B   edisserebat ς   ablactaturam B   2 esse et eorum K
eorum scilicet ς   peruenirent B   3 *alt.* spem *s.l.* B   mereantur B   5 pat.] *add.*
uero B autem ς   probatio] *add.* uero ς   6 confundit Σp.c.B   his (h *eras.* Σ)ΣDB
7 homo noster ς   corr(conr K)umpatur KB   8 renouetur Σ   9 leue et mom. ς
tribulationes Σa.c.D   10 et aeternae *a* operetur B   11 asp. nobis B   13 *alt.* sunt
om. K   14 forte KΣD   insapientiae (in *s.l.*) B   tardum] et arduum aΣD·
15 quin dei] quid inde *a; add.* statim KΣD   17 tibi ς   inimicorum KB   18 deb.
aud. ς; *add.* per prophetam ς   mon.] *add.* nolite timere opprobria hominum et
blasphemias eorum ne metueritis: sicut enim uestimentum, sic comedit eos uermis, et sicut lanam, sic deuorauit eos tinea (*Esai. 51, 7—8*) et ς   21 praes.
saec. *in ras.* Σ huius temporis B   22 et alibi] *add.* tribulationem super tribulationem sustinere ς   ut *om.* KB   23 quaequae(*cf. Neue II³ 515*)acciderint *a·*
quae accidunt Σp.c.B quae accedunt KD,Σa c.

multus prudentia; qui autem pusillanimis
est, uehementer insipiens.

19. In languoribus et crebra infirmitate dicebat: quando
infirmor, tunc fortis sum et: habemus thesaurum istud in uasis fictilibus, donec mor- 5
tale hoc induat inmortalitatem et corruptiuum hoc uestiat incorruptionem, et iterum:
sicut superabundanт passiones Christi in
nobis, ita et per Christum abundauit et consolatio ac deinde: ut socii passionum estis, ita 10
2 et consolationis eritis. in maerore cantabat: quare
tristis es, anima mea, et quare conturbas me?
spera in deum, quoniam confitebor illi, salu-
tare uultus mei et deus meus. in periculis loquebatur:
qui uult uenire post me, neget se ipsum et 15
tollat crucem suam et sequatur me et iterum:
qui uult animam suam saluam facere, perdet
eam et: qui perdiderit animam suam propter
3 me, saluam eam faciet. quando dispendia rei familiaris
et euersio totius patrimonii nuntiabatur, aiebat: quid enim 20
prodest homini, si totum mundum lueri
fecerit et animam suam damni habuerit? aut
quam dabit homo conmutationem pro anima
sua? et nudus exiui de utero matris meae,
nudus et redeam. sicut placuit domino, ita 25
factum est; sit nomen domini benedictum et

3 *II Cor. 12, 10   4 *II Cor. 4, 7   5 *I Cor. 15, 53   8 *II Cor. 1, 5
10 *II Cor. 1, 7   11 *Ps. 41, 12   15 *Matth. 16, 24   17 *Matth. 16, 25
18 *Luc. 9, 24   20 *Matth. 16, 26   24 *Hiob 1, 21

1 multos (add. s.l. gubernatur) Σ multum ς   prudens ς   pusillanimus KD
4 infirmor B infirmus sum a,Σa.c. infirma sum Σp.c.D infirmior sum K   fortior KB potens Σa.c.m2 et om. ς   5 thensaurum K   istud D istut a istum cet.
(cf. Neue I³ 806)   6 hoc om. KB   7 uestiatur incorruptione KB   8 habun-
dant B   9 ita om. ς   abundabit mauult Engelbrecht   alt. et om. a   10 ita]
sic ς   11 eritis et cons. ς   12 mea om. K   13 d̄m̄ Σ d̄n̄i K dno a d̄o DB
(cf. LXX: ἔλπισον ἐπὶ τὸν θεόν)   quoniam adhuc B   14 et om. KΣ   15 ab-
neget Σp.c.DB   semet (—d B) KB   16 rursum ς   17 perdat K   18 propter]
pro KB   19 fac. eam. B   eam om. a   21 prodesst a   22 anime sue dampp-
num B   23 homo om. aD   25 et s.l.Σ, om. a   dom. plac. Σ

illud: nolite diligere mundum nec ea, quae in mundo sunt, quoniam omne, quod in mundo est, desiderium carnis est et concupiscentia oculorum et superbia uitae huius, quae non 5 est ex patre, sed de mundo est. et mundus per- transiet et concupiscentia eius. scio ei scriptas in- 4 firmitates grauissimas liberorum et maxime Toxotii sui, quem diligebat plurimum. cumque illud uirtute conplesset: turbata sum et non sum locuta, in haec uerba prorupit: qui 10 amat filium aut filiam supra me, non est me dignus, et orans ad dominum loquebatur: 'posside filios mortificatorum, qui pro te cotidie mortificant corpora sua'. noui susurronem quendam — quod genus hominum uel perniciosis- 5 simum est — quasi beniuolum nuntiasse, quod prae nimio feruore 15 uirtutum quibusdam uideretur insana et cerebrum illius dicerent ·confouendum. cui illa respondit: 'theatrum facti sumus mundo et angelis et hominibus; nos fatui propter Christum, sed stultum dei sapientius est hominibus; unde et saluator loquitur ad patrem: tu 20 scis insipientiam meam. quem in euangelio et propin- 6 qui quasi mentis inpotem ligare cupiebant et aduersarii suggillabant dicentes: daemonium habet et Samarites est et: in Belzebul, principe daemoniorum, eicit dae-

---

1 *I Ioh. 2, 15—17   8 Ps. 76, 5   9 *Matth. 10, 37   11 Ps. 78, 11
16 *I Cor. 4, 9   17 I Cor. 4, 10   18 *I Cor. 1, 25   19 Ps. 68, 6   20 cf. Ioh.
10, 39   22 *Ioh. 8, 48   23 *Matth. 12, 24

1 neque *KB* sunt in mundo *B*   4 ocul. est *Σ* eius *B*   5 de] ex *Σ alt.* est *om.* ς   pertransiet *a* pertransit *KDB* transiet *Σ* transit ς   6 scribtas esse inf. *a* inf. infixas *B*   7 toxoti *Ka.c.* toxocii *B* toxothii *a*   9 prorūpit *B*   10 super *ΣD* plus quam ς   11 posside domine ς   13 uel pernic.] deterr(*alt.* r *s.l.*)imum uel praeciosissimum *B* uel *eras. Σ*   14 quasi] quia *a*   beniuole *B*   nuntiasset *aΣD* nunciare *B* quod] ut *ΣD* ita *a*   prae *B* pro *cet.*   15 uidetur *K*   17 mundi *ex* mun- dus *B* et nos *KB*   fatui *KB* stulti *aΣD*   19 et *om. KB*   20 meam] *add.* et iterum: tamquam prodigium factus sum multis, et tu adiutor fortis (*Ps. 70, 7*). ut iumen- tum factus sum apud te, et ego semper tecum (*Ps. 72, 23*) ς   21 legare *K* li- gari *B*   cupiebat *a*   suggil. *K* sugi(*ex* sui)ll. *Σ*   22 Samarites *scripsi coll. Hier. epist. XIV 11, 2* -ritis *a* -rita *K* -ritanus *ΣDB*   est *s.l. Σ*   23 belzebu *a* behelzebub (h *s.l. Σ*) *ΣB* belzebub *D*   principem *aD, Σa.r.*

m o n i a. sed nos audiamus apostolum cohortantem: h a e c e s t
g l o r i a t i o n o s t r a, t e s t i m o n i u m c o n s c i e n t i a e
n o s t r a e, q u o n i a m i n s a n c t i t a t e e t s i n c e r i-
t a t e e t g r a t i a d e i c o n u e r s a t i s u m u s i n m u n d o,
et dominum dicentem ad apostolos: i d e o m u n d u s o d i t u o s, 5
q u o n i a m n o n e s t i s d e m u n d o. s i e n i m e s s e t i s
d e m u n d o, a m a r e t .u t i q u e m u n d u s, q u o d s u u m
7 e r a t'. et ad ipsum dominum uerba uertebat: 'tu nosti cordis abscondita et: h a e c o m n i a u e n e r u n t s u p e r n o s e t
n o n s u m u s o b l i t i t u i n e c i n i q u e e g i m u s i n 10
t e s t a m e n t u m t u u m n e c a u e r s u m e s t r e t r o r s u m
c o r n o s t r u m, et: p r o p t e r t e m o r t i f i c a m u r t o t a
d i e, r e p u t a t i s u m u s u t o u e s o c c i s i o n i s, sed
d o m i n u s a u x i l i a t o r m e u s, n o n t i m e b o, q u i d
f a c i e t m i h i h o m o. legi enim: f i l i, h o n o r a d o m i- 15
n u m ́e t c o n f o r t a b e r i s e t e x t r a i l l u m n u l l u m
8 t i m u e r i s'. his et talibus testimoniis quasi armatura Christi et
aduersum omnia quidem uitia, sed praecipue instruebat se contra
inuidiam saeuientem et patiendo iniurias furorem grəuidi pectoris
mitigabat. denique usque ad diem mortis et huius patientia et 20
aliorum zelus omnibus patuit, qui suum rodit auctorem et, dum
aemulum laedere nititur, in semet ipsum proprio furore bacchatur.

20. Dicam et de ordine monasterii, quomodo sanctorum continentiam in suum uerterit lucrum. seminabat carnalia, ut meteret
spiritalia; dabat terrena, ut caelestia tolleret; breuia concedebat, 25
ut pro his aeterna mutaret. post uirorum monasterium, quod uiris

---

1 *II Cor. 1, 12   5 *Ioh. 15, 18—19   8 cf. Ps. 43, 22   9 *Ps. 43, 18—19
12 *Rom. 8, 36   14 *Ps. 117, 6   15 *Prou. 7, 1   24 cf. I Cor. 9, 11

2 gloria aΣD   3 in sincer. ΣD   4 in gratia ΣD   in hoc mundo B   5 domino
dicente Σ   6 quia KB   9 et non] nec ϛ   11 testamento tuo a,Σp.c.m2   retro Σ
12 mortificati sumus ΣD   13 die et KB   ouis D   14 et non B   15 faciet a (cf.
LXX) faciat cet.   legit ϛ   16 confortaueris Σa.c.D   alt. et om. D   illum KB (cf.
LXX) deum aΣD dominum ϛ   17 armat.—19 et om. a   Christi] dei ϛ   18 aduersum KB—sus ΣD; add. omnia quę nequitie sunt iacula et aduersum B   quidem
om. B   sed] se ΣDB   praec. muniens B   se om. B   19 rabidi B rapidi K
20 mitigat K   patientiae a patiendi ex patienti D   22 bach. ΣD bacc. aB
23 continentia a   24 uertit Σa.c.B   26 eis ΣD   mutuaret Σp.c.m2   quem a

tradiderat gubernandum, plures uirgines, quas e diuersis prouinciis
congregarat, tam nobiles quam medii et infimi generis, in tres
turmas monasteriaque diuisit, ita dumtaxat, ut in opere et cibo
separatae psalmodiis et orationibus iungerentur. post alleluiae can- 2
5 tatum, quo signo uocabantur ad collectam, nulli residere licitum
erat, sed prima uel inter primas ueniens⟨coetum⟩ ceterarum operieba-
tur pudore et exemplo ad laborem eas prouocans, non terrore. mane,
hora tertia, sexta, nona, uespera, noctis medio per ordinem Psalterium canebant nec licebat cuiquam sororum ignorare psalmos et
10 non de scripturis sanctis cotidie aliquid discere. die tantum dominico 3
ad ecclesiam procedebant, ex cuius habitabant latere, et unumquodque agmen matrem propriam sequebatur; atque inde pariter reuer-
tentes instabant operi destricto et uel sibi uel ceteris indumenta
faciebant. si qua erat nobilis, non permittebatur de domo sua habere
15 comitem, ne ueterum actuum memor et lasciuientis infantiae errorem refricaret antiquum et crebra confabulatione renouaret. unus
omnium habitus; linteamine ad tergendas solum manus utebantur.
a uiris tanta separatio, ut ab spadonibus quoque eas seiungeret, ne 4
ullam daret occasionem linguae maledicae, quae sanctos carpere
20 solita est in solacium delinquendi. si qua uel tardior conueniebat
ad psalmos et in opere pigrior, uariis eam modis adgrediebatur. si
erat iracunda, blanditiis, si patiens, correptione, illud apostoli
imitans: quid uultis? in uirga ueniam ad uos an
in spiritu lenitatis et mansuetudinis? excepto
25 uictu atque uestitu nullam habere quid patiebatur dicente Paulo:

23 *I Cor. 4, 21

1 quas e] quasi _D_ quas(_s.l.K_)de _KB_   3 turbas _ΣD_   in cibo _ΣD_   4 in
psalmodiis _B_ psalmis _aΣD_   post] postquam _Bp.c._   all _ΣD_ aleluia _K_ aeuia _B_
5 quod _D_   uocabatur _Σa.c.D_   nulla _a_   6 uel] seu _Σ_   coetum _addidi, om. codd._
ceteras _KB_   oper. aduentum ς   7 labores _B_   ui aut terrore _B_   8 uespere _KB_
media _Kp.c._   9 canebatur _KB_ cantabant ς   et] nec _Σa.c.m2D_   10 dicere _a,Σa.c._
13 instabat _a_ districto (_in mg. m2_ al distributo) _Σp.c._ distributo _KB_   14 faciebat _a_
16 refrigaret _K_   anticum _a_   crebra (a _ex_ o _uel_ e) _K_   fabulatione _Σ_   ren.
uirus mortale _B_   17 tergendum _B_   18 ab] a _KB_   disiungeret _B_   nec _Σa.r.D_
19 maledicte _B_   20 est] est et _ΣD_ est sic et _B_   conueniebat _scripsi_ non ueniebat _a_ erat uel non ueniebat _KB_ ueniebat _ΣD_   21 et] uel erat ς   22 iracundia _B_
correctione _B_   23 uirgo _a_ uirgam _K_   24 in _om. B_   25 adque _KD,Σa.c._ et ς
quid] quicquam _Σp.c.m2_

habentes uictum atque uestitum his contenti
sumus, ne consuetudine plus habendi praeberet locum auaritiae,
quae nullis expletur opibus et, quanto amplius habuerit, plus
5 requirit et neque copia neque inopia minuetur. iurgantes inter se
sermone lenissimo foederabat. lasciuientem adulescentularum carnem 5
crebris et duplicatis frangebat ieiuniis malens eas stomachum dolere
quam mentem. si uidisset aliquam comptiorem, contractione frontis
et uultus tristitia arguebat errantem dicens munditiam corporis
atque uestitus animae esse inmunditiam et turpe uerbum atque
lasciuum numquam de ore uirgineo proferendum, quibus signis 10
libidinosus animus ostenditur et per exteriorem hominem interioris
6 hominis uitia demonstrantur. quam linguosam et garrulam ac pro-
cacem rixisque perspexerat delectari et saepius conmonitam nolle
conuerti, inter ultimas et extra conuentum sororum ad fores triclinii
orare faciebat et separatim cibum capere, ut, quam obiurgatio non 15
correxerat, emendaret pudor. furtum quasi sacrilegium detestabatur
et, quod inter saeculi homines uel leue putatur uel nihil, hoc in
7 monasteriis grauissimum dicebat esse delictum. quid memorem
clementiam et sedulitatem in aegrotantes, quas miris obsequiis et
ministeriis confouebat? cumque aliis languentibus large praeberet 20
omnia et esum quoque exhiberet carnium, si quando ipsa aegrotasset,
sibi non indulgebat et in eo inaequalis uidebatur, quod in aliis clementiam in se duritia conmutabat.

    21. Nulla iuuenum puellarum sano et uegeto corpore tantae
se dederat continentiae, quam ipsa fracto et senili debilitatoque 25

---

   1 *I Tim. 6, 8   11 cf. Rom. 7, 22—25

   1 uictu atque uestitu *a*   adque *K,Σa.c.* et *B*   2 simus *Σ*   consuetudo *B*
4 requiret *K*   minuitur *Kp.c.m2B*   5 lasciuiens et (*del.*) adolescentes (*del.*)
caro cr. ac dupl. est frangenda *Γ*   lasciuientes *B*   carnes *B*   6 malens eas]
melius est enim meum (meum *del.*) *Γ*   mallens *Σa.r.Bp.c.*   eis *a*   dolore
Kp.c.m2 (dolere *restitutum*)   7 si—errantem *in mg. inf. m2 Σ, om. aB*   aliquem *Σ*   contristatione *D*   9 uestitu *a* uestimt; *D*   turpe—prof.] numquam
de ore monachi turpis aut lasciuus sermo egrediatur *Γ*   10 quibus] his enim *Γ*
11 libidinosis *D*   12 et *om. ς*   13 prospex. *ΣB* conspex. *K*   monitam *B*
15 obi. non] ob(*s.l.*)iurgationū (—ne *m2*) *K*   17 inter in *D*   18 esse dicebat
ΣB   docebat *K*   21 aegrotaret *Σ*   22 non sibi *Σ*   esse uid. *B*   alias *K*
23 duritia *Ka.c.m2*—am *cet.*   25 quam] quantae *K* quanto *B*   ista *B* istae
(e *eras.*) *K*

corpusculo. fateor, in hac re pertinacior fuit, ut sibi non parceret, ut nulli cederet admonenti. referam, quod expertus sum. mense 2 Iulio feruentissimis aestibus incidit in ardorem febris et, post desperationem cum dei misericordia respirasset et medici suaderent ob 5 refectionem corporis uino opus esse tenui et paruo, ne aqu٤m bibens in hydropem uerteretur, et ego clam beatum papam Epiphanium rogarem, ut eam moneret, immo conpelleret uinum bibere, ut erat prudens et sollertis ingenii, statim sensit insidias et subridens meum esse, quod ille diceret, intimauit. quid plura? cum beatus pontifex 3 10 post multa hortamenta exisset foras, quaerenti mihi, quid egisset, respondit: 'tantum profeci, ut seni homini paene persuaserit, ne uinum bibam'. haec refero, non quod inconsideranter et ultra uires sumpta onera probem monente scriptura: s u p e r t e o n u s n e l e u a u e r i s, sed quo mentis eius ardorem et desiderium fidelis 15 animae ex hac quoque probare uelim perseuerantia dicentis: s i t i- u i t i n t e a n i m a m e a, q u a m m u l t i p l i c i t e r e t c a r o m e a. difficile est modum tenere in omnibus. et uere iuxta 4 philosophorum sententiam μεσότητες ἀρεταί, ὑπερβολαὶ κακίαι reputantur, quod nos una sententiola exprimere possumus: n e 20 q u i d n i m i s. quae in contemptu ciborum tantam habebat pertinaciam, in luctu mitis erat et suorum mortibus frangebatur, maxime liberorum — nam et in uiri et filiorum dormitione semper

---

13 *Eccli. 13, 2   15 *Ps. 62, 2   18 cf. Bonitzii indicem Aristotelicum s. u. μεσότης et ὑπερβολή   19 Terentius Andria 61

1 fatear *a*   2 ut] et *Kp.c.*   3 feruentibus *K*   4 suad. *a* persuad. *cet.* 5 esset *a,Σa.r.* parco ς 6 hidropem *D* y(*ex* i)dropem *Σ* idropen *B* epif. *aΣ* epyph. *D* ephifaninium *K*   7 rogare *a* rogassem *K,* om. *B*   bibere] *add.* illa *Σs.l.D*   8 solertis *K,Σa.c.*   9 esse] *add.* consilium *in mg. m2 K* intimuit *K* 10 ortamenta *ΣDB*   11 ut] *add. s.l.* mihi *m2 K* persuaserim *Bp.c.*   12 non *s.l.Σ, om. D* quod *ex* quon *Σ* quo *K* inconsiderata *K*   13 sumto *a*   14 heleuaueris *B*   quo *a,Kp.r.* quod *cet.*   fideliter *a*   15 animae ex hac *om. a* uellim *Σa.r.; add.* immo *a*   perseuerantiam *ΣD* decantantis ς   16 anima mea in te ς et *aK* tibi *Σ* (et *add. m2) DB* 17 uera *B* 18 μεσότης ἡ ἀρετή, ὑπερβολὴ κακία ς   MECOTNTEC KB MECTHTEC *a*   APET ωT *D* A*PA*T*A*T *B* ΥΠΕΡΒΟΛΑΤ *B* ΥΤΕΡΒΟΑΑΙ *D* ΥΠΕΡΒΜΙ *K* ΤΙΤΟΡ ωΜΙ *Σ* KAKAI- ΑΙΑ *D* KAPIΑΘ *B*   19 una *a* una et breui *cet.*   20 contemptū *B* contentu *a*   habeat *aD*   21 immitis *B*   21 frangebat *B*   22 *pr.* et *om. B alt.* et] et in *KB,Σa.r.*   filiarum *K*   semper (per *s.l.*) *K* saepe *in ras. Σ*

LV. Hieron. Epist. II. Hilberg.

periclitata est — et, cum os stomachumque signaret et matris
dolorem crucis niteretur inpressione lenire, superabat affectus
et credulam mentem parentis uiscera consternabant animoque
uincens fragilitate corporis uincebatur, quod semel languor adri-
piens longo tempore possidebat et nobis inquietudinem et sibi 5
discrimen afferebat. quo illa laetabatur per momenta commemorans:
miser ego homo, quis me liberabit de corpore
5 mortis huius? dicat prudens lector pro laudibus me uituperationem scribere. testor Iesum, cui illa seruiuit et ego seruire cupio,
me in utraque parte nihil fingere, sed quasi Christianum de Chri- 10
stiana, quae sunt uera, proferre, id est historiam scribere, non pane-
gyricum, et illius uitia aliorum esse uirtutes. uitia loquor secundum
animum meum et omnium sororum ac fratrum desiderium, qui illam
diligimus et absentem quaerimus.

22. Ceterum illa inpleuit cursum suum fidemque seruauit et 15
nunc fruitur corona iustitiae. sequitur agnum, quocumque uadit,
saturatur, quae esuriuit, et laeta cantat: sicut audiuimus,
ita et uidimus in ciuitate domini uirtutum,
2 in ciuitate dei nostri. o beata rerum conmutatio! fleuit,
ut semper rideret, despexit lacus contritos, ut fontem dominum 20
repperiret, [uestita cilicio est, ut nunc albis uestibus uteretur
et diceret: scidisti saccum meum et induisti me
laetitia. cinerem quasi panem manducauit et potionem

---

7 *Rom. 7, 24   15 cf. II Tim. 4, 7—8   16 cf. Apoc. 14, 4   17 cf. Luc. 6, 21
*Ps. 47, 9   19 cf. Luc. 6, 21   22 *Ps. 29, 12   23 cf. *Ps. 101, 10

---

2 linire *ΣD*   superabat *a* -batur *cet.*   3 affectus *ex* effectus *Σ* affectu
cet. consternebat *B*   animumque *B* cumque *a*   4 quod] quam ς   langor *B*
5 *pr.* et] ut *B* ut et *KΣD*   6 discrimina *ΣD*   afferret *B* adferet *K* offerret *ΣD*
in quo *codd. praeter a*   7 homo *om. B*   9 cui] *add.* et *K, Σs.l.m2*   seruit *aD*
10 in *s.l.Σ, om. D*   in utraque partem (m *exp.*) *K* in utramque partem *B* utramque in partem ς   de] cum *K*   11 paneger. *B* panegerycum *ex* panegiricum *Σ*
12 *pr.* uitia] uita *K* uitae *D*   loquar *Σ*   13 meum *om. K*   16 sequiturque ς
uadit] abierit *K*   17 quae *a* que *D* quia *cet.*   esuriit *B*   cantat *a* decantat
(—tet *D*) *cet.*   20 dispexit *K,Σa.c.*   lacum contritum *ex* lacus contritus *m2D*
ut *s.l.Σ*   dn̄i *a*   21 reperirit *B* repperit *Σa.c.*   uestita—341, 15 repperiret]
hoc docti cuiusdam lectoris additamento a me secluso caret a   est cilitio *B*   uestimentis ς   22 *pr.* et] ut *Σa.c.D*   concidisti *B* ind.] circumdedisti *B*   23 sicut *ΣD*
manducabat ς

suam cum fletu miscebat dicens: f u e r u n t m i h i l a-
c r i m a e m e a e p a n e s d i e a c n o c t e, ut in aeternum angelorum pane uesceretur et caneret: g u s t a t e
e t u i d e t e, q u o n i a m s u a u i s e s t d o m i n u s, et:
5 e r u c t u a u i t c o r m e u m u e r b u m b o n u m: d i c o e g o
o p e r a m e a r e g i, et Esaiae, immo domini per Esaiam, in se
cerneret uerba conpleri: e c c e, q u i s e r u i u n t m i h i, m a n-
d u c a b u n t, u o s a u t e m e s u r i e t i s. e c c e, q u i s e r-
u i u n t m i h i, b i b e n t, u o s a u t e m s i t i e t i s. e c c e,
10 q u i s e r u i u n t m i h i, l a e t a b u n t u r, u o s a u t e m
c o n f u n d e m i n i. e c c e, q u i s e r u i u n t m i h i, e x u l t a-
b u n t i n g a u d i o, u o s a u t e m c l a m a b i t i s o b d o-
l o r e m c o r d i s e t p r o p t e r c o n t r i t i o n e m s p i r i t u s
u l u l a b i t i s. dixeram lacus eam semper fugisse contritos, ut
15 fontem dominum repperiret,] ut posset laeta cantare: s i c u t
c e r u u s d e s i d e r a t a d f o n t e s a q u a r u m, i t a d e s i-
d e r a t a n i m a mea a d t e, d e u s. s i t i u i t a n i m a m e a
a d d e u m f o r t e m, u i u u m: q u a n d o u e n i a m e t
p a r e b o a n t e f a c i e m d e i?

20   23. Tangam ergo breuiter, quomodo hereticorum caenosos deui-
tauerit lacus et eos instar habuerit ethnicorum. quidam ueterator
callidus atque, ut sibi uidebatur, doctus ac sciolus me nesciente
coepit ei proponere quaestiones et dicere: 'quid peccauit infans, ut
daemone corripiatur? in qua aetate resurrecturi sumus? in ipsa,
25 qua morimur? ergo et nutricibus post resurrectionem opus erit.

---

1 Ps. 41, 4   3 Ps. 33, 9   5 Ps. 44, 2   7 *Esai. 65, 13—14   15 *Ps.
41, 2—3   23 cf. Ioh. 9, 1—2

2 utinam eternum (*ex*—nom) *D*   3 ang. uesc. pane *Σ* pane ang. uesc. *ς*   4 quo-
niam] quam *K*   suabis *D*   5 eructauit *B*   meum] nostrum *D*   6 eseiae *K*
isaiae *Σa.c.* ysaye *B* eseiam *K* isaiam *B*   7 seruiunt] esuriunt *B*   8 seruiunt]
siciunt *ex* siciuunt *B*   9 bibunt *ΣD*   autem *om. B*   10 mihi *om. B*   12 in]
prae *Σa.c.*   clamabitis *s.l.Σ*—uitis *D*   dolore *Σa.c.D*   14 ullul. *K*   eam
lacus *B*   15 reper. *ΣB*   ut] et *KB*   possit *KD*   laeta *s.l.K*   16 des.
ceruus *KB*   17 sit.—uiuum *s.l.Σ*, *om. aD*   18 fontem *B*   19 parebo *aK* ap-
p(ap *Σa.c.*)arebo *cet.*   dei] tuam *KB*   20 cenosos (—sus *m2D*)*DB* scenosos *Σ*
21 ethnichorum *a*   uet.] *add.* et *K,Σs.l.m2* ueteranus (*in mg. m2* al ueterator) *Σ*
22 ac] et *ς*   23 praeponere *ΣD*   24 daemone *aK* a daemone *cet.* (*cf. p. 345, 11*)
si in ipsa *KB,Σp.c.m2*   25 et s *l m2Σ*, *om. D*

in altera? nequaquam erit resurrectio mortuorum, sed transformatio
2 in alios. diuersitas quoque sexus maris ac feminae erit an non erit?
si erit, sequentur et nuptiae et concubitus et generatio. si non erit,
sublatadiuersitate sexus eadem corpora non resurgent — adgrauat
enim terrena habitatio sensum multa curan- 5
tem —, sed tenuia et spiritalia dicente apostolo: seminatur
3 corpus animale, resurgit corpus spiritale'. ex
quibus omnibus probare cupiebat rationales creaturas ob quaedam
uitia et antiqua peccata in corpora esse delapsas et pro diuersitate
ac meritis peccatorum tali uel tali condicione generari, ut uel cor- 10
porum sanitate gauderent et parentum diuitiis ac nobilitate uel in
morbidas carnes et domos inopum uenientes poenas pristinorum
luerent delictorum et praesenti saeculo atque corpore quasi carceri
4 clauderentur. quod cum audisset et ad me retulisset indicans hominem mihique incubuisset necessitas nequissimae uiperae ac morti- 15
ferae bestiae resistendi, de quibus psalmista commemorat dicens:
ne tradas bestiis animam confitentem tibi
et: increpa, domine, bestiis calami, qui scribentes
iniquitatem locuntur contra dominum mendacium et eleuant in
excelsum os suum, conueni hominem et orationibus eius, quam deci- 20
pere nitebatur, breui interrogatione conclusi, utrum crederet futuram
5 resurrectionem mortuorum an non. qui cum se credere respondisset,
intuli: 'eadem resurgunt corpora an altera?' cum dixisset: 'eadem',
sciscitatus sum: 'in eodem sexu an in altero?' ad interrogata reti-

---

4 *Sap. 9, 15   6 *I Cor. 15, 44   17 *Ps. 73, 19   18 *Ps. 67, 31   19 cf.
Os. 7, 13   cf. Ps. 72, 8—9

1 in alt. *a* si in alt. *cet.* sin aliter ç   2 aliis *D*   ac] hanc *D*   *pr.* erit
s.l.m2Σ, om. D   an] aut ç   3 secuntur *B*   *tert.* et] sed et *ΣD*   4 resurgunt *D*
adgrauata *a*   5 inhabitatio ç   cogitantem *Σp.c.DB*   6 tenua *ΣD* tenu a *B;*
add. erunt ç   7 resurget *Σp.c.B* surgit *K*   8 rationabiles *KB,Σp.c.m2*
9 corpore *ΣDB*   delabsa *a*   10 ac] hanc *D* et ç   condic. *a* condit. *cet.*   ut
s.l.m2Σ, om. D   11 gauderet *aD,Σa.c.*   12 domus *Σa.c.D*   13 et] in *Σp.c.m2*
saeculo *del. m2Σ*   corpore *a* corporibus *cet.*   carceri (*cf. Neue* [3] *I 370 et II*
650) aD carcere *KB,Σ* (*ex* carceri *m2*)   14 cluderuntur *KΣD* rett. *a*   15 mihi
quae *a*   iniquissimae *a*   17 animas confitentium ç   18 bestiis *aK*—as *cet.*
19 loqu. *KD*   mendatium *KD*   elebant *D* tendunt *B*   20 quam] quibus *B*
21 futurum *B*   22 credere se *B*   respondisse *B*   23 intuli] in tali *a*   resurgunt *aD*—gent *cet.*   an alt.] in alt. uita *D*

centi et instar colubri huc atque illuc transferenti caput, ne feriretur:
'quia', inquam, 'taces, ego mihi pro te respondebo et consequentia
inferam. si non resurgit mulier neque masculus, non erit resurrectio
mortuorum, quia sexus membra habet, membra totum corpus effi-
5 ciunt. si autem sexus et membra non fuerint, ubi erit resurrectio
corporum, quae sine sexu non constat et membris? porro, si cor- 6
porum non fuerit resurrectio, nequaquam erit resurrectio mortuorum. sed et illud, quod de nuptiis obicis, si eadem membra fuerint,
sequi nuptias, a saluatore dissoluitur: e r r a t i s n e s c i e n t e s
10 s c r i p t u r a s n e q u e u i r t u t e m d e i; in r e s u r r e c t i o n e
e n i m m o r t u o r u m n o n n u b e n t n e q u e n u b e n t u r,
s e d . e r u n t s i m i l e s a n g e l o r u m. ubi dicitur: n o n
n u b e n t n e q u e n u b e n t u r, sexuum diuersitas demonstratur. nemo enim de lapide et ligno dicit: 'non nubent neque nu-
15 bentur', quae naturam nubendi non habent, sed de his, qui possunt
nubere et Christi gratia ac uirtute non nubant. quodsi opposueris: 7
'quomodo ergo erimus similes angelorum, cum inter angelos non sit
masculus et femina?' breuiter ausculta: non substantiam nobis
angelorum, sed conuersationem et beatitudinem repromittit, quo-
20 modo et Iohannes Baptista, antequam decollaretur, angelus appellatus est et omnes sancti ac uirgines dei etiam in isto saeculo uitam
in se exprimunt angelorum. quando enim dicitur: e r i t i s s i m i-
l e s a n g e l o r u m, similitudo promittitur, non natura mutatur.
    24. Simulque responde, quomodo illud interpreteris, quod
25 Thomas domini resurgentis palpauerit manus et uiderit latus
lancea uulneratum et Petrus in litore stantem conspexerit domi-

    9 *Matth. 22, 29—30   20 cf. Luc. 7, 27   22 cf. Matth. 22, 30   25 cf.
Ioh. 20, 24—29   26 cf. Luc. 24, 36—43

    1 et ad instar *ΣB*   capud *Σa.c.DB*   3 resurget *ΣB*   mul. *a* mul.
mul. *K* mul. ut mul. *ΣDB*   nec *KB*   masc. *a* masc. masc. *K* masc. ut masc.
ΣDB   4 quia] qui *B*   *alt.* membra] et (*in mg. m2Σ*) membra *KΣ* membra
autem *ς*   6 corp.] mortuorum *D*   constant *ς*   9 sequi (i *exp. et s.l.* ta *m2*) *K*
diss. dicente *ς*   11 non] neque *B*   15 natura *a*   qui quae *a* que *B*   possint *ς*
16 grat. Chr. *ς*   nubunt *KB*   quo si *D* sed si *B*   18 asculta *a* absculta *Ka.c.*
substantia *B*   19 conuersatione *K* conuersatio *B* conuersionem *aD*   beatitudo *B; add.* dominus *ς* repromitti *K* repromittitur *B*   22 enim] ergo *Σ*   24 in-
terpretaris *B*   25 latus lancea latus *B* lancea latus *ς; add.* eius *B*   26 perfo-
ratum *ς*   littore *Σa.r.B*   uiderit *ς*

num et fauum mellis ac partem assi piscis comedentem? qui stabat,
profecto habebat pedes; qui monstrauit latus uulneratum, utique
et uentrem et pectus habuit, sine quibus non sunt latera
uentri et pectori cohaerentia; qui locutus est, lingua et palato ac
dentibus loquebatur – sicut enim plectrum cordis, ita lingua inliditur 5
dentibus et uocalem reddit sonum —; cuius palpatae sunt manus,
2 consequenter et brachia habuit. cum igitur omnia membra habuisse
dicatur, necesse est, ut totum corpus habuerit, quod conficitur
ex membris, non utique femineum, sed uirile, id est eiusdem sexus,
in quo mortuum est. quodsi obtenderis: 'ergo et nos post resur- 10
rectionem comedemus? et quomodo clausis ingressus est ianuis
contra naturam pinguium et solidorum corporum?', audies: noli
propter cibum resurrectionis fidem in calumniam trahere. nam et
archisynagogi filiae suscitatae iussit cibum dari et Lazarus, quadriduanus mortuus, cum ipso scribitur inisse conuiuium, ne resurrectio 15
3 eorum phantasma putaretur. sin autem clausis ingressus est ianuis
et idcirco spiritale et aetherium corporis niteris adprobare, ergo
et, antequam pateretur, quia contra naturam grauiorum corporum
super mare ambulauit, spiritale corpus habuit et apostolus Petrus,
quia et ipse super aquas pendulo incessit gradu, spiritale corpus 20
habuisse credendus est, cum potentia magis et uirtus ostenditur
dei, quando fit aliquid contra naturam. et, ut scias in signorum
magnitudine non naturae mutationem, sed dei omnipotentiam
demonstrari, qui ambulabat fide, coepit infidelitate mergeri, nisi
eum manus domini subleuasset dicentis: q u a r e d u b i t a s t i, 25
4 m o d i c a e f i d e i? miror autem te obdurare frontem loquente

11 cf. Ioh. 20, 26   14 cf. Marc. 5, 35—43   cf. Ioh. 11, 17 et 12, 2   18 cf.
Matth. 14, 25 etc.   20 cf. Matth. 14, 29 etc.   25 *Matth. 14, 31

1 part. assi piscis ac fau. mellis ς   assis (*tert.* s *eras.*) Σ, *om.* B   2 uuln.
lat. *KB*   4 coerentia *DB* haerentia *Ka.c.*   balato Σ*p.c.*m2   ac] et a*B*
5 chordis ς   6 reddet *K*   10 mortuorum (*alt.* or *eras.*) Σ mortuus *D*
si *s.l.K*   obtenderit a   11 clausus *B*   13 ad calumpniam *B*   tradere a   14 archisinagogi *B* archi(e *D*)sy(i Σa c.)nagogae(—ge *D*) *cet.*   resus-
citatae a,Σ*p.c.*   dare *K*   quatr. *DB*   15 ipsi *D*   inscribitur *K*   16 fan-
tasma *K*Σ*B*   si *KB*   17 *alt.* et] ex *K*, *om.* a*B*   eternum *B* aerium *K* aereum ς
corporis a corpus *cet.*   18 qui Σa.c.*B*   19 et spir. *B*   20 qui *Kp.c.*m2*D*
21 ostendatur *KB*,Σ*p.c.*   22 sit *DB*   23 magnitudinem a*K*   24 demonstrare *K*   ambulat *B*   cepit *B; add.* in *s.l.*Σ   mergiri *Kp.c.* mergi Σ*Dp.c.B*
(*cf. Neue III³ 283*)   25 modice fidei, quare dub. ς   26 modicae *Ka.c.*Σ modice *cet.*

domino: i n f e r d i g i t u m t u a m h u c e t t a n g e m a n u s
m e a s e t p o r r i g e m a n u m t u a m e t m i t t e i n
l a t u s m e u m e t n o l i e s s e i n c r e d u l u s, s e d f i-
d e l i s, et alibi: u i d e t e m a n u s m e a s e t p e d e s, q u i a
5 i p s e e g o s u m. p a l p a t e e t u i d e t e, q u i a s p i r i t u s
c a r n e m e t o s s a n o n h a b e t, s i c u t m e h a b e n t e m
u i d e t i s. e t c u m h o c d i x i s s e t, o s t e n d i t e i s
m a n u s e i p e d e s. ossa audis et carnem, pedes et manus;
et globos mihi Stoicorum atque aeria quaedam deliramenta con-
10 fingis!

  25. Porro, infans, quaeris, cur daemone corripiatur, qui peccata
sua non habuit, aut, in qua aetate resurrecturi sumus, cum diuersa
aetate moriamur. ingratis suscipies: i u d i c i a domini a b y s s u s
m u l t a et: o p r o f u n d u m d i u i t i a r u m s a p i e n t i a e
15 e t s c i e n t i a e d e i, q u a m i n s c r u t a b i l i a s u n t
i u d i c i a e i u s e t i n u e s t i g a b i l e s u i a e e i u s! q u i s
e n i m c o g n o u i t s e n s u m d o m i n i a u t q u i s c o n-
s i l i a r i u s e i u s f u i t? aetatum autem diuersitas non mutat 2
corporum ueritatem. cum enim corpora nostra cotidie fluant et
20 aut crescant aut decrescant, ergo tot erimus homines, quot cotidie
conmutamur? aut alius fui, cum decem annorum essem, alius, cum
triginta, alius, cum quinquaginta, alius, quia iam toto cano capite
sum? igitur iuxta ecclesiarum traditiones et apostolum Paulum 3
illud est respondendum, quod i n u i r u m p e r f e c t u m et

---

1 *Ioh. 20, 27   4 *Luc. 24, 39—40   9 globos Stoicorum] cf. Chrysippum
ap. Eustath. ad Hom. Il. XXIII 66   13 Ps. 35, 7   14 *Rom. 11, 33—34   24 Eph.
4, 13

1 infers a,Da.r. (num inferes?) tange] uide K   4 pedes meos Σa.c. ς   6 uid.
habere ΣDB   7 ei K   8 pedes] latus B   ossa] uitam aD,Σa.c. carnem et ΣDB
edes a   9 et om. B stoyc. Σp.c. st(h s.l.)orc. D histoic. K histoich. a deleramenta
KΣa.c.,D consignas ex consingis m2K   11 porro a porro si cet. quaeris cur infans
codd. praeter a a daemone Kp.c.m2ΣDB (cf. p. 341, 24)   12 sua a, om. cet. simus ς
13 moriantur B   ingratiis B ingratus Σp.c.   iudicia—multa in mg. m2Σ,
om. D   dei ς   abissus ΣB   14 et om. ΣD   o profundum aK o altitudo ΣD
hoc profundum diuitiarum o altitudo B   diuitiarum s.l.Σ   15 sunt om. B
16 alt. eius] illius Kp.c.m2B   19 uarietatem aΣD   quotidie nostra ς   20 tot
erumus a teterimus D   quod aKD   21 alt. cum om. a   22 qui iam cum
toto B cum iam toto D cum toto iam Σ   24 resp. est Σ

in mensuram aetatis plenitudinis Christi
resurrecturi sumus, in qua et Adam conditum Iudaei autumant
et dominum saluatorem legimus surrexisse' et multa alia, quae
4 de utroque testamento in suffocationem heretici protuli. ex
quo die ita coepit hominem detestari et omnes, qui eiusdem 5
dogmatis erant, ut eos uoce publica hostes domini proclamaret.
et haec dixi, non ut breuiter heresim confutarem, cui multis uoluminibus respondendum est, sed ut fidem tantae feminae ostenderem,
quae maluit inimicitias hominum subire perpetuas quam dei
offensam amicitiis noxiis prouocare.   10

26. Dicam ergo, ut coeperam: nihil ingenio eius docilius fuit.
tarda erat ad loquendum, uelox ad audiendum, memor illius praecepti: audi, Israhel, et tace. scripturas tenebat memoriter
et, cum amaret historiam et illud ueritatis diceret fundamentum,
magis sequebatur intellegentiam spiritalem et hoc culmine aedi- 15
2 ficationem animae protegebat. denique conpulit me, ut et uetus
et nouum instrumentum cum filia me disserente perlegeret. quod
propter uerecundiam negans propter adsiduitatem et crebras postu-
lationes eius praestiti, ut docerem, quod didiceram non a memetipso,
id est a praesumptionis pessimo praeceptore, sed ab inlustribus 20
ecclesiae uiris. sicubi haesitabam et nescire me ingenue confitebar,
nequaquam mihi uolebat adquiescere, sed iugi interrogatione cogebat,
ut e multis ualidisque sententiis, quae mihi uideretur probabilior,
3 indicarem. loquar et aliud, quod forsitan aemulis uideatur incredulum: Hebraeam linguam, quam ego ab adulescentia multo 25
labore ac sudore ex parte didici et infatigabili meditatione non

12 cf. Iac. 1, 19   13 *Deut. 27, 9

2 qua] add. ae(e B)tate KB   Iud. cond. ς   3 resurrexisse Σp.c.m2   et] hec
et B   quae om. KB   4 suffocatione aD   5 acc(o s.l.)epit (ac del.) a   7 hoc aΣD
9 fugire a   10 noxias D obnoxiis a   11 ingenii a   eius dico a   docibilius Σp.c.B
facilius Σa.c.   13 script. sanctas codd. praeter a   14 et illud (t a) aΣD illudque KB et hoc ς   15 magis tamen ς   16 et KB, om. cet.   17 filiae D   me
om. D   disserentem Σa.r.D   18 ass. aB; add. tamen s.l.m2Σ   ex(s.l.m2Σ)-
postu(o K)lationes K,Σp.c.m2   19 memet] me B   20 praesumptione ς   ill. B;
add. praeceptoribus B   21 esitabam Σa.c.DB   me nescire KB   22 uoluit ς
23 uariisque KB,Σp.c.m2   sententias D   mihi om. B   uidentur B   probabi-
liora B   24 iudicarem a   aliut KD   incredibile ς; add. ob a   25 quam om. a
adulescentiam a; add. mea B   ac] et a

desero, ne ipse ab ea deserar, discere uoluit et consecuta est ita,
ut psalmos Hebraeice caneret et sermonem absque ulla Latinae
linguae proprietate resonaret. quod quidem usque hodie in sancta 4
filia eius Eustochio cernimus, quae ita semper adhaesit matri et
5 eius oboediuit imperiis, ut numquam absque ea cubaret, numquam
procederet, numquam cibum caperet, ne unum quidem nummum
haberet potestatis suae, sed et paternam et maternam substantiolam
a matre distribui pauperibus laetaretur et pietatem in parentem
hereditatem maximam et diuitias crederet. non debeo silentio 5
10 praeterire, quanto exultauerit gaudio, quod Paulam, neptem
suam Laeta et Toxotio generatam, immo uoto et futurae uirginitatis repromissione conceptam, audierit in cunis et crepitaculis
balbutiente lingua alleluia cantare auiaeque et amitae nomina
dimidiatis uerbis frangere. in hoc solo patriae desiderium habuit,
15 ut filium, nurum, neptem renuntiare saeculo. Christo seruire co-
gnosceret. quod inpetrauit ex parte; nam neptis Christi flammeo
reseruatur, nurus aeternae se tradens pudicitiae socrus opera fide
et elemosynis sequitur et Romae conatur exprimere, quod Hierosolymis illa conpleuit.
20   27. Quid agimus, anima? cur ad mortem eius uenire formidas?
iam dudum prolixior liber cuditur, dum timemus ad ultima peruenire, quasi tacentibus nobis et in laudibus illius occupatis differri
possit occubitus. huc usque prosperis nauigauimus uentis et cri-
spantia maris aequora labens carina sulcauit; nunc in scopu-
25 los incurrit oratio et tumentibus fluctuum montibus praesens

1 ne] si *a* non deserar *a*   2 ut] ut et *B* ut (i *add. s.l.m2*) ex *K*   ebraice *ex*
ebreice *Σ* hebraice *B*   et] graecumque *K*   ullam *a*   3 personaret *ς*   4 eusthocio
aK eustochium *Σa.c.*   5 ut *in mg. Σ* et *D* *alt.* nusquam *B*   6 proderet *a* pro-
diret *mauult Engelbrecht*   numq.] *add.* tibi *D*   ne] neque *B*   8 par.] parem
aD,Σa.c.   10 quando *a,Ba.c.*   exultauit *aD,Σa.c.m2*   11 Laeta] alaete *D* ex lae(e
B)ta *ΣB*   generatam *a* genitam (—ta *D*) *cet.*   12 repromissionem *a*   concepta *D*
audierat *ΣD*   et] *add.* in *s.l.B*   13 balbuttiente *K*   auiaque *ex* abiaque *D* nomine *D*   14 solo] sclo *B*   15 ut *om. aΣD* nepotem *aΣD* renuntiasse *ΣD* saec.]
add. et *KB*   16 quod] *add.* et *ς* imp. *KB,Σp.c.m2* patre *ΣD* neptis *ex* eptis *Σ*
nepus *D*   famula ecclae (?) meo *a*   17 ore seruatur *Bp.c.*   tradens se *B*
socrum *Σp.c.*   operam *K* opere *Σ*   18 elemosinam *K*   roma *D*   hierusolimis
Σa.c. iero(so *s.l.*)limis *B* hierusolima *K*   20 agis *KB*   21 cluditur *K* recuditur *Σ*
reditur *D* tenditur *B*   22 quasi] quae si *a*   eius *B*   differi *D*   23 potest *aD*
24 scopo(u *s.l.m2Σ*)lis *ΣD* scopulosis *B*   25 tumescentibus *K,Σp.c.*

utriusque monasterii intentatur naufragium, ita ut cogamur dicere:
praeceptor, saluos nos fac, perimus et illud:
2 exsurge, ut quid dormis, domine? quis enim possit
siccis oculis Paulam narrare morientem? incidit in grauissimam
ualitudinem, immo, quod optabat, inuenit, ut nos desereret et domino 5
plenius iungeretur. in quo languore Eustochiae filiae probata
semper in matrem pietas magis ab omnibus conprobata est. ipsa
adsidere lectulo, flabellum tenere, sustentare caput, puluillum
supponere, fricare pedes manu, stomachum confouere, mollia strata
conponere, aquam calidam temperare, mamphulam adponere, 10
omnium ancillarum praeuenire officia, quidquid alia fecisset, de
3 sua mercede putare subtractum. quibus illa precibus, quibus la-
mentis et gemitu inter iacentem matrem et specum domini discurrere, ne priuaretur tanto contubernio, ne illa absente uiueret, ut
eodem feretro portaretur! sed, o mortalium fragilis et caduca 15
natura et, nisi Christi fides nos extollat ad caelum et aeternitas
animae promittatur, cum bestiis ac iumentis corporum una condicio! est idem occubitus iusto et inpio, bono et malo, mundo et
inmundo, sacrificanti et non sacrificanti. sicut bonus, ita et qui
peccat; sicut qui iurat, ita et is qui iuramentum metuit. similiter 20
et homines et iumenta in fauillam et cinerem dissoluuntur.

28. Quid diu differo et dolorem meum in aliis inmorando
facio longiorem? sentiebat prudentissima feminarum adesse mortem

---

2 *Luc. 8, 24 et *Matth. 8, 25   3 *Ps. 43, 23

1 utr. mon.] utrique nostrum ς   3 dormitas KB (cf. p. 357, 22) obdormis ς
domini D   5 ualet. a   plen. dom. ς   6 eustociae a eusthociae K Eustochii ς
7 matre ΣDB   et magis aΣD   8 adsedere KD, Σa.c.; add. in (eras.) D   fab. Ka.c.
flau. ΣD   tenerem D   9 manus aΣD (post, non ante manu interpunxi) sthoma-
cum K stomachumque ΣD sthomacumque a   10 mamphulam scripsi (de hoc panis
Syriaci genere cf. Frid. Marx ad Lucilii uersus 1250—51) mampula a mappulam
Σa.c.m2DB mat(tt m2)ulam K   11 offitia B; add. et codd. praeter a   12 putaret
KD putaret esse ΣB   substractum Σa.r.D   quibus om. Σ   13 spec. dom.] ipsa
(s.l.m2 spe Σ) cum domino ΣD   discurrere a discurreret (ex -rit Σ) ΣD discurrit B
discucurrit K   14 ut] et K   15 o s.l.Σ a D ut B   fragilitas Σa.c.D   16 alt. et
om. D   17 conditio ΣDB   18 est om. K (est non cum condicio, sed cum occub.
coniungendum) idem] ·i· B   tert. et] ac ς   19 pr. sacri(ex o)ficante K   alt. et om. B
20 ita a sic cet.   his (h eras. Σ)ΣDB   21 alt. et] ut a   fauilla et cinere aΣD   cineres B
ciniris K   22 diff.] immoror ς   in aliis] magis B, om. ς   inm.] differendo ς
23 femina B

et frigente alia parte corporis atque membrorum solum animae
teporem in sancto et sacro pectore palpitare et nihilo minus, quasi
ad suos pergeret alienosque desereret, illos uersiculos susurrabat:
d o m i n e, d i l e x i d e c o r e m d o m u s t u a e et l o c u m
5 h a b i t a t i o n i s g l o r i a e t u a e et: q u a m d i l e c t a
t a b e r n a c u l a t u a, d o m i n e u i r t u t u m! c o n c u-
p i s c i t et d e f i c i t a n i m a m e a i n a t r i a d o m i n i
et: e l e g i a b i e c t a e s s e i n d o m o d e i m e i m a g i s
q u a m h a b i t a r e i n t a b e r n a c u l i s p e c c a t o r u m.
10 cumque a me interrogaretur, cur taceret, cur nollet respondere 2
inclamanti, an doleret aliquid, Graeco sermone respondit nihil se
habere molestiae, sed omnia quieta et tranquilla perspicere. post
haec obmutuit et clausis oculis, quasi iam humana despiceret,
usque ad expirationem animae eosdem repetebat uersiculos, uix
15 ut audirem, quod dicebat; digitumque ad os tenens crucis signum
pingebat in labiis. defecerat spiritus et anhelabat in mortem; anima-
que erumpere gestiens ipsum stridorem, quo mortalium uita finitur,
in laudes domini conuertebat. aderant Hierosolymorum et aliarum 3
urbium episcopi et sacerdotum inferioris gradus ac Leuitarum in-
20 numerabilis multitudo. omne monasterium uirginum et monachorum chori repleuerant. statimque ut audiuit sponsum uocantem:
s u r g e, u e n i, p r o x i m a m e a, s p e c i o s a m e a, c o-
l u m b a m e a, q u o n i a m e c c e h i e m p s p e r t r a n s-
i u i t, p l u u i a a b i i t s i b i, laeta respondit: f l o r e s u i s i
25 s u n t i n t e r r a, t e m p u s s e c t i o n i s a d u e n i t et:
c r e d o u i d e r e b o n a d o m i n i i n t e r r a u i u e n t i u m.

4 Ps. 25, 8   5 Ps. 83, 2—3   8 Ps. 83, 11   22 *Cant. 2, 10—11   24 *Cant.
2, 12   26 Ps. 26, 13

1 frigentem K frigescente $\Sigma p.c.m2$ solę Σ sola D 2 sancto et om. ς alt. et
om. ς 3 des.] despiceret D dispiceret $\Sigma a.c.m2$ 7 defecit $KD,\Sigma p.c.$ atriis $aD,\Sigma p.c.$
8 abiectus ΣDB 11 se om. a 12 respicere $\Sigma a.c.m2D$ 13 iam s.l. Σ, om. D hum.]
mortalia ς 14 uix ut audirem (—re Σ), quod dicebat, exaudire possemus $\Sigma a.c.$
$m2D$ uix ut aure ad (ap $\Sigma m2B$) posita, quod dicebat, exaudire (audire B) possemus
$KB,\Sigma p.c.m2$ ut, quod dicebat, uix audire possemus ς 15 os] hos B hostes D
16 anelabat $\Sigma a.c.B$ animāque B anima quae aK 17 regestiens $\Sigma Da.r.$ su-
dorem (in mg. m2 al stridorem Σ) $a\Sigma D$ quo] qui a 18 herusolimor. $\Sigma a.c.$ hiero-
solimar. $\Sigma p.c.$ hierusolymar. D hyerusolymar. K iherosolimar. B 19 episcopi
s.l. Σ, om. aD 20 et om. B 22 spec.] sponsa B 23 transiuit DB transiit $K\Sigma$;
add. et recessit ς 24 abiit (ex abit) abiit K habiit B respondet D 25 uenit $\Sigma a.c.$

29. Exhinc non ululatus et planctus, ut inter saeculi homines
fieri solet, sed psalmos monachorum diuersis linguis examina
concrepabant. translataque episcoporum manibus — ⟨ualidioribus⟩
et ceruicem feretro subicientibus —, cum alii pontifices lampadas
cereosque praeferrent, alii choros psallentium ducerent, in media 5
ecclesia speluncae saluatoris est posita. tota ad funus eius Palaesti-
2 narum urbium turba conuenit. quem monachorum latentium in
heremo cellula sua tenuit? quam uirginum cubiculorum secreta
texerunt? sacrilegium putabat, qui non tali feminae ultimum
reddidisset officium. uiduae et pauperes in exemplum Dorcadis 10
uestes ab ea praebitas ostendebant; omnis inopum multitudo
matrem et nutriciam se perdidisse clamabant. quodque mirum
sit, nihil pallor mutarat in facie, sed ita dignitas quaedam et gra-
uitas ora conpleuerat, ut eam putares non mortuam, sed dormien-
3 tem. Graeco, Latino Syroque sermone psalmi in ordine persona- 15
bant, non solum triduo et donec subter ecclesiam et iuxta specum
domini conderetur, sed per omnem ebdomadem cunctis, qui uenerant, suum funus et proprias credentibus lacrimas. uenerabilis
uirgo filia eius Eustochium quasi ablactata super matrem suam
abstrahi a parente non poterat: deosculari oculos, haerere uultui, 20
totum corpus amplexari et se cum matre uelle sepeliri.

30. Testis est Iesus ne unum quidem nummum ab ea filiae
derelictum, sed, ut ante iam dixi, derelictum magnum aes alienum
et — quod his difficilius est — fratrum et sororum inmensam multitudinem, quos et sustentare arduum et abicere inpium est. quid hac 25

---

10 cf. Act. 9, 39

1 exin K   et] non ΣD   2 ps. mon. *scripsi* psalmorum *codd.*   linguis diuersis
aΣD   3 ualidioribus *addidi, om. codd.*   4 lampades ΣB   5 profferent a referrent Σ
alius a   coros Σa.c.B chorus D corpus a   medio ecclesie B   6 spelunca a in
spelunca ΣD   7 latitantem KB   8 cella B   secr. cub. Σ ·   9 tenuerunt aΣD
sacrilegum Σa.c.D   uł ultimum B   10 dorchadis B   11 eo B   praeditas
(—tes D) Σa.c.D   12 nutriculam KB   clamabat K,Σp.c.   13 mutauerat ς
in *om.* ΣD   faciem aΣD   et grau. quaedam a   quaedem Σ quidam D   14 com-
pleuerant B   15 Graeco—Syroque] hebreo greco siro latinoque B   16 tridui K
pr. et om. KB   supter *ex* super K sub terra a   17 condiretur D   sed per] super D
ebdomadam ΣB   uenerant] *add.* ad s.l.m2D   19 filiae a   eius *om.* K   eusthoc.
aKD heustoch. B   ablactatum KB   matre sua B   20 a s.l.K   23 sed] et a *alt.* re-
lictum KB   24 his] ita aD,Σa.c.m2   infinitam B   25 quod D   *pr. et om.* ς

uirtute mirabilius: feminam nobilissimae familiae, magnis quondam opibus tanta fide omnia delargitam, ut ad egestatem paene
ultimam perueniret? iactent alii pecunias, in corban dei aera con- 2
gesta funalibusque aureis dona pendentia: nemo plus dedit paupe-
5 ribus, quam quae sibi nihil reliquit. nunc illa diuitiis fruitur et his
bonis, q u a e n e c o c u l u s u i d i t n e c a u r i s a u d i u i t
n e c i n c o r h o m i n i s a s c e n d e r u n t. nos nostram uicem
dolemus et inuidere potius gloriae eius uidebimur, si uoluerimus
diutius flere regnantem.

10   31. Secura esto, Eustochium; magna hereditate ditata es.
pars tua dominus et, quo magis gaudeas, mater tua longo martyrio
coronata est. non solum effusio sanguinis in confessione reputatur,
sed deuotae quoque mentis seruitus cotidianum martyrium est.
illa corona de rosis et uiolis plectitui, ista de liliis. unde et in Can-
15 tico scribitur canticorum: f r a t r u e l i s m e u s c a n d i d u s
e t r u b i c u n d u s, et in pace et in bello eadem praemia uincen-
tibus tribuens. mater, inquam, tua audiuit cum Abraham: e x i 2
d e t e r r a t u a e t d e c o g n a t i o n e t u a e t u e n i i n
t e r r a m, q u a m o s t e n d a m t i b i, et per Hieremiam
20 dominum praecipientem: f u g i t e d e m e d i o B a b y l o n i s
e t s a l u a t e a n i m a s u e s t r a s et usque ad diem mortis
suae non est reuersa Chaldaeam nec ollas Aegypti et iurulentias
carnium desiderauit, sed choris comitata uirgineis ciuis est saluatoris effecta et de paruula Bethlem caelestia regna conscendens

---

3 cf. Marc. 7, 11; Matth. 27, 6   6 *I Cor. 2, 9   11 cf. Ps. 72, 26; Thren.
3, 24   15 *Cant. 5, 10   17 *Gen. 12, 1   20 *Hier. 28 (51), 6   22 cf. Ex.
16, 3   23 cf. Eph. 2, 19

2 d̄i(= dei)largitam D dilargitam KΣ   3 peruenirent K   pec.] add. et KB
co(ex cu Σ)rban dei ΣD chorbandi a corbanā dei K corbanan dei B corbonam dei ς
4 funabulisque B   5 quę ex qui Σ que a   retinuit B reseruauit ς   7 ascendit Σ
nos s.l.m2Σ, om. aD   8 gloria K   uolueris K   9 diu K   reflere Σa.r.D
10 eusthocium aK   12 solum] add. enim ς   13 inmaculata seru. KB,Σp.c.m2
seru. inmaculata ς   14 coronam a   flectitur Σa.c.m2D texitur KΣp.c.m2,B
et om. K   17 habrah. Σa.r.B abrach. K   18 alt. tua om. B   19 ieremiam B
20 babil. Σa.c.B   21 resaluate K seruate B   22 reuersa (-ā D) in codd. praeter a
chaldeam aΣD caldeam B   uirulentias ΣDB   24 paruu(o D)lo ΣD   bethlem
a,Σa.c.m2 bethlehem Σp.c.m2 bethleem KDB

dicit ad ueram Noemi: p o p u l u s t u u s p o p u l u s m e u s
e t d e u s t u u s d e u s m e u s.

32. Hunc tibi librum ad duas lucubratiunculas eodem, quem
tu sustines, dolore dictaui. nam quotienscumque stilum figere uolui
et opus exarare promissum, totiens obriguerunt digiti, cecidit manus, 5
sensus elanguit. unde et inculta oratio uotum scribentis absque ulla
elegantia et uerborum lepore testatur.

33. Uale, Paula, et cultoris tui ultimam senectutem orationibus
iuua. fides et opera tua Christo te sociant, praesens facilius, quod
postulas, inpetrabis. e x e g i m o n u m e n t u m a e r e p e r e n- 10
n i u s, quod nulla destruere possit uetustas. incidi elogium sepulchro
tuo, quod huic uolumini subdidi, ut, quocumque noster sermo peruenerit, te laudatam, te in Bethlem conditam lector agnoscat.

2   Titulus sepulchri:

Scipio quam genuit, Pauli fudere parentes,   15
Gracchorum suboles, Agamemnonis inclita proles
hoc iacet in tumulo, Paulam dixere priores.
Eustochiae genetrix, Romani prima senatus
pauperiem Christi et Bethlemitica ruia secuta est.

3   Et in foribus speluncae: 20

Despicis angustum praecisa rupe sepulchrum?
hospitium Paulae est caelestia regna tenentis.
fratrem, cognatos, Romam patriamque relinquens,
diuitias, subolem Bethlemitico conditur antro.

---

1 Ruth 1, 16   10 Horat. c. III 30, 1

1 dixit *KB*   noemmi *K*   tuus] *add.* et *s.l.m2Σ*   2 tuus] *add.* et *s.l.m2Σ*
4 sustinens *DBa.c.*   7 uerborum et *K*   8 uale] *add.* o *s.l.m2Σ*   et *om. a*   9 iuba
aD   opera] oratio *aD,Σa.c.m2*   sotient *Σ*   11 sepulcro *D*   13 te inlaudatam *B*
all. te *s.l.m2Σ*   bethlem *aD,Σa.c.m2* bethlehem *Σp.c.m2* bethleem *KB*   14 tit. sep.
om. B   titulum *aD* tullius *K* sequitur titulus ς   sepulcri *D*   15 scypio *a*   paulae
fuere *ΣD*   16 gracch. *K* gracc. *aΣD* grec. *B*   agamenn. *B* agamen. *D* agmen.
Σa.c.   inclyta *Σp.c.m2*   18 eusthochiae *K* eusthociae *a* eustochii *Σp.c.*   geni-
trix *DB*   19 bethlem. *KD* bethleem. *cet.*   secuta est. amen. finit (*sequuntur*
reliqua in mg. m2) *K*   20 et *om. D*   for.] fronte ς   21 aspicis *K* respicis *ΣDB*
in praec. *a* praec. in ς   sepulcrum *D*   23 fratres *Σp.c.*   romam *s.l.Σ*, *om. a*
24 bethlem. *KD* bethleem. *cet.*   antro] *add.* his fruitura locis felix ubi dona magorum *B*

hic praesepe tuum, Christe, atque hic mystica reges
munera portantes hominique deoque dedere.
34. Dormiuit sancta et beata Paula septimo Kalendas Februa-
rias, tertia sabbati post solis occubitum. sepulta est quinto Kalen-
5 darum earundem Honorio Augusto VI et Aristaeneto consulibus.
uixit in sancto proposito Romae annis quinque, Bethleem annis
uiginti. omne uitae tempus inpleuit annis quinquaginta sex, mensibus octo, diebus 'uiginti uno.

CIX.

10 ### AD RIPARIUM PRESBYTERUM.

1. Acceptis litteris tuis primitus non respondere superbiae
est, respondere temeritatis. de his enim rebus interrogas, quae et

1 cf. Luc. 2, 7   cf. Matth. 2, 11 coll. Ps. 71, 10 et Esai. 49, 7

1 *paenultimus uersus in mg. inf. m2Σ*, om. a   pr. hic] his B   reges *scripsi*
magi *codd.* (*cf.* regique *sequenti uersui male insertum*)   2 port. mun. K   hominique regique (*eras.* Σ) aΣ homini regique D   deoque *ex* deo B   dedere *om.* ΣD
3 kalendarum februariarum (febroarium B) ΣB   4 sabati *ex* sabato Σ   occu-
pitum K   5 onorio K   VI aKΣD sexto B sexies ς   aristineto K aristhe-
nito a arest(th D)enio ΣD aristino B   6 pr. annos ΣD annus K   bethlem KD betlehem *ex* betleem m2Σ   *alt.* annos ΣD annus K   7 annos ΣD annus K   8 dies
aK   XX unum K XXI *cet.* uiginti et uno ς ; *add.* finit. d̄o gratias. ora pro scrib-
tore a explicit sci hieronimi de exitu paulae K explicit epitaphium sc̄e paule ad
(d *eras.*) ieronimo(*ex* —mu) editum (*ex* —to) Σ

𝔄 = *Veronensis XV. 13 s. VIII* (*magna ex parte legi nequit*).
h = *Vindobonensis lat. 16 s. VIII—IX.*
Σ = *Turicensis Augiensis 41 s. IX.*
D = *Vaticanus lat. 355+356 s. IX—X.*
N = *Casinensis 295 s. X.*
e = *Sessorianus 30* (*Bibl. Nat. Rom. 1570*) *s. XI.*
B = *Berolinensis lat. 18 s. XII.*

ad riparium prbm (*Reifferscheidius plura se legisse testatur, haec:* ad riparium
prbm ssi sci de reliquiis scorum reuerendis et pro uigilantio) 𝔄 ad riparum
(*sic*) p̄sbitum h ad riparium presbi(y *s.l.m2*)terum (*add.* aduersus uigilantium
m2) Σ ad riparium pb̄rum (pb̄rm e) contra uigilantium De ad raparium (*sic*)
prbum N ad riparium prbrm B; *Hieronymi nomen exhibent tituli in* hΣDeB

11 literis tuis prim. Σ primum litt. tuis prim. B primum litt(t D)eris tuis *cet.*
(𝔄?) superbiae est, respondere *om.* (*s.l.m2* superbie fuit, id incaute facere) D superbiae est, incaute id facere B   superbia e   12 temeritas h   his] iis ς   quas ΣN

proferre et audire sacrilegium est. ais Uigilantium, qui κατὰ ἀντίφρασιν hoc uocatur nomine — nam Dormitantius rectius diceretur — os
fetidum rursus aperire et putorem spurcissimum contra sanctorum
martyrum proferre reliquias et nos, qui eas suscipimus, appellare
2 cinerarios et idolatras, qui mortuorum hominum ossa ueneremur. o 5
infelicem hominem et omni lacrimarum fonte plangendum, qui
haec dicens non se intellegit esse Samaritam et Iudaeum, qui corpora mortuorum pro inmundis habent et etiam uasa, quae in
eadem domo fuerint, pollui suspicantur sequentes occidentem litteram et non spiritum uiuificantem. nos autem non dico martyrum 10
reliquias, sed ne solem quidem et lunam, non angelos, non archan-
gelos, non seraphim, non cherubim et o m n e n o m e n, q u o d
n o m i n a t u r e t i n p r a e s e n t i s a e c u l o e t i n f u t u r o,
colimus et adoramus, ne seruiamus c r e a t u r a e p o t i u s
q u a m c r e a t o r i, q u i e s t b e n e d i c t u s i n s a e c u l a. 15
3 honoramus autem reliquias martyrum, ut eum, cuius sunt mar-
tyres, adoremus, honoramus seruos, ut honor seruorum redundet
ad dominum, qui ait: q u i u o s s u s c i p i t, m e s u s c i p i t.
ergo Petri et Pauli inmundae sunt reliquiae? ergo Moysi corpusculum inmundum erit, quod iuxta Hebraicam ueritatem ab ipso 20
sepultum est domino? et quotienscumque apostolorum et prophetarum et omnium martyrum basilicas ingredimur, totiens idolorum
templa ueneramur accensique ante tumulos eorum cerei idolatriae
4 insignia sunt? plus aliquid dicam, quod redundet in auctoris caput

6 cf. Hier. 9, 1   8 cf. Num. 19, 14   9 cf. II Cor. 3, 6   12 *Eph. 1, 21
14 Rom. 1, 25   18 *Matth. 10, 40   20 cf. Deut. 34, 6

1 sacrilegum Σ   catha antifrasin NB   2 dic.] uocaretur N   3 rursum D
B sursum e   4 suscepimus ΣNa.c.   5 idololatras ς ueneramur Σa.c.NB   7 esse]
et h   samaritanum hNeB   8 habeant B   etiam et (et s.l.) Σ ut etiam B etiam hD
9 polluta ΣB   suspicentur B   occidentes litteras (—rā p.c.) e   11 set nec N
pr. non] et B alt. non] et B   12 non che(ce Σ)ι ubim non seraphim (—in B) ΣB
seraphin DB -phyn h cherubin D -byn h cerubim 𝔄Σ   13 pr. et om. Σ   14 col.]
add. ueneramur in mg. m2Σ   et ador. om. D   17 ador.] honoremus (honore
in ras. m2) B   onor N honores B   redundent B   19 sint D   alt. ergo—erit
om. e   corpus DNB   20 erit] est h   iusta N iuta 𝔄a.c.   haebraicam 𝔄
hebraycam N   21 dom. sep. est ΣB   prophetarum a (s.l. et) apostorum (sic) h
22 et] ut ς   23 ante tum.] añ et multos e   idololatriae ς   24 signa in ras.
m2B   aliquid (d in ras. m2) B

et insanum cerebrum uel sanet aliquando uel deleat, ne tantis
sacrilegiis simplicum animae subuertantur. ergo et domini corpus
in sepulchro positum inmundum fuit et angeli, qui candidis uestibus utebantur, mortuo cadaueri atque polluto praebebant excubias,
5 ut post multa saecula Dormitantius somniaret, immo eructuaret
inmundissimam crapulam et cum Iuliano, persecutore sanctorum,
basilicas aut destrueret aut in templa conuerteret?
    2. Miror sanctum episcopum, in cuius parrochia esse pres-
byter dicitur, adquiescere furori eius et non uirga apostolica
10 uirgaque ferrea confringere uas inutile et tradere in interitum
carnis, ut spiritus saluus fiat. meminerit illius dicti:
uidebas furem et concurrebas cum eo et cum
adulteris portionem tuam ponebas. et in alio 2
loco: in matutino interficiebam omnes pecca-
15 tores terrae, ut disperderem de ciuitate domini omnes operantes iniquitatem, et iterum:
nonne odientes te, domine, odio habui et
super inimicos tuos tabescebam? perfecto
odio oderam illos. si non sunt honorandae reliquiae mar- 3
20 tyrum, quomodo legimus: pretiosa in conspectu domini mors sanctorum eius? si ossa eorum polluunt
contingentes, quomodo Heliseus mortuus mortuum suscitauit et
dedit uitam, quod iuxta Uigilantium iacebat inmundum? ergo
omnia castra Israhelitici exercitus et populi dei fuere inmunda,
25 quia Ioseph et patriarcharum corpora portabant in solitudine et
ad sanctam terram inmundos cineres retulerunt? Ioseph quoque 4

---

3 cf. Ioh. 20, 12   9 cf. I Cor. 4, 21   cf. Ps. 2, 9   10 cf. I Cor. 5, 5
12 *Ps. 49, 18   14 Ps. 100, 8   17 *Ps. 138, 21—22   20 Ps. 115, 6 (15)   22 cf.
IV Reg. 13, 21   24 cf. Ex. 13, 19

1 doleat *Σp.c.m2DNe*   nec *e*   2 simplicium *NeB*(𝔄?)   subuertatur *e*
3 sepulcro 𝔄*DNB*   angelis *D*   4 exsequias *h*   5 immo eruct. *om.* 𝔄*DNe*
eructaret *h*   6 inmundissimum *D, om. N*   crapula *D*   iulino *N; add.*
autem *D*   sanct.—8 miror *om. h*   8 parrochia (*cf. p. 114, 18*)] parycia 𝔄 pa-
rochia ς   9 furoris *e*   uirgaque] atque *e*   11 memineritque *Σ*   illud 𝔄*N*
dictum 𝔄   12 si uidebas ς   *pr. et om. B*   currebas *hDeB*   13 in *om. hN*
14 matutinis *N*   15 disperderet *h*   17 dom.] d̄ *B*   hodio abui *N* oderam *B*
19 hodio *Ne*   mart. et *h*   20 dom.] d̄ *B*   22 elyseus *N* Elisaeus ς   23 reddidit *h*
uitam corpus ς   24 hisrahelitici *hD*   24 populo *e*   26 inmundes *D*   pertulerunt *hN*
pertulerant *De* perferebant *B*, ? 𝔄   iosep *N*   quoque *Σa.c.m2*, ? 𝔄 quoque qui *cet.*

LV. Hieron. Epist. II, Hilberg.   23

in typo praecedens domini et saluatoris nostri sceleratus fuit, quia
tanta ambitione Iacob in Chebron ossa portauit, ut inmundum patrem
auo et atauo sociaret inmundis et mortuum mortuis copularet?
praecidenda lingua a medicis, immo insanum curandum caput,
5 ut, loqui qui nescit, discat aliquando reticere. ego, ego uidi hoc 5
aliquando portentum et testimoniis scripturarum quasi uinculis
Hippocratis uolui ligare furiosum, sed a b i i t, e x c e s s i t,
e u a s i t, e r u p i t et inter Adriae fluctus Cottiique regis Alpes
in nos declamando clamauit. quidquid enim amens loquitur, uoci-
feratio et clamor est appellandus. 10
3. Tacita me forsitan cogitatione reprehendas, cur in absentem
inuehar. fateor tibi dolorem meum: sacrilegium tantum patienter
audire non possum. legi enim siromasten Finees, austeritatem
Heliae, zelum Simonis Chananaei, Petri seueritatem Ananiam et
Sapphiram trucidantis Paulique constantiam, qui Elymam magum 15
uiis domini resistentem aeterna caecitate damnauit. non est cru-
2 delitas pro deo pietas. unde et in lege dicitur: s i f r a t e r t u u s
et a m i c u s c t u x o r, q u a e e s t i n s i n u t u o, d e p r a-
u a r e te u o l u e r i t a u e r i t a t e, s i t m a n u s t u a
s u p e r e o s et e f f u n d e s s a n g u i n e m e o r u m et 20
a u f e r e s m a l u m de m e d i o I s r a h e l. iterum dicam:

2 cf. Gen. 50, 1—14   7 Cicero in Catil. II 1   13 cf. Num. 25, 7   cf. III Reg.
18, 40   14 cf. Matth. 10, 4. Marc. 3, 18. Luc. 6, 15. Act. 1, 13   cf. Act. 5, 1—10
15 cf. Act. 13, 8—11   17 *Deut. 13, 6 et 9

1 in *om. e* tipo *ha.c.e* praecessit domini 𝔄*NB* processit domini *De* domini
praecessit *h* et salu. nostri *ΣB* salu. *cet.*   quia *hN*, ? 𝔄 qui *cet.* (*cf.* quia *p. 353,25*)
2 iacobi *D* cebron *h* hebron *Σ* ebron *NeB*, ? 𝔄   3 attauo *DNe*   4 o praecidendam
linguam *ς* immo ins. cur. cap.] in ins. cap. (in insano capite *m2*) *N*   5 loqui
qui *Σ* qui loqui *cet.*   ego, ego *hB*, ? 𝔄 ego *cet.*   7 hyppocratis *e* hypochratis *h*
hypocratis *B* yppocratis *D* ypocratis *ΣN*, ? 𝔄   habiit *e*   8 cotiique *De* coc-
tique *B* gothique 𝔄*N* gothicique *Σ*   reges *Σa.c.De*   9 elauit *N*   quod *N*
10 et clam. est] exclamorem *e* appellandum *hN,Σp.c.*   11 depre(ae 𝔄()hendas 𝔄*N*
12 fatebor 𝔄   patienter *s.l.Σ, in mg. m2N*   13 syromasten *eB* seiromasten *ς*
Phinees *ς*   14 helie *ex* elie *Σ* helysei *N*   symonis *DNeB*   Chan. P.] chananei
pari *m1*, petri pari *m2N*   channanaei *h* cananei 𝔄   seueritate *Np.r.*   annaniam
h,Σp.c.   15 saphir. *ΣB* saphyr. *h* saffir. *DNe*   trucidantes 𝔄*e,Σa.c.*   que *s.l.Σ,*
om. h   elimam *ΣeB* helymam 𝔄*D*   17 sed pietas *B*   18 *alt.* et *om. e*   19 uoluerint *hNB,Σp.c.m2*   20 eum *Σ*   effundas *ΣB* effunde *DNe*   ipsorum *Σ.*
et] ut *Σ*   21 auferas *Σp.c.B*   dico *Σ*

ergo martyrum inmundae sunt reliquiae? et quid passi sunt apostoli,
ut inmundum Stephani corpus tanta funeris ambitione praecederent
et facerent ei planctum magnum, ut illorum luctus in nostrum
gaudium uerteretur? nam quod dicis eum uigilias execrari, facit et ₃
5 hoc contra uocabulum suum, ut uelit dormire Uigilantius et non
audiat saluatorem dicentem: s i c n o n p o t u i s t i s u n a h o r a
u i g i l a r e m e c u m? u i g i l a t e e t o r a t e, u t n o n i n-
t r e t i s i n t e m p t a t i o n e m. s p i r i t u s p r o m p t u s,
s e d c a r o i n f i r m a. et in alio loco propheta decantat: ₄
10 m e d i a n o c t e s u r g e b a m, u t c o n f i t e r e r t i b i
s u p e r i u d i c i a i u s t i t i a e t u a e. dominum quoque in
euangelio legimus pernoctasse et apostolos clausos carcere tota nocte
uigilasse, ut illis psallentibus terra quateretur, custos carceris
crederet, magistratus et ciuitas terrerentur. loquitur Paulus:
15 o r a t i o n i i n s i s t i t e u i g i l a n t e s i n e a et in alio
loco: i n u i g i l i i s f r e q u e n t e r. dormiat itaque Uigi- ₅
lantius et ab exterminatore Aegypti cum Aegyptiis dormiens suffo-
cetur; nos dicamus cum Dauid: n o n d o r m i t a b i t n e q u e
o b d o r m i e t, q u i c u s t o d i t I s r a h e l, ut ueniat ad
20 nos sanctus et Hir, qui interpretatur 'uigil'. et si quando propter
peccata nostra dormierit, dicamus ad eum: e x s u r g e, u t q u i d
d o r m i t a s, d o m i n e? excitemusque illum et nauicula fluc-
tuante clamemus: m a g i s t e r, s a l u o s n o s f a c, p e r i m u s.

4. Plura dictare uolueram, si non epistolaris breuitas pudorem
25 nobis tacendi inponeret et si tu librorum ipsius ad nos uoluisses

---

1 cf. Act. 8, 2   6 *Matth. 26, 40—41 etc.   10 *Ps. 118, 62   11 cf. Matth.
26, 36—46   12 cf. Act. 16, 23—40   15 *Col. 4, 2   16 *II Cor. 11, 27   17 cf.
Ex. 12, 29   18 *Ps. 120, 4   20 cf. Dan. 4, 10 et Onom. s. p. 58, 4   21 *Ps. 43, 23
23 *Matth. 8, 25. *Luc. 8, 24

1 ergo si N   et] ut N   2 stefani 𝔄   3 eorum 𝔄   7 ut non] ne B
ueniatis Σ   8 spir. quidem N   promtus h a.c.; add. est ς   9 sed s.l.m2D,om.E
s l.m2D, om. Σ   in om. N   dicit De   10 consurgebam Σp.c.m2   ut conf.]
ad confitendum hB   11 domino e   12 pernotasse e pernotassem Na.c.   clauso
Σa.c.m2e   15 instate B   in a. loco] in om. N alibi B   16 dormitat N dormitet Σ   17 et] ut Σp.c.N   19 obdormiet] dormiet DeB,? 𝔄   ad nos] a dno h
20 pr. et om. B   Hir] his (h eras. e) Ne (cf. p. 34, 7)   et] ut B   21 ut quid]
quid De quare Σ   22 dormis h obdormis Σ   domine] d̄ B   24 dicere Σ
epistularis hΣ   25 et in ras. m2B   libri B   eius Σ

mittere cantilenas, ut scire possemus, ad quae rescribere deberemus.
nunc autem aerem uerberauimus et non tam illius infidelitatem,
2 quae omnibus patet, qvam nostram fidem aperuimus. ceterum,
si uolueris longiorem nos aduersum eum librum scribere, mitte
nemas illius et ineptias, ut Iohannem Baptistam audiat praedi- 5
cantem: i a m s e c u r i s a d r a d i c e s a r b o r u m p o s i t a
e s t. o m n i s a r b o r, q u a e n o n f a c i t f r u c t u m b o-
n u m, e x c i d e t u r e t i n i g n e m m i t t e t u r.

CX.

EPISTULA AUGUSTINI AD HIERONYMUM.   1
Domino uenerando et desiderantissimo fratri et conpresbytero
Hieronymo Augustinus in domino salutem.

1. Quamuis existimem, antequam istas sumeres, uenisse in
manus tuas litteras meas, quas per dei seruum, filium nostrum

6 *Matth. 3, 10

1 possimus 𝔄𝛴N   adque 𝔄DN atque e de quibus B   rescr. deb.]
rescriberemus 𝔄N   2 uerberabimus 𝔄D,Na.c. uerberamus Ba.c.m2   et]
ut De   3 apperuimus N   4 uoluerimus De   aduersus 𝛴B   5 audiant N
6 iam enim B   radicem Ne   arb(u N)oris hN   7 bonum om. hDeB   8 exci-
ditur 𝔄   mittitur 𝔄; add. explicit ad riparium 𝔄 explicit epla hieronimi ad
riparium presbiterum h

     𝔓 = *Escorialensis & I. 14 s. VIII—IX (incipit a p. 358, 19 cur itaque).*
     𝔶 = *Veronensis XXXIII. 31 s. VIII—IX (continet fragm. a p. 361, 11*
         . . . . tisse usque ad p. 363, 3 ipsum quod).
     A = *Berolinensis lat. 17 s. IX.*
     F = *Veronensis XVI. 14 s. IX (desunt eadem, quae in 𝔓).*
     L = *Coloniensis 35 s. IX (desunt eadem, quae in 𝔓).*
     𝔷 = *Parisinus 12163 s. IX (continet duo apographa, unum = $\mathfrak{z}^1$ totius*
         epistulae, alterum = $\mathfrak{z}^2$ eiusdem partis, quam 𝔓 praebet).
     D = *Vaticanus lat. 355+356 s. IX—X (desunt eadem, quae in 𝔓).*
     M = *Coloniensis 60 s. IX—X (desunt eadem, quae in 𝔓).*
     C = *Vaticanus lat. 5762 s. X (desunt eadem, quae in 𝔓).*
     B = *Berolinensis lat. 18 s. XII.*

*Haec epistula est inter Augustini epistulas LXXIII (p. 263 Goldbacher); de titulo
cf. adnot. ad epist. LXVII*

   11 Dom.—p. 358, 19 possum A$\mathfrak{z}^1$,B (Dom.—12 sal. om. B a. c. m2), om. cet.
desideratissimo ς   alt. et om. ς   presbytero $\mathfrak{z}^1$a.c.   12 hieronimo A ieronimo B
13 ista ς

Cyprianum diaconum misi, quibus certissime agnosceres meam
esse epistulam, cuius exemplaria illuc peruenisse commemorasti —
unde iam me arbitror rescriptis tuis uelut Entellinis grandibus
atque acribus caestibus tamquam audacem Dareta coepisse pul-
5 sari atque uersari —, nunc tamen eis ipsis respondeo litteris tuis,
quas mihi per sanctum filium nostrum Asterium mittere dignatus
es, in quibus multa in me comperi tuae beniuolentissimae caritatis
et rursus quaedam nonnullius a me tuae offensionis indicia. itaque, 2
ubi mulcebar legens, ibi continuo feriebar hoc sane uel maxime
10 admirans, quod, cum te dicas exemplaribus litterarum mearum
ideo temere non putasse credendum, ne forte te respondente laesus
iuste expostularem, quod probare ante debuisses meum esse sermonem et sic rescribere, postea iubeas, si mea est epistula, aperte
me scribere aut mittere exemplaria ueriora, ut absque ullo rancore
15 stomachi in scripturarum disputatione uersemur. quo pacto enim 3
possumus in hac disputatione sine rancore uersari, si me laedere
paras? aut, si non paras, quomodo ego te non laedente abs te
laesus iuste expostularem, quod probare ante debuisses meum esse
sermonem et sic rescribere, hoc est et sic laedere? nisi enim rescri-
20 bendo laesisses, ego iuste expostulare non possem. proinde, cum 4
ita rescribis, ut laedas, quis locus nobis relinquitur in disputatione
scripturarum sine ullo rancore uersandi? ego quidem absit ut
laedar, si mihi certa ratione uolueris et potueris demonstrare illud
ex epistula apostoli uel quid aliud scripturarum sanctarum te
25 uerius intellexisse quam me; immo uero absit, ut non cum gratiarum
actione lucris meis deputem, si fuero te docente instructus aut
emendante correctus.

3 cf. p. 236, 9 et Verg. Aen. V 368 sqq.   10 cf. p. 235, 8   13 cf. p.
235, 15

2 esse *om.* ʒ¹   illud ʒ¹   3 me iam *B*   arb. esse *AB*   scriptis *B*
gradibus *B* grauibus *Vallarsi*   4 Dareta *Goldbacher* daretam *A* dare tam ʒ¹*B*
Daretem ς   5 respondebo ς   6 mittere iam *A* iam mittere ς   7 conperi *A*
beniuolentissima ʒ¹   8 rursum *A*   me tuae] metues *A*   offensiones *A*
10 te] tu *A*   11 non temere ς   putauisse ς   respondente te *A* respondete ʒ¹
14 aut] et *B*   15 uers.—16 rancore *om. A*   17 abs te] absque *B*   18 ant ea *A*
19 *pr.* sic *om.* ʒ¹   rescriberem *A*   describendo *B*   20 posse *A*   21 nobis
locus *AB*   disputationem *A* disputione ʒ¹   22 ulla *A*   23 ledas *A*   24 pauli
apostoli *A*   26 si—docente *om. A*   autem emendante *A* autem mendante ʒ¹
27 correptus *B*

2. Uerum tamen tu, mi frater carissime, nisi te putares laesum scriptis meis, non me putares laedi posse rescriptis tuis. nullo enim modo id de te opinatus fuero, quod non te arbitrans laesum sic tamen rescribis, ut laedas. aut si te non sic rescribente ego propter nimiam stultitiam meam laedi posse putatus sum, hoc ipso laesisti 5 plane, quod de me ita sensisti. sed nullo modo tu me, quem numquam talem expertus es, temere talem crederes, qui litterarum mearum exemplaribus etiam, cum stilum meum nosses, temere credere noluisti. si enim non inmerito uidisti me iuste expostulaturum fuisse, si temere crederes esse litteras meas, quae non essent 10 meae, quanto iustius expostularem me ipsum temere putatum talem, qualem me non nosset, qui putauisset! nequaquam ergo ita prolabereris, ut te non rescribente, quo laederer, me tamen existimares nimis insipientem etiam tali tuo rescripto laedi potuisse.

3. Restat igitur, ut laedere me rescribendo disponeres, si 15 certo documento meas esse illas litteras nosses. atque ita, quia non credo, quod iniuste me laedendum putares, superest, ut agnoscam peccatum meum, quod prior te illis litteris laeserim, quas meas esse negare non possum. cur itaque conor contra fluminis tractum ac non potius ueniam peto? obsecro ergo te per mansuetudinem 20 Christi, ut, si laesi te, dimittas mihi nec me uicissim laedendo malum pro malo reddas. laedes autem me, si mihi tacueris errorem meum, quem forte inueneris in factis uel dictis meis. nam si ea in me reprehenderis, quae reprehendenda non sunt, te laedis magis quam me — quod absit a moribus et sancto proposito tuo, ut hoc 25

20 cf. II Cor. 10, 1   22 cf. Rom. 12, 17

1 tu mi *om.* $_3^1$ mi *A* michi *B*   putarem $_3^1$ 2 putaris *A*   3 te non arbitraris ς si sic ς 4 aut] ut aut *A*   non sic te *B*   5 ipse *B*   7 quae *B* 8 nosse $_3^1$ nosisis *A*   11 quando $_3^1$ 12 non nosse *B* non esset $_3^1$ expertus non esset ς 13 probaberis *A*   quod *A*$_3^1$*B*   15 disponaris *A*   si certo] sic ergo *A*   16 quia] quam *A*   17 super $_3^1$ cognoscam *A*   18 laederim $_3^1$ esse *om. B*   19 tract. flum. $\mathfrak{P}FL_3{}^2DMCB$ ac] et $\mathfrak{P}FL_3{}^2DMC$ 20 peto] deprecor *F*$_3{}^2$*DMC* deprecabo $\mathfrak{P}$ deprecabor *LB*   ergo—Christi *om.* $\mathfrak{P}FL_3{}^2DMC$ ergo te *s.l* m2*B*   mansionem *B*   21 laesi te $_3^1$ te laesi *cet.*   nec] ne *p.c.* m2*M* 22 non (*eras.*) reddas *M*   ledens $_3^2$ ledis *B*   autem] enim $\mathfrak{P}FL_3{}^2DMCB$ me *s.l* m2*B*, *om.* $\mathfrak{P}FL_3{}^2DMC$ 23 factis uel *om.* $\mathfrak{P}FL_3{}^2DMC$ scriptis uel ς in dictis ς ea] eadem *A*   24 in me *ex* immo m2*M*   reprehendis $\mathfrak{P}FL_3{}^2DMC$ laedis magis $_3^1$ ledis o magis *A* pot(c)ius lae(e)dis *cet.*   25 et] *add. a s.l.* m2*B*

facias uoluntate laedendi culpans in me aliquid dente maledico,
quod mente ueridica scis non esse culpandum — ac per hoc aut
beniuolo corde argues, etiam si caret delicto, quod arguendum
putas, aut paterno affectu mulceas, quem abicere nequeas. potest ³
5 enim fieri, ut tibi aliud uideatur, quam ueritas habet, dum tamen
abs te aliud non fiat, quam caritas habet. et ego amicissimam
reprehensionem gratissime accipiam, etiam si reprehendi non meruit,
quod recte defendi potest, aut agnoscam simul et beniuolentiam
tuam et culpam meam et, quantum dominus donat, in alio gratus,
10 in alio emendatus inueniar.

  4. Quid ergo fortasse dura, sed certe salubria uerba tua tamquam caestus Entelli pertimescam? caedebatur ille, non curabatur,
et ideo uincebatur, non sanabatur. ego autem, si medicinalem correptionem tuam tranquillus accepero, non dolebo. si uero infirmitas
15 uel humana uel mea, etiam cum ueraciter arguor, non potest nisi
aliquantulum contristari, melius tumor capitis dolet, cum curatur,
quam, dum ei parcitur, non sanatur. hoc est enim, quod acute uidit, ²
qui dixit utiliores esse plerumque inimicos iurgantes quam amicos
obiurgare metuentes. illi enim, dum rixantur, dicunt aliquando
20 uera, quae corrigamus; isti autem minorem, quam oportet, exhibent

11 cf. p. 236, 9 et Verg. Aen. V 368 sqq.   17 cf. Catonem apud Cic. Lael.
90 (Catonis dicta memorabilia n. 69 Iordan)

  1 uoluntate—4 nequeas *om.* $\mathfrak{P}FL\zeta^2DMC$ culpans (n *in ras. 2 litt.* m2) B
culpas ζ^1 3 beneuolo A   arguens A arguas B   etiam—delicto *om.* B   quem ç
4 aut—nequeas *om. etiam* Aζ^1; *haec uerba, quae in B exstant, Goldbach. in suis
codd. non inuenit* abicere *uel* adicere ç abici B   5 uid. al. $\mathfrak{P}L\zeta^2DMCB$ uidetur
aliud F   dum—habet *in mg.* m2B   6 aliud abs te Lζ^2DMCB ueritas $\mathfrak{P}$
nam et ego $\mathfrak{P}FL\zeta^2DMC,B$ (et s.l.m2)   7 repreh. tuam B   grat.—13 corrept.
om. $\mathfrak{P}FL\zeta^2DMC$ piissime B   si s.l.A,Bm2   reprehendo ζ^1 8 potest AB
non potest ζ^1 9 meam s.l.m2B   gradus A   10 alio] aliud A alio (*seq.
ras. 2—3 litt.*) B   11 fortasse (*seq. ras. 3—4 litt.*) ζ^1 dira (d *in ras.* m2) Ba.c.m2
13 tuam corr. (*seq. ras. 1—2 litt.*) B   14 tuam *om.* $\mathfrak{P}$ si tranq. $\mathfrak{P}$ si tran-
quillius FLζ^2DMC accipero $\zeta^2D,AMa.c.$ delebo $\mathfrak{P}A\zeta^2D$ si uero—contr.
om. $\mathfrak{P}FL\zeta^2DMC$ 15 *pr.* uel] uelut ζ^1 *alt.* uel *om.* ç   arguitur B   no ?
potest s.l.m2B   nisi] non ç   16 cum] dum $\mathfrak{P}\zeta^1B$ 17 quam *in ras.* m2B
nam $\mathfrak{P}FL\zeta^2DMC$ compatitur C   et non ç   18 utdiligiores $\mathfrak{P}$ iungantes ζ^1
obiurgantes ç   19 obi. met.] obiurgarem et uentus ζ^2 obiugare B   enim]
autem F   20 exibent Aa.c.B exibe in C

iustitiae libertatem, dum amicitiae timent exasperare dulcedinem.
3 quapropter etsi bos, ut tibi uideris, lassus senectute forte corporis,
non uigore animi tamen, in area dominica fructuoso labore desudans, ecce sum: si quid perperam dixi, fortius fige pedem. non
mihi esse debet molestum pondus aetatis tuae, dum conteratur 5
palea culpae meae.

5. Proinde illud, quod in extremo epistulae tuae posuisti,
cum magni desiderii suspirio uel lego uel recolo. u t i n a m, inquis,
m e r e r e m u r c o m p l e x u s t u o s e t c o n l a t i o n e m u-
t u a u e l d o c e r e m u s a l i q u a u e l d i s c e r e m u s! ego 10
autem dico: utinam saltem propinquis terrarum locis habitaremus,
ut, si non possunt misceri nostra conloquia, litterae possent esse
2 crebriores! nunc uero tanto locorum interuallo absumus a sensibus
nostris, ut de illis uerbis apostoli ad Galatas iuuenem me ad tuam
sanctitatem scripsisse meminerim et ecce iam senex nondum 15
rescripta meruerim faciliusque ad te exemplaria epistulae meae
peruenerint nescio qua occasione praeueniente quam ipsa epistula
me curante. homo enim, qui eam tunc acceperat, nec ad te pertulit
nec ad me retulit. tantae mihi autem in litteris tuis, quae in manus
nostras uenire potuerunt, apparent litterae, ut nihil studiorum 20
3 meorum mallem, si possem, quam inhaerere lateri tuo. quod ego
quia non possum, aliquem nostrorum in domino filiorum erudiendum

2 cf. p. 236, 10   4 cf. ibidem   8 = p. 236, 11—12   14 cf. epist. LVI
c. 3—4

1 amicitia tīm C amititiae timenus (sic) ʒ²   2 etsi] add. forte ç   ut tibi] uel
ubi C   forte om. ç   3 fructuosa Lʒ¹ . desudas ℔   4 adsum ç   non] nam B   5 debet
esse FL   dum Aʒ¹ dummodo cet.   cont] cum cetera tamen L conteratur cum
cetera tunc F   8 magno AFC,Ma.c.   desiderio A,Fp.c ,MCa.c. desideriis
Cp.c.   suspiro AFLC   inquis Aʒ¹B, om. cet.   9 mereremus L meremur ʒ¹
amplexus (ex — xos AF) AFLDMCB amplexos ʒ²   collectione B   mutui B
11 saltim AB   12 pr. possent Mp.c. possint B possī C   alt. possint Aʒ²B   13 tai -
tum A tanta ʒ²   absumus (b in ras.) L adsumus Da.c m2   assensibus ʒ² ascensi-
bus (c exp.) B   14 apostolo ʒ¹   15 ecce iam] etiam FL   senes FL senet ʒ²
necdum ç   16 a ʒ²   exemplario D   17 proueniente ℔Aʒ¹,Ba.c.m2 per-
ueniente F   18 acciperat AMa.c.   a ʒ²   pertulerit ʒ¹   19 retulerit ʒ¹
autem mihi ç enim mihi Fʒ²DMC   pr. in om. C   quae in] quem ʒ²   20 peruenire ç   litterae Aʒ¹ res (in ras. 7 litt. m2B) cet.   21 malle B   possim A
umquam C   latere ℔ litteri C   ergo F   22 possunt F sum A

nobis ad te mittere cogito, si etiam de hac re tua rescripta meruero.
nam neque in me tantum scientiae scripturarum diuinarum est
aut esse iam poterit, quantum inesse tibi uideo, et, si quid in hac
re habeo facultatis, utcumque inpendo populo dei. uacare autem
5 studiosis diligentius, quam populi audiunt, instruendis propter
ecclesiasticas occupationes omnino non possum.
  6. Nescio qua scripta maledica super tuo nomine ad Africam
peruenisse nescimus. accepimus tamen, quod dignatus es mittere
illis respondens maledictis. quo perlecto, fateor, multum dolui
10 inter tam caras familiaresque personas cunctis paene ecclesiis
notissimo amicitiae uinculo copulatas tantum malum extitisse
discordiae. et tu quidem quantum tibi modereris quantumque
teneas aculeos indignationis tuae, ne reddas maledictum pro
maledicto, satis in tuis litteris eminet. uerum tamen, si, eas ipsas 2
15 cum legissem, contabui dolore et obrigui timore, quid de me illa
facerent, quae in te scripsit, si in manus meas forte uenissent?
uae mundo ab scandalis! ecce fit, ecce prorsus inpletur, quod ueritas ait: quoniam abundabit iniquitas, refrigescet caritas multorum. quae sibi
20 enim iam fida pectora tuto refundantur? in cuius sensus tota
se proiciat secura dilectio? quis denique amicus non formidetur 3

17 Matth. 18, 7   18 *Matth. 24, 12

1 at $_3{}^2$ cogita $\mathfrak{P}$ hac de re B de ha(*seq. ras.*)re D de hoc re $\mathfrak{P}$ tua
om. $_3{}^1$ scripta $F_3{}^1C$ 2 tante $\mathfrak{P}$ diu. scr. ς 3 quam $\mathfrak{P}$ et] ut L
hac] ac L 4 ut cum pendo F inpendio $_3{}^2$ uocare $Ma.c.m2B$ 5 studiosis
$A_3{}^1$ studiis *cet.*   quam quae ς populi *ex* populo dei F instruendi $Bp.c.\varsigma$
6 ecclesiasticis C occasiones $\mathfrak{P}$ possunt F 7 quae FMC que $\mathfrak{P}_3{}^2D$
maledicam $Fa.c.$ 8 peru. nesc. AB peru. audiuimus $\mathfrak{P}L_3{}^1$ peruenerunt $F_3{}^2MC$
peruenerint D quod] quid $\mathfrak{P}$ quoniam L 9 maledictus $_3{}^2$ quod FC
10 tam *om.* A aecclesiae $\mathfrak{P}$ 11 notissimo $A_3{}^1, Mp.c\ m2$—mae (me) *cet.*
copulatis C 12 tu] ut F, *om.* C 13 acculeos B aculos $_3{}^1$ 14 si $\mathfrak{P}\mathfrak{y}A_3{}^1$,
om. cet.   15 et obr. tim. *om.* (*s.l.m2* et obrigui dolore)$_3{}^2$ timorem $\mathfrak{P}$ tumore C
quid *ex* qui F 16 ille scripsit $\mathfrak{P}L_3{}^2DMC, B$ (*ex* scripsit ille) illa scripsit F *alt.* in
s.l.B   meas *om.* $_3{}^2MC$ 17 inpletur] inuenitur A 18 abundauit $\mathfrak{y}_3{}^1$ habundauit
$FLDMCB$ 19 refrigescit $\mathfrak{P}\mathfrak{y}FL_3{}^1_3{}^2DMCB, Ap.c.m2$ quae sibi] quaesiui (*alt.*
u *ex ras., s.l.m2* ł quo M) $F_3{}^2DM$ enim sibi $\mathfrak{P}$ 20 iam quo M fida *ex* fidei $_3{}^1$
tuto (toto $F_3{}^2C$)ore (o *eras.* M) fundantur $F_3{}^2MC$ tutore fundantur L toto $_3{}^1$
refundu(*ex* o)ntur D ; *add.* affecta $\mathfrak{P}$ cuius sensus] quibus sensibus $\mathfrak{y}A$ cuius
sinum *coni. Erasmus*   toto $FL_3{}^2D$ tuta C tuto $\mathfrak{P}MB$

quasi futurus inimicus, si potuit inter Hieronymum et Rufinum
hoc, quod plangimus, exoriri? o misera et miseranda condicio,
o infida in uoluntatibus amicorum scientia praesentium, ubi nulla
est praescientia futurorum! sed quid hoc alteri de altero gemendum
putem, quando ne ipse quidem sibi homo est notus in posterum? 5
nouit enim utcumque — uix forte —, nunc qualis sit; qualis autem
postea sit futurus, ignorat.

7. Haec porro non tantum scientia, qualis quisque sit, uerum
etiam praescientia, qualis futurus sit, si est in sanctis et beatis angelis, quomodo fuerit diabolus beatus aliquando, cum adhuc angelus 10
bonus esset, sciens futuram iniquitatem suam et sempiternum supplicium, omnino non uideo. de qua re, si tamen eam nosse opus est,
uellem audire, quid sentias. uide, quid faciant terrae ac maria, quae
nos corporaliter dirimunt. si haec epistula mea, quam legis, ego
essem, iam mihi diceres, quod quaesiui; nunc uero quando rescribes? 15
2 quando mittes? quando perueniet? quando accipiam? et tamen utinam quandoque fiat, quod tam cito fieri non posse, quam uolumus,
quanta possumus, tolerantia sustinemus! unde recurro ad illa uerba
epistulae tuae dulcissima sanctique desiderii plenissima et ea facio
uicissim mea: utinam mereremur complexus tuos 20
et conlatione mutua uel doceremus aliqua uel
disceremus, si tamen esse ullo modo posset, quod ego te
docerem!

8. In his autem uerbis non iam tuis tantum, sed etiam meis
ubi delector et reficior et ipso quamuis pendente et non adtingente 25

---

20 = p. 236, 11—12

3 o] p̄ ʒ²   uolū*tat. *L* uoluptat. *B*   praesentia *Ca.c.*   4 praesentia *FL,Ma.c.m2*   de] ab *ex* ad *F*   5 ne ℬℌ*A* nec *cet.*   notus (*ex* natus)
est *M*   7 fut. sit ʒ¹   8 sit] sic ʒ²   9 praesentia ʒ²   et in beatis *B*   10 et
quomodo ς   diab. beatus *Aʒ*¹ beatus diab. (beatus dia *in ras. m2B*) *cet.*   bon.
ang. ς   11 esse *C* esset et ʒ¹   12 tamen non *F*   ea ℬ*D*   13 abs te audire ς
terra *F*   hac ℬ has *C*   14 corp. *Aʒ*¹,*Mp.c.m2* temporaliter *cet.*   15 mihi
om. FL   quid ℬ   quesiuit *F*   rescribis ℌ*Aʒ*¹ʒ²,*Fa.c.m2*   16 mittis ℌ*Aʒ*¹,
Fa.c.m2   peruenit ℌ*Aʒ*¹ perueniam *Ma.c.m2*   17 quandoque ℌ*Aʒ*¹*B* quando-
cumque *cet.*   fiet *FL*   quod] *add.* quia *s.l.B*   tamen ℬ   potest *B*   18 recurro ℌ*Aʒ*¹,*Mp.c.m2* curro *B* decurro *cet.*   19 desideri *Ma.c.; add.* tui ς   ea]
e*a ℬ eo ʒ²,*Ma.c.* ego *ex* ēo *m2D*   20 meam *D* ea ℬ, *om. A*   conplexos *AFa.c.m2*
21 aliquid *A*   22 disseremus ʒ¹   tamen] non *F*   ullo esse *FL*   24 tantum
tuis *A*   tuis *in ras.* 5—6 *litt. B*

utriusque nostrum desiderio non parua ex parte consolor, ibi rursus
acerrimis doloris stimulis fodior, dum cogito inter uos, quibus deus
hoc ipsum, quod uterque nostrum optauit, largum prolixumque
concesserat, ut coniunctissimi et familiarissimi mella scripturarum
5 sanctarum pariter lamberetis, tantae amaritudinis inrepsisse per-
niciem quando non, ubi non, cui non homini formidandam, cum
eo tempore, quo abiectis iam sarcinis saecularibus iam expediti
dominum sequebamini et in ea terra uiuebatis simul, in qua dominus humanis pedibus ambulans: p a c e m m e a m, inquit, d o
10 u o b i s, p a c e m m e a m r e l i n q u o u o b i s, uiris aetate
maturis et in eloquio domini habitantibus uobis accidere potuit.
uere t e m p t a t i o e s t u i t a h u m a n a s u p e r t e r r a m. 2
ei mihi, qui uos alicubi simul inuenire non possum! forte, ut moueor,
ut doleo, ut. timeo, prociderem ad pedes uestros, flerem, quantum
15 ualerem, rogarem, quantum amarem, nunc unumquemque uestrum
pro se ipso, nunc utrumque pro alterutro et pro aliis ac maxime
infirmis, pro quibus Christus mortuus est, qui uos tamquam in
theatro uitae huius cum magno sui periculo spectant, ne de uobis
ea conscribendo spargatis, quae quoniam concordantes delere non
20 poteriuis, concordare nolitis aut quae concordes legere timeatis,
ne iterum litigetis.

9. Uerum dico caritati tuae nihil me magis quam hoc exemplum

---

9 *Ioh. 14, 27   12 *Hiob 7, 1   17 cf. I Cor. 8, 11

1 nostro *AFL*   ubi $\mathfrak{z}^1DC$ rursum ς 2 acerrimi $\mathfrak{y}\mathfrak{z}^2DMC$ dolorum $\mathfrak{z}^1$
dolores *F*   stim.—4 coniunct. *om. L*   deus] uos *F*   3 ipsud $\mathfrak{y}$ quo $F\mathfrak{z}^2D,Ma.c.$
utrumque *A*   nostrum *om. B* (*s.l.m2* uestrum) uestrum *M*   op(b $\mathfrak{P}$)tabit
$\mathfrak{P}F\mathfrak{z}^2C,Ma.c.$ obtabat *ex* obtauit *m2B*   larigum $\mathfrak{z}^2$ 5 lamberemus *A,Ca.c.*
lamberetis sic $\mathfrak{P}L\mathfrak{z}^2DCB,Ma.r.$ lamberetis sit *F*   6 cui] nocui *L*   non *in ras.*
m2B   formidandum *AC*   7 quod $\mathfrak{P}A,Ma.r.Ba.c.m2$ qui *L*   abietis Fabiec-
tus $\mathfrak{z}^2$ *pr.* iam *om. A*   experitis $\mathfrak{P}$ 8 *pr.* in $\mathfrak{P}A\mathfrak{z}^1B,Mp.c.m2$, *om. cet.* uide-
batis *A* bibebatis $\mathfrak{P}$ uiuatis $FL\mathfrak{z}^2D,Ma.c.m2$ 9 ambulauit $\mathfrak{z}^2$ inquit meam ς
10 ae(e)tatem $\mathfrak{z}^2,Da.r.$ 11 eloquia *A*   accedere $\mathfrak{z}^2FLDC,Ma.c.m2$ 12 hu-
manam $\mathfrak{z}^2$ 13 ei $A\mathfrak{z}^1$ eu $\mathfrak{P}FL$ heu *cet.*   sim. alic. ς alicui $\mathfrak{P}$ possunt *F*
mouear *D*   14 procederem $A\mathfrak{z}^2C$ procedere *F*   15 nunc] num *A*   uestrum
om. A   16 ipsum $\mathfrak{z}^2$ alterutrum $\mathfrak{z}^2$ hac $\mathfrak{P}C$ 18 spectant $\mathfrak{z}^1,Mp.c.m2$
expectant *cet.*   19 conscribendos *FL*   quae *s.l.B*   quoniam] quando *F*
quandoque $\mathfrak{z}^2DMCB$ delere *om.* $\mathfrak{P}$ 20 poter.] *add.* qui nunc $\mathfrak{z}^2FDMC$ qui
modo *B*   autque *FLD* atque $\mathfrak{z}^1B$ 21 ne] et *A*   22 exemplo *AC*

tremuisse, cum quaedam ad me in epistula tua legerem tuae indignationis indicia, non tam illa de Entello et de boue lasso, ubi
mihi hilariter iocari quam iracunde minari uisus es, quam illud,
quod serio te scripsisse satis apparet — unde supra locutus sum plus
fortasse, quam debui, sed non plus, quam timui —, ubi aisti: n e 5
2 f o r t e l a e s u s i u s t e e x p o s t u l a r e s. rogo te, si fieri
potest, ut inter nos quaeramus et disseramus aliquid, quo sine
amaritudine discordiae corda nostra pascantur, fiat; si autem non
possum dicere, quid mihi emendandum uideatur in scriptis tuis,
nec tu in meis nisi cum suspicione inuidiae aut laesione amicitiae, 10
quiescamus ab his et nostrae uitae salutique parcamus. minus
certe adsequatur illa, quae inflat, dum non offendatur illa, quae
3 aedificat. ego me longe esse sentio ab illa perfectione, de qua
scriptum est: s i q u i s i n u e r b o n o n o f f e n d i t, h i c
p e r f e c t u s e s t u i r. sed plane in dei misericordia puto me 15
posse facile abs te petere ueniam, si quid offendi, quod mihi aperire
debes, ut, cum te audiero, lucreris fratrem tuum. neque enim, quia
hoc propter longinquitatem terrarum non potes facere inter me
4 et te, propterea debes sinere errare me. prorsus, quod ad ipsas res,
quas nosse uolumus, adtinet, si quid ueri me tenere uel scio uel 20
credo uel puto, in quo tu aliter sentis, quantum dat dominus, sine
tua iniuria conabor adserere. quod autem pertinet ad offensionem

2 cf. p. 236, 9—10   5 = p. 235, 9—10   12 cf. I Cor. 8, 1   14 Iac. 3, 2
17 cf. Matth. 18, 15

1 dignationis *A*   2 initia *A* (*ex* indigia) *B*   tamen 𝔓 tantum *FL*
illo ₃²*DC;Ma.c.*   detentello 𝔓   *alt.* de *om.* ϛ   3 mihi potius ϛ   tam(*del.*)
hylariter *B* ilater ₃²ˈ   iocari (*add. s. l.* potius *m2*) *B* conlocari 𝔓   quam *s.l.m2B*
mirari *C*   est (t *exp.*) *A*   4 quod] quam ₃²; *add.* tam iteratum (*utrumque del.*) *B*
sermo *C* serie *A*   elocutus ϛ   5 portasse 𝔓   asti ne *Aa.c.* aiste ne *FC* agiste
ne 𝔓 ais tene *L₃²D*   7 uos ₃²   disperamus *FLa.c.m2* disputemus *Lp.c m2*
quos in ea maritudis ₃²   8 amaritudinis *DC*   disc.] animi *A*   fiat *exp.*
m2B   9 possumus *C*   quod 𝔓*A*   scripturis 𝔓   10 tu *om. C*   11 salutisque ₃²*p.c.* salutisque nisi cum suspicione (*ras.* 7—8 *litt.*) salutis qua (que *m2*) *F*
12 instat ₃¹   dum modo 𝔓   ista 𝔓   13 ego me] egomet *F*   14 est *om.* ₃¹
in *om.* 𝔓   16 petere] preter 𝔓   17 te *om. B*   lucratus sis *ex* lucresis *m2L*
qui ₃²   18 longinquitata ē *B* longitudinem ₃²   potest 𝔓*FLDC, AM Ba.c.* (*s.l m2*
ł non potest fieri *M*)   19 quod *om. C*   ab ₃¹   20 attinet ε d offensionem tuam *F*
si] et si ₃¹   quit ₃² quidem 𝔓   uere *FL*   22 conabatur 𝔓   asserere *ex* esserere *A*,
ex serere 𝔓

tuam, cum te indignatum sensero, nih^il aliud quam ueniam
deprecabor.

10. Nec omnino arbitror te suscensere potuisse, nisi aut hoc
dicerem, quod non deb.ii, aut non sic dicerem, ut debui, quia nec
5 miror minus nos scire inuicem, quam scimur a coniunctissimis et
familiarissimis nostris. in quorum ego caritatem, fateor, facile me
totum proicio praesertim fatigatum scandalis saeculi et in ea sine
ulla sollicitudine requiesco. deum quippe illic esse sentio, in quem
me securus proicio et in quo securus requiesco. nec in hac mea secu- 2
10 ritate crastinum illud humanae fragilitatis incertum, de quo superius gemui, omnino formido. cum enim hominem Christiana
caritate flagrantem eaque mihi fidelem amicum factum esse sentio,
quicquid ei consiliorum meorum cogitationumque committo, non
homini committo, sed illi, in quo manet, ut talis sit. d e u s enim
15 c a r i t a s e s t e t, q u i m a n e t i n c a r i t a t e, in deo
m a n e t; quem si deseruerit, tantum faciat necesse est dolorem,
quantum manens fecerat gaudium. uerum tamen ex amico intimo 3
factus inimicus quaerat sibi potius, quod fingat astutus, non inueniat, quod prodat iratus. hoc autem unusquisque facile adse-
20 quitur non occultando, quod fecerit, sed non faciendo, quod occultari uelit. quod misericordia dei bonis piisque concedit, ut inter
amicos quoslibet futuros liberi securique uersentur, aliena peccata
sibi commissa non prodant, quae prodi timeant, ipsi nulla com-
mittant. cum enim falsum quid a maledico fingitur, aut omnino

14 I Ioh. 4, 16

2 deprecabo $\mathfrak{P}$ 3 arbitrabor $\mathfrak{P}F\mathfrak{z}^2DMCB$ succensere B succedere F
4 ut] aut C 5 miror] minor A nos minus ς nos] non $\mathfrak{z}^2$ scire] se $\mathfrak{P}p.c.$ quam
s.l. A, om. L scimur $L\mathfrak{z}^1, Mp.c.m2$ sciremur $\mathfrak{P}$ scimus (bis F) cet.   6 karite $\mathfrak{P}$
fateor om. FL 7 proficio $\mathfrak{P}$ fatigatis $\mathfrak{P}$ scandala C eo F 8 deum]
dum ς illi F 9 et om. B in om. $\mathfrak{z}^2DM$ nec om. $\mathfrak{z}^2$ ne L hac ex ac FL
10 illud om. $\mathfrak{z}^1$ 11 ingemui AB omnino r.on A xpianam caritatem F
12 flaglante $\mathfrak{P}$ ea quae $A\mathfrak{z}^1$ atque $FL\mathfrak{z}^2DM$ adque C 13 non hom. com.
s.l. B, om. A 15 manet] add. et deus in eo B 16 quam ς facit $\mathfrak{P}$
est om. C 18 querens $\mathfrak{P}$ fringat $\mathfrak{z}^2$ 19 perdat FL hoc] huius $\mathfrak{z}^2$ autem
iram L 20 occultari $A\mathfrak{z}^1$—re cet.   21 quod si ς 22 inimicos $\mathfrak{z}^1, Mp.c.m2$ quodlibet $\mathfrak{P}AFL$ uersantur (ex—atur $\mathfrak{z}^2$) $F\mathfrak{z}^2D, Ma.c.$ 23 commissas F probant $\mathfrak{z}^1$
timent $\mathfrak{P}L\mathfrak{z}^2DC, MBa.c.m2$ timet F comittant A commitant B 24 quid]
quidam $FL\mathfrak{z}^2, Ma.r.$ quiddam C a om. FL

non creditur aut certè integra salute sola fama uexatur; quod autem malum perpetratur, hostis est intimus, etiam si nullius intimi
4 loquacitate aut lite uulgetur. quapropter quis prudentium non uideat, etiam tu quam tolerabiliter feras amicissimi quondam et familiarissimi incredibiles nunc inimicitias consolante conscientia et quem ad modum, uel quod iactitat uel quod a quibusdam forsitan creditur, in sinistris armis deputes, quibus non minus quam dextris contra diabolum dimicatur? uerum tamen illum maluerim aliquo modo mitiorem quam te isto modo armatiorem. hoc magnum et triste miraculum est ex amicitiis talibus ad has inimicitias peruenisse. laetum erit et multo maius ex inimicitiis talibus ad pristinam concordiam reuertisse.

CXI.

EPISTULA AUGUSTINI AD PRAESIDIUM.

Domino beatissimo et merito uenerando fratri et consacerdoti Praesidio Augustinus in domino salutem.

Sicut praesens rogaui sinceritatem tuam, nunc quoque commoneo, ut litteras meas sancto fratri et conpresbytero nostro Hiero-

7 cf. II Cor. 6, 7

1 inte integra $\mathfrak{z}^1$ 2 intimi] intimus $\mathfrak{z}^2$ 3 late *L* quis *om.* *C* qui *F* 4 condam 𝔓*A* quandam $FL\mathfrak{z}^2D$ 5 incredebiliter *F* 6 iactitat] iactet (*ex* iactit *m2*) ut *A* 7 reputes *A* 8 qui illum $𝔓\mathfrak{z}^1$, *Ba.r.* 9 te *om.* *F* et *om.* *A* 10 inim.] amicitias *C* 11 maius] magis *FM* inim. *om.* $\mathfrak{z}^1$ ad *ex* et *C*

𝔓 = *Escorialensis & I. 14 s. VIII—IX.*
A = *Berolinensis lat. 17 s. IX.*
F = *Veronensis XVI. 14 s. IX.*
L = *Coloniensis 35 s. IX.*
𝔷 = *Parisinus 12163 s. IX.*
D = *Vaticanus lat. 355+356 s. IX—X.*
M = *Coloniensis 60 s. IX—X.*
C = *Vaticanus lat. 5762 s. X.*

Haec epistula est inter Augustini epistulas LXXIV (p. 279 Goldbacher); de titulo cf. adnot. ad epist. LXVII

15 dom.] *add.* et *F* 17 sicut *ex* si ut *F* si con *L* rogauit *Fa.c.* commone 𝔷 18 ut *om.* 𝔷

nymo mittere non graueris. ut autem nouerit caritas tua, quem
ad modum etiam tu illi pro mea causa scribere debeas, misi exemplaria litterarum et mearum ad ipsum et ad me ipsius. quibus lectis
pro tua sancta prudentia facile uidebis et modum meum, quem ser-
5 uandum putaui, et motum eius, quem non frustra timui. aut si
ego, quod non debui, uel, quo modo non debui, aliquid scripsi, non
ad illum de me, sed ad me ipsum potius fraterna dilectione mitte
sermonem, quo correctus petam, ut ignoscat, si meam culpam ipse
cognouero.

10   CXII.

                       AD AUGUSTINUM.

Domino uere sancto et beatissimo papae Augustino Hieronymus.

    1. Tres simul epistulas, immo libellos, per diaconum Cypria-
num tuae dignationis accepi diuersas, ut tu nominas, quaestiones,
15 ut ego sentio, reprehensiones meorum opusculorum continentes.
ad quas si respondere uoluero, libri magnitudine opus erit. tamen 2
conabor, quantum facere possum, modum non egredi epistulae
longioris et festinanti fratri moram non facere, qui ante triduum,

---

1 mittere *om.* ₃   non *ex* con *A*   tua] uestra *D*   4 uideas ₃   que *F*
seruabi dum ℬ   5 putauit *Fa.c.*   motum] tum ₃   que *D*   timuit *Fa.r.*
6 debuit *Fa.r.*   uel—debui ₃, *M in mg. m2, om. cet.*   uel] aut ς   7 *alt.* ad] a *C*
fraternam ₃   8 correptus *F*

ℬ = *Escorialensis & I. 14 s. VIII—IX.*
F = *Veronensis XVI. 14 s. IX.*
L = *Coloniensis 35 s. IX.*
₃ = *Parisinus 12163 s. IX.*
D = *Vaticanus lat. 355+356 s. IX—X.*
M = *Coloniensis 60 s. IX—X.*
B = *Berolinensis lat. 18 s. XII.*

Haec epistula est inter Augustini epistulas LXXV (p. 280 Goldbacher); de titulo
cf. adnot. ad epist. LXVII

---

12 Dom.—Hier. *eras. (seq.* : item hieronimi ad augustinum) *L, om. B*   ue-
reo *D* uero ℬ   et] ac ς   papa *D*   Hier.] *add.* in x̄po salutem ₃   13 simus ₃
lib.] *add.* breues ₃,*Bs.l.m2*   diaconem *B*   15 ut] et *L*   opusc. meor. ς
eorum ₃   16 magnitudinis *FLD,Ma.c.*   17 long. ep. ς

quam profecturus erat, a me epistulas flagitauit, ut paene in procinctu haec, qualiacumque sunt, effutire compellar et tumultuario
respondere sermone non maturitate scribentis, sed dictantis temeritate, quae plerumque non in doctrinam, sed in casum uertitur,
ut fortissimos quoque milites subita bella conturbant et ante co- 5
guntur fugere, quam possint arma corripere.

2. Ceterum nostra armatura Christus est et apostoli institutio,
qui scribit ad Ephesios: adsumite arma dei, ut possitis resistere in die malo, et rursus: state prae-
cincti lumbos uestros in ueritate et induti 10
loricam iustitiae et calciati pedes in prae-
paratione euangelii pacis super omnia acci-
pientes scutum fidei, in quo possitis uniuersa
tela maligni ignita extinguere, et galeam
salutis accipite et gladium spiritus, quod 15
2 est uerbum dei. his quondam telis rex Dauid armatus pro-
cedebat ad proelium et quinque lapides de torrente accipiens
leuigatos nihil asperitatis et sordium inter huius saeculi turbines
in sensibus suis esse monstrabat bibens de torrente in uia et idcirco
exaltatus caput superbissimum Goliam suo potissimum mucrone 20
truncauit percutiens in fronte blasphemum et in ea parte corporis
uulnerans, in qua et praesumptor sacerdotii Ozias lepra percutitur

---

8 *Eph. 6, 13   9 *Eph. 6, 14—17   17 cf. I Reg. 17, 40   19 cf. Ps.
109, 7   20 cf. I Reg. 17, 51   21 cf. I Reg. 17, 49   22 cf. II Par. 26, 19

1 a] e *D*   flagitabit ℘   ut] et ℘   procintu *F* (*ex*—to) ʒ (*ex* pro-
uintu)   2 sint *Mp.r.*   effutire (tire *in ras m2; fuisse uidetur* effundere) *B* effutare ʒ
effulcire ℘*LD,Fp.c Ma.c.*   compelleret ʒ compellerer ς   et *om.* ʒ   4 *alt.* in
om. ʒ   5 fortissimus *FMa.c.* fortis si nos ʒ   quosque *FLD,Ma.r.Ba.c.m2*
conturbent *Bp.c.*   5 cogantur *B*   6 fugire *FLa.c.,D*   possint (int *in ras.*) ʒ,
om. ℘*LDB,Ma.c.m2*   arripere *LB*   7 apost. ʒ apost. pauli *cet.*   9 rursus *Fʒ*
rursum *cet.*   succincti *Fʒ*   10 et *om.* ℘   induite *LʒB,Ma.c.m2* induete ℘
inditi *Fa.c.*   11 luricam *L* lorica *FDB* lurica *M*   calciate ℘ʒ calcitate *B* cal-
ceati ς   pedes uestros *B*   praeparationem *DM*   12 accip.] adsumentes *F*
14 galea ℘   15 salutaris ʒ   accipere *F,Ba.c.m2*   16 domini *L*   condam ℘*B*
arm. proc. *transp. post* leuig. ℘*LDMB*   17 et *exp. m2B*   18 nichil (*add.* que
s l.m2) *B*   turbidines *DM*   19 et *s.l. et eras. B, om.* ℘*LD,Ma.c.*   20 exal-
tauit *FLDB* exaltabit ℘   caput] *add.* et ℘*LDB*   goliad ʒ gloliae (*pr.* l *eras.*) *F*
Goliath ς   potissimo ℘*LD,Ma.c.m2*   21 truncabit ℘*L*   et in *om. F*

et sanctus gloriatur in domino dicens: s i g n a t u m   e s t s u p e r
n o s   l u m e n   u u l t u ś   t u i,   d o m i n e.   dicamus igitur et 3
nos: p a r a t u m   c o r   m e u m,   d e u s,   p a r a t u m   c o r
m e u m;   c a n t a b o   e t   p s a l l a m   i n   g l o r i a   m e a;
5 e x s u r g e   p s a l t e r i u m   e t   c i t h a r a,   e x s u r g a m d i-
l u c u l o, ut in nobis possit impleri: a p e r i   o s t u u m   e t e g o
i m p l e b o   i l l u d   et: d o m i n u s d a b i t u e r b u m   e u a n-
g e l i z a n t i b u s   u i r t u t e   m u l t a. te quoque ipsum orare 4
non dubito, ut inter nos contendentes ueritas superet. non
10 enim tuam quaeris gloriam, sed Christi, cumque tu uiceris, et
ego uincam, si meum errorem intellexero, et e contrario me
uincente tu superas, quia non filii parentibus, sed parentes
filiis thesaurizant. et in Paralipomenon libro legimus, quod filii
Israhel ad pugnandum processerint mente pacifica inter ipsos
15 quoque gladios et effusionem sanguinis et cadauera prostratorum
non suam, sed pacis uictoriam cogitantes. respondeamus igitur ad 5
omnia et multiplices quaestiones breui, si Christus iusserit, sermone
soluamus. praetermitto salutationes et officia, quibus meum demul-
ces caput, taceo de blanditiis, quibus reprehensionem mei niteris
20 consolari: ad ipsas causas ueniam.

3. Dicis accepisse te librum meum a quodam fratre, qui titulum non haberet, in quo scriptores ecclesiasticos tam Graecos
quam Latinos enumerauerim. cumque ab eo quaereres, ut tuis
uerbis utar, cur 'liminaris pagina' non esset inscripta uel quo cen-
25 seretur nomine, respondisse appellari Epitaphium. et argumen-

---

1 Ps. 4, 7   3 *Ps. 56, 8—9 et *Ps. 107, 2—3   6 *Ps. 80, 11   7 Ps.
67, 12   10 cf. Ioh. 7, 18   12 cf. II Cor. 12, 14   13 cf. I Par. 12, 17—18
21 cf. epist. LXVII 2

2 igitur F_3 ergo cet.   4 cantabo om. L   psallam] psalmum dicam B
in gloria tua 𝕭, om. B; add. exurge lumen 𝕭   6 nobis ex omnibus F   ego
om. F   7 adimplebo F   dauit D dauid 3   8 uirtutem multam (—ta 𝕭)
𝕭LD,Ma.r.   id ipsum F hoc ipsum ς   10 glor. queris 𝕭   quamque 𝕭
uinceris L   12 uicentem F   parentes] parentibus 3   13 pr. fili 𝕭   14 pro-
cesserunt F   pacificata B   15 effusione L_3D effusiones ς   16 paucis 3
respondemus 𝕭   17 et] ac DM hac L at 𝕭 ut B   si x̄p̄s̄ iuss. breui 𝕭 (brebi)
LDMB   18 salutationis LD,Mp.c.m2   et om. 𝕭LDM   officium ex officio L
meam 𝕭LDMB   19 tineris 3 inter is D   21 accipisse 3M,FLDa.c.   te om. 𝕭
23 quaeris L_3D,Ma.c.   24 paginis D   esse F   scripta 𝕭FLD,Ma.c.

taris, quod recte sic uocaretur, si eorum tantum uel uitas uel scripta
ibi legisses, qui iam defuncti essent; cùm uero multorum et eo
tempore, quo scribebatur, et nunc usque uiuentium ibi memoren-
2 tur opuscula, mirari te, cur ei hunc titulum inposuerim. puto intellegere prudentiam tuam, quod ex opere ipso titulum potueris 5
intellegere. legisti enim et Graecos et Latinos, qui uitas uirorum
inlustrium descripserunt, quod numquam Epitaphium huic operi
scripserint, sed De inlustribus uiris — uerbi gratia: ducibus, philosophis, oratoribus, historicis, poetis, epicis, tragicis, comicis —;
Epitaphium autem proprie scribitur mortuorum, quod quidem 10
in dormitione sanctae memoriae Nepotiani presbyteri olim fecisse
me noui. ergo hic liber uel De inlustribus uiris uel proprie De
scriptoribus ecclesiasticis appellandus est, licet a plerisque emenda-
toribus inperitis De auctoribus dicatur inscriptus.

4. Secundo loco quaeris, cur dixerim in commentariis epistulae 15
ad Galatas Paulum id in Petro non potuisse reprehendere, quod
ipse fecerat, nec in alio arguere simulationem, cuius ipse tenebatur
reus, et adseris reprehensionem apostolicam non fuisse dispensa-
toriam, sed ueram, et me non debere docere mendacium, sed uni-
2 uersa, quae scripta sunt, ita sonare, ut scripta sunt. ad quae pri- 20
mum respondeo debuisse prudentiam tuam praefatiunculae com-
mentariorum meorum meminisse dicentis ex persona mea: q u i d
i g i t u r? e g o   s t u l t u s   a u t   t e m e r a r i u s,   q u i   i d
p o l l i c e a r,   q u o d   i l l e   n o n   p o t u i t?   m i n i m e.   q u i n
p o t i u s   i n   e o   m i h i   u i d e o r   c a u t i o r   a t q u e   t i m i- 25
d i o r,   q u o d   i n b e c i l l i t a t e m   u i r i u m   m e a r u m

---

15 cf. epist. LXVII 3   22—371, 22 = Hieron. in Pauli ep. ad Gal. prol.
(XXVI 308 M)

1 sic] sim 𝔅 si D   uita 𝔅LB   3 quod Fa.c.B   scribebantur 𝔅D,
MBa.c.   uincentium ʒ   ibi om. ʒ   commemorarentur 𝔅LMB commora-
rentur D commemorentur ς   4 miraris B   te exp. m2B   ei om. F   5 poteris B   6 pr. et om. F   7 discr. L   huic op. scr.] titulum indiderint ς
operis ʒ   8 scripserunt 𝔅 inscripserit (sic) F   9 ystoricis B sthoicis F   epicis]
ethicis Bp.c.m2 heroicis F; add. fisicis s.l.m2B   traicis B   10 quidam 𝔅
11 olim om. Fʒ   14 actoribus D   15 in secundo Fʒ secundum ς   17 cuius]
cum ʒ   19 non om. L   20 adque M atque LʒD,Fp.c.m2   21 respondere 𝔅
debere LDMB, om. 𝔅   23 qui id] quid id F quid LʒD,Ma.c.   25 ut mihi LD,
Ma.r.Bp.c.m3   atque] aut 𝔅   26 mearum] add. mea F

sentiens Origenis commentarios sum secutus.
scripsit enim ille uir in epistulam Pauli ad 3
Galatas quinque proprie uolumina et decimum Stromatum suorum librum commatico
5 super explanatione eius sermone conpleuit:
tractatus quoque uarios et excerpta, quae
uel sola possent sufficere, conposuit. prae- 4
termitto Didymum uidentem meum et Laodi-
cenum de ecclesia nuper egressum et Alexan-
10 drum, ueterem hereticum, Eusebium quoque
Emisenum et Theodorum Heracleotem, qui et
ipsi nonnullos super hac re commentarios
reliquerunt. e quibus uel si pauca decerperem,
fieret aliquid, quod non penitus contemnere-
5 tur. et, ut simpliciter fatear, legi haec omnia 5
et in mente mea plurima coaceruans accito
notario uel mea uel aliena dictaui nec ordinis nec uerborum interdum nec sensuum memor. iam domini misericordiae est, ne per in-
0 peritiam nostram ab aliis bene dicta dispe-
reant et non placeant inter extraneos, quae
placent inter suos. si quid igitur reprehensione dignum 6
putaueras in explanatione nostra, eruditionis tuae fuerat quaerere,
utrum ea, quae scripsimus, haberentur in Graecis, ut, si illi non
5 dixissent, tunc meam proprie sententiam condemnares, praesertim
cum libere in praefatione confessus sim Origenis commentarios me
secutum et uel mea uel aliena dictasse et in fine eiusdem capituli,

1 sec. sum ç   2 epistu(o)lam 𝔓F-la *cet.*   3 quinque] *cf. Engelbrechtii
suspicionem de numero XV in epist. XXXIII 4, 5 (uol. I 257, 2)*   propria *FB,
Ma.c.m2*   4 Stromateon ç   conmaticon *F*   5 explanationem *LDMB*   7 possint
D,Ma.c. possunt *F*   8 laodecenum ӡ laudicenum *LDB,Ma.c.* laudiceno *Fa.c.*
9 alexandrinum *F*   10 ueterum *L*   11 emesenum ӡ   eracleoten *B*   12 ipse *L*
ɛc *L*   commentariolos 𝔓   13 si uel ç   discerperem 𝔓   14 penitus non 𝔓
non *s.l.m2B*, *om. LD*   contempserunt *F*   15 et *Fӡ* itaque *cet.*   fateor *L*
legi *om. F*   16 mente me ӡ mentem meam 𝔓*LDB,FMa.c.*   plurimum *F*
quoaceruans 𝔓 coacerbuans ӡ   acito 𝔓   17 dictauit *Fa.r.*   18 sensu *L*
memor iam] memoriam *D,B* (iam *exp.*) memoria *Fӡ*   19 dom. enim *B*   misericordia *L*   23 nostra] nam *L*   26 sum 𝔓   origenes *L*   27 secutum *Fӡ* esse
secutum *cet.*   *pr. et om. F*   dicta esse ӡ   finem 𝔓*FLDB,Ma.r.*

quod reprehendis, scripserim: si cui iste non placet
sensus, quo nec Petrus peccasse nec Paulus
procaciter ostenditur arguisse maiorem, debet
exponere, qua consequentia Paulus in altero
reprehendat, quod ipse commisit. ex quo ostendi 5
me non ex definito id defendere, quod in Graecis legeram, sed ea
expressisse, quae legeram, ut lectoris arbitrio derelinquerem, utrum
probanda essent an inprobanda.

5. Tu igitur, ne, quod ego petieram, faceres, nouum argumentum repperisti, ut adsereres gentiles, qui in Christum credidissent, 10
legis onere liberos, eos autem, qui ex Iudaeis crederent, legi esse
subiectos, ut per utrorumque personam et Paulus recte repre-
henderet eos, qui legem seruarent, quasi doctor gentium et Petrus
iure reprehenderetur, qui princeps circumcisionis id imperauerit
2 gentibus, quod soli, qui ex Iudaeis erant, debuerint obseruare. hoc 15
si placet, immo quia placet, ut, quicumque credunt ex Iudaeis, debi-
tores sint legis faciendae, tu ut episcopus in toto orbe notissimus debes
hanc promulgare sententiam et in adsensum tuum omnes coepi-
scopos trahere; ego in paruo tuguriunculo cum monachis, id est
conpeccatoribus meis, de magnis statuere non audeo, nisi hoc ingenue 20
confiteri, me maiorum scripta legere et in commentariis secundum
omnium consuetudinem uarias ponere explanationes, ut e multis
sequatur unusquisque, quod uelit. quod quidem puto te et in saecu-
lari litteratura et in diuinis libris legisse et probasse.

6. Hanc autem expositionem, quam primus Origenes in decimo 25
Stromatum libro, ubi epistulam Pauli ad Galatas interpretatur,
et ceteri deinceps interpretes sunt secuti, illa uel maxime causa

1—5 = Hieron. in Pauli ep. ad Gal. I 2, 14 (XXVI 342 M)   12 cf.
Gal. 2, 7—8   13 cf. I Tim. 2, 7   16 cf. Gal. 5, 3

1 reprehendi *L*   scripseram *F*   2 quod *L*   3 debes *B*   4 que *D*   5 reprehendere *D*   ipse—quod *om. D*   6 legerem *L*   ea expr.] expressis ea *B*   7 ut in *F*
9 igitur tu 𝔓   petebam 𝔓   non faceres *F*₃   10 xpo *F*   11 libros ₃ liberatos *F*
legis *F*₃   12 sublectos 𝔓   pro *L, Ma.r.*   utrarumque *LD, Ma.c.*   persona *L*
14 imperauit *D, Ma.c.* imperabit *L*   15 gentilibus *LDM, Ba.c.*   debuere *ex*
debuerent *F*   17 sunt ₃   ut] et *L*   18 in *om.* ₃   episcopos *F*   19 tuguriolo ς
20 cum peccatoribus *FLDMB* cum copeccatoribus (*sic*) 𝔓   ingraue ₃   21 con-
fieri ₃   malorum *L*   legerem *D*   23 te puto *codd. praeter F*₃   25 explanationem *codd. praeter F*₃   origenis 𝔓₃, *FMp.c.m*2   26 libro stromatum *D*   Stromateon ς   epistola *F*   27 illam 𝔓*B*   maxima ₃   causam 𝔓*B* causas ₃

subintroducunt, ut Porphyrio respondeant blasphemanti, qui
Pauli arguit procacitatem, quod principem apostolorum Petrum
ausus sit reprehendere et arguere in faciem ac ratione con-
stringere, quod male fecerit, id est in eo errore fuerit, in
5 quo fuit ipse, qui alium arguit delinquentem. quid dicam de 2
Iohanne, qui dudum in pontificali gradu Constantinopolitanam
rexit ecclesiam et proprie super hoc capitulo latissimum exarauit
librum, in quo Origenis et ueterum sententiam est secutus? si
igitur me reprehendis errantem, patere me, quaeso, errare cum
10 talibus et, cum me erroris mei multos socios habere perspexeris,
tu ueritatis tuae saltem unum adstipulatorem proferre debebis.
haec de explanatione unius capituli epistulae ad Galatas.

7. Sed ne uidear aduersus rationem tuam niti testium
numero et occasione uirorum inlustrium subterfugere ueritatem
15 nec manum audere conserere, breuiter de scripturis exempla
proponam. in Actibus apostolorum uox facta est ad Petrum
dicens: surge, Petre, occide et manduca, id est
omnia animalia quadrupedum et serpentium terrae et
uolatilium caeli. quo dicto ostenditur nullum hominem
20 secundum naturam esse pollutum, sed aequaliter omnes ad
Christi euangelium prouocari. ad quod Petrus respondit: absit, 2
quia numquam manducaui commune et in-
mundum. et uox secundo ad eum facta est:
quae deus purificauit, tu ne commune dixeris.
25 iuit itaque Caesaream et ingressus ad Cornelium aperiens os suum
dixit: in ueritate comperio, quoniam non est

17 Act. 10, 13   18 cf. Act. 10, 12   21 *Act. 10, 14—15   26 *Act. 10, 34—35

1 subintroducant *L* ubi (*om.* 𝔅) introducunt 𝔅𝔷   ut] et *F*   2 paulus *D*
quod *ex* qui *m2 B*   3 sit *F𝔷* est *cet.*   facie *L*   hac 𝔅*LB, Ma.r.* hanc *D*   5 ar-
guet 𝔅   6 grado *F a.c.* gradu consistens 𝔅   7 exarabit 𝔅*L*   8 quo] quo et 𝔅*F*
sententias *LDMB*   est *om. D*   10 errores *LD*   prae(e) spexeris 𝔅*B*   11 saltim *B*
adstipulantem (d *eras.*) *Ma.c.m2* adstipulare *LD*   12 exemplatione 𝔅   13 ne
ex me *F*   aduersum *F𝔷*   nisi *D*   testium et *F*   14 occasionem *D*   15 audire
F𝔷 a.c.   script. sanctis 𝔅   16 preponam 𝔅   17 idē *F*   18 *alt.* et *om. F*   20 poll.
esse 𝔅   21 euang.] gratiam ς   resp. Petrus ς   22 numquam] non 𝔅   23 ad eum
de caelo sec. *codd. praeter F𝔷*   secunda *F*   est] *add.* dicens *codd. praeter F𝔷*   24 purificauit *F𝔷* mundauit (-bit 𝔅) *cet.*   nec (c *exp.*) *F*   25 ibit 𝔷 ibi *Fa.c.* fuit 𝔅*LD,
Ma.c.m2* (?)   cesarea *L*   26 dicit (c *in ras.*) *L*   comperio *F* (καταλαμβάνομαι)
comperi *cet.*   quoniam *F𝔷* quia *cet.*

personarum acceptor deus, sed in omni gente,
qui timet eum et operatur iustitiam, accep-
3 tus est illi. denique cecidit spiritus sanctus
super eos et obstipuerunt ex circumcisione
fideles, qui uenerant cum Petro, quod et in 5
nationes gratia spiritus sancti esset effusa.
tunc respondit Petrus: numquid aquam quis
prohibere potest, ut non baptizentur hi, qui
spiritum sanctum acceperunt sicut et nos?
et iussit eos in nomine Iesu Christi baptizari. 10
audierunt autem apostoli et fratres, qui
erant in Iudaea, quia et gentes recepissent
uerbum dei. cum autem ascendisset Petrus
Hierosolymam, disceptabant aduersus illum,
qui erant ex circumcisione, dicentes: quare 15
introisti ad uiros praeputium habentes et
4 manducasti cum illis? quibus omni ratione exposita
nouissime orationem suam hoc sermone conclusit: si ergo eandem gratiam dedit illis deus sicut et nobis,
qui credidimus in dominum Iesum Christum, 20
ego quis eram, qui possem prohibere deum?
his auditis tacuerunt et glorificauerunt
deum dicentes: ergo et gentibus deus paeni-
5 tentiam ad uitam dedit. rursum, cum multo post
tempore Paulus et Barnabas uenissent Antiochiam et con- 25
gregata ecclesia rettulissent, quanta fecisset deus
cum illis et quia aperuisset gentibus ostium
fidei, quidam descendentes de Iudaea do-

---

3 *Act. 10, 44—45. 47—48. 11, 1—3   18 *Act. 11, 17—18   26—377,
25 *Act. 14, 26. 15, 1—2. 4—5. 7—12

1 acceptio apud deum F   2 quae F   4 obstup. ℗   5 et om. FL   6 natione ʒ
esset Fʒ fuisset cet.   7 aqua FB   8 hii FL a. r., D   11 autem om. ℗   12 rece-
(ex reci F) pissent Fʒ -perunt cet.   16 preputios ℗   17 omne L   18 eadem
gratia ʒ   19 illis om. ʒ   nos L   20 credimus ℗LʒB   21 possim F (ex possit?)
LDM   22 his ex is F his qui L   23 ego ʒ   paen. deus ç   patientiam ʒ   24 cum
om., ante Paulus add. m2F pos ℗   25 uenisset ʒ   26 fecit F   27 aparuisset
Fa.c.; add. deus LDM,Bs.l.   hostium FB   28 disc. FMa.c.

Iudaea docebant fratres atque dicebant: nisi
circumcidamini secundum morem Moysi, non
potestis salui fieri. commota igitur sedi- 6
tione non minima aduersus Paulum et Barna-
5 ban statuerunt ascendere et ipsi, qui accusabantur,
et hi, qui accusabant, ad apostolos et presbyteros
Hierosolymam super hac quaestione, cumque
Hierosolymam perrexissent et surrexissent
quidam de heresi pharisaeorum, qui credide-
10 rant in Christo, dicentes: oportet circumcidi eos et praecipere illis, ut seruent legem
Moysi, et magna super hoc uerbo oriretur
quaestio, Petrus solita libertate: uiri, inquit, fratres, 7
uos scitis, quoniam ab antiquis diebus in
15 nobis elegit deus per os meum audire gentes
uerbum euangelii et credere et, qui nouit
corda, deus testimonium perhibuit dans illis
spiritum sanctum sicut et nobis et nihil dis-
creuit inter nos et illos fide purificans corda
20 eorum. nunc ergo quid temptatis deum in- 8
ponere iugum super ceruicem discipulorum,
quod neque patres nostri neque nos portare
potuimus? sed per gratiam domini nostri
Iesu Christi credimus saluari, quem ad modum
25 et illi. tacuit autem omnis multitudo et in sententiam eius Iacobus apostolus et omnes simul presbyteri transierunt.

8. Haec non debent molesta esse lectori, sed et illi et mihi
utilia, ut probemus ante apostolum Paulum non ignorasse Petrum,
immo principem huius fuisse decreti, legem post euangelium non

---

1 fratres *om.* ᴣ   4 aduersum ᵴ   barnabam 𝔅$\overline{B}$ 5 accusabant *L*   6 et hi,
qui accusabant *om.* *F*   accusabantur *L*   ad] et *L*   7 hierusolima *L* ihero (u *m2*)-
solimā *B saepius*   hanc quae(e)stionem 𝔅*FLDB*   8 perrexissem *L*   et surr.]
exsurrexerunt 𝔅*LDB* et (*exp.*) exsurrexerunt *M*   9 heresis *Fa.r.* hereses 𝔅
10 Christum ᵴ   12 et cum 𝔅*LDMB*   13 petro 𝔉   16 *alt.* et *om. LD* nobit 𝔅
nobis *L*   18 nos *L*   19 fidei *D*   20 illorum 𝔅*LDMB*   ergo *om. D* autem
𝔅*LMB*   temptastis *LDB*   dominum *F*   21 ceruices 𝔅*FB* disc.] illorum *F*
24 credidimus ᴣ   saluatori ᴣ   27 debet *F*   *pr.* et *om. B*   mihi et illi 𝔅*LDMB*
29 fuisse] esse 𝔅*LDMB* non] *add.* esse 𝔅*LDMB*

2 seruandam. denique tantae Petrus auctoritatis fuit, ut Paulus in epistula sua scripserit: deinde post annos tres ueni Hierosolymam uidere Petrum et mansi apud illum diebus quindecim, rursumque in consequentibus: post annos quattuordecim ascendi iterum 5 Hierosolymam cum Barnaba adsumpto et Tito. ascendi autem secundum reuelationem et exposui illis euangelium, quod praedico inter gentes, ostendens non habuisse se securitatem euangelii praedicandi, nisi Petri et, qui cum eo erant, fuisset sententia ro- 10 3 boratum. statimque sequitur: separatim autem his, qui uidebantur, ne forte in uacuum currerem aut cucurrissem. quare separatim et non in publico? ne fidelibus ex numero Iudaeorum, qui legem putabant esse seruandam et sic credendum in domino saluatore, fidei scandalum na- 15 4 sceretur. ergo et eo tempore, cum Petrus uenisset Antiochiam — licet hoc apostolorum Acta non scribant, sed adfirmanti Paulo credendum sit — in faciem illi Paulus restitisse se scribit, quia reprehensibilis erat. prius enim, quam uenirent quidam a Iacobo, cum gentibus edebat; cum 20 autem uenissent, subtrahebat se et segregabat timens eos, qui ex circumcisione erant. et consenserunt cum illo ceteri Iudaei, ita ut et Barnabas duceretur ab his in illa si- 5 mulatione. sed cum uidissem, inquit, quod non 25

---

2 *Gal. 1, 18   5 *Gal. 2, 1—2   11 *Gal. 2, 2   18 *Gal. 2, 11—14

---

1 auct. Petrus ς   2 tres] seq. ras. 5—6 litt. L   4 eum 𝔓LDMB   5 quatt. om. L   6 et om. M   8 eis 𝔓LDMB cum eis ς   9 in gentibus ς   se non hab. ς   habuisse se 𝔓 habuisses ҙ habuisse cet.   praed. eu. ς   10 praedicati nisi ҙ   praedicationem si F   et] et ceterorum Fҙ, ς (add. apostolorum)   roboratus D   11 separatis 𝔓B   12 uid.] add. esse aliquid s. l. B aliquid esse ς   13 in publico Fҙ publice cet.   14 ne] add. forte DMB   qui ex num. Iud. ς   ex] et in F   qui] que 𝔓   15 si F, Ma.c.   credendo F   saluatorem F   16 et Fҙ, om. cet.   antiocia 𝔓   licet] et ҙ   17 actus B   ad (fB) firmante MB   18 facie 𝔓L   rest. paul. F   se rest. Mp.c. rest. FLҙ, Ma.c. Ba.c.m2   19 quam] cum F   20 ab D ad 𝔓, om. Fa.c.m2   edebant 𝔓   23 cum illo et 𝔓 simulationi eius ς   24 et ҙ, om. cet.   adduc. 𝔓LDMB   illam simulationem B   25 uiderim ex uiderit F

recte ingrediuntur ad ueritatem euangelii,
dixi Petro coram omnibus: si tu, cum Iudaeus
sis, gentiliter et non Iudaice uiuis, quomodo
gentes cogis iudaizare? et cetera. nulli ergo dubium est,
5 quod Petrus apostolus sententiae huius, cuius nunc praeuaricator
arguitur, primus auctor extiterit. causa autem praeuaricationis 6
timor est Iudaeorum; dicit enim scriptura, quod primum e d e b a t
cum gentibus, cum autem uenissent quidam
a Iacobo, subtrahebat se et segregabat ti-
10 mens eos, qui ex circumcisione erant. timet
autem Iudaeos, quorum erat apostolus, ne per occasionem gentium a fide Christi recederent et imitator pastoris boni perderet gregem sibi creditum.

9. Sicut igitur ostendimus Petrum bene quidem sensisse de
15 abolitione legis Mosaicae, sed ad simulationem obseruandae eius
timore conpulsum, uideamus, an ipse Paulus, qui alium arguit,
tale quid fecerit. legimus in eodem libro: p e r a m b u l a b a t
autem Paulus Syriam et Ciliciam confirmans
ecclesias peruenitque in Derben et Lystram.
20 et ecce discipulus quidam erat ibi nomine 2
Timotheus, filius mulieris Iudaeae fidelis
patre gentili. huic testimonium reddebant,
qui in Lystris erant et Iconio fratres. hunc
uoluit Paulus secum proficisci et adsumens
25 circumcidit eum propter Iudaeos, qui erant
in illis locis; sciebant enim omnes, quod pater

---

7 *Gal. 2, 12   17 *Act. 15, 41—16, 3

1 ingrediebantur 𝔓LDMB   in ueritatem 𝔓DB, Ma.c.m2 in ueritate L
euang.] seq. ras. 8—9 litt. L   2 dixit 𝔓, Fa.c.   sis iud. 𝔓LDMB   3 sis ex sit F
4 cogis gentes 𝔓LDMB   iudaidare B   ergo om. Ma.c.m2   5 sententia L   eius D
8 uenisset L   a iacobo quidam B   9 ab iacobo corr. ex ad iacobum F   se om. B
10 timuit F timebat 𝔓   11 est LDMB   apost.] x͞p͞s LD, Ma.c.m2   occasione L
gentilium 𝔓(?)ȝ   12 Christi om. L   ne (del. m2B) perderet FB proderet LD,
Ma.c.m2   14 ergo ç   15 ad in ras. m2B   eius sententiae F   17 aliquid F
18 siciliam F   19 derbent (t eras.) F   in (del.) listri (exp.) am B lystra ȝ   20 erat
ibi quidam F   nonne B   21 iudeae D uiduae cet.   fidelis om. F   22 patre autem
𝔓LDMB   gentilis D   huic autem ç   23 in om. 𝔓   listris F (listres m2)B
fratre F

3 e i u s   g e n t i l i s   e s s e t. o beate apostole Paule, qui in Petro
reprehenderas simulationem, quare se subtraxisset a gentibus propter
metum Iudaeorum, qui a Iacobo uenerant, cur Timotheum, filium
hominis gentilis utique et ipsum gentilem — neque enim Iudaeus
erat, qui non fuerat circumcisus —, contra sententiam tuam circum- 5
cidere cogeris? respondebis mihi: 'propter Iudaeos, qui erant in
illis locis'. qui igitur tibi ignoscis in circumcisione discipuli uenientis
ex gentibus, ignosce et Petro, praecessori tuo, quod aliqua fecerit
4 metu fidelium Iudaeorum. rursum scriptum est: P a u l u s   u e r o,
c u m   a d h u c   s u s t i n u i s s e t   d i e s   m u l t o s,   f r a t r i- 10
b u s   u a l e   d i c e n s   n a u i g a u i t   S y r i a m   e t   c u m
e o   P r i s c i l l a   e t   A q u i l a   e t   t o t o n d i t   s i b i   i n   C e n-
c h r i s   c a p u t;   u o t u m   e n i m   h a b u e r a t. esto, ut ibi
Iudaeorum timore conpulsus sit facere, quod nolebat: quare comam
nutriuit ex uoto et postea in Cenchris totondit ex lege, quod Naza- 15
raei, qui se deo uouerint, iuxta praeceptum Moysi facere consuerunt?
      10. Uerum haec ad conparationem eius rei, quae sequitur,
parua sunt. refert Lucas, sacrae scriptor historiae: c u m   u e n i s-
s e m u s   H i e r o s o l y m a m,   l i b e n t e r   s u s c e p e r u n t
n o s   f r a t r e s; et sequenti die Iacobus et omnes seniores, qui 20
cum eo erant, euangelio illius conprobato dixerunt ei: u i d e s,
f r a t e r,   q u o t   m i l i a   s u n t   i n   I u d a e a,   q u i   c r e-
d i d e r u n t   in Christo, e t   h i   o m n e s   a e m u l a t o r e s   s u n t
2 l e g i s. a u d i e r u n t   a u t e m   d e   t e,   q u o d   d i s c e s s i o-
n e m   d o c e a s   a   M o y s e   e o r u m,   q u i   p e r   g e n t e s 25

9 *Act. 18, 18   15 cf. Num. 6, 18   18 *Act. 21, 17. 20—24. 26

    2 reprehenderit D   qua 𝔓   subtr. se ς   sese 𝔓, om. F   subtraxissent ʒ
subtraxisse B   agentibus B a gentilibus 𝔓D   3 qui a] quia L qui ab F (ex
qui) DB qui ad 𝔓   4 gentilem om. F   5 circumcidi coegisti ς   7 discipulis
Fp.c.   uenienti B uenientibus F   9 rursus F   11 nauigabit 𝔓L; add. abhinc
incipe usque in finem istius epłe (omnia del. m1)B   12 et 15 chencris (h exp.) B
Cenchreis ς   13 ut tibi F ibi M, B (pr. i in ras. m2) ubi 𝔓LD   14 tim. Iud. ς nole-
bat] non ledat F   15 nutribit 𝔓Lʒ   postea] add. ea F eam ʒ, Mp.c.m2   16 deo
uouerit Fa.c. deuouerint LB, M (ex deuouerit [de m2 ex dō]) uoberint 𝔓
praecepta Fʒ   consueuerunt 𝔓   17 secuntur ʒ   18 praua D   historia D
19 exce (ex i F) perunt Fʒ   20 diei F   22 quod 𝔓ʒ, FLa.c.   23 in om. B
xpm F   hii Fa.c., LD   legis sunt F legis ʒ   24 quod] quia Fʒ   discens. B
dissens. Fʒ discret. D   25 doces Fʒ   per] pro L

sunt, Iudaeorum dicens non debere circumcidere eos filios suos neque secundum consuetudinem ingredi. quid ergo est? utique oportet conuenire multitudinem; audient enim
5 te superuenisse. hoc ergo fac, quod tibi dici- 3
mus. sunt nobis uiri quattuor uotum habentes
super se; his adsumptis sanctifica te cum ipsis
et inpende in eos, ut radant capita, et sciant
omnes, quia, quae de te audierunt, falsa sunt,
10 sed ambulas et ipse custodiens legem. tunc
Paulus adsumptis uiris postera die purifica-
tus cum illis intrauit in templum adnuntians
expletionem dierum purificationis, donec
offerretur pro unoquoque eorum oblatio. o 4
15 Paule, et in hoc te rursus interrogo, cur caput raseris, cur nudi-
pedalia exercueris de caerimoniis Iudaeorum, cur obtuleris sacrificia et secundum legem hostiae pro te fuerint immolatae. utique
respondebis: 'ne scandalizarentur, qui ex Iudaeis crediderant'.
simulasti ergo Iudaeum, ut Iudaeos lucrifaceres, et hanc ipsam simu-
20 lationem Iacobus te et ceteri docuere presbyteri. sed tamen euadere 5
non potuisti; orta enim seditione cum occidendus esses, raptus es a
tribuno et ab eo missus Caesaream sub custodia militum diligenti,
ne te Iudaei quasi simulatorem ac destructorem legis occiderent,
atque inde Romam perueniens in hospitio, quod tibi conduxeras,
25 Christum et Iudaeis et gentibus praedicasti et sententia tua Neronis
gladio confirmata est.

19 cf. I Cor. 9, 20   21 cf. Act. 23, 12—13. 22—24. 28, 14. 30—31

1 eos circ. 𝔓LDMB circumcidi F   2 fil. suos om. F   fil. om. ς sec. om. L
4 audierunt 𝔓LDMB   5 fac quod] fiat quae F   6 e (del.) nobis D   8 et inp. in
eos om. F   capita sua F   scient F₃D   10 ambulans 𝔓FL   ipse et F   11 po-
stero ς posteri 𝔓 -riore L,Mp.c.m2 -riori D,Ma.c.m2   die] pridie 𝔓   12 intr. cum
illis ς   intrabit 𝔓,La.c.   annuntias ₃   13 pur. dier. F   14 offeretur FBa.c.,L₃
15 et F₃, Mp.c.m2, om. cet.   in om. F   rursum F₃   cur om. ς   17 pro te host. ς
fuer̄ (fuerint m2) pro te B   18 responderis F   nec D   scandalizentur FB   crediderunt LDB,Ma.c.   19 simulas 𝔓   te ergo 𝔓,Mp.c.m2 ergo te ς   20 te et cet. F₃
et cet. te cet.   22 ad cesarem (ex cer seq. ras.) Fm2   custodiam Fa.r.₃   23 simulationem L   ac ex a F hac 𝔓   destructorem D   24 in om. 𝔓   hospitium 𝔓FLDB
25 alt. et om. B   gent.] add. et iudeis 𝔓

11. Didicimus, quod propter metum Iudaeorum et Petrus et
Paulus aequaliter finxerint legis se praecepta seruare. qua igitur
fronte, qua audacia Paulus in altero reprehendat, quod ipse commi-
2 sit? ego, immo alii ante me exposuerunt causam, quam putauerant,
non officiosum mendacium defendentes, sicut tu scribis, sed do- 5
centes honestam dispensationem, ut et apostolorum prudentiam
demonstrarent et blasphemantis Porphyrii inpudentiam coher-
cerent, qui Paulum et Petrum puerili dicit inter se pugnasse certamine, immo exarsisse Paulum inuidia uirtutum Petri et ea scripsisse iactanter, uel quae non fecerit uel, si fecit, procaciter fecerit 10
id in alio reprehendens, quod ipse commiserit. interpretati sunt illi,
ut potuerunt; tu quomodo istum locum edisseres? utique meliora
dicturus, qui ueterum sententiam reprobasti.

12. Scribis ad me in epistula tua: n e q u e e n i m a m e
d o c e n d u s e s, q u o m o d o i n t e l l e g a t u r, q u o d i d e m 15
d i c i t: 'f a c t u s s u m I u d a e i s t a m q u a m I u d a e u s,
u t I u d a e o s l u c r i f a c e r e m', e t c e t e r a, q u a e i b i
d i c u n t u r c o n p a s s i o n e m i s e r i c o r d i, n o n s i m u-
l a t i o n e f a l l a c i. fit e n i m t a m q u a m a e g r o t u s, q u i
m i n i s t r a t a e g r o t o, n o n c u m s e f e b r e s h a b e r e 20
m e n t i t u r, s e d c u m a n i m o c o n d o l e n t i s c o g i t a t,
q u e m a d m o d u m s i b i s e r u i r i u e l l e t, s i i p s e
2 a e g r o t a r e t. n a m u t i q u e I u d a e u s e r a t, C h r i s t i-
a n u s a u t e m f a c t u s n o n I u d a e o r u m s a c r a-
m e n t a r e l i q u e r a t, q u a e c o n u e n i e n t e r i l l e 25
p o p u l u s e t l e g i t i m e t e m p o r e, q u o •o p o r t e b a t,
a c c e p e r a t. i d e o q u e s u s c e p i t e a c e l e b r a n d a,

14—381, 7 = epist. LXVII 4, 1—2   16 *I Cor. 9, 20

1 dicimus F et paul. et petr. F 2 se legis F 3 potest id paul. in alt.
reprehendere F₃ reprehendit ç 4 quam] con ℜ putauerunt LDMB 5 non in F
doc.] ostendentes ç 7 porphyrium ₃ inprudentiam FLD, Ma.c.m2 prudentiam ₃
8 Petr. et Paul. ç 9 in inuidia F in inuidiam ₃ eas F ea se ₃, Mp.c.m2 10 quae
uel ç fecit] fecerit ℜF alt. fecerit] fecit F 11 id s.l.m2B, om. ₃ altero F
commisit F 12 edisseris M — ras B 13 ueterem ₃a c. 14 scripsisti LDM,
cm. ₃ tua om. F₃ ad (d eras.) FD 15 idem apostolus ç 16 quasi F 17 lucri-
faciam ℜ 18 conpassionem D misericordiae — fallaciae LDB, Ma.r. 19 aegro-
tus F₃ aeger cet. 22 seruire ℜLM, Ba.c.m2 uellit ℜ uelit LDB, Ma.c.m2 uult F
26 legitime F₃ — mo cet. 27 suscipit ℜ ea om F eam celebrandam LD, Ma.r.

cum iam Christi esset apostolus, ut doceret
non esse perniciosa his, qui ea uellent, sicut
a parentibus per legem acceperant, custodire,
etiam cum in Christo credidissent, non tamen in
5 eis iam constituerent spem salutis, quoniam
per dominum Iesum salus ipsa, quae illis
sacramentis significabatur, aduenerat. totius
sermonis tui, quem disputatione longissima protraxisti, hic sensus est, ut Petrus non errauerit in eo, quod his, qui ex Iudaeis
10 crediderant, putauerit legem esse seruandam, sed in eo a recti linea
deuiarit, quod gentes cogeret iudaizare, cogeret autem non docentis
imperio, sed conuersationis exemplo, et Paulus non contraria sit
locutus his, quae ipse gesserat, sed quare Petrus eos, qui ex gentibus
erant, iudaizare conpelleret.

15   13. Haec ergo summa est quaestionis, immo sententiae tuae,.
ut post euangelium Christi bene faciant credentes Iudaei, si legis
mandata custodiant, hoc est, si sacrificia offerant, quae obtulit
Paulus, si filios circumcidant, si sabbatum seruent, ut Paulus in
Timotheo et omnes obseruauere Iudaei. si hoc uerum est, in Cerinthi
20 et Hebionis heresim delabimur, qui credentes in Christo propter hoc
solum a parentibus anathematizati sunt, quod legis caerimonias
Christi euangelio miscuerunt et sic noua confessi sunt, ut uetera non
amitterent. quid dicam de Hebionitis, qui Christianos esse se simulant? usque hodie per totas orientis synagogas inter Iudaeos heresis
25 est, quae dicitur Minaeorum et a pharisaeis huc usque damnatur,
quos uulgo Nazaraeos nuncupant, qui credunt in Christum, filium
dei natum de Maria uirgine, et eum dicunt esse, qui sub Pontio

1 ut] sed ut *epist. LXVII*   2 perriciosam *et* eam *LD, Ma.r.*   4 in *om.* ʒ   xpm ʒ
edidissent *D*   5 constitueret *F*   7 sig..ificatur ʒ   8 dispositio..e ℬ*LDB, s. l. m2*
(*sed eras.*) *M*   protraxisse ʒ   9 his qui *om.* ʒ   10 a *ex* ac *F*   11 deuiaret *F*
quo *LDM, B* (*seq. s. l.* ex)   *pr.* cogerit *LMBa.c., D* coegerit ʒ quoegerit ℬ   *alt.*
coegerit ℬ   decentis *D*   12 imperium *F*   sit *om.* ℬ   13 ex *om. B*   16 Iud.
cred. ς   cred. *om. F*   legi ʒ   17 paul. optulit *F*   18 filio ℬ   obseruent *F*
19 obseruare ℬʒ, *Fa.c.*   si hoc uer. est] quod si co::cesserimus *in ras. m2M*
cerinthii *M* cherinti *B*   20 hebeonis *Ma.c.B*   haeresin ʒ   dilabimur *LDMB*
x̄p̄m *FM*   21 patribus *F*   22 x̄p̄o ʒ   miscuerir.t ʒ   23 ammitt. *Fa.c.L* admitt. *D*
omitt. ς   hebeonistis *D*   se *om.* ʒ   24 orientes *Fa.c.* ʒ   25 qui *D, Ma.c.*
dicitur] di ʒ   huc *F* ʒ nunc *cet.*   26 nazoreus *F* nazarenos *Mp c.m2B* occupant ℬ
in *om.* ℬ   27 uirg. Maria ς   dic. eum *B*

Pilato et passus est et resurrexit, in quem et nos credimus, sed, dum uolunt et Iudaei esse et Christiani, nec Iudaei sunt nec Christiani. oro ergo te, ut, qui nostro uulnusculo medendum putas, quod acu foratum, immo punctum dicitur, huius sententiae medearis uulneri, quod lancea et, ut ita dicam, phalaricae mole percussum est. neque enim eiusdem est criminis in explanatione scripturarum diuersas maiorum sententias ponere et heresim sceleratissimam rursum in ecclesiam introducere. sin autem haec nobis incumbit necessitas, ut Iudaeos cum legitimis suis suscipiamus, et licebit eis obseruare in ecclesiis Christi, quod exercuerunt in synagogis satanae — dicam, quod sentio —, non illi Christiani fient, sed nos Iudaeos facient.

14. Quis enim hoc Christianorum patienter audiat, quod in tua epistula continetur: I u d a e u s e r a t Paulus, C h r i s t i a n u s a u t e m f a c t u s n o n I u d a e o r u m s a c r a m e n t a r e - l i q u e r a t, q u a e c o n u e n i e n t e r i l l e p o p u l u s e t l e g i t i m e t e m p o r e, q u o o p o r t e b a t, a c c e p e r a t. i d e o q u e s u s c e p i t e a c e l e b r a n d a, c u m i a m Christi e s s e t a p o s t o l u s, u t d o c e r e t n o n e s s e p e r n i c i o s a h i s, q u i e a u e l l e n t, s i c u t a p a r e n t i - b u s p e r l e g e m a c c e p e r a n t, c u s t o d i r e? rursum obsecro te, ut pace tua meum dolorem audias. Iudaeorum Paulus caerimonias obseruabat, cum iam Christi esset apostolus, et dicis eas non esse perniciosas his, qui eas uelint, sicut a parentibus acceperint, custodire; ego e contrario loquar et reclamante mundo libera uoce pronuntiem caerimonias Iudaeorum et perniciosas esse et mortiferas Christianis et, quicumque eas obseruauerit siue ex

---

10 cf. Apoc. 2, 9. 3, 9　　　13—20 = epist. LXVII 4, 1—2 et pag. 380, 23—381, 3

1 *pr.* et *F₃, om. cet.*　　surrexit *F*　　2 *pr.* et *om. F*　　iudaeis ₃　　*alt.* et *om.* ₃　　3 nostro] ñ *L*　　4 furato ℜ　　immo punctum *om.* ₃　　ut dicitur ς　　uulnere ℜ 5 quod] et ℜ　　lanceae ℜ　　et *om.* ℜ, *Ma.c.*　　phalariace *D* palaricae *F*　　est *om.* ℜ　　7 haeresin ₃　　rursus ₃　　8 si *F* haec] et ℜ　　incumbet *F₃*　　9 suis *om. B* eos ℜ*LDM, Fa.c.*　　10 exercuerant ℜ　　11 faciunt *F* facerent *B*　　13 epistole *D* 16 legitimo *codd. praeter F₃*　　17 ideo ℜ　　suscipit ℜ, *La.c.*　　cel. ea ς　　ea *om.* ℜ 18 ut] et ℜ　　docerent ₃　　19 eam *LD, Ma.r.*　　uelint ℜ　　20 per leg. accep. *om.* ℜ custodiri ℜ　　rurs.—24 cust. *in mg. m2M, om.* ℜ　　21 meos dolores *F* dolorum meum *D*　　22 dices *Fa.c.*₃　　23 non eas *F*　　esses *D*　　pernitiosa has ₃　　uellent *F* 24 acce (i *F*) perant *FLB*　　e *om.* ℜ₃　　contraria ℜ　　recl. mecum *F*　　25 pronuntio ς 26 ea *L*　　obseruauerint *DM* seruaberit *F*　　siue ex gent. siue ex iud. *L*

Iudaeis siue ex gentibus, eum in barathrum diaboli deuolutum.
f i n i s e n i m l e g i s C h r i s t u s a d i u s t i t i a m o m n i 2
c r e d e n t i, Iudaeo scilicet atque gentili. neque enim omni cre-
denti erit finis ad iustitiam, si Iudaeus excipitur, et in euangelio
5 legimus: l e x e t p r o p h e t a e u s q u e a d I o h a n n e m
B a p t i s t a m et in alio loco: p r o p t e r e a e r g o m a g i s
q u a e r e b a n t e u m I u d a e i i n t e r f i c e r e, q u i a
n o n s o l u m s o l u e b a t s a b b a t u m, s e d e t p a t r e m
s u u m d i c e b a t d e u m a e q u a l e m se f a c i e n s d e o,
10 et iterum: d e p l e n i t u d i n e e i u s n o s o m n e s a c c e p i m u s
e t g r a t i a m p r o g r a t i a, q u i a l e x p e r M o y s e n d a t a
e s t, g r a t i a e t u e r i t a s p e r I e s u m C h r i s t u m f a c t a
e s t. pro legis gratia, quae praeteriit, gratiam euangelii accepimus 3
permanentem et pro umbris et imaginibus ueteris instrumenti
15 ueritas per Iesum Christum facta est. Hieremias quoque ex persona
dei uaticinatur: e c c e d i e s u e n i u n t, d i c i t d o m i n u s,
e t c o n s u m m a b o d o m u i I s r a h e l e t d o m u i I u d a
t e s t a m e n t u m n o u u m n o n s e c u n d u m t e s t a m e n-
t u m, q u o d d i s p o s u i p a t r i b u s e o r u m i n d i e,
20 q u a n d o a d p r e h e n d i m a n u m e o r u m, u t e d u- 4
c e r e m e o s d e t e r r a A e g y p t i. obserua, quid dicat, quod
non populo gentilium, cum quo ante non fecerat testamentum, sed
populo Iudaeorum, cui legem dederat per Moysen, testamentum
nouum euangelii repromittat, ut nequaquam uiuant in uetustate
25 litterae, sed in nouitate spiritus. Paulus autem, super cuius nunc
nomine quaestio uentilatur, crebras huiusce modi ponit sententias,
e quibus breuitatis studio pauca subnectam: e c c e e g o P a u-

---

2 Rom 10, 4　5 *Luc. 16, 16　6 Ioh. 5, 18　10 Ioh. 1, 16—17　16 *Hier.
38 (31), 31—32　24 cf. Rom. 7, 6　27 *Gal. 5, 2

1 baratro 𝔓　inuolutum 𝔓　2 x̄p̄s̄ est F𝣕　3 iudeos B　adque 𝔓 et F
nec 𝔓　4 si] siue L sed.𝣕　et F𝣕, om. cet.　5 prophetamusque 𝔓　6 altero 𝣕
ergo F𝣕, om. cet.　8 sed et quod 𝔓LDM, Ba.r.　9 esse dic. 𝔓LDMB dic. esse ς
deum om. 𝣕　et sequalem se (et s exp.) F　10 nos om. F　11 et 𝣕. om. cet. pro]
per 𝣕　12 gratia autem 𝔓DMB　13 pro] per L　accipiamus 𝣕　17 domum
utroque loco 𝔓LD, Ma.c. Bp.c.　19 disposuit Fa.r. dissui 𝣕　in om. 𝔓𝣕　20 quando 𝣕
qua cet.　21 quod F　22 cum] eum 𝔓LDB, Ma.c.m2 ei ς　qui 𝔓LD, MBa.c.m2
recerat Ba.c.m2 receperat LD, Ma.c.m2 receperant 𝔓　testam.—ded. om. 𝣕
24 uiuant om. 𝣕　25 desuper F　nomine nunc F𝣕　26 huius ς　deponit F
27 paucas 𝔓

lus dico uobis, quoniam, si circumcidamini,
Christus uobis nihil prodest, et iterum: euacu-
ati estis a Christo, qui in lege iustificamini;
a gratia excidistis, et infra: si spiritu ducimini,
5 iam non estis sub lege. ex quo apparet, qui sub lege est 5
non dispensatiue, ut nostri uoluere maiores, sed uere, ut tu intellegis,
eum spiritum sanctum non habere. qualia autem sint praecepta
legalia, deo docente discamus: ego, inquit, dedi eis praecepta non bona et iustificationes, in quibus
6 non uiuant in eis. haec dicimus, non quo legem iuxta 10
Manicheum et Marcionem destruamus, quam et sanctam et spiritalem iuxta apostolum nouimus, sed quia, postquam fides
uenit et temporum plenitudo, misit deus filium suum factum ex muliere, factum sub lege,
ut eos, qui sub lege erant, redimeret, ut adop- 15
tionem filiorum reciperemus et nequaquam sub pae-
dagogo, sed sub adulto et domino et herede uiuamus.

　　　15. Sequitur in epistula tua: non ideo Petrum emendauit, quod paternas traditiones obseruaret,
quod si facere uellet, nec mendaciter nec in- 20
2 congrue faceret. iterum dico: episcopus es, ecclesiarum
Christi magister; ut probes uerum esse, quod adseris, suscipe aliquem
Iudaeorum, qui factus Christianus natum sibi filium circumcidat,
qui obseruet sabbata, qui abstineat a cibis, quos deus
creauit ad utendum cum gratiarum actione, 25
qui quarta decima die mensis primi agnum mactet ad uesperam,
et, cum hoc feceris, immo non feceris — scio enim te Christianum et

---

　　　2 Gal. 5, 4　　　4 *Gal. 5, 18　　　8 *Ezech. 20, 25　　　11 cf. Rom. 7, 12. 14
12 *Gal. 4, 4—5　　16 cf. Gal. 3, 25　　17 cf. Gal. 4, 7　　18 = epist. LXVII 5, 1
24 *I Tim. 4, 3

　　　2 interim *D*　　3 in *F₃* ex *cet.*　　4 exciditis *Fa.c.D* excidetis ℬ, *La.c.*　　7 eos *F*
sanct. spir. *F₃*　　autem sunt ℬ sint autem ₃ sunt autem *F*　　8 domino ς　　dicamus ℬ　　9 quibus] quem *D*　　10 uiuent *Mp.c.m2*　　quod ℬ*FDMB*　　11 spiritualem *B*　　12 quo ₃ quod ς, *om. F*　　uen. fid. ς　　14 *pr.* factum *F₃* natum
cet.　　15 *alt.* ut] ut (*exp.m2*) in *F* et *B*　　16 fil. dei *L*　　reci(*ex* e)peremur *F*　　17 *alt.*
et ₃, *om. cet.*　　18 emendabit ℬ, *La.c.*　　21 dico] *add.* quod ℬ*LDB*, *M* (*eras.*) quando
uel quandoquidem ς　　es *om.* ℬ　　22 probemus *F*　　23 factus est *LD*　　circumcidit *F*
24 qui obs.] quod seruat ₃　　sa(su ₃)bbata *F₃* sabbatum *cet.*　　abst.] *add.* se
₃, *Mp.c.m2*　　a *om.* ℬ　　cibum ℬ　　26 uesperum *F*　　27 te esse *F* esse te *B*

rem sacrilegam non esse facturum —, uelis nolis tuam sententiam re-
probabis et tunc disces opere difficilius esse confirmare sua quam
aliena reprehendere. ac ne forsitan tibi non crederemus, immo non ₃
intellegeremus, quid diceres — frequenter enim in longum sermo pro-
₅ tractus caret intellegentia et, dum non sentitur, ab inperitis minus
reprehenditur —, inculcas et replicas: hoc ergo Iudaeorum
Paulus dimiserat, quod malum habebant. quod
est malum Iudaeorum, quod Paulus dimiserat? utique illud, quod
sequitur: quod 'ignorantes dei iustitiam et suam
₁₀ iustitiam uolentes constituere iustitiae dei
non sunt subiecti'; deinde, quod post passio- ₄
nem et resurrectionem Christi dato ac mani-
festato sacramento gratiae secundum ordinem Melchisedech adhuc putabant uetera sa-
₁₅ cramenta non ex consuetudine sollemnitatis,
sed ex necessitate salutis esse celebranda,
quae tamen si numquam fuissent necessaria,
infructuose atque inaniter pro eis Machabaei
martyres fierent; postremo illud, quod prae- ₅
₂₀ dicatores gratiae Christianos Iudaei tamquam hostes legis persequerentur. hos atque
huius modi errores et uitia dicit se damna et
stercora arbitratum, ut Christum lucrifaceret.

₂₅   16. Didicimus per te, quae apostolus Paulus mala reliquerit
Iudaeorum; rursum te docente discamus, quae bona eorum tenuerit.

---

6. 9 = epist. LXVII 6, 1—2   9 *Rom. 10, 3   13 cf. Ps. 109, 4 etc.   18 cf.
II Mach. c. 7   22 cf. Phil. 3, 8

    2 disces ₃ dices *ex* dicis F scies *cet.*   sua] tuā F   3 alienā F   hac 𝔓
nec forte F   4 quod] 𝔓DB, LMa.c.   diceremus ₃   sermonem F   protractur ₃
protractatus D   5 intellegentiam 𝔓F   dum *om.* F   ab inp. *om.* ς   6 ergo *om.*
𝔓LDB, Ma.c.   7 habebat D   8 est *del.* m2 F   *alt.* quod *om.* F   9 ign. inquit F₃
12 hac 𝔓, *om.* L   13 grat. sacr. F   gratiae *om.* ₃   17 fuisse ₃   18 infructuosa B
machabeis 𝔓   19 fierint (*sic*) *ex* fuerit F   21 hostis F   persequebantur *ep.*
LXVII   22 huiusce B eius ₃   uitia] *add.* nostra (*exp.*) F   damna (*cf. ep.*
LXVII)] damnum 𝔓 dam(p)nare *cet.*   et ut 𝔓LDMB   23 arbitratur
FL₃DMB-tus 𝔓   lucri faciat B   25 hic didicimus 𝔓B   male F   26 rursus F

o b s e r u a t i o n e s, inquies, l e g i s, q u a s m o r e p a t r i o
c e l e b r a b a n t, s i c u t a b i p s o P a u l o c e l e b r a t a e
s u n t s i n e u l l a s a l u t i s n e c e s s i t a t e. quid uelis dicere
'sine ulla salutis necessitate', non satis intellego. si enim salutem
non adferunt, cur obseruantur? si autem obseruanda sunt, utique 5
salutem adferunt, maxime quae seruata martyres faciunt; non enim
2 obseruarentur, nisi adferrent salutem. neque enim indifferentia
sunt inter bonum et malum, sicut philosophi disputant: 'bonum est
continentia, malum luxuria, inter utrumque indifferens ambulare,
digerere alui stercora, capitis naribus purgamenta proicere, sputis 10
rheumata iacere'. hoc nec bonum nec malum est — siue enim feceris
siue non feceris, nec iustitiam habebis nec iniustitiam —, obseruare autem legis caerimonias non potest esse indifferens, sed aut
bonum est aut malum est. tu dicis bonum, ego adsero malum
et malum non solum his, qui ex gentibus, sed et his, qui ex Iudaico 15
3 populo crediderunt. in hoc, ni fallor, loco, dum aliud uitas, ad aliud
deuolueris. dum enim metuis Porphyrium blasphemantem, in
Hebionis incurris laqueos his, qui credunt ex Iudaeis, obseruandam
legem esse decernens. et quia periculosum intellegis esse, quod dicis,
rursum illud superfluis uerbis temperare conaris: s i n e u l l a 20
s a l u t i s n e c e s s i t a t e, s i c u t I u d a e i c e l e b r a n d a s
p u t a b a n t, a u t f a l l a c i s i m u l a t i o n e, q u o d i n
P e t r o r e p r e h e n d e r a t.

17. Petrus igitur simulauit legis custodiam, iste autem reprehen-

---

1. 20 = epist. LXVII 6, 2

1 obseruationis *D, LMa.c., Bp.c.m2*   inquit *F* inquid ᴣ inquis ς inquiens
sublata interpunctione l. 3 *dubitanter proponit Engelbrecht*   leges *LD, Ma.c.m2,*
Bp.c.m2 si m. p. celebrarentur *ep. LXVII* [2 celebrabunt ℜ celebrant *LDMB*
a ᴣ Paulo *om. ep. LXVII* celebrata *L*   3 quid—nec. *om.* ᴣ id quid ℜ*D, La.c.m2,*
Ma.r. hic quid *Lp.c.m2* id (*eras.*) quod *B*   5 quare *F*   6 obseruata ς   9 conscientia ℜ malum est ς differens *F*   10 digerere *om.* ᴣ   aluei ᴣ alui uestiri
(uest. *del.*) *F* sputis rheum. iac. *om.* ℜ   sputa rheumatis ᴣ sputa reumatitis
(*unum* ti *del.*) *F*   11 hoc] haec (hec *B*) ℜ*LB pr.* nec] ne ℜ   12 non fec.] non fecerunt *ex* confecerunt *m2F* iniust. *ex* iust. *F*; *add.* habebis ℜ   13 autem] enim *F*
ceremonias *ex* — niis *M*   14 mal. est aut bon. est *F*ᴣ *alt.* est *om. B* ego autem ℜ
et ego *B*   15 *pr.* his] hi *ex* hii *F* gent. — *alt.* ex *om. D alt.* et *om. LMB*   16 nisi ᴣ
n *B* ad] in ℜ*F, om.* ᴣ *alt.* alius *B*   17 deuoluerit *F* a.c.*B* Porph.] proprium ℜ
19 esse leg. *L* intellegens *F*   20 coneris ℜ, *LMa.c.*   21 non sicut ς celebrandis ᴣ
-ndam (m *exp.*) *F* -nda *cet.* (*cf. ep. LXVII*)   22 putant ς quod Paulus ς

sor Petri audacter obseruauit legitima. sequitur enim in epistula
tua: nam si propterea illa sacramenta celebra-
uit, quia simulauit se Iudaeum, ut illos lucrifaceret, cur non etiam sacrificauit cum gentibus, quia et his, qui sine lege erant, tamquam
sine lege factus est, ut eos quoque lucrifaceret, nisi quia et illud fecit ut natura Iudaeus et hoc totum dixit, non ut fallaciter se
fingeret esse, quod non erat, sed ut misericorditer ita subueniendum esse sentiret, ac
si ipse in eo errore laboraret, non scilicet mentientis astu sed conpatientis affectu? bene 2
defendis Paulum, quod non simulauerit errorem Iudaeorum, sed
uere fuerit in errore, neque imitari Petrum uoluerit mentientem, ut,
quod erat, metu Iudaeorum dissimularet, sed tota libertate Iudaeum
esse se diceret. nouam clementiam apostoli! dum Iudaeos Christianos
uult facere, ipse Iudaeus factus est. non enim poterat luxuriosos ad
frugalitatem reducere, nisi se luxuriosum probasset, et misericorditer,
ut ipse dicis, subuenire miseris, nisi se miserum ipse sentiret. uere enim
miselli et misericorditer deplorandi, qui contentione sua et amore legis
abolitae apostolum Christi fecere Iudaeum. nec multum interest inter 3
meam et tuam sententiam, quia ego dico et Petrum et Paulum timore
fidelium Iudaeorum legis exercuisse, immo simulasse mandata, tu
autem adseris hoc eos fecisse clementer 'non mentientis astu sed
conpatientis affectu', dum modo illud constet uel metu uel mise-

---

2 = epist. LXVII 6, 3   3 cf. I Cor. 9, 20—21

1 audaciter 𝔓𝐹 obseruabit 𝔓ʒ -bat 𝐹 legitime 𝐿   2 propter 𝔓   3 se
sim. ç illos] iudae(e)os 𝔓𝐿𝐷𝑀𝐵 lucrifaciat 𝔓   4 etiam non 𝐹   gentilibus 𝐿
6 queque 𝐵   7 fecit] erat 𝐷   8 ut ep. LXVII ut paulus codd.   fall. om.
codd. praeter Bm2 (cf. ep. LXVII)   9 finxerit 𝐷𝑀   esse om. 𝐹   10 esse ex est 𝐹
hac 𝔓   11 si ipse] super se 𝐷   eo] eodem ep. LXVII   13 defendes 𝐿   non
quod ʒ   simulauit 𝐹   14 errorem 𝐹𝐷   imitare 𝐿ʒ𝐷, 𝑀𝑎.𝑐.   uol. petr. ʒ potuit
petr. 𝔓   15 metum 𝐹𝐿𝐵   simularet 𝐹   16 se esse 𝔓𝐷𝑀𝐵 sese 𝐿 dicerent 𝔓
noua clementia (a ex ā𝐹) 𝐹𝐷𝑀𝐵   18 ducere 𝐹   probasse 𝐷 putasset 𝐵   19 ut]
et 𝐿   subueniret (t add. m2) 𝐵 subueniendum 𝐹ʒ   19 nisi se mis. om. 𝐹ʒ   alt. ipse]
esse 𝐹ʒ   20 miselli] miseri 𝐹 (ex siseri) 𝐵   contentiones suas ʒ   21 abolitae]
solite 𝔓   facere ʒ, 𝑀𝑎.𝑐. faceret 𝔓𝐹   22 qua ç   23 si inulasse ʒ   24 deseris 𝔓
eos om. 𝐿   25 constat 𝔓 uel metu om. ʒ   alt. uel in ras. 𝑀 seu 𝐷

4 ricordia eos simulasse se esse, quod non erant. illud autem argumentum, quo aduersum nos uteris, quod et gentilibus debuerit gentilis fieri, si Iudaeis Iudaeus factus est, magis pro nobis facit. sicut enim non fuit uere Iudaeus, sic nec uere gentilis erat, et sicut non fuit uere gentilis, sic nec uere Iudaeus erat. in eo autem imitator gentilium est, quia praeputium recipit in fide Christi et indifferenter permittit uesci cibis, quos damnant Iudaei, non cultu, ut tu putas, idolorum; in Christo enim Iesu nec circumcisio est aliquid nec praeputium, sed obseruatio mandatorum dei.

18. Quaeso igitur te et iterum atque iterum deprecor, ut ignoscas disputatiunculae meae et, quod modum meum egressus sum, tibi inputes, qui coegisti, ut rescriberem, et mihi cum Stesichoro oculos abstulisti. nec me putes magistrum esse mendacii, qui sequor Christum dicentem: ego sum uia et uita et ueritas, nec potest fieri, ut ueritatis cultor mendacio colla submittam. 2 neque mihi inperitorum plebeculam concites, qui te uenerantur ut episcopum et in ecclesia declamantem sacerdotii honore suscipiunt, me autem aetatis ultimae et paene decrepitum ac monasterii et ruris secreta sectantem parui pendunt, et quaeras tibi, quos doceas siue reprehendas. ad nos enim tantis maris atque terrarum a te diuisos spatiis uix uocis tuae sonus peruenit et, si forsitan litteras scripseris, ante eas Italia ac Roma suscipiet, quam ad me, cui mittendae sunt, deferantur.

8 *Gal. 5, 6 et 6, 15   12 cf. epist. LXVII 7   14 *Ioh. 14, 6   24 cf. epist. CIV 3

1 simulasses ȝ se om.Fȝ 2 quo] quod 𝔓FLȝDB aduersus F gentibus FB et gentilis 𝔓 3 iudaeis om. ȝ maius B fecit F 4 pr. uere] uerus F sic om. 𝔓LDB, Ma.c.m2 alt. uere ȝ, Mp.c.m2 uerus F, om. cet. erit 𝔓LD, Ma.c. tert. uere om. 𝔓 uerus F 5 sic] si ȝ uerus F erit 𝔓LȝD in eo Fȝ, Mp.c.m2 ideo cet. gentium F 6 recepit 𝔓FD, Lp.c. Ma.c. fidem F promittit LD,Ma.c. 7 ciuis D non] ut non F cultum ȝ tu F, om. cet. 10 et te ς te om. ȝ deprecor Fȝ obsecro (osculo 𝔓) cet. 12 stesicoro F (ex-rum) B istesicoro 𝔓 iste sic oro ȝ 13 neque ς et in eo ȝ 14 sum om. 𝔓LD pr. et om. 𝔓 uer. et uita FB 16 plebiculam M (ex-lum)B pleuiculam 𝔓 17 declamantis 𝔓 sacerdotum D suspiciunt L, Mp.c.m2 18 meae LDB, Ma.r. hac 𝔓 a F ad D roris ȝ 20 tantis ȝ tanto F tanti cet. spat. a te diu. ς diuiso spatio F 21 uis D littera ȝ -ris D scripseras 𝔓 22 hac 𝔓 a F suscipient DMB 23 deferatur D

19. Quod autem in aliis quaeris epistulis, cur prior mea in libris canonicis interpretatio asteriscos habeat et uirgulas praenotatas et postea aliam translationem absque his signis ediderim — pace tua dixerim —, uideris mihi non intellegere, quod quaesisti. illa enim interpretatio septuaginta interpretum est et, ubicumque uirgulae, id est obeli, sunt, significatur, quod Septuaginta plus dixerint, quam habetur in Hebraeo, ubi autem asterisci, id est stellae prae-lucentes, ex Theodotionis editione ab Origene additum est. et ibi Graeca transtulimus, hic de ipso Hebraico, quod intellegebamus, expressimus sensuum potius ueritatem quam uerborum interdum ordinem conseruantes. et miror, quomodo septuaginta interpretum libros legas non puros, ut ab eis editi sunt, sed ab Origene emendatos siue corruptos per obelos et asteriscos et Christiani hominis inter-pretatiunculam non sequaris, praesertim cum ea, quae addita sunt, ex hominis Iudaei atque blasphemi post passionem Christi editione transtulerit. uis amator esse uerus septuaginta interpretum? non legas ea, quae sub asteriscis sunt, immo rade de uoluminibus, ut ueterum te fautorem probes. quod si feceris, omnes ecclesiarum bibliothecas condemnare cogeris. uix enim unus aut alter inuenietur liber, qui ista non habeat.

20. Porro, quod dicis non debuisse me interpretari post ueteres et nouo uteris syllogismo: 'aut obscura fuerunt, quae interpretati sunt Septuaginta, aut manifesta: si obscura, te quoque in eis falli potuisse credendum est, si manifesta, illos in eis falli non potuisse perspicuum est,' tuo tibi sermone respondeo. omnes ueteres trac-tatores, qui nos in domino praecesserunt et qui scripturas sanctas

1 cf. epist. CIV 3   21 cf. epist. LVI 2

1 mea prior ȝ   2 interpretati ȝ   asteriscos (*alt.* s *eras.*) B   3 alia D
4 uidebis L, Ma.c.m2   6 oboeli F oboli Ba.c.m2 obelisci LDM   quid LȝDB
7 stellulae ς   8 aditum F   ibi ȝ, Mp.c.m2 ubi *cet.*   9 intellegamus F   10 sensu F
ord. int. ς   11 quod modo ℜ   libr. leg. int. F   13 correptos M correctos D
obolos FD, LMa.c.   homines ȝ, Ba.c.   14 sequeris F   15 hominibus ℜ
16 transtulerint ℜ   uerus] ueterum LDMB   17 ea *om.* FD   rade de M (*pr.* de
s.l.m2) B (*alt.* de s.l.m2) rede de D redde L reddere ℜ   ut *om.* ℜ u (*del.*) D
18 uet. te faut.] te fa(u s.l.)ctorem uerum F   ueterum *om.* D   te *om.* ℜ
fauct. Fp.c.B fact. LȝD,Fa.c.Ma.c m2   19 damnare ς   uis D   aliter Bm2
inuenitur DM, Bm2   20 iste D   21 uetere ȝ   22 uteri ȝ   solic∗ ismo F·
fuerint LD, Ma.c.   23 aut *ex* ac M   eis] illis ς   24 *pr.* potuisset D   cred.—*alt.*
pot. *om.* ȝ   25 praespicuum L   est *om.* M   tractores L, Ma.c.

interpretati sunt, aut obscura interpretati sunt aut manifesta.
2 si obscura, tu quomodo post eos ausus es disserere, quod illi explanare
non potuerunt? si manifesta, superfluum est te uoluisse disserere,
quod illos latere non potuit, maxime in explanatione psalmorum,
quos apud Graecos interpretati sunt multis uoluminibus primus
Origenes, secundus Eusebius Caesariensis, tertius Theodorus Heracleotes, quartus Asterius Scythopolita, quintus Apollinaris Laodicenus, sextus Didymus Alexandrinus. feruntur et diuersorum in
paucos psalmos opuscula, sed nunc de integro psalmorum corpore
3 dicimus. apud Latinos autem Hilarius Pictauensis et Eusebius,
Uercellensis episcopus, Origenem et Eusebium transtulerunt, quorum priorem et noster Ambrosius in quibusdam secutus est. respondeat mihi prudentia tua, quare post tantos et tales interpretes in
explanatione psalmorum diuersa senseris. si enim obscuri sunt psalmi,
te quoque in eis falli potuise credendum est; si manifesti, illos in eis
falli potuisse non creditur. ac per hoc utroque modo superflua erit
interpretatio tua et hac lege post priores nullus loqui audebit et,
quodcumque alius occupauerit, alius de eo scribendi licentiam non
habebit. quin potius humanitatis tuae est, in quo ueniam tibi tribuis,
4 indulgere et ceteris. ego enim non tam uetera abolere conatus sum,
quae linguae meae hominibus emendata de Graeco in Latinum transtuli, quam ea testimonia, quae a Iudaeis praetermissa sunt uel corrupta, proferre in medium, ut scirent nostri, quid Hebraea ueritas
contineret. si cui legere non placet, nemo conpellit inuitum. bibat
uinum uetus cum suauitate et nostra musta contemnat, quae in explanatione priorum edita sunt, ut, sicubi illa non intelleguntur, ex
5 nostris manifestiora fiant. quod autem genus interpretationis in
scripturis sanctis sequendum sit, liber, quem scripsi de optimo

2 quomodo tu *F₃*   tu *om.* ℬ   aus. es post eos *ς*   post eos] posterior *F*
est *Fa.c.* esse *₃*   4 potuerunt ℬ   6 origenis *F, LMp.c.Ba.c.*   eraeocleotes *F*
eraclites *B*   7 scitop. *LMB* citop. ℬD   apollinarius *LDB, Ma.r.*   laudic.
ℬDM, La.c.   8 in *om. D*   9 corp. psalm. ℬ   10 autem] aut *F* enim *B*
ilarius *B*   pictauiensis (*ex*-ses *L*) *FB, La.r.; add.* ēps *B*   bercellensus ℬ   11 episcopi ℬ, *om. B*   et *om. F*   12 quibus ℬ   13 quare] quia *LD, Ma.c.m2; add.*
tu ℬLM tua *D*   in *om.* ℬ   15 cred. — pot. *om. ₃*   16 non potuisse *F*   18 quocumque ℬ quo ueniam *₃*   de eos *₃* deo ℬ   lic. scr. *ς*   19 quin] qui *₃*   tribus *D*
20 indulgeri *Ma.c.D*   et *om. LDMB*   tam]tantum *₃*   21 omnibus *B*   22 a *om. F₃*
correpta ℬ   23 Hebraica *ς*   24 conpellet *F*   bibant ℬLD, Ma.c.Ba.c.m2   25 con-
tem(p *B*)nant ℬLD, Ma.c.Ba.c.m2   26 ex] et *F*   27 fiant] sunt *F*

genere interpretandi, et omnes praefatiunculae diuinorum uoluminum, quas editioni nostrae praeposuimus, explicant ad illasque prudentem lectorem remittendum puto. et si me, ut dicis, in noui testamenti emendatione suscipis exponisque causam, cur suscipias, quia
5 plurimi linguae Graecae habentes scientiam de meo possent opere
iudicare, eandem integritatem debueras etiam in ueteri credere testamento, quod non nostra confinximus, sed, ut apud Hebraeos inuenimus, diuina transtulimus. sicubi dubitas, Hebraeos interroga.

   21. Dices: 'quid, si Hebraei aut respondere noluerint aut
10 mentiri uoluerint?' tota frequentia Iudaeorum in mea interpretatione
reticebit? nullus inueniri poterit, qui Hebraeae linguae habeat notitiam, aut omnes imitabuntur illos Iudaeos, quos dicis in Africae
repertos oppidulo in meam calumniam conspirasse? huiusce modi 2
enim in epistula tua texis fabulam: q u i d a m f r a t e r n o s t e r
15 e p i s c o p u s c u m l e c t i t a r i i n s t i t u i s s e t in e c c l e-
s i a, c u i p r a e e s t, i n t e r p r e t a t i o n e m t u a m, m o-
u i t q u i d d a m l o n g e a l i t e r a t e p o s i t u m a p u d
I o n a m p r o p h e t a m, q u a m e r a t o m n i u m s e n s i-
b u s m e m o r i a e q u e i n u e t e r a t u m e t t o t a e t a t u m
20 s u c c e s s i o n i b u s d e c a n t a t u m. f a c t u s est t a n t u s t u-
m u l t u s in p l e b e m a x i m e G r a e c i s a r g u e n t i b u s e t i n-
f l a m m a n t i b u s c a l u m n i a m f a l s i t a t i s, ut c o g e r e t u r
e p i s c o p u s — O e a q u i p p e c i u i t a s e r a t — I u d a e o r u m
t e s t i m o n i u m f l a g i t a r e. u t r u m a u t e m i l l i i n p e r i t i a 3
25 a n m a l i t i a h o c e s s e in H e b r a e i s c o d i c i b u s

---

3 cf. epist. CIV 6   14—392, 6 = epist. CIV 5

1 et *om.* F   diuin. *om.* F   2 propos. F, Mp.c.m2 expos. D, Ma.c.m2 ad]
et ℘   3 mittendum LM, Ba.c.m3   et] ut L   me *ex* ne L, *om.* F   4 emen-
dationem FDM   causas ℘LDMB   quia—iud. *om.* D   5 plurime (ę F) ℘F,
Ba.c.m2 possint Ba.c.m2 possunt F, Bp.c.m2   6 indicare B   eadem F   7 confi-
ximus ℘LD, Ma.c.   9 dicis F, Ba.c. sed forte dices ς   quod B   si (*seq. ras. 1—2*
litt.) M   t (= tibi) *in ras.* m1B   11 nullusque ς nullus ⟨si⟩ Goldbacher   inuenire Fʒ   potuit ℘   notionem ℘DMB, L (*ex* notitionem)   13 consp. cal. ς
14 enim *om.* F   15 cum *ex* quam L   lectitare ℘   ecclesiam (m *exp.*) F; *add.* sua ʒ
16 mouit *ex* nobit L nouit ℘D   17 quidam FLD, Ma.c.   abs te *ep.* CIV ante F
18 quem ʒ cum ℘   omnibus F   20 factusque M factumque D   est *om.* D
tum. *om.* F   21 inclamantibus ς   22 calumnia F   23 Oea Reinhart eo D eorum
ex erat m2F ea *cet.* Iud.] *s. l. add.* ab ipsis m1B

responderunt, quod et Graeci et Latini habebant atque dicebant? quid plura? coactus est
homo uelut mendositatem corrigere uolens
post magnum periculum non remanere sine
plebe. unde etiam nobis uidetur aliquando 5
te quoque in nonnullis falli potuisse.

22. Dicis me in Iona propheta male quiddam interpretatum
et seditione populi conclamante propter unius uerbi dissonantiam
episcopum paene sacerdotium perdidisse. et quid sit illud, quod male
interpretatus sim, subtrahis auferens mihi occasionem defensionis 10
meae, ne, quicquid dixeris, me respondente soluatur, nisi forte ut
ante annos plurimos cucurbita uenit in medium adserente illius temporis Cornelio et Asinio Pollione me 'hederam' pro 'cucurbita' trans-
2 tulisse. super qua re in commentario Ionae prophetae plenius respon-
dimus hoc tantum nunc dixisse contenti, quod in eo loco, ubi septua- 15
ginta interpretes 'cucurbitam' et Aquila cum reliquis 'hederam' transtulerunt, id est κιττόν, in Hebraeo uolumine 'ciceion' scriptum habet,
quam uulgo Syri 'ciceiam' uocant; est autem genus uirgulti lata
habens folia in modum pampini, cumque plantatum fuerit, cito con-
surgit in arbusculam absque ullis calamorum et hastilium admini- 20
culis, quibus et cucurbitae et hederae indigent, suo trunco se sustinens. hoc ergo uerbum de uerbo edisserens si 'ciceion' transferre uoluissem, nullus intellegeret, si 'cucurbitam', id dicerem, quod in

---

14 cf. Hieron. comment. in Ionam 4, 6 (XXV 1147 M)

1 pr. et F₃, om. cet.   habeant ₃   3 mendac(t)ium 𝔓LDMB   6 in nonn. te
quoque ς   nonnulli ₃   falli om. ₃   7 ionam prophetam 𝔓LDMB   tale F
quidam L   9 quid ex qui F quis 𝔓   10 sum 𝔓LDMB   subtrahens F   auferes
D,Ma.c. aufer∗s L   11 quicquid] quod F   12 illis temporibus 𝔓LDMB
13 ederam ex edram B ędera F   15 contempti B   16 ederam ex edram B
transtulerit M,Bp.c.m2   17 id est om. 𝔓   κιττόν Goldbacher κισσόν ς KniON ₃
KIKHON F KIaCON 𝔓 kimcon B kariacon M cariacon L icariacon D   ceceion
𝔓LDM KoyKHON F CEICEωN B   habetur 𝔓 est ς   18 quantum ₃
ciceian 𝔓 cyceiam LD KHKΠaM F ceceiam M CEYCEYAN B   19 habentes ₃
habentis F   immodum 𝔓LM   pampuni Fa.c. pampani D papam (in mg.m2
papiri) L   20 arbuscula ex arbcula F   21 alt. et om. 𝔓   suo] sub 𝔓   sustinet F
22 ego uerbom ₃   disserens 𝔓LDMB   ceceion LDM ceceon 𝔓 KMKION F
CEICEIωN B   23 id (exp. m3) dicerem B indicerem 𝔓

Hebraico non habetur; 'hederam' posui, ut ceteris interpretibus con-
sentirem. sin autem Iudaei uestri, ut ipse adseris, malitia uel inperitia
hoc dixerunt esse in uoluminibus Hebraeorum, quod in Graecis et
Latinis codicibus continetur, manifestum est eos aut Hebraeas
5 litteras ignorare aut ad inridendos cucurbitarios uoluisse mentiri.
peto in fine epistulae, ut quiescentem senem olimque ueteranum 4
militare non cogas et rursum de uita periclitari. tu, qui iuuenis es
et in pontificali culmine constitutus, doceto populos et nouis Africae
frugibus Romana tecta locupleta. mihi sufficit cum auditore uel
10 lectore pauperculo in angulo monasterii susurrare.

CXIII.
FRAGMENTUM EPISTULAE THEOPHILI AD HIERONYMUM.

1. Paucis in exordio placet iudicium ueritatis; dicente autem
15 domino per prophetam: et iudicium meum quasi lux
egredietur, qui tenebrarum horrore circumdati sunt nec
naturam rerum clara mente perspiciunt, pudore operiuntur aeterno
et cassos se habuisse conatus ipso fine cognoscunt. unde et nos
Iohannem, qui dudum Constantinopolitanam rexit ecclesiam,
20 deo placere semper optauimus et causas perditionis eius, in quas
ferebatur inprouidus, nequaquam credere uoluimus. sed ille, ut 2
cetera flagitia eius taceam, Origenistas in suam recipiens familiari-
tatem et ex his plurimos in sacerdotium prouehens at queob hoc
scelus beatae memoriae hominem dei Epiphanium, qui inter epi-

15 *Esai. 51, 5

T = Parisinus lat. 2172 s. X.
V = Parisinus lat. 2173 s. XIII.

*In utroque codice hoc fragmentum cum epistula CXIV coaluit, quod
primus uidit Valesius*

1 hebreico ჳ hebreo F   non om. ℘   posui] seq. ras. 1 litt. F, 3—4 litt. M
ceteri ჳ   2 si M   ut] et L   adseris ipse D   malitia] alia F   4 eos om. ჳ
aut ex ut F   hebreos ჳ   5 aut om. L   ad om. ჳ B   6 finem M   7 militari
LD, M a.c.   periclitare ჳ   8 in om. F   9 locupletato ϛ   uel F ac ჳ et cet.
14 Paucis] titulum et salutandi formulam ad epist. CXIV pertinentes huic frag-
mento praemittunt TV   16 egreditur T   18 conatos T a.c.m2   22 cetera ex
cera T   eius flagitia ϛ   24 epyfanium T

scopos clarum in orbe sidus effulsit, non paruo maerore contristans
meruit audire: c e c i d i t, c e c i d i t B a b y l o n.

2. Scientes ergo dictum a saluatore: n o l i t e i u d i c a r e
s e c u n d u m f a c i e m, s e d i u s t u m i u d i c i u m i u d i-
c a t e, ne quoquam 5

. . . .

CXIV.
AD THEOPHILUM EPISCOPUM.

Dilectissimo atque amantissimo papae Theophilo episcopo
Hieronymus.   1(

1. ⟨Quod⟩ tardius beatitudini tuae Latino sermone translatum
librum tuum remitterem, multa in medio inpedimenta fecerunt: Isau-
rorum repentina eruptio, Phoenicis Galilaeaeque uastitas, terror
Palaestinae, praecipue urbis Hierosolymae, et nequaquam librorum,
sed murorum extructio, ad hoc asperitas hiemis, fames intolerabilis 1:
2 nobis praesertim, quibus multorum fratrum cura inposita est. inter
quas difficultates lucratiuis et, ut ita dicam, furtiuis per noctem
operis crescebat interpretatio et iam in scidulis tenebatur, cum
diebus sanctae quadragesimae scripta ad purum — conlatione tantum
indigerem — grauissimo languore correptus et mortis limen ingrediens 2(

2 Esai. 21, 9   3 Ioh. 7, 24   17 cf. Ciceronem apud Quintilianum, i. o.
X 7, 27

T = Parisinus lat. 2172 s. X.
V = Parisinus lat. 2173 s. XIII.

ad theophilum episcopum TV; Hieronymi nomen exhibet titulus in
utroque codice

1merore TV   2 babilon V   5 ne quoquam] fortasse nequaquam ut p. 393, 21
9 beatissimo papae Theophilo Hieronymus ς   papae om. V   10 hieronimus T
iheronimus V   11 quod add. Vall., om. TV   tradius V   12 hisaurorum V
13 phenicis V   galileaeque T galileeque V   14 pale (ex pali T) stinae(-ne V) TV
praecipuae T   uerbis (e eras.) V, om. ς   hierusolymae Ta.c. iherosolime V
15 exstr. V   intollerabilis (pr. 1 eras.) T   17 lucratiui V   ut s. l. T   furtiuis
(s eras.) V   18 scidulis Ta.c.m² scedulis Tp.c.m²V schedulis ς   cumque V
19 sanctae om.V   quadragensimae (n eras.) T   coll. Tp.c.m²V   20 indigerer V
indigerent coni. Vall.   langore T

domini misericordia et tuis orationibus reseruatus sum ad hoc forsitan, ut inplerem praeceptum tuum et uolumen disertissimum, quod
scripturarum floribus texuisti, eadem, qua a te scriptum est, gratia
uerterem, licet inbecillitas corporis et animi maeror ingenii quoque
5 acumen obtuderit et uerba prono cursu labentia uelut quibusdam
obicibus retardarit.

2. Mirati sumus in opere tuo utilitatem omnium ecclesiarum,
ut discant, qui ignorant, eruditi testimoniis scripturarum, qua debeant ueneratione sancta suscipere et altaris Christi ministerio deser-
10 uire sacrosque calices et sancta uelamina et cetera, quae ad cultum
dominicae pertinent passionis, non quasi inania et sensu carentia
sanctimoniam non habere, sed ex consortio corporis et sanguinis
domini eadem, qua corpus eius et sanguis, maiestate ueneranda.

3. Suscipe igitur librum tuum, immo meum et, ut uerius
15 dicam, nostrum; cumque mihi faueris, tuus fautor eris. tibi enim
meum sudauit ingenium et facundiam Graecam Latinae linguae uolui
paupertate pensare. neque uero, ut diserti interpretes faciunt, uerbum uerbo reddidi nec adnumeraui pecuniam, quam mihi per partes
dederas, sed pariter appendi, ut nihil desit ex sensibus, cum aliquid
20 desit ex uerbis. epistulam autem tuam idcirco in Latinum uerti et 2
huic uolumini praeposui, ut omnes, qui legerint, sciant me non temeritate et iactantia, sed praeceptis beatitudinis tuae suscepisse onus
ultra uires meas. quod an consecutus sim, tuo iudicio derelinquo.
certe, si inbecillitatem reprehenderis, uoluntati ueniam commodabis.

---

1 orat.] precibus ç] 2 dissert. (*pr.* s *eras. T*) *TV*   4 anime *V*   maeror *om. V*
5 optūderit *T* obtui (*exp.*) derit *V*   7 mirati (*s. l.* ɫ imitati) *V*   8 eruditi *om. V*
10 *alt.* et *om. V*   que *V*   11 pertinent *om. V*   15 dicam] loquar ç   16 nolui *V*
17 disserti (*pr.* s *eras. T*) *TV*   19 pariter iheronimi pbri epla ad theophilū epm
appendi *V*   20 epistolam *T p.c. m2 V*   iccirco *V*   24 certe] ceterum *V*   commo-
dabis] *add.* explicit feliciter *T* explicit liber. amen *V*

CXV.

AD AUGUSTINUM.

Domino uere sancto et beatissimo papae Augustino Hieronymus in Christo salutem.

1 Cum a sancto fratre nostro sollicite quaererem, quid ageres, 5 sospitem te laetus audiui. rursum, cum tuas litteras non dico sperarem, sed exigerem, nesciente te de Africa profectum esse se dixit. itaque reddo tibi per eum salutationis officia, qui te unico amore complectitur, simulque obsecro, ut ignoscas pudori meo, quod diu praecipienti, ut rescriberem, negare non potui. nec ego tibi, sed causae 10 causa respondit. et si culpa est respondisse — quaeso, ut patienter 2 audias —, multo maior est prouocasse. sed facessant istius modi querimoniae; sit inter nos pura germanitas et deinceps non quaestionum, sed caritatis ad nos scripta mittamus. sancti fratres, qui nobiscum domino seruiunt, affatim te salutant. sanctos, qui tecum Christi leue 15 trahunt iugum, praecipue sanctum et suscipiendum papam Alypium, 3 ut meo obsequio salutes, precor. incolumem te et memorem mei Christus deus noster tueatur omnipotens, domine uere sancte et be-

𝔓 = *Escorialensis &c. 1. 14 s. VIII—IX.*
A = *Berolinensis lat. 17 s. IX.*
ʒ = *Parisinus 12163 s. IX.*
B = *Berolinensis lat. 18 s. XII.*

Haec epistula est inter Augustini epistulas LXXXI p. 350 (Goldbacher);
de titulo cf. adnot. ad epist. LXVII

3 domno 𝔓B uere *om.* A iheronimus B 4 in Chr. sal. *om.* 𝔓 Christo] domino A 5 nostro *om.* B; *add.* firmo *cod. Mus. Brit. Reg. 5 D VI saec.* XI—XII *ex coniectura procliui (cf. initium epist. CXVI), sed non necessaria, quam secuti sunt editores* 6 rursus AB dicam Ba.r. 7 exgerem ʒ nescientem te A te nesciente B de *om.* 𝔓 ex ς profecturum A se esse B 8 officium A more 𝔓 9 complectimur A 10 ut rescr., praec. ς praecipiente B scriberem A causa causae(e) 𝔓A 11 ut *om.* A 12 audias *om.* A me audias B prou.] *add.* facta iniuria cessantis B facessantes Ba.c.m2 facessci (m2 faces s̄c̄i) A 13 sit] si ʒ questiones B 15 seruiunt *s. l.* A salutant et ʒ sancti Ba.c.m2 lebe x̄p̄i 𝔓 lene A 16 traunt Aa.c.m2B suspiciendum ς 17 incol. — 397, 5 lud. *om. m1 dimidia fere pagina uacua relicta, add. m2*B merorem ʒ *a.c.* 18 d̄n̄s A dom. uere *om.* A

atissime papa. si legisti librum explanationum in Ionam, puto, quod
ridiculam cucurbitae non recipias quaestionem. sin autem amicus,
qui me primus gladio petiit, stilo repulsus est, sit humanitatis tuae
atque iustitiae accusantem reprehendere,. non respondentem. in
5 scripturarum, si placet, campo sine nostro inuicem dolore ludamus.

CXVI.
EPISTULA AUGUSTINI AD HIERONYMUM.

Domino dilectissimo et in Christi uisceribus honorando, sancto
fratri et conpresbytero Hieronymo Augustinus in domino salutem.
10   1. Iam pridem tuae caritati prolixam epistulam misi respondens
illi tuae, quam per sanctum filium tuum Asterium, nunc iam non solum fratrem, uerum etiam collegam meum, misisse te recolis. quae
utrum in manus tuas peruenire meruerit, adhuc nescio, nisi quod
per fratrem sincerissimum Firmum scribis, si ille, qui te primum
15 gladio petiit, stilo repulsus est, ut sit humanitatis meae atque iustitiae
accusantem reprehendere, non respondentem. hoc solo tenuissimo 2
indicio utcumque conicio legisse te illam epistulam meam. in ea
quippe deploraui tantam inter uos extitisse discordiam, de quorum
tanta amicitia, quaqua uersum eam fama diffuderat, caritas fra-
20 terna gaudebat. quod non feci reprehendendo germanitatem tuam,
cuius in ea re aliquam culpam me cognouisse non ausim dicere, sed
dolendo humanam miseriam, cuius in amicitiis mutua caritate
retinendis, quantalibet illa sit, incerta permansio est. uerum illud 3

---

1 cf. epist. CXII 22   14 cf. ep. CXV fin.   17 cf. ep. CX 6—8

𝔓 = *Escorialensis &c I. 14 s. VIII—IX.*
ȝ = *Parisinus 12163 s. IX.*
𝔥 = *Parisinus nouv. acq. lat. 1444 s. XI.*
i = *Musei Britannici Regius 5 D VI s. XI—XII.*

*Haec epistula est inter Augustini epistulas LXXXII (p. 351 Goldbacher);
de titulo cf. adnot. ad epist. LXVII*

1 pape 𝔓 si — 5 lud. *om.* 𝔓 iona *A*   2 ridiculum *A* questionum *Aa.c.*
si *Bm2*   3 primo *A* primum *Bm2*   petit *A*   4 in] et in *A*   8 x͞po ȝ   10 car. tuae ς
responde 𝔓   11 nuntiam ȝ. 𝔥 (nuntium *m2*)   14 per *om.* ȝ   te 𝔓 me *cet.*
15 petit ȝ   17 te *s. l.* 𝔓   19 quaquam 𝔓 ȝ   ea ȝ i   diffuderet ȝ   20 repr.]
add. in aliquo ς   21 re aliquam] reliquam 𝔓   culpa 𝔓   ausus sim i ausus sum ς
se ȝ   22 cuius] cum ȝ

malueram tuis nosse rescriptis, utrum mihi ueniam, quam poposceram, dederis. quod apertius mihi intimari cupio, quamuis hilarior quidam uultus litterarum tuarum etiam hoc me impetrasse significare uideatur, si tamen post lectam illam missae sunt, quod in eis minime apparet. 5

2. Petis uel potius fiducia caritatis iubes, ut in scripturarum campo sine nostro inuicem dolore ludamus. equidem, quantum ad ad me adtinet, serio nos ista quam ludo agere mallem. quodsi hoc uerbum tibi propter facilitatem ponere placuit, ego, fateor, maius aliquid expeto a benignitate uirium tuarum prudentiaque tam docta 10 et otiosa, annosa, studiosa, ingeniosa diligentia haec tibi non tantum donante, uerum etiam dictante spiritu sancto, ut in magnis et laboriosis quaestionibus non tamquam ludentem in campo scripturarum, sed in montibus anhelantem adiuues. si autem propter hilaritatem, quam esse inter carissimos disserentes decet, putasti dicen- 15 dum esse 'ludamus', siue illud apertum et planum sit, unde conloquimur, siue arduum atque difficile, hoc ipsum edoce, obsecro te, quonam modo adsequi ualeamus, ut, cum forte aliquid nos mouet, quod nobis etsi non cautius adtendentibus, certe tardius intellegentibus non probatum est, et, quid nobis uideatur, contra conamur 20 adserere, si hoc aliquanto securiore libertate dicamus, non incidamus in suspicionem puerilis iactantiae, quasi nostro nomini famam uiros inlustres accusando quaeramus, si autem aliquid asperum refellendi necessitate depromptum, quo tolerabile fiat, leniore circumfundamus eloquio, litum melle gladium stringere iudicemur, nisi forte 25 ille modus est, quo utrumque hoc uitium uel uitii suspicionem caueamus, si cum doctiore amico sic disputemus, ut, quicquid dixerit, necesse sit adprobare nec quaerendi saltem causa liceat aliquantulum reluctari.

6 cf. epist. CXV fin. 22 cf. ep. CII 2 25 cf. ep. CV 2

1 mulierem ʒ 2 intimare ʒ 7 et quidem *codd.* 8 serio nos] seri onus 𝔓 9 magis ʒ 10 expecto 𝔓 a — prud. *om.* 𝔓 docte ƕ docet ʒ 11 et otiosa *om.* ƕ stuosa ʒ ingeniosaque ƕp.c.m2 12 dictante] donante 𝔓 15 quem 𝔓 dicet 𝔓 16 plenum 𝔓 17 doce 𝔓 te *om.* 𝔓 18 quodam 𝔓 ualemus ʒ nos] nobis (?) 𝔓 *a. r.* 20 contra con. *om.* 𝔓 21 ads. — *p. 399, 13* tuos *leguntur post p. 401, 22* contra quos 𝔓 si *om.* 𝔓 24 reuellendi 𝔓 depr. fuerit ς leuiore ʒ 25 ne litum ς instringere 𝔓 iud.] uideamur ς 26 uitii] uitiis ʒ,ƕ*a.r.* 27 si (*s. l. m2* ɫ ut) ƕ doctore i 28 ne ʒ licet aliquantum 𝔓

3. Tum uero sine ullo timore offensionis tamquam in campo
luditur, sed mirum, si nobis non inluditur. ego enim — fateor caritati
tuae — solis eis scripturarum libris, qui iam canonici appellantur, didici hunc timorem honoremque deferre, ut nullum eorum auctorem
5 scribendo errasse aliquid firmissime credam ac, si aliquid in eis
offendero litteris, quod uideatur contrarium ueritati, nihil aliud quam
uel mendosum esse codicem uel interpretem non adsecutum esse,
quod dictum est, uel me minime intellexisse non ambigam. alios 2
autem ita lego, ut, quantalibet sanctitate doctrinaque praepolleant,
10 non ideo uerum putem, quia ipsi ita senserunt, sed quia mihi uel per
illos auctores canonicos uel probabili ratione, quod a uero non
abhorreat, persuadere potuerunt. nec te, mi frater, sentire aliud 3
existimo; prorsus, inquam, non te arbitror sic legi tuos libros uelle
tamquam prophetarum uel apostolorum, de quorum scriptis, quod
15 omni errore careant, dubitare nefarium est. absit hoc a pia humilitate et ueraci de temet ipso cogitatione, qua nisi esses praeditus,
non utique diceres: utinam mereremur complexus
tuos et conlatione mutua uel doceremus
aliqua uel disceremus!
20 4. Quod si te ipsum consideratione uitae ac morum tuorum
non simulate, non fallaciter dixisse credo, quanto magis aequum
est me credere apostolum Paulum non aliud sensisse, quam scripserit, ubi ait de Petro et Barnaba: cum uiderem, quia non
recte ingrediuntur ad ueritatem euangelii,
5 dixi Petro coram omnibus: si tu, cum sis Iudaeus, gentiliter et non Iudaice uiuis, quomodo gentes cogis iudaizare? de quo enim certus 2
sim, quod me scribendo uel loquendo non fallat, si fallebat apostolus filios suos, quos iterum parturiebat, donec in eis Christus, id est
10 ueritas, formaretur, quibus cum praemisisset dicens: quae
autem scribo uobis, ecce coram deo, quia non

---

17 = ep. CII 2 fin. 23 *Gal. 2, 14 29 cf. Gal. 4, 19 cf. I Ioh. 5, 6
30 Gal. 1, 20

3 solis eis] soli sanctis 𝔅 qui iam] quedam 𝔅 canonicae ȝ — ce 𝔅
4 que om. ȝ earum 𝔅 5 al. err. 𝔅 hac 𝔅 at ς 8 minime me 𝔅
9 prepolleat ȝ 12 mihi ȝ, ḣa.c.m2 aliud] aliquid aliter ς 13 libros—400, 30
scrips. om. 𝔅 14 uel] et ς quorum] quo ȝ 19 aliq. uel disc. om. ȝ 21 alt.
non] nec ȝ i 25 dixit ȝ

m e n t i o r, non tamen ueraciter scribebat, sed nescio qua dispen-
satoria simulatione fallebat, uidisse se Petrum et Barnaban non
recte ingredientes ad ueritatem euangelii ac Petro in faciem restitisse
non ob aliud, nisi quod gentes cogeret iudaizare?

5. 'At enim satius est credere apostolum Paulum aliquid non 5
uere scripsisse, quam apostolum Petrum non recte aliquid egisse.'
hoc si ita est, dicamus — quod absit — satius esse credere mentiri
euangelium, quam negatum esse a Petro Christum, et mentiri Regnorum librum, quam tantum prophetam a domino deo tam excellen-
ter electum et in concupiscenda atque abducenda uxore aliena 10
commisisse adulterium et in marito eius necando tam horrendum
2 homicidium. immo uero sanctam scripturam in summo et caelesti
auctoritatis culmine conlocatam de ueritate eius certus ac securus
legam et in ea homines uel adprobatos uel emendatos uel damna-
tos ueraciter discam potius, quam, facta humana dum in quibus- 15
dam-laudabilis excellentiae personis aliquando credere timeo reprehendenda, ipsa diuina eloquia mihi sint ubique suspecta.

6. Manichei plurima diuinarum scripturarum, quibus eorum
nefarius error clarissima sententiarum perspicuitate conuincitur,
quia in alium sensum detorquere non possunt, falsa esse contendunt, 20
ita tamen, ut eandem falsitatem non scribentibus apostolis tribuant,
2 sed nescio quibus codicum corruptoribus. quod tamen quia nec
pluribus siue antiquioribus exemplaribus nec praecedentis linguae
auctoritate, unde Latini libri interpretati sunt, probare aliquando
potuerunt, notissima omnibus ueritate superati confusique disce- 25
dunt. itane non intellegit sancta-prudentia tua, quanta malitiae
illorum patescat occasio, si non ab aliis apostolicas litteras esse
falsatas, sed ipsos apostolos falsa scripsisse dicamus?

7. 'Non est', inquis, 'credibile hoc in Petro Paulum, quod ipse
Paulus fecerat, arguisse'. non nunc quaero, quid fecerit; quid scrip- 30
serit, quaero. hoc ad quaestionem, quam suscepi, maxime pertinet,
ut ueritas diuinarum scripturarum ad nostram fidem aedificandam

---

2 cf. Gal. 2, 11   8 cf. Matth. 26, 69—75   9 cf. II Reg. 11, 2—17   29 cf,
ep. CXII 4, 1; Hieron. in Pauli ep. ad Gal. 2, 11 sqq. (XXVI 339 M)

2 barnabam i   3 ad eu. uer. ingr. ς   5 at] an ꝺ   6 quam — egisse om. ȝ
23 sine ȝ nec i   26 prud. sancta ς   28 dicemus ȝ   30 quaero] inquiro ς   fecerit
sed ς   31 quaero] seria quero ℬ   hoc quod ad ꝺ

memoriae commendata non a quibuslibet, sed ab ipsis apostolis ac
per hoc in canonicum auctoritatis culmen recepta ex omni parte
uerax atque indubitanda persistat. nam si hoc fecit Petrus, quod 2
facere debuit, mentitus est Paulus, quod eum uiderit non recte
5 ingredientem ad ueritatem euangelii. quisquis enim hoc facit, quod
facere debet, recte utique facit et ideo falsum de illo dicit, qui
dicit eum non recte fecisse, quod eum nouit facere debuisse. si
autem uerum scripsit Paulus, uerum est, quod Petrus non recte
tunc ingrediebatur ad ueritatem euangelii; id ergo faciebat, quod
10 facere non debebat. et si tale aliquid Paulus ipse iam fecerat, 3
correctum potius etiam ipsum credam coapostoli sui correctionem
non potuisse neglegere, quam mendaciter aliquid in sua epistula
posuisse, et epistula qualibet, quanto magis in illa, in qua prae-
locutus ait: quae autem scribo uobis, ecce coram
15 deo, quia non mentior.

      8. Ego quidem illud Petrum sic egisse credo, ut gentes cogeret
iudaizare. hoc enim lego scripsisse Paulum, quem mentitum esse
non credo. et ideo non recte agebat hoc Petrus; erat enim contra
euangelii ueritatem, ut putarent, qui credebant in Christum, sine
20 illis ueteribus sacramentis saluos se esse non posse. hoc enim
contendebant Antiochiae, qui ex circumcisione crediderant,
contra quos Paulus perseueranter acriterque confligit. ipsum uero 2
Paulum non ad hoc id egisse, quod uel Timotheum circumcidit uel
Cenchris uotum persoluit uel Hierosolymis a Iacobo admonitus cum
25 eis, qui uouerant, legitima illa celebranda suscepit, ut putari uideretur per ea sacramenta etiam Christianam salutem dari, sed ne illa,
quae prioribus, ut congruebat, temporibus in umbris rerum futurarum deus fieri iusserat, tamquam idolatriam gentilium damnare
crederetur. hoc est enim, quod illi Iacobus ait auditum de illo esse, 3

      14 Gal. 1, 20   23 cf. Act. 16, 3   24 cf. Act. 18, 18   cf. Act. 21, 18—26
27 cf. Col. 2, 17   29 cf. Act. 21, 21

      1 conmendatam 𝔅 quibuscumque 𝔅 ac] hac 𝔅   2 in om. 𝔷 𝔥 cani. cum 𝔷
canonum 𝔥 auctoritas 𝔥 diuinitatis 𝔅 culmen om. 𝔥. 4 recta ς 5 hoc om. 𝔅
quod—et om. 𝔅 6 de illo falsum 𝔷 illo] eo ς qui] quod 𝔅 9 ergo] enim i
11 correptum 𝔅 coap.] qui ap. 𝔅   13 epist.] epistola non 𝔅 in epistola
uel si hoc non in epistola ς 18 qui erat 𝔅 enim om. 𝔅𝔷 19 x͞po 𝔅 20 se om. 𝔅𝔷
21 antiocia 𝔅 cred.] gaudebant 𝔅 22 perseuerante 𝔅 24 cencris 𝔅 Cenchreis ς a om. 𝔅 25 nouerant i legerant 𝔅 26 dari om. 𝔅 29 credatur 𝔅
      LV. Hieron. Epist. II. Hilberg.   26

quod discissionem doceat a Moyse, quod utique nefas est, ut credentes in Christum discindantur a propheta Christi tamquam eius doctrinam detestantes atque damnantes, de quo ipse Christus dicit:
si crederetis Moysi, crederetis et mihi; de
me enim ille scripsit.   5
    9. Adtende enim, obsecro, ipsa uerba Iacobi: uides, in-
quit, frater, quot milia sunt in Iudaea, qui
crediderunt in Christum, et hi omnes aemulatores sunt legis. audierunt autem de te,
quia discissionem doces a Moyse eorum, qui 10
per gentes sunt, Iudaeorum dicens non debere
circumcidere eos filios suos neque secundum consuetudinem ingredi. quid ergo est? utique
oportet conuenire multitudinem; audient
enim te superuenisse. hoc ergo fac, quod tibi 15
2 dicimus. sunt nobis uiri quattuor uotum habentes super se. his adsumptis sanctifica te
cum ipsis et inpende in eos, ut radant capita,
et scient omnes, quia, quae de te audierunt,
falsa sunt, sed sequeris et ipse custodiens 20
legem. de gentibus autem, qui crediderunt,
nos mandauimus iudicantes nihil eius modi
seruare illos, nisi ut obseruent ab idolis im-
3 molato et a sanguine et a fornicatione. non, ut
opinor, obscurum est et Iacobum hoc ideo monuisse, ut scirent 25
falsa esse, quae de illo audierant hi, qui, cum in Christum ex Iudaeis
credidissent, tamen aemulatores erant legis, ne per doctrinam Christi uelut sacrilega nec deo mandante conscripta damnari putarentur,
quae per Moysen patribus fuerant ministrata. hoc enim de Paulo
iactauerant non illi, qui intellegebant, quo animo a Iudaeis fidelibus 30

---

4 *Ioh. 5, 46   6 *Act. 21, 20—25

1 dissensionem 𝔓   2 discend. ʒ descind. i   3 detestante 𝔓   4 et mici
(*sic*) crederetis 𝔓   6 enim *om.* ς   7 quod 𝔓ʒ   8 xpo 𝔓   hi omnes] iohannes ʒ
9 autem — eorum *om.* 𝔓   11 sunt *om.* ʒ   12 eos circ. eos 𝔓   14 audierunt
ɥp.c.m2 i   15 te *om* ʒ   19 omnia ʒ   22 eis 𝔓   modi *om.* 𝔓   23 obs. se ɥp.c.m2
se obs. ς   idolis] *add.* et *s.l.m2*ɥ   24 *pr.* a *om.* 𝔓   *alt.* a *om.* ʒ   25 et aiacobum ʒ
26 cum in *om.* i   in *om* ʒ, ɥa.c.m2   xpo 𝔓ʒ   28 dari i   29 mosum 𝔓   30 iacta-
uerunt ʒ   non illi] nonuli 𝔓   qui] quia 𝔓.ɥa.r.(?)   a *om.* ʒ

obseruari tunc ista deberent propter commendandam scilicet auctoritatem diuinam et sacramentorum illorum propheticam sanctitatem,
non propter adipiscendam salutem, quae iam in Christo reuelabatur
et per baptismi sacramentum ministrabatur, sed illi hoc de Paulo
5 sparserant, qui sic ea uolebant obseruari, tamquam sine his in euangelio salus credentibus esse non posset. ipsum enim senserant uehe- 4
mentissimum gratiae praedicatorem et intentioni eorum maxime
aduersum docentem non per illa hominem iustificari, sed per gratiam
Iesu Christi, cuius praenuntiandae causa illae umbrae in lege man-
10 datae sunt. et ideo illi inuidiam et persecutionem concitare molien-
tes tamquam inimicum legis mandatorumque diuinorum crimina-
bantur, cuius falsae criminationis inuidiam congruentius deuitare
non posset, quam ut ea ipse celebraret, quae damnare tamquam
sacrilega putabatur, atque ita ostenderet nec Iudaeos tunc ab eis
15 tamquam a nefariis prohibendos nec gentiles ad ea tamquam ad necessaria conpellendos.

10. Nam si re uera sic ea reprobaret, quem ad modum de illo
auditum erat, et ideo celebranda susciperet, ut actione simulata
suam posset occultare sententiam, non ei diceret Iacobus: e t
20 s c i e n t o m n e s, sed diceret: 'et putabunt omnes', q u o n i a m,
q u a e d e t e a u d i e r u n t, f a l s a s u n t, praesertim quia in
ipsis Hierosolymis apostoli iam decreuerant, ne quisquam
gentes cogeret iudaizare, non autem decreuerant, ne quisquam
tunc Iudaeos iudaizare prohiberet, quamuis etiam ipsos iam doc-
25 trina Christiana non cogeret. proinde, si post hoc apostolorum 2
decretum Petrus habuit illam in Antiochia simulationem, qua
gentes cogeret iudaizare, quoniam nec ipse cogebatur, quamuis
propter commendanda eloquia dei, quae Iudaeis sunt credita, non
prohibebatur, quid mirum, si constringebat eum Paulus libere ad-
30 serere, quod cum ceteris apostolis se Hierosolymis decreuisse meminerat?

19 *Act. 21, 24   22 cf, Act. 15, 28   28 cf. Rom. 3, 2

1 deberent] dicebant 𝔅   comendantem 𝔅   2 sacramenta 𝔅   6 possint *ex*
possent ƺ   8 aduersus 𝔅   illam ƺ𝔥i   9 cause 𝔅   in *om.* 𝔅   10 mol. conc. ς
13 ipsa 𝔅   15 nefarios 𝔅   17 re *om.* 𝔥*a.c.m*2   aud. de illo (*seq. ras. 5—6 litt.*) 𝔅
illa i   18 ut] et ƺ   19 posse 𝔅   dicere 𝔅   20 scirent 𝔅   set dicerit 𝔅
p.tabant i *a. c.*   23 cogeret] crederet 𝔅   26 antiociam 𝔅   quae i   27 quo
iam 𝔥 coiam 𝔅 quod iam i   30 si ƺ

11. Si autem hoc, quod magis arbitror, ante illud Hierosolymita-
num concilium Petrus fecit, nec sic mirum est, quod eum uolebat
Paulus non timide obtegere, sed fidenter adserere, quod eum pariter
sentire iam nouerat, siue quod cum eo contulerat euangelium siue
quod in Cornelii centurionis uocatione etiam diuinitus eum de hac 5
re admonitum acceperat siue quod, antequam illi, quos timuerat,
2 uenissent Antiochiam, cum gentibus eum conuesci uiderat. neque
enim negamus in hac sententia fuisse iam Petrum, in qua et Paulus
fuit. non itaque tunc eum, quid in ea re uerum esset, docebat, sed
eius simulationem, qua gentes iudaizare cogebantur, arguebat non 10
ob aliud, nisi quia sic illa omnia simulatoria gerebantur, tamquam
uerum esset, quod dicebant illi, qui sine circumcisione praeputii
atque aliis obseruationibus umbrae futurorum putabant credentes
saluos esse non posse.

12. Ergo et Timotheum propterea circumcidit, ne Iudaeis et 15
maxime cognationi eius maternae sic uiderentur, qui ex gentibus in
Christum crediderant, detestari circumcisionem, sicut idolatria
detestanda est, cum illam deus fieri praeceperit, hanc satanas persuaserit; et Titum propterea non circumcidit, ne occasionem daret
eis, qui sine illa circumcisione dicebant credentes saluos esse non 20
posse, et ad deceptionem gentium hoc etiam Paulum sentire iacta-
2 rent. quod ipse satis significat, ubi ait: sed neque Titus,
qui mecum erat, cum esset Graecus, conpul-
sus est circumcidi, propter subintroduc-
tos autem falsos fratres, qui subintroierant 25
perscrutari libertatem nostram, ut nos in
seruitutem redigerent, quibus nec ad horam
cessimus subiectione, ut ueritas euangelii
permaneat ad uos. hic apparet, quid eos captare intellexerit,
ut non faceret, quod in Timotheo fecerat, quod ea libertate facere 30

4 cf. Gal. 2, 2   5 cf. Act. 10, 9—16   6 cf. Gal. 2, 12   13 cf. Col. 2, 17
22 *Gal. 2, 3—5

2 conc. *om.* ℳ   6 timueras ℳ   9 re *om.* ℳ   10 que ȝ   11 simulatorie ℳꞇ
agebantur ℳ   12 illi dic. ç   13 quae umbrae erant *uel* quae erant umbrae ç
15 circ. propt. ç   19 mandaret ℳ   20 sine] se ȝ   ulla ç   22 neque Titus] nec
intus ℳ   27 oram ȝ, ꞃa.c.   28 subiectioni i   29 permaneret ç   apud ç   hinc ç
capitare ȝ   30 faceret] *add.* in tito m2ꞇ   in *om.* ℳ   fec.] facerat ȝ fecerat et ℳ

poterat, qua ostenderet illa sacramenta nec tamquam necessaria
debere appeti nec tamquam sacrilega debere damnari.

13. Sed cauendum est uidelicet in hac disputatione, ne sicut
philosophi quaedam facta hominum media dicamus inter recte
5 factum et peccatum, quae neque in recte factis neque in peccatis
numerentur, et urgueamur eo, quod obseruare legis caerimonias non
potest esse indifferens, sed aut bonum aut malum, ut, si bonum
dixerimus, eas nos quoque obseruare cogamur, si autem malum,
non uere, sed simulate ab apostolis obseruatas esse credamus. ego 2
10 uero apostolis non tam exemplum philosophorum timeo, quando et
illi in sua disputatione ueri aliquid dicunt, quam forensium aduocato-
rum, quando in alienarum causarum actione mentiuntur. quorum
similitudo si in ipsa expositione epistulae ad Galatas ad confirman-
dam simulationem Petri et Pauli putata est decenter induci, quid ego
15 apud te timeam nomen philosophorum, qui non propterea uani sunt,
quia omnia falsa dicunt, sed quia et falsis plerisque confidunt et,
ubi uera inueniuntur dicere, a Christi gratia, qui est ipsa ueritas,
alieni sunt?

14. Cur autem non dicam praecepta illa ueterum sacramen-
20 torum nec bona esse, quia non eis homines iustificantur — umbrae
sunt enim praenuntiantes gratiam, qua iustificamur —, nec tamen
mala, quia diuinitus praecepta sunt tempori personisque congruen-
tia, cum me adiuuet etiam prophetica sententia, qua dicit deus se
illi populo dedisse praecepta non bona? forte enim propterea non
25 dixit mala, sed tantum non bona, id est non talia, ut illis homines
boni fiant aut sine illis boni non fiant. uellem me doceret benigna 2
sinceritas tua, utrum simulate quisquam sanctus orientalis, cum
Romam uenerit, ieiunet sabbato excepto illo die paschalis uigiliae.
quod si malum esse dixerimus, non solum Romanam ecclesiam, sed
30 etiam multa ei uicina et aliquanto remotiora damnabimus, ubi mos

3 cf. ep. CXII 16   12 cf. Hieron. in Pauli ep. ad Gal. 2, 11 sqq. (XXVI
340 M.)   24 cf. Ezech. 20, 25

1 ostenderat ς tamq.] tamen ℬ   2 debere—damnari om. ℬ   4 inter recte
om. ȝ   5 rectis ȝ   6 urguemur ℬȝ,ia.r. urgemur ɥ,ip.r. urgeamur ς   8 cogamus ς
9 ad ȝ   11 uere ȝ   12 quando] quam ȝ   14 quid] quem ℬ   15 nomen om. ȝ
16 plerique ℬ   17 dicere] dicit qui ℬ   a om. ȝ   xpiana i   21 enim sunt ς
prenuntiante ȝ   22 temporibus ɥ   23 cumque ς   26 docere ℬ   29 esse om. ℬ
30 remotiore ȝ; add. loca s.l.m2ɥ

idem tenetur et manet. si autem non ieiunare sabbato malum puta-
uerimus, tot ecclesias orientis et multo maiorem orbis Christiani partem
3 qua temeritate criminabimur! placetne tibi, ut medium quiddam esse
dicamus, quod tamen acceptabile sit ei, qui hoc non simulate, sed
congruenti societate atque obseruantia fecerit? et tamen nihil inde 5
legimus in canonicis libris praeceptum esse Christianis. quanto
magis illud malum dicere non audeo, quod deum praecepisse ipsa
Christiana fide negare non possum, qua didici non eo me iustificari,
sed gratia dei per Iesum Christum, dominum nostrum!

15. Dico ergo circumcisionem praeputii et cetera huius modi 10
priori populo per testamentum, quod uetus dicitur, diuinitus data
ad significationem futurorum, quae per Christum oportebat inpleri.
quibus aduenientibus remansisse illa Christianis legenda tantum ad
intellegentiam praemissae prophetiae, non autem necessario facienda, quasi adhuc expectandum esset, ut ueniret fidei reuelatio, 15
quae his significabatur esse uentura. sed quamuis gentibus inponenda non essent, non tamen sic debuisse auferri a consuetudine
2 Iudaeorum tamquam detestanda atque damnanda. sensim proinde
atque paulatim feruente sane praedicatione gratiae Christi, qua sola
nossent credentes se iustificari saluosque fieri, non illis umbris rerum 20
ante futurarum, tunc iam uenientium atque praesentium, ut in
illorum Iudaeorum uocatione, quos praesentia carnis domini et
apostolica tempora sic inuenerant, omnis illa actio consumeretur
umbrarum, hoc ei suffecisse ad commendationem, ut non tamquam detestanda et similis idolatriae uitaretur, ultra uero non ha- 25
beret progressum, ne putaretur necessaria, tamquam uel ab illa salus
esset uel sine illa esse non posset, quod putauerunt heretici, qui, dum
uolunt et Iudaei esse et Christiani, nec Iudaei nec Christiani esse
3 potuerunt. quorum sententiam mihi cauendam, quamuis in ea
numquam fuerim, tamen beniuolentissime admonere dignatus es. 30

9 cf. Rom. 3, 24   27 cf. ep. CXII 13

3 ut *om.* i   4 qui] quo ʒ   hoc *om.* 𝔓   6 legi 𝔓   7 audebo 𝔓   8 possumus 𝔓   dicitur ƞ   9 Christum *om.* ʒ   10 ergo] enim 𝔓   11 datum 𝔓   14 necessaria ς   15 esse ʒ ƞ i   fidei *om.* 𝔓   16 hic 𝔓   18 damnum 𝔓   19 paul.]
prolam 𝔓   sana ς, *om.* ƞ   que ʒ   21 antea 𝔓, ʒ *a.r.*(?)   in *om.* 𝔓   22 illarum ʒ i
presentiȩ 𝔓   23 apostolicȩ 𝔓   inuenerunt i *p. c.*   hactio consumerentur 𝔓
24 eis 𝔓 i   sufficisse 𝔓 ʒ   non tamq.] nota quam 𝔓   25 detestandam 𝔓
26 ulla i *a.r.*   29 eam ʒ   30 numquam] non 𝔓   fuerint 𝔓

in cuius sententiae non consensionem, sed simulationem timore Petrus
inciderat, ut de illo Paulus uerissime scriberet, quod eum uidisset
non recte ingredientem ad ueritatem euangelii, eique uerissime
diceret, quod gentes iudaizare cogebat. quod Paulus utique non co- 4
5 gebat ob hoc illa uetera ueraciter, ubi opus esset, obseruans, ut damnanda non esse monstraret, praedicans tamen instanter non eis, sed
reuelata gratia fidei saluos fieri fideles, ne ad ea quemquam uelut
necessaria suscipienda conpelleret. sic autem credo apostolum Paulum ueraciter cuncta illa gessisse nec tamen nunc quemquam factum
10 ex Iudaeo Christianum uel cogo uel sino talia ueraciter celebrare,
sicut nec tu, cui uidetur Paulus ea simulasse, cogis istum uel sinis
talia simulare.

16. An uis, ut etiam ego dicam hanc esse summam quaestionis,
immo sententiae tuae, ut post euangelium Christi bene faciant
15 credentes Iudaei, si sacrificia offerant, quae obtulit Paulus, si filios
circumcidant, si sabbatum obseruent, ut Paulus in Timotheo et
omnes obseruauere Iudaei, dum modo haec simulate ac fallaciter
agant? hoc si ita est, non iam in heresin Hebionis uel eorum, quos
uulgo Nazaraeos nuncupant, uel quamlibet aliam ueterem, sed in
20 nescio quam nouam delabimur, quae sit eo perniciosior, quo non
errore, sed proposito est ac uoluntate fallaci. quodsi respondes, ut 2
te ab hac purges sententia, tunc apostolos ista laudabiliter simulasse,
ne scandalizarentur infirmi, qui ex Iudaeis multi crediderant et ea
respuenda nondum intellegebant, nunc uero confirmata per tot
25 gentes doctrina gratiae Christianae, confirmata etiam per omnes
Christi ecclesias lectione legis et prophetarum, quomodo haec intellegenda, non obseruanda recitentur, quisquis ea simulando agere
uoluerit, insanire, cur mihi non licet dicere apostolum Paulum

3 cf. Gal. 2, 14   13 cf. ep. CXII 13, 1

1 Petr. tim. ς   2 eum] cum ʒ cum eum ς   uidisse 𝔓   3 ei qui ʒ   5 damna ʒ
7 reuelante gratię 𝔓   fideles saluos fieri ς   fieri *om.* 𝔓   quamquam ʒ tan-
quam ŋ (tan *in ras. m2*) i   uelut *del. m2* ŋ uel 𝔓   11 istum] secum 𝔓   12 talia]
similia 𝔓   13 an uis] *add. s. l.* ḷ annuis i   17 obseruare 𝔓ʒ   ac] hac i *a. r.* hęc 𝔓
18 si *om.* 𝔓   heresim 𝔓ŋi   hebeonis i ebionis 𝔓ŋ   19 qualibet ʒ   nescio in ς
20 dilabemur 𝔓   eo] et 𝔓   21 preposito 𝔓   ac] hac *ex* haec 𝔓   respondeas ς
23 cred.] *add. s. l. m2* minus adhuc tunc ŋ   et ea—24 conf. *ponit post* 25 conf. ŋ
25 xp̄iana ʒ   etiam] iam ŋ*p.r.*   26 quomodo] quia ŋ*p.c.m2*   27 recitantur
𝔓, ŋ*p.c.m2*   28 uideatur ins. i

et alios rectae fidei Christianos tunc illa uetera sacramenta paululum
obseruando ueraciter commendare debuisse, ne putarentur illae pro-
pheticae significationis obseruationes a piissimis patribus custoditae
3 tamquam sacrilegia diabolica a posteris detestatae? iam enim cum
uenisset fides, quae prius illis obseruationibus praenuntiata post mor- 5
tem et resurrectionem domini reuelata est, amiserant tamquam uitam
officii sui, uerum tamen sicut defuncta corpora necessariorum dedu-
cenda erant quodam modo ad sepulturam nec simulate, sed religiose,
non autem deserenda continuo uel inimicorum obtrectationibus tamquam canum morsibus proicienda. proinde nunc quisquis Christia- 10
norum, quamuis sit ex Iudaeis, similiter ea celebrare uoluerit, tamquam sopitos cineres eruens non erit pius deductor uel baiulus
corporis, sed inpius sepulturae uiolator.

    17. Fateor sane in eo, quod epistula mea continet, quod ideo
sacramenta Iudaeorum Paulus celebranda susceperat, cum iam 15
Christi esset apostolus, ut doceret non esse perniciosa his, qui ea
uellent, sicut a parentibus per legem acceperant, custodire, minus
me posuisse 'illo dumtaxat tempore, quo primum fidei gratia reuelata
est'; tunc enim hoc non erat perniciosum. progressu uero temporis
illae obseruationes ab omnibus Christianis desererentur, ne, si tunc 20
fierent, non discerneretur, quod deus populo suo per Moysen praecepit, ab eo, quod in templis daemoniorum spiritus inmundus in-
2 stituit. proinde potius culpanda est neglegentia mea, quia hoc non
addidi, quam obiurgatio tua. uerum tamen longe ante, quam tuas
litteras accepissem, scribens contra Faustum Manicheum, quomodo 25
eundem locum quamuis breuiter explicauerim et hoc illic non prae-
termiserim, et legere poterit, si non dedignetur, benignitas tua et
a carissimis nostris, per quos haec scripta nunc misi, quomodo uo-
3 lueris, tibi fides fiat illud me ante dictasse. mihique de animo meo
crede, quod coram deo loquens iure caritatis exposco, numquam 30

---

14 cf. ep. LXVII 4   25 cf. August. contra Faustum XIX 17

    1 paulum 𝔓ℨ   3 significationes (add. et m2) 𝔥 piéntissimis 𝔓   custodientę ℨ
4 detestande 𝔓i   5 illius ℨ.𝔥a.r.   6 domini om. 𝔓   7 tam ℨ   nec. officiis ς
10 quisque 𝔓   12 cinere ℨi eruet 𝔓 seruens ℨ seruans i erit nota 𝔓 14 cont.
mea ς mea om. 𝔥 ideo] in eo i 15 iam om. 𝔓   17 ut sicut ℨ   18 potuisse ℨ
qui ℨ fide ℨ   19 temp.] add. erat perniciosum nisi ς   20 ne si] quod nisi 𝔓
21 fieret 𝔓ℨ𝔥 23 qui ς 24 litt. tuas i 26 illi 𝔓 27 pr. et om. 𝔓 potuerit ℨi
et a om. 𝔓   28 a om. ℨ   nunc haec scr. ς   nunc] non ℨ   29 fiet 𝔥p.c.m2
30 loques 𝔓

mihi uisum fuisse etiam nunc Christianos ex Iudaeis factos sacramenta illa uetera quolibet affectu, quolibet animo celebrare debere
aut eis ullo modo licere, cum illud de Paulo semper ita senserim, ex
quo illius mihi litterae innotuerunt, sicut nec tibi uidetur hoc tem-
5 pore cuiquam ista esse simulanda, cum hoc fecisse apostolos credas.

18. Proinde, sicut tu e contrario loqueris et licet reclamante,
sicut scribis, mundo libera uoce pronuntias caerimonias Iudaeorum
et perniciosas esse et mortiferas Christianis et, quicumque eas obseruauerit siue ex Iudaeis siue ex gentibus, eum in barathrum diaboli
10 deuolutum, ita ego hanc uocem tuam omnino confirmo et addo:
quicumque eas obseruauerit non solum ueraciter, uerum etiam
simulate, eum in barathrum diaboli deuolutum. quid quaeris am- 2
plius? sed sicut tu simulationem apostolorum ab huius temporis
ratione secernis, ita ego Pauli apostoli ueracem tunc in his omnibus
15 conuersationem ab huius temporis quamuis minime simulata caerimoniarum Iudaicarum obseruatione secerno, quoniam tunc fuit ad-
probanda, nunc detestanda. ita, quamuis legerimus: l e x e t 3
p r o p h e t a e u s q u e a d I o h a n n e m B a p t i s t a m
et quia p r o p t e r e a q u a e r e b a n t I u d a e i C h r i s t u m
20 i n t e r f i c e r e, q u i a n o n s o l u m s o l u e b a t s a b b a-
t u m, s e d e t p a t r e m s u u m d i c e b a t d e u m a e q u a-
l e m s e f a c i e n s d e o, et quia g r a t i a m p r o g r a t i a
a c c e p i m u s e t q u o n i a m l e x p e r M o y s e n d a t a
e s t, g r a t i a a u t e m e t u e r i t a s p e r I e s u m C h r i-
25 s t u m f a c t a e s t et per Hieremiam promissum est daturum
deum testamentum nouum domui Iuda non secundum testamentum, quod disposuit patribus eorum, non tamen arbitror ipsum
dominum fallaciter a parentibus circumcisum. aut, si hoc propter 4

6 cf. ep. CXII 14   17 *Luc. 16, 16   19 Ioh. 5, 18   23 Ioh. 1, 16—17
25 cf. Hier. 38 (31), 31—32

2 *pr.* quelibet 𝔓   3 aut] an ȝ   dicere ȝ illud] illo 𝔓   semper *om.* 𝔓
4 nillius (*sic*) ȝ   5 esse sim. ista ς   ita 𝔓   6 tu] tua ȝ   8 esse et] esset ȝ
9 baratro 𝔓   10 inuolutum 𝔓   11 obs.] *add.* siue ex Iudaeis siue ex gentibus ς
12 quic 𝔓   13 ab *om.* ȝ   14 rations decernis 𝔓   16 iudaicorum 𝔓   secerto ȝ
tum ȝ   17 ita] et 𝔓 tam ȝ   18 usque] us ȝ   20 solum] hic 𝔓   21 et *om.* ȝ   22 *alt.*
gratiam 𝔓   26 deum] *add.* et per 𝔓   domum 𝔓 domus ȝ dom ŋ *a.c.*   iudae ŋ
iude 𝔓   28 dm̄ ȝŋ   circumcidi 𝔓

aetatem minime prohibebat, nec illud arbitror eum dixisse fallaciter leproso, quem certe non illa per Moysen praecepta obseruatio, sed ipse mundauerat: u a d e e t o f f e r p r o t e s a c r i f i c i u m, q u o d p r a e c e p i t M o y s e s i n t e s t i m o n i u m i l l i s; nec fallaciter ascendit ad diem festum usque adeo non causa ostenta- 5 tionis coram hominibus, ut non euidenter ascenderit, sed latenter.

19. At enim dixit idem apostolus: e c c e e g o P a u l u s d i c o u o b i s, q u i a, s i c i r c u m c i d a m i n i, C h r i s t u s u o b i s n i h i l p r o d e r i t. decepit ergo Timotheum et fecit ei nihil prodesse Christum? an, quia hoc fallaciter factum est, ideo non 10 obfuit? at ipse hoc non posuit nec ait 'si circumcidamini ueraciter' sicut nec 'fallaciter', sed sine ulla exceptione dixit: s i c i r c u m-
2 c i d a m i n i, C h r i s t u s u o b i s n i h i l p r o d e r i t. sicut ergo tu uis hic locum dare sententiae tuae, ut uelis subintellegi 'nisi fallaciter', ita non inpudenter flagito, ut etiam nos illic intelle- 15 gere sinas eis dictum 'si circumcidamini', qui propterea uolebant circumcidi, quod aliter se putabant in Christo saluos esse non posse. hoc ergo animo, hac uoluntate, ista intentione quisquis tunc circumcidebatur, Christus ei omnino nihil proderat, sicut alibi aperte dicit: n a m s i p e r l e g e m i u s t i t i a, e r g o C h r i- 20 s t u s g r a t i s m o r t u u s e s t. hoc declarat et quod ipse commemorasti: e u a c u a t i e s t i s a C h r i s t o, q u i i n
3 l e g e i u s t i f i c a m i n i; a g r a t i a e x c i d i s t i s. illos ita- que arguit, qui se iustificari in lege credebant, non qui legitima illa in eius honore, a quo mandata sunt, obseruabant intellegentes, et 25 quia praenuntiandae ueritatis ratione mandata sint et quo usque debeant perdurare. unde est illud, quod ait: s i s p i r i t u d u- c i m i n i, n o n a d h u c e s t i s s u b l e g e, unde, uelut colligis, apparere, qui sub lege est, non dispensatiue, ut nostros putas uoluisse

---

3 *Marc. 1, 44; cf. Leu. 14, 2—32   5 cf. Ioh. 7, 10   7 *Gal. 5, 2   20 *Gal. 2, 21   22 cf. ep. CXII 14   Gal. 5, 4   27 *Gal. 5, 18   28 cf. ep. CXII 14

2 leprosum 𝔓 illẹ 𝔓   3 mandau(b𝔓)erat 𝔓ჳ pro] propter 𝔓   4 precepi 𝔓 illis *om.* ς   8 quiჳ circumcidimini 𝔓   9 prode erit 𝔓   10 hoc *om.* 𝔓   11 hoc *om.* 𝔓   si *om.* 𝔓   14 hoc ჳ tuae *om.* 𝔓ჳ   15 inprudenter 𝔓   17 se *om.* ჳ 18 quis 𝔓   19 nih. omn. ς   prode erat 𝔓   20 iustitiẹ 𝔓   21 hoc ergo ς quod et ς   24 se *om.* 𝔓 quia ჳ   25 honorem 𝔓   26 qua 𝔓   mandatiჳ *p. c.* 28 uelit colligi 𝔓   29 apparet ς sapere 𝔓   nostro 𝔓

maiores, sed uere, ut ego intellego, eum sanctum spiritum non habere.

20. Magna mihi uidetur quaestio, quid sit esse sub lege sic, quem ad modum apostolus culpat. neque enim hoc eum propter
5 circumcisionem arbitror dicere aut illa sacrificia, quae tunc facta a patribus nunc a Christianis non fiunt, et cetera eius modi, sed hoc ipsum etiam, quod lex dicit: n o n c o n c u p i s c e s, quod fatemur certe Christianos obseruare debere atque euangelica maxime inlustratione praedicare. legem dicit esse sanctam et
10 mandatum sanctum et iustum et bonum. deinde subiungit: q u o d 2 e r g o b o n u m e s t, m i h i f a c t u m e s t m o r s ? a b s i t, s e d p e c c a t u m, u t a p p a r e a t p e c c a t u m, p e r b o n u m m i h i o p e r a t u m e s t m o r t e m, u t f i a t s u p r a m o d u m p e c c a t o r a u t p e c c a t u m p e r m a n-
15 d a t u m. quod autem hic dicit peccatum per mandatum fieri supra modum, hoc alibi: l e x s u b i n t r a u i t, u t a b u n d a r e t d e l i c t u m; u b i a u t e m a b u n d a u i t d e l i c t u m, s u p e r a b u n d a u i t g r a t i a. et alibi, cum superius de dispen- 3 satione gratiae loqueretur, quod ipsa iustificet, uelut interrogans
20 ait: q u i d e r g o l e x? atque huic interrogationi continuo re- spondit: p r a e u a r i c a t i o n i s g r a t i a p o s i t a e s t, d o n e c u e n i r e t s e m e n, c u i p r o m i s s u m e s t. hos ergo damnabiliter dicit esse sub lege, quos reos facit lex non in- plentes legem, dum non intellegendo gratiae beneficium ad facienda
25 dei praecepta quasi de suis uiribus superba elatione praesumunt. p l e n i t u d o e n i m l e g i s c a r i t a s; c a r i t a s u e r o d e i d i f f u s a e s t i n c o r d i b u s n o s t r i s non per nos ipsos, sed p e r s p i r i t u m s a n c t u m, q u i d a t u s e s t n o b i s. sed huic rei, quantum satis est, explicandae prolixus fortasse et 4

7 Ex. 20, 17. Deut. 5, 21. Rom. 7, 7; 13, 9   9 cf. Rom. 7, 12   10 *Rom. 7, 13   16 *Rom. 5, 20   20 *Gal. 3, 19   26 *Rom. 13, 10   Rom. 5, 5

1 ut ego *om.* ƺ   spir. sanct. ç   3 quis 𝔅   4 propter circ. hoc eum ç   5 aut si i   6 *alt.* a *om.* ƺi,ɧa.c.m2   huius 𝔅   ſed propter hoc ɧ   7 etiam *om.* ƺ dicit] iubet ç   concupiscis 𝔅 cupisces i   8 certe *om.* ƺ   deb. obs. ç   9 praedi- cari 𝔅ɧi   10 quid 𝔅   14 pecc. aut *om.* 𝔅   15 per] super 𝔅ɧ   16 alibi ait ç lex *om.* 𝔅   18 sup.] *add.* et ç   22 uenires 𝔅 ueniet ç   cui *om.* ƺ   hoc ƺɧ 23 quod ɧ   24 ad] et 𝔅   25 dei *om.* 𝔅   superna 𝔅   26 uero *om.* 𝔅   29 huic rei] hic regi 𝔅   prolixius 𝔅 prolixior ç

sui proprii uoluminis sermo debetur. si ergo illud, quod lex ait:
non concupisces, si humana infirmitas gratia dei adiuta
non fuerit, sub se reum tenet et praeuaricatorem potius damnat,
quam liberat peccatorem, quanto magis illa, quae significationis
causa praecepta sunt, circumcisio et cetera, quae gratiae reuela- 5
tione latius innotescente necesse fuerat aboleri, iustificare nemi-
5 nem poterant! non tamen ideo fuerant tamquam diabolica gentium
sacrilegia fugienda, etiam cum ipsa gratia iam coeperit reuelari,
quae umbris talibus fuerat praenuntiata, sed permittenda paululum
eis maxime, qui ex illo populo, cui data sunt, uenerant, postea uero, 10
tamquam cum honore sepulta sint, a Christianis omnibus inrepara-
biliter deserenda.

21. Hoc autem, quod dicis: 'non dispensatiue, ut nostri uoluere
maiores', quid sibi uult, oro te? aut enim hoc est, quod ego appello
officiosum mendacium, ut haec dispensatio sit officium uelut 15
honeste mentiendi, aut, quid aliud sit, omnino non uideo, nisi
forte addito nomine dispensationis fit, ut mendacium non sit mendacium. quod si absurdum est, cur ergo non aperte dicis officiosum
2 mendacium defendendum? nisi forte nomen te mouet, quia non
tam usitatum est in ecclesiasticis libris uocabulum officii, quod 20
Ambrosius noster non timuit, qui suos quosdam libros utilium
praeceptionum plenos 'De officiis' uoluit appellare. an, si officiose
mentiatur quisque, culpandus est, si dispensatiue, adprobandus,
rogo te? mentiatur, ubi legerit, qui hoc putat — quia et haec magna
quaestio est, sitne aliquando mentiri uiri boni, immo uiri Christiani, 25
qualibus dictum est: sit in ore uestro 'est, est; non,
non', et qui cum fide audiunt: perdes omnes, qui loquuntur mendacium;

22. sed, ut dixi, et alia et magna quaestio est — eligat, quod

---

13 = epist. CXII 14   14 cf. epist. LVI 3, 2   26 *Iac. 5, 12; cf.
Matth. 5, 37   27 Ps. 5, 7

2 concupiscis ℜ   5 qua ʒ   reu. grat. ς   6 latius] gratius ℜ   fuerant ƅ
iustificari ℜ   7 poterat ʒ   8 facienda ℜ   ceperit ʒ inceperat ƅ inciperat ℜ
inciperet i coeperat ς   11 sunt ς   16 non om. ʒ   17 fiat ς   non sit mend.
om. ℜ   sit] fit ʒ   18 est om. ʒ   19 nomen om. i   20 in om. ℜ   21 libros om. ʒ
24 elegerit ℜ   et in haec ʒ i et in hoc ƅ   etiam haec coni. Goldb.   25 alt. uiri]
ueri i   26 non, non] add. ut non sub iudicio decidatis ς   27 qui cum] qui-
cunque i   29 sed haec ℜ   alt. et om. ʒ i

uoluerit, qui hoc existimat, ubi mentiatur, dum tamen ab scribentibus auctoribus sanctarum scripturarum et maxime canonicarum
inconcusse credatur et defendatur abesse omnino mendacium, ne
dispensatores Christi, de quibus dictum est: h i c   i a m   q u a e r i -
5 t u r   i n t e r   d i s p e n s a t o r e s,   ut   f i d e l i s   q u i s   i n -
u e n i a t u r, tamquam magnum aliquid sibi fideliter didicisse uideantur pro ueritatis dispensatione mentiri, cum ipsa fides in
Latino sermone ab eo dicatur appellata, quia fit, quod dicitur.
ubi autem fit, quod dicitur, mentiendi utique non est locus. fidelis 2
10 igitur dispensator apostolus Paulus procul dubio nobis exhibet in
scribendo fidem, quia ueritatis dispensator erat, non falsitatis.
ac per hoc uerum scripsit uidisse se Petrum non recte ingredientem
ad ueritatem euangelii eique in faciem restitisse, quod gentes
cogeret iudaizare. ipse uero Petrus, quod a Paulo fiebat utiliter
15 libertate caritatis, sanctae ac benignae pietate humilitatis accepit
atque ita rarius et sanctius exemplum posteris praebuit, quo non
dedignarentur, sicubi forte recti tramitem reliquissent, etiam a
posterioribus corrigi, quam Paulus, quo fidenter auderent etiam
minores maioribus pro defendenda euangelica ueritate salua fra-
20 terna caritate resistere. nam cum satius sit a tenendo itinere in 3
nullo quam in aliquo declinare, multo est tamen mirabilius et
laudabilius libenter accipere corrigentem quam audacter corrigere
deuiantem. laus itaque iustae libertatis in Paulo et sanctae humilitatis in Petro, quantum mihi pro modulo meo uidetur, magis
25 fuerat aduersus calumniantem Porphyrium defendenda, quam ut
ei daretur obtrectandi maior occasio, qua multo mordacius crimi-
naretur Christianos fallaciter uel suas litteras scribere uel dei sui
sacramenta portare.

    23. Flagitas a me, ut aliquem saltem unum ostendam, cuius

---

4 I Cor. 4, 2   7 cf. Cicero de off. I 23   12 cf. Gal. 2, 14. 11   29 cf. ep.
CXII 6 fin.

    1 extimat 𝔓   a i   3 omn. abesse ς   mendacio 𝔓   4 dictum *om.* ʒ
5 inter] in 𝔓   8 appellari 𝔓   9 est] lo (*eras.*) ʒ   11 ueritas ʒ   12 se *om.* 𝔓
15 sancta ac benigna i   16 ita] tam i   17 a *om.* 𝔓   18 quam] quod ƚ   paulus
hoc egit ƚ   quo *om.* 𝔓   confidenter 𝔓   audirent 𝔓   21 multo enim ʒ
22 audaciter 𝔓   23 est laus ƚ   24 quanto 𝔓 quae quantum ς   meo] me ʒ
25 Porph.] *add.* ueritas *m*2 ƚ   26 quam ʒ   27 xpianas 𝔓 -nis ʒ   sui (i *in ras.*) ƚ
sua ʒ   28 tractare 𝔓

in hac re sententiam sim secutus, cum tu tam plures nominatim
commemoraueris, qui te in eo, quod adstruis, praecesserunt, petens,
ut, in eo si te reprehendo errantem, patiar te errare cum talibus,
quorum ego, fateor, neminem legi, sed, cum sint ferme sex uel septem,
2 horum quattuor auctoritatem tu quoque infringis. nam Laodice- 5
num, cuius nomen taces, de ecclesia dicis nuper egressum, Alexandrum autem ueterem hereticum, Origenem uero ac Didymum repre-
hensos abs te lego in recentioribus opusculis tuis et non mediocriter
nec de mediocribus quaestionibus, quamuis Origenem mirabiliter
3 ante laudaueris. cum his ergo errare puto quia nec te ipse patieris, 10
quamuis hoc perinde dicatur, ac si in hac sententia non errauerint.
nam quis est, qui se uelit cum quolibet errare? tres igitur restant:
Eusebius Emisenus, Theodorus Heracleotes et, quem paulo post
commemoras, Iohannes, qui dudum in pontificali gradu Constantinopolitanam rexit ecclesiam. 15

24. Porro, si quaeras uel recolas, quid hinc senserit noster
Ambrosius, quid noster itidem Cyprianus, inuenies fortasse nec
nobis defuisse, quos in eo, quod adserimus, sequeremur, quamquam, sicut paulo ante dixi, tantum modo scripturis canonicis
hanc ingenuam debeam seruitutem, qua eas solas ita sequar, ut 20
conscriptores earum nihil in eis omnino errasse, nihil fallaciter
posuisse non dubitem. proinde, cum quaero tertium, ut tres etiam
ego tribus opponam, possem quidem, ut arbitror, facile reperire,
2 si multa legissem. uerum tamen ipse mihi pro his omnibus, immo
supra hos omnes apostolus Paulus occurrit. ad ipsum confugio, ad 25
ipsum ab omnibus, qui aliud sentiunt, litterarum eius tractatoribus prouoco, ipsum interrogans interpello et requiro in eo, quod
scripsit ad Galatas uidisse se Petrum non recte ingredientem ad
ueritatem euangelii eique in faciem propterea restitisse, quod illa
simulatione gentes iudaizare cogebat, utrum uerum scripserit an 30

---

4 cf. ep. CXII 4   17 cf. Ambros. in Pauli ep. ad Gal. 2, 11—14 (XVII
349—350 M)   cf. Cyprian. ep. LXXI 3   28 cf. Gal. 2, 14. 11

1 hac re] agri ʒ   sum 𝕻   3 ut] quod ʒ   in eo *om.* 𝕻   si] quod ς   6 dicis
om. 𝕻   7 autem *om.* 𝕻   hac 𝕻   10 putes 𝕻   13 emesenus 𝕻   post paulo
post 𝕻   16 quaeris uel recolis ʋ   hic 𝕻ʒ   17 Ambr. quid noster *om.* ʒʋi
idem 𝕻   inueniens 𝕻   18 quod] quos 𝕻   20 que 𝕻   eas] hes 𝕻   22 etiam
om. 𝕻   23 ergo 𝕻   24 legisse ʒ   25 hos] uos 𝕻   26 quid i   sentiant 𝕻
eius *om.* ς   28 scribit 𝕻   30 cogebatur ʒ

forte nescio qua dispensatiua falsitate mentitus sit. et audio paulo
superius in eiusdem narrationis exordio religiosa uoce mihi clamantem: q u a e a u t e m s c r i b o u o b i s, e c c e c o r a m
d e o, q u i a n o n m e n t i o r.

5   25. Dent ueniam quilibet aliud opinantes; ego magis credo
tanto apostolo in suis et pro suis litteris iuranti quam cuique
doctissimo de alienis litteris disputanti. nec dici timeo sic Paulum
defendere, quod non simularit errorem Iudaeorum, sed uere fuerit
in errore, quoniam neque simulabat errorem, qui libertate apostolica,
10 sicut illi tempori congruebat, uetera illa sacramenta, ubi opus erat,
agendo commendabat ea non satanae uersutia decipiendis hominibus, sed dei prouidentia praenuntiandis rebus futuris prophetice
constituta, nec uere fuerat in errore Iudaeorum, qui non solum
nouerat, sed etiam instanter et acriter praedicabat eos errare, qui
15 putabant gentibus inponenda uel iustificationi quorumque fidelium
necessaria.

     26. Quod autem dixi eum factum Iudaeis tamquam Iudaeum
et tamquam gentilem gentilibus non mentientis astu, sed conpatientis affectu, quem ad modum dixerim, parum mihi uisus es
20 adtendisse, immo ego fortasse non satis hoc explanare potuerim.
neque enim hoc ideo dixi, quod misericorditer illa simulauerit, sed
quia sic ea non simulauit, quae faciebat similia Iudaeis, quem
ad modum nec illa, quae faciebat similia gentibus, quae tu quoque
commemorasti atque in eo me, quod non ingrate fateor, adiuuisti.
25 cum enim abs te quaesissem in epistula mea, quomodo putetur ideo ²
factus Iudaeis tamquam Iudaeus, quia fallaciter suscepit sacramenta Iudaeorum, cum et gentibus tamquam gentilis factus sit
nec tamen susceperit fallaciter sacrificia gentium, tu respondisti
in eo factum gentibus tamquam gentilem, quod praeputium rece-

     3 Gal. 1, 20   7 cf. ep. CXII 17   17 cf. ep. LXVII 6, 3   19 cf. ep.
CXII 17   25 cf. ep. LXVII 6, 3   28 cf. ep. CXII 17 fin.

     1 dispensatiue ʒ audio eum ς   2 mihi uoce 𝔅   6 et pro suis *om.* ς cui-
quam ς   7 doctissime ʒ   litteris *om.* ς   deputanti 𝔅   dicit 𝔅   timeo me ς
11 non solum ς   12 ab renuntiandis i   13 uera 𝔅   quia 𝔅   15 putarent 𝔅
quorumcumque ᵺ coramque 𝔅   18 gentibus ς   actu ʒ   21 neque enim *om.* ᵺ
ideo] *add.* non m2ᵺ   22 non ea ʒ   Iud.—sim. *om.* 𝔅   26 sacramento 𝔅
27 indeam 𝔅   28 suscepit ς   29 acceperit 𝔅

perit, quod indifferenter permiserit uesci cibis, quos damnant
Iudaei. ubi ego quaero, utrum et hoc simulate fecerit, quod si
absurdissimum atque falsissimum est, sic ergo et illa, in quibus Iudaeorum consuetudini congruebat, libertate prudenti, non necessitate seruili aut, quod est indignius, dispensatione fallaci potius 5
quam fideli.

27. Fidelibus enim et his, qui cognouerunt ueritatem, sicut
ipse testatur, nisi forte et hic fallit, o m n i s c r e a t u r a d e i
b o n a e s t e t n i h i l a b i c i e n d u m, q u o d c u m g r a-
t i a r u m a c t i o n e a c c i p i t u r. ergo et ipsi Paulo, non solum 10
uiro, uerum etiam dispensatori maxime fideli, non solum cognitori,
uerum etiam doctori ueritatis, omnis utique in cibis creatura dei
2 non simulate, sed uere bona erat. cur igitur nihil simulate suscipiendo sacrorum caerimoniarumque gentilium, sed de cibis et
praeputio uerum sentiendo ac docendo tamen tamquam gentilis 15
factus est gentibus et non potuit fieri tamquam Iudaeus Iudaeis
nisi fallaciter suscipiendo sacramenta Iudaeorum? cur oleastro
inserto seruauit dispensationis, ueracem fidem et naturalibus ramis
non extra, sed in arbore constitutis nescio quod dispensatoriae
simulationis uelamen obtendit? cur factus tamquam gentilis genti- 20
bus, quod sentit, docet, quod· agit, sentit, factus autem tamquam
Iudaeus Iudaeis aliud claudit in pectore, aliud promit in uerbis,
3 in factis, in scriptis? sed absit hoc sapere. utrisque enim debebat
caritatem de corde puro et conscientia bona et fide non ficta. ac
per hoc omnibus omnia factus est, ut omnes lucrifaceret non men- 25
tientis astu, sed conpatientis affectu, id est non omnia mala hominum fallaciter agendo, sed aliorum omnium malis omnibus,
tamquam si sua essent, misericordis medicinae diligentiam pro-
curando.

28. Cum itaque illa testamenti ueteris sacramenta etiam sibi

8 *I Tim. 4, 4   17 cf. Rom. 11, 17   24 cf. I Tim. 1, 5   25 cf. I Cor. 9, 22

2 ego *om.* i   3 est *om.* 𝔓   et in illa in ʒ   4 prud.] *add.* celebrabat *m2* ŋ
7 hi ʒ   10 precipitur 𝔓   11 uiro] uero 𝔓   fideli—nihil *om.* ʒ   non] nec 𝔓
14 cerimoniaque 𝔓   15 preputium 𝔓   uera ς   atque ς   tamen *om.* 𝔓   16 et
in ras. m2 ŋ   18 seruabit 𝔓, ŋ *a.c. m2* obseruauit ς   20 uel. sim. ς   ostendit 𝔓
21 agit] ait ŋ   22 in pectore claudit ς   promittit ŋ   25 mentis 𝔓   26 astus ʒ
hom.—malis *om.* ʒ   27 omnium] hominum 𝔓   omnibus] hominibus ʒ

agenda minime recusabat, non misericorditer fallebat, sed omnino
non fallens atque hoc modo a domino deo illa usque ad certi temporis dispensationem iussa esse commendans a sacrilegis sacris
gentium distinguebat. tunc autem non mentientis astu, sed con- 2
5 patientis affectu Iudaeis tamquam Iudaeus fiebat, quando eos ab
illo errore, quo uel in Christum credere nolebant uel per uetera sacerdotia sua caerimoniarumque obseruationes se a peccatis posse
mundari fierique saluos existimabant, sic liberare cupiebat, tamquam ipse illo errore teneretur, diligens utique proximum tamquam
10 se ipsum et haec aliis faciens, quae sibi ab aliis fieri uellet, si hoc illi
opus esset. quod cum dominus monuisset, adiunxit: h a e c e s t
e n i m l e x e t p r o p h e t a e.

29. Hunc conpatientis affectum in eadem epistula ad Galatas
praecipit dicens: s i p r a e o c c u p a t u s f u e r i t h o m o i n
15 a l i q u o d e l i c t o, u o s, q u i s p i r i t a l e s e s t i s, i n-
s t r u i t e h u i u s m o d i i n s p i r i t u l e n i t a t i s i n-
t e n d e n s t e i p s u m, n e e t t u t e m p t e r i s. uide, si non 2
dixit fieri tamquam ille, ut illum lucrifacias, non utique, ut ipsum
delictum fallaciter ageret aut se id habere simularet, sed ut in alterius
20 delicto, quid etiam sibi accidere posset, adtenderet atque ita alteri,
tamquam sibi ab altero uellet, misericorditer subueniret, hoc est
non mentientis astu, sed conpatientis affectu. sic Iudaeo, sic gentili, sic cuilibet homini Paulus in errore uel peccato aliquo constituto
non simulando, quod non erat, sed conpatiendo, quia esse potuisset,
25 tamquam qui se hominem cogitaret, omnibus omnia factus est, ut
omnes lucrifaceret.

30. Te ipsum, si placet, obsecro te, paulisper intuere, te ipsum,
inquam, erga me ipsum et recole uel, si habes conscripta, relege uerba
tua in illa epistula, quam mihi per fratrem nostrum, iam collegam
30 meum Cyprianum breuiorem misisti, quam ueraci, quam germano,

---

9 cf. Matth. 22, 39 etc.   11 Matth. 7, 12   14 *Gal. 6, 1   25 cf. *I Cor. 9, 22

4 mentis ℬ   6 quod ℬ   xpo ℬ   nolebat ȝ   7 caerimoniarum quo ȝ caerimoniarum i   10 quae] quam ȝ quod ɧ   ab *om.* ȝ   11 hoc i   14 praecepit ℬ
17 uidete ℬ   18 dixerit ℬ   20 accedere ȝ   possit ℬ   ita *om.* ℬ   21 tam ℬ
ab *om.* ℬ   22 mentis ℬ   si iudeos ℬ   23 sic *ex* si ɧ   24 *pr.* non — erat *om.* ℬ
esse] esset ȝ   26 lucrificaret ɧ   27 *pr.* te] et ℬ   *alt.* te] ut ℬ   28 erga me
ipsum *om.* ℬ   me] memet ς   29 epist. *om.* ℬ   nostrum] meum ℬ   30 brebiorem
meum ℬ

quam pleno caritatis affectu, cum quaedam me in te commisisse
expostulasses, grauiter subiunxisti: in hoc laeditur amicitia, in hoc necessitudinis ıura uiolantur;
ne uideamur certare pueriliter et fautoribus
inuicem uel detractoribus nostris tribuere 5
materiam contendendi. haec abs te uerba non solum
ex animo dicta sentio, uerum etiam benigno animo ad consulendum
2 mihi. denique addis, quod, etiam si non adderes, appareret, et dicis:
haec scribo, quia te pure et Christiane dili-
gere cupio nec quicquam in mea mente reti- 10
nere, quod distet a labiis. o uir sancte mihique, ut deus
uidet animam meam, ueraci corde dilecte, hoc ipsum, quod posuisti
in litteris tuis, quod te mihi exhibuisse non dubito, hoc ipsum omnino Paulum apostolum credo exhibuisse in litteris suis non uni cuilibet homini, sed Iudaeis et Graecis et omnibus gentibus, filiis suis, 15
quos in euangelio genuerat et quos pariendos parturiebat, et deinde
posterorum tot milibus fidelium Christianorum, propter quos illa
memoriae mandabatur epistula, ut nihil in sua mente retineret, quod
distaret a labiis.

31. Certe factus es etiam tu tamquam ego non mentientis astu, 20
sed conpatientis affectu, cum cogitares tam me non relinquendum
in ea culpa, in quam me prolapsum existimasti, quam nec te uelles,
si eo modo prolapsus esses. unde agens gratias beniuolae menti
erga me tuae simul posco, ut etiam mihi non suscenseas, quod, cum
in opusculis tuis aliqua me mouerent, motum meum intimaui tibi 25
hoc erga me ab omnibus seruari uolens, quod erga te ipse seruaui, ut,
quicquid inprobandum putant in scriptis meis, nec claudant subdolo
pectore nec ita reprehendant apud alios, ut taceant apud me, hinc po-
2 tius existimans laedi amicitiam et necessitudinis ıura uiolari. nescio

2. 9 = ep. CV 4   15 cf. Gal. 4, 19

4 fauctoribus 𝔓 fauuoribus ʒ   8 appararet 𝔓   9 te *post* diligere *ponit* ς
10 quisquam 𝔓   mente mea i   11 distat 𝔓   13 exposuisse ς   14 ap. Paul. ς
unicuiquelibet 𝔓   16 tenuerat 𝔓   pariendo ς parturiendos 𝔓ʒ   17 quod 𝔓
18 memoriter 𝔓   19 dictaret ʒ   20 etiam *om.* 𝔓   tamquam] tametiam 𝔓
21 tam me] tamen 𝔓   22 *pr.* quam] qua 𝔓   23 beniuolenter 𝔓   menti *om.* 𝔓
24 tuae *om.* 𝔓   ut *om.* 𝔓   25 in *om.* 𝔓   tibi *om.* 𝔓   26 hęc 𝔓   hominibus 𝔓
obseruari ς   27 quicq.] si quid 𝔓   scripturis 𝔓   laudant ʒ laudent 𝔓ɧ   28 hinc]
hoc ʒ   29 extimans 𝔓

enim, utrum Christianae amicitiae putandae sint, in quibus magis
ualet uulgare prouerbium: o b s e q u i u m   a m i c o s,   u e r i t a s
o d i u m   p a r i t, quam ecclesiasticum: f i d e l i o r a   s υ n t
u u l n e r a   a m i c i   q u a m   u o l u n t a r i a   o s c u l a   i n i-
5 m i c i.

32. Proinde carissimos nostros, qui nostris laboribus sinceris-
sime fauent, hoc potius, quanta possumus instantia, doceamus, quo
sciant fieri posse, ut inter carissimos aliquid alterutro sermone
contra dicatur nec tamen caritas ipsa minuatur nec ueritas odium
10 pariat, quae debetur amicitiae, siue illud uerum sit, quod contra
dicitur, siue corde ueraci, qualecumque sit, dicitur non retinendo in
mente, quod distet a labiis. credant itaque fratres nostri, familiares tui, 2
quibus testimonium perhibes, quod sint uasa Christi, me inuito factum nec mediocrem de hac re dolorem inesse cordi meo, quod litterae
15 meae prius in multorum manus uenerunt, quam ad te, ad
quem scriptae sυnt, peruenire potuerunt. quo autem modo id ac-
ciderit, et longum est narrare et, nisi fallor, superfluum, cum
sufficiat, si quid mihi in hoc creditur, non eo factum animo, quo
putatur, nec omnino meae fuisse uoluntatis aut dispositionis aut
20 consensionis aut saltem cogitationis, ut fieret. haec si non
credunt, quod teste deo loquor, quid amplius faciam, non
habeo. ego tamen absit ut eos credam haec tuae sanctitati mali- 3
uola mente suggerere ad excitandas inter nos inimicitias — quas
misericordia domini dei nostri auertat a nobis! — sed sine ullo nocendi
25 animo facile de homine humana uitia suspicari. hoc enim me de illis
aequum est credere, si uasa sunt Christi non in contumeliam, sed
in honorem facta et disposita in domo magna a deo in opus bonum.
quod si post hanc adtestationem meam, si in notitiam eorum uenerit, facere uoluerint, quam non recte faciant, et tu uides.

2 Terent. Andria 68   3 *Prou. 27, 6   12 cf. ep. CV 2 init.   26 cf. II
Tim. 2, 20—21

1 am. Chr. ς   sunt ℔   3 parat ʒ   7 docemus ʒ   quod ℔   9 ipsa car. ς
10 parat ℔   debebatur ʒ   11 sit om. ʒ   12 a lab. dist. ς   distat ℔   credent ℔
igitur ς   13 inuite ℔   14 ne ℔   16 scripta ℔   17 enarrare ς   ni uallor ℔
18 quid] cut ℔   19 portatur ℔   omnimo me ℔   20 aut] ut ʒυi   saltim ʒ   cogitationi i cognitionis ℔ cognitioni ʒυ   ut fieret] sufficeret ʒυi   hac ʒ hoc ς   si non]
sin ʒ   21 deo teste ς   locor ℔   22 habeam ℔   23 quas] quur ℔   24 miseri-
cordie ℔   dei om. ℔   docendi ℔   26 ecuum ℔   27 a deo in] a domne ℔ ad
omne uel a deo ad omne ς   28 quo ʒ   in not.] innocentiam ʒ   29 uoluerit ʒ

27*

33. Quod sane scripseram nullum me librum aduersus te Romam misisse, ideo scripseram, quia et libri nomen ab illa epistula discernebam, unde omnino nescio quid aliud te audisse existimaueram, et Romam nec ipsam epistulam, sed tibi miseram et aduersus te non esse arbitrabar, quod sinceritate amicitiae siue ad admonendum 5 2 siue ad te uel me abs te corrigendum fecisse me noueram. exceptis autem familiaribus tuis te ipsum obsecro per gratiam, qua redempti sumus, ut, quaecumque tua bona, quae tibi domini bonitate concessa sunt, in litteris meis posui, non me existimes insidioso blandiloquio posuisse, si quid autem in te peccaui, dimittas mihi. nec illud, 10 quod de nescio cuius poetae fato ineptius fortasse quam litteratius a me commemoratum est, amplius, quam dixi, ad te trahas, cum continuo subiecerim non hoc ideo me dixisse, ut oculos cordis reciperes — quos absit, inquam, ut amiseris —, sed ut aduerteres, quos 3 sanos ac uigiles haberes. propter solam ergo παλινῳδίαν, si aliquid 15 scripserimus, quod scripto posteriore destruere debeamus, imitandam, non propter Stesichori caecitatem, quam cordi tuo nec tribui nec timui, adtingendum illud existimaui. atque identidem rogo, ut me fidenter corrigas, ubi mihi hoc opus esse perspexeris. quamquam enim secundum honorum uocabula, quae iam 20 ecclesiae usus obtinuit, episcopatus presbyterio maior sit, tamen in multis rebus Augustinus Hieronymo minor est, licet etiam a minore quolibet non sit refugienda uel dedignanda correctio.

34. De interpretatione tua iam mihi persuasisti, qua utilitate scripturas uolueris transferre de Hebraeis, ut scilicet ea, quae a 25 Iudaeis praetermissa uel corrupta sunt, proferres in medium. sed peto insinuare digneris, a quibus Iudaeis, utrum ab eis ipsis, qui ante aduentum domini interpretati sunt, et, si ita est, quibus uel quonam eorum, an ab istis posterius, qui propterea putari possunt aliqua de codicibus Graecis uel subtraxisse uel in eis corrupisse, ne illis testi-

---

1 cf. ep. CI 2   11 cf. ep. LXVII 7   24 cf. ep. CXII 19

2 illa] ipsa ς   6 me non noueram ȝi   8 tibi bon. dom. *uel* dom. bon. tibi ς 11 de *om.* ℬ de te ȝɥi facto ℬɥ factum i 12 tracas ℬ 14 umquam ℬ *alt.* ut] illut ℬ   15 hac uiles ℬ   palinodian ȝɥi pa*linodiam ℬ   scrips. al. ς 17 te sichori ȝ,ɥ*a.c.m*2 in stesicori ℬ   corde ɥ 19 confidenter i 20 enim *om.* i iam *om.* ȝ 21 maius ℬ 23 quodlibet ℬ uel] nec ℬ 25 a *om.* ℬȝ 27 ins. dign. peto ς 28 quinam ℬ

moniis de Christiana fide conuincerentur. illi autem anteriores cur
hoc facere uoluerint, non inuenio. deinde nobis mittas, obsecro, in- 2
terpretationem tuam de Septuaginta, quam te edidisse nesciebam.
librum quoque tuum, cuius mentionem fecisti, 'De optimo genere in-
5 terpretandi' cupio legere et adhuc nosse, quomodo coaequanda sit
in interprete peritia linguarum coniecturis eorum, qui scripturas
disserendo pertractant, quos necesse est, etiam si rectae atque
unius fidei fuerint, uarias parere in multorum locorum obscuritate
sententias, quamuis nequaquam ipsa uarietas ab eiusdem fidei uni-
10 tate discordet, sicut etiam unus tractator secundum eandem fidem
aliter atque aliter eundem locum potest exponere, quia hoc eius ob-
scuritas patitur.

    35. Ideo autem desidero interpretationem tuam de Septuaginta,
ut et tanta Latinorum interpretum, qui qualescumque hoc ausi sunt,
15 quantum possumus, inperitia careamus et hi, qui me inuidere putant
utilibus laboribus tuis, tandem aliquando, si fieri potest, intellegant
propterea me nolle tuam ex Hebraeo interpretationem in ecclesiis
legi, ne contra Septuaginta auctoritatem tamquam nouum aliquid
proferentes magno scandalo perturbemus plebes Christi, quarum au-
20 res et corda illam interpretationem audire consuerunt, quae etiam
ab apostolis adprobata est. unde illud apud Ionam uirgultum, si 2
in Hebraeo nec hedera est nec cucurbita, sed nescio quid aliud, quod
trunco suo nixum nullis sustentandum adminiculis erigatur, mallem
iam in omnibus Latinis cucurbitam legi. non enim frustra hoc puto
25 Septuaginta posuisse, nisi quia et huic simile sciebant.

    36. Satis me, immo fortasse plus quam satis tribus epistulis
tuis respondisse arbitror, quarum duas per Cyprianum accepi, unam
per Firmum. rescribe, quod uisum fuerit, ad nos uel alios instruendos.
dabo autem operam diligentiorem, quantum me adiuuat dominus,
30 ut litterae, quas ad te scribo, prius ad te peruerniant quam ad quemquam, a quo latius dispergantur. fateor enim nec mihi hoc fieri uelle
de tuis ad me, quod de meis ad te factum iustissime expostulas. tamen 2

---

21 cf. Ion. 4, 6 et ep. CXII 22   30 cf. ep. CV 5 fin.

2 noluerint ʒ   7 edisserendo ç   quod 𝔅   8 fide 𝔅   in *om.* ʒ   10 unius
tractatores 𝔅   eadem 𝔅   19 preturbemus 𝔅   plebs 𝔅   quorum 𝔅   20 consueuerunt 𝔅   21 unde et 𝔅   si *om.*𝔅   22 cucurbitas ʒ   24 in nominibus 𝔅
30 *pr.* te *om.* ʒ   31 nec] hęc 𝔅

placeat nobis inuicem non tantum caritas, uerum etiam libertas
amicitiae, ne apud me taceas uel ego apud te, quod in nostris litteris
uicissim nos mouet, eo scilicet animo, qui oculis dei in fraterna dilectione non displicet. quod si inter nos fieri posse sine ipsius dilectionis
perniciosa offensione non putas, non fiat. illa enim caritas, quam 5
tecum habere uellem, profecto maior est, sed melius haec minor
quam nulla est.

CXVII.

AD MATREM ET FILIAM IN GALLIA COMMORANTES.

1. Rettulit mihi quidam frater e Gallia se habere sororem uir- 10
ginem matremque uiduam, quae in eadem urbe diuisis habitarent
cellulis et uel ob hospitii solitudinem uel custodiendas facultatulas

1 am. lib. i   2 nec ς   4 dilectionis his 𝔓   6 uelim ς   melius]melior ς
7 quamquam 𝔓

    Γ = *Lugdunensis 600 s. VI (continet p. 422, 10* rettulit — *423,2*
        separatae; *425, 20* quid tibi — *426, 3* perisse; *429, 12* inter
        has — *17* animum).
    K = *Spinaliensis 68 s. VIII.*
    Σ = *Turicensis Augiensis 41 s. IX.*
    W = *Parisinus lat. 1868 s. IX.*
    D = *Vaticanus lat. 355 + 356 s. IX—X.*
    Ψ = *Augustodunensis 17 A s. X.*
    B = *Berolinensis lat. 18 s. XII.*

ad matrem et filiam *Γ* ad matrem et filiam in galliā (galeis *D*) conmanenti-
bus *ΣD*; *praefationem inscriptione carentem sequitur* epistu(o)la extemporalis (temporalis *KΨ*) ad matrem et filiam in gallia (galea *W*) commorantes *KWΨ*;
praefatio inscribitur expostulatio uiri hispani ad ieronimum, ut ad matrem et
filiam in gallia cōmorantibus exortationis suae epłam dirigeret *et epistula ipsa*
ieronimi exortatoria ad matrem et filiam in gallia commorantibus *B*; *Hiero-*
nymi nomen exhibent tituli in ΣDB

    10 Rettulit—*423,2* separ.] interdum uirgo filia a uidua matre diuiditur et
una orbe diuisis habitant cellolis ac pro custodiendis facultatibus praesolis sibi
clericus adsumunt, ut maiore dedecore iungantur aliis, quam a se fuerant separatae *Γ*   retulit *codd. praeter K*   e] in *B*   galleas *K* galliis *ex* gallias *Ψ*
galliā *B* gadea *W*   se (*s l.Σ*) hab. *ΣD* hab. se *WΨ* hab. *KB*   11 uiduam *in*
ras.m2B   orbe *Γ* urbe in *ex* urbem *W*   12 cellolis *Γ,Wa.c.* et om.*W* ob om *K Ψ*
sollit. (*pr.* 1 *s.l.m2*) *B*   sollicit. (*pr.* 1 *s.l.Σ*) *ΣD*   uel ad cust. *ΣB* uel ob cust.*W*
ac pro custodiendis *Γ*   facultatibus *Γ*

praesules sibi quosdam clericos adsumpsissent, ut maiori dedecore
iungerentur alienis, quam a se fuerant separatae. cumque ego inge-
mescerem et multo plura tacendo quam loquendo significarem: 'quaeso
te', inquit, 'corripias eas litteris tuis et ad concordiam reuoces, ut mater
5 filiam, filia matrem agnoscat'. cui ego: 'optimam', inquam, 'mihi 2
iniungis prouinciam, ut alienus conciliem, quas filius fraterque non
potuit, quasi uero episcopalem cathedram teneam et non clausus
cellula ac procul a turbis remotus uel praeterita plangam uitia uel
uitare nitar praesentia. sed et incongruum est latere corpore et lin-
10 gua per orbem uagari'. et ille: 'nimium', ait, 'formidolosus; ubi illa
quondam constantia, in qua multo sale urbem defricans Lucili-
anum quippiam rettulisti?' 'hoc est', aio, 'quod me fugat et 3
labra diuidere non sinit. postquam ergo arguendo crimina factus
sum criminosus et iuxta tritum uulgi sermone prouerbium
15 iurantibus et negantibus cunctis me aures nec credo habere
nec tango ipsique parietes in me maledicta resonarunt e t
p s a l l e b a n t   c o n t r a   m e,   q u i   b i b e b a n t   u i n u m,
coactus malo tacere didici rectius esse arbitrans ponere custodiam
ori meo et ostium munitum labiis meis, quam declinare cor in
20 uerba malitiae et, dum carpo uitia, in uitium detractionis
incurrere'. quod cum dixissem: 'non est', inquit, 'detrahere uerum 4

---

11 cf. Horat. sat. I 10, 3 sq.   16 *Ps. 68, 13   18 cf. *Ps. 140, 3—4

1 praesoles *K,Σa.c.* praesolis *Γ*   clericus *Γ*   maiore *ΓW*   2 aliis *Γ*
ego] eo *B*   ingemisc. *WΨ,Bp.c.m2*   3 et in *B*   multi *W* multa *D*   4 matrē
filia filiā mater *B* matrem filia filia matrem *W*   5 filiam] *add.* et *ς*   mihi] *add.*
rem *s.l.m2W*   6 iungis *Ψ*   ut faciam *ex* prouinciam *Wm2* partem *eraso* prouinciam *Σ*   alienos *Wa.c.Ψ* alienas *ΣDB*   quas] quam *ex* quem *K*   7 uero]
ego *Wp.c.m2*   catedrā *B*   sedeam *B*   8 cellulam *ΣWDa.c.*   ac] hac *Ψ*
aut *ΣD,B* (*corr. in* haud)   ab urbis (*corr. in* ab urbibus *m2*) *W*   9 linguam *ΨB*
10 totum orbem *DB* orbem totum *Σ* orbe *K* urbem *Ψ*   uacare *KWΨ*   es
(*s.l.m2*) form. *W* form. es *ς*   11 quandam *Da.c.m2B*   orbem *ΣWΨ*   lucini-
anum *KΨ* lucianum *ΣWD,Ba.c.*   12 retul. *Σ* retull. *KW* retulistis *Ψ* detul. *D*
pertul. (per *in ras. m2*) *B*   13 ergo] enim *WD* enim (*del. m2*) ergo (*in ras. m2*) *B*
enim ego *Σ*   14 criminus *B*   sermonem *KWDΨ*   15 iurgantibus *ΣDB*
cunctis] canetis *W*   me—tango *notum antestandi morem respicit* nec aures me
credo habere nec tactum *ς*   16 maledicto *ς*   resonarent *B*   17 in me psall. *ς*
bibebam *Σp.c.*   19 hostium *ΣDB*   declinē *B*   cor *om.W* cor meum *ΣDB*
20 et] ne *in ras. m2W*   detractationis *K*   21 incurrerem *WDB*   non—
corr. *om. W*

dicere nec priuata correptio generalem doctrinam facit, cum aut rarus aut nullus sit, qui sub huius culpae reatum cadat. quaeso ergo te, ne me tanto itinere uexatum frustra uenisse patiaris. scit enim dominus, quod post uisionem sanctorum locorum hanc uel maxime causam habui, ut tuis litteris sorori me redderes et matri'. et ego: 'iam iam', inquam,' quod uis, faciam; nam et epistulae transmarinae sunt et specialiter sermo dictatus raros potest inuenire, quos mordeat. te autem moneo, ut clam sermonem hunc habeas. cumque portaueris pro uiatico, si auditus fuerit, laetemur pariter; sin autem contemptus, quod et magis reor, ego. uerba perdiderim, tu itineris longitudinem'.

2. Primum scire uos cupio, soror ac filia, me non idcirco scribere, quia aliquid de uobis sinistrum suspicer, sed, ne ceteri suspicentur, uestram orare concordiam. alioquin — quod absit —, si peccati uos aestimarem glutino cohaesisse, numquam scriberem sciremque me surdis narrare fabulam. deinde hoc obsecro, ut, si mordacius quippiam scripsero, non tam meae austeritatis putetis esse quam morbi. putridae carnes ferro curantur et cauterio, uenena serpentino pelluntur antidoto; quod satis dolet, maiori dolore expellitur. ad extremum hoc dico, quod, etiam si conscientia uulnus non habeat, habet tamen fama ignominiam. mater et filia, nomina pietatis, officiorum uocabula, uincla naturae secundaque post deum foederatio, non est

16 cf. Terent. Heaut. 222

1 correctio *B* fac. doctr. ç 2 reatu *ΣD* non cadat *D,Σa.c.,WBp.c.m2* te *s.l.m2W* 3 tantum *Ψ* 4 loc. sanct. *ΣDΨ* 5 ut cum *ΣDB* sor. mederer (*alt.* r *s.l.m2*) ac matri *W* matri mederer et sor. *D* matri meç (*ex* me *m2*) et sor. mederer (derer *in ras. 8 litt.*) *Σ* redderem *B* 6 iam iam] iam *WB* et *om.ΣDB* 7 spaliter *B* raro *WDΨ,Σa.c.m2* 8 moneo *KΨ* obsecro *cet.* 9 port. eum *ΣWDB* uiati *D* aud. fueris *ΣDB* audierint eum *W* sin *Kp.c.ΣB* si *cet.* 10 cont. fuerit *Wp.c.m2* ç 11 long.] *add.* explicit praef(ph *D*)atio *ΣDΨ; titulos speciales, de quibus supra dixi, praebent KW,Ψ (in mg.) et B* 12 uos scire ç ac] et ç me *om.KΨ* 14 uestra *Wa.c.D* morarem (*pr.* m *eras.*) *W* errare *B* enarrare *Σ* (*in mg.* m2 ał orare) *D* me orare ç concordia *D* peccatorum *ΣDB* 15 extimarem *B* existimarem ç aestimaret *K* gluttino *ΣΨ* co(h *s.l.Σ*)esisse *ΣB* choesisse *W* cessisse *D* scirem namque *Wp.c.m2* 16 hoc *s.l.B* 17 meae] me *D* (*exp.*) *B* putetis aust. ç credatis aust. *W* 19 pell.] curantur *Σ* (*exp.*, *s.l.m2* pellu (*ex* o)ntur) *D* anted. *K* antyd. *Σp.c.* anthid. *W* maiore *W* dolori *K* 20 si etiam ç etiam *in ras.* m2 *B* haec consc. ç consc. criminis *D,ΣBp.c.m2* 21 famam ignominiae (*ex*-ia m2) *W* 22 uincula ç que *om.* ç faeder. *ΣDΨ* feder. *W* federāc *B*

laus, si uos diligitis; scelus est, quod odistis. dominus Iesus subiectus
erat parentibus suis: uenerabatur matrem, cuius erat ipse pater,
colebat nutricium, quem nutrierat, gestatumque se meminerat alterius utero, alterius brachiis. unde et in cruce pendens commendat
5 parentem discipulo, quam numquam ante crucem dimiserat.
   3. Tu uero, filia — iam enim desino ad matrem loqui, quam forsitan aetas et inbecillitas ac solitudo excusabilem faciunt —, tu, inquam,
filia, eius domum angustam iudicas, cuius non tibi fuit uenter angustus? decem mensibus utero clausa uixisti, et uno die in uno cubi-
10 culo cum matre non duras? an oculos eius ferre non potes et, quia
omnes motus tuos illa, quae genuit, quae aluit et ad hanc perduxit
aetatem, facilius intellegit, testem domesticam fugis? si uirgo es, 2
quid times diligentem custodiam? si corrupta, cur non palam nubis?
secunda post naufragium tabula est, quod male coeperis, saltim hoc
15 remedio temperare. neque uero hoc dico, quo post peccatum tollam
paenitentiam, ut, quod male coepit, male perseueret, sed quod de-
sperem in istius modi copula diuulsionem. alioquin, si ad matrem
migraueris post ruinam, facilius poteris cum ea plangere, quod per
illius absentiam perdidisti. quodsi adhuc integra es et non perdidisti,
20 serua, ne perdas. quid tibi necesse est in ea uersari domo, in qua 3
necesse habeas cotidie aut perire aut uincere? quisquamne morta-

1 cf. Luc. 2, 51   4 cf. Ioh. 19, 26—27

1 diligatis *ΣDB,Wa.c.m2*   oditis *W,Ba.c.m2*   i͞hs x͞ps *W*   3 nutriuerat ς
4 bracchiis *W* braciis *B* humeris *D*   comm (m *B*) endabat *ΣDB*   6 fors. et *W*
7 sollicitudo *Bp.c.m2*   facit *Σa.c.m2D*   8 filia *om.KΨ*   non tibi] mortibus
(r *eras.*) *Ψ*   tibi (*s.l.*) fuit *B* fuit tibi *ΣD*   angustus *s.l.K*   9 clausa *in ras.*
m2B clauso *ΣD*   10 potis *Wa.c.* potens (n *s.l.m2*) *K*   quia] quae *ΣD*   11 tuos
utpote *W*   genuit] te tenuit *B*   quae te aluit *W*   13 quid (d *s.l.m2*) *K* quod
Σa.c.Ψ corr. es *Σa.r.DB*   nubes *ΣW,Da.c.Ba.c.m2* nobis *Ka.c.Ψ*   15 remedium
Wa.c.Ψ   quod *ΣWB* ut *D*   16 ut] aut *B*   *alt.* quod] quo *K*   disperem *Wa.c.Ψ*
supereminet *Σa.c.m2D*   17 in *om.ΣD*   huius *ΣDB*   copulam diuulsionem
ex copulandi uulsionem *Ψ*   copula *Wp.r.Dp.c.B* copulae *Σp.c.m2* copulam *cet.*
deuuls. *Wa.c.ΣD,Ba.c.m2*   alioqui ς   19 integra *s.l.m2Σ,om.DB*   20 quid tibi—
426,3 perisse] caueat rele (i *m2*) giosus ibi uiuere, ubi necesse habeat c(qu *m2*) oti-
diae aut perire aut uincere. securius est enim perire non posse quam iuxta periculum non perisse *Γ*   quid *ex* quod *m2ΣB*   21 necesse] *add.* est (*exp.*) *D*
habeas (*cf. supra* habeat *Γ*) *ΣDB* habes *cet.*   quis umquamne (ne *exp.*) *D* quis
umquam *Σp.c.m2*

lium iuxta uiperam securus somnos capit? quae ut non percutiat,
certe sollicitat. securius est perire non posse quam iuxta periculum
non perisse; in altero tranquillitas est, in altero gubernatio, ibi gau-
demus, hic euadimus.

4. Sed forte respondeas: 'non bene morata mater est, res sae-   5
culi cupit, amat diuitias, ignorat ieiunium, oculos stibio linit, uult
compta' procedere et nocet proposito meo nec possum cum huiusce
modi uiuere'. primum quidem, etiam si talis est, ut causaris, maius
habebis praemium, si talem non deseras. illa te diu portauit, diu
aluit et difficiliores infantiae mores blanda pietate sustinuit. lauit   10
pannorum sordes et inmundo saepe foedata est stercore. adsedit aegro-
tanti et, quae propter te sua fastidia sustinuerat, tua quoque passa
2 est. ad hanc perduxit aetatem; ut Christum amares, docuit. non
tibi displiceat eius conuersatio, quae te sponso tuo uirginem conse-
crauit. quodsi ferri non potest et delicias eius fugis atque, ut uulgo   15
soletis dicere, saecularis est mater, habes alienas uirgines, habes sanctum pudicitiae chorum. quid matrem deserens eum eligis, qui suam
forsitan sororem reliquit et matrem? illa difficilis, sed iste facilis;
illa iurgatrix, iste placabilis. quem quaero utrum secuta sis an postea inueneris. si secuta es, manifestum est, cur matrem reliqueris;   20
si postea repperisti, ostendis, quid in matris hospitio non potueris
3 inuenire. durus doctor et meo mucrone me uulnerans: q u i a m b u-

22 Prou. 10, 9

1 securos *WB*   somnum *Dp.c.m2*   ut non *scripsi* ut *KΨ* ut si non *B*
si non *W* etsi non *ΣD*   2 sollicitet *B*   3 tranquilitas *KW*   est et in *Σ*   ubi *Ψ*
5 morigerata (rige *in ras. m2*, rata *s.l.m2*) *B*   6 cupit] cupida *Ψ*   ieiunia *W*
lenit *K* liniit (*in ras. m2*) *B*   7 compta *om.W*   et *om.W*   eiusce *D* huius *B*
9 portabit *D*; *add.* in utero *Σ* (*del.*) *D,Bs.l.m2*   12 propter] pro *D*   sustinu-
erant *KΨa.r.* susti (*ex* e *Σ*) nuit *ΣDB*   tuam *W*   13 est] *add.* et *s.l.m2Σ*   hanc]
add. te *s.l.m2D*   14 displicet *Ba.c.m2*   te *in ras. m2B, s.l.m2W*   conserua-
uit *KW*   15 ferre (*alt.* e *s.l.m2Σ*) *ΣDB*   potes *Kp.r.ΣDB*   ut *s.l.Ψ*; *add.* hoc
(*del.m2B*) *ΣDB*   16 solet dici *ΣDB*   alienas *KΨ* alias *cet.*   17 thorum *Ψ*
quid *ex* quod *Σ* cur *ex* cum *Ψ*   fors. sor. suam rel. et matrem *W* fors. suam
rel. sor. et matrem *ς* suam fors. matrem rel. et sor. *Σ*   18 reliquid *KWD,*
Σa.c. relinquit (n *exp.*) *B*   di (*ex* de *W*) ficilis *Σa.c.W*   iste] ista *W*   19 iste]
ergo iste *ΣWB,Da.c.*   quem] quero *B, om. ς*   utr. uirum *ΣWDB*   sis]
est (t *eras.*) *K* es *Ψ*   20 si] *add.* eum *WD,s.l.m2ΣB*   derelinqueris (n *exp.*) *B*
21 reperisti *WD*   ostenderis *Ψ*   quidē (ē *eras.*) *B*   22 doctor (octor *in ras. m2*) *B*
dolor *Σa.c.m2D;* *add.* est *ς*

l a t, inquit, s i m p l i c i t e r, a m b u l a t c o n f i d e n t e r.
tacerem, si me remorderet conscientia, et in aliis meum crimen non
reprehenderem nec per trabem oculi mei alterius festucam uiderem.
nunc autem, cum inter fratres procul habitans eorumque fruens con-
5 tubernio honeste sub arbitris et uideam raro et uidear, inpudentis-
simum est eius te uerecundiam non sequi, cuius te sequi testeris
exemplum. quodsi dixeris: 'et mihi sufficit conscientia mea; habeo 4
deum iudicem, qui meae uitae testis est; non curo, quid loquantur
homines', audi apostolum scribentem: p r o u i d e n t e s b o n a
10 n o n s o l u m c o r a m d e o, s e d e t i a m c o r a m h o m i-
n i b u s. si quis te carpit, quod sis Christiana, quod uirgo, ne cures,
quod ideo dimiseris matrem, ut in monasterio inter uirgines uiueres;
talis detractatio laus tua est. ubi non luxuria in puella dei, sed duritia
carpitur, crudelitas ista pietas est. illum enim praefers matri, quem
15 praeferre iuberis et animae tuae. quem si et ipsa praetuleriṭ, et filiam
te sentiet et sororem.

    5. Quid igitur? scelus est sancti uiri habere contubernium?
obtorto collo me in ius trahis, ut aut probem, quod nolo, aut multorum inuidiam subeam. sanctus uir numquam filiam a matre seiun-
20 git; utramque suspicit, utramque ueneratur. sit quamlibet sancta
filia, mater uidua indicium castitatis est. si coaeuus tuus est ille nescio quis, matrem tuam honoret ut suam; si senior, te ut filiam diligat
et parentis subiciat disciplinae. non expedit amborum famae plus
te illum amare quam matrem, ne non uideatur affectum in te eligere,
25 sed aetatem. et hoc dicerem, si fratrem monachum non haberes, si 2

3 cf. Matth. 7, 4; Luc. 6, 41   9 *Rom. 12, 17   18 cf. Plaut. Poen. 790

2 non morderet ΣDB 3 festucam (est *in ras. m2*) B fistucam $K\Psi$ 6 eius
(e *s.l.*) K huius ς *pr.* te *om.W*   *pr.* sequi] consequi Σ *alt.* te *om.ΣDB*   sequi
test.] sequiteris (it *exp.*) D sequeris *ex* seris (*in mg.m2* ał testeris) Σ 8 deum
meum Ψ dn̄m ΣDB quia $K\Psi$ uitae meae D est testis W quod Ψ
10 omnibus hom. ς 11 *alt.* quod] et W quod sis ς ne cures *del.m2B*   12 uiu.]
add. in mg.m2   ne cures B uixeris W 13 detractio *codd. praeteŕ* K est tua W
luxoria $K\Sigma\Psi,Wa.c.$ 14 ista crud. ΣDB praeferas ΣD preferens W 15 praeferri $D\Psi$ iubeas (*ex* iuueas D) $\Sigma p.c.m2D$ praetuleris W 16 sentiat $\Sigma D\Psi$
19 subeamus W a matre fil. ς 20 suspicit K suscipiens W suscipit *cet.; add.*
et ς sit *ex* si Σ qualibet K quaelibet Ψ 21 tuus *s.l* m2B, *om.W*   est
om.WDB   23 parentes $K,Ba.c.m2$ 24 in te aff. ς diligere W 25 haec ς

domesticis careres praesidiis; nunc uero, pro dolor, inter matrem atque
germanum — et matrem uiduam fratremque monachum — cur se
alienus interserit? bonum quidem est, ut te et filiam noueris et sororem; si autem utrumque non potes et mater quasi dura respuitur,
saltim frater placeat. si frater asperior est, mollior sit illa, quae genuit. 5
quid palles? quid aestuas? quid uultum rubore suffundis et tremen-
tibus labiis inpatientiam pectoris contestaris? non superat amorem
matris et fratris nisi solus uxoris affectus.

6. Audio praeterea te suburbana, uillarum amoenitates cum
adfinibus et cognatis et istius modi genus hominibus circumire. nec 10
dubito, quin uel consubrina uel soror sit, in quarum solacium noui
generis ducaris adsecula —absit quippe, ut, quamuis proximi sint et cognati, uirorum te suspicer captare consortia—, obsecro ergo te, uirgo,
ut mihi respondeas: sola uadis in comitatu propinquorum an cum
amasio tuo? quamuis sis inpudens, saecularium oculis eum ingerere 15
2 non audebis. si enim hoc feceris, et te et illum familia uniuersa can-
tabit, uos cunctorum digiti denotabunt, ipsa quoque soror aut ad-
finis siue cognata, quae in adulationem tui sanctum et nonnum coram te uocant, cum se paululum conuerterit, portentosum ridebit
maritum. sin autem sola ieris— quod et magis aestimo —, utique inter 20
seruos adulescentes, inter maritas feminas atque nupturas, inter
lasciuas puellas et comatos linteatosque iuuenes furuarum uestium
puella gradieris. dabit tibi barbatulus quilibet manum, sustentabit

2 germanam *ΣW*   et fratrem *D*   se] si *KΨ*   3 alienis *Σa.c.* inter
alienos *W*   interseris *KΨ*   ut *ex* in *m2B; add.* et *s.l.m2Σ*   te *om.K*   *pr.* et
om.ΣDB   nouerit *KΨ*   4 sin *B*   5 psaltim *W*   si autem *W*   6 pallis *KΨ*
robore *Ψ,WBa.c.*   7 amor *W*   8 solius *B*   aff. ux. *Σ*   9 te praet. *ΣB*   suburbana (—nas *m2Ψ*—narum *B*) *KΨB, add.* rura *cet.*   uill.] *s. l. add.* grā *W*
10 adf. *ΣD* af. *W* aff. *cet.* (*cf. l. 17*)   *pr.* et] atque *D*   genus] *eras. ΣW, om.D*
generis *B*   circuire *W*   11 consubr. *K,ΣBa.c.m2* consobr. *cet.*   12 adsaecula *KΣ* adsecla *D* assecla *Bp.c.m2* et adseculata *W* et *s.l.m2Σ, om.DB*   13 optare *W*   te ergo *WB*   16 et te] ecce *K*   17 denut. *D* denud. *Σ*   adfines
Wa.c. affinis (af *s.l.*) *B*   18 adulatione *W*   sanctam *Wp.c.m2*   nonnam *W*
19 paulatim *D*   conuerterit *KΨ* auerterit *W* auerterint *cet.*   portentuosum
(r *s.l.m2 et* tuosum *in ras. m2B*) *ΣDB* portentus sum *Ψ* portento *W*   subri-
debit *W* ridebunt *ΣDB*   20 sin *ex* si *Σ* sint *K*   extimo *B* existimo *ς*   21 maritatas *Σ,WDp.c.* maritos *Wa.c.*   nupturias *K* nuptorias *Ψ*   22 comatas *Wp.c.m2*
linteatusque *K* lintiatosque (—tasque *m2*) *W* lin (lit *m2B*) iatosque *ΣDB* (*cf.*
Cic. II Cat. 22 uelis amictos, non togis)   23 gradiens *Wp.c.*   barbatus *KΨ*

lassam et pressis digitis aut temptabitur aut temptabit. erit tibi 3
inter uiros matronasque conuiuium: expectabis aliena oscula, prae-
gustatos cibos et absque scandalo tuo in aliis sericas uestes auratas-
que miraberis. in ipso quoque conuiuio, ut uescaris carnibus, quasi
5 inuita cogeris, ut uinum bibas, dei laudabitur creatura, ut laues bal-
neis, sordibus detrahetur; et omnes te, cum aliquid eorum, quae
suadent, retractans feceris, puram, simplicem, dominam et uere
ingenuam conclamabunt. personabit interim aliquis cantator ad men- 4
sam et inter psalmos dulci modulatione currentes, quoniam alienas
10 non audebit uxores, te, quae custodem non habes, saepius respec-
tabit. loquetur nutibus et, quicquid metuet dicere, significabit affec-
tibus. inter has et tantas inlecebras uoluptatum etiam ferreas mentes
libido domat, quae maiorem in uirginibus patitur famem, dum dulcius putat omne, quod nescit. narrant gentilium fabulae cantibus
15 sirenarum nautas in saxa praecipites et ad Orphei citharam arbores
bestiasque ac silicum dura mollita. difficile inter epulas seruatur pudicitia. nitens cutis sordidum ostentat animum.
    7. Legimus in scolis pueri — et spirantia in plateis aera conspe-

---

14 cf. Hom. Odyss. XII 166 sqq. etc.   15 cf. Horat. c. I 12, 7 sqq. etc.
18 cf. Verg. Aen. VI 847

    1 et erit *W*   2 spectabis *ΣD* pectabis *Bp.c.m2*   osc.] *add.* ac *in marg. m2Σ*
3 et non *Bp.c.m2*   syricas *D* siricas *W* siri∗cas (iri *in ras. m2*) *B*   4 carn.] *add.*
et *s.l.Σ*   quasi *om. B*   5 cogeris *in ras. m2B,s.l.Σ*   laudatur *ΣDB*   creator
(*exp.*) creatura *B*   laueris (s *s.l.*) *W*   6 detrah (h *om. B*) itur *ΣDB*   quae *s.l.m2B,*
om.ΣD   7 suadent et *D*   retractans (*s.l.Σ*—ant *D*) si (*eras. B*) *ΣDB* retractans *W*
si retractans *ς*   domnam *K* d̄no *Ba.c.m2*   8 cantor *ΣDB*   9 modulamine *ς*
alienas appetere *W*   10 audiuit *Ψ*   quae *ex* q; *Σ* quia *W*   respectab̄ *D*
expectabit *Ψ*   11 loquitur *K,WBa.c.m2*   quidquid *K saepius*   metuit *ΣWDB*
12 inter has—17 animum] inter aepulas (*pr. a del. m2*) et inlecebras uoluptatum (n *del. m2*)   etiam ferreas menti (e *m2*) s libido domat. de (i *m2*) fficile
enim inter di (e *m2*) licias seruatur pudicitia. nitens co (*s.l.* u *m2*) tis sordidum
ostentat animum *Γ*   inter] rogo quid facit puella x̄pi inter *W*   13 qu(a)e *ex*
quem *ΣD*   pat.] quae patitur *Ψ*   dum] cum *ΣDB*   14 ad (*s.l.m2*) cantica *W*
15 syren. *KΣ* seren. *WΨ*   nautes *Ba.c.m2*; *add.* isse *ς*   ad orfei *KD* adur
sei *W* ardor fei *Ψ*   citaram *B* citarum *Ψ*   16 solitum *D*   mollit (c *Ψ*) ies *KΨ*
mollisse *ex* mollicie *Wm2*   diff. est *B*   seruare pudiciciā *B*   17 sordidum
(sordid *in ras. m2*) *B* sorditum *K,W* (sordidatum *p. c. m2*)   ostentat *in ras.*
m2B ostentet (et *eras.*) *K* osterdit *W*   18 cholis *D* scholis *ς*   inspirantia *KΨ*
inter (*s.l.m2*) spirancia *W*   perspex.*ΣD* praespex. *B*

ximus — aliquem ossibus uix haerentem inlicitis arsisse amoribus et
ante uita caruisse quam peste. quid tu facies, puella sani corporis,
delicata, pinguis, rubens, aestuans inter carnes, inter uina et
balneas, iuxta maritas, iuxta adulescentulos? etsi rogata non
2 dederis, tamen formae putes testimonium, si rogeris. libidinosa 5
mens ardentius honesta persequitur et, quod non licet, dulcius
suspicatur. uestis ipsa uilis et pulla animi tacentis indicium
est, si rugam non habeat, si per terram, ut altior uidearis,
trahatur, si de industria dissuta sit tunica, ut aliquid intus
appareat operiatque, quod foedum est, et aperiat, quod 10
formosum. caliga quoque ambulantis nigella ac nitens stridore iu-
3 uenes ad se uocat. papillae fasciolis conprimuntur et crispanti cin-
gulo angustius pectus artatur. capilli uel in frontem uel in aures
defluunt. palliolum interdum cadit, ut candidos nudet umeros, et,
quasi uideri noluerit, celat festina, quod uolens retexerat. et quando 15
in publico quasi per uerecundiam operit faciem, lupanarum arte id
solum ostendit, quod ostensum magis placere potest.

8. Respondebis: 'unde me nosti? et quomodo tam longe in me
iactas oculos tuos?' fratris hoc tui mihi narrauere lacrimae et intole-
rabiles per momenta singultus. atque utinam ille mentitus sit et 20
magis timens hoc quam arguens dixerit! sed mihi crede, soror: nemo
mentiens plorat. dolet sibi praelatum iuuenem, non quidem comatum,
non uestium sericarum, sed trossulum et in sordibus delicatum,

---

2 pestem K   facias D   4 balnea W   maritatas ΣW,Dp.c.B (atas *in*
ras.m2) maritos ς   adu (o *m2WB*) lescentulas ΣB,Wp.c.m2   quae etsi ΣDB
5 ded.] feceri(*ex* e Σ)s ΣDB   de (*s.l.m2ΣB*) forme ΣDB de forma ς   portes *ex*
potes Wm2   rogaris W rogaueris (au *exp.*) B   6 inhonesta Ψ   persequetur W
7 puella Σa.ʳ.Dp.c.m2   animę W   9 de *om*.B   10 et aper.] ut appareat B
11 formonsum K, Σ a. r.; *add*. ista omnia iuuenis ardentilis ad tuum armauit
stuprum *in mg. inf.* m2Σ   caliga (ga *in ras.* m2) B   ad se iuu. ς   12 papilla KΨ
cingula K   13 angustiis W   14 deffluunt W   cadet KW   humeros ΣDB
15 uidere Ψ   noluerint D   celare Σp.c.m2   festinat Σp.c.m2,*om*.KΨ retrac-
xerat W detexerat D   16 puplicum W   luparū (rū *in ras.* m2) B lupanarium ς
18 longe positus W   in me iactas D m (*eras.*) me iactas K me iactat Ψ iactas
in me *cet*.   19 tui hoc D   narrauerunt ΣD   intol (ll K) erabilis KΨ   20 ille
utinam B   21 haec W   soror *om*.ΣDB   23 uestitum KWΨ,Bp.c.m2 siri-
carum D,Ba.c m2   trossolum KΨ,Σ (t m2)*rosolum D roso (*s.l.* u m2) lum (ros
in ʳ*as.* m2) B ri (*ex* ro) sulum W torosulum ς   dilectum W

qui ipse sacculum signet, textrinum teneat, pensa distribuat, regat
familiam, emat, quicquid de publico necessarium est, dispensator et
dominus et praeueniens officia seruulorum, quem omnes rodant famuli et, quicquid domina non dederit, illum clamitent subtraxisse.
5 querulum seruulorum genus est et, quantumcumque dederis, semper 2
eis minus est. non enim considerant, de quanto, sed quantum detur,
doloremque suum solis, quod possunt, detractationibus consolantur.
ille parasitum, iste inpostorem, hic heredipetam, alius nouo quolibet
appellat uocabulo. ipsum iactant adsidere lectulo, obsetrices ad-
10 hibere languenti, portare matulam, calefacere lintea, plicare fascio-
las. facilius mala credunt homines et, quodcumque domi fingitur,
rumor in publico fit. nec mireris, si ancillae et seruuli de uobis ista
confingant, cum mater quoque id ipsum queratur et frater.

9. Fac igitur, quod moneo, quod precor, ut primum matri, de-
15 hinc, si id fieri non potest, saltim fratri reconcilieris. aut si ista tam
cara nomina hostiliter detestaris, diuidere ab eo, quem tuis diceris
praetulisse. si autem et hoc non potes — reuerteris enim ad tuos, si illum
possis deserere —, uel honestius sodali tuo utere. separentur domus
uestrae diuidaturque conuiuium, ne maledici homines sub uno tec-
20 tulo uos manentes lectulum quoque criminentur habere communem.
potes et ad necessitates tuas, quale uoluisti, habere solacium et 2
aliqua ex parte publica carere infamia, quamquam cauenda sit macula, quae nullo nitro secundum Hieremiam, nulla fullonum herba lui

23 cf. Hier. 2, 22

1 qui ipse] quippe Ψ sacculu $(s.l.$ o$)$s B 2 est nec. B et $exp.$ B
3 domus $(in\ ^ras.\ m2)\ B$ 4 clamitant Σ 5 querulosū (osū $in\ ras.\ m2)\ B$ est
seru. gen. D se$(r\ s.l.)$uul. est $(eras.)$ gen. est B quantacumque ς 7 detrac-
tion. $W\Psi$ obtrectation. ΣD obtraction. B 8 inposterem D eredipetam $\Sigma a.c.$
eridipitam W heredipedam Ψ quodlibet B 9 adsedere $K\Sigma D, Wa.c.m2$ lect.]
$add.$ et $m2\Sigma$ obstet $(alt.\ t\ s\ l.\ \Sigma)$ rices ΣB curam $(s.l.m2)$ adhibere Σ 10 matulam $K\Psi, W\ (ex$ maculam$)$ mappulam $\Sigma\ (corr.$ tt$)\ D$ mapulam B linteamina
pliccare B fasciculas W 11 male $K\Psi$ credentur hominis W quocumque B
12 publicum $\Sigma a.c.DB$ de uob. seru. et anc. Σ nobis $K\Psi$ 13 confingant
(a $in\ ras.\ m2)\ B$ confringant Ψ 14 fac] hac B quod depre (ae) cor quod
moneo ΣDB 15 tam $\dot{o}m. W$ 16 ut $(s.l.)$ diceris Σ 17 praetulisti Σ si—
tuos] sin autem—tuos $exp.$ B illum posses W non potes ΣDB 18 des.] $add.$
alienum $s.l.m2\Sigma$ sodale $Wp.c.$ 19 diuitaturque $Ka.c.$ deuiteturque Ψ tecto W
21 quales B 23 ieremiam B nulla] nullo B herbe $\Sigma a.c.D$ ablui $\Sigma p.c.$
dilui W el_i B

potest. quando uis, ut te uideat — et inuiset —, adhibe arbitros amicos, libertos, seruulos. bona conscientia nullius oculos fugiet. intret intrepidus, securus exeat. taciti oculi et sermo silens et totius corporis
habitus uel trepidationem interdum uel securitatem loquuntur.
3 aperi, quaeso, aures tuas et clamorem totius ciuitatis exaudi. iam ₅
perdidistis uestra uocabula et mutuo ex uobis cognomina suscepistis:
tu illius diceris et ille tuus. hoc mater audit et frater paratique sunt et
precantur uos sibi diuidere et priuatam uestrae coniunctionis infa-
miam laudem facere communem. tu esto cum matre, sit ille cum
fratre. audentius diligis sodalem fratris tui: honestius amabit mater ₁₀
4 amicum filii quam filiae suae. quodsi nolueris, si mea monita rugata
fronte contempseris, epistula tibi haec uoce libera proclamabit: 'quid
alienum seruum obsides? quid ministrum Christi tuum famulum
facis? respice ad populum, singulorum facies intuere. ille in ecclesia legit et te aspiciunt uniuersi, nisi quod paene licentia coniugali ₁₅
de tua infamia gloriaris nec iam secreto dedecore potes esse con-
tenta; procacitatem libertatem uocas. f a c i e s   m e r e t r i c i s
f a c t a   e s t   t i b i,   n e s c i s   e r u b e s c e r e'.

10. Iterum me malignum, iterum suspiciosum, iterum rumige-
rulum clamitas. egone suspiciosus, egone maliuolus, qui, ut in prin- ₂₀
cipio epistulae praefatus sum, ideo scripsi, quia non suspicabar, an
tu neglegens, dissoluta, contemptrix, quae annis nata uiginti et quinque adulescentem necdum bene barbatulum ita brachiis tuis quasi

---

17 *Hier. 3, 3

1 uideat et (eat et *in ras. m2*) *B*   et inuiset *KWΨ* et inuisat *in ras.*
m2 B, s. l. m2 Σ, om. D   arb. am. *in mg. m2B*   arbitros *om.ΣD*   2 bonarum
(rum *eras.*) *B* bonum *Σa.c.D*   conscientiam *Σa.c. Ψ*—tiae *Σp.c.D*   nullos *ex*
nullus *W*   oculus *DΨ*   fugiat *D* fugit *W,Bp.c.*   3 tacentes (*ex*—tis *m2B*) *ΣDB*
4 *pr.* uel] ut *ΣD*   locuntur *W* loquantur *Ψ* loquatur *ΣDB*   6 perdidisti
KΨa.c.,D   mutuo] nutu *W*   ex *om.ΣDB*   7 haec ς hoc et *W*   frat. aud. et
mat. *Σ*   audite et *K*   8 ibi *Σa.c.m2D*   uidere *B*   10 audientius *Ψa.r.B* auidi-
(*alt.* i *eras.*) entius *W*   diliges ς   amabit (b *in ras. m2*) *B* amauit *D*   11 filii
ex filium *Ψ*   12 haec tibi *ΣDB*   proclamauit *DB*   13 fam. tibi fac. min.
x̄p̄i *D*   tuum fam.] fam. tibi *D*ς   15 leget *D,Ba.c.m2*   et *ex* ea *K* in *Ψ*
nisi *ex* ni *Σ, om.W*   plene (l *exp.*) *B* plena *ΣD*   16 ded.] *add.* te *s.l.W* decore *D*
pot̄ *B* putes *W*   contempta *ΣDB* contemptam *W*   17 procacitate *B*   liberalitatem *Σa.c.m2DB*   18 nesc̄ *B* inescis *Ψ* nescis ex podera (*sic*) *W*   19 maliuolum *W*   suspitiosum *ΣB*   *tert.* iter.] et *ΣWDB*   22 contemtrix *Wp.r.D*
annos ς   uig. et quinque *KΨ* XXV *cet.* uig. quinque ς

cassibus inclusisti? optimum re uera paedagogum, qui te moneat,
qui asperitate frontis exterreat et, quamquam in nullis aetatibus
libido sit tuta, tamen uel cano capite ab aperta defendat ignominia! ueniet, ueniet tempus — dies adlabitur, dum ignoras — et iste ²
5 formosulus tuus, quia cito senescunt mulieres, maxime quae iuxta uiros
sunt, uel ditiorem repperiet uel iuniorem. tunc te paenitebit consilii
tui et taedebit pertinaciae, quando et rem et famam amiseris, quando,
quod male iunctum fuerat, diuidetur bene, nisi forte secura es et
coalescente tanti temporis caritate discidium non uereris.

10   11. Tu quoque, mater, quae propter aetatem maledicta non
metuis, noli sic uindicari, ut pecces. magis a te discat filia separari,
quam tu ab illa disiungi. habes filium et filiam et generum, immo
contubernalem filiae tuae; quid quaeris aliena solacia et ignes iam
sopitos suscitas? honestius tibi est saltim culpam filiae sustentare
15 quam occasionem tuae quaerere. sit tecum filius monachus, pietatis ²
uiduitatisque praesidium. quid tibi alienum hominem in ea praesertim domo, quae filium et filiam capere non potuit? eius iam aetatis es, ut possis nepotes habere de filia. inuita ad te utrumque. reuer-
tatur cum uiro, quae sola exierat — uirum dixi, non maritum; nemo
20 calumnietur: sexum significare uolui, non coniugium —, aut, si erubescit
et retractat et domum, in qua nata est, arbitratur angustam, uos ad
eius hospitiolum pergite. quamuis artum sit, facilius potest matrem
et fratrem capere quam alienum hominem, cum quo certe in uno
cubiculo manere non poterat. sint in una domo duae feminae, duo ³

1 pedag. *codd.*   2 asperitatem *Σa.r.DΨB*   terreat (*in mg. m2* al tergat) *Σ*
tergat *D*   nullis] illis *Wp.r.* nubilis *KΨ*   3 libido] *add.* non *s.l.m2W*   tota
tamen *D* tutamine *ex* tutamen *m2W*   defendit *Ψ*   4 dies enim *W*   all. *Wp.r.*
formonsu (so *K*) lus *KD,Σa.r.*   5 cito *om.KΨ*   6 reperiet *Σ*   iuueniorem
Σa.r.DB   7 pertinatiae (e) *KΣWB*   rem] matrem *W*   9 coalescentem *Σa.r.D*
caritatem *Σa.r.DB*   dissidium *ς*   11 uendicare *ex* uindicare *W*   separare *W*
12 seiungi *ΣD* iungi *W*   alt. et *s.l.B*   immo et *ς*   14 subitos *ex* subitus *W*
susc. (*cf. Verg. Aen. V 743*)] resusc. *B* exc. *KΨ*   est tibi saltem *ς*   15 tui
Kp.c.m2   tecum] tibi *Σa.c.m2D*   16 uiduiaetatisque (*corr. m2* et uiduitatis
aetatisque) *W*   hom. quaeris *ς*   17 domo *ex* domū *W*   qua *Σ*   eius etiam
(ius et *in ras. m2*) *B*   18 posses *D,Ba.c.m2; add.* iam *ΣDB*   de] ex *ς*   inuitat
ad te (t ad te *in ras. duplicis spatii m2*) *B*   utrosque *W*   19 quae sola *om.Ψ*
20 contagium *W*   aut *ex* au *K* ut *W*   22 matr. et fratr. pot. cap. (cap. pot. *ς*) *Wς*
23 hom. al. *W*   uno] una domo siue *ΣD* domo una, uno *ς*   24 cub.] *add.* caste *ΣD*,
casta *s.l.m2B*   poterit *W*   fem.] *add.* et *s.l.Σ*

masculi. sin autem et tertius ille γηροβοσκὸς tuus abire non uult
et seditiones ac turbas concitat, sit biga, sit triga, frater uester
ac filius et sororem illis exhibebit et matrem. alii uitricum et
generum uocent, ille nutricium appellet et fratrem.

12. Haec ad breuem lucubratiunculam celeri sermone dictaui 5
uolens desiderio postulantis satisfacere et quasi ad scholasticam materiam me exercens — eadem enim die mane pulsabat ostium, qui profecturus erat — simulque, ut ostenderem obtrectatoribus meis, quod et
2 ego possim, quicquid uenerit in buccam, dicere. unde et de scripturis
pauca perstrinxi nec orationem meam, ut in ceteris libris facere soli- 10
tus sum, illarum floribus texui. extemporalis est dictio et tanta ad
lumen lucernulae facilitate profusa, ut notariorum manus lingua prae-
curreret et signa ac furta uerborum uolubilitas sermonis obrueret.
quod idcirco dixi, ut, qui non ignoscit ingenio, ignoscat uel tempori.

CXVIII. 15
AD IULIANUM EXHORTATORIA.

1. Filius meus, frater tuus Ausonius in ipso iam profectionis
articulo, cum mihi praesentiam sui tarde dedisset, cito abstulisset

1 sin $K\Psi$ si *cet.* et *om.D* ΓΗΡΟΒΟCΚΟC *K, leuiter corruptum in cet.*
abire] habitare W 2 uester] uero *Bp.c.m2* 3 *pr.* et] te $K\Psi$ illi *Wp.r.* alii] illi
alii W (*ras. post* illi) uitricum (*s.l.m2* ambronem) W 4 uocitent ς appellet ΣW
5 lugubra (n *eras.W*) t (c *B*) iunculam ΣWB 6 schol. K scol. *cet.* scolastica
materia Ψ scolasticam materiem (*alt.* e *in* ^{r}as. *m2*) B 7 hostium WD 8 erat
et (et *eras.*) W ut *ex* et Σ ostenderem me W hostenderem B ostendere D
9 possem $\Sigma a.c.B$ quidquid K in bucc. uen. D ueniret W,B (*post ras.*
2 *litt.*) in] ad $K\Psi$ et *om.WD* de *om.W* 10 sol. sum fac. D 11 et temporalis Ψ haec temporalis ΣD dictatio W 12 lucernae Ψ lucerna ex (x *in ras.*
m2) W 13 sermonum (*ex*—ne Σ) ΣWD obruerit Ψ horrueret $\Sigma a.c.D$ 14 non
om.B tempore $Wa.c.$; *add.* explicit ad matrem et (ad D) filiam $K\Psi D$

$\mathfrak{A}$ = *Veronensis rescriptus XV. 13 s. VIII.*
Σ = *Turicensis Augiensis 41 s. IX.*
W = *Parisinus lat. 1868 s. IX.*
D = *Vaticanus lat. 355 + 356 s. IX—X.*
Φ = *Guelferbytanus 4156 s. IX—X.*
B = *Berolinensis lat. 18 s. XII.*

ad iulianū exortaturiam $\mathfrak{A}$ ad iulianum ex (h *s.l.*Σ) ortatoria ΣB ad iulianum
exortatoria de omnia relinquendo W ad iulianum exortatoriā de pignoribus con-
sultum D ad iulianū exhortaturia (exsortaturia *m2*) Φ; *Hieronymi nomen exhibent tituli in* $\Sigma D\Phi$

17 professionis $\mathfrak{A}$ 18 praesentia Φ tarda Φ citito W et cito ΣDB et cita Φ

atque in puncto temporis salue pariter ualeque dixisset, uacuum se
redire arbitratus est, nisi mearum ad te aliquid nugarum tumultuario sermone portaret. iam dimisso synthemate equus publicus sterne-
batur et nobilem iuuenem punicea indutum tunica balteus ambiebat
5 et tamen ille apposito notario cogebat loqui, quae uelociter edita
uelox consequeretur manus et linguae celeritatem prenderent signa
uerborum. itaque non scribentis diligentia, sed dictantis temeritate 2
longum ad te silentium rumpo offerens tibi nudam officii uoluntatem.
extemporalis est epistula absque ordine sensuum, sine lenocinio et
10 conpositione sermonum, ut totum in illa amicum, nihil de oratore
repperias. in procinctu effusam putes et abire cupienti ingestum uia-
ticum. diuina scriptura loquitur: m u s i c a i n l u c t u i n t e m- 3
p e s t i u a n a r r a t i o. unde et nos leporem artis rhetoricae contemnentes et puerilis atque plausibilis eloquii uenustatem ad sanc-
15 tarum scripturarum grauitatem confugimus, ubi uulnerum uera medicina est, ubi dolorum certa remedia, in quibus recipit unicum filium
mater in feretro, turbae dicitur circumstanti: n o n e s t m o r t u a
p u e l l a, s e d d o r m i t, et quadriduanus mortuus ad uocem in-
clamantis domini ligatus egreditur.
20   2. Audio te in breui tempore duas uirgunculas filias iunctis paene
extulisse funeribus et pudicissimam ac fidissimam coniugem tuam
Faustinam, immo fidei calore germanam, in qua sola post amissos
liberos adquiescebas, subita tibi dormitione subtractam, quasi si
naufragus in litore latrones repperiat et iuxta eloquia prophetarum

12 *Eccli. 22, 6   16 cf. Luc. 7, 12—15   17 Matth. 9, 24   18 cf. Ioh.
11, 39. 43. 44   24 cf. Am. 5, 19

1 se *om*.𝔄   2 al. ad te ς   aliqd̄ Φ   3 demisso W dimissus Σp.c.m2
syntthemathe W yntemate D in themate Σp.c.m2 sintemate B, *legi nequit in* 𝔄
equis WD   externebatur W   4 punicea̅ D   inclutum W   tunica̅ DΦ   balteos Φ
5 abposito W   6 celeritate *ex* celerita D   frenderent D   7 temeritatē Φ
8 afferens Φ   tibi] ubi D   9 at (*ex* d Σ) temporalis ΣD   10 uerborum D
ut *ex* et Σ   amicum (ami *in ras. m2*) Σ mecum D   11 reper. ΣD   pro-
cincto ΣD   habere ΣWD   ingestum *ex* incertum Σ   12 loq. scr. diu. ΣDΦB
intemp.] *in mg. m2* al importuna Σ   13 narratu Φ   et *om*. D   rethoricę
ΣDB retoricae (—ce W) WΦ letorgicae 𝔄   contemnentis 𝔄 continentes Φ
14 eloqui WD, *legi nequit in* 𝔄   15 ubi] *sequ. ras. 2—3 litt.* B   uera uuln. ς
17 ubi turbae ΣD   18 sed dormit puella Φ   puella *om*.D   et] ubi et W ubi ΣD
quatr. WB   20 uirgulas Φ   22 solam 𝔄   23 ut quiscebas W   dormitatione
(r *s.l.*Σ) ΣW   si *om*.D   24 reperias Σ (—iat m2) D

⟨leonem⟩ fugiens ursum extendensque manum ad parietem a colubro
2 mordeatur. consecuta rei familiaris damna uastationem totius barbaro
hoste prouinciae et in communi depopulatione priuatas tuarum possessionum ruinas, abactos armentorum ac pecorum greges, uictos
occisosque seruulos et in unica filia, quam tibi tam crebrae orbitates 5
fecerant cariorem, electum nobilissimum generum, ex quo, ut omnia
taceam, plus maeroris quam gaudii suscepisti. hic est catalogus temp-
tationum tuarum, haec cum Iuliano, tirunculo Christi, pugna hostis
antiqui. quae, si ad te respicias, grandia sunt, si ad bellatorem fortissimum, ludus et umbra certaminis. beato Iob post malorum examina 10
uxor pessima reseruata est, ut per eam disceret blasphemare; tibi
3 sublata est optima, ut miseriarum solacium perderes. aliud autem
est sustinere, quam nolis, aliud desiderare, quam diligas. ille in tot
mortibus filiorum domus suae ruinam unum habuit sepulchrum et
scissis uestibus, ut parentis monstraret affectum, p r o c i d e n s 15
i n t e r r a m a d o r a u i t e t d i x i t : n u d u s e x i u i d e
u t e r o m a t r i s m e a e, n u d u s e t r e d e a m. d o m i n u s
d e d i t, d o m i n u s a b s t u l i t ; s i c u t d o m i n o p l a c u i t,
i t a f a c t u m e s t. s i t n o m e n d o m i n i b e n e d i c t u m.
4 tu, ut parcissime dicam, inter multorum officia propinquorum 20
et consolantes amicos tuorum exequias prosecutus es. perdidit
ille simul omnes diuitias et succedentibus sibi malorum
nuntiis ad singulas plagas feriebatur inmobilis conplens in se
illud de sapiente praeconium: s i f r a c t u s i n l a b a t u r
o r b i s, i n p a u i d u m f e r i e n t r u i n a e. tibi maior 25

10 cf. Hiob 2, 9   15 *Hiob 1, 20—21   24 Horat. c. III 3, 7—8

1 ⟨leonem⟩ fug. urs. (sc. repperiat) scripsi fug. urs. codd. fug. urs. incidat
in leonem ς   manu 𝔄   colobro DΦ   2 cum secuta Σa.c.m2D; add. est s.l.m2Σ
uastatione D   3 priuata statuarium W priuatus tui rū Φ   poss. tuarum ς
possessionem W, Φa.c. passionum B   4 ab acto sermentorum W   uinctos
Σp.c.m2ΦB   5 seruos ΦB   in s.l.Σ,om.D   crebra orbitas fecerat Σa.c.m2D
6 clariorem Φ   eiectum (enectum m2) B   7 meroris codd.   gaudiis Φ   8 haec
est B et D   tyr. Σp.c.m2DB   antiqui (h s.l.m2) ostis Σ   9 pr. si eras. Φ   gandia
Σa.c. gaudia DΦ grauia B   alt. si] et (del.) si Φ   bellatorum W pugnatorem D
10 umbre W   beatus 𝔄   11 ea Φ   12 obtima Σa.c.WΦ anima Ba.c.   autem
del. Φ,om. ς   13 diligis D   14 morbi 𝔄   sepulcrum 𝔄D   et] ut Φ   15 ad-
fectum 𝔄   16 in terra Φ   egressus sum B   17 uentre ΣD   et s.l.Σ   reuertar B
18 dedit et 𝔄   domino] d̄ B   21 exsequias 𝔄W   persecutus Φ   est D   22 succend. WΦ   23 ferebatur ΣD   illud in se B illud ΣD   24 illab. W (—itur m2) B

pars substantiae derelicta est et tantum temptaris, quantum ferre
potes. necdum enim ad eum peruenisti gradum, ut totis aduersum te
cuneis dimicetur.

3. Diues quondam dominus et ditior pater subito orbus et nudus
5 est. cumque in omnibus his, quae contigerant ei, non peccasset coram
domino nec quicquam locutus esset insipiens, exultans deus in uictoria famuli sui et illius patientiam suum ducens triumphum dixit
ad diabolum: a n i m a d u e r t i s t i f a m u l u m m e u m I o b,
q u i a n o n e s t q u i s q u a m s i m i l i s i l l i s u p e r t e r-
10 r a m? h o m o i n n o c e n s, u e r a x d e i c u l t o r, a b s t i-
n e n s s e a b o m n i m a l o e t a d h u c p e r s e u e r a t i n
i n n o c e n t i a. pulchre addidit: e t a d h u c p e r s e u e r a t 2
i n i n n o c e n t i a, quia difficile est pressam malis innocentiam
non dolere et in hoc ipso fide periclitari, quod se uideat iniuste susti-
15 nere, quod patitur. ad quae respondens diabolus domino ait: c o-
r i u m p r o c o r i o e t o m n i a, q u a e h a b u e r i t h o m o,
d a b i t p r o a n i m a s u a. sed e x t e n d e m a n u m t u a m
e t t a n g e o s s a e t c a r n e s e i u s, n i s i i n f a c i e m
b e n e d i x e r i t t i b i. callidissimus aduersarius et inueteratus 3
20 dierum malorum nouit alia esse, quae extrinsecus sint et a
philosophis quoque mundi ἀδιάφορα, hoc est indifferentia, nomi-

8 *Hiob 2, 3   15 *Hiob 2, 4—5   19 cf. Dan. 13 (Sus.), 52

1 der. subst. ς substantia Φ est s. l. Φ, om. ς et] ut ΣD, Φa.c. tem-
taris 𝔄 tempteris Σ tenteris ς 2 necdum ex nec Σ enim om. ΣD 4 dominus
ex domi Σ, om. Φ orbatus (in mg. m2 ał orbus) Σ 5 quae] qui W con-
tingerant W 6 dom. nec] nec (seq. s. l. d̄n̄o) Φ qui quam W ins. loc. esset B
est 𝔄 dominus ΣD uictoriam Σa.r.D 7 illius] filii Σa c.m2D pacientia W
paenitentiam 𝔄 suam 𝔄 triumphum] glā̄ (= gloriam) 𝔄 dicit ΣD 8 ad
om. ΣD diabulum ex—lo Φ diabo (u Σa.c.) lo ΣD animaduerte (alt. e in ras.
4 litt.) Φ 9 est] sit D ei similis ς 10 uerus ΣD 11 perseuerat (at in ras.
m2) B—uerans 𝔄 in s.l. Φ, om. 𝔄 (?) D 12 pulchre—innoc. om. 𝔄WD et om. ΦB
perseuerans ς 13 est om. B pressum Σ pressa DΦ malis in ΣΦ inno-
centia ΣD 14 in hoc ipso fide non W non (s.l.m2) in hoc ipso fide B (sed negandi
particula ante dolere posita pertinet etiam ad periclitari) in om. ΣD fida
Σp.c.m2 quod] quo ΣD uidet Σa c.m2D iniusti Φ 15 ad quae] atque 𝔄D
16 et s.l.m2ΣB, om WΦ omniaque (sine quae) W habet ΣD 18 os D eius
et carnem D eius om. ΣΦ 20 sint] s̄ B 21 filiosofis 𝔄 adiafora 𝔄B nominantur (a in ras. m2) B, om. ΣD

nentur, in eorumque amissione atque contemptu perfectam non esse
uirtutem, alia, quae intrinsecus et de se data cogunt dolere
perdentem. unde audacter dei rennuit praedicationi et dicit
nequaquam eum debere laudari, qui nihil de se, sed totum extra
se dederit, qui pro corio suo coria obtulerit filiorum, deposuerit 5
marsuppium et fruatur corporis sanitatem. unde intellegit prudentia
tua usque ad hunc terminum peruenisse temptationes tuas et
dedisse te corium pro corio, pellem pro pelle omniaque, quae
habeas, paratum esse dare pro anima tua, necdum autem extentam
in te manum dei nec tactas carnes nec ossa confracta, ad quorum 10
dolorem difficile est non ingemescere et in faciem dei benedicere
pro eo, quod est maledicere. unde et Nabutha in Regum libris
benedixisse dicitur deum et regem et idcirco lapidatur a
populo. sciens autem dominus athletam suum, immo uirum
fortissimum etiam in isto extremo perfectoque certamine posse 15
superare: ecce, inquit. trado illum tibi; tantum
animam ipsius custodi. caro uiri sancti datur in diaboli
potestatem et animae sanitas reseruatur, ne, si illud percussisset,
in quo sensus est mentisque iudicium, non esset culpa peccantis,
sed eius, qui statum mentis euerterat. 20

4. Laudent te alii tuasque contra diabolum uictorias panegyri-
cis prosequantur, quod laeto uultu mortes tuleris filiarum, quod in

12 cf. III Reg. 21, 13   16 *Hiob 2, 6

1 ammisione W admissioṇē Φ in amissione D   contemptū Φ   non
s.l.m2Σ, om.D   2 et om. 𝔄 de se data scripsi (cf. lin. 4 qui nihil d e s e, sed totum
extra se d e d e r i t) desedata 𝔄WΦ desiderata ΣD de se perdita B   cogant ΣD
3 renuit 𝔄Φ praedicationem ΣWD   4 deb. laud. eum Σ   5 suo om.Φ coria]
corium Σ, om.Φ   fil. et W   6 marsupium Σa.c.m2B   et] ut ς (legi nequit in 𝔄)
sanitate ΦB,Σp.ʳ.   intelligat ς   7 adhuc D   uenisse B   8 te om.𝔄   que
quae B   in ras. m2 quae 𝔄 que Φ queque W   9 habes ΣD   parum (ū in ras
3 litt. m2Σ) ΣD   pro an. tua dare D   10 dn̄i 𝔄   tanctas 𝔄   11 non ing. diff.
est ΣD   ingem (mm W) iscere WB gemiscere Φ   in om.Φ deo ς   12 nabuttha 𝔄
nabotha Σa.c. nabatha W   libr. reg. ΣD   13 dic. beṇed. ς   14 adietam W
15 extr. perf.] extremoque (que s.l.m2Σ) ΣD   non posse W   16 superari Ba.c.
(de 𝔄 non constat)   17 anima 𝔄   illius ΣDB   custodiam Φ   sancti datur]
sanctitatis Φ   in om.W   18 potestatem (m exp. m2) W   anima D   ne si]
nisi ΣDΦ   20 uerterat mentis 𝔄   euerterant (n exp.) Φ euerteret W euerterit
(ex euertit m2) B   21 laudant Φ   te ergo ΣD ergo te ς   et tuas ς panegir. D
paneger. B   22 persequantur ΣΦ prosequatur W   quo 𝔄   mortis Φ   in om.B

quadragesimo die dormitionis earum lugubrem uestem mutaueris
et dedicatio ossuum martyris candida tibi uestimenta reddiderit, ut
non sentires dolorem orbitatis, quem ciuitas uniuersa sentiret, sed
ad triumphum martyris exultares, quod sanctissimam coniugem
5 tuam non quasi mortuam, sed quasi proficiscenlem deduxeris; ego
te nequaquam adulatione decipiam nec lubrica laude subplantem
loquarque illud potius, quod tibi audire conducit: fili, a c c e d e n s
ad seruitutem dei praepara animam tuam
ad temptationem. et, cum omnia feceris, dicito: 'seruus inu- 2
10 tilis sum; feci, quod facere debui. tulisti liberos, quos ipse dederas;
recepisti ancillam, quam mihi ob breue solacium commodaueras.
non contristor, quod recepisti, sed ago gratias, quod dedisti'. quondam diues adulescens omnia, quae in lege praecepta sunt, se inplesse
iactabat, ad quem dominus in euangelio: u n u m t i b i, inquit,
15 d e e s t: s i u i s p e r f e c t u s e s s e, u a d e, u e n d e o m-
n i a, q u a e h a b e s, e t d a p a u p e r i b u s e t u e n i, se-
q u e r e m e. qui omnia se fecisse dicebat, in primo certamine diui- 3
tias uincere non potest. unde et difficile intrant diuites regna caelorum, quae expeditos et alarum leuitate subnixos habitatores desi-
20 derant. u a d e, inquit, e t u e n d e non partem substantiae, sed
uniuersa, quae possides, et da non amicis, non consan-
guineis, non propinquis, non uxori, non liberis — plus aliquid addam:
nihil tibi ob metum inopiae reseruaris, ne cum Anania damneris

---

7 Eccli. 2, 1   9 cf. Luc. 17, 10   14. 20 *Marc. 10, 21 et *Matth. 19, 21
18 cf. Matth. 19, 23—24 etc.   23 cf. Act. 5, 1—11

1 quadragensimo 𝔄 quadragensimum *W*   2 orsuum *Wa.c.* ossium
ΣBp.r. ς   indumenta *ΣD*   3 dolorum *Φ*   orbitates *Φp.c.; add.* tuae *Σs.l.,D*
ciu.] unitas 𝔄   4 exultaris *Φ* exaltaris *W, om.* 𝔄   quo *Φ*   5 ego *om. Φ*   6 nec]
ne *B, om.W*   subplicantem *W* supplantabo ς   7 que *om.B*   quod potius 𝔄
conduc̄ (uc̄ *in ras. m2) B* condecet *ΣDΦ*   8 praeparato *B*   9 temptatione 𝔄
seruis *W*   10 non feci 𝔄*WΦ*   debuit *D*   11 mihi *s.l.m2Σ,om.D*   ob] ad *ΣDB*
adcommodaueras *D*   12 accepisti *Φ*   quondam] quod quondam *D*   13 reimplesse *W*
14 iactitabat *Σp.c.*   inquit tibi *B*   15 et uende *Σ*   17 quia (a *exp.Σ) ΣDΦ*
se] si *W*   iactabat 𝔄   18 difficulter *ΣD*   diu. intr. *B*   in regna *ΣDΦ*   19 quae]
quotque *D*   alarum] ad lucrum *Σa.c.D*   subnexos *Φ*   desiderat *Σa.c.D*
20 uende] uene 𝔄*a.c.; add.* omnia *ΣW*   substancia *W*   21 omnia *B*. habes *B*
da pauperibus ς   22 aliquod *Φ*   23 tibi ex omnibus ς   ob metum] metu ς
re(*s.l.Σ*)seruaueris *ΣDB, legi nequit in* 𝔄 reseruans ς   nec *W*   et sapph. damn. 𝔄

et Sapphira — sed d a c u n c t a p a u p e r i b u s et fac tibi amicos
de iniquo mamona, qui te recipiant in aeterna tabernacula, ut me sequaris, ut dominum mundi in possessione habeas, ut possis canere
cum propheta: p a r s m e a d o m i n u s, ut uerus Leuita nihil de
4 terrae hereditate possideas. et hoc hortor, si uis esse perfectus, si 5
apostolicae dignitatis, si sublata cruce Christum sequi, si adprehenso
aratro non respicere post tergum, si in sublimissimo tecto positus
pristina uestimenta contemnis et, ut euadas Aegyptiam dominam,
saeculi pallium derelinquis. unde et Helias ad caelorum regna festinans non potest ire cum pallio, sed mundi in mundo uestimenta di- 10
5 mittit. 'sed hoc', ais, 'apostolicae dignitatis est et eius, qui uelit esse
perfectus'. cur autem et tu nolis esse perfectus? cur, qui in saeculo
primus es, non et in Christi familia primus sis? an quia uxorem habes? habuit et Petrus et tamen cum rete eam et nauicula dereliquit.
prouidentissimus dominus et omnium salutem desiderans malensque 15
paenitentiam peccatoris quam mortem abstulit tibi etiam
hanc excusationem, ut non illa te trahat ad terras, sed tu
6 eam sequaris ad paradisi regna tendentem. bona liberis paras, qui
te ad dominum praecesserunt, ut partes eorum non in diuitias sororis
proficiant, sed in redemptionem animae tuae atque alimenta 20
miserorum. haec monilia filiae tuae a te expetunt, his gemmis ornari

---

1 cf. Luc. 16, 9   4 Thren. 3, 24   cf. Ios. 14, 3—4; 18, 7   6 cf. Luc.
9, 62   7 cf. Matth. 24, 17—18. Marc. 13, 15—16   8 cf. Gen. 39, 12   9 cf.
IV Reg. 2, 13   14 cf. Matth. 4, 18—22 etc.

1 saphira B saphyra D saffira ΣΦ   2 mammona ΣΦB   me] eum W   3 in
bis W, s. l. m2Σ, om. D   possessionem DΦB; add. non Σ (eras.) D   ut] et Φ
posses 𝔄   4 et ut ϛ   5 terra Φ terrena ϛ   c(eras.)ortor W ortor DB
6 dign. culmen cupis ϛ   crucem 𝔄   sequi quaeris 𝔄   7 aratro in mg.m2
(orato in t.) D   pos ΣD   si] qui W   supl. W sublimi (ex—me Σ) ΣD
8 p (r s.l.) istri iam Φ crispina W   dominicam D   9 derelinques Σa.c.—quas ϛ
elias Φ   11 sed] si Φ   12 cur—perfectus om.ΣD   non uis W   13 et om. ϛ   sis]
es ΦB   qui Σa.c.Φ   habeas ex habes 𝔄W habueris Φ   14 habui W   reti Σp.c.
15 mallensque ΣDa.r.,Φp.c.   16 pecc. penit. B   abstuli W tulit D   hanc
etiam B. etiam om. ϛ   17 exc. hanc D   retrahat Σ,Bp.c. retralat W   tu s.l.m2Σ
ut tu 𝔄   18 seq.—tend.] ad paradisi regna tendaris sequentem (tend. seq. exp.,
s.l. sequaris tendentem) B   sequeris D   paradisum W   trahentem ϛ   pares ϛ
19 earum Σp.c.D   in om. 𝔄   sorores Σa.c.; add. eorum Φ   20 proficiunt Φ
redemptione DΦ   21 a te filiae tuae (tue s.l.B) ΣDΦB   ornari ex—re s.l.Σ
ornare D   hornali W

capita sua uolunt. quod periturum erat in serico, in uilibus
pauperum tunicis reseruetur. repetunt a te partes suas, iunctae
sponso nolunt uideri pauperes et ignobiles, propria ornamenta
desiderant.

5   5. Nec est, quod te excuses nobilitate et diuitiarum pondere.
respice sanctum uirum Pammachium et feruentissimae fidei Paulinum presbyterum, qui non solum diuitias, sed se ipsos domino ob-
tulerunt, qui contra diaboli tergiuersationem nequaquam pellem
pro pelle, sed carnes et ossa et animas suas domino consecrarunt,
10 qui te et exemplo et eloquio, id est et opere et lingua, possint ad
maiora producere. nobilis es: et illi, sed in Christo nobiliores. diues et
honoratus: et illi, immo ex diuitibus et ⟨inclitis pauperes et⟩ inglorii
et idcirco ditiores et magis incliti, quia pro Christo pauperes et inhono-
rati. et tu bene quidem facis, quod sanctorum diceris usibus ministrare, 2
15 fouere monachos, ecclesiis offerre quam plurima; sed haec rudimenta
sunt militiae tuae. contemnis aurum: contempserunt et multi philosophi, e quibus unus, ut ceteros sileam, multarum possessionum
pretium proiecit in pelagus: 'abite' dicens 'in profundum, malae
cupiditates, ego uos mergam, ne ipse mergar a uobis'. philosophus,
20 gloriae animal et popularis aurae uile mancipium, totam semel sarcinam deposuit, et tu te putas in uirtutum culmine constitutum, si
partem ex toto offeras? te ipsum uult dominus hostiam uiuam, pla- 3

---

8 cf. Hiob 2, 4   17 unus] sc. Crates Thebanus, cf. Philostratus, Apoll.
Tyan. I 13   22 cf. Rom. 12, 1

1 erant 𝔄   *pr.* in *s.l.Σ*   sirico *W,Φp.c.*   *alt.* in *om.* ς   2 seruetur ς
receperunt *W*   a te *in t.*, ał ante *in mg. m2Σ* ad te *W*   iuncta (n *s.l.Φ*) *W,Φp.r.*
3 sponsa *W*   uidere *WΦ*   et *om.W*   pr (*s.l. add.* i *Σ*) ora *ΣD*   5 quod *exp.*,
s.l.m2 qui *Σ*   te *om.ΣD*   nobilitatem 𝔄*ΣD*   diuitiarumque *B*   pondera *Σ*
8 tergiuersatione 𝔄   pelle *Φ*   9 consecrarent *Φ*   10 *pr.* et 𝔄,*Σs.l.* (*eras.*), *om. cet.*
exemplo suo *B*   *tert.* et *om.B*   linguae *W*   possunt *Σ*   ad] a *W*   11 per-
ducere *ΣDB*   nobiles *D,Φa.c.*   es *om.D*   sed *eras. Σ*   diues es et 𝔄   *alt.* et
s.l. W   12 ex] et *Φ*   et ⟨incl. paup. et⟩ ingl. *scripsi* et ingl. 𝔄*WΦ,Ba.c.m2*
ingl. *Σa.c.m2* paup. et (*om.D*) ingl. *Σp.c.m2D,Bp.c.m2* et honoratis paup. et
ingl. ς   13 inclyti 𝔄,*Σp.c.m2*   quia *ex* qui *Σ*   honorati *ΣWD*   14 quidem
bene ς   us. dic. *Σ*   15 set ea crud. *W*   16 multi 𝔄*W* mundi *cet.*   17 ut]
et *W* de ceteris *B*   18 malae] mare *W*   19 cupiditatis *ΣΦ*   ipsam (m *eras.*) *W*
philosophorum *Φ*   20 aule *D*   tota 𝔄*D*   simul ς   sarcina *D*   21 posuit *W*
putes *D*   22 parte *Φ*

centem deo, te, inquam, non tua. et ideo uariis temptationibus commonet, quia multis plagis et doloribus eruditur Israhel et, q u e m
d i l i g i t d o m i n u s, c o r r i p i t, f l a g e l l a t a u t e m o mn e m f i l i u m, q u e m r e c i p i t. paupercula uidua duo aera
misit in gazophylacium et, quia totum obtulit, quod habebat, om- 5
nes dicitur in oblatione munerum dei superasse locupletes, quae non
4 pondere sui, sed offerentium uoluntate pensantur. ut multis erogaueris censum tuum, ut quidam tua gaudeant liberalitate, tamen
multo plures sunt, quibus nihil dedisti; neque enim Darei opes et Croesi
explere ualent pauperes mundi. quodsi te ipsum domino dederis et 10
apostolica uirtute perfectus sequi coeperis saluatorem, tunc intelleges,
ubi fueris et in exercitu Christi quam extremum tenueris locum. non
planxisti filias mortuas et paternae in genis lacrimae Christi timore
siccatae sunt? quanto maior Abraham, qui unicum filium uoluntate
iugulauit et, quem heredem mundi futurum audierat, non desperat 15
etiam post mortem esse uicturum! Iepthe obtulit filiam uirginem
5 et idcirco in enumeratione sanctorum ab apostolo ponitur. nolo tantum ea offeras domino, quae potest fur rapere, hostis inuadere, proscriptio tollere, quae et accedere possunt et recedere et instar undarum et fluctuum a succedentibus sibi dominis occupantur atque — ut 20
uno cuncta sermone conprehendam — quae — uelis nolis — in morte dimissurus es; illud offer, quod nullus tibi possit hostis auferre, nulla
eripere tyrannis, quod tecum pergat ad inferos, immo ad regna caelo-

2 *Hebr. 12, 6   4 cf. Marc. 12, 42—44 etc.   14 cf. Gen. c. 22   16 cf.
Iudd. 11, 30—40   17 cf. Hebr. 11, 32

1 commonat W 3 autem $om. D$ 4 recepit $\Sigma a.c. \Phi$ duo $om. W$ aera
minuta ς 5 gazofilac $(t \, \mathfrak{A} \Sigma)$ ium $\mathfrak{A} \Sigma DB$ gazophilatium Φ gatzophilatio $(\bar{u} \, s.l.) \, W$
5 quia ex quae $m2\Sigma$ optulit ΣD contulit B 6 oblationem $\Sigma a.r. W$ mun.
$om. \mathfrak{A}$ superare $\Sigma a.c.m2D$ 7 offerentum (en $s.l. \Sigma) \Sigma D \Phi$ pensatur $\Sigma a.c. D \Phi$
pensant W 8 ut] et ς quidem $\Sigma p.r.$ tui ΦB tuam $\mathfrak{A} D, \Sigma a.r.$ libertatem $\mathfrak{A} D,$
$\Sigma a.c.m2$ 9 nihil] mihi W dare ei W darii ΣDB crohesi $W; add.$ diuitiae ΣDB
10 ual. expl. ς 11 ceperis $\Sigma a.c. WDB$ intellegis $\mathfrak{A} \Phi$ 12 et $s.l.m2\Sigma,om. D$
exercitum $W\Phi$ tenuerit W 13 filias] $add.$ tuas $s.l.m2\Sigma$ ingenii D 14 siccitate W 15 qui Φ aud. fut. B futuri D 16 iepthae $\mathfrak{A} W$ iepte B
Iephte ς uirg. fil. ς 17 enumeratione $\Phi, Bp.c.m2$ noli W ea tant. B
18 ea ex et Φ eam W deo W qui Φ praescriptio D 20 et] ac ΣD
a] ac W succend. Φ occupatur $\mathfrak{A}$ 22 tibi nullus ς host. poss. $\mathfrak{A}$ offerre W
nullus $\varsigma; add.$ auferre nulla D 23 tirannis (s $in \; ras. \; m2, \; seq. \; ras. \; 2 \; litt.$)
eripere B tyra nidis (-des $m2\Sigma$) ΣD tirannus W tyrannus ς regnum W

rum et ad paradisi delicias. extruis monasteria, multus a te per insu- 6
las Dalmatiae sanctorum numerus sustentatur; sed melius faceres,
si et ipse sanctus inter sanctos uiueres. s a n c t i e s t o t e, q u i a
e g o s a n c t u s s u m, dicit dominus. apostoli gloriantur, quod
5 omnia dimiserint et secuti sunt saluatorem; et certe praeter retia
et nauem nihil eos legimus dimisisse et tamen testimonio futuri iudicis coronantur, quia se offerentes totum dimiserant, quod habebant.
      6. Haec loquor non in suggillationem operum tuorum uel quod
extenuem liberalitatem et elemosynas tuas, sed quod nolim te inter
10 saeculares esse monachum et inter monachos saecularem totumque
a te expetam, cuius audio mentem diuino cultui deditam. si huic consilio nostro uel amicus uel adsecula uel propinquus renititur et te ad
delicias splendentis mensae reuocat, intellegito eum non de tua anima,
sed de suo uentre cogitare et omnes opes lautaque conuiuia subita
15 morte finiri. octo et sex annorum intra uiginti dies duas filias ami- 2
sisti et arbitraris senem diu posse uiuere? cuius ut aetas longa tenda-
tur, audiet Dauid: d i e s u i t a e n o s t r a e s e p t u a g i n t a
a n n i; s i a u t e m a m p l i u s, o c t o g i n t a e t, q u i c q u i d
s u p r a e s t, l a b o r e t d o l o r e s t. felix et omni dignus beati-
20 tudine, quem senectus Christo occupat seruientem, quem extrema
dies saluatori inuenerit militare, qui n o n c o n f u n d e t u r, c u m
l o q u e t u r i n i m i c i s s u i s i n p o r t a, cui in introitu paradisi dicetur: 'recepisti mala tua in uita tua, nunc autem hic laetare'.

      3 Leu. 11, 44; 19, 2   4 cf. Matth. 19, 27 etc.   6 cf. Matth. 19, 28 etc.
17 *Ps. 89, 10   21 Ps. 126, 5   23 cf. Luc. 16, 25

      1 ad om.ΣD   exstruis Σ extra uis Φ   monastiria Φa.c.; add. et ς
multas W   3 stote W   quia et ΣDB quoniam ς   5 sint ς (legi nequit in 𝔄)
reciam W   6 leg. eos ς   7 dimiserunt Σ   8 hoc ΦB sugillationem WB sug-
gill (l Σ) atione ΣD suggulillationem 𝔄   quo W   9 extenuam Φ libertatem D;
add. tuam ΣDΦB   ele (i W) mosinas ΣWB elimosinam Φ   tuam Φ   quo 𝔄
te nolim ς   noli D nollem (ex nollim Φ) ΦB   10 saec.—monachos om.Φ   11 exp.
a te Σ   odio W,Φa.c.   cultu ex cultos m2D   12 adsaecula 𝔄 assecla B   tert. uel
om.ΣDB   13 spl. mensae] uel ad splendentem mensam D   auocat D   14 et om.W
lautaeque D lutaque W   16 cuius auditas ut aetas Φ   ut om.W   temptatur Φ
17 audi et DB audiet a Σ audit a 𝔄 (?)   sept.] CXX 𝔄   18 sin B   oct.
anni Σ LXX W   et ex ut Φ   quid quod W quid s. l. Φ   19 superest ΣDB
supra Φ   alt. est om.D   omne Σa.c.WΦ   20 occupet ς   21 saluatore Φ
inuenit (-niet m2Σ) ΣD   militari D militantem WB   22 loquitur Φ   pr. in
s.l.m2Σ, om.DΦ   23 pr. tua om.DB

3 nec enim ulciscetur dominus bis in eadem re. diuitem purpuratum
gehennae flamma suscepit; Lazarus pauper et plenus ulceribus, cuius
carnes putridas lambebant canes et uix de micis mensae locupletis
miserabilem sustentabat animam, in sinu Abrahae recipitur et tanto
patriarcha parente laetatur. difficile, immo inpossibile, ut et praesen- 5
tibus quis et futuris fruatur bonis, ut et hic uentrem et ibi mentem
inpleat, ut de deliciis transeat ad delicias, ut in utroque saeculo
primus sit, ut et in terra et in caelo appareat gloriosus.

7. Quodsi tibi tacita cogitatio scrupulum mouerit, cur monitor
ipse non talis sim, qualem te esse desidero, et nonnullos uideris in me- 10
dio itinere conruisse, illud breuiter respondebo: non mea esse, quae
dico, sed domini saluatoris, non monere, quid ipse possim, sed, quid
debeat uelle uel facere, qui seruus futurus est Christi. et athletae suis
unctoribus fortiores sunt et tamen monet debilior et pugnat ille,
qui fortior est. noli respicere Iudam negantem, sed Paulum respice 15
2 confitentem. Iacob, ditissimi patris filius, solus et nudus in baculo
suo pergit Mesopotamiam, iacet lassus itinere et, qui delicatissime a
Rəbecca matre fuerat educatus, lapide ad caput pro puluillo utitur.
uidit scalam de terra usque ad caelum et ascendentes per eam angelos
et descendentes et desuper innitentem dominum, ut lassis manum 20
porrigeret, ut ascendentes suo ad laborem prouocaret aspectu. unde
et uocatur locus ipse Bethel, id est 'domus dei', in qua cotidie ascendi-
tur atque descenditur. et sancti enim conruunt, si fuerint neglegentes,

---

1 cf. Luc. 16, 19—31   16 cf. Gen. 28, 10—22

1 ulciscitur *Σa.c.WΦ*; *seq. ras. 4 litt. Φ*   bis dom. *D*   eandem *Dp.c.*
re *s.l.m2Σ* rem *ex* res *D*   2 suscipit *W,Bp.c.m2*   ulc. plea. *ς*   3 carnis 𝔄
4 miseram *ΣD*   tanta 𝔄   5 inposs. est *B*   et *s.l.m2Σ*   6 et fut. quis *D*
ut et] et ut *Φ* uentrem hic *ΣD*   7 *pr.* di (*ex* de)licias *Φ* *alt.* dilicias *Da.c.m2Φ*
in *om.W*   8 *pr.* et *om.Σ*   terra et caelo *D* caelo et in terra *Σ*   10 nonnullus
Da.c.Φ   12 non] nos 𝔄   *pr.* quod *ΦB*   13 factus (*in mg. m2* al̶ futurus) *Σ*   es *W*
14 uictoribus *WΦ,Ba c.m2* monitoribus (*in mg. m2* al̶ mo(u *s.l.*)nitoribus *eras.*) *Σ*
sunt oribus (*in mg. m2* monitoribus) *D* incitatoribus *ς*   ut pugnet *ς* (*legi nequit*
in 𝔄)   16 ditissimus 𝔄   in] cum (cu *exp.*, cū *s.l.*) *Σ* et *W*   17 mesopohtamiam *W*
in mesopatomiam *Σ*   lasus 𝔄*a.c.W*; *add.* in *Σs.l.DΦB*   18 edocatus *ΣDa.c.*,*W*
capud *Σa.c.WDΦ* ut. pro pulu. *ΦB* pulu.] popl̶o illo *D*   19 uidet *ΦB* ascendentem *WΦ* super *ΣD* eas *W*   20 lapsis *ς*   22 ille *DB* betehel *Φ* bethe *D*
id] hoc *ς*   23 atque desc. *om.D* atque] et 𝔄   discenditur *W* et enim sancti
Σp.c.m2D

et peccatores pristinum recipiunt gradum, si sordes fletibus lauerint.
hoc ideo dico, ut non te terreant descendentes, sed prouocent ascen- 3
dentes. numquam exemplum a malis sumitur; etiam in saeculi rebus
semper a meliore parte incitamenta uirtutum sunt. oblitus propositi
5 et epistolaris breuitatis plura dictare cupiebam — ad materiae quippe
dignitatem et ad meritum personae tuae parum est omne, quod dicitur — et ecce tibi noster Ausonius coepit scidulas flagitare, urguere
notarios et hinnitu feruentis equi ingenioli mei festinus arguere tarditatem. memento igitur nostri et cura, ut in Christo ualeas, atque, 4
10 ut cetera taceam, domestica sanctae Uerae exempla sectare, quae
uere secuta Christum peregrinationis molestiam sustinet, et sit tibi
tanti d u x f e m i n a f a c t i.

     12 Verg. Aen. I 364

     1 peccatorum (*in mg. m2* res) *D*   recipiant *Φ*   sortes *Φ* sordida *Σ*
flet. *om.D*   la (*ras. 2 litt.*) uerint *Σ* lauerunt *WΦ, nihil nisi* la *et* nt *legi potest in* 𝔄
2 dixi ς   pro (*seq. ras. 5 litt., s. l.* uocent) *Φ*   3 saecularibus (?) 𝔄   4 a] ad 𝔄
a me ς   meliori *DΦB*   uirtutis (is *in ras. m2*) *B* uirtute *ex* uirtuti *Φ*   sunt
(*in mg. m2* al sumuntur) *Σ*   prepositi *W*   5 epistularis 𝔄*Φ,Σa.c.*   dicere
Σa.c.D   6 et *om.W*   7 et ecce—tard. *om.D*   et *om.*𝔄   aus. nost. *Σ*   auxonius 𝔄
cepit *Σa.c.WB*   scid. 𝔄 sicid. *W* sced. *Σ* ced. *B* escidolas *Φ*   urgere *Σa.c.WB*
8 initu *W* hinnitus *Φ*   tarditate *ex* traditate *Φ*   9 nostri] *ras. 4 litt.* (*s.l.* n̄i) *Φ*
in *om.WΦ*   10 cetera *om.B*   domesticę (ę *in ras.*) *Σ*   quae *s.l.m2Σ*   11 uera *W*
xpm secuta *ΣD*   molestias *ΣD*   sint *W*   12 facti] *add.* explicit ad iulianum 𝔄*D*
finit ad iulianum exortatoria *W* amen *Σ*

CXIX.

AD MINERUIUM ET ALEXANDRUM DE DIFFICILLIMA PAULI APOSTOLI QUAESTIONE.

1. In ipso iam profectionis articulo fratris nostri Sisinnii, qui uestra mihi scripta detulerat, haec, qualiacumque sunt, dictare conpellor. nec possum uestram celare prudentiam et obsecro, ne hoc dictum referatis ad gloriam, quin potius ad plenam necessitudinem, dum ita uobis quasi mihi loquor: multas sanctorum fratrum ac sororum de uestra prouincia ad me detulit quaestiones, ad quas usque diem epiphaniorum largissimo spatio me responsurum putabam. cumque furtiuis noctium lucubratiunculis ad plerasque dictarem et expletis aliis me ad uestram quasi ad difficillimam reseruarem, subito superuenit adserens se ilico profecturum. cumque eum rogarem, ut differret iter, Libyae mihi coepit famem obtendere, monasteriorum Aegypti necessitates, Nilo non plenas aquas, multorum inediam, ut prope offensa esset in dominum illum ultra uelle retinere. itaque subtegmen et stamina liciaque et telas, quae mihi ad

$\mathfrak{A}$ = *Veronensis rescriptus XV· 13 s· VIII·*
τ = *Monacensis lat· 16128 s· VIII·*
A = *Berolinensis lat· 17 s· IX·*
D = *Vaticanus lat· 355 + 356 s· IX—X·*
C = *Vaticanus lat· 5762 s· X·*
B = *Berolinensis lat· 18 s· XII·*

ad miner (i *s.l.*) uum (mineruum A) et alexandrum de difficillima pauli apostoli quaestione $\mathfrak{A}A$ de dificilima pauli apli questione ad mineru (i *s.l.*) ium et alexandrum τ ad mineruium (minerbium D mineruum B) et alexandrum monachos ($\overline{\text{moh}}$ C, *om.B*) de resurr (r CB) ectione carnis DCB; *Hieronymi nomen exhibent tituli omnium codicum*

4 iam *s·l· A,Bm2*   articulorum $\mathfrak{A}$ articulo sancti DCB nostri *om·*τ sissinii τ sisinni $\mathfrak{A}AC$ 6 uestrae—prudentiae τ,*Ap.c.m2*   et] sed ς ne] nec D 8 dum *om·* τ 9 prouintia $\mathfrak{A}AC$ ad me *s·l·m2*τ detullit τ 10 usque $\mathfrak{A}A$ usque ad *cet·*   largissimū spatiū τ *a·c.*   largissime D 12 *pr·* ad *in ras m2B* uestra D *alt.* àd *eras. B*   difficillima C 13 subuenit *Ba.c.m2* peruenit τ illico τ 14 different *Aa.c.m2* deferret τ libiae $\mathfrak{A}\tau A$ libie *ex* liberet *m2B* libere D cepit michi B 15 aegipti τ egypti B nilo $\mathfrak{A}A$ nili *cet.*   16 inaediam $\mathfrak{A}AD$ offense D esse et τ 17 retenire $\mathfrak{A}A$ subtemen $DC,Ba.c.$ quae] quā τ

uestram tunicam paraueram, uobis confecta transmisi, ut, quicquid
mihi deest, uestro texatur eloquio. prudentes estis et eruditi et de 3
canina, ut ait Appius, facundia ad Christi disertitudinem transmi-
grastis. nec magno mihi apud uos labore opus est; quod philosopho-
5 rum quendam in suadendo rustico esse perpessum narrant fabulae:
u i x d u m d i m i d i u m, inquit, d i x e r a m, iam i n t e l l e-
x e r a t. itaque et ego tempore coartatus singulorum uobis, qui in 4
sacram scripturam commentariolos reliquerunt, sententias protuli
et ad uerbum pleraque interpretatus sum, ut et me liberem quaestione
10 et uobis ueterum tractatorum mittatur auctoritas, quo in legendis
singulis ac probandis non meae uoluntati, sed uestro adquiescatis
arbitrio.

2. Quaeritis, quo sensu dictum sit et quomodo in prima ad Corinthios epistula Pauli apostoli sit legendum: o m n e s q u i d e m
15 d o r m i e m u s, n o n a u t e m o m n e s i n m u t a b i m u r
an iuxta quaedam exemplaria: n o n o m n e s d o r m i e m u s,
o m n e s a u t e m i n m u t a b i m u r; utrumque enim in
Graecis codicibus inuenitur. super quo Theodorus Heracleotes, 2
quae urbs olim Perinthus uocabatur, in commentariolis
20 apostoli sic locutus est: 'o m n e s q u i d e m n o n d o r-
m i e m u s, o m n e s a u t e m i n m u t a b i m u r. Enoch
enim et Helias mortis necessitate superata ita, ut erant in
corporibus, de terrena conuersatione ad caelestia regna translati
sunt. unde et sancti, qui die consummationis atque iudicii in corpo- 3

---

3 cf. Sallust. Hist. II 37. Lactant. Diuin. Inst. VI 18, 26   6 Terentius
Phormio 594   14 *I Cor. 15, 51   16 *I Cor. 15, 51   19 *I Cor. 15, 51
20 Theodorus Heracl. comm. Paul.   21 cf. Gen. 5, 24   22 cf. IV Reg. 2, 11

1 nobis *C* confectam *C* confectas *D* inconfecta τ*p.c.m·rec·Bp·c.m2* transmisit *C* ut—uestro *in mg· m· rec· τ* quidquid τ *mg. m. rec· C* 2 taxatur τ *p.c.*
prudentis 𝔄*,Aa·c·m2* 3 apius τ desert. 𝔄*,Aa.c.m2* 4 magnum 𝔄*A* phylo-
sophorum 𝔄*A* philosophum *cet.* 5 narrent τ*a.c.* 7 et *om C* coart. sum τ
8 commentariolus 𝔄*,Aa.c.m2* comentariola(o *s.l.*)s *B* reliquert (rt *in ras.m2*) *B*
9 liberarem *B* questionem *DC* 10 tractorum *AD* quo *scripsi* quia 𝔄*A*
qui τ*DC* quod *B* in leg.] intellegendis τ 11 nostro *B* adquiescetis *DC*
quiescatis 𝔄*A* 13 ap. pauli epła ad corintios *B* 15 omnes autem τ*DCB*
16 an] aut *B* iusta *D* non quidem τ 17 utrumque—21 inmut. *om.*τ
18 quod *A* theud. 𝔄 teod. *B* heracleostes 𝔄*A* 19 perintus *B* 20 loquutus 𝔄*A*
21 enoc *B* 22 enim] autem τ 23 cael. regna caelorum τ 24 iudici τ

ribus repperiendi sunt, cum aliis sanctis, qui ex mortuis resurrecturi sunt, rapientur in nubibus obuiam Christo in aera et non gusta-
bunt mortem eruntque semper cum domino grauissima mortis necessitate calcata. unde ait apostolus: o m n e s q u i d e m n o n
d o r m i e m u s, o m n e s a u t e m i n m u t a b i m u r. qui 5
enim ex mortuis resurrexerint et in nubibus uiuentes rapti fuerint,
transibunt ad incorruptionem et mortalitatem inmortalitate muta-
bunt non in tempore, non saltim in breui spatio, sed in atomo et in
puncto temporis atque momento, quo palpebra oculi mouere potest,
4 in nouissima tuba. tanta enim fiet celeritate resurrectio mortuorum, 10
ut uiui, quos in corporibus suis consummationis tempus inuenerit,
mortuos de infernis resurgentes praeuenire non ualeant. quod manifestius Paulus edisserens ait: c a n e t e n i m t u b a e t m o r t u i
r e s u r g e n t i n c o r r u p t i e t n o s i n m u t a b i m u r.
o p o r t e t e n i m c o r r u p t i b i l e i s t u d i n d u e r e i n- 15
c o r r u p t i o n e m e t m o r t a l e i n d u e r e i n m o r t a l i-
t a t e m, ut possint in utramque partem uel in poenis uel in caelorum regno manere perpetuum'.

    3. Diodorus, Tarsensis episcopus, praeterito hoc capitulo in
consequentibus breuiter adnotauit in eo, quod scriptum est: e t 20
m o r t u i r e s u r g e n t i n c o r r u p t i e t n o s i n m u t a-
b i m u r. 'si', inquit, 'incorrupti resurgent mortui, haud dubium, quin
et ipsi ad meliora mutati. quid necesse fuit dicere: e t n o s i n-
2 m u t a b i m u r? an hoc uoluit intellegi, quod incorruptio com-

---

    1 cf. I Thess. 4, 16   2 cf. Matth. 16, 28 etc.   4 *I Cor. 15, 51   6 cf.
I Thess. 4, 16   8 cf. I Cor. 15, 52   11 cf. I Thess. 4, 14   13 * I Cor. 15,
52—53   20 I Cor. 15, 52   22 Diodorus Tars. in epist. Pauli

    1 repp. 𝔄A rep. cet.   surrecturi DB   2 aerem τDCB   3 que om.τ
4 unde et apos ait τ   non om.C   6 enim] autem τ   uiuentis Aa.c.m2,om.τ
7 mortal.] a mortalitate ç   inmortalitatē τp.c.m2D in inmortalitatē (-eras.B)
Ap.c.m2B   mutabuntur ç   8 saltem CB   athomo AB   9 momentis C
palphebra C palpebraȩ (sic) τ   moueri τDCB   10 in] et B   11 ut et τ   12 inferis τDCB   manifeste C   13 et s.l.m2B   15 enim] autem τ   incorrupti-
bile τ   16 mortale] add. hoc s.l.B   17 et ut τ   possit τDCB   18 perpetuo ç
19 tharsensis D tarsinsis B tharsi(e m2)nsis A   praeteritum hunc (n exp.) τ
capitulum τA   20 et om.τ   21 inconrupti s.l.m2τ   nos] non B   22 haut
𝔄D,Aa.c.m2 chaut (c exp.) τ aut C,Ba.c.   23 ad] a C   fuerit D   24 an] in DC
commonionis τ

munis sit omnium, inmutatio autem proprie iustorum, dum non
solum incorruptionem et inmortalitatem, sed et gloriam con-
sequuntur?'

4. Apollinaris licet uerbis aliis eadem, quae Theodorus, adseruit:
5 quosdam non esse morituros et de praesenti uita rapiendos in futuram, ut mutatis glorificatisque corporibus sint cum Christo, quod
nunc de Enoch et Helia credimus.

5. Didymus non pedibus, sed uerbis in Origenis sententiam
transiens contraria uia graditur. e c c e m y s t e r i u m u o b i s
10 l o q u o r: o m n e s q u i d e m d o r m i e m u s, n o n a u t e m
o m n e s i n m u t a b i m u r. quod ita disseruit: 'si non indigeret
resurrectio interprete nec obscuritatem haberet in sensibus, numquam Paulus apostolus post multa, quae de resurrectione locutus
est, intulisset: e c c e m y s t e r i u m d i c o u o b i s: o m n e s
15 q u i d e m d o r m i e m u s — id est moriemur —, n o n o m n e s a u-
t e m — sed soli sancti — i n m u t a b i m u r. scio, quod in nonnullis 2
codicibus scriptum sit: n o n q u i d e m o m n e s d o r m i e m u s,
o m n e s a u t e m i n m u t a b i m u r; sed considerandum, an,
quod praemissum est: o m n e s i n m u t a b i m u r, possit conue-
20 nire, quod sequitur: m o r t u i r e s u r g e n t i n c o r r u p t i e t
n o s i n m u t a b i m u r. si omnes inmutabuntur et hoc commune
cum ceteris, superfluum fuit dicere: e t n o s i n m u t a b i m u r.
quam ob rem ita legendum est: o m n e s q u i d e m d o r m i e- 3
m u s, n o n o m n e s a u t e m i n m u t a b i m u r. si enim omnes

4 cf. Apollinaris Laodicenus in epist. Pauli   7 cf. Gen. 5, 24; IV Reg. 2, 11
8 Didymus in epist. Pauli   9 *I Cor. 15, 51   14 *I Cor. 15, 51   17 *I Cor.
15, 51   20 I Cor. 15, 52   23 *I Cor. 15, 51

2 pr. et om. τ   consequentur τ sequuntur ς   4 apolinaris D apollinarius C
Theod.—p. 450, 11 resurr. hic omissa sequuntur post p. 458, 24 primi in DCB
et theodorus DCB diodorus τp.c.m2; seq. adoros (eras.) D   5 et] sed B   6 glori-
ficatis mo(u m2)tatisque τ   7 henoc B   elia B helias τ   8 dydymus 𝔄A didi-
mus cet. trans. sent. C   sent.] add. obloquentia τ   9 dico uobis τ   10 omnes
autem τDCB   11 destruit ex distruit m2τ   indigerit 𝔄,Aa.c.m2 indegeret τ
12 interpretem DC   in sens. hab. τ   13 apost. om.DCB   14 uobis dico DCB
15 morimur C moritur D   16 inmo(u m2)tabuntur τ   17 omnes s.l.m2B
dormiemur D   18 consid. est τ   19 quod] ei quod DCB (sed quod est coniunctio, non pron. rel·)   promissum τa.c.m2   omn. inmut. om.τ   21 si enim τDCB
22 ceteris est τDCB   uos D   23 ita leg.] intellegendum τ   dormiemur
τp.c.m2   24 non—inmut. om.A   sin B   enim] autem τ,om.B   in Ad. omnes ς

in Adam moriuntur et in morte dormitio est, omnes ergo dormiemus
siue moriemur. dormit autem iuxta idioma scripturarum, qui mortuus est spe resurrectionis futurae. omnisque, qui dormit, utique
expergiscetur, si tamen non subita eum uis mortis oppresserit et mors
somno fuerit copulata. cumque omnes ita dormierint lege naturae, 5
soli sancti et corpore et anima in melius mutabuntur, ita ut incorruptio omnium resurgentium sit, gloria autem atque mutatio om-
4 nium sanctorum'. quodque sequitur iuxta Graecos: ἐν ἀτόμῳ, ἐν ῥιπῇ
siue ῥοπῇ ὀφθαλμοῦ — utrumque enim legitur et nostri interpretati
sunt in momento et in ictu siue in motu oculi —, 10
ita explanauit: 'iunctam simul omnium resurrectionem praesens
sermo significat'. quando enim dicit: 'in puncto temporis et
in motu oculi atque momento', futura omnium resurrectione
cunctam et primae et secundae resurrectionis excludit fabulam, ut alii primi, alii nouissimi resurrecturi esse credantur. 15
5 atomus autem punctum temporis est, quod secari et diuidi
non potest; unde et Epicurus ex suis atomis mundum struit et
uniuersa conformat. ictusque oculi siue motus, qui Graece dicitur
ῥοπή, tanta uelocitate transcurrit, ut paene sensum uidentis
effugiat. uerum quia in plerisque codicibus pro ῥοπῇ, id est 20
ictu uel motu, ῥιπῇ legitur, hoc sentire debemus, quod, quomodo

---

8 cf. I Cor. 15, 52   10 *I Cor. 15, 52   11 Didymus in epist. Pauli

2 autem *om.τ*   *IΔIωMA DCB*   mortuos 𝔄,*Aa.c.m2*   3 omnesque
𝔄,*Aa.c.m2* omnis *τB*   qui *om.C*   utique *om.τ*   4 expergescitur *τ—giscitur*
DCB   subiecta *τ*   uis mortis eum *C*   5 que *om.τ*   6 et an. et corp. *DB*
ut *om.τ*   7 resurrectionum *Aa.c.m2*   autem *s.l.m2B,om.D*   omnium] proprie
(ę *D*) *DCB*   8 iuxta—*11* resurr.] *rasura 3¹/₄ uersuum, in qua uerba p. 459, 13*
non praeu.—*15* cum iustis, *quae suo loco praebet m1, scripsit m2B*   pr. *EN C* in
cet. (*IN A*)   *ATOMUτ* atomo *D*   alt. ἐν] *IN D*   *PIΠN D PIΠτ*   9 siue *EN C*
POΠ τ   *OΦΘAΛΛOYU D ΦΘAΛΛOYU D OΦTω* (a *s.l.*) *XMOY τ*   10 momentu 𝔄—tum *A*   mutu 𝔄,*Aa.c.m2* moto *τa.c.m2* mutuo *D*   oculi] *add.* idem
Didymus *ς*   11 iuncta *C* punctum *ex* iunctum *m2τ* simul *om.τ*   resurrectione
rapientur obuiam x̄p̄o̅, sed eos (hi *uel* ii *ς*), quos (quod *D*) mors dissoluerit (*add.*
quae *ς*) *DCς*   13 mutu 𝔄*A* moto *τa.c.m2*   futuram—resurrectionem *τDCB*
14 cuncta *DC*   pr. et *ex* en *A, om.τDCB*   resurr. *om.τ*   fab. excl. *τ* exclusit
Ba.c.m2   15 pr. alii *ex* alię *A*   primae 𝔄,*Aa.c.m2*   alt. alii (*alt.* i *in ras.*) *A*
16 punctus *τ B*   17 epicorus 𝔄*A* epis(s *eras.*)co(u *s.l.m2*)rus *τ*   instruit 𝔄*A*
19 *et* 20 *PONH A POΠN C POMN B* ropi *D* pote *τ*   20 in pler.] imperisse
Da.c.m.2 utrumque in grecis *τ*   21 ictum *A,Ba.r.*   *PINH A PININ C*
ripii *D* pite *τ* fimy *B*   quod] ut *τ*

leuis pluma uel stipula aut tenue uel siccum folium uento flatuque
raptat uret de terra ad sublime transfertur, sic ad oculum uel motum
dei omnium mortuorum corpora mouebuntur parata ad aduentum
iudicis. quodque iungit et dicit: in nouissima tuba; canet 6
5 enim et mortui resurgent incorrupti et nos
inmutabimur. oportet enim corruptiuum hoc
induere incorruptionem et mortale hoc induere inmortalitatem, duplicem habet intellegentiam,
ut clangor tubae aut uocis indicet magnitudinem iuxta illud, quod
10 scriptum est: sicut tuba exalta uocem tuam, aut
apertam omnium resurrectionem iuxta id, quod in euangelio legimus:
tu autem, quando facis elemosynam, noli tuba
canere ante te, hoc est: abscondite fac misericordiam et in
secreto, ne uidearis de alterius miseria gloriari. quaerimus autem, 7
15 cur ad nouissimam tubam mortuos scripserit resurrecturos. quando
enim nouissima dicitur, utique aliae praecesserunt. in Apocalypsi
Iohannis septem angeli describuntur cum tubis et unoquoque clan-
gente, primo uidelicet, secundo et tertio et quarto et quinto et sexto,
quid per singulos actum sit, indicatur. nouissimo autem, id est sep-
20 timo, claro tubae strepitu personante mortui suscitantur corpora,
quae prius habuerant corruptibilia, incorrupta recipientes. unde, post 8
nouissimam tubam, exponit apostolus, quid sequatur: canet enim
et mortui resurgent incorrupti, nos autem inmutabimur. quando dicit 'nos', alium se et eos, qui secum sunt,
25 praeter mortuos esse significat. ad quod intellegendum sunt qui di-

4 * I Cor. 15, 52—53   10 *Esai. 58, 1   12 *Matth. 6, 2   16 cf. Apoc.
c. 8 et 9   19 cf. Apoc. 10, 7   22 *I Cor. 15, 52

1 uel sicc.] siccumque DCB   2 oculi D ictum τ ictum oculi ς   uel mot.]
et ad (ad om.τ) nutum τDCB   3 ad] in CB   4 iungitur τ   5 enim] add.
tuba s.l.m2B   nos s.l.m2B   6 corruptium Aa.c.m2-ptum τ-ptibile ς   9 clamor τ   uoces ind. et 𝔄A   10 aut] ast ex at m2A,om.𝔄   11 id] illud τC
12 quando] cum (s.l.m2)τ   facies (e exp.)τ   ae(e τ)li(y A)mosinam 𝔄Aτ
helemosy(i B)nam DB   13 hoc est om.τ   abscondito B   15 resurrecturus
𝔄,Aa.c.m 2 surrecturos DB   16 nou. tuba 𝔄A   alia 𝔄A   praecesserit (sic) D
apocalipsi τB apolypsi D   17 descr. ang. ς   discr. 𝔄,Aa.c.m2   18 uid. et τDB
et ·||||· s.l.B quartoque D quarto C   tert. et om.B   19 per s.l.τ   indicatū D
autem om.τ   20 clare Ba.c.m2   resuscitantur τ   et (s.l.B) corpora DB
22 quod sequitur τ   enim tuba B   23 et om.A

cant mortuos, qui resurgant incorrupti, esse corpora mortuorum,
eos autem, qui dicantur esse mutandi, animas debere accipi, quando
in maiorem gloriam fuerint commutatae et peruenerint i n u i r u m
p e r f e c t u m, in m e n s u r a m a e t a t i s p l e n i t u d i n i s
9 C h r i s t i. alii uero adserunt mortuos debere intellegi peccatores, 5
qui resurgant incorrupti, ut possint aeterna sustinere supplicia, eos
autem, qui commutantur, esse sanctos, qui de uirtute in uirtutem
et de gloria transferuntur in gloriam. unde ad incorruptionem mortuorum intulit: o p o r t e t e n i m c o r r u p t i u u m h o c i n-
d u e r e i n c o r r u p t i o n e m. ad id autem, quod dixerat: n o s 10
i n m u t a b i m u r, illud adiunxit: e t m o r t a l e h o c i n d u e r e
i n m o r t a l i t a t e m. aliud est enim inmortalitas, aliud incor-
10 ruptio, sicut aliud mortale et aliud corruptiuum. quicquid autem mortale est, et corruptiuum est, sed non, quod corruptiuum, statim et
mortale. corruptiua quippe sunt corpora, quae carent anima, et tamen 15
non sunt mortalia, quia numquam habuere uitam, quae proprie animantium est. unde signanter apostolus corruptioni incorruptionem
et mortalitati inmortalitatem resurrectionis futuram tempore
copulauit'.

6. Acacius, Caesareae, quae prius Turris Stratonis uocabatur, 20
post Eusebium Pamphili episcopus, in quarto *Συμμίκτων ζητημάτων*
libro proponens sibi hanc eandem quaestionem latius disputauit et
utrumque suscipiens, quod inter se uidetur esse contrarium, post
principium, quod omisimus, sic locutus est: 'dicamus primum de eo,
quod magis in plurimis codicibus inuenitur: e c c e m y s t e r i u m 25

3 Eph. 4, 13   9 *I Cor. 15, 53   24 Acacius Caes. Quaest. uar. IV
25 *I Cor. 15, 51

1 resurgunt *B* surgant *A*   2 accepi 𝔄,*Aa.c.m2*   3 maiori *C*   comutati
(*ex*-te) *B*   4 plenit. *om.τ*   5 uero] autem 𝔄*A*   deberi ς   6 resurgunt *DCB* resurgent ς   8 transferentur *B*   unde et *DCB*   9 intulit *om.A*   enim] autem *τ*
corr.] incorruptiuum *τ*   11 induet *DCB*   12 aliut *ubique* 𝔄 (*uariat A*)
13 corruptio *τ*   autem *om.τ.*   15 quippe sunt] quę p̄sunt *τ*   16 quia] quae *τ*
habere *τ*   est anim. *B*   17 corr.] corruptio in *τ*   18 et *om.* ς   mort.] mortale *τ*
futura tempora *A* tempore futuram *B*   20 agac. *A* accut. *C* achaic. *τ*   cae-
saria 𝔄,*A* (—ię *m2*)   qui *τ*   21 pamphilis *A* pampilii *τ*   in quarto *om.D*
CINMIKTωN A CYMMIKIωN τ CYMΛEKTωN DCB CYNΛEKTON A
ζητ. *uarie scriptum in DCB; add.* Ł *ZHMA* in *τ*   22 eadem *τD*   23 utr.—
contr.] ex utroque uidetur esse contrarium suscipiens quod intra se *τ*

dico uobis: omnes quidem dormiemus, non omnes autem inmutabimur. mysterium dixit, ut adtentiores ₂
faceret auditores de resurrectione plenius disserturus. dormitio autem
mortem istam, quae communis est omnium, significat. unde rectis-
₅ sime posuit, quod omnes dormiamus, id est moriamur, sicut supra
dixerat: quomodo in Adam omnes moriuntur, sic·
in Christo omnes uiuificantur. cum ergo omnes mori- ₃
turi sint, audite sacramenta, quae dico: omnes quidem moriemur, sed non omnes inmutabimur. canet :
₁₀ enim tuba — haud dubium, quin angelus septimus — et mortui
resurgent incorrupti. si autem incorrupti erunt mortui,
quomodo non inmutabuntur, cum incorruptio ipsa mutatio sit? sed
hic commutatio, qua Paulus mutandus et sancti sunt, glorificatio
intellegitur. incorruptio autem idcirco communis est omnium, quia
₁₅ in eo miserabiliores erunt peccatores, ut ad tormenta perpetui sint
et non mortali et corruptibili corpore dissoluantur. legimus in eadem ₄
epistula apostolo disserente sacratam diuersitatem resurrectionis non
in natura corporum, sed in uarietate gloriae, dum alii resurgunt ad
poenas perpetuas, alii ad gloriam sempiternam: alia autem
₂₀ caro uolatilium, alia piscium, alia iumentorum et corpora caelestia et corpora terrena. sic, inquit, erit et resurrectio mortuorum.
cui sententiae magis adquiescit ecclesia, ut omnes commune morte ₅
moriamur et non omnes mutemur in gloria iuxta illud, quod Danihel
₂₅ scribit: multi dormientes in terrae puluere resurgent, alii in uitam aeternam, alii in con-

6 *I Cor. 15, 22   8 *I Cor. 15, 51—52   19 *I Cor. 15, 39—40
22 *I Cor. 15, 42   25 *Dan. 12, 2

1 uobis dico B   resurgemus uel dormiemus τ   2 autem om. 𝔄A,s.l.D
dixerit τ   attentos ς   5 posuit] possunt ex posunt m2A   omnis 𝔄AC   dormiemur (sic) τ   moriemur τ   sicut s.l.τ   6 dixit C   sic et ς   7 uiuifica-
buntur DCB   8 quidem] add. dormiemus id est τ   10 haut A aud B a.c.
chaut τD   quia A   12 inmo(u m2)tabimur τ   cum in incorruptia (o s.l.) B
inmutatio B   13 cõmo(u m2)tatio τ mutatio B   14 est om.τ   17 aposto (u 𝔄)li
𝔄A   deserente τ   19 autem] enim DCB   20 caro] add. pro 𝔄,A (exp.)   pr. alia]
add. autem τ   21 terrestria τ   22 erit om.τ   23 cuius A   adquieuerit τ
omnis 𝔄,Aa.c.m2 omnium τ   commone (communi m2) τ communi C comuni B
24 gloriam τCB,Ap.c.m2   illut 𝔄,Aa.c.m2,om.τ   daniel τB   26 uitam 𝔄A
gloriam in uitam τ gloriam cet.

f u s i o n e m e t o b p r o b r i u m s e m p i t e r n u m. qui enim
resurgent in confusionem et obprobrium sempiternum, non resurgent
in aeternam gloriam, in qua Paulus et, qui cum eo sunt, mutabuntur.
6 quae cum ita se habeant, et sic intellecta sint nobis: eorum tantum
commutationem suscipere, qui resurgent in gloriam, peccatorum 5
autem et infidelium, qui mortui appellantur et resurgent incorrupti,
nequaquam commutationem, sed poenas perpetuas esse dicendas.
7. Transeamus ad secundam lectionem, quae ita fertur in plerisque
que codicibus: n o n q u i d e m o m n e s d o r m i e m u s, o m-
n e s a u t e m i n m u t a b i m u r. ex qua nonnulli adserunt mul- 10
tos uiuos in corporibus repperiendos et, si non dormiant omnes, non
omnes esse morituros, si autem non moriantur omnes, non omnes
resurrecturos. resurgere enim proprie dicitur, qui prius moriendo
2 cecidit. unde et Paulum uolunt scribere in prima ad Thessalonicenses
epistula: n o s, q u i u i u i m u s, q u i r e s i d u i e r i m u s i n 15
a d u e n t u d o m i n i, n o n p r a e u e n i e m u s e o s, q u i
d o r m i u n t, q u o n i a m i p s e d o m i n u s i n i u s s u,
i n u o c e a r c h a n g e l i, i n t u b a d e i d e s c e n d e t d e
c a e l o e t m o r t u i i n C h r i s t o r e s u r g e n t p r i m u m,
d e i n d e n o s, q u i u i u i m u s, q u i r e s i d u i s u m u s, 20
s i m u l c u m i l l i s r a p i e m u r i n n u b i b u s o b u i a m
d o m i n o i n a e r e m e t s i c s e m p e r c u m d o m i n o e r i-
3 m u s. et ex his dictis probare conantur Paulum et, qui cum eo scri-
bebant epistulam, putasse se non esse morituros, sed repperiendos
die consummationis in corpore. quod si uerum est, errauit Paulus et 25

9 *I Cor. 15, 51   15 *I Thess. 4, 14—16

1 opproprium 𝔄,A (obprobium m2)   qui—semp. del. B, ponunt post 8 lectionem 𝔄A   2 pr. resurgunt 𝔄A   oppr. et conf. sempiternam C   obproprium
𝔄,Aa.c.m2   alt. resurgunt τ   3 aet. gl.] gl. sempiternam τ   qua] quam DC
sunt om.τ   commo(u m2)tabuntur τ   4 intellegenda sint (n s.l.m2) τ   a nobis
DCB   tamen τ   5 susc. qui om.A   resurgunt C surgent A   8 lect.] cf. adnot.
ad l. 1   qua τ   11 repp. 𝔄A rep. cet.   12 pr. omnes] add. in nomine in mg. m2 A
13 dicitur om.τ   primus C   moriendo id τ   14 paulus uoluit B   th(h s.l.A)es-
salonicensis 𝔄A tesalonicenses B   16 eos om.τ   17 dormierunt CB   18 et in
uoce DB et uoce C   et in tuba τCB   descendit D,Ba.c.m2 discendit τ
di(e m2A)scendens 𝔄A   19 res. in x̅p̅o τ   primi B   22 pr. dom.] x̅p̅o B
x̅p̅o d̅n̅o τ   in aera C,om.τ   23 pr. et om.D   probare om.τ   conatur 𝔄A
apostolum Paulum ς   eo s.l.B   24 e̅p̅l̅a D   sed] se Ap.c.   repp. 𝔄A rep. cet.
25 in die ς   paul. err. τ

humana aestimatione deceptus est, ut arbitraretur se inueniendum
in corpore; quod falsum rerum exitus adprobauit. hoc intellexerant
et ipsi Thessalonicenses sacramenta sermonis mystici nescientes et
coniecturis uariis fluctuabant dicebantque: 'si Paulus inueniendus
5 in corpore est, proximus est dies iudicii'. unde corrigit eos secundam 4
epistulam scribens: rogamus uos, fratres, per aduen-
tum domini nostri Iesu Christi et nostram
congregationem in ipsum, ut non cito mente
moueamini nec terreamini neque per spiritum
10 neque per uerbum neque per epistulam tamquam per nos, quasi instet dies domini. ne quis
uos seducat ullo modo, quoniam, nisi discessio
uenerit primum et reuelatus fuerit homo peccati, filius perditionis, qui aduersatur et ex-
15 tollitur super omne, quod dicitur deus aut
quod colitur, ita ut in templo dei sedeat ostendens se, tamquam sit deus. non meministis,
quod, cum apud uos essem adhuc, haec dicebam
uobis? quibus dictis hoc agit, ut eos reuocet ab errore, ne putent 5
20 diem adpropinquare iudicii et id, quod scripserat: nos, qui uiuimus, qui residui sumus in aduentu domini, non
praeueniemus eos, qui dormierunt, aliter intelle-
gant, quam intellegi uoluit ipse, qui scripsit. neque enim fieri potest,
ut, qui ad Timotheum scripserat: ego iam delibor et tem-
25 pus resolutionis meae instat, putaret se in carne perpetuum et numquam esse moriturum et de uita terrena statim ad
regna caelestia transiturum, praesertim cum ad Romanos scribens
eadem dixerit: quis me liberabit de corpore mortis

---

6 *II Thess. 2, 1—5   20 *I Thess. 4, 14   24 II Tim. 4, 6
28 Rom. 7, 24

1 extim. *D*   est (*s.l.m2*) deceptus τ   2 falsum esse *C*   ad(p 𝔄)probabit 𝔄τ
3 thessalonicensis 𝔄,*Aa.c.m2* thesalonicenses *B*   5 *alt.* est *om.*τ   corregit 𝔄τ,
Aa.c.m2   6 rogo *DB*   7 nostri *om.*𝔄*A*   nostram] nostri ς   8 mou. mente *DC*
mou. a uestro sensu *B*   9 nec]neque *B*   11 per nos missam *B*   12 discensio 𝔄*AC*
dissensio *D,B* (*post* uenerit *ex* dissessio)   14 et *s.l.m2A*   21 aduentum *A*
23 intelligi *ex* intellegere *m2B*   ille *B*   enim *om.*τ   24 thimoteum *B*   ego
enim *C*   delebor 𝔄,*Aa.c.m2*   25 se] et se *B*   perp. *om.CB*   26 *pr.* et *om.B*
terr. ista τ   27 cum et *DB*   28 liberauit 𝔄*D,Aa.c.*

huius? et ad Corinthios: h a b i t a n t e s in c o r p o r e pere-
g r i n a m u r a d o m i n o. magis a u t e m u o l u m u s e x i r e
6 de c o r p o r e et e s s e c u m d o m i n o. qui haec dicebat,
utique nouerat se esse moriturum. melius est igitur spiritaliter sentire, quod scriptum est, et dormitionem in praesenti loco non mor- 5
tem accipere, per quam anima a corpore separatur, sed peccatum
post fidem et offensam dei dormitionemque post baptismum, de qua
et ad Corinthios loquebatur: i d e o i n t e r u o s m u l t i in-
f i r m i s u n t e t d o r m i u n t p l u r i m i et in alio loco: e r g o
et qui d o r m i e r u n t in C h r i s t o, p e r i e r u n t; qui 10
cum mortui sint, non sunt perpetua morte perituri, quia non mortali
7 crimine continentur, sed leui modicoque peccato. quod et alius sanctus uitare cupiens loquebatur: n e f o r t e o b d o r m i a m in
m o r t e. est enim somnus peccati, qui ducit ad mortem, et est alia
delicti dormitio, quae morte non stringitur. qui ergo uixerit ea uita, 15
quae dicit: 'ego sum uita' — etenim u i t a nostra a b s c o n-
d i t a e s t c u m C h r i s t o in d e o —, et numquam
ab ea fuerit separatus nec ad mortem usque peccauerit, iste
de uiuentibus et semper uiuentibus esse dicitur, de quibus
et saluator in euangelio Iohannis mystico sermone testatur: 20
q u i c r e d i t in m e, n o n m o r i e t u r in a e t e r n u m.
8 unde et apostolus domini sui calcans uestigia ea docuit discipulos,
quae didicit a magistro. omnes itaque non dormiemus. qui enim omni
custodia seruat cor suum et ad Christi praecepta uigilat mandatique
eius memor est dicentis: u i g i l a t e, q u i a n e s c i t i s, q u a 25
h o r a f u r u e n i a t, et in alio loco: n e d e d e r i s s o m n u m

---

1 *II Cor. 5, 6   2 *II Cor. 5, 8   8 *I Cor. 11, 30   9 I Cor. 15, 18
13 *Ps. 12, 4   14 cf. Prou. 12, 28   16 cf. Ioh. 11, 25; 14, 6   *Col. 3, 3
20 Ioh. 11, 26   23 cf. Prou. 4, 23   25 *Matth. 24, 42 (43)   26 *Prou. 6, 4—5

1 corintios *B*-theos τ*a.c.m2*   2 deo *DCB*   exire *ex* exhibere *A*   3 esse]
praesentes (*add·* esse *s.l.m2*) *B*   4 nou. ut. *C*   se esse] esse (*add·* se *s.l.m2*)τ
spiritualiter *B*   5 et *om.C*   dormitationem τ   6 per quam] qua τ   animam *A*
8 et *om.*𝔄*A*   corintheos τ chorintios *B*   ideo et τ et ideo ς   inter *om.*τ
10 et *om·B*   11 in mortali ς   14 morte] mortem τ*D*   15 delicta *C*   stringetur τ
16 dicit *ex* ducitur τ   17 domino τ   nequaquam τ   18 fuerit ab ea τ   fueris *D*
morte *D*   19 de—dic. *ponit post* 20 Ioh. τ   et semp. uiu. *om·B*   dicetur *DCB*
21 credidit τ   mor.] *add·* et omnis qui uiuit et credit in me (in me *om·DC*)
non mor. *DCB*   22 apost. paulus τ   eo *A*   25 es *D*   uig. itaque τ

oculis tuis et palpebris tuis dormitationem,
ut saluus fias quasi caprea de uinculis et quasi
auis de laqueis, iste non dormiet. cum igitur quidam non 9
dormiant, qui semper in Christo uiuunt et uigilant, sequitur, ut nequa-
5 quam omnes dormiant et e contrario omnes inmutentur non inmutatione gloriae, quae proprie sanctis debetur, sed ea inmutatione,
qua corruptiuum hoc incorruptiuum efficitur, ut uel poenas uel praemia recipiat sempiterna. quod etsi dormierit aliquis in Christo et
neglegentiae somno obdormierit, debet audire, quod scriptum est:
10 numquid, qui dormit, non resurget? qui uero non
dormit, sed uigilat et semper uiuit in Christo, de uita ad uitam transiet siue rapietur in nubibus, ut semper cum domino sit. de istius 10
modi dormientibus Lazarus erat, de quo dominus ait: Lazarus,
amicus noster, dormit. et de hoc dormiente dicebat ad
15 Martham: qui credit in me, etiam si mortuus fuerit, uiuet et omnis, qui uiuit et credit in me,
non morietur in aeternum. qui enim tota in Christo
mente confidit, etiam si ut homo lapsus mortuus fuerit in peccato,
fide sua uiuit in perpetuum. alioquin mors ista communis et creden-
20 tibus et non credentibus debetur aequaliter et omnes pariter resurrecturi sunt, alii in confusionem aeternam, alii ex eo, quod credunt,
in sempiternam uitam. et sic stare potest, ut, qui credit in Christo, 11
non moriatur et, etiam si mortuus fuerit, uiuat in perpetuum, quod
iuxta corporalem mortem excepto Enoch et Helia nulli contigisse per-
25 spicuum est. qui autem fidei magnitudine semper uiuunt in Christo,

---

10 *Ps. 40, 9   12 cf. I Thess. 4, 16   13 Ioh. 11, 11   15 Ioh. 11, 25—26
21 cf. Dan. 12, 2   24 cf. Gen. 5, 24; IV Reg. 2, 11

1 et] aut *τ*   *alt.* tuis] tui *A*   3 aues *A*   iste—quidam *om.A*   4 dor-
mitant *A*   qui—5 dormiant *om·τ*   5 e *s.l.m2B* ex *τ*   inmutationem *A*   6 deb.
sanctis *ς*   7 in corruptionem *τ*   efficietur *B*   8 aeterrena (re *exp.*) *A*, ? *A*
quodsi et *τDC*   et *om·τD*   9 sompno *B,om.τ*   10 non—dormit
om.AA   resurget] adiciet (*ex*—at) ut resurgat *B*   11 transit *AA*   12 siue] sed *τ*
rapiatur *AA* rapitur *τ*   in] cum *D*   14 et *om.DB*   de *om.A*   dicit *C*
16 uiuet] uiuit *A,Aa.c.m2*   17 in x̄p̄o tota mente *τ* tota in x̄p̄o (*add.* fide
s.l.m2A) *AA* tota mente in Christo *ς*   18 si ut] sicut *τa.c.D*   19 alioquin
(*s.l.* · i · alias) *τ* alioqui *C*   ita *DC*   commonis *τ a.c.m2* comunis *AB*; *add.*
est *in ras.m2B*   20 surrecturi *C*   22 uit. aeternam *τ*   23 morietur *D*   et *om.τB*
uiuet *τ* uiuit *D*   24 enoc *τB*   elia *Aa.c.C*   25 est *s.l.B*   uiuent *τ*

non dormient, non morientur, sed imitatores erunt uitae apostolicae,
qui absque ulla culpa uixerunt in lege iustitiae et ad fidem domini
transeuntes credentesque in eo, qui uita uocatur et resurrectio, numquam dormiere, numquam mortui sunt. a n i m a enim, q u a e
p e c c a u e r i t, i p s a m o r i e t u r. sicut igitur anima, quae 5
peccat, uiuente corpore mortua est et eadem die, qua peccauerit,
dormit in mortem dicente Ecclesiaste: q u i p e c c a u e r i t, m o r t u u s
e s t e x t u n c, sic anima, quae Christi praecepta seruauerit,
12 etiam si corpus mortuum fuerit, uiuet in aeternum. hoc autem sciendum, quod magis conueniet ueritati ita legere: o m n e s q u i d e m 10
d o r m i e m u s, n o n o m n e s a u t e m i n m u t a b i m u r,
maxime quia sequitur: m o r t u i r e s u r g e n t i n c o r r u p t i
e t n o s i n m u t a b i m u r. si enim omnes sunt inmutandi iuxta
alteram lectionem, quomodo postea dicitur quasi praecipuum atque
priuatum et proprie apostolorum: e t n o s i n m u t a b i m u r ? 15
quando autem dicit 'nos', sanctos quosque significat'.

8. Quaeritis, quomodo intellegendum sit illud, quod in prima
ad Thessalonicenses epistula scribitur: h o c e n i m u o b i s d i c i -
m u s i n u e r b o d o m i n i, q u i a n o s, q u i u i u i m u s,
q u i r e s i d u i s u m u s i n a d u e n t u d o m i n i, n o n p r a e - 20
u e n i e m u s e o s, q u i d o r m i e r u n t, q u o n i a m i p s e
d o m i n u s i n i u s s u, i n u o c e a r c h a n g e l i e t i n t u b a
d e i d e s c e n d e t d e c a e l o e t, m o r t u i q u i i n C h r i -
s t o s u n t, r e s u r g e n t p r i m i, d e i n d e n o s, q u i u i u i -

---

3 cf. Ioh. 11, 25   4 Ezech. 18, 4   7 *Eccle. 8, 12   10 *I Cor. 15, 51
12 I Cor. 15, 52   18 *I Thess. 4, 14—16

1 *alt.* non] id est non *B* neque 𝔄*A* apost̄ *τ*   2 culpa] macula *B*   3 eum
Bp.c.m2 et *s.l.B*   numq. dorm. *om.*𝔄*A*   4 dormire *CB*   mort. sunt] mori
possunt *B*   6 peccat] peccauerit *τ*   corpora *Da.c.m2C*   7 morte *τC,Ba.c.m2*
ecclesiasten *A*   peccauit *DCB*   9 mortuus *Da.c.C*   uiuit 𝔄*D,𝔄a.c.m2*   scien-
dumque quod *τ*   10 conueniat *DCB*   legerem (m *exp.A*) 𝔄*A*   11 autem *s.l.m2B*,
om.DC   12 quod *τ*   16 dixit *τ*   quosque] que 𝔄 quae (a *exp.*) *A*   17 queritis;
add. etiam *s.l.m2B*   intelligendus *C*   illut 𝔄,*Aa.c.m2,om.τ*   18 thessolonic. 𝔄
thesalonic. *B*   enim] autem *τ*   uobis *om.τ*   19 nos] uos *D*   20 in adu. dom.
*om.*𝔄*Aτ*   aduentum *C,Ba.r.*   22 iusso *τ a.c.m2*; *add.* et *C,Bs l.m2*   23 descendit *D* discendit 𝔄,*Aa.c.m2*   24 primi *om.*𝔄; *sequuntur p. 449, 4* Theod.—*p. 450, 11*
resurr. *in DCB (cf. supra)*   deinde nos—*p. 459, 15* cum iustis *posita sunt inter*
ἐξηγητι *et* κῶν (*p. 460, 5*) *in DCB*

mus, qui reliqui sumus, simul cum illis rapie-
mur in nubibus obuiam Christo in aera et ita
semper cum domino erimus. super quo quamuis supe- 2
rior Acacii disputatio plenius uentilarit, tamen dicendum est, quid
5 uideatur aliis, Theodoro uidelicet, Apollinari et Diodoro, qui unam
sequuntur sententiam. quorum Diodorus haec scripsit: 'residuos
atque uiuentes Paulus apostolus uocat, non quo uelit intellegi et
se et alios resurrectionis tempore in corpore repperiendos, sed 'nos'
dixit pro eo, quod est 'iustos, de quorum et ego sum numero'. ipsi
10 enim rapientur obuiam Christo et non peccatores. 'uiuentes' autem
non iuxta tropologiam sanctos accipimus, qui peccato mortui sunt,
sed omnes, quos in corpore adueniens Christus inuenerit. quodque 3
sequitur: non praeueniemus eos, qui dormiunt,
nequaquam ad peccatores referre debemus — neque enim peccatores
15 cum iustis rapientur obuiam Christo —, sed eos, quos mors dissoluerit.
uerum quid ista perquiro et apostolicis dictis calumniam facio, cum
ipse manifestissime scribat: qui residui sumus in aduentum domini? qui sint autem residui, uerbis discimus saluatoris: sicut in diebus Noe ducebant uxores
20 et nubebant et repente uenit diluuium et
tulit omnes, sic erit aduentus filii hominis. quibus 4
sermonibus adprobatur in fine mundi multos uiuos et adhuc in corporibus repperiendos. sequitur: in iussu, in uoce archangeli
et mortui resurgent primi. et hoc rursum saluator in euan-
25 gelio loquitur: media autem nocte sponsus uenit, qui
utique uiuentes in corpore deprehendet, quando duo erunt in

6 Diodorus Tars. in epist. Pauli   19 cf. Matth. 24, 37—39; Luc. 17,
26—27   23 I Thess. 4, 15   25 *Matth. 25, 6   26 *Luc. 17, 34—35

1 qui rel. *s.l.m2 A*   rel.] residui *τC,Bp.c.m2*   rapiemus *τ*   2 obiam 𝔄*Aa.c.*;
add. in (*exp.*) *A*   aere *D*   ita] sic *C*   3 super] de *DCB*   quam (n *Ap.r.*)-
quam 𝔄*A*   4 acatii *B* achacii (*uel potius* achaici?) *ex* achai *τ*   uent.] dis-
po(u *m2 A*)tarit 𝔄*A,om.τ*   quod 𝔄*τA*   5 uidetur *τ*   alius *D*   apolinari 𝔄*AD*
appollinari *B* apollinario *C*   6 secuntur *B* sequitur *A*   7 quod *τ*   uellit
𝔄*τ,Aa.c.*   et se] esse *B*   8 temporis *A*   repp. 𝔄*A* rep. (*ex* recipiendos *B*) *cet.*
9 iustus *τa.c. A*   11 non mortui *DCB* 13 non] nos *τ*   praeuenimus *A*   dormierunt *ς*   15 rap.—diss. *hoc loco omissa post p. 450, 11* resurrectione (*cf. adnot.
crit.*) *leguntur in DC*   eos] ii *uel* hi *ς*   16 quod *A*   17 scribit (*del.*) scribi(a *s.l.m2*)t *B*
scribatur *τ*   aduentu *DC,Bp.r.*   18 sunt *D*   20 *alt.* et *om.A*   23 repp. (*ex* per-
periendos *A*) 𝔄*AD* rep. *cet.*   iusso 𝔄 iussu d̄i *τ* iussu et *ς*   24 hoc *om.B*
loq. in eu. *DCB*   26 depraehendit 𝔄*A*   et quando *τ*

lecto uno, unus adsumetur et alius relinquetur, et duae molentes, una adsumetur et alia
relinquetur. quibus dictis ostenditur medio noctis securis
omnibus consummationem mundi esse uenturam'.

9. Origenes in tertio uolumine Ἐξηγητικῶν epistulae Pauli ad 5
Thessalonicenses primae post multa, quae uario prudentique sermone disseruit, haec intulit, de quibus nulli dubium est et Acacium
pleraque libasse: 'quid est ergo, quod scribunt Thessalonicensibus
in uerbo dei Paulus et Siluanus et Timotheus: n o s, q u i u i u i-
m u s, q u i r e s i d u i s u m u s i n a d u e n t u d o m i n i, 10
2 n o n p r a e u e n i e m u s e o s, q u i d o r m i e r u n t? qui sunt
isti uiuentes, qui loquuntur talia? utique P a u l u s, n o n a b
h o m i n i b u s n e q u e p e r h o m i n e s a p o s t o l u s, et
carissimus filius eius in fide Timotheus et Siluanus, qui illis erat et
affectione et uirtutibus copulatus. et hoc non solum illi, sed, quicum- 15
que Pauli et scientia et conuersatione similis est, dicere potest: n o s,
q u i u i u i m u s, quorum corpus mortuum est propter peccatum,
spiritus autem uiuit propter iustitiam et quorum mortificata sunt
membra super terram, ita ut nequaquam concupiscat caro contra
3 spiritum. si enim adhuc desiderat caro, uiuit et, quia uiuit, desiderat 20
et non sunt mortificata membra eius super terram, quod, si mortificata sunt, nequaquam contra spiritum concupiscunt, quae morti-
ficationis ui huiusce modi desiderium perdiderunt. sicut igitur, qui
uita caruere praesenti et ad meliora translati sunt, magis uiuunt depo-

8 Origenes, Comm. ep. I ad Thessal. III   9 *I Thess. 4, 14   12 *Gal. 1, 1
14 cf. I Tim. 1, 2   17 cf. Rom. 8, 10   18 cf. Col. 3, 5   19 cf. Gal. 5, 17

1 lectulo ς   uno om.C   2 altera B   3 media nocte 𝔄A   4 uent.] add.
in 𝔄   5 origenis in tercio uolumine ESNTNTI (haec omnia del. m2), seq.
p. 458, 24 deinde—459, 15 iustis, tum in mg.m2 origenes in tercio uolumine
EZHIHTI B   orige(ex i m2τ)nis τAD,Bm1   Ἐξηγ. uarie scriptum in codd.
epistula τ   6 thessalonicensis 𝔄 thesalonicenses B   prima A   que om.τ
7 disserunt 𝔄,Aa.r.   acaicum 𝔄A achaicium τ accacium B   8 est om.τ scribunt ex scribit B scribunt in 𝔄A   thesal. DB   9 dñi τ   tim. et silu. τ
thimot(h s.l.)eus B imotheus 𝔄,Aa.c.m2   10 aduentum τC   12 iste 𝔄,Aa.c.m2
13 nec τDC   14 eius fil. ς   15 uirtute B   hoc] ex hoc τ   sed etiam τ
17 mortuus D   propter] pro τ   18 uiuet 𝔄A uita DC   iust. om.C iusticiam
ex iustificationem (add. īhu in corpore suo del.) B   sunt ex est m2A   19 terra C
20 coro 𝔄   21 illius τDCB   quod si] quasi τ   22 qua τ que ex qui B   mortificatione sua τ mortificatione sui DCB   24 caruerent ex caueret m2A

sito mortis corpore et uitiorum omnium incentiuis, sic, qui morti-
ficationem Iesu in corpore suo circumferunt et nequaquam uiuunt
iuxta carnem, sed iuxta spiritum, uiuunt in eo, qui uita est, et uiuit
in eis Christus, de quo scriptum est: u i u e n s s e r m o d e i e t
5 e f f i c a x, qui est dei uirtus deique sapientia. uiuunt enim, in quibus ₄
uiuit uirtus dei omni humana fragilitate deposita et in quibus uiuit
sapientia, quae abscondita est in deo et in quibus uiuit et inoperatur
iustitia. Christus enim factus est nobis non solum iustitia ex deo, sed
et sapientia et omne, quod uirtus est. et si quidem in praesenti loco
10 se a dormientibus et in Christo mortuis, qui hanc scribunt epistulam,
separarent, uidebatur superflua adnotatio et ex uno loco adsumptum
testimonium non ualeret; nunc uero eodem sensu, quia eodem et
spiritu, et in prima ad Corinthios loquitur: o m n e s n o n d o r m i e-
m u s, o m n e s a u t e m i n m u t a b i m u r i n m o m e n t o,
15 i n m o t u o c u l i, i n n o u i s s i m a t u b a; c a n e t e n i m
e t m o r t u i r e s u r g e n t i n c o r r u p t i e t n o s i n m u-
t a b i m u r. hoc, quod in praesenti loco scriptum est: i n t u b a ₅
d e i d e s c e n d e t d e . c a e l o, conpara illi, quod ad Corinthios
dicitur: i n n o u i s s i m a t u b a; c a n e t e n i m, illi autem,
20 quod ad Thessalonicenses legitur: e t m o r t u i i n C h r i s t o

---

1 cf. Rom. 7, 24   cf. II Cor. 4, 10   3 cf. Ioh. 11, 25; 14, 6   4 *Hebr. 4, 12
5 cf. I Cor. 1, 24   8 cf. I Cor. 1, 30   13 *I Cor. 15, 51—52   17 I Thess.
4, 15   19 I Cor. 15, 52   20 *I Thess. 4, 15

1 que *A*   2 circumferuntur (ur *exp.*) *τ* cirferunt (?) 𝔄   et *om.C*   3 eo]
eum *C*   4 est *om.τ*   uiuens est *C*   6 omnes *A* hoi (h *eras.*) *B*   umana *D*   7 *alt.*
in *s.l.*𝔄   uiuit] uiuit sapientia *τ*   inoperatur (in *exp.*) *τ* in quibus operatur *B*
operatur *ς*   8 nobis est *B*   ex] est *D*   10 se] si 𝔄*A*   11 separent *A* separant *τ*   et notatio *τ*   et *om.*𝔄*A*   12 ualere *τ*   nunc uero] si nunc *τ*   et
eodem *τ*   13 et *om.τC*   corintios 𝔄*a.c.B* corintheos *τ*   14 in mom.—
20 legitur] in praesenti loco scriptum est: in tuba dei discendit de caelo, conpara illi, quod ad corinthe(i *m2*)os in momento et in motu oculi, in nouissima
tuba canet hoc autem, quod in praesenti loco scriptum est: canet enim et mortui resurgent incorrupti et nos inmotabimur, in tuba dei discendit de caelo,
conpara illi, quod ad corinthe(i *m2*)os loquitur *τ*   momentu 𝔄*a.c.A* momento et *τ*
15 in motu] in ictu *B* in ictu in motu (mutu 𝔄 motu *ex* muto *m2 A*) 𝔄*A*   enim
tuba *DCB*   16 resurgunt *D*   17 hoc autem. *τ*   18 descendit *DC* discendit
𝔄*τ, Aa.c.m2*   19 loquitur *τ* scribitur *DCB*   enim tuba *CB*   illi autem] illut
(d *m2 A*) 𝔄*A*   20 thessalonicensis 𝔄 te(the *B*)salonicenses *AB*

r e s u r g e n t   p r i m u m, hoc, quod ad Corinthios scriptum est:
6 e t   m o r t u i   r e s u r g e n t   i n c o r r u p t i. porro, quod sequitur: d e i n d e   n o s, q u i   u i u i m u s, q u i   r e s i d u i   s u m u s,
illis respondet: e t   n o s   i n m u t a b i m u r, quorum utrumque
sic intellegi potest: nos, qui uiuimus, qui residui sumus in aduentu 5
domini, et nos, qui inmutabimur et non sumus ex his, qui appellantur
mortui, sed uiuimus, idcirco praesentiam dei non in morte, sed in uita
praestolamur, quia de Israhelitico genere sumus et electae sunt de
nobis reliquiae, de quibus olim dominus loquebatur: d e r e l i q u i
m i h i   s e p t e m   m i l i a, u i r o s, q u i   n o n   c u r u a u e r u n t 10
7 g e n u a   B a h a l. in Iohannis quoque euangelio uiuorum et non
uiuorum duplex ordo describitur: o m n i s, q u i   c r e d i t   i n   m e,
e t i a m   s i   m o r t u u s   f u e r i t, u i u e t; e t   o m n i s, q u i
u i u i t   e t   c r e d i t   i n   m e, n o n   m o r i e t u r   i n   a e t e r-
n u m. si uiuos ita intellegimus, ut a nobis dictum est, dormientes 15
et in Christo mortuos illos esse credamus, qui, cum uelint in Christo
uiuere, tamen peccato mortui sunt. sin autem reliquiae et electio secundum gratiam appellantur uiuentes, qui non ita credunt nec de
Israhelitica nobilitate generati sunt, dormientes et mortui appella-
buntur in Christo.   20

10. Sunt, qui hunc locum ita edisserant: uiui appellantur, qui
numquam peccato sunt mortui; qui autem peccauerunt et in eo,
quod peccauerunt, mortui sunt et postea conuersi ad paenitentiam
purgant antiqua delicta, mortui appellantur, quia peccauerunt, in
Christo autem mortui, quia plena ad deum mente conuersi sunt. 25
porro, qui uiuunt et habent testimonium fidei et necdum receperunt
promissionem dei, qui et de aliis quiddam melius cogitauit, ut non

2 I Cor. 15, 52   3 *I Thess. 4, 16   4 I Cor. 15, 52   9 *Rom. 11, 4;
cf. III Reg. 19, 18   12 *Ioh. 11, 25—26   17 cf. Rom. 11, 5   26 cf. Hebr.
11, 39—40

1 primi τCB   hoc est τ   corintios B corintheos τa.c.m2 thess(s A)alonicen-
si(e m2A)s 𝔄A   3 dein D   4 illi B   respondit 𝔄A   5 alt. qui—sumus om.A
aduentū τ   6 alt. qui] quae 𝔄,Aa.c.   7 domini τDC   8 praestul. 𝔄τ   9 dom.
ol. ς   10 uirorum τB   11 genu DCB   baal τDC   ante bahal A   13 uiuet]
uiuit (alt. i s.l.𝔄) 𝔄,Aa.c.m2   14 uiuit] uiuet 𝔄A   15 ut iam DCB   16 cum om.A
uellint 𝔄,Aa.c.   19 et non τ   appellabantur A appellantur τB   22 mortui
sunt A, ? 𝔄   et in eo quod peccauerunt om.A, ? 𝔄   23 quod pecc. om.τ   24 quia]
qui τ   peccauerant D,Bp.c.m2   25 dn̄m τ   26 uiuent τ   27 repromissionem τ   mel. quiddam ς   cogitabit D cogitant B   ut] et A

absque his, qui iusti sunt, coronentur, in eo habebunt beatitudinem, quod fruuntur bono conscientiae et uiuunt et relicti sunt in aduentu domini saluatoris. sed quia clemens est deus et uult saluari etiam 2 eos, qui dormierunt et in Christo mortui sunt, non praeuenient illos 5 neque soli rapientur in nubibus, sed iuxta exemplum euangelicae parabolae unum denarium unamque mercedem et undecimae horae operarii et primae, qui in uineam missi sunt, salutis accipient. nec hoc alicui uideatur iniustum, ut dispar labor unum praemium conse- quatur. magna quippe diuersitas est eorum, qui post uulnera sunt 10 sanati, et eorum, qui numquam uiderint terrorem mortis. de his puto 3 dictum: q u i s e s t h o m o, q u i u i u a t e t n o n u i d e a t m o r t e m, r e d i m e t d e m o r t e a n i m a m s u a m? neque enim, ut quidam putant, 'quis' pro eo, quod est 'nullus', accipitur, sed quasi dixerit 'quis' puta iuxta illud, quod scriptum est: q u i s 15 s a p i e n s e t i n t e l l e g i t h a e c? nec non in alio loco: d o- m i n e, q u i s h a b i t a b i t i n t a b e r n a c u l o t u o? et iterum: q u i s c o g n o u i t s e n s u m d o m i n i? residui ergo erunt de credentibus pauci, qui aduentum domini uideant secundum id, quod deus uerbum est, nequaquam in uilitate carnis, sed in gloria 20 triumphantis. et considerandum, quomodo primum dormientes ap- 4 pellauerit, deinde in Christo mortuos, quos uiuentes praeuenire non poterunt. qui enim non custodierit hoc, quod scriptum est: n e d e- d e r i s s o m n u m o c u l i s t u i s n e q u e p a l p e b r i s t u i s d o r m i t a t i o n e m, u t s a l u u s f i a s s i c u t c a p r e a 25 d e u i n c u l i s e t s i c u t a u i s d e l a q u e i s, dormiet et

6 cf. Matth. 20, 1—16   11 *Ps. 88, 49   14 *Os. 14, 10   15 Ps. 14, 1 17 Rom. 11, 34   22 *Prou. 6, 4—5

1 iussi *DC*   habebant τ habent *C,B* (ent *in ras. m2*)   2 bonae 𝔄τ*A* aduentū τ,*Ba.r.* 3 saluare τ*DCB* 4 sunt *om.*τ 5 neque] nec τ iuxta *om.*τ 7 salutem *C* salutis pretium ς 8 hoc *om.*τ 9 post *om.*τ 10 sanitati τ uid. terrorem (errorem 𝔄,*Aa.c.m2*) mentis 𝔄*A* uid. errorem mortis τ mortis uiderent errorem *D* mortis uidere terrorem *B* uiderunt mortis (terrorem *add.* ς) *C*ς 11 dictum est τ uiuit τ uidebit τ 12 redemit τ redimat *Bp.c.m2* an. suam de morte τ 13 est *om.*τ 14 quasi] quia si *A* quod etsi τ puta *Ap.c.,om.*τ putas *cet.* 15 intelle(i *B*)get *Ap.c.m2B* nec non *scripsi* et non (non *exp. in A*) 𝔄*A* nec **non** et τ et *cet.* 18 uident 𝔄*A* 19 id] illud τ deus *om.*τ *pr.* in *in mg.*𝔄 *alt.* in *s.l.m2A* gloriam 𝔄,*Aa.c.* 20 dormientibus 𝔄*A* 21 dein *D* 22 potuerunt *B* hoc *om.B* 24 fiat *B* 25 aues 𝔄*A*

culpabili sopore torpescet, cumque dormierit, transibit in mortem.
sicut enim mouetur, qui uigilat, sic, qui dormit, iacet inmotus et in
5 mortis torpet similitudine. quod autem dormitionem sequitur mors,
et prima ad Corinthios docere nos poterit, in qua ita scriptum est:
n u n c a u t e m C h r i s t u s r e s u r r e x i t a m o r t u i s, 5
p r i m i t i a e d o r m i e n t i u m; q u i a e n i m p e r h o m i-
n e m m o r s, e t p e r h o m i n e m r e s u r r e c t i o m o r t u-
o r u m, et post paululum: n o n o m n e s d o r m i e m u s, s e d
o m n e s i n m u t a b i m u r i n m o m e n t o, i n i c t u o c u l i,
i n n o u i s s i m a t u b a; c a n e t e n i m e t m o r t u i r e s u r- 10
6 g e n t i n c o r r u p t i e t n o s i n m u t a b i m u r. cum ergo
haec de dormitione dicantur et morte et illud legamus in apostolo:
s u r g e, q u i d o r m i s, e t e x s u r g e d e m o r t u i s e t i n-
l u m i n a b i t t e C h r i s t u s, iuremus domino et uotum faciamus deo Iacob unusquisque dicens in corde suo: s i a s c e n d a m 15
s u p e r s t r a t u m m e u m, s i d e d e r o s o m n u m o c u l i s
m e i s e t p a l p e b r i s m e i s d o r m i t a t i o n e m, d o n e c
i n u e n i a m l o c u m d o m i n o — haud dubium, quin in anima
tua —, t a b e r n a c u l u m d e o I a c o b, ut deus in illo aeterna
7 sede requiescat. sequitur: q u i a i p s e d o m i n u s i n i u s s u 20
et reliqua. descendet enim missus a patre non diuersitate uirtutis,
sed dispensatione iudicis, et descendet ad eos, qui deorsum sunt,
uerbum dei et sapientia et ueritas atque iustitia. et quamquam mortui sint, ad quos dignatur descendere, tamen non sunt ab eo alieni;
mortui enim uocantur in Christo. qui autem uiuunt, hoc habent pri- 25

5 *I Cor. 15, 20—21   8 *I Cor. 15, 51—52   13 *Eph. 5, 14   14 cf. Ps.
131, 2   15 *Ps. 131, 3—5   20 *I Thess. 4, 15   23 cf. I Cor. 1, 30   25 cf.
I Thess. 4, 15

1 culpabile 𝔄,*Aa.c.m2* culpabilis *DC*   torpescit *τ,Ap.c.m2* turpiscit
𝔄,*Aa.c.m2* torpes est *DC*   transiuit *D*   morte *D*   2 iacit *D*   inmutus 𝔄*A*
in *om.DCB*   3 turpet 𝔄*A* torpit *DC*   similitudinem *τ*   sequatur *DCB*
4 corintios *B*; *add.* epistola ς   5 surrexit *DC,Ba.c.m2*   a] ex *DC,B* (*ex* et)
6 quoniam *B*   enim *om.B*   8 paullum 𝔄 paulum *Aa.c.m2D*   10 enim] *add.*
tuba *s.l.B*   12 mortem *DC*   13 de] a *τB*   illuminauit *D*   14 d̄o *τ*   16 super
om.τ   18 haut 𝔄*D* chaut (c *exp.*) *τ* aut *C,Ba.c.*   quin] qui *C,om.τ*   in *om.A*
19 sua *DCB,?* 𝔄   20 quod quia *τ*   dom. *om.τ*   21 discendet *τa.c.m2* descendit *C* discendit 𝔄,*Aa.c.m2*   22 discendet *τa.c.m2* discendit 𝔄,*Aa.c.m2*   dorsum 𝔄   24 sint] sunt *τ*   discendere 𝔄,*Aa.c.m2* ascendere (*s.l.* ostendere) *τ*
non tamen *CB*

uilegium, quod eliguntur e pluribus. attamen utrumque agmen, et 8
mortuorum in Christo et uiuentium, pariter rapientur in nubibus
obuiam domino, ut non eum expectent, donec ad terrena descendat,
sed praesentia illius et contubernio in sublimibus perfruantur. quanta-
5 que Christi clementia, ut pro salute nostra non solum caro factus sit,
sed ad mortuos usque descenderit et in ipsa morte habeat signa uiuentium! aqua enim et sanguis de latere eius egressa sunt. descendit
igitur sermo diuinus uoce archangeli praecedente et praeparante sibi
uiam in his, qui eius possunt ferre praesentiam. quod ut queamus 9
10 intellegere, primi aduentus mysteria cognoscamus. scriptum est de
Iohanne, qui praecursor eius fuit, quod in heremo dixerit: e g o u o x
c l a m a n t i s i n d e s e r t o et reliqua. quid clamauit uox in deserto? p a r a t e u i a m d o m i n i , r e c t a s f a c i t e s e m i-
t a s e i u s . ob quod praemium quamue mercedem? o m n i s
15 u a l l i s i n p l e b i t u r e t o m n i s m o n s e t c o l l i s hu-
m i l i a b i t u r e t e r u n t p r a u a i n d i r e c t a e t a s p e r a
i n u i a s p l a n a s e t u i d e b i t o m n i s c a r o s a l u t a r e
d e i . hoc autem ideo, quia u e r b u m c a r o f a c t u m e s t e t
h a b i t a u i t i n n o b i s . nunc autem nequaquam uox prophetae 10
20 in deserto erit, sed uox archangeli parantis uias non in carnis humilitate uenienti, sed ei, qui est apud patrem uerbum deus. et tunc
quidem egrediebantur in desertum, ut audirent adsumpti hominis
praecursorem et uiderent harundinem uento agitatam, de qua factae
sunt tibiae et uocalis calamus, qui in ore puerorum dulci sonat modu-
25 lamine canentium in plateis atque dicentium: c a n t a u i m u s

2 cf. I Thess. 4, 16   7 cf. Ioh. 19, 34   11 Ioh. 1, 23   13 Matth. 3, 3 etc.;
cf. Esai. 40, 3   14 Luc. 3, 5—6; cf. Esai. 40, 4—5   18 Ioh. 1, 14   23 cf.
Luc. 7, 24   25 *Luc. 7, 32; *Matth. 11, 17

1 quod] quia *B*   eleg. *AD*, ? 𝔄   adtamen 𝔄*A*   2 par. rap. *Ap.c.m2* par.
rapietur *cet.*, ? 𝔄 rapientur par. ς   3 x̅p̅o̅ d̅n̅o̅ τ Christo ς   terrena *ex* extrema *B* terram τ   discendat 𝔄τ   4 contubernium 𝔄*A*   5 clem. x̅p̅i̅ *C*
clementiae 𝔄   factum τ*A*   sit *om.* τ   6 discenderit 𝔄, *Aa.c.m2* discenderet τ
7 latera τ   discendit *Aa.c.m2*τ, ? 𝔄 descendet *DCB*   8 ergo τ   9 his] iis *ex* is *D*
queamus] *add.* quod (*exp.*) *A*   11 dixerat τ   ego] *add.* sum *s.l.*τ   uox] uos
Aa.c.m2D   14 ob] hoc *D*   quamue] quia uel τ   16 direpta *D*   18 ideo quia]
quod τ   19 habitabit τ, *Aa.c.m2*   profetiae τ   20 arcangeli *B*   non enim τ
in carnis] incarnationis τ   humilitatis (*pr.* t *exp.*) τ   21 uenientis τ   23 uiderunt *D*   har. *AD*, ? 𝔄 ar. *cet.*   facta *DC*   24 uocabis τ   dulcis τ*a.c.D*
modol. τ*A*   25 cantabimus *DC*

u o b i s   e t   n o n   s a l t a s t i s; nunc autem in uoce archangeli
praecedentis dominum descendentem de caelis et in clarissima tuba
unusquisque credentium uel ad proelium uel ad sacerdotalia ministe-
11 ria prouocatur. legimus in Numerorum libro sacratas deo tubas,
quae ante hostias personent. sin autem magna est uox et angeli tu- 5
bae et archangeli, quanto maior erit tubae dei, quae parat uias primum dormientium et mortuorum in Christo, deinde eorum, qui uiuunt et residui sunt et sermonis dei praestolantur aduentum! forsitan simplicis tubae clangor dormientibus et mortuis in Christo necessarius est, uox autem archangeli et tubae dei his, qui uiuunt et 10
12 in praesentiam domini reseruantur. uideamus, quid possit intellegi
et id, quod sequitur: s i m u l   c u m   i l l i s   r a p i e m u r. quo
uerbo ostendi puto subito ad meliora transcensum et idcirco raptum
uoluisse se dicere, ut uelocitas transeuntis sensum cogitantis excederet. quod et in alio loco eiusdem uerbi proprietate signauit: s c i o 15
h o m i n e m   i n   C h r i s t o   a n t e   a n n o s   q u a t t u o r d e-
c i m — s i u e   i n   c o r p o r e, n e s c i o, s i u e   e x t r a   c o r p u s,
n e s c i o, d e u s   s c i t — r a p t u m   i s t i u s   m o d i   u s q u e
a d   t e r t i u m   c a e l u m. et   s c i o   h u i u s c e   m o d i   h o m i-
n e m — s i u e   i n   c o r p o r e   s i u e   e x t r a   c o r p u s, n e s c i o, 20
d e u s   s c i t —, q u i a   r a p t u s   e s t   i n   p a r a d i s u m   e t   a u-
d i u i t   u e r b a   i n e f f a b i l i a, q u a e   n o n l i c e t   h o m i n i
13 l o q u i. alii enim proficientes et, ut ita dicam, gradientes ad maiora
crescebant, donec fierent iuxta id, quod scriptum est, 'magni ualde
nimis', et quosdam in caelum adsumptos legimus. Paulus autem, 25
uas electionis, in tertium caelum raptus ascendit et idcirco audiuit

---

    4 cf. Num. 10, 10   5 cf. I Thess. 4, 15. 13. 14   12 *I Thess. 4, 16
15 *II Cor. 12, 2—4   24 cf. Ezech. 9, 9   26 cf. Act. 9, 15

    1 uobis *om.* τ   2 praecid. *et* discend. 𝔄,*Aa.c.m*2   in *s.l.* τ   3 misteria τ
5 hostias (*cf. Num. 10, 10*)] hostes (*cf. Num. 10, 9*) *Dp.c.m*2*B* ostium (*cf. Num.
10, 3*) *C*   personentur τ   si τ*A*, ? 𝔄   est *om.* τ   et ang. *scripsi* ang. et *codd.*
6 et *s.l.B,om.C*   quantū *A*   tuba *D*   qua praeparat τ   7 uiui *A*   8 *pr.* et
om.D dn̄i *B*   aduentu *D*   10 autem *om.* τ   et tubae dei *om.*𝔄*A*   *alt.* et *om.*τ
11 in *om.A*, ? 𝔄   prae(e)sentia *CB*   dei ς   12 id *om.B*   quo] quod *A*
13 ostendit *A*   subitum *DCB*   14 se uol. ς   se *eras.B*   sensuum τ   15 in *om.A*
significauit *B*   18 eius τ   19 huius *CB* eiusdem τ   21 raptum *D*
est *om.DC*   audiui *D*   22 ineff. *om.*τ   hominibus τ   23 et *om.*τ*D*   ad *s.l.m*2*A*
24 crescebat *Aa.c.,om.*τ   id *om.*τ   25 autem *om.*τ   26 ascendet *DC*

uerba ineffabilia. quomodo autem hi, qui rapiuntur in nubibus, ra-
piantur obuiam Christo, diligentius contemplandum est. scimus nubes prophetas, quibus praecepit deus, ne pluerent super Israhel imbrem, quando inpleuerunt mensuram patrum suorum et facta est
5 lex et prophetae usque ad Iohannem Baptistam. et quia deus posuit
in ecclesia primum apostolos, secundo prophetas, non solum prophetae, sed et apostoli nubes intellegendi sunt. si quis igitur rapitur 14
ad Christum, ascendit super nubes legis et euangelii, super prophetas
et apostolos et adsumptis alis columbae eorumque doctrina ad ex-
10 celsa sublatus occurrit non deorsum, sed in aere et spiritali intellegentia scripturarum. occurrens autem in spiritalibus et terrena
dimittens, siue ille sit dormiens siue in Christo mortuus siue uiuens
et in illius praesentiam reseruatus, semper cum illo erit et fruetur
uerbo dei et sapientia, ueritate atque iustitia'.

15   11. Haec celeri sermone dictaui, quid eruditi uiri de utroque
sentirent loco et quibus argumentis suas uellent probare sententias,
uestrae prudentiae exponens. neque enim tanta est meae pusillitatis
auctoritas, qui nihil sum et inuidorum tantum morsibus pateo, quanta
eorum, qui nos in domino praecesserunt, nec iuxta Pythagorae di-
20 scipulos praeiudicata doctoris opinio, sed doctrinae ratio ponderanda
est. si quis autem contrariae factionis inmurmurat, quare explana- 2
tiones eorum legam, quorum dogmatibus non adquiesco, sciat me
illud apostoli libenter audire: o m n i a   p r o b a t e, q u o d b o-
n u m   e s t, r e t i n e t e et saluatoris uerba dicentis: e s t o t e
25 p r o b a t i   n u m m u l a r i i, ut, si quis nummus adulter est et

3 cf. III Reg. 17, 1; Esai. 5, 6   4 cf. Matth. 23, 32   5 cf. Matth. 11, 13
cf. I Cor. 12, 28   9 cf. Ps. 54, 7   14 cf. I Cor. 1, 30   23 *I Thess. 5, 21
24 de hoc agrapho cf. Vallarsii adnot.

1 hii τD,Aa.r.   qui uiui τ   alt. rapiuntur B   3 praecipit τ   Israhel om.D
4 quando] qui non B   5 profetie τ   6 et secundum τ   non sol. profetae s.l.τ
8 legis om.DC   9 ad] et τ   10 sublatos D sublatis C,Ba.c.   aerē τ   11 autem
om.τ   in in ras.m2B, om. 𝔄(?) τAC   et om.ς   12 demittens τ   dorm.]
mortuus 𝔄   mort.] dormiens 𝔄   13 praesentia D   fruitur 𝔄A perfruetur ς
14 et uer. τ   16 uelint suas τ   sentia si D   17 exp. prud. A, ? 𝔄   prouidentiae τ
enim om.τ   pusillanimitatis B possibilitatis τA, ? 𝔄   18 nihili D   19 praec.
in dom. τ   pithag. τ phytag. AD phitag. 𝔄CB   20 praeiudicanda (icanda
in ʳas.m2) B   21 eor. expl. DCB   22 quorum—me om.A (cf. ad p. 468, 3)
dogmati (bus s.l.) B dogmatis C   23 probate et (et exp. B) DB   24 tenete B
25 probate A   nummulari τ numularii B   ut om.C   est et om.τ.

figuram Caesaris non habet nec signatus moneta publica, reprobetur,
qui autem Christi faciem claro profert lumine, in cordis nostri mar-
3 suppium recondatur. etenim, si dialecticam scire uoluero aut philosophorum dogmata et — ut ad nostram redeam scientiam — scripturarum, nequaquam simplices ecclesiae uiros interrogare debeo, quorum 5
alia gratia est — et unusquisque in suo sensu abundat, praesertim cum
in domo magna uasorum patris familiae diuersitas multa dicatur —,
sed eos, qui artem didicere ab artifice et in lege dei meditantur die ac
4 nocte. ego et in adulescentia et in extrema aetate profiteor et Origenem et Eusebium Caesariensem uiros esse doctissimos, sed errasse 10
in dogmatum ueritate. quot e contrario de Theodoro, Acacio, Apollinare possumus dicere! et tamen omnes in explanationibus scripturarum sudoris sui nobis memoriam reliquerunt. in terra aurum quaeritur et de fluuiorum alueis splendens profertur glarea Pactolusque
5 ditior caeno est quam fluento. cur me lacerant inimici mei et ad- 15
uersum silentem crassae sues grunniunt? quarum omne studium est,
immo scientiae supercilium, aliena carpere et sic ueterum defendere
perfidiam, ut perdant fidem suam. meum propositum est antiquos
legere, probare singula, retinere, quae bona sunt, et a fide ecclesiae
catholicae non recedere. 20

12. Uolens ad alias quaestiunculas respondere et uel mea uel

---

6 cf. Rom. 14, 5　　7 cf. II Tim. 2, 20　　8 cf. Ps. 1, 2　　19 cf. I Thess. 5, 21

1 habent *C* sign. est *C* figuratus est ς monita *τAa.c.*, ? 𝔄 2 praefert
DCB proferre *τa.c.m2* marsup. *ACB* (*legi nequit* 𝔄) 3 recordatur *D* phil.]
add. quorum dogm(*ex* domn)atibus non adquiesco sciat me *A* (*cf. ad p. 467, 22*)
4 dogmate *τa.c.m2* et ut] ut *A* quorum dogmatibus non adquiesco sciat me *τ*
nostrarum *B* redeamus *A* script.] *sc. dogmata* 5 ecclesiarum *τ* 6 habun-
dat *τB* a(ha *D*)bundet *DC* 7 patr. fam. uas. *C* familias *τ* 8 dedicere *τ*,
Aa.c.m2, ? 𝔄 domini *CB* 9 ego et] et ego *τ* ego *A* adu(o *m2τ*)lisc. *τC*
adol. *ADB*, ? 𝔄; *add.* mea *τ* 11 uarietate *τ*, *Ap.c.m2*, ? 𝔄 quot *scripsi* quod
codd. e contr. de Theod.] de Theod., Diodoro *coni. Vall.* e] de 𝔄*A* acatio *B*
agatio *A* achaico et *τ* apollinare *B* apoll(l *D*)inari *τD* apollo(o *ex* e, *m2* i)nari
(*m2* e) *A* apollinario *C*, *legi nequit* 𝔄 13 nobis *s.l.B*,*om.τ* 14 splendescens *τ*
glaria *τa.c.m2* pactoul. *C* pactul. *τ* pectol. *A* 15 dior *C* est coeno *C*
coeno *τC* ceno *DB* quam] quia *τ* inimici *A*, ? 𝔄 amici *cet.* aduersus *B*
16 grassae *τA*, ? 𝔄 quorum *τ* omni *τa.c.m2A*, ? 𝔄 studio *A* clus (*del.*) studium
(stu *in ras.m2*) *B*, ? 𝔄 est immo] aestimo *A*, ? 𝔄 17 superc. ducere *τ* capere *C*
18 perf.] est infidiam perf. *τ* praepositum *A* anticos *C* 21 ad *in ras. m2B*
et *τ* et *om.τ* uel al. uel mea *τ*

aliena dictare extemplo a fratre Sisinnio admonitus sum, ut et ad uos
et ad ceteros sanctos fratres, qui nos amare dignantur, litteras scriberem. cohibebo igitur gradum et, si uita comes fuerit, futuro me
operi reseruabo, ut et uobis per partes pareteam et fractum ac senile
5 corpusculum onus possit ferre moderatum. illud autem breuiter in 2
fine commoneo, hoc, quod in Latinis codicibus legitur: o m n e s
q u i d e m r e s u r g e m u s, n o n o m n e s a u t e m i n m u t a-
b i m u r, in Graecis uoluminibus non haberi, sed uel: o m n e s
d o r m i e m u s, n o n o m n e s a u t e m i n m u t a b i m u r
10 uel: n o n o m n e s d o r m i e m u s, o m n e s a u t e m i n m u-
t a b i m u r, quorum qui sensus sit, supra diximus.

6 *I Cor. 15, 51   8 *I Cor. 15, 51   10 *I Cor. 15, 51

1 extimplo *B* exemplo *cet.*   sissiono *τ*   ammon. *τB*   et *om.τ*   2 qui—
dign. *om.*𝔄*τA*   litteras *om.A, spat. uac. 4—5 litt.τ*   scribere *A* scriberemus *D*
3 cohibeo *τ*   gradu *AD*   futuro—uobis *om.τ*   4 ut et] et ut 𝔄*A*   ac] et *τ*
5 corpuscolum 𝔄*A*   7 resurgimus *ADC*   8 habetur *τ*   9 non *om.C*   autem
omnes *Aa.c.C,* ? 𝔄   10 autem *om.*ς   11 quis *CB*   dix.] *add.* explicit de resurrectione carnis *D* explecit (*sic*) 𝔄 finit *τ*

CXX.
AD HEDYBIAM DE QUAESTIONIBUS DUODECIM.

[1. Quomodo perfectus esse quis possit et quomodo uiuere debeat uidua, quae sine liberis derelicta est.

5 2. Quid sit, quod in Matheo scriptum est: dico autem uobis: non bibam a modo de hoc genimine uitis usque in diem illum, quo illud bibam uobiscum nouum in regno patris mei.

3. Quae causa sit, ut de resurrectione et apparitione domini
10 euangelistae diuersa narrauerint, et cur dicente Matheo, quod uespere sabbati inlucescente in una sabbati dominus resurrexerit, Marcus mane eum alterius diei adserat resurrexisse.

---

5 *Matth. 26, 29   10 cf. Matth. 28, 1   11 cf. Marc. 16, 1—2

$A = Berolinensis\ lat.\ 17\ s.\ IX.$
$\Pi = Turicensis\ Augiensis\ 49\ s.\ IX.$
$\mathfrak{B} = Caroliruhensis\ Augiensis\ 105\ s.\ IX—X.$
$D = Vaticanus\ lat.\ 355 + 356\ s.\ IX—X.$
$\Phi = Guelferbytanus\ 4156\ s.\ IX—X.$
$C. = Vaticanus\ lat.\ 5762\ s.\ X\ (continet\ tantum\ capita\ 2—9).$
$B = Berolinensis\ lat.\ 18\ s.\ XII$ (continet fol. 15u—16u praefationem et caput primum, fol. 292u—301r reliquam epistulae partem, praeterea fol. 205r—u fragm. a p. 490, 7 multaque usque ad p. 492, 22 inclitum et fol. 205u—206r fragm. a p. 507, 1 narrat usque ad p. 509, 3 laetitia; in his duabus partibus B^1 integrae epistulae, B^2 fragmentorum lectiones significat).

hieronimi ad hydebiam questiones XII A incipiunt capitula libri questionū sci hieronimi ad denobiam Π item liber hieronimi ad edibiam de quaestibus XII. incipiunt capitula $\mathfrak{B}$ incipiunt ad hedibiam questione (sic) sci hiero pbri numero duodecim D incipit ad hedibiam de questibus · XII · Φ ad inquisitiones edibie in mg.m2 (ad edibiam fragm. prius, ad eandem fragm. posterius) B, titulo caret C; Hieronymi nomen exhibent AΠ𝔅D

   3 capitulorum enumeratio deest in DCB neque Hieronymi esse uidetur, quare eam uncis inclusi   esse perf. quis A perfect. quis esse ς   alt. quomodo] add. d̄o 𝔅 (eras.) Φ   deb. uiu. A   5 quod] quomodo Φ   matheum Aa.c.m2 dico aut. uob. om.ς   6 gemine Φ   7 ill. diem Π   illum om.𝔅   illud] illū A 8 meis Φ   10 diu. euang. A   dixerint A   11 inluciscente 𝔅Φ   unā 𝔅 unam Φ unum A   resurrexit 𝔅a.c.m2Φ surrexit ς   Marc. om.Π   12 eum] cum Π   asserit Π   surrexisse Π

4. Quomodo iuxta Matheum uespere sabbati Maria Magdalene uidit dominum resurgentem et Iohannes euangelista refert mane una sabbati eam iuxta sepulchrum flere?

5. Quomodo iuxta Matheum Maria Magdalene uespere sab-
5 bati cum altera Maria aduoluta pedibus saluatoris secundum Iohannem mane una sabbati audit a domino: n o l i m e t a n g e r e; n e c d u m e n i m a s c e n d i a d p a t r e m m e u m?

6. Quomodo custodiente militum turba Petrus et Iohannes libere ingressi sunt sepulchrum nullo prohibente custodum?

10 7. Quomodo Matheus scribit et Marcus, quod mandatum sit apostolis per mulieres, ut praecederent saluatorem in Galilaeam et ibi eum uiderent, Lucas autem et Iohannes in Hierusalem eum ab apostolis uisum esse commemorant?

8. Quid sit, quod in Matheo legimus: m o n u m e n t a
15 a p e r t a s u n t e t m u l t a c o r p o r a s a n c t o r u m, q u i d o r m i e r a n t, s u r r e x e r u n t e t e x e u n t e s d e m o n u- m e n t i s p o s t r e s u r r e c t i o n e m e i u s u e n e r u n t i n s a n c t a m c i u i t a t e m e t a p p a r u e r u n t m u l t i s.

9. Quomodo saluator secundum Iohannem insufflat spiritum
20 sanctum apostolis et secundum Lucam post ascensionem missurum esse se dicit?

10. Quid significet illud, quod apostolus Paulus disputat ad Romanos scribens: q u i d e r g o d i c e m u s? n u m q u i d i n i- q u i t a s a p u d d e u m? a b s i t et reliqua.

---

1 cf. Matth. 28, 1 et 9   2 cf. Ioh. 20, 1 et 11   4 cf. Matth. 28, 1 et 9
5 cf. Ioh. 20, 1   6 *Ioh. 20, 17   8 cf. Ioh. 20, 6—10   10 cf. Matth. c. 28
et Marc. c. 16   12 cf. Luc. 24, 33—53 et Ioh. 20, 19—31   14 Matth. 27,
52—53   19 cf. Ioh. 20, 22   20 cf. Luc. 24, 49 et Act. 1, 4—8   23 Rom. 9, 14

1 magdalenae *AΠ*—laenae *Φ*   2 euangeliste *Φ*   4 matheo *Φ*   magdalenae (—nę) *codd.*   7 nondum *A*   meum *om.* ς   8 iohannis ℬ   9 nullum *A*
cohibente *Φ*   custode ℬ   11 mulier *Φ*   salu.] Iesum ς   galileam ℬ*Φ*
12 *pr.* et *om. A*   uiderunt *A*   13 ab] ala *Π,om.Φ*   esse] eum *Φ,om.* ς   cōmemorat *Π*   14 quid sit—multis] quid significet, quod in euangelista Matthaeo
scriptum est: Iesus autem clamans uoce magna emisit spiritum: et uelum
templi scissum est in duas partes a summo usque deorsum (**Matth.* 27, 50—51)
et reliqua ς   15 multo *Φ*   16 resurrexerunt *A*   18 multis] turbae *A*   19 insufflatur *Φ,om.Π*   scm spm *A*   21 se esse ℬ   22 significat *Φ*   23 dicimus *Π*ℬ
24 est apud dnm *A*   absit] *add.* usque ad eum locum, ubi ait: nisi dominus
sabaoth reliquisset nobis semen (*Rom. 9, 29*) ς

11. Quid sit, quod apostolus scribit in secunda ad Corinthios:
aliis odor mortis ad mortem et aliis odor ui-
tae ad uitam et ad haec quis tam idoneus?
12. Quid sit, quod scribit in epistula ad Thessalonicenses
prima: ipse autem deus pacis sanctificet uos 5
per omnia et integer spiritus uester et anima
et corpus sine querela in aduentum domini
nostri Iesu Christi seruetur.]

PRAEFATIO.

1　　　Ignota uultu fidei mihi ardore notissima es. et de extremis 10
Galliae finibus in Bethleemitico rure latitantem ad respondendum
prouocas de sanctarum quaestiunculis scripturarum per hominem
dei filium meum Apodemium commonitoriolum dirigens, quasi
uero non habeas in tua prouincia disertos uiros et in dei lege perfectos, nisi forte experimentum magis nostri quam doctrinam flagitas 15
et uis scire, quid de his, quae ab aliis audisti, nos quoque sentiamus.
2 maiores tui Patera atque Delphidius, quorum alter, antequam ego
nascerer, rhetoricam Romae docuit, alter me iam adulescentulo omnes Gallias prosa uersuque suo inlustrauit ingenio, iam dormientes
et taciti me iure reprehendunt, quod audeam ad stirpem generis 20
sui quippiam musitare, licet concedens eis eloquentiae magnitudinem et doctrinam saecularium litterarum merito subtraham scientiam legis dei, quam nemo accipere potest, nisi ei data fuerit a patre
luminum, qui inluminat omnem hominem uenien-
tem in mundum et stat medius credentium, qui in nomine 25

2 *II Cor. 2, 16　　5 *I Thess. 5, 23　　23 cf. Iac. 1, 17　　24 Ioh. 1, 9
25 cf. Matth. 18, 20

1 scripsit *A*　　ad Cor. in sec. epistola ς　　corintheos 𝔅Φ　　2 ad] in *A*
3 *pr.* ad] in ς　　et ad—idon. *om.*ς　　4 scripsit *A* scriptum est ς　　in *om.*Φ
ad] a *A*　　thesal. *AΠ*𝔅 tesolonacensis Φ　　5 ips (e *s.l.m2*) *A* ipsi Φ　　paci Φ
7 querella 𝔅Φ　　aduentu ς　　9 praefatio 𝔅, *om. cet.* incipit textus Π
10 *praef. et cap. I desunt in C*　　ardores Φ　　11 betleem. Φ bethlem. *D* beeth-
lem. 𝔅 bet(h *s.l.m2*)leemit(*exp.*)tico *A* beleemitico *B*　　12 de] ad Φ　　13 dei
*om.*Π　　14 diss(*ex* des Φ)ertos 𝔅*D*Φ　　lege dei *B*　　15 experimento *Dp.c.m2*
magistri nostri *Dp.c.m2*　　doctrina *A*,*Dp.c.m2*　　16 quid] quod *D*　　17 Patera ς
(*cf. Vall. ad h. l.*) pathero *B* paterius *D* pater *cet.*　　delfid. *AD* defid. *B*
18 rethor. *codd.*　　adulisc. 𝔅Φ adolesc. *AB*　　20 tacite Φ*p.c.*　　mei *A*　　repr.
iure *B*　　21 mussitare ς　　concedat *D*　　eloquentia Φ　　22 doctrinae *Ba.c.m2*
doctrinarum *A*　　24 hom. *om.*Φ　　25 hunc mundum *ADB*　　medium Φ

eius fuerint congregati. unde libere profiteor — nec dictum superbiae 3
pertimesco — me scribere tibi non in doctis humanae sapientiae uerbis,
quam deus destructurus est, sed in uerbis fidei spiritalibus spiritalia
conparantem, ut abyssus ueteris testamenti inuocet abyssum euan-
5 gelicam in uoce cataractarum, id est prophetarum et apostolorum
suorum, et ueritas domini perueniat usque ad nubes, quibus mandatum est, ne super incredulum Israhel imbrem pluerent, sed ut ri-
garent arua gentilium et torrentem spinarum ac mare mortuum dul-
corarent. ora igitur, ut uerus Heliseus steriles in me et mortuas aquas 4
10 uiuificet et apostolorum sale, quibus dixerat: u o s e s t i s s a l ter-
r a e, meum munusculum condiat, quia omne sacrificium, quod absque sale est, domino non offertur. nec fulgore saecularis eloquentiae
delecteris, quam uidit Iesus quasi fulgur cadentem de caelo, sed potius eum recipe, qui non habet decorem nec faciem, homo in plagis
15 positus et sciens ferre infirmitatem, et quicquid ad proposita respon-
dero, scias me non confidentia respondisse sermonis, sed eius fide,
qui pollicitus est: a p e r i o s t u u m e t i m p l e b o i l l u d.

   1. *Quomodo perfectus esse quis possit et quomodo uiuere debeat*
uidua, quae sine liberis derelicta est. — Hoc idem et in euangelio legis
20 doctor interrogat: m a g i s t e r, q u i d f a c i e n s u i t a m
a e t e r n a m p o s s i d e b o? c u i r e s p o n d i t d o m i n u s:
m a n d a t a n o s t i? d i c i t i l l i: q u a e? I e s u s a u t e m
d i x i t: n o n h o m i c i d i u m f a c i e s, n o n a d u l t e r i u m,

---

2 cf. I Cor. 2, 13   3 cf. I Cor. 1, 19   4 cf. Ps. 41, 8   6 cf. Ps. 107, 5
7 cf. Esai. 5, 6   8 cf. Ioel 3, 18   9 cf. IV Reg. 2, 19—22   10 Matth. 5, 13
11 cf. Leu. 2, 13   13 cf. Luc. 10, 18   14 cf. Esai. 53, 2—3   17 *Ps. 80, 11
20 *Matth. 19, 16—21 et *Luc. 18, 18—22

1 liber *A*   superbe ς   3 distruct. 𝔅Φ district. *D*   4 conparantes *AB*
abysus *Aa.c.,D* (*ex* abusus)   abysum *D*   euangelica *D* euangelii *A*   5 cathar. *AB*
suor. et apost. *B*   6 peruenit *D*   8 ac] et *A*   9 uersus ς   eliseus 𝔅*a.c.m2*
helyseus *Π* Elisaeus ς   sterilis *Π* sterelis Φ   11 olusculum *B*   12 fulgure
(-rae *A*) *Aa.c.m2Π*   13 quem 𝔅   uelut *Π*   fulgor *A*𝔅Φ   cadente *Aa.c.m2*
cadentes Φ   14 meum 𝔅*a.c.*Φ   respice 𝔅   speciem ς   15 respondeo *D*
16 non *om.*Φ   ex fide *D*   17 et ego adimplebo (impl. ς) *DB*ς   illud] *add.*
incipit liber ad edibiã 𝔅 expl prefatio. incipit liber Φ ad eandē responsio. XVII
(*omnia del. m2*) *B*   18 interrogas (*in mg. m2 B*) quomodo *DB*   19 derel. *om.A*
et *om.*ς   20 faciendo *Π*   21 resp.] dicit *A*   dom.] iħs 𝔅Φ   22 dicit—dixit]
et subiunxit *D*   ille Φ*B*   23 facis *Π a c.m2*

non furtum, non falsum testimonium dices;
honora patrem et matrem et diliges proximum tuum
sicut te ipsum. et illo dicente: 'haec omnia feci'
dominus intulit: unum tibi deest. si uis esse
perfectus, uade, uende omnia, quae habes, et 5
2 da pauperibus et ueni, sequere me. itaque et
ego tibi domini nostri respondebo sermonibus: si uis esse
perfecta et tollere crucem tuam et sequi dominum saluatorem
et imitari Petrum dicentem: ecce nos omnia nostra dimisimus et secuti sumus te, uade et uende omnia tua, 10
quae habes, et da pauperibus et sequere saluatorem. non dixit:' da
filiis, da fratribus, da propinquis' — quos etiam si haberes, iure his dominus praeferretur — sed 'da pauperibus', immo da Christo, qui in pauperibus pascitur, qui, cum diues esset, pro nobis pauper factus est,
qui loquitur in tricesimo nono psalmo: ego autem mendicus 15
sum et pauper, dominus sollicitus est pro me.
3 statimque quadragesimi de eo exordium est: beatus, qui intellegit super egenum et pauperem. intellegentia
opus est et post intellegentiam beatitudine, qui sit egenus et pauper,
non utique ille, qui mendicitate et squalore coopertus est et tamen 20
non recedit a uitiis, sed de quibus apostolus loquitur: tantum
ut pauperum memores essemus, ob quorum refrigeria
laborant Paulus et Barnabas in ecclesiis gentium, ut collectae fiant
per primam sabbati, et hanc ipsam oblationem non per alios, sed per

---

9 *Marc. 10, 28; *Luc. 18, 28   10 cf. Matth. 19, 21 etc.   14 cf. II Cor.
8, 9   15 *Ps. 39, 18   17 Ps. 40, 2   21 Gal. 2, 10   23 cf. I Cor. 16, 1—2

1 dices test. *ΠD*   2 patrem tuum *A*   diligis *Aa.c.m2*𝔅   3 illo] ipso *B*
4 perf. esse *D*   5 uade et uende ς uende *ex* uade *m2A*   7 tibi] *s.l. add.* dico *m2B*
respondeo *A*   8 et tollere] tolle *A*   sequere *A*   9 imitare *Ap c.m2Πa.c.m2*𝔅Φ
omn. n. dim.] dim. omn. *D* reliquimus omn. *B*   10 *alt.* et om.*A*   tua *s.l.m2 A,om.D*
11 d̄m̄ salu.*Π*   12 quos *om.A*   si *om.Φ*   eis *D*   13 praeferretur *Aa.c m2*𝔅Φ
perferretur *D*   *alt.* da] de *D*   14 paup. pro nob. *B*   15 triges. *A* trigis. 𝔅Φ
nono *in mg. m2Π*   16 sum *om.D*   et dom. *AD*   17 quadragisimi 𝔅,Φ (*ex*
quadragimo); *add.* psalmi *ADB*   19 *pr.* et] ut *Π*   intellegentia 𝔅 intelle(i *B*)gen-
tiae *DB*   beatitudinem (m *del.m2A*) *codd.; add.* sciatur ς   quis *AB* quid (d *s.l.*) Φ
20 non] num Φ   et squal.] et paupertate atque squal. *D*   21 tant. ut] et tant. Φ
22 pauperes *A*   ob] ad *D*   23 laborabant *D*   ecclesias *D*   collecta *D*   fiat *D*
fierent ς   24 prima sabbati *D* prima sabbata *ex* primi sabbati *m2A*

se deferre festinant his, qui suas pro Christo amisere substantias,
qui persecutiones passi sunt, qui dixerunt patri suo et matri, uxori-
bus et liberis: 'non nouimus uos'. hi impleuerunt uoluntatem dei et 4
audierunt dicentem dominum saluatorem: m a t e r   m e a   e t
5 f r a t r e s   m e i   h i   s u n t,   q u i   f a c i u n t   u o l u n t a t e m
p a t r i s   m e i. et haec dicimus, non quo in pauperes Iudaeos siue
gentiles et omnino, cuiuslibet gentis sint pauperes, prohibeamus
faciendam elemosynam, sed quo Christianos et credentes pauperes
incredulis praeferamus et inter ipsos Christianos sit multa diuersitas,
10 utrum peccator an sanctus sit. unde et apostolus passiuam in omni- 5
bus misericordiam probans infert: m a x i m e   i n   d o m e s t i c o s
f i d e i. domesticus fidei est, qui eadem tibi religione coniungitur,
quem a consortio fraternitatis peccata non separant. quodsi de inimicis quoque nobis praecipitur, ut, si esurierint, demus eis cibos, si si-
15 tierint, demus eis potum et haec facientes congregemus carbones
super caput eorum, quanto magis de his, qui non sunt inimici et qui
Christiani sunt aut Christiani sancti! neque uero hoc, quod dicitur:
h a e c   e n i m   f a c i e n s   c a r b o n e s   i g n i s   c o n g r e g a b i s
s u p e r   c a p u t   e i u s, in malam partem accipiendum est, sed in
20 bonam. quando enim inimicis nostris praebemus beneficia, malitiam 6
eorum nostra bonitate superamus et mollimus duritiam iratumque
animum ad necessitudinem flectimus atque ita congregamus carbones super caput eorum, de quibus scriptum est: s a g i t t a e   p o-
t e n t i s   a c u t a e   c u m   c a r b o n i b u s   d e s o l a t o r i i s,

---

3 cf. Deut. 33, 9   4 *Luc. 8, 21 (cf. Matth. 12, 50)   11 *Gal. 6, 10
13 cf. Rom. 12, 20   18 *Rom. 12, 20   23 Ps. 119, 4

2 matri] *add.* et *B*   3 hii 𝔅*D* hi et *Ap.c.m2* hic *Φ,om.Π*   dei] patris *D*
5 hii 𝔅*D*   6 hoc *D*   quod *A*   7 gentis] gentes *Φ*   8 elemosin. *B* elimosin. 𝔅
aelimosin. *Φ* eleemosyn. ς   quod *A*   9 praeferemus (re *s.l.*) *Φ*   10 pass.] pass.
et omnem *B* passim ς   omnes *ΠB* omnem *D*   11 maxime autem *B*
12 domesticos *Aa.c.m2Φ*   religione (—nem *Φ*)𝔅*Φ*   13 quam *Φ*   ā *om.D*
14 percipitur *Φ*   esurierit *Φ* et(t *eras.,s.l.* s)urig(g *eras.*)erint (*in mg.m2* si
esuerint [*sic*]) *A*   cibum ς   15 et] ut *Φ*   congregamus *D* congeremus (*pr.*
e *in ras. 3 litt. m1*𝔅) 𝔅*ΦB*   16 capita *B*   17 aut Christ.] atque *D,om.A*
18 haec] hoc *D*   congeres *B*   19 partem *ex* autem *m2A*; *add.* non *m2 in mg.*
int.D   in *om.A*   20 bonum *Π*   enim] uero *B*   nostris *om.D*   21 nostra]
nam (*exp., in mg. m2* nr̄a) *D*   benignitate *B*   22 necess.] mollitiam (—ciam
B—tiem ς) et beni(ueni *D.* bene ς) uolentiam *Dς,B partim in mg. partim in
ras. (fuerat* necess.)   carbones *om.D*   23 capita *D*   potentes 𝔅*a.c.Φ*

ut, quomodo de altari a seraphin carbo sublatus prophetae labia purgauit, ita et inimicorum nostrorum peccata purgentur, ut uincamus
in bono malum et benedicamus maledicentibus et imitemur patrem,
7 qui solem suum oriri facit super iustos et iniustos. igitur et tu, quia
paucos non habes filios, habe plurimos; fac tibi amicos de iniquo 5
mamona, qui te recipiant in aeterna tabernacula. pulchreqne dixit
'de iniquo'; omnes enim diuitiae de iniquitate descendunt et, nisi
alter perdiderit, alter non potest inuenire. unde illa uulgata sententia
mihi uidetur esse uerissima: 'diues aut iniquus aut iniqui heres'.
quod cum legis doctor audisset et ferre non posset, quia habebat di- 10
uitias multas, conuersus dominus ad discipulos ait: q u a m d i f-
f i c i l e, q u i d i u i t e s s u n t, i n t r a r e p o s s u n t i n
8 r e g n a c a e l o r u m! non dixit 'inpossibile', sed 'difficile', licet
exemplum posuerit inpossibilitatis: f a c i l i u s c a m e l u s
p e r f o r a m e n a c u s t r a n s i r e p o t e r i t quam d i u e s 15
i n r e g n a c a e l o r u m. hoc autem non tam difficile est, quam
inpossibile; numquam enim fieri potest, ut camelus transeat per
foramen acus. numquam igitur diues intrare poterit regna caelorum?
sed camelus tortuosus et curuus est et graui sarcina praegrauatur; et
nos ergo, quando prauas ingredimur semitas et rectam uiam dimitti- 20
mus et oneramur mundi diuitiis siue pondere delictorum, regnum dei

---

1 cf. Esai. 6, 6—7　2 cf. Rom. 12, 21　3 cf. Luc. 6, 28　4 cf. Matth. 5, 45
5 cf. Luc. 16, 9　11 *Marc. 10, 23; *Luc. 18, 24　14 *Matth. 19, 24

1 ut] et *A*　altari a] altario *Π,Bp.r.*　seraphi *B*—phim *Ap.c.m2Π*　perlatus *A*
propheta *D*　2 ut] et *D*　3 patr. nostrum ς　4 solum *Φ*　orire *Φ*　sup. iust. et
iniust.] super bonos et malos *D*,𝔅 (*add.* et pluit super iustos et iniustos)
iustos *in ras. m2 B*　5 non habes] non habens *ΠΦ*,𝔅 *in mg. m2*　habe *scripsi*
habeto *B* habes *cet., om.* ς　6 mammona *Ap.c.m2ΠB*　pulchre qui *Φ* pulchrę *B*
pulcre *D*　7 discendunt *Aa.c.m2*𝔅*Φ*　8 unde et *D*　sententiam (m *eras.*) *Φ,om.D*
9 *pr.* aut] autem ς　iniq; heres *D* iniqui eres *Π* iniqui heredis (*ex*—des *m2*) *A*
heres iniqui *B*; *add.* es *D*　10 doctores audissent *Ap.c.m2*　et *s.l. Φ*　non
posset *om. D*　possent *Ap.c.m2*　qui *ΠD,Φp.r.*　habebant *A* habeat *Φ*
mult. diu. *A*　12 qui—poss.] est diuites intrare *B*　possunt *ex* possit *Φ*
13 regnum 𝔅　14 fac. est *D*　camelum *ADB*　15 poterit] posse *Ap.c.m2B,*
om. D　diues] diuitem *Ap.c.m2* diuitem intrare *DB*　16 regnum cael. 𝔅*Φ*
regn cael. *B* regnum dei *D*　17 per for. ac. transeat *Π*　18 numquam] num *D*
poterat *Π; add.* in *AB,*𝔅*s.l.*　regnum *Φ*　19 camelos *Φ* camelus ergo *A*　graue
sarcine *Φ*　praegrauatus *Π* pergrauabitur *Φ*　20 uiam domini *B* domini uiam ς
21 honeramur *AΦB*　sine *Π*

ingredi non ualemus. quodsi deponamus grauissimam sarcinam et 9
adsumamus nobis pennas columbae, uolabimus et requiescimus et
dicitur de nobis: s i   d o r m i a t i s   i n t e r   m e d i o s   c l e r o s,
p e n n a e   c o l u m b a e   d e a r g e n t a t a e   e t   p o s t e r i o r a
5 d o r s i   e i u s   i n   p a l l o r e   a u r i. dorsum nostrum, quod primum informe erat et graui sarcina premebatur, habeat uirorem
auri, quod interpretatur in sensu, et alas deargentatas, quae intelleguntur in eloquio scripturarum, et regnum dei intrare poterimus.
dicunt apostoli se omnia, quae sua fuerint, dimisisse et mercedem 10
10 pro hac uirtute audacter exposcunt. quibus respondit dominus:
o m n i s,   q u i   r e l i n q u i t   d o m u m   u e l   f r a t r e s   a u t
s o r o r e s   a u t   p a t r e m   a u t   m a t r e m   a u t   u x o r e m
a u t f i l i o s a u t a g r o s p r o p t e r n o m e n m e u m, c e n-
t u p l u m   a c c i p i e t   e t   u i t a m   a e t e r n a m   p o s s i d e b i t.
15 o quanta beatitudo pro paruis magna recipere, aeterna pro breuibus,
pro morituris semper uiuentia et habere dominum debitorem! si qua 11
autem uidua habet liberos — et maxime, si nobilis familiae est —,
egentes filios non dimittat, s e d   e x   a e q u a l i t a t e, u t meminerit primum animae suae et ipsam putet esse de filiis et partiatur potius cum
20 liberis, quam omnia filiis derelinquat, immo Christum liberorum
suorum faciat coheredem. respondebis: 'difficile, durum est, contra
naturam'. sed dominum tibi audies respondentem: q u i   p o t e s t
c a p e r e,   c a p i a t. et si uis esse perfecta, non tibi iugum necessitatis inponit, sed potestati tuae liberum concedit arbitrium. uis esse 12
25 perfecta et in primo stare fastigio dignitatis? fac, quod fecerunt apo-

---

2 cf. Ps. 54, 7   3 Ps. 67, 14   9 cf. Matth. 19, 27 etc.   11 *Matth. 19, 29
18 II Cor. 8, 13   22 Matth. 19, 12   25 cf. Matth. 19, 21 etc.

   1 quod] sed *B*   2 pinnas 𝔅*Φ*   columbae *om.Π*; *add.* et *A*   requiescemus
ADp.c.m2,B   3 dicetur *Ap.c.m2DB*   de *om.A*   4 pinnae (-e) 𝔅,*Φa.c.*   5 dorsi
om.B ˙   meum *A*   prius *B*   6 graue sarcinam *Φ*   uigorem *Dp.c.m2* nitorem ς
8 in eloquio] eloquia *D*   intrare *om.Π*   9 se *s.l.m2B*   fuerant *AD*   mercede *A*
10 respondet *B*   11 reliquid *Π* reliquerit ς   uel] aut *D*   aut sor. *om.B*
14 possedeat *Φ*   15 aeternam (m *exp.*) *A*   16 d̄m *ΠD*   17 liberos *ex* labores *Φ*
familia *Aa.c.m2*𝔅   18 aequal.] (ae *s.l.*)qual. et *Φ* aequal. eos amet et ς   prim.
om.A   19 animam suam *D*   ipsa *A*   et part.—filiis] quae sua sunt domino *D*
20 relinquat *D*   21 diff.] *add.* est 𝔅*s.l.m2*,ς   est et ς   22 d̄m *A*   aud. tibi ς
23 et *om.B*   24 imponas *Dp.c.m2*   concedas *Dp.c.m2*   si uis *B*   25 prima *Φ*

stoli, uende omnia, quae habes, et da pauperibus et sequere saluatorem et nudam solamque uirtutem nuda sequaris et sola. non uis esse
perfecta, sed secundum gradum tenere uirtutis? dimitte omnia tua,
quae habes, da filiis, da propinquis. nemo te reprehendit, si inferiora
secteris, dum modo illam scias tibi iure praelatam, quae elegerit 5
13 prima. dicis: hoc apostolorum est et uirorum, mulierem autem nobilem non posse omnia uendere, quae multis adiumentis uitae huius
indigeat. audi igitur apostolum commonentem: n o n u t a l i i s
r e f r i g e r i u m, u o b i s a u t e m t r i b u l a t i o, s e d e x
a e q u a l i t a t e u e s t r a a b u n d a n t i a i l l o r u m s u s- 10
t e n t e t i n o p i a m, u t e t i l l o r u m a b u n d a n t i a
u e s t r a e i n o p i a e s i t s u p p l e m e n t u m. unde et dominus: q u i h a b e t, inquit, d u a s t u n i c a s, d e t a l t e r a m
14 n o n h a b e n t i. quid, si Scythiae frigora sint et Alpinae niues,
quae non duabus et tribus tunicis, sed uix pecudum pellibus repel- 15
luntur? quicquid ergo corpora nostra defendere potest et humanae
succurrere inbecillitati, quos nudos natura profudit, hoc una appel-
landa est tunica et, quicquid in praesentibus alimentis necessarium
est, hoc unius diei uictus appellatur. unde praeceptum est: n e c o-
g i t e t i s d e c r a s t i n o, hoc est de futuro tempore, et aposto- 20
lus: h a b e n t e s, inquit, u i c t u m e t u e s t i t u m h i s
c o n t e n t i s u m u s. si plus habes, quam tibi ad uictum uesti-
tumque necessarium est, illud eroga, in illo debitricem esse te noueris.
Ananias et Sapphira apostoli meruere sententiam, quia sua timide

---

8 * II Cor. 8, 13—14   13 *Luc. 3, 11   19 *Matth. 6, 34   21 *I Tim. 6, 8
24 cf. Act. 5, 1—11

2 *pr.* et] ut *AB,om.*ς   solam qui *Φ*   uirt.] crucem *D* crucem uirtute *B*
non] et si non *B*   3 sed] et *D*   secundae *A*   ten. uis grad. *D* uis ten. grad. ς
tua *s.l.*𝔅,*om.D*   4 quaecumque *D*   habes et 𝔅   5 sectaris *D*   scias illam
*Π,*𝔅*a.c.m2* legerit *A,Πa.c.*   6 primum 𝔅   dices *B*   7 huius uitae ς   10 habund.
*A*𝔅*B*   inop. sust. *Π*   sustentate *D*   11 ut *s.l.*𝔅,*om.Φ*   hab. *A*𝔅*B*
12 supplim. *Aa.c.m2Π* suplim. *ex* sublim. *Φ*   et *om.D*   inq. dom. qui
habet *D*   13 alteram *s.l.*𝔅,*om.B*   14 scytiae *A*   15 qui *Φ*   et] aut 𝔅   et
tribus et *Φ*   16 corpori nostro sufficere *D*   17 quod *A*   natura *ex* terra *m2B*
profundit (n *eras.*) *Φ*   to(u *s.l.m2*)nica appellata est *Π*   apell. *A*   19 ne]
non ς   cogitatis *Φ*   20 crastina *Aa.c.m2Φ*   22 contempti *ΦB*   uestimen-
tumque *D* et uestitum 𝔅 et uestitum qui *Φ*   23 eroga et ς   debetr. 𝔅*Φ* deuitr. *D*
te esse *D*   24 annanias *ABΦ* anania *Π*   sapphyra *Π* saphira *AB* saffira *D*

reseruarunt. 'ergone', inquies, 'puniendus est, qui sua non dederit?' 15
minime. puniti sunt, quia mentiri uoluerunt spiritui sancto et reseruantes necessaria uictui suo quasi perfecte saeculo renuntiantes
uanam gloriam sectabantur. alioquin licet libere uel dare uel non dare,
5 quamquam ei, qui cupiat esse perfectus, praesens paupertas futuris
diuitiis conpensanda sit. quomodo autem uidua uiuere debeat, breui
sermone apostolus conprehendit dicens: quae in deliciis
est, uiuens mortua est et nos in duobus libellis, quos ad
Furiam et Saluinam scripsimus, plenius dictum putamus.

10   2. *Quid sit, quod in Matheo scriptum est: dico autem
uobis: non bibam a modo de hoc genimine uitis
usque in diem illum, quo illud bibam uobiscum nouum in regno patris mei.* — Ex hoc loco quidam
mille annorum fabulam struunt, in quibus Christum regnaturum cor-
15 poraliter esse contendunt et bibiturum uinum, quod ex illo tempore
usque ad consummationem mundi non biberit. nos autem audiamus
panem, quem fregit dominus deditque discipulis, esse corpus domini
saluatoris ipso dicente ad eos: accipite et comedite, hoc
est corpus meum, et calicem illum esse, de quo iterum lo-
20 cutus est: bibite ex hoc omnes; hic est enim sanguis meus noui testamenti, qui pro multis ef-
fundetur in remissionem peccatorum. iste est 2
calix, de quo in propheta legimus: calicem salutaris accipiam et nomen domini inuocabo, et alibi: calix

7 I Tim. 5, 6   8 cf. epist. LIV et LXXIX   10 *Matth. 26, 29
18 Matth. 26, 26   20 Matth. 26, 27—28   23 Ps. 115, 4 (13)   24 Ps. 22, 5

1 ergone] ne Φ   quia Πα.r.D   2 min. ideo ς ideo n̄ (n̄ exp.) minime B
puniti sunt bis 𝔅Φa.c.   sed quia B   mentire uol. Φ mentiti sunt A   4 sect.
glor. B   alioqui ς   pr. uel om. A   5 ei] et 𝔅Φ   cupit D   6 uidua om. D
7 compr. ap. ς   qui Φ uidua quae ς   diliciis A𝔅Φ   9 put.] add. ceteras
questiones quaere in fine libri in mg.m2B   10 quomodo accipiendum sit illud
saluatoris apud Matthaeum ς   est] sit A   11 a modo om. A   12 bibam
illud DC   nou. uob. 𝔅a.c.DC   13 nouum om. Φ   ex in ras.m2B   14 mille
s.l.𝔅 ille C   astruunt A   15 concedunt DC   16 audiuimus Π   17 dispulis
𝔅a.c.; add. suis Cς   18 commedite AΦ comdite C   20 hic] hoc C   enim
om. B   sanguis] calix DC,Bp.c.m2   21 effunditur Aa.c.m2   22 in rem. pecc.]
etc. ς   remissione Π𝔅D   24 et nom.—inuoc. om. ς   pr. et om. A

meus inebrians quam praeclarus est! si enim
panis, qui de caelo descendit, corpus est domini et uinum, quod discipulis dedit, sanguis illius est noui testamenti, qui effusus est in remissionem omnium peccatorum, Iudaicas fabulas repellamus et
ascendamus cum domino cenaculum magnum, stratum atque mun- 5
datum et accipiamus ab eo sursum calicem noui testamenti ibique
cum eo pascha celebrantes inebriemur uino sobrietatis. n o n e s t
e n i m r e g n u m d e i c i b u s e t p o t u s, s e d i u s t i t i a
3 e t g a u d i u m e t p a x i n s p i r i t u s a n c t o. nec Moyses
dedit nobis panem uerum, sed dominus Iesus, ipse conuiua et con- 10
uiuium, ipse comedens et qui comeditur. illius bibimus sanguinem et
sine ipso potare non possumus et cotidie in sacrificiis eius de genimine
uitis uerae et uineae Sorech, quae interpretatur 'electa', rubentia
musta calcamus et nouum ex his uinum bibimus in regno patris nequaquam in uetustate litterae, sed in nouitate spiritus canentes 15
canticum nouum, quod nemo potest canere nisi in regno ecclesiae,
4 quod regnum patris est. hunc panem et Iacob comedere patriarcha
cupiebat dicens: s i f u e r i t d o m i n u s d e u s m e c u m e t
d e d e r i t m i h i p a n e m a d u e s c e n d u m e t u e s t i-
m e n t u m a d o p e r i e n d u m. quotquot enim in Christo bapti- 20
zamur, Christum induimur et panem comedimus angelorum et audi-
mus dominum praedicantem: m e u s c i b u s e s t, u t f a c i a m
u o l u n t a t e m e i u s, q u i m e m i s i t, e t i m p l e a m o p u s
e i u s. faciamus igitur uoluntatem eius, qui nos misit, patris et implea-

---

2 cf. Ioh. 6, 59   5 cf. Marc. 14, 15; Luc. 22, 12   7 *Rom. 14, 17
13 cf. Esai. 5, 2. Onom. s. 33, 24; 50, 24   15 cf. Rom. 7, 6   16 cf. Apoc. 14, 3
18 *Gen. 28, 20   20 cf. Gal. 3, 27   22 *Ioh. 4, 34

1 tuus *ADC*   est *s.l.Φ*   enim] ergo *AB*   2 discendit 𝔅*Φ*   3 qui pro
multis ς   remissione *Aa.c.m*2Π𝔅   4 pecc. omn. (omn. *del. B*)Π*B* pecc. *DC*
6 accipiemus *Ba.c.m*2   que *om.A*   7 inhebr. Π*a.r.B ; add.* ab(hab *C*) eo *DC*
sobrietatis (so *in ras. 5 litt.*) *Φ*   enim est *C*ς est 𝔅*Φ*   8 potum *DC*   9 in
*s.l.m*2*B*   Moyses] mores Π   10 ipsa *Φ* ipse et *A*   11 commedens *AΦ*
commeditur *A* comedit *Φ*   12 cott. Π𝔅*Φ*   gemini *Φ*   13 uinea *DC*   Sorec ς
14 calamus *C*   ex *s.l.Φ*   bib. uin. *Φ*   in] de *C*ς   patris mei *Φ*   15 can-
tantes *DC*   16 cantare ς   17 patr. com. 𝔅*p.c.C*   patriarca *Φa.c.B*   18 deus]
add. meus *A*𝔅   19 edendum Π*DC*   uestitum *A* uestem *DC*   20 induendum *DC*
quodquod *Φ*   x̄p̄o ī h̄u *B*   baptizamus *C*   21 induimus 𝔅*ΦC*   *pr.* et *om.*Π
commed. *Φ*   audiuimus Π*a.r.Φ*   22 faciat *D*   23 misit me 𝔅*D* me misit
patris Π*C*   et] ut *C*   impletum Π   24 *pr.* eius—opus *om.*Π   *pr.* eius] meum *D*
eius·et *Φ*   uol.—impl. *om.A*   misit nos *C*   patris *om.DC*

mus opus illius et Christus nobiscum bibet in regno ecclesiae sanguinem suum.

3. *Quae causa sit, ut de resurrectione et apparitione domini euangelistae diuersa narrauerint.* — In quibus primum quaeris, cur Matheus dixerit uespere sabbati inlucescente in una sabbati dominum surrexisse et Marcus mane resurrectionem eius factam esse commemoret ita scribens: c u m   a u t e m   r e s u r r e x i s s e t, u n a   s a b b a t i   m a n e   a p p a r u i t   M a r i a e   M a g d a l e n a e, de qua eiecerat septem daemonia; et illa abiens nuntiauit his, qui cum eo fuerant, lugentibus et flentibus. illique audientes, quod uiueret et quod uidisset eum, crediderunt. cuius quaestionis duplex solutio est. aut enim non recipimus Marci testimonium, quod in raris fertur euangeliis omnibus Graeciae libris paene hoc capitulum in fine non habentibus, praesertim cum diuersa atque contraria euangelistis ceteris narrare uideatur, aut hoc respondendum, quod uterque uerum dixerit: Matheus, quando dominus resurrexerit, id est uespere sabbati, Marcus autem, quando eum uiderit Maria Magdalene, id est mane prima sabbati. ita enim distinguendum est: cum autem resurrexisset, et parumper spiritu coartato inferendum: p r i m a s a b b a t i m a n e a p p a r u i t M a r i a e M a g d a l e n a e, ut, qui uespere sabbati iuxta Matheum resurrexerat, mane prima sabbati iuxta Marcum apparuerit Mariae Magdalenae. quod quidem et Iohannes euangelista significat mane eum alterius diei uisum esse demonstrans.

5 cf. Matth. 28, 1   7 *Marc. 16, 9—11   20 *Marc. 16, 9   24 cf. Ioh. 20, 1—18

1 eius *DC*   et] ut *Π*   uiuat *Π*   regnum *A*   3 quid causae *ex* quae causae *m2A*   dom. et app. *DC*   4 narrauerit *C*   plurimum *C*   5 uesp. autem *C* inluc.—sabb. *om. A*   inlucescente (scente *in ras. m2*) *B* inlucescentem *C* inlucisc. ℬ*DΦ*   unā *Π,Bp.c.m2*   6 resurrexisse *Φ*   eius *om. A*   commemorens *Φ*   7 *de hac interpunctione cf. lin. 20*   9 eieceret *Π*   11 aud.— uid.] abeuntes cum uidissent *A*   12 non cred. ei *C*   huius *C,Bp.c.m2* 13 recipimur *D* recepimus *Φ*   15 finem *D*   16 narrare] manere *A*   uideantur *Φ*   17 resurrexit *DΦ* surrexerit *C*   18 id est *om. ç*   uespera *Φ* uiderat *D*   19 magdalenae *Π*ℬ*Φ*—na *Bp.c.m2*   id est *s.l.m2B*   in prima *A* 20 cohortato *D*   21 maria *Φ*   22 magdalene *D*   Math.—iuxta *om. Π*   surrexerat *C*   23 ipse mane ç   primo ç   apparuit *D*   magdalene *D*   24 sign.] *add.* cum *s.l.m2A*   25 diei diuisum *Φ*   demonstrat *A*

4. *Quomodo iuxta Matheum uespere sabbati Maria Magdalene uidit dominum resurgentem et Iohannes euangelista refert mane una sabbati eam iuxta sepulchrum flere?* — Una sabbati dies dominica intellegenda est, quia omnis ebdomada in sabbatum et in primam et secundam et tertiam et quartam et quintam et sextam sabbati 5 diuiditur, quam ethnici idolorum et elementorum nominibus appellant. denique et apostolus collectam pecuniae, quae indigentibus 2 praeparatur, in una sabbati praecepit congregandam. nec putandum est Matheum et Iohannem diuersa sensisse, sed unum atque idem tempus, mediae noctis et gallorum cantus, diuersis appellasse nomi- 10 nibus — Matheus enim scribit 'uespere sabbati', id est sero, non incipiente nocte, sed iam profunda et magna ex parte transacta apparuisse dominum Mariae Magdalenae et apparuisse uespere sabbati inlucescentis in unam sabbati se ipsum interpretans, quid dixisset 'uespere sabbati', id est adpropinquante iam luce se- 15 quentis diei — et Iohannem non absolute dixisse: u n a a u t e m s a b b a t i u e n i t M a r i a M a g d a l e n e m a n e a d s e- p u l c h r u m, sed addidisse: c u m a d h u c e s s e n t t e n e- b r a e, eiusdem igitur atque unius temporis, id est mediae noctis 3 et gallorum cantus, alterum finem, alterum dixisse principium. mihi- 20 que uidetur euangelista Matheus, qui euangelium Hebraico sermone conscripsit, non tam 'uespere' dixisse quam 'sero' et eum, qui interpretatus est, uerbi ambiguitate deceptum non 'sero' interpretatum

---

1 cf. Matth. 28, 1   2 cf. Ioh. 20, 1 et 11   7 cf. I Cor. 16, 1—2   11 cf. Matth. 28, 1   16 *Ioh. 20, 1

1 quomodo—*p. 483, 24* femin. *om.B* (*in mg.m2:* questio [||| minus est) mariae *Φ* magdalenae *ΠΒΦ*   2 et bt(= beatus)iohannes *Π*   eam mane una sabbati *ς*   3 *pr.* unam *Φ*   eum *Π*   sepulcrum *DC saepius*   4 omnes *Φ* ebdomadas *ΠΒΦ* ebdomatas *Aa.c.m2* (*num* ebdomas?)   *alt.* in *s.l.Β,om.Φ*   5 et in sec. *AΠ*   et in (*exp.*) tert. *Π*   *tert.* et *om.D*   quart. et *om.D*   6 ex *ex* et *m2A* 7 et *om.C*   8 praeparabatur *DC*   unam *D*   praecipit *A*   congreganda *Π* 10 noctis scilicet *ς*   11 uesperi *Βp.c.m2*   non sero *A*   12 magna] mane *Φ* 14 inlucescenti *Π* inluciscentis (—cesc—*Am2*) *AΒΦ* inluciscente *D*   in unam] una *A*   se] sed *D*   quid—sabb.] uespere sabb. cum dixisset *D*   15 luce *ex* lucis *A*   sequentes *C*   16 iohanne *Φ*   unā *Π*   autem *om.Π*   17 mariae *Φ* magdalenae *ΠΒΦ*   18 addidisset *Π*   ten. essent *Π*   19 eiusdem] et idem *D* 20 et] atque *DC*   21 euangelicum *Φ*   ebraico *Φ* hebreo *AD*   22 sera *ΒΦ* 23 interpr.—*p. 483, 2* sero *om.C*

esse, sed 'uespere', quamquam et consuetudo humani sermonis teneat
'sero' non uesperum significare, sed 'tarde'. solemus enim dicere:
'sero uenisti', id est 'tarde', et: 'qui facere ante debueras, fac saltim
sero', id est 'tarde'. sin autem illud obicitur, quomodo eadem Maria, 4
5 quae prius uiderat dominum resurgentem, postea ad sepulchrum
eius flere referatur, hoc dicendum est, quod et sola et cum altera
siue cum aliis mulieribus memor beneficiorum, quae in se dominus
contulerat, ad sepulchrum eius frequenter cucurrerit, et nunc adora-
uerit, quem uidebat, nunc fleuerit, quem quaerebat absentem, licet
10 quidam duas Marias Magdalenas de eodem uico Magdalo fuisse contendant et alteram esse, quae in Matheo eum uiderit resurgentem,
alteram, quae in Iohanne eum quaerebat absentem. quattuor autem 5
fuisse Marias in euangeliis legimus: unam matrem domini saluatoris,
alteram materteram eius, quae appellata est Maria Cleopae, tertiam
15 Mariam, matrem Iacobi et Ioseph, quartam Mariam Magdalenen,
licet alii matrem Iacobi et Ioseph materteram eius fuisse contendant. nonnulli, ut se liberent quaestione, in Marco uolunt unam esse 6
de Mariis, sed non additum cognomen Magdalenae, et ex superfluo
scriptorum inoleuisse uitio, quod primum euangelista non scripserit.
20 nobis autem simplex uidetur et aperta responsio: sanctas feminas
Christi absentiam non ferentes per totam noctem non semel nec bis,
sed crebro ad sepulchrum domini cucurrisse, praesertim cum terrae
motus et saxa disrupta et sol fugiens et rerum natura turbata et — quod
his maius est — desiderium saluatoris somnum ruperit feminarum.
25   5. *Quomodo iuxta Matheum Maria Magdalene uespere sabbati*
cum altera Maria aduoluta pedibus saluatoris secundum Iohannem

5 cf. Matth. 28, 9—10   6 cf. Ioh. 20, 11   14 cf. Ioh. 19, 25   15 cf.
Matth. 27, 56. Marc. 15, 40   25 cf. Matth. 28, 9

    1 uesperi 𝔅Φ   et *om.* ς   2 uesperam *D*   3 uenisse Π   et *ex* ut *m*2*A*
quae *DC*   saltem *DC*   6 feratur Π   7 se *s.l. A*   8 cucurrerat Π concur-
rerit 𝔅   9 uiderat *D*   tunc *A*   10 de] ex *A*   magdala Π   contendat
Π*a.e.m*2Φ — dunt *D*   11 uiderint Φ   12 iohannem *A*   quaer. abs.] querentem
abs. Φ   14 est] sit *A*   mariae Π,*om.D*   cleophae *C*   tertia maria Φ
15 mariam *s.l.*Π   Iose ς   magdalenen *D* —nam *C* —nae *A*Π𝔅Φ   16 alii]
aliam Φ aliam mariam 𝔅   iacob Φ   Iose ς   materteram] mater Φ   17 un.
uol. 𝔅Φ   18 cogn. *om.A*   magdalene *A*Φ   et *om.*𝔅Φ   ex sup.] haec superflue *A*
19 inobliuissae Φ   quid Φ   primum in *A*   20 autem] hoc Φ   aperto Φ
22 terra Φ   23 *pr.* et *om.A*   dirupta 𝔅Φ diruta Π   quid Φ   24 his *om.*Π
ruperit *ex* reperit Φ repperit *C* superit *D*   25 mariae Π mariam maria (m maria *exp.*) *A*   magdalenae Π𝔅Φ—na *Bp.c.m*2   26 sit ped. salu. cum ς

mane una sabbati audit a domino: noli me tangere; nec-
dum enim ascendi ad patrem meum? — Quae prius uiderat dominum resurgentem cum altera Maria et eius pedibus fuerat
aduoluta, postea reuersa per noctem — domi enim desiderio eius manere non poterat — uenit ad sepulchrum, cumque lapidem, quo monu- 5
mentum clausum fuerat, uidisset ablatum, cucurrit ad Simonem
Petrum et ad alterum discipulum, quem Iesus
amabat plurimum, et dicit eis: tulerunt dominum de monumento et nescimus, ubi posue-
2 runt eum. error mulieris cum pietate sociatus est; pietas in eo 10
erat, quod desiderabat eum, cuius nouerat maiestatem, error in illo,
quod dicebat: tulerunt dominum de monumento
et nescimus, ubi posuerunt eum. denique, cum Petrus
et Iohannes introeuntes sepulchrum uidissent linteamina separata et
sudarium, quo caput domini fuerat inuolutum, seorsum positum 15
et resurrexisse crederent, cuius corpus non inuenerant in sepulchro,
Maria stabat ad monumentum foris plorans.
3 cumque se inclinasset, uidit duos angelos in albis sedentes in loco monumenti ad caput et pedes, ubi positum
fuerat corpus Iesu, ut sub tanta custodiae dignitate non 20
crederet ab hominibus potuisse furari, qui ministris angelis serua-
batur. dicuntque ei angeli, quos cernebat: mulier, quid
ploras? secundum illud, quod dominus loquitur ad matrem:
quid mihi et tibi est, mulier? nondum uenit
hora mea, ut ex eo, quod appellauerunt mulierem, arguerent 25
4 frustra plorantem et dicerent: quid ploras? in tantum autem
Maria Magdalene obstupefacta torpuerat et fidem miraculis territa

---

1 *Ioh. 20, 17   6 *Ioh. 20, 2 - 12 Ioh. 20, 2   17 Ioh. 20, 11   18 Ioh.
20, 12   19 Ioh. 20, 12   22 Ioh. 20, 13   24 Ioh. 2, 4   26 Ioh. 20, 13

1 una] $\overline{au}$ $D, om. C$ audierit ς 2 que *in ras. m2 B*   audierat A 3 et]
add. cum (*eras.*) Φ 4 reuersam C uersa A ob desiderio (—ium C) DC 5 lap.
cum quo D monim. Φ 6 fuer. claus. ΠC clusum $\mathfrak{B}\Phi B$ symonem $\mathfrak{B}D$
7 ad *om.* B 8 dom. *in mg.* Φ dom. meum Π 9 monu(*ex* i)m. Φ nescio $\mathfrak{B}C$
10 mulierum Φ 11 erat *om.* Π in] de Π illo] eo DC 12 quo D 13 nesc.—eum]
cetera DC nescio $\Pi\mathfrak{B}\Phi B$ eum *s.l.* Φ 14 in (*del.* $\mathfrak{B}$) sepulchrum $A\mathfrak{B}$ 15 quod $\mathfrak{B}\Phi$
16 et] ut DB 17 foras D 22 que *om.* C ei *om.* Π quos cern. *om.* A 23 locutus
est B loquebatur ς 25 ex *om.* ς appellârunt D 27 magdalenae $\Pi\mathfrak{B}D\Phi$—
na B *p.c. m2*   stupefacta D et] ut A fide Π *p.r.* B territam $\mathfrak{B}B$ terram A

quasi in caligine possidebat, ut ne angelorum quidem praesentium
sentiret aspectum, sed muliebriter responderet et diceret: ideo ploro,
quia tulerunt dominum meum et nescio, ubi
posuerunt eum. o Maria, si dominum credis et dominum tuum,
5 quomodo arbitraris ab hominibus esse sublatum? nescio, inquit, 5
ubi posuerunt eum. quomodo nescis, quem paulo ante ado-
rasti? cumque uideret angelos et, quos cernebat, ignoraret stupore
perterrita, huc atque illuc faciem circumferebat nihil aliud nisi dominum uidere desiderans conuersaque retro uidit Iesum stantem et
10 nesciebat, quia Iesus erat, non quo iuxta Manicheum et alios hereticos formam dominus uultumque mutasset et pro uoluntate diuersus
ac uarius uideretur, sed quo Maria obstupefacta miraculo hortulanum putaret, quem tanto studio requirebat. itaque et dominus 6
isdem uerbis, quibus et angeli, loquitur ad eam: mulier, quid
15 ploras? additque de suo: quem quaeris? at illa respondit: domine, si tu sustulisti eum, dicito, ubi
posueris eum, et ego illum tollam. hic dominum
non de confessione uerae fidei saluatorem uocat, sed humilitate et
timore hortulano defert obsequium. et uide, quanta ignorantia! 7
20 quem custodiebat cohors militum, cuius sepulchro angeli praesidebant,
ab uno hortulano arbitratur ablatum et ignorans inbecillitatem fe-
mineam tantarum se uirium repromittit, ut corpus uiri et perfectae
aetatis, quod — ut cetera taceam — centum libris myrrae circumlitum

---

3 Ioh. 20, 13   5 Ioh. 20, 15   9 cf. Ioh. 20, 14   12 cf. Ioh. 20, 15
14 Ioh. 20, 15   16 *Ioh. 20, 15   22 cf. Eph. 4, 13   23 cf. Ioh. 19, 39

1 in *om. AD*   caliginem *A*   2 sed] et *Φ* si *C*   4 eum *s.l. Φ*   credis et]
credidisses 𝔅*Φ* credis *D*   *alt.* dm *A*   tuum quomodo tuum *C*   5 esse *om. C*
6 eum *s.l.m2B*   odorasti *Φ*   7 que *om. D*   uidebat *A*   8 territa 𝔅*a.c.Φ*
atque illuc] illucque *DC*   10 quo] quod *AΠCB*   manicheos *A*   11 mutauit *C*
—bit *D*—sse *Aa.c.m2B*   et] ut *AC,B in ras.m2*   12 quod *A*   stupefacta *C*
hortol. 𝔅 ortol. *DCB*   13 quem] que *B*   ita *D*   et] ut *A*   14 hisdem
DΦC iisdem ς   15 addiditque *AC,Bp.c.m2*   ille *Φ*   16 dicito mihi *B*
17 posuisti *A*   illum] eum *DΦC*   18 non *s.l.m2A*   19 hortol. *Ap.c.m2*𝔅
ortol. *DB* hortulanum *Φ*   deferret *A*   20 cohors *in ras. m2B* corhs (h *exp.*) *Φ*
chorus *A*   sepulchrum *A*   praesed. 𝔅*Φ*   21 hortol. *Ap.c.m2*𝔅 ortul. *Aa.c.m2*
Πa.c. ortol. *DB*   arbitrabatur 𝔅*Φ*   ignoras *Π*   fem.] in ea *Π*   22 uirium—
perf. *om. D*   repr.] *add.* et credit *C*   ut] et (*eras.*) ut *B*   23 ceteram *Φ*
myrrhae *C* mirre *B*

erat, aestimaret ab una et pauida muliere posse portari. cumque
Iesus appellasset eam atque dixisset: 'Maria', ut, quem facie non
agnoscebat, uoce intellegeret, illa in errore persistens nequaquam
8 dominum, sed 'rabboni', id est magistrum, uocat. et uide, quanta tur-
batio! quae hortulanum putans dominum nuncuparat, dei filium 5
resurgentem magistrum uocat. itaque ad eam, quae quaerebat uiuentem cum mortuis, quae errore femineo et inbecillitate muliebri
huc illucque currebat et corpus quaerebat occisi, cuius pedes uiuentis
tenuerat, loquitur dominus et dicit: n o l i m e t a n g e r e, tibi
e n i m n o n d u m a s c e n d i a d p a t r e m m e u m. et est 10
sensus: 'quem mortuum quaeris, uiuentem tangere non mereris. si
me necdum putas ascendisse ad patrem, sed hominum fraude subla-
9 tum, meo tactu indigna es'. hoc autem dicebat, non ut studium
quaerentis obtunderet, sed ut dispensationem carnis adsumptae in
diuinitatis gloriam sciret esse mutatam et nequaquam corporaliter 15
uellet esse cum domino, quem spiritaliter credere deberet regnare
cum patre. unde et apostoli maioris fidei sunt, qui absque angelorum
uisu, absque ipsius saluatoris aspectu, postquam corpus eius in monu-
10 mento non reppererant, crediderunt eum ab inferis surrexisse. alii
putant primum esse, quod a Iohanne narratum est, uenisse Mariam 20
Magdalenen ad sepulchrum et uidisse reuolutum lapidem et postea
regressam cum apostolis Petro et Iohanne solam ad monumentum
remansisse et idcirco adhuc incredulam a domino fuisse correptam
reuersamque domum rursum ad sepulchrum uenisse cum Maria et

---

2 cf Ioh. 20, 16   6 cf. Luc. 24, 5   9 *Ioh. 20, 17   19 cf. Ioh. 20, 8
20 cf. Ioh. 20, 1—18

　　1 existimaret *C*   et *om.D*   2 Iesus *om.A*   ut *om.A*   3 cognoscebat *B*
in *om.A*   4 raboni *A𝔅Φ*   et—6 uocat *om.D*   5 quae] quem *ΠC,Bp.c.m2*
ortul. *Aa.c.m2ΠΦ* ortol. *𝔅B*   putat *Π*   nuncupauerat *C*   6 quae *om.D*   9 tibi
s.l.Φ,om.𝔅D (cf. epist. LIX 4,2)   10 nond. enim *𝔅D* enim (*in ras.*) nond. enim *Φ*
sensus est *A*   12 necdum me *DC*   me *om.𝔅Φ*   hominem *Φ*   15 diu. glor.]
diuinitatem *A*   16 uelle *DΦ* uellē *B*   crederet debere *Π𝔅Φ,B* (deberet)
debere credere *D*   cum patre regn. *B*   17 minoris *D*   18 ipsius *s.l.𝔅* illius
Πa.c.Bm2   monumenti *Φ*   19 repererant *Φ* repperant *Aa.c.m2* repperert *B*
in eum *Φ*   resurrexisse *A*   20 primum put. *B*   ab *AB* ante a *DC*   maria *AD*
21 magdalenē *A*—nam *𝔅CB,Φp.c.*   uidisset (t *exp.*) *A*   lap. a monumento
DC,Bp.c.m2   alt. et *in ras. m2B*   22 regressa *ADC*   iohannes *Φ*   sola *D*
23 incredula *A*   a *om.Ba.c.m2*   correpta *A*   24 reuersaque *𝔅Φ* reuersam *D*
rursus *𝔅Φ* sursum *D*   cum] *s.l.* altera add. *m2B*

ab angelo monitam exeuntemque de monumento adorasse dominum
et tenuisse pedes eius, quando ab eo pariter audierunt: h a u e t e.
e t i l l a e a c c e s s e r u n t e t t e n u e r u n t p e d e s e i u s
e t a d o r a u e r u n t e u m, quae in tantum profecerint, ut mit-
5 tantur ad apostolos et audiant primum: n o l i t e t i m e r e, secundo: i t e e t n u n t i a t e f r a t r i b u s m e i s, u t e a n t
i n G a l i l a e a m; i b i m e u i d e b u n t.

6. *Quomodo custodiente militum turba Petrus et Iohannes
libere ingressi sunt sepulchrum nullo prohibente custodum?* — Hac
10 uidelicet causa, quia u e s p e r e s a b b a t i, q u a e l u c e s c e-
b a t i n p r i m a s a b b a t i, u e n i t M a r i a M a g d a l e n e
e t a l t e r a M a r i a u i d e r e s e p u l c h r u m. e t e c c e
t e r r a e m o t u s f a c t u s e s t m a g n u s. a n g e l u s q u o-
q u e d o m i n i d e s c e n d i t d e c a e l o e t a c c e d e n s
15 r e u o l u i t l a p i d e m e t s e d e b a t s u p e r e u m; e r a t-
q u e a s p e c t u s e i u s s i c u t f u l g u r e t u e s t i m e n-
t u m i l l i u s s i c u t n i x. p r a e t i m o r e a u t e m e i u s
e x t e r r i t i s u n t c u s t o d e s e t f a c t i s u n t u e l u t
m o r t u i. qui igitur fuerant tanto timore perterriti, ut mortui 2
20 putarentur, aut dimisisse sepulchrum et fugisse credendi sunt aut
ita et corpore et animo obtorpuisse, ut non dicam uiros, sed nec mu-
lierculas quidem sepulchrum intrare cupientes auderent prohibere.
magnus enim timor eos exterruerat uidentes lapidem reuolutum et
terrae motum factum non ex more solito, sed magnum, qui cuncta
25 concuteret et euersionem terrae funditus minaretur, angelum quo-

---

2 *Matth. 28, 9   5 *Matth. 28, 10   8 cf. Ioh. 20, 3—10   10 *Matth.
28, 1—4

1 nominata *A*   exeuntesque *B* exeuntem ç   2 pedes—ten. *in mg. sup.A*
aud.] adorauerunt *C*   habete *AD* auete *ΠCB*   3 et illae] at illae 𝔅Φ et illi *Π*
illaeque *DC*   4 eum *om. A*   qui *B*   tanto *A*   proficerint *AΠDB* profecerunt ç
5 primo *Ap.c.m2B*   6 et *om.DC*   adnunciate *B*   7 galilea 𝔅Φ   ibi (*pr.* i
in ras.) *Π*   9 hoc *Ba.c.m2*   10 quae—sabb. *in mg. sup.*𝔅,*om.* Φ   lucescit *AΠ*
11 primam *Π*𝔅   magdalenę *Πa.c.m2*,𝔅Φ—na *ΠBp.c.m2*   13 quoque] enim *ΠD*
14 dom. *om. A*   discendit *AΦa.c.*,𝔅   15 eratque—18 cust.] et cetera usque *ΠDC*
16 fulgor *Aa.c.m2*𝔅   18 perterriti ç   et facti sunt *om.C*   19 igitur qui *ΠDC*
tanto fuerant *AB*   put. mortui *C*   20 *alt.* aut] ut *C*   21 *pr.* et *om.AΦCB*
an. et corp. *ΠD*   nec] ne *A*,𝔅 (*ex* et)   22 audiert *B*   24 non (*s.l.Φ*) ex more
non (*exp. m2B*) 𝔅ΦB sed ex more non *A*   sed tam ç   25 reuersionem *B*
mineretur Φ

que dei descendisse de caelo tam claro uultu, ut non lampadas et
humana lumen arte succensum, sed fulgur imitaretur caeli, quo in-
3 lustrantur omnia. unde et in tenebris uidere potuerunt. itaque libere
introeunt; uenerat enim Maria Magdalene, quae eis nuntiauerat lapidem reuolutum et corpus domini de monumento esse sublatum. 5
angelum autem non putemus idcirco uenisse, ut aperiret sepulchrum
domino resurgenti et reuolueret lapidem, sed, postquam dominus
resurrexerit hora, qua ipse uoluerat et quae nulli mortalium cognita
est, indicasse, quod factum est, et sepulchrum uacuum reuolutione
lapidis et sui ostendisse praesentiam. quae omnia uidebantur splen- 10
dente facie ipsius et horrorem tenebrarum fulgoris claritate uincente.

7. *Quomodo Matheus scribit et Marcus, quod mandatum sit*
apostolis per mulieres, ut praecederent saluatorem in Galilaeam et
ibi eum uiderent, Lucas autem et Iohannes in Hierusalem eum ab
apostolis uisum esse commemorant? — Aliud est undecim se offerre 15
discipulis, qui propter metum Iudaeorum absconditi erant, quando
ad eos clausis ingressus est ianuis et putantibus, quod uideretur in
spiritu, manus et latus obtulit clauis et lancea uulneratum, aliud,
quando secundum Lucam praebuit se eis i n m u l t i s a r g u m e n-
t i s p e r d i e s q u a d r a g i n t a a p p a r e n s e i s e t l o- 20
q u e n s d e r e g n o d e i e t c o n u e s c e n s p r a e c e p i t

12 cf. Matth. 28, 10. Marc. 16, 7   14 cf. Luc. 24, 36. Ioh. 20, 19   19 Act.
1, 3—4

1 dei *s.l.ΠВ,om.DΦCB*   discend. *Aa.c.m2ВФ*   non ut *ΠD*   lampas *B*
lampadem *ΠDC*   et *om.ΠD*   2 humano *ΠВDΦ*   lumine *ΠD,Вp.c.*   suc-
censam *ΠD*   fulgor *Πa.r.ВФ,A* (—orem *m2*)   quo *om.A*   inlustrantur (tur
exp.,s.l.m2 tis *et* tem [*hoc eras.*]) *A*   4 uenerat] uiderat *ς*   magdalenae
Πa.c.m2В—na *ΠBp.c.m2*   7 resurgente *Φp.c.* surgenti *A*   et] ut *ΠD*
8 resurrexerit (—rat *m2A*) *AΠ*—xit *cet.*   qua] quia *Φ*   uoluit (it *in ras.m2B*)
ΠDB   et quae *in ras.m2B*   10 lapidis cognouerunt *D*   praesentia *C,Ba.c.m2*
splendenti *Πa.c.m2*—tis *D* splendore *C*   11 faciei *Πa.r.DC*   fulguris *Dp.c.*
fulgorem *A*   claritatis *A*   uincentem (m *exp.* В) *ΠВD* fugante *A*   12 Matthaeus
et Marc. scribant *ς*   quod ap. mand. sit *C* ap. mand. *ς*   13 apostoli *B*   praec.—
uid.] irent in Galilaeam dominum reuisuri *ς* galilae(e)a *ADC*   et] ut *Πa.c.m2D,B*
in ras. m2   14 eum ibi (ibi *s.l.m2*) *Π* eum *D*   Luc. autem] quem Luc. *ς*
in Hier. eum] Ierosolymis *ς*   15 apost.] illis *ς*   commemorant (mo *s.l.m2A*) *AΠ*
—rent *cet.* perhibeant *ς*   16 per *D*   17 ad—ianuis *om.D*   18 spiritu et (*del.*) В
pr. et] ac *A*   19 lucan *D*   20 et *om.Φ*

eis, ab Hierosolymis ne discederent. in altero enim ₂
pro consolatione mentium uidebatur et uidebatur breui rursumque
ex oculis tollebatur, in altero autem tanta familiaritas erat et perseuerantia, ut cum eis pariter uesceretur. unde et Paulus apostolus
5 refert eum quingentis simul apparuisse discipulis et in Iohanne legimus, quod piscantibus apostolis in litore steterit et partem assi piscis
fauumque comederit, quae uerae resurrectionis indicia sunt. in Hierusalem autem nihil horum fecisse narratur.

8. *Quid significet, quod in euangelista Matheo scriptum est:*
10 *Iesus autem clamans uoce magna emisit spiri-*
tum. et uelum templi scissum est in duas par-
tes a summo usque deorsum et terra mota est
et petrae scissae sunt et monumenta aperta
sunt et multa corpora sanctorum, qui dormie-
15 *rant, resurrexerunt et exeuntes de monumen-*
tis post resurrectionem eius uenerunt in
sanctam ciuitatem et apparuerunt multis. — Et ₂
de hoc loco in isdem commentariis disseruimus. primumque dicendum, quod diuinae potentiae indicium sit ponere animam, quando
20 uoluerit, et rursum accipere eam. denique centurio uidens eum dixisse
ad patrem: in manus tuas commendo spiritum
meum et statim sponte spiritum dimisisse commotus signi magnitudine ait: uere dei filius erat iste. uelum quoque
templi scissum est in duas partes, ut conpleretur id, quod refert Io-
25 sephus praesides templi dixisse uirtutes: 'transeamus ex his sedi-

---

4 cf. I Cor. 15,6   5 cf. Ioh. 21,1—14   7 cf. Luc. 24,42—43   10 *Matth.
27, 50—53   21 Luc. 23,46   23 *Matth. 27,54   25 cf. Ioseph. Bell. Iud. VI 5,3

1 ne ab hierusolimis Φ   hierosolimis Π hierusolimis 𝔅Φ iero(u *s.l. m2*)-
solimis B   enim] quidem Π   2 consolationem D   timentium A,Π𝔅Bp.c.m2
et uid. *del.*𝔅,*om.*ΠDB   breuis A breuiter ΠDCB   sursumque Π   3 tanta
*s.l.m2*𝔅,*om.*Φ   familiaritate Πa.c.DC   6 stetit B   7 comedere Φ comedit
Aa.c.m2   8 autem *s.l.*𝔅,*om.*ΦB   13 *pr.* et *s.l.m2*Π,*om.*D   petra Φ *alt.* et
*s.l.m2*Π,*om.*D   15 surrexerunt ΠDCB   17 *alt.* et *om.*C   18 de *s.l.m2*Π,*om.*D
hisdem ADΦC,Πa.r.   Matthaei comm. ς   19 pot. ind. sit] sit pot. C
20 uidens] audiens Π𝔅p.c.m2   22 spir. sponte dim. C sponte dim. spir.
Π,𝔅Φa.c.   signi] signa (—i m2) magna (*del. m2*) A   23 fil. dei 𝔅B fi(*del.*)dei
fil. Φ   quoque *s.l.m2*Π   24 ut *ex* et Φ   illud ΠDC   iosepphus A (h m2)𝔅
ioseppus Φ

bus'. in euangelio autem, quod Hebraicis litteris scriptum est, legimus non uelum templi scissum, sed superliminare templi mirae ma-
3 gnitudinis conruisse. terra, inquit, mota est — pendentem dominum suum ferre non sustinens — et petrae scissae
sunt — ut indicarent duritiam Iudaeorum, qui praesentem dei filium 5
intellegere noluerunt — et monumenta aperta sunt — in
signum futurae resurrectionis — multaque sanctorum corpora exeuntia de sepulchris uenerunt in sanc-
4 tam ciuitatem et apparuerunt multis. sanctam
ciuitatem Hierosolymam debemus accipere ad distinctionem omnium 10
ciuitatum, quae tunc idolis seruiebant; in hac enim sola fuit templum
et unius dei cultus et uera religio. et non omnibus apparuerunt, sed
multis, qui resurgentem dominum susceperunt.

5 Dein iuxta ἀναγωγὴν dicendum, quod inclamante Iesu et
emittente spiritum suum uelum templi scissum sit in duas partes 15
a summo usque deorsum et omnia legis reuelata mysteria, ut, quae
prius recondita tenebantur, uniuersis gentibus proderentur. in
duas autem partes, in uetus et nouum instrumentum, et
a summo usque deorsum, ab initio mundi, quando homo
conditus est et reliqua, quae facta in medio sacra narrat historia, us- 20
6 que ad consummationem mundi. et quaerendum, quod uelum templi
scissum sit, exterius an interius. mihique uidetur in passione domini
illud uelum esse conscissum, quod et in tabernaculo et in templo
foris positum fuit et appellabatur exterius, quia nunc ex parte

3 Matth. 27, 51   4 Matth. 27, 51   6 Matth. 27, 52   7 *Matth. 27, 52—53
17 Matth. 27, 51   19 Matth. 27, 51   24 *I Cor. 13, 9—10

1 est *om.*𝕭Φ   leg. *om.*D'   2 *pr.* templi *s.l.m2 A* templum *C*   superliminari Φ
4 suum *om.*𝕭Φ   scissi Φ   5 duritiem D*a.c.m2*   6 n̄ u(*ex* n)oluerunt D   sunt
apertas (s *s.l.*) Φ   7 que *om.*B²   10 hierusoli(y D)m. 𝕭DΦ iherosolim. Π
ierosolym. C ierusolim. B¹ hierusalem A ihrlm B²   11 fuerat ΠD   12 *alt.* et
*om.*A   relegio (re *s.l.*Φ)𝕭Φ   13 resurgentemq; (q; *eras.*) B¹   susciperunt 𝕭Φ
susciperent A   14 dein—*p. 491, 24* caelesti *om.*B²   deinde Φ*p.c.*B¹ dehinc A
ΑΝΑΓωΓΕΝ ΠD ΑΝΑΓωΓΙΝ 𝕭 ΑΝΑΓΑΓΕΝ A ΑΝΑΓΟΙΙn Φ anago-
gen CB   dic. est C   15 suum *om.*ΠDC   est CB   16 et *in mg.m2*Π,*om.*D
legis] *add.* sunt ΠDC,B*s.l.m2*   18 *pr.* et] et in A   instr.] test(i *eras.*D)amentum
AΠDC   *alt.* et *om.*A   19 deorsum et (*exp.*)Π   20 facta sunt ς   hyst. 𝕭 ist.
B,*om.*Φ   21 consumat. DB   quo A*a.c.m2* quot 𝕭 quomodo ΠDC   22 que *om.*ς
23 concissum B   *pr.* et *om.*AC   tabernaculum A*a.c.m2*   templum A*a.c.m2*
24 foris *om.*ΠD   pos. fuat(a *in ras. m2*) B pos. fuerat ς fuerat Pos. ΠD

uidemus et ex parte cognoscimus; cum autem
uenerit, quod perfectum est, tunc etiam uelum interius disrumpendum, ut omnia, quae nunc nobis abscondita sunt,
domus dei sacramenta uideamus: quid significent duo cherubin,
5 quid oraculum, quid uas aureum, in quo manna reconditum fuit.
nunc enim per speculum uidemus in imagine
et, cum historiae nobis uelum scissum sit, ut ingrediamur atrium dei,
tamen secreta eius et uniuersa mysteria, quae in caelesti Hierusalem
clausa retinentur, scire non possumus. igitur in passione domini 7
10 terra commota est iuxta illud, quod scriptum est in Aggeo: adhuc
ego semel mouebo caelum et terram et ueniet
desideratus cunctis gentibus, ut ab oriente et occidente ueniant et recumbant cum Abraham, Isaac et Iacob. et petrae scissae sunt: dura corda gentilium; siue petrae uniuersa
15 uaticinia prophetarum, qui et ipsi a petra Christo cum apostolis petrae uocabulum susceperunt, ut, quicquid in eis duro legis uelamine
claudebatur, scissum pateret gentibus. monumenta quoque, de qui- 8
bus scriptum est: uos estis sepulchra extrinsecus
dealbata, quae intus plena sunt ossibus mortuorum,
20 ideo sunt aperta, ut egrederentur de his, qui prius in fidelitate
mortui erant, et cum resurgente Christo atque uiuente uiuerent et
ingrederentur caelestem Hierusalem et haberent municipatum nequaquam in terra, sed in caelo, morientesque cum terreno Adam resur-
gerent cum Adam caelesti. porro secundum litteram nulli uiolentum 9

5 cf. Hebr. 9, 4   6 *I Cor. 13, 12   10 *Agg. 2, 7—8   12 cf. Matth. 8, 11
13 Matth. 27, 51   15 cf. I Cor. 10, 4   18 *Matth. 23, 27   21 cf. Eph.
2, 5—6; Col. 2, 12—13   22 cf. Hebr. 12, 22   cf. *Phil. 3, 20   23 cf. I Cor.
15, 45—49

2 etiam] et C   3 dirump. 𝔅ΦC,Bp.c.m2; add. est A.Π𝔅s.l.   ut] et Φ
nobis om.𝔅Φ   4 uideamus bis ς   significent duo s.l.m2Π,om.D   duo om.C
cherubim Ap.c.m2 cerubim Π   5 in] uł (eras.) in B   6 ae(e)nigmate ΠD
enigmimate C enigmate in imagine (in im. del.m2) B   7 cum s.l.m2Π hyst. 𝔅
ut in ras.m2B et A𝔅Φ   8 hierusalem (iheru—Π) caelestem (m eras.Π) ΠD
9 clausae 𝔅Φ   10 Aggaeo ς   11 ego (s.l.) sem. 𝔅 ergo sem. A sem. et ego ς
13 Abr. et AΠ   isahac B   14 sunt id est ς   gentium A   15 petra] add. hoc
est B hoc est a ΠDC   16 uocabulo A   suscip. Aa.c.m2𝔅Φ accep. ς   ut] et Φ
quidquid 𝔅ΦC   17 de quibus quoque Φ   quoque] quae (a exp.) A   20 ut]
et Φ   egred. caelestem hierusalem Φ   in infidel. Π,Bp.c.m2 fedel. Aa.c.m2
21 et ingr. cael. Hier. om.Φ   22 caeleste 𝔅   23 morientes qui cum in terr. Φ
24 caeleste Ap.c.m2 super cae(e)lesti ΦB supercaelesti ς   nulli om.A

esse uideatur mortuo saluatore appellari Hierusalem sanctam ciuitatem, cum usque ad destructionem eius semper apostoli templum
ingressi sint et ob scandalum eorum, qui de Iudaeis crediderant,
legis exercuerint caerimonias. in tantum autem amauit Hierusalem
dominus, ut fleret eam et plangeret et pendens in cruce loqueretur: 5
p a t e r, i g n o s c e e i s; q u o d e n i m f a c i u n t, n e s c i-
10 u n t. itaque impetrauit, quod petierat, multaque statim de Iudaeis
milia crediderunt et usque ad quadragesimum secundum annum
datum est tempus paenitentiae, post quos perseuerantibus illis in
blasphemia egressi sunt duo ursi de siluis gentium Romanorum, 10
Uespasianus et Titus, et blasphemantes pueros ascendentique uero He-
liseo in domum dei — hoc enim interpretatur Bethel — uoce consona
inludentes interfecerunt atque lacerauerunt et ex eo tempore Hierusalem non appellatur ciuitas sancta, sed et sanctitatem et pristinum
nomen amittens spiritaliter uocatur Sodoma et Aegyptus, ut aedifi- 15
cetur pro ea noua ciuitas, quam f l u m i n i s i m p e t u s l a e t i-
f i c a t et de cuius medio egreditur fons, qui totius orbis amaritudinem mitigauit, ut miserabilis Israhel ruinas templi nudatis plangat
lacertis et in Christum turba credentium noua cotidie uideat ecclesiae tecta consurgere et dicat Sion: a n g u s t u s m i h i l o c u s 20
e s t impleaturque illud, quod in Esaia scriptum est: e t e r i t s e-
p u l c h r u m e i u s i n c l i t u m.

9. *Quomodo saluator secundum Iohannem insufflat spiritum*

5 cf. Luc. 19, 41   6 *Luc. 23, 34   10 cf. IV Reg. 2, 23—24   12 cf.
Gen. 28, 19—22; Onom. s. 3, 18 etc.   15 cf. Apoc. 11, 8   16 Ps. 45, 5
20 *Esai. 49, 20   21 *Esai. 11, 10   23 cf. Ioh. 20, 22

2 distr. $\mathfrak{B}$ distinctionem Φ 3 sint (int *in ras.m2*) B^1 sunt DB^2 s $\Pi a.c.m2$
ob] ab Φ 4 lex Φ exercuere $\Pi a.c.m2DC$ caerem. ΠC am. Hier. dom.] abiit
dn̄s in hier. A hier. am. ΠDC 6 illis ς   quid Φ 7 impetraui D quid Φ
quę D 8 ad] in Φ quadragis. $\mathfrak{B}\Phi$ 9 est ei tempus ς est Π 10 blasphemiam $\mathfrak{B}D\Phi C$ malitia ς   romanarum $\Pi\mathfrak{B}p.c.m2,C$ 11 ascendenti $\Pi D,Bp.r.$
ascendente C abscendentique B^2 12 domum] templum ΠDC dei *om.*B^2
betel B 13 et *om.*A non app. hier. ΠD 14 sed—Sod.] oma (*eras.*) *et*
in mg.m2 sed—sod. Π *pr.* et *om.*DC 15 ae(e A he B)dificaretur $AB,\mathfrak{B}p.c.m2$
16 pro ea *om.*A ciu. noua ς   letificet B 17 et de cuius medio] e qua media D
cuius *s.l.m2*Π qui *om.*Φ 18 ut] et Φ Isr.] hierusalē A ih̄lm D 19 x̄pm
(m *in ras.m2*) B x̄po C 20 est mihi loc. Π 21 inpleatur (que *s.l.*) Π in *om.*Φ
esaya B^1 isaia $\mathfrak{B}\Phi B^2$ et *om.*A 23 insufflauit ς

sanctum apostolis et secundum Lucam post ascensionem missurum
esse se dicit? — Huius quaestionis perfacilis solutio est, si docente apostolo Paulo spiritus sancti diuersas gratias nouerimus. scribit enim
in prima ad Corinthios: d i u i s i o n e s   d o n o r u m   s u n t,
5 i d e m   u e r o   s p i r i t u s;   e t   d i u i s i o n e s   m i n i s t e r i o-
r u m,   i d e m   a u t e m   d o m i n u s;   e t   d i u i s i o n e s   o p e r a-
t i o n u m   e t   i d e m   d e u s,   q u i   o p e r a t u r   o m n i a   i n
o m n i b u s.   u n i c u i q u e   a u t e m   d a t u r   m a n i f e s t a-
t i o   s p i r i t u s   a d   i d,   q u o d   e x p e d i t.   a l i i   q u i d e m 2
10 d a t u r   p e r   s p i r i t u m   s e r m o   s a p i e n t i a e,   a l i i
s e r m o   s c i e n t i a e   s e c u n d u m   e u n d e m   s p i r i t u m,
a l i i   g r a t i a e   s a n i t a t u m   i n   u n o   s p i r i t u,   a l i i   f i-
d e s   i n   e o d e m   s p i r i t u,   a l i i   o p e r a t i o   u i r t u t u m,
a l i i   p r o p h e t i a,   a l i i   d i s c r e t i o   s p i r i t u u m,   a l i i
15 g e n e r a   l i n g u a r u m,   a l i i   i n t e r p r e t a t i o   s e r m o-
n u m.   o m n i a   a u t e m   h a e c   o p e r a t u r   u n u s   a t q u e
i d e m   s p i r i t u s   d i u i d e n s   u n i c u i q u e, p r o u t   u u l t.
ergo dominus, qui post resurrectionem suam iuxta Lucae euange- 3
lium dixerat: e c c e   e g o   m i t t a m   p r o m i s s i o n e m   p a-
20 t r i s   m e i   i n   u o s;   u o s   a u t e m   s e d e t e   i n   c i u i t a t e,
q u o a d u s q u e   i n d u a m i n i   u i r t u t e m   e x   a l t o,   e t
iuxta eundem in apostolorum Actibus p r a e c e p i t   e i s,   a b
H i e r o s o l y m i s   n e   d i s c e d e r e n t, s e d   e x p e c t a r e n t

1 cf. Luc. 24, 49 et Act. 1, 4—8   4 *I Cor. 12, 4—11   19 *Luc. 24, 49
22 Act. 1, 4—5

1 in (sanctos *add.* ς) apostolos *ΠDC,Bp.c.m2*ς   et *s.l.Π*   miss.—dicit] se
miss. repromittit ς   missurus *Φ*   2 se esse *Πp.c.*𝕭*Φ* esse *Πa.c.D,Ba.c.m2*
3 spiritu *C*   4 in *om.AΦ*   corintios *Πa.e.B*—theos 𝕭*D; add.* epistu(o)la *ΠDC,*
Bs.l.m2   diu. uero 𝕭   5 uero—idem] autem spir. et diu. min. sunt idem
in mg. sup. m2Π,om.DC   uero] autem *Π*   et *s.l.Φ*   ministrationum *B; add.*
sunt *Π*𝕭*,Bs.l.m2*   6 oper.] *add.* sunt *ΠDC,Bs.l.m2*   7 et idem] idem autem
(autem *s.l.m2B*) *ΠDCB*   9 id quod exp.] utilitatem *ΠDC*   10 per spir.
s.l.·*m2Π,om.DC*   12 alii fid. in eod. sp., alii grat. san. in uno sp. *AB*   gratiae
(=χαρίσματα) *AΦ* gratia *cet.*   15 alii autem ς   serm.] linguarum *Φ*   16 haec
autem omnia (oma *D*) *ΠDC*   17 unic.] singulis *ΠDC*   18 ergo *s.l.m2B*   qui
om.ΠD   19 ecce *s.l.m2B,om.A*𝕭*Φ*   21 quousque *B*   uirtute *ΠC,Bp.r.*   22 in
*s.l.*𝕭*,om.Φ*   Actibus] *add.* est locutus *codd., sed del.* est *m2A et* est loc. *m2B*
precipit *Φ*   ne ab ierosolimis *B*   23 hieru(o *Π*)solimis (—ly—*D*) *Π*𝕭*DΦ* ierosolymis *C* ierusolimis *B*

promissionem patris, quam audistis per os
meum, quia Iohannes quidem baptizauit aqua,
uos autem baptizabimini spiritu sancto non
post multos hos dies, rursum in fine euangelii secundum
Iohannem eo die, quo resurrexerat, id est die dominica, clausis ianuis ⁵
ad apostolos introisse narratur et dixisse eis secundo: pax uobis
et intulisse: sicut misit me pater, et ego mitto uos.
hoc cum dixisset, insufflauit et dicit eis: accipite spiritum sanctum; quorum remiseritis
peccata, remittuntur eis, quorum retinueri- ¹⁰
⁴ tis, retenta erunt. primo igitur die resurrectionis eius acceperunt spiritus sancti gratiam, qua peccata dimitterent et baptizarent et filios dei facerent et spiritum adoptionis credentibus largi-
rentur ipso saluatore dicente: quorum remiseritis peccata, remittentur eis et, quorum retinueritis, ¹⁵
retenta erunt. die autem pentecostes eis amplius repromissum est, ut baptizarentur spiritu sancto et induerentur uirtutem, qua
Christi euangelium cunctis gentibus praedicarent, iuxta illud, quod
in sexagesimo septimo psalmo legimus: dominus dabit uerbum euangelizantibus uirtute multa, ut haberent ²⁰
operationem uirtutum et gratiam sanitatum et praedicaturi multis
gentibus acciperent genera linguarum, ut iam tunc cognosceretur,
⁵ qui apostolorum quibus deberent gentibus nuntiare. denique apostolus Paulus, qui de Hierusalem usque in Illyricum praedicauit et inde

---

6 *Ioh. 20, 21—23　　14 *Ioh. 20, 23　　19 Ps. 67, 12　　20 cf. I Cor.
12, 9—10　　24 cf. Rom. 15, 19

1 aud. inquit (d) *ΠDC,Bp.c.m2*　4 hos] os *CB,om.D*　dies *om.Φ*　finem *AD*
5 surrexerat *B*　dies *B*　dominico *A𝔅ΦB*　6 dixisset *D*　7 intulit se *D*
tulisse *Aa.c.m2*　8 dixit *AΠDC*　9 spir. *s.l.m2B*　10 remittentur *Ap.c.m2*
quorum *Aa.c.m2𝔅B* et quorum *cet.*　retenuer. 𝔅Φ　11 erunt] sunt *ΠD* primo—
resurr. *om.Π*　prima ς　eius *om.ΠDC*　acciperunt *Aa.c.m2𝔅Φ*　12 gra *D*
14 domino *ΠDC*　15 remitt.—erunt] et reliqua *ΠDC*　remittuntur *Aa.c.m2*
retenueritis 𝔅Φ　16 erunt] sunt *B*　17 baptizarent in *A*　induerent *A*
uirtute *ΠDCB; add.* ex alto 𝔅　quia *A𝔅*　19 sexagis. 𝔅Φ　sept.] VII *s.l.m2B*
VIII *s.l.D*　psalmus *C*　20 uirtutem multam *D*　21 operationes 𝔅Φ　gratia 𝔅Φ
22 acceperent *D*—rant *Π*　ling. genera *Φ*　tunc *om.Φ*　cognoscetur *Π* no-
sceretur ς　23 qui] quia *C*　24 in] ad *ΠDC,om.Φ*　hyll(l *D*)ir. *DΦ* hil(l *s.l.m2A*)-
lir. (h *eras.A*) *AΠ* ilir. *B*　predicabit *D*

per Romam ad Hispanias ire festinat, gratias agit deo, quod cunctis
apostolis magis linguis loquatur. qui enim multis gentibus adnun-
tiaturus erat, multarum linguarum acceperat gratiam. quae repro-
missio spiritus sancti die decimo post ascensionem saluatoris expleta
5 est Luca referente, qui scribit: c u m q u e   c o n p l e r e n t u r
d i e s   p e n t e c o s t e s,   e r a n t   o m n e s   p a r i t e r   i n   e o-
d e m   l o c o   e t   f a c t u s   e s t   r e p e n t e   d e   c a e l o   s o n u s
t a m q u a m   a d u e n i e n t i s   s p i r i t u s   u e h e m e n t i s
e t   r e p l e u i t   t o t a m   d o m u m,   u b i   e r a n t   s e d e n t e s.
10 e t   a p p a r u e r u n t   i l l i s   d i s p e r t i t a e   l i n g u a e   t a m- 6
q u a m   i g n i s,   s e d i t q u e   s u p e r   s i n g u l o s   e o r u m
e t   r e p l e t i   s u n t   o m n e s   s p i r i t u   s a n c t o   e t   c o e p e-
r u n t   l o q u i   a l i i s   l i n g u i s,   p r o u t   s p i r i t u s   s a n c-
t u s   d a b a t   e l o q u i   i l l i s. tunc conpletum est illud, quod
15 legitur in Iohel: e t   e r i t   i n   n o u i s s i m i s   d i e b u s,   d i c i t
d o m i n u s,   e f f u n d a m   d e   s p i r i t u   m e o   s u p e r   o m-
n e m   c a r n e m   e t   p r o p h e t a b u n t   f i l i i   u e s t r i   e t
f i l i a e   u e s t r a e   e t   i u u e n e s   u e s t r i   u i s i o n e s   u i d e-
b u n t. uerbum autem effusionis significat gratiae largitatem et 7
20 id ipsum sonat, quod dominus repromisit: u o s   a u t e m   b a p t i-
z a b i m i n i   s p i r i t u   s a n c t o   n o n   p o s t   m u l t o s   h o s
d i e s. in tantum enim sancto spiritu baptizati sunt, ut repleretur
tota domus, ubi erant sedentes, et ignis spiritus sancti stationem in
eis inueniret optatam linguasque diuideret et secundum Esaiam, qui
25 inmunda labia habere se dixerat, purgaret labia eorum, ut euangelium Christi purius praedicarent. et in Esaia quidem superliminare 8
templi dicitur fuisse commotum et repleta omnis domus fumo, id est

1 cf. Rom. 15, 28   2 cf. I Cor. 14, 18   5 *Act· 2, 1—4   15 *Ioel 2, 28 et·
Act. 2, 17   20 Act. 1, 5   22 cf. Act. 2, 2   24 cf. Esai. 6, 5—7   26 cf. Esai. 6, 4

1 per *s.l. Φ*   hyspan. *B* span. *D* hispaniam *ΠC*   quod *s.l.*𝕭   2 multis] cunctis *ΠD*   4 s͞p͞u *Φ*   decima *ς*   5 que (e *s.l.m2) D*   scripsit *AΠDC*   que *om.C*
7 solus *C*   8 aduenientes *Φ,om.A*   9 erat *Φ*   10 disperdite *Φ* dispartitae *ς*
11 et sedit *A*   supra *ΠDCB*   13 uariis *AΠDC*   15 iohel *ex* hel *m2A* ioel *C*
diebus *s.l.Π*   16 d͞s *Φ*   omne *D*   18 uestrae] *add.* seniores uestri somnia somnia-
bunt *C*   19 gratia *B*   larg.] largitata est *Φ*   20 id *om.ΠDCB*   ipsud *Aa.c.m2*
21 in spir. 𝕭*Φ*   hos *om.A*   22 tanto *A*   enim] autem *D* autem in *Π*   spir.
sancto *AΠDC*   23 s͞p͞u *Φ*   24 esaiam *AΠ* esayam *B* isaiam *cet.*   25 purgare *ΠDB*   26 prius *Π*   esaia *AΠB* isaia *cet.*   27 repleta est *ΠDC*

errore et tenebris uerique ignorantia. in principio autem euangelii
repletur spiritu ecclesia, ut gratia eius atque feruore omnium credentium peccata purgentur et igne spiritus sancti, quem dominus mis-
9 surum esse se dixerat, praedicatura Christum lingua sanetur. non
ergo Iohannes Lucasque discordant, ut, quod ille prima resurrectionis 5
die datum esse significat, hic die quinquagesimo uenisse describat,
sed profectus apostolicus est, ut, qui primum remittendorum peccatorum gratiam acceperant, postea acciperent operationes
uirtutum et cuncta donationum genera, quae ab apostolo
descripta memorauimus, et — quod magis necessarium erat — 10
diuersitatem linguarum uniuersarumque gentium, ut ad-
10 nuntiaturi Christum nullo egerent interprete. unde et in
Lycaonia, cum audissent Paulum et Barnaban loqui linguis
suis, deos in homines conuersos esse credebant. et re uera indumen-
tum uirtutis spiritus sancti gratia est, quam possidentes iudicum 15
tribunalia et regum purpuras non timebant. promiserat enim dominus, priusquam pateretur, et dixerat: c u m　a u t e m　t r a d e n t
u o s,　n o l i t e　c o g i t a r e,　q u o m o d o　a u t　q u i d　l o q u a-
m i n i;　d a b i t u r　e n i m　u o b i s　i n　i l l a　h o r a,　q u i d
l o q u a m i n i.　n o n　e n i m　u o s　e s t i s,　q u i　l o q u i m i n i, 20
s e d　s p i r i t u s　p a t r i s　u e s t r i,　q u i　l o q u i t u r　i n　u o-
11 b i s.　ego audacter et tota libertate pronuntio ex eo tempore, quo
apostoli domino crediderunt, semper eos habuisse spiritum sanctum

---

9 cf. I Cor. 12, 4—11　　　12 cf. Act. 14, 10—12　　　17 Matth. 10, 19—20

1 terrore $\varPi D \varPhi$　ignorantiae C　2 spir. sancto $\varPi p \cdot c . \mathfrak{B}$　feruore (eruo
$in\ ras.m2) B$　omnia $\varPhi B$　3 purgarentur A　et] ut $\varPhi$　$\overline{\mathrm{spu}}\ \varPhi$　missurus $\varPhi$
4 esse $s.l.m2 B$　praedicatura (alt. a in ras.m2) B praedicatur D　xpm in ras.
7 litt. $m2 B$ ut a $\overline{\mathrm{xpo}}$ (a exp. $\varPi$) $\varPi D$　sanetur (in mg.m2 ł sanaretur) A sanaretur $\varPi p \cdot c . m 2 \mathfrak{B} \varPhi$　5 quod om.$\mathfrak{B} \varPhi$　primo C　6 est $\varPhi$　significabat $Bp.c.m2$
quinq. die ς　quinquagesima $\varPi D C$　discribat $\mathfrak{B} \varPhi$　7 prouectus $\varPi p \cdot c . m 2 \mathfrak{B}$
primo $A \varPi D C$　pecc. om.A　8 acciperant $Aa.c.m2 \mathfrak{B} \varPhi$　postea ex post $\varPi$
acceperint D　operationis $\mathfrak{B} \varPhi, Ba.c.m2$　9 uirtutem $\mathfrak{B}$　10 discrip(b $\mathfrak{B}$)ta $\mathfrak{B} \varPhi$;
add. esse B　memoramus $\varPhi$ commemorauimus $\varPi D C$　quod om.A　11 diuersi-
tate C,A (alt. e ex es)　uniu. (que = et quidem)] uniuersarum $Ap.r.C$ omnium ς
12 egerunt $\varPhi$ agerent C indigerent ς　interpretem (m exp.) A　in om.A
13 licaonia $A \varPi \mathfrak{B} D$—ā B liconia C　Paul. om.B　barnabam $A \varPhi C$　15 iudicium D　16 purpura $\varPi D$　19 dab.—loq. om.D　20 qui] quid $\varPhi C$　alt. loqua-
mini $\varPhi$ lomini $\varPi$　21 $\overline{\mathrm{spu}}\ C$　22 ego autem ς　et om.A　23 $\overline{\mathrm{dnm}}$ crediderant A

nec potuisse signa facere absque spiritus sancti gratia, sed pro modulo atque mensura. unde saluator clamabat in templo dicens: q u i
s i t i t, u e n i a t a d m e e t b i b a t. q u i c r e d i t i n m e,
s i c u t d i c i t s c r i p t u r a, f l u m i n a d e u e n t r e e i u s
5 f l u e n t a q u a e u i u a e. hoc autem dixit de spiritu,
quem acce pturi erant c r e d e n t e s in eum. et in 12
eodem loco infert: n o n d u m e n i m e r a t s p i r i t u s d a t u s,
q u i a I e s u s n o n d u m f u e r a t g l o r i f i c a t u s, non
quo non esset spiritus sanctus dicente domino saluatore: si a u t e m
10 e g o i n s p i r i t u s a n c t o e i c i o d a e m o n i a, sed, qui erat
in domino, necdum totus in apostolis morabatur. quam ob rem de-
terrentur ad passionem eius et negant et Christum nescire se iurant.
postquam autem baptizantur in spiritu sancto et effunditur in eos 13
spiritus sancti gratia, tunc libere loquuntur ad principes Iudaeorum:
15 o b o e d i r e m a g i s d e o o p o r t e t a n h o m i n i b u s?
mortuos suscitant, inter flagella laetantur, fundunt sanguinem et
suis suppliciis coronantur. nondum ergo erat spiritus in apostolis
nec de uentre eorum fluebant gratiae spiritales, quia dominus necdum fuerat glorificatus. quae sit autem gloria, ipse in euangelio lo-
20 quitur: p a t e r, g l o r i f i c a m e g l o r i a, q u a m a p u d
t e h a b u i p r i u s, q u a m m u n d u s e s s e t. gloria salua- 14
toris patibulum triumphantis est. crucifigitur ut homo, glorificatur
ut deus. denique sol fugit, luna mutatu in sanguinem, terra motu

---

2 *Ioh. 7, 37—39   7 *Ioh. 7, 39   9 *Matth. 12, 28   11 cf. Matth. 26,
69—75 etc.   15 *Act. 5, 29   20 *Ioh. 17, 5   23 cf. Matth. 27, 45—53 etc.
et Act. 2, 20

2 in templo clam. ΠD clamat B docens A 3 ad me ueniet Φ qui]
et qui ς 4 sicut ex et Φ 5 dixit $A\mathfrak{B}\Phi$ dicit $\Pi D C B$ 6 quem—datus $om.A$
7 enim $om.\mathfrak{B}\Phi$ spir. erat ΠD 8 necdum $\Phi\mathfrak{B}$ 10 ego $om.\Pi D C$ daemonia,
filii uestri in quo eiciunt? ς quia $C,Ba.r.$ 11 totum $Aa.c.m2$ quam ob rem]
quare A deteretur $\Pi a.c.m2$ terrentur A cum duceretur DC 12 eius] $\overline{\mathrm{dm}}$ (del.,
in mg.m2 eius) Π $\overline{\mathrm{dns}}$ DC se nescire ς se nescirent C 13 postquam ex post
$D,Bm2$ pr. in $in\,ras.m2B,om.\mathfrak{B}\Phi$ infunditur C eis $\Pi a.c.m2D$ 14 locuntur $A\Pi$
15 oboediri D mag. op(pp Φ)ortet deo an $\mathfrak{B}\Phi$ deo mag. oportet an (quam m2) B
oportet (e ex ea Π) deo mag. quam ΠD deo oportet quam mag. C 16 et inter $\mathfrak{B}$
sang. pro Christo ς 17 suppl. suis C suis $om.A$ enim A 18 gr. spir.] fluenta
(s.l.m2) gratiae spiritalis A 19 quae—22 est $om.D$ loquitur] ait $\mathfrak{B},om.\Phi$
20 clarifica ΦB 21 esset s.l. Φ 23 deus $\Pi D C$ $\overline{\mathrm{dns}}$ cet.   fulgit C fugit fugit Φ
sanguine $\mathfrak{B}\Phi,Ba.c.m2$; add. et ΠD terrae(e) $Aa.c.m2\Pi D\Phi C$ motus $\Pi D C$

insolito contremiscit, aperiuntur inferi, mortui ambulant, saxa rum-
puntur. haec est gloria, de qua loquebatur in psalmo: e x s u r g e,
gloria mea, exsurge, psalterium et cithara.
ipsaque de se respondit gloria et dispensatio carnis adsumptae: e x-
surgam diluculo, ut impleatur uicesimi primi psalmi titulus: 5
15 pro adsumptione matutina. haec dicimus, non quod
alium deum et alium hominem esse credamus et duas personas faciamus in uno filio dei, sicut noua heresis calumniatur, sed unus atque
idem filius dei et filius hominis est et, quicquid loquitur, aliud re-
ferimus ad diuinam eius gloriam, aliud ad nostram salutem. 10
pro quibus non rapinam arbitratus est esse se
aequalem deo, sed se ipsum exinaniuit factus
oboediens patri usque ad mortem et mortem
crucis. et uerbum caro factum est et habitauit
16 in nobis. miror autem Montanum et insanas feminas eius, abor- 15
tiuos prophetas, domino promittente atque dicente: u a d o et
alium paracletum mittam uobis et postea Luca euangelista narrante, quod apostoli acceperint, quod promissum est,
id multo post tempore in se dicere fuisse conpletum. apostolis enim
promissum est: e g o mittam sponsionem patris mei 20
in uos et uos sedebitis in ciuitate, quoad usque induamini uirtutem ex alto, et resurgens in apostolorum insufflauit faciem — et non in Montani, Priscillae et Maxi-
millae — et illis ait: quorum dimiseritis peccata,

2 Ps. 56, 9   4 Ps. 56, 9   6 *Ps. 21, 1   11 *Phil. 2, 6—8   14 Ioh. 1, 14
16 *Ioh. 14, 12 et 16   17 cf. Act. c. 1 et 2   20 *Luc. 24, 49   24 *Ioh. 20, 23

1 insolito(ex—te m2Π) more ΠDC   contremescit Aa.c.m2ΠDB   3 mea
et B   cythara ℬΦD   4 respondet ABp.c.m2   adsumpta ΠD   6 quo
Πp.c.m2ℬΦ   7 aliud—aliud A   pr. et om. AC   8 hereses ℬ   9 pr. et s.l.ℬ
quidquid ℬΦ   11 esse se s.l.Φ se esse C esse ℬ   12 se] semet A   exin.] add.
formam serui accipiens ΠDC,B in mg.m2   13 patri s.l.m2B patris C,om.ℬ
et (exp.m2B) mort. ℬΦB mort. autem ΠDC,A (autem m2 in mg.)   14 habitabit Φ
15 auortiuos ℬΦ   16 proph.] add. ut s.l.m2A   17 paraclitum ΠℬDB-clytum AΦ
mitto ℬΦ dabit D   lucas euang. narrat ΠDC lucae euangelistae narrante Φ
18 acciperint ℬΦ acceperunt ACB,Πa.r.   19 id—est om.ΠD   diceret ℬΦ
dicerent A   20 sponsiones B   mei s.l.m2Π,om.D   21 sedete ΠD   22 uirtute ΠB
ex(s Π)urgens ΠD resurgentes Φ   apostolos ΠℬD   23 fac. insuffl. C insuffl. ℬΦ
insufflauerit ΠD   montonum D montanum et Π   priscillam et maximillam ΠD
24 ait illis Π   illis id est apostolis ς   remiseritis ℬ

dimittentur et, quorum retinueritis, retenta
erunt. apostolis, inquam, praecepit, ne recederent de Hierosoly- 17
mis, sed expectarent promissionem spiritus. et postea, quod promissum est, expletum legimus: repleti sunt omnes spi-
5 ritu sancto et coeperunt loqui aliis linguis,
prout spiritus sanctus dabat eloqui eis. spiritus
enim sanctus spirat, ubi uult, et, quando dicit dominus: 'alium paracletum mittam uobis', et se ostendit esse paracletum, qui appellatur
'consolator'. unde et deus pater hoc censetur nomine: deus misera-
10 tionum et totius consolationis. si autem pater con- 18
solator, et filius consolator et spiritus sanctus consolator; et in nomine patris et filii et spiritus sancti, quod intellegitur deus, baptizantur credentes. quorum unum diuinitatis et consolatoris est nomen,
ergo et una natura est. hic spiritus sanctus non solum in apostolis,
15 sed et in prophetis fuit, de quo Dauid orabat dicens: spiritum
sanctum tuum ne auferas a me. et Danihel spiritum
dei habuisse narratur et Dauid in spiritu loquitur dixisse dominum
domino suo: sede a dextris meis, donec ponam inimicos tuos scabellum pedum tuorum. nec sine 19
20 spiritu sancto prophetauerunt prophetae et uerbo domini
caeli firmati sunt et spiritu oris eius omnis
uirtus eorum; et, quicquid patris et filii est, hoc
idem et spiritus sancti est et ipse spiritus, cum mittatur a
patre et pro filio ueniat, in alio atque alio loco spiritus dei
25 patris et Christi spiritus appellatur. unde et in Actibus apostolorum, 20

4 *Act. 2, 4   6 cf. Ioh. 3, 8   7 cf. Ioh. 14, 16. 26 et 15, 26   9 *II Cor. 1, 3
15 Ps. 50, 13   16 cf. Dan. 4, 5   18 Ps. 109, 1   20 Ps. 32, 6   25 cf. Act. 19, 1—7

1 dimittuntur eis *ΠDC*   detinueritis *D*   detenta *ΠDC*   2 sunt *ΠDC*
discederent *C*   de] ab *ΠDC*   hieru(o *Π*)solimis *ΠᎴΦ* iherosolimis *B*   3 sed
ex et *m2B*   spir.] patris *Πa.c.DC,B in ras.m2*   postea (ea *del.*) *D* post *B*
quod] quam *D*   5 aliis linguis loqui *A*   loqui *s.l.DB*(*m2*)   uariis *Dp.c.m2C,*
Ba.c.m2   6 illis *ΠDCB*   7 ubi uult spirat *Π*   *utroque loco* paraclytum *A,Πp.c.m2*
paraclitum *Πa.c.m2DΦB* paraclitum—paracletum Ᏸ   9 inde *A*   miserationis ᏴΦ
10 totius *s.l.*Ᏸ   sin autem *ΠD; add.* et *ΠDC*   11 *tert.* consol.] *add.* est *C*
12 baptizatur *D*   13 consol. et diu. *ΠD*   14 ergo] eorum ς   hic *s.l.*Ᏸ   15 sed
om.Φ   etiam *C*   orat *ΠD*   16 daniel *CB*   18 d̄no *ex* d̄o *Π*   ad ᏴCB
ponam] *add.* omnes *AD,s.l.*Ᏼ*B*   20 sancto spir. Ᏸ   sancto *om.B*   d̄i *A*   21 fun-
dati *AB*   omnisque *Πa.r.*   22 patri *Φ*   23 *pr.* et *s.l.m2Π,om.A*   ipse
spir. sanctus *C*   mittitur *Aa.c.m2Π*   24 pro *om.C,Ba.c.m2* a *s.l.m2B*
ueniat] mittitur ς   atque in *Φ*   loco *s.l.m2B*

qui Iohannis baptismate fuerant baptizati et credebant in deum patrem et Christum, quia spiritum sanctum nesciebant, iterum baptizantur, immo tunc uerum accipiunt baptisma — absque spiritu enim sancto inperfectum est mysterium trinitatis — et in eodem uolu- mine Petrus Ananiae et Sapphirae dixisse narratur, quod mentien- 5 tes spiritui sancto non sint hominibus mentiti, sed deo.

10. *Quid significet illud, quod apostolus Paulus disputat ad Romanos scribens: q u i d e r g o d i c i m u s? n u m q u i d i n i- q u i t a s a p u d d e u m? a b s i t usque ad eum locum, ubi ait: n i s i d o m i n u s s a b a o t h r e l i q u i s s e t n o b i s s e m e n, 10 s i c u t S o d o m a f a c t i e s s e m u s e t s i c u t G o m o r r a s i m i l e s f u i s s e m u s.* — Omnis quidem ad Romanos epistula inter- pretatione indiget et tantis obscuritatibus inuoluta est, ut in intelle- genda ea spiritus sancti indigeamus auxilio, qui per apostolum haec ipsa dictauit; sed praecipue locus hic, in quo quidam uolentes dei 15 seruare iustitiam ex praecedentibus causis dicunt electum in utero Rebeccae Iacob et abiectum Esau, sicut et Hieremias et Baptista Iohannes eliguntur in utero et ipse apostolus praedestinatur in euan- 2 gelium, antequam nascatur. nobis autem nihil placet, nisi quod ecclesiasticum est et publice in ecclesia dicere non timemus, ne iuxta 20 Pythagoram et Platonem et discipulos eorum, qui sub nomine Chri- stiano introducunt dogma gentilium, dicamus animas lapsas esse de caelo et pro diuersitate meritorum in his uel illis corporibus poenas antiquorum luere peccatorum. multoque melius est simpliciter im-

5 cf. Act. 5, 4   8 *Rom. 9, 14   10 Rom. 9, 29   16 cf. Gen. 25, 23
17 cf. Hier. 1, 5   cf. Luc. 1, 13—17   18 cf. Act. 9, 15

2 et in *B*   3 baptismum *A*   spir. sancto etenim (enim *C*) *ΠDC* enim spir. sancto ς   5 annaniae *ΠℬΦ*   saphirae *Πℬ* saphyre *Φ* safyrię (i *m1 insertum*) *A*   6 sunt *A*   deo] *desinit C*   7 quid *ex* quod *m2A*   quod *s.l.m2B* 8 dicemus *Ap.c·B*   9 locum *om.D*   dom. ait nisi *Φ*   10 sabaot *Φ* sabahot *Π* 11 fuissemus ς   12 interpretationem *D*   13 obuoluta *Πa.c.m2DB*   in *ℬΦ*, *Bs.l.m2* ad *As.l.m2,om.ΠD*   intellegendi *ΠD* intelligendam ς   14 eam ς apostolos *Πa.c.D*   15 hic *om.Φ*   16 reseruare *A*   17 rebecche *B*   *alt.* et *s.l.ℬ,om.Φ*   baptista *s.l.Π,om.D*   18 eleguntur *Πa.r.ℬDΦ*   apost.] *add.* paulus *Πs.l.m2,ℬΦB*   praedist. (prod. *Φ*) *AΠa.c.,ℬΦ* euangelio *Aℬ*   19 na- sceretur *A*   20 publ. in eccl.] in ecclesiastica *Φ*   nec *B*   21 pithag. *D* pitag. *B* phytag. *AΦ* phitag. *Πℬ*   xpano *ex* x̄p̄o *m2B*   22 gentium *Πa.c.m2D* de caelo esse *ΠD* esse *s.l.ℬ*   23 diuersitatibus *ΠD*   uel *om.Φ* uel in ς   poenis *Φ* 24 diluere (di *eras.*) *Π*

peritiam confiteri et inter cetera, quae nescimus, etiam huius loci
obscuritatem refugere quam, dum uolumus dei probare iustitiam,
Basilidis et Manichei heresim defendere et Hiberas nenias Aegyp-
tiaque portenta sectari. dicamus igitur, ut possumus, et apostolicae **3**
5 uoluntatis sequentes uestigia ne puncto quidem, ut dicitur, atque
ungue transuerso ab illius sententiis recedamus. fleuerat supra
et dolori suo et conscientiae testem inuocauerat spiritum sanctum, quod fratres sui et cognati secundum carnem, id est Israhelitae, dei filium non recepissent, quorum fuit a d o p t i o e t
10 g l o r i a e t t e s t a m e n t a e t l e g i s l a t i o e t c u l t u r a
e t p r o m i s s i o, ex quibus etiam ipse Christus secundum
carnem de Maria generatus est uirgine, et tam continuo cordis dolore
torquetur, ut ipse optet anathema esse a Christo, id est solus perire,
ne omne Israheliticum genus pereat. et quia hoc dixerat, statim ue- **4**
15 nientem e regione praeuidet quaestionem:' quid ergo dicis? omnes,
qui ex Israhel sunt, perierunt? et quomodo tu ipse et ceteri apostoli
et infinita Iudaici populi multitudo Christum dei filium recepistis?',
quam ita soluit: Israhel in scripturis sanctis dupliciter appellatur
et in duos diuiditur filios: in unum, qui iuxta carnem est, et in alte-
20 rum, qui iuxta repromissionem et spiritum. Abraham duos habuit
filios, Ismahel et Isaac. Ismahel, qui secundum carnem natus est,
hereditatem patris non accepit; Isaac, qui de repromissione generatus est ex Sarra, semen dei appellatur. scriptum est enim: i n
I s a a c u o c a b i t u r t i b i s e m e n, i d e s t: n o n, q u i
25 f i l i i c a r n i s, h i f i l i i d e i, s e d, q u i f i l i i s u n t
r e p r o m i s s i o n i s, i s t i a e s t i m a n t u r i n s e m i n e.

6 cf. Rom. 9, 1—5   9*Rom. 9, 4   23 Gen. 21, 12 et *Rom. 9, 7—8

2 refugire Φ effugere Π effugire D   dum] diu Φ   3 hibeas Φ   nemas
Ba.c.m2 nemias Da.r.   egy(i B)ptiaque DB aegyptiarum 𝔅Φ   4 apostolorum
Aa.c.m2   5 ueritatis Π   punctum ς   6 unguem transuersum ς   7 dolore
𝔅a.c.m2Φ doloris Π𝔅p.c.m2   sui Πp.r.,om.𝔅Φ   et om.A   consc.] add.s.l.m2
que A consc. suae (sue s.l.m2B) ΠDB   8 israheliticę Aa.c.m2   10 testamentum ς
11 promissa AΦB   etiam et Φ   13 torquitur 𝔅Φ   est (st in ras.m2) B
14 israhelitico Φ   e reg. uen. A   15 praeuidit AD   dices Φ   16 alt. et s.l.m2B
17 mult. pop. A   19 carnem] repromissionem et spiritum ΠD   est s.l.Φ   et om.D
in om.AD   alium ΠD   20 qui s.l.Π,om.D   repr. et spir.] repr. et spir. est B
carnem est Π carnem D   abraam B   21 pr. hismahel 𝔅DB Ismael ς   alt. hismahel 𝔅,Φa.r. Ismael ς et ismahel B   22 accipit Φ   de repr. gen. ex sarra
est B de sarra ex repr. gen. est D   generatus ex natus 𝔅   23 sara Π   25 hii
Dp.c.ΦB his 𝔅   filii sunt] sunt filii ς   26 promissionis A   existimantur ς

5 et hoc non solum in Ismahel et Isaac accidisse conuincimus,
sed etiam in duobus Rebeccae filiis, Esau et Iacob, quorum alter
abiectus, alter electus est. et hoc totum dicit, ut in prioribus
fratribus, Ismahel et Esau, populum Iudaeorum abiectum esse
significet, in posterioribus autem, hoc est in Isaac et Iacob, 5
electum populum gentium uel eos, qui ex Iudaeis in Christum
6 credituri erant. et quoniam hoc uolens adprobare proposuerat
testimonium nascentium geminorum Esau et Iacob, de quibus
scriptum est: m a i o r s e r u i e t m i n o r i et in Malachia
legimus: I a c o b d i l e x i, E s a u a u t e m o d i o h a b u i, 10
uenientem e latere quaestionem more suo proponit et dis-
serit et hac soluta reuertitur ad id, de quo coeperat disputare. si
Esau et Iacob necdum nati erant nec aliquid egerant boni aut mali,
ut uel promererentur deum uel offenderent, et electio eorum atque
abiectio non merita singulorum, sed uoluntatem eligentis et abicientis 15
7 ostendit, quid ergo dicimus? iniquus est deus? secundum illud exemplum, quod loquitur ad Moysen: m i s e r e b o r, c u i m i s e r t u s
f u e r o, et m i s e r i c o r d i a m p r a e s t a b o, c u i u s m i s e-
r e b o r, si hoc, inquit, recipimus, ut faciat deus, quodcumque uoluerit, et absque merito et operibus uel eligat aliquem uel condemnet, 20
e r g o n o n e s t u o l e n t i s n e q u e c u r r e n t i s, s e d
m i s e r e n t i s d e i, maxime cum eadem scriptura, hoc est idem
deus, loquatur ad Pharaonem: i n h o c i p s u m e x c i t a u i t e,
u t o s t e n d a m i n t e u i r t u t e m m e a m e t a d n u n-
8 t i e t u r n o m e n m e u m i n u n i u e r s a t e r r a. si hoc ita 25

2 cf. Rom. 9, 10—13   9 Gen. 25, 23   10 *Mal. 1, 2—3   13 cf. Rom. 9, 11
16 cf. Rom. 9, 14   17 *Rom. 9, 15; cf. Ex. 33, 19   21 *Rom. 9, 16   23 *Rom.
9, 17; cf. Ex. 9, 16

1 isaac et hismahel 𝔅a.c.   hismahel 𝔅D hysmahel B   alt. et om. Φ   accedisse
𝔅D, Φa.c.   3 dicitur B   ut om. Φ   in] duobus add. D,Π in mg. m2   4 hismahel 𝔅
Ismael ς ismahele ΠB   hesau B   abi.] et abiectus Φ   5 prioribus ΠD
hoc est in om. B   alt. in om. 𝔅Φ   6 gent. pop. ΠDB   7 uoluerat A   adpro-
brare Φ   9 malachie B malachi Φ   11 uenientemque Πa.r.D   e] a AD
questionem ore Ap.r. questionē o(eras.)more B   12 de quo (seq. ras. 4 litt.) Π
quod (eras.) de quo Φ quod e quo 𝔅a.c. de quod loqui D   13 erant aut Π   nec
al. eg. om. Φ   egerant (a s. ras.) Π egissent 𝔅   14 pr. uel s.l. 𝔅, om. AΦ   et add.
m2 B   electi A   15 abiecti A   elegentis 𝔅DΦ   16 quod Φ   dicemus
Ap.c.m2D, Φa.c.B   est om. A   illum Φ   17 quo ς   sequitur A   miserebo D
cuius A cui D   20 pr. et s.l.m2B, om. Φ   elegat 𝔅a.c.DΦ

est et pro uoluntate sua miseretur Israheli et indurat Pharaonem,
ergo frustra queritur atque causatur nos uel bona non fecisse uel fecisse mala, cum in potestate illius sit et uoluntate absque bonis et
malis operibus uel eligere aliquem uel abicere, praesertim cum uolun
5 tati illius humana fragilitas resistere nequeat. quam ualidam quae- 9
stionem scripturarum ratione contextam et paene insolubilem breui
apostolus sermone dissoluit dicens: o h o m o! t u q u i s e s, q u i
r e s p o n d e a s d e o? et est sensus: ex eo, quod respondes deo et
calumniam facis et de scripturis tanta perquiris, ut loquaris contra
10 deum et iustitiam uoluntatis eius inquiras, ostendis te liberi arbitrii 10
et facere, quod uis, uel tacere uel loqui. si enim in similitudinem 10
uasis fictilis te a deo creatum putas et illius non posse resistere uoluntati, hoc considera, quia uas fictile non dicit figulo: q u a r e m e
s i c f e c i s t i? — figulus enim habet potestatem de eodem luto et
15 d e e a d e m m a s s a a l i u d u a s f a c e r e i n h o n o r e m,
a l i u d u e r o i n c o n t u m e l i a m —, deus autem aequali cunctos
sorte generauit et dedit arbitrii libertatem, ut faciat unusquisque,
quod uult, siue bonum siue malum. in tantum autem dedit omnibus 11
potestatem, ut uox impia disputet contra creatorem suum et causas
20 uoluntatis illius perscrutetur. s i n a u t e m u o l e n s d e u s
o s t e n d e r e i r a m e t n o t a m f a c e r e p o t e n t i a m
s u a m, s u s t i n u i t i n m u l t a p a t i e n t i a u a s a i r a e
a p t a i n i n t e r i t u m, ut o s t e n d e r e t d i u i t i a s g l or i a e s u a e i n u a s a m i s e r i c o r d i a e, q u a e p r a e
25 p a r a u i t i n g l o r i a m, q u o s e t u o c a u i t n o s n o n
s o l u m e x I u d a e i s, s e d e t i a m e x g e n t i b u s, s i c u t

7 Rom. 9, 20   13 *Rom. 9, 20   15 *Rom. 9, 21   20 *Rom. 9, 22—26

1 israhel Φ irł 𝔅   2 quaeritur ΠB *alt.* fecisse *om.A*   3 ipsius ç   4 elegere
𝔅*a.c.*Φ   abiecere *Aa.c.*   5 resistere *s.l.m2A*   non potest *D*   ad quam *DB*
6 contesta *D*   7 serm. accedens *B*   quis] qui Φ   8 et est—deo *in mg.*𝔅
alt. respondis *AD,Ba.c.m2* respondeas 𝔅*a.c.*   9 et] ei 𝔅*a.c.*Φ   10 inquiris 𝔅*a.c.*
incusas ç   libere *D*   arb. esse *D* esse (*s.l.m2*) arb. *B*   11 et—loqui *om.D*
pr. uel] et Φ   in *om.*Φ   12 uasi *A*   te *om.*Π   14 sic *om.*ç   et de] aut *D*
15 eodem Φ   in hon. fac. *D*   16 uero *om.A*   equales *D*   17 uoluntatem *A*
19 impie (e *in ras.*) *A*   20 si *A,*Π*a.c.*   deus uol. *AD*   21 notum Φ   23 aptata Π
in] ad *D*   ostenderit Φ   24 misericordia Φ   25 quos] qua Π*p.c.m2*   non sol.
nos *A*Φ non sol. *B*

in Osee dicit: uocaui non plebem meam plebem
meam et non dilectam dilectam, et erit in
loco, ubi dictum est ei: non plebs mea uos, ibi
12 uocabuntur filii dei uiui et cetera, quae sequuntur. si,
inquit, patientia dei indurauit Pharaonem et multo tempore poenas 5
distulit Israhelis, ut iustius condemnaret, quos tanto tempore sustinuerat, non dei accusanda patientia est et infinita clementia, sed
eorum duritia, qui bonitatem dei in perditionem suam abusi sunt.
alioquin unus est solis calor et secundum essentias subiacentes alia
liquefacit, alia indurat, alia soluit, alia constringit; liquatur enim 10
cera et induratur lutum et tamen non est caloris diuersa natura.
13 sic et bonitas dei atque clementia uasa irae, quae apta sunt in interitum, id est populum Israhel, indurat, uasa autem misericordiae,
quae praeparauit in gloriam, quae et uocauit, hoc est nos, qui non
solum ex Iudaeis sumus, sed etiam ex gentibus, non saluat inrationa- 15
biliter et absque iudicii ueritate, sed causis praecedentibus, quia
alii non susceperunt filium dei, alii recipere sua sponte uoluerunt.
haec autem uasa misericordiae non solum populus gentium est, sed
et hi, qui ex Iudaeis credere uoluerunt, et unus credentium effectus
14 est populus. ex quo ostenditur non gentes eligi, sed hominum uolun- 20
tates atque ita factum est, ut impleretur illud, quod dictum est per
Osee: uocaui non plebem meam plebem meam,
hoc est populum gentium, et, quibus prius dicebatur: 'non plebs
mea', nunc uocentur filii dei uiui. quod ne solum de gentibus dicere
uideretur, etiam eos, qui ex Israhelis multitudine crediderunt, uasa 25
misericordiae et electionis appellat. clamat enim Esaias pro Israhel:

1 *Os. 2, 24   10 cf. Verg. Buc. VIII 80   22 *Os. 2, 24   25 cf. Rom. 9, 23

1 oseę (—eae *A*) *AΠDB*   uocabo *AD,Bp.c.m*2   3 eis *B,om.A*   ubi *A*
4 secuntur *ΠΦ*   si *ex* s; *m*2*B*   6 ut] et *Φ*   7 non] et non *Φ*   est pat. *D*
8 bonitate *Bp.r.*   suam *s.l.*𝔅*,om.D*   9 sententias *A*   10 *pr.* alia *om.*Φ   11 caera 𝔅
pr. et *om.A*   cal. non est ς   12 dei atque clem.] et clem. dei ς   dei *om.*Φ
aptata *Π*   14 *alt.* quae] quos *A* q (*s.l.* e *in ras m*2) *B*   et *om.*ς   16 ueritatem
(—tē *DΦ*) *Aa.c.DΦ*   17 *pr.* alii *s.l.Π* alia *D*   suscip. *Aa.c.m*2𝔅*Φ*   *alt.* alii]
add. autem *D,Bs.l.m*2   19 *pr.* et] etiam ς   hii 𝔅*DΦB*   20 ex] in *D*   elegi
*AD,Π*𝔅*Φa.c.*   21 dictum] scriptum *B*   per] in ς   22 oseę *ΠDB* oseae *A*
uocabo *ΠD*   23 populus *A*   24 mea] *add.* uos *Πs.l.DB*   uocantur *A,Bp.c.m*2
25 israhelitica *D*   26 esayas *B* isaias 𝔅*DΦ*

si fuerit numerus filiorum Israhel tamquam
harena maris, reliquiae saluae fient, hoc est: etiam
si multitudo non crediderit, tamen pauci credent. uerbum enim
consummatum atque breuiatum in sua deus aequitate librauit, ut
5 humilitate et incarnatione Christi eos saluos faceret, qui in eum credere uoluissent. hoc ipsum et in alio loco dicit Esaias: n i s i d o- 15
m i n u s s a b a o t h r e l i q u i s s e t n o b i s s e m e n, s i c u t
S o d o m a f a c t i e s s e m u s e t s i c u t G o m o r r a s i m i-
l e s f u i s s e m u s. cumque testimonia proposuisset, quibus duplex
10 uocatio praedicitur et gentium et populi Iudaeorum, transit ad co-
haerentem disputationem et idcirco dicit gentes, quae non sectabantur iustitiam, adprehendisse iustitiam, quia non superbierint, sed in
Christum crediderint, Israhelis autem magnam partem ideo corruisse,
quia offenderit in lapidem offensionis et petram scandali et ignora-
15 uerit iustitiam dei et quaerens statuere iustitiam suam iustitiae dei,
qui Christus est, subici noluerit. legi in cuiusdam commentariis sic 16
respondisse apostolum, ut magis inplicuerit, quam soluerit quaestionem. ait enim ad id, quod proposuerat: q u i d e r g o d i c i m u s?
n u m q u i d i n i q u i t a s a p u d d e u m? et: n o n e s t u o l e n-
20 t i s n e q u e c u r r e n t i s, s e d m i s e r e n t i s d e i et: c u-
i u s u u l t, m i s e r e t u r e t, q u e m u u l t, i n d u r a t et:
u o l u n t a t i e i u s q u i s p o t e s t r e s i s t e r e? sic apostolum respondisse :" o homo, qui terra et cinis es, audes deo facere quaestionem et, uas fragile atque testaceum, rebellas contra figulum

---

1 Rom. 9, 27; cf. Esai. 10, 22   3 cf. Rom. 9, 28   6 Rom. 9, 29; cf. Esai.
1, 9   11 cf. Rom. 9, 30—33   14 cf. Rom. 10, 3   18 Rom. 9, 14   19 *Rom. 9, 16
20 Rom. 9, 18   22 *Rom. 9, 19

1 tamq.] quasi *D*   2 arena *Πp.r.ΦB*   reliquie isrl *B*   fiant *A,Ba.c.*
4 deus *om.Π*   equalitate *D*   liberauit *Φ*   ut] et *Φ*   5 eos *s.l.𝔅,om.Φ*
6 ipsud *Aa·c.m2*   et *s.l.m2B*   dixit *D*   esayas *B* isaias *𝔅DΦ*   d̄s *Φ*
7 sabahot *Π* sabahoth *B*   8 fuissemus *ς*   gomora *Aa.c.m2*   9 essemus *ς*
quibus *ex* qui *Φ*   10 *alt.* et *om.Φ*   transiit *A*   12 adprehenderunt *Π𝔅Φ*
quia *ex* qui *m2A*   superbierunt *Dp.c.*   13 x̄po *A*   crediderunt *Dp.c.* israhel
(is *s.l.*) *Φ*   14 offenderint *A*   ignorauerint *A,Πa.r.*   15 quae(e *B*)rentes
(tes *in ras.m2B*) *AB*   suam stat. iust. *ΠD* suam stat. iust. suam 𝔅   iustitiae]
iusticie iusticiā *B*   16 quae *ΠD*   est x̄ps 𝔅   noluerint *ADB*   quibusdam
Aa.c.m2Φ   17 inplicauerit *Πp.c.m2D* implicarit *A*   solueret *D*   18 enim]
autem *A*   dicemus *ADB*   21 *pr.* uult *ex* ult *Φ*; *add.* d̄s *A*   ind. deus *ς*
22 quis *ex* qui *A*   23 qui de terra *Φ*   fac. quaest. deo *ς*   24 reb.—figm. *om.A*

17 tuum? n u m q u i d f i g m e n t u m p o t e s t d i c e r e e i,
q u i s e f i n x i t: q u a r e m e s i c f e c i s t i? a u t n o n
h a b e t p o t e s t a t e m f i g u l u s l u t i e x e a d e m m a s s a
f a c e r e a l i u d q u i d e m u a s i n h o n o r e m, a l i u d
u e r o i n c o n t u m e l i a m? aeterno igitur silentio conticesce 5
et scito fragilitatem tuam et deo ne moueas quaestionem, qui fecit,
quod uoluit, ut in alios clemens, in alios seuerus existeret'.

　　11. *Quid sit, quod apostolus scribit in secunda ad Corinthios:*
a l i i s o d o r m o r t i s i n m o r t e m e t a l i i s o d o r u i-
t a e i n u i t a m. e t a d h a e c q u i s t a m i d o n e u s? — To- 10
tum loci huius capitulum proponamus, ut ex praecedentibus et sequentibus possint intellegi media, quae ex utroque contexta sunt.
c u m u e n i s s e m, ait, T r o a d e m p r o p t e r e u a n g e-
l i u m C h r i s t i e t o s t i u m m i h i a p e r t u m e s s e t i n
d o m i n o, n o n h a b u i r e q u i e m s p i r i t u i m e o, e o 15
q u o d n o n i n u e n e r i m T i t u m, f r a t r e m m e u m, s e d
u a l e f a c i e n s e i s p r o f e c t u s s u m i n M a c e d o n i a m.
2 d e o a u t e m g r a t i a s, q u i s e m p e r t r i u m p h a t n o s
i n C h r i s t o I e s u e t o d o r e m n o t i t i a e s u a e m a n i-
f e s t a t p e r n o s i n o m n i l o c o, q u i a C h r i s t i b o n u s 20
o d o r s u m u s d e o i n h i s, q u i s a l u i f i u n t, e t i n h i s,
q u i p e r e u n t, a l i i s q u i d e m o d o r m o r t i s i n m o r-
t e m, a l i i s o d o r u i t a e i n u i t a m. e t a d h a e c q u i s
t a m i d o n e u s? n o n e n i m s u m u s s i c u t p l u r i m i
u e n d i t a n t e s u e r b u m d e i, s e d e x s i n c e r i t a t e, 25
s e d s i c u t e x d e o c o r a m d e o i n C h r i s t o l o q u i-

---

1 *Rom. 9, 20—21　　9 *II Cor. 2, 16　　13 *II Cor. 2, 12—17

2 se *om.Φ*　3 ex] et *B*　4 al. quid. uas fac. 𝕭　facere *om.Φ*　5 uero *om.D*
conticisce *Aa.c.m2*𝕭*D*　6 scito] cito *ΦB*　deo ne] n̄ deo 𝕭　ne *om.Φ*　7 exsist.
AΦ,Πa.r.　　8 ad cor. in sec. epła *ΠD*　corintheos 𝕭*DΦ* chorintios *B; add.*
epła *B (s.l.m2)* epistola 𝕭　9 *pr.* alius *D*　mortem] morte *D*　et *om.D*
10 uitam] uita *D*　et *om.D*　si totum huius loci *D*　11 p̄cedent *D*　insequen-
tibus *A*　12 ex *om.A*　13 ait] aū 𝕭　inquit *B*　troade *ΠD* throade 𝕭
14 hostium *ADB*　15 spiritu *Aa.c.* in spiritu *Φ*　17 machedoniam *AB* mache-
donia 𝕭　18 gratia ς　nos triumphat ς triumphare nos facit *B*　19 odor *D*
per nos man. ς　20 quia *ex* qui *A*　22 mortem *ex* morti *m2A*　23 et aliis *Π*
aliis autem *AB*　25 uendentes *A* uenundantes *B*　senceritatis *Φ* inceri-
tate *D*　26 sed *om.*𝕭*Φ*

m u r. narrat Corinthiis, quae fecerit, quae passus sit et quomodo in ₃
cunctis deo agat gratias, ut sub exemplo sui illos prouocet ad certan-
dum. 'ueni', inquit, 'Troadem, quae prius Troia appellabatur, ut euangelium Christi in Asia praedicarem. cumque mihi ostium apertum
₅ esset in domino, hoc est plurimi credidissent, siue per signa
atque uirtutes, quae in me operabatur deus, spes esset nascentis
fidei et in domino succrescentis, non habui requiem spiritui
meo, hoc est speratam consolationem inuenire non potui, eo
quod Titum, fratrem meum, non inuenerim siue, quem ibi
₁₀ repperiendum putabam, siue, quem ibi audieram degere, uel,
qui illuc uenturum esse se dixerat'. quae autem fuit tanta ₄
consolatio et quae requies spiritui in praesentia Titi, quem
quia non inuenit, ualefaciens eis profectus est in Macedoniam? ali-
quotiens diximus apostolum Paulum uirum fuisse doctissimum et
₁₅ eruditum ad pedes Gamalihel, qui in apostolorum Actibus contiona-
tur et dicit: 'et nunc quid habetis cum hominibus istis? si enim
a deo est, stabit, si ex hominibus, destruetur'. cumque haberet sanctarum scientiam scripturarum et sermonis diuersarumque linguarum
gratiam possideret — unde ipse gloriatur in domino et dicit: g r a t i a s
₂₀ a g o d e o, q u o d o m n i u m e o r u m m a g i s l i n g u i s
l o q u o r —, diuinorum sensuum maiestatem digno non poterat Graeci
eloquii explicare sermone. habebat ergo Titum interpretem sicut ₅
et beatus Petrus Marcum, cuius euangelium Petro narrante et illo

---

15 cf. Act. 22, 3   16 cf. Act. 5, 38—39   19 cf. I Cor. 1, 31 etc.
*I Cor. 14, 18

1 narrat apłs B^2 corintiis B 2 agat deo grat. Π deo grat. agat B^1 grat.
agat deo B^2 (deo *s.l.*$\mathfrak{B}$) agat grat. $\mathfrak{B}\Phi$ ut] et D 3 troade $\Pi D\Phi$ throadae $\mathfrak{B}$
4 praed. in asia B^2 asia *ex* isaia Φ (*seq.* cum *erasum*)   ap. esset hostium A
hostium AB 5 hoc] id $\Pi\mathfrak{B}\Phi$ 6 deus] *add.* et B^1*s.l.*m2,ς spes *ex* $\overline{\text{sps}}$ Φ,B^1m2
nascentis ecclę fidei D 9 inuenirem Φ 10 reper. $\mathfrak{B}\Phi$ aud. ibi B^2 ibi *s.l.*$\mathfrak{B}$
audiebam A degere] dicere *ex* digere m$2$$A$ 11 qui] quae $A\Phi$ quem
B^1a.c.m$2$$B^2$ ill. uent. se esse Π ill. uent. esse D uent. ill. (*add.* se esse *s.l.*) B^2
uent. esse ill. se ς 13 quia non] quantum D inuenerit ΠD mached. $\mathfrak{B}B^1$
14 uirum *om.* A 15 gamaliel A (*ex* gamiel m2) Π,B^1a.c.m$2$$B^2$ gamalielis $Bp.c.$m2
act. apost. B^2 16 nunc quid] numquid B^1 omnibus B^2 17 ex] enim ex A
distruetur $\mathfrak{B}$ distruitur D sanct. scr. scient. B^2 scient. sanct. scr. ς 18 que]
qui Φ 19 ipse *om.* A in dom. glor. DB^2 20 eorum] uestrum $\Pi\mathfrak{B}$ ling.
mag. $\Pi D B^1$ magis *om.* A lingua A 21 loquar B^2 maiestatem (*alt.* m *exp.*) A
non pot. graeci el. digno D greco eloqui A 22 explicare *om.* A sermonē B^2
ergo] enim Π

scribente conpositum est. denique et duae epistulae, quae feruntur
Petri, stilo inter se et caractere discrepant structuraque uerborum; ex
quo intellegimus pro necessitate rerum diuersis eum usum interpretibus. ergo et Paulus apostolus contristatur, quia praedicationis suae
in praesentiarum fistulam organumque, per quod Christo caneret, 5
non inuenerat, perrexitque in Macedoniam—apparuerat enim ei
uir Macedo dicens: transiens adiuua nos —, ut ibi inueniret
6 Titum et uisitaret fratres uel persecutionibus probaretur. hoc est
enim, quod dicit: deo autem gratias, qui semper
triumphat nos in Christo Iesu — pro eo, quod est: 10
'triumphat de nobis' siue 'triumphum suum agit per nos' —, qui
in alio loco dixerat: spectaculum facti sumus
7 mundo et angelis et hominibus. denique narrat
in consequentibus: nam cum uenissemus Macedoniam, nullam requiem habuit caro nostra, 15
sed omnem tribulationem passi. foris pugnae,
intus timores. sed, qui consolatur humiles,
consolatus est nos deus in aduentu Titi, non
solum autem in aduentu eius, sed etiam in
8 solacio. ergo propterea ualefaciens Troianis siue Troadensibus 20
profectus est Macedoniam, ut inueniret ibi Titum et haberet interpretationis euangeliique solacium, quem intellegimus non ibi reper-
tum, sed post tribulationes et persecutiones apostoli superuenisse.
prius ergo, quam ueniret Titus, multa perpessus agit gratias
omnipotenti deo in Christo Iesu, quem gentibus praedicabat, 25

---

7 Act. 16, 9   9 II Cor. 2, 14   12 I Cor. 4, 9   14 *II Cor. 7, 5—7

---

2 charactere ς 4 et om.Π 6 que om.ΠB^2 machedoniam $\mathfrak{B}B^1$; add.
a papho D,B^1 in mg.m2   7 machedo $\mathfrak{B}B^1$ inuenire Φ 8 persequut. $\mathfrak{B}$
probarentur D est s.l.$\mathfrak{B}$,om.Φ 9 enim] autem D,om.B^2 autem] hoc Φ,om.B^2
gratia ς 10 nos in in ras.m2B^1 in nos B^2 Iesu] add. et odorem notitiae suae
spargit in omni loco. triumphat nos ς 12 dixerit Φ 13 huic mundo $A\Pi$,$\mathfrak{B}p.c.$
pr. et om.D alt. et s.l.$\mathfrak{B}$ den.—cons. in mg. sup.$\mathfrak{B}$,om.Φ 14 uenissem
(m ex t m2)A mached. $\mathfrak{B}B^1$ 15 nulla Φ 16 o$\overline{m}$e D passi sumus ς
17 timoris D sed deus B^2 18 nos deus om.Φ deus om.B^2 19 autem s.l.$\mathfrak{B}$
aduentum A 20 consolatione ς Troianis] troi(a s.l.)dis Φ 21 perfectus Φ
est in ς mached. $\mathfrak{B}B^1$ et] ut Φ haberent Φ 22 que eras.Π 24 qua D
uenisset ς repressus Φ 25 omnipotente Φ,om. ς

quod dignum se elegerit, in quo egerit triumphum filii sui.
triumphus dei est passio martyrum, pro Christi nomine cruoris 9
effusio et inter tormenta laetitia. cum enim quis uiderit
tanta perseuerantia stare martyres atque torqueri et in suis
5 cruciatibus gloriari, odor notitiae dei disseminatur in gentes
et subit tacita cogitatio, quod, nisi uerum esset euangelium,
numquam sanguine defenderetur. neque enim delicata et diuitiis
studens ac secura confessio est, sed in carceribus, in plagis, in persecutionibus, in fame et nuditate et siti. hic triumphus est dei apo-
10 stolorumque uictoria. sed poterat audiens respondere: 'quomodo 10
ergo non omnes crediderunt?' prius ergo, quam interroget, soluit
ἀνϑυποφορὰν et iuxta morem suum, quicquid alius obicere potest,
antequam obiciatur, edisserit. et est sensus: nominis Christi
in omni loco bonus odor sumus deo et praedicationis nostrae
15 longe lateque spirat flagrantia. sed quia homines suo arbitrio
derelicti sunt — neque enim bonum necessitate faciunt, sed uoluntate,
ut credentes coronam accipiant, increduli suppliciis mancipentur —,
ideo odor noster, qui per se bonus est, uirtute eorum et uitio, qui
suscipiunt siue non suscipiunt, in uitam transit aut mortem, ut, qui
20 crediderint, salui fiant, qui non crediderint, pereant. nec hoc miran- 11
dum de apostolo, cum etiam de domino legerimus: e c c e h i c
p o s i t u s e s t i n r u i n a m e t r e s u r r e c t i o n e m m u l-
t o r u m e t i n s i g n u m, c u i c o n t r a d i c e t u r, solisque
radios tam munda loca excipiant quam inmunda et sic in floribus
25 quomodo in stercore luceant nec tamen solis radii polluantur. sic et

---

21 *Luc. 2, 34

1 eligeret A   quo egerit om.D   ageret B² aget AB¹   sui] dei B¹   2 passio
passio (alt. passio s.l.m2B¹) DB¹   mart. et ς   pro s.l.𝔅,om.Φ   3 et om.B²
5 in ex inter 𝔅   6 subit] sub id A subbita B   euang. esset A   7 sanguinem
Aa.c.Φ   delicta A   9 pr. et] in B   alt. et] in A · hic] et Φ   dei est D   dei
om.𝔅Φ   11 ergo s.l.m2Π   interroges DB interrogaretur ς   soluit s.l.𝔅
12 ἀνϑυπ. uarie script. in codd. ΑΝΟΥΠΟΦΟ et est sensus nominis Φ quidquid Φ
quid A   aliis Π𝔅 aliud Φ   13 et est sensus nominis s.l.Φ (cf. ad l. 12)   15 fragl.
𝔅p.c.m2 fragr. ς   17 cor.] bona A   incredulis Φ   18 ideo] d̄o A   et] uel A
19 siue non susc. om.D   aut in(in s.l.Π)mortem AΠ   ut qui] aut non Φ   20 qui]
add. uero D   ne D   22 et in resurr. D   mult.] add. in isrł s l.m2B   23 cui
om.Φ   contra d̄r B   24 radios] ratio A   loca s.l.m2B   accipiant D accipiunt
(ac in ras.m2) B   25 lucent D,Bp.c.m2 luceat Ap.c.   polluuntur ADB

Christi bonus odor, qui numquam mutari potest nec suam naturam
12 amittere, credentibus uita est, incredulis mors. mors autem non ista
communis, qua cum bestiis morimur et iumentis, sed illa, de qua
scriptum est: a n i m a, q u a e p e c c a u e r i t, i p s a m o r i e-
t u r. ergo et uita non haec arbitranda est, qua spiramus et incedi- 5
mus et huc illucque discurrimus, sed illa, de qua Dauid loquitur:
c r e d o u i d e r e b o n a d o m i n i i n t e r r a u i u e n t i u m.
deus enim uiuorum est et non mortuorum et uita nostra
abscondita est cum Christo in deo; cum autem Christus
apparuerit, uita nostra, tunc et nos cum illo appare- 10
13 bimus in gloria. nec uobis, inquit, o Corinthii, parum
esse uideatur, si nobis praedicantibus ueritatem alii credant,
alii non credant, alii uera morte moriantur, alii uiuant ea uita, quae
dicit: e g o s u m u i t a. nisi enim nos locuti essemus, nec incredulos mors nec credentes uita sequeretur, quia difficile dignus 15
praeco uirtutum Christi inueniri potest, qui in adnuntiandis illis non
14 suam, sed eius quaerat gloriam, quem praedicat. in eo autem,
quod negat non se esse sicut multos, qui uenditent uerbum dei,
ostendit esse quam plurimos, qui quaestum putant esse pietatem et
turpis lucri gratia omnia faciunt, q u i d e u o r a n t d o m o s 20
u i d u a r u m, se autem ex sinceritate quasi missum a deo et praesente eo, qui se miserit, omnia in Christo et pro Christo loqui, ut
causa praedicationis dei triumphus Christi eiusque sit gloria. et notandum, quod mysterium trinitatis in huius capituli fine monstretur:
e x d e o enim — in spiritu sancto — c o r a m d e o — patre — in 25
15 C h r i s t o l o q u i m u r. ad conprobandum autem, quod de Troade

---

4 Ezech. 18, 4   7 Ps. 26, 13   8 cf. Matth. 22, 32 etc.   cf. Col. 3, 3—4
14 cf. Ioh. 11, 25 et 14, 6   19 cf. I Tim. 6, 5   20 Luc. 20, 47   25 II Cor. 2, 17

1 x̅p̅i *ex* x̅p̅s *A*   5 et *AB,om.cet.*   haec non arb. est *A* arb. est non haec ς
qui *Φ*   6 dauit *s.l.m2B*   7 terra uiu.] regione uiuorum *A*   10 nostra] *add.*
cum x̅p̅o in d̅o *Φ*   cum illo app.] app. cum ipso *D*   11 inquit *om. AD*
corintii *B*-thi *ΠℬD*   parum inquid (t *s.l.m2*) *A*   12 esse *om.D*   si] s; *B*
13 non cred. al. *om.A*   alii uiu. ea] et illa *A*   ea] et *Φ*   qua *ΠD*   14 nos *om.Φ*
16 inuenire ℬ*a.c.Φ*   17 sed eius *s.l.*ℬ*,om.Φ*   18 quod] quo *A*   se negat non *ΠD*
negat se (*add.* non *s.l.m2*) *B*   uendunt *A*   20 lucra *Φ*   faciant *Φ*   domus *DΦ*
21 d̅n̅o *B*   22 miserat *Π*   23 causam *A*   triumphus sit *D*   24 myst.] *add.*
sit *D*   finem *D*   25 *pr.* in *s.l.m2B,om.A*   26 loquitur *A*

perrexit Macedoniam, de apostolorum Actibus ponam testimonium:
cum autem pertransissent Mysiam, descen-
derunt Troadem et uisio per noctem Paulo
ostensa est. uir Macedo quidam erat stans et
5 deprecans eum ac dicens: transiens in Macedoniam adiuua nos. quod cum uidisset, statim
quaesiuimus proficisci in Macedoniam certi
facti, quod uocasset nos deus euangeli-
zare eis.

10   12. *Quid sit, quod scribit in epistula ad Thessalonicenses prima: ipse autem deus pacis sanctificet
uos per omnia et integer spiritus uester et
anima et corpus sine querella in aduentu
domini nostri Iesu Christi seruetur.* — Famosa
15 quaestio, sed breui sermone tractanda. supra dixerat: spiritum
nolite extinguere, quod si fuerit intellectum, statim
sciemus, quis iste sit spiritus, qui cum anima et corpore in die aduentus domini conseruandus est. quis enim possit credere, quod instar 2
flammae, quae extincta desinit esse, quod fuerat, extinguatur
20 spiritus sanctus et sustineat abolitionem sui, qui fuit quondam in
Israhel, quando per Esaiam et Hieremiam et singulos prophetas
dicere poterat: haec dicit dominus, et nunc in ecclesia per
Agabum loquitur: haec dicit spiritus sanctus. di- 3
uisiones autem donorum sunt, idem uero
25 spiritus, et diuisiones ministeriorum sunt,

---

2 *Act. 16, 8—10   11 *I Thess. 5, 23   16 I Thess. 5, 19   22 Esai. 22, 15 etc.
23 Act. 21, 11   *I Cor. 12, 4—11

1 perrexerit *B*   mached. 𝔅𝛷   2 pertransiset 𝛷   mys. *A* mis. *Ba.c.m*2
mes.*Π,Bp.c.m*2 moes.𝔅𝛷 mess. *D*   descendit 𝛷   3 troade *Π*𝔅*D*𝛷   nocte *D*𝛷
4 machedo 𝔅*B*   5 pręcans *Ą*   ac] et *Π*   mached. 𝔅*B*   6 uidissent 𝛷
7 quaes.] que 𝛷   perfecisci 𝛷   mached. 𝔅𝛷*B*   8 quia *Ą*   deus *om.* 𝛷   10 in
epistola scripit *ΠD* scrip(b 𝔅)tum est in epistu(o 𝔅)la 𝔅𝛷   thesal. *A*Π𝔅*D*
tesal. *B* tesolonecensis 𝛷   12 *pr.* et] ut ς   13 animam 𝛷   et *om.* 𝛷   quaerella 𝔅
que(ę *Π*)rela *Ap.r.*Π*B*   14 nostri *om.Ą*   15 sed] sub 𝔅*a.c.D*𝛷 sed sub *Π*
16 extingere *B*   18 quis] qui 𝛷   19 quae] qui *B*   extincte *D*   20 quodam *D*
21 esayam *B* isaiam 𝔅𝛷   *pr.* et *om.B*   ieremiam *B*   sing. proph.] prophetarum 𝛷
22 ecclesiam *D*   23 loquitur] d̄r *D*   24 autem *om.* ς   uero *ex* autem 𝔅   25 mini
strationum *B*   sunt *add.m*2 *B,om.* 𝛷

idem autem dominus, et diuisiones operati-
onum sunt et idem deus, qui operatur omnia
in omnibus. unicuique autem datur manife-
statio spiritus ad id, quod expedit. alii
per spiritum datur sermo sapientiae, alii 5
sermo scientiae secundum eundem spiritum,
alii fides in eodem spiritu, alii gratia sanitatum in uno spiritu, alii operatio uirtutum,
alii prophetia, alii discretio spirituum. omnia autem haec operatur unus atque idem spi- 10
4 ritus diuidens singulis, prout uult. de hoc spiritu,
ne a se auferretur, rogabat Dauid dicens: spiritum sanctum
tuum ne auferas a me. qui quando aufertur, non in substantia sui, sed ei, a quo aufertur, extinguitur. ego puto unum atque
idem significare: spiritum nolite extinguere et, quod 15
in alio loco scribit: spiritu feruentes. in quo enim feruor
spiritus multiplicata iniquitate et caritatis frigore non tepescit,
5 in hoc spiritus nequaquam extinguitur. deus igitur pacis
sanctificet uos per omnia uel in omnibus
siue plenos atque perfectos; hoc enim magis 20
ὁλοτελεῖς sonat. deus autem appellatur pacis, quia per Christum ei reconciliati sumus, qui est pax nostra, qui fecit
utraque unum, qui et in alio loco pax dei dicitur superans
omnem sensum, quae custodit corda cogitationesque sanctorum.
qui autem sanctificatur siue perfectus in omnibus est, in hoc et 25
6 spiritus et anima et corpus in die domini conseruatur. corpus, si

12 Ps. 50, 13   15 I Thess. 5, 19   16 Rom. 12, 11   18 I Thess. 5, 23
19 *I Thess. 5, 23   21 cf. Rom. 5, 10   Eph. 2, 14   22 cf. Phil. 4, 7

2 sunt *om.AΦ, in ras.m2B* et (*s.l.*𝕭) idem] idem uero *in ras.m2B*   5 sermo
datur *B*   datur *om.ÀΦ*   alii sermo scientiae *om.Φ*   7 al. op. uirt. al. grat. san.
in uno spir. ς   gratia] gr̄e *B*   9 prophetiae (—e *B*) Φ,Ba.c.m2   sp̄m *D* sp̄u
tuum *Φ*   12 auferetur *A𝕭D* auferatur *Π*   orabat *A*   13 in *s.l.m2B,om.*ς
15 significari *A*   16 loco *om.D*   17 multiplicat equitate (—tē *B*) *DB*   rigore *ΠD*
18 sp̄u *A*   nequam *Φ*   extinguetur *B*   19 nos *Φ*   20 siue] sit 𝕭*p.c.*   plenis 𝕭
perfectus 𝕭*Φ*   magis] agit *Φ*   21 sonat ὁλοτελεῖς ς   ΟΛΟΤΕΛΕΣ *Φ* ΟΛΟΘΕΔΕΣ
*Π*𝕭 ΟΝΟΤΕΛΕΙΣ *D* ΟΛΑΤΑΙΣ *A* ΜΟΤΕΛΑΕΤΣ *B* autem] enim *ΠD*   23 utrumque *Φ*   et] haec *Φ*   dei *s.l.*𝕭*,om.Φ*   25 autem] enim *B*   sanctificat *Φ*
siue] sibi *A*   est in omn. *D*   et *om.A*   26 dom.] add. integra *in mg.m2B*
conseruātur *Bp.c.m2*   si *om.A𝕭Φ*

singulorum membrorum utatur officiis, uerbi gratia, si operetur
manus, pes ambulet, oculus uideat, auris audiat, dentes cibos mo-
lant, stomachus concoquat, aluus digerat aut si nulla membrorum
parte truncatum est: et hoc quisquam potest credere, apostolum
5 pro credentibus deprecari, ut in die iudicii integrum omnium Christus corpus inueniat, cum omnium corpora aut morte dissoluta
sint aut, si, ut quidam uolunt, reperta fuerint adhuc spirantia, habeant
debilitates suas, et maxime martyrum et eorum, qui pro Christi nomine uel oculos effossos uel amputatas nares uel abscisas manus
10 habeant? ergo integrum corpus est, de quo diximus in alia quaesti- 7
one, et non tenens caput, ex quo omne corpus conexum atque con-
pactum accipiat augmentum in administrationem Christi. hoc corpus ecclesia est et, quicumque huius corporis tenuerit caput et
cetera membra seruauerit, habebit integrum corpus, quantum
15 potest recipere humana natura. iuxta hunc modum et animae inte-
gritas conseruanda est, quae dicere potest: b e n e d i c, a n i m a
mea, d o m i n u m, q u i s a n a t o m n e s i n f i r m i t a t e s
t u a s, et de qua scriptum est: m i s i t u e r b u m s u u m e t
s a n a u i t e o s. spiritus quoque in nobis integer conseruatur, quando
20 non erramus in spiritalibus, sed uiuimus spiritu, adquiescimus
spiritui et opera carnis mortificamus spiritu adferimusque omnes
fructus eius: caritatem, gaudium, pacem et cetera.

Aliter: Praecipitur nobis Salomone dicente: t u a u t e m d e- 8
scribe ea t r i p l i c i t e r i n c o n s i l i o e t s c i e n t i a, u t r e s p o n-
25 d e a s u e r b a u e r i t a t i s h i s, q u i p r o p o n u n t t i b i.
triplex in corde nostro descriptio et regula scripturarum est: prima,

---

10 in alia quaestione] epist. CXIX? 11 cf. Col. 2, 19 16 *Ps. 102, 2. 3
18 Ps. 106, 20 21 cf. Rom. 8, 13 22 cf. Gal. 5, 22 23 *Prou. 22, 20—21

1 operatur A 2 pes amb.] perambulet Φ aud. aur. ς 3 stomacus B
conquoquat Aℬ coquat ΠD cocat B aluus ex alius m2B alius A uenter ℬa. c.
parte membr. D 4 partē A truncatus DB apostolorum A,Ba c m2 5 corp.
Christ. ς 6 omnia ADB aut om. D 7 si ut AB sicut cet. repperta Π
fuerit A spir. adh. ς habentes Π habentia (ntia in ras.m2) B,om.D 9 ab-
scissas Φ manibus Φ 10 habent D 11 et non om. ς co(n s.l.)pactum Φ
12 accipit DB accepit A accipiet ς in om.D administratione Φ, Ba.c.m2
ministratione A; add. corporis ς 13 ecclesiae ADB 14 corpus om.D 15 accipere
pot. ς 18 et om.A 19 int. in nobis D 20 uiu.] add. in Π,ℬs.l. 21 spiritui]
spu AΦ in spiritu D 22 pacem om.Φ 23 discribe ℬΦ 24 ut] et D
25 uerbo AΠ 26 discrip(b Π)tio ΠℬΦ

LV. Hieron. Epist. II, H i l b e r g. 33

ut intellegamus eas iuxta historiam, secunda iuxta tropologiam,
9 tertia iuxta intellegentiam spiritalem. in historia eorum, quae
scripta sunt, ordo seruatur; in tropologia de littera ad maiora con-
surgimus et, quicquid in priori populo carnaliter factum est, iuxta
moralem interpretamur locum et ad animae nostrae emolumenta 5
conuertimus; in spiritali ϑεωρίᾳ ad sublimiora transimus, terrena
dimittimus, de futurorum beatitudine et caelestibus disputamus,
ut praesentis uitae meditatio umbra sit futurae beatitudinis. quos
tales Christus inuenerit, ut et corpore et anima et spiritu integri
conseruentur et perfectam habeant triplicis in se scientiae ueritatem, 10
10 hos sua pace sanctificabit et faciet esse perfectos. multi simpliciter
hunc locum de resurrectione intellegunt, ut et spiritus et anima et
corpus in aduentu domini integra conseruentur. alii ex hoc loco
triplicem in homine uolunt adfirmare substantiam: spiritus, quo
sentimus, animae, qua uiuimus, corporis, quo incedimus. sunt, qui 15
ex anima tantum et corpore subsistere hominem disserentes spiritum in eo tertium, non substantiam uelint intellegi, sed efficientiam,
per quam et mens in nobis et sensus et cogitatio et animus appellatur,
11 et utique non sunt tot substantiae, quot nomina. cumque illud eis
oppositum fuerit: b e n e d i c i t e, s p i r i t u s et a n i m a e 20
i u s t o r u m, d o m i n u m, scripturam non recipiunt dicentes
eam in Hebraico non haberi. nos autem in praesenti loco, ut supra
diximus, spiritum, qui cum anima et corpore integer conseruatur,
non substantiam spiritus sancti, quae non potest interire, sed gratias

---

20 *Dan. 3, 86

1 eam *D,B* (*ex* ea *m2*)   secunda] *add.* ut (*ex* et *m2*) *A*   trophol. *Φ semper*
2 tertia ut *A*   4 quidquid *Φ*   5 emolumentum *Φ*   6 spiritalia (*alt.* a *exp.*) 𝔅
ΘΕΟΠΙ (C *s.l.A*)A *A.*𝔅*a.e., ras. 6 litt. Φ*   7 de] ad *D*   8 fut. beat sit ς   futurorum *D*   9 Christ. tal. ς   talis 𝔅*a.c.Φ*   *pr.* et *om A*𝔅*Φ*   animae *AD*   10 in se
habeant triplicis in se (*sic*) 𝔅*Φ*   se *om. A*   scientia *Φ*   11 sanctificauit *AD,*𝔅*a.c.*
Ba.c.m2   facit *ΠD*   12 ut et *in ras.m2B*   *pr.* et *s.l.D*   13 aduentū *Π*   integri *Π*𝔅
ex] in *Π*𝔅*Φ*   14 hominem *A* hoc loco *D*   15 sentiamus *A*   anima *AD*   qua]
quo 𝔅*Φ*   quo] que *Φ*   17 uelint] uel *Φ*   18 *pr.* et *om.B*   *tert.* et *s.l.m2B*
appellantur *D*   19 et *om.*ς   quod *Da.c.m2Φ*   eis illud *Π*   eis *om.*𝔅*Φ*
20 obp. 𝔅*B* app. *A*   21 domino ς   hinc scripturam *A*   22 ebraico *Da.c.Φ*
habere *DΦ,*𝔅*a.c.*   ut *om.*𝔅*Φ*   23 spir.] scriptum ς   24 substantia *D*   que *ex*
qui *m2B*

eius donationesque accipimus, quae nostra uel uirtute uel uitio et accenduntur et extinguntur in nobis.

1 quae] que (e *in ras.m2*) *B,om. Φ*   et *om.B*   2 acceduntur *Ba.c.m2* accenditur *Φ*   et *om.D*   extinguuntur *Πp.c.ς*   nobis] *add.* explicit ad hedibiam 𝔅 amen. deo gratias. explicit ad hedibiam *Φ* explicit ad hedibiam questionum *CYM (s.l.Π) MY (ex I Π) K I (PΠ) ω N (= συμμίχτων) ΠD*

CORRIGENDA ET ADDENDA.

IN LOCIS CITATIS UEL IMITATIONE EXPRESSIS HAEC CORRIGE UEL ADDE:

p. *34,7* *pro* cf. Dan. c. 10 *lege* cf. Dan. 4, 10 et Onom. s. p. 58, 4

p. *103,6* pater uerbi] cf. Plato Conu. p. 177 D

p. *105,10* cf. Matth. 25, 41

p. *105,12 pro* Marc. 9, 43 *lege* Marc. 9, 48 = 9, 43. 45. 47 Vulg.

p. *152,26* cf. Eph. 6, 12 *(sed caue scribas in textu* nequitiae *cum Koetschau (Origen. edit. p. 345) uel auctoritate Hieron. epist. CXXIV 12, ubi* spiritalia nequitiae *legitur; nam exstitisse Eph. 6, 12 pro* contra spiritalia nequitiae *in antiqua quadam uersione* contra spiritales nequitias *praeter alios hi loci Ambrosiani docent: Expos. psalmi CXVIII 8, 46. 58. 10, 14)*

p. *161,2* ut non solum—*20* excedebat] Graeca uerba Theophili exstant apud Cyrillum Alex. de recta fide ad religiosissimas reginas l. I (Patrol. Gr. LXV 56 M)

p. *162,7* nec similitudo—*9* deus] Graeca uerba Theophili seruauit Theodoretus dial. II (Patrol. Gr. LXXXIII 197 M.)

p. *171,18 pro* ? *lege* *Ezech. 22, 5

p. *181,14* cf. I Petr. 4, 11 etc.

p. *191,31* inrationabilium—p. *192, 5* corruptionem] Graeca uerba Theophili seruauit Theodoretus dial. III (Patrol. Gr. LXXXIII 304 sq. M)

p. *194,19 pro* ? *lege* *Hab. 3, 2 *(hunc locum feliciter inuestigauit I. Denk, mihi humanissime indicauit Carolus Weyman)*

p. *204,3* *pro* ? *lege* cf. Deut. 11, 28 *(cum hic locus, quem Weyman recte confert, ab Hieronymo uel potius Theophilo mutatus sit, in eo afferendo diductis litteris uti non debebam)*

p. *338,20* cf. *Hier. 2, 13

IN APPARATU CRITICO:

p. *306 in descriptione codicis Γ pro* 338, 5 *et* 338, 9 *lege* 336, 5 *et* 336, 9

p. *338, 21 in nota lege* 359 *pro* 241, *item* p. *339, 24 lege* 343 *pro* 345, p. *343, 11 leg.* 339 *pro* 341, p. *346, 3 leg.* 355 *pro* 357

40